LE GRAND
DICTIONNAIRE DE CUISINE

Alexandre Dumas

LE GRAND DICTIONNAIRE DE CUISINE

HENRI VEYRIER

Désireux de respecter
l'intégrité de l'œuvre d'Alexandre Dumas
l'éditeur présente la première réimpression complète
illustrée du
GRAND DICTIONNAIRE
DE CUISINE

Si l'orthographe est aventureuse,
si les étymologies sont piquantes,
si l'ordre alphabétique est quelquefois bousculé,
cela tient au caractère même du grand écrivain.

L'ouvrage a été discrètement truffé
de réflexions déférentes
dues à la plume
de M. Jean Arnaboldi
de l'Académie de l'Art de Vivre.
Un fait-tout placé en marge
indique au lecteur
la présence d'une note en fin de volume.

SIRVEN GRAFIC Gran Via 754 - Barcelona
D. L. B-44.994-87

ABAISSE

Ne pas confondre avec *bouillabaisse*, nom d'un potage connu dans le Midi. L'*abaisse* est une pâtisserie qui occupe le fond d'une tourte ou d'un vol-au-vent. La manière de confectionner l'abaisse se trouvera à l'article *Pâtisserie*.

ABATIS

On appelle *abatis* les crêtes et les rognons de coq, les ailerons de poularde, les moelles épinières, les ailerons, les pattes, le gésier et le cou du dindon, ris et cervelle de veau, langues de mouton, etc.

Les crêtes et les rognons de coq s'emploient pour la garniture de tous les grands ragoûts comme aussi pour celle des pâtes chaudes et des vol-au-vent; mais quand on veut en faire un plat à part, il faut les faire cuire dans une casserole avec du bouillon, où l'on ajoutera de la moelle de bœuf à laquelle on adjoindra des champignons, des tranches de fonds d'artichauts aux truffes, ou des rouelles de céleri, selon la saison. On leur fait prendre au moment de servir une liaison composée de quatre jaunes d'œufs et du jus de la moitié d'un citron; ne laissez pas épaissir la sauce, la substance de ce ragoût étant déjà très-mucilagineuse; il est d'habitude de le servir dans une casserole au riz ou dans un vol-au-vent, c'est un plat de famille dont on n'use guère pour les grands repas. Le véritable abatis populaire est l'abatis de dinde, et c'est un des meilleurs plats de la cuisine bourgeoise.

Flambez et épluchez une douzaine d'ailerons de jeunes dindes, ajoutez-y le cou, les pattes et le gésier; prenez une casserole, coupez-y de gros lardons de jambon, faites-les roussir de belle couleur; à ce point retirez-les et jetez dans cette graisse vos ailerons, que vous faites revenir également jusqu'à ce qu'ils soient bien blonds; puis assaisonnez de sel, de poivre, de muscade; coupez quelques gros oignons; et lorsque le tout sera bien revenu et que vous aurez obtenu une certaine cuisson, ajoutez quelques cuillerées de farine à laquelle vous faites également prendre couleur; arrivé à ce point, égouttez vos abatis de leur graisse, ajoutez un bouquet garni et mouillez avec quelques cuillerées de consommé jusqu'au niveau de vos abatis; couvrez d'un papier beurré, passez au four, et à défaut de four faites cuire feu dessus feu dessous, et laissez mijoter jusqu'aux trois quarts de leur cuisson. Pendant ce temps vous aurez épluché des navets bien tendres, vous les taillerez en grosses gousses d'ail, jetez-les dans un plat à sauter, faites-leur bien prendre couleur, distribuez-leur le sel et le poivre, que le poivre domine; un bouquet de persil; une pointe de sucre; lorsqu'ils seront bien glacés et à une certaine cuisson, égouttez-les de leur beurre, passez la cuisson de vos abatis qui doit être arrivée à la cuisson d'une demi-glace, ajoutez vos navets à vos abatis, dégraissez bien votre cuisson, passez dessus vos ailerons et laissez sur un feu doux jusqu'à complet achèvement de cuire. (*Recette de Verdier, Maison-d'Or.*)

ABATIS POPULAIRES. Parez proprement les ailerons, le gésier, les pattes et le cou, dont vous aurez soin d'ôter la tête; mettez dans une grande casserole et sur un grand feu de charbon un bon morceau de beurre manié de fleur de farine; lorsqu'il est en plein roux faites-y revenir et sauter votre abatis pendant sept à huit minutes; ajoutez-y du bouillon chaud, ayez soin de ne pas le mêler à votre roux tout à la fois ni brusquement; mettez-y un bouquet de persil, thym, laurier, basilic et sauge (*V. Bouquet*), joignez à votre bouquet deux oignons piqués d'un clou de girofle, et vous laisserez bouillir un quart d'heure et puis vous ajouterez six navets de Freneuse, quatre fortes rouelles de carottes, six pommes de terre violettes, un topinambour et un pied de céleri dans son entier; ne tournez pas vos légumes, il est suffisant de les ratisser, et la moindre apparence de recherche aurait l'inconvénient de faire perdre à ce vieux ragoût son air de simplicité bourgeoise et sa grâce naturelle; dégraissez bien exactement après une heure et demie de cuisson mijotée, dressez proprement vos légumes autour de l'abatis, que vous recouvrirez des ailerons comme les morceaux d'honneur; puis, comme il est bon qu'elle reste onctueuse à cause des pommes de terre, passez votre sauce au simple tamis de crin. (*Recette du marquis de Courchamps.*)

ABATIS DE DINDE AUX NAVETS. Prenez les abatis de deux dindes, blanchissez-les, prenez 125 grammes de lard, coupez-le en carrés, faites-le blanchir également pour enlever le sel; faites un roux bien blond, passez vos lardons dedans; rissolez-les, ajoutez vos membres coupés, faites revenir également avec un bouquet de thym, laurier, persil; mouillez le tout à l'eau chaude, ajoutez-y une demi-bouteille de vin blanc.
Laissez cuire doucement; prenez un peu de beurre, passez à la poêle les oignons et les navets comme garniture avec un peu de sel et de sucre en poudre; faites blondiner les légumes, jetez le tout dans le ragoût, ajoutez quelques pommes de terre, tournez, dégraissez à fond et servez chaud. (*Recette Villemot.*)

ABAVO

Maintenant que la facilité des communications nous entraîne à faire la guerre en Crimée, en Chine, en Cochinchine, au Mexique, en Éthiopie, il est bon que chacun sache quand les vivres manquent quelles sont les ressources que l'on trouve dans chaque pays; de cette façon, quelque part que l'on soit on n'aura qu'à étendre la main et à cueillir.
On appelle *abavo* un grand arbre que l'on trouve en Éthiopie et qui produit un fruit bon à manger, ressemblant à la citrouille et avec lequel on peut faire de la soupe à peu près semblable à la soupe au potiron.

ABDELAVIS

Melon d'Égypte dont la chair est sucrée et rafraîchissante, fort estimé à cause des quarante degrés de chaleur sous lesquels il pousse; après avoir mangé sa chair on fait avec sa graine des boissons qui sont calmantes et qui tempèrent la soif.

ABLE

Espèce de saumon que l'on trouve dans les mers de Suède, il a les propriétés du saumon et s'accommode comme lui. (*V. Saumon.*)

ABLETTE

Petit poisson de rivière et de lac, plat et mince, long de trois à six pouces, couvert d'écailles qui servent à donner aux fausses perles l'éclat des véritables; sa chair est molle et fade et ne se mange que frite comme celle du goujon dont elle est loin d'atteindre la saveur.

ABRICOT

L'arbre qui porte ce fruit est venu aux Romains de l'Arménie; aussi l'appelaient-ils *prunus armeniaca;* on ne connaissait d'abord que deux espèces d'abricots, on a obtenu plusieurs variétés; c'est un fruit à noyau, la peau et la chair tirent sur le chamois, il est odorant, de bon goût, tient de la pêche et de la prune, et est si hâtif qu'il y a peu de printemps où l'on n'entende dire :
« Il n'y aura pas d'abricots cette année, ils ont tous été gelés. »
Outre les diverses espèces d'abricots que nous récoltons en France, Chardin, dans son voyage en Perse, a mangé d'excellents abricots dont la chair est rouge, la saveur délicieuse et que l'on appelle *tocmchams*, c'est-à-dire *œufs du soleil.* C'est à Damas, en Syrie, que l'on mange les meilleurs abricots, les habitants en font d'excellentes confitures et des gâteaux qu'ils mangent avec du pain.

Parmi les différentes variétés d'abricots n'oublions pas l'abricot de Saint-Domingue et des Iles Françaises; l'arbre qui le porte est un très-bel arbre qui parvient à la hauteur de soixante à soixante-dix pieds, ses feuilles sont ovales, sa cime ample, touffue et pyramidale, ses fleurs sont blanches et d'un pouce et demi de diamètre, exhalant une excellente odeur; son fruit aussi gros que la tête ressemble à l'abricot, son écorce épaisse renferme une pulpe plus charnue avec une grosse amande, sa saveur est douce, aromatique et fort agréable; on le sert après l'avoir coupé en tranches et l'avoir fait macérer dans du vin sucré. On a soin d'enlever les deux premières écorces fort amères, ainsi que la pulpe qui touche le noyau; comme de l'abricot de France on en fait des marmelades et des confitures qu'on envoie même en Europe, ce fruit est lourd et reste long-temps sur l'estomac. L'esprit de vin distillé sur les fleurs de l'arbre uni au sucre forme une liqueur aromatique connue dans le pays sous le nom d'*eau de créole*[1].

Maintenant empruntons, pour les préparations que réclame l'abricot, les recettes que donne l'auteur des *Mémoires de la marquise de Créqui*. Ce charmant gastronome, rival des Brillat-Savarin et des Cussy avec lesquels il a été souvent en guerre, pour des questions gastronomiques de la plus haute importance. Bercé des traditions culinaires de la moitié du dernier siècle et de la première partie de celui-ci, il est l'homme qu'il faut surtout consulter dans les questions des entremets sucrés et de tous les plats que les femmes ont si justement appelés chatteries.

L'abricot, dit-il, est un des éléments le plus usuellement et le plus agréablement employés dans la confection des entremets sucrés, ainsi que pour nos desserts de l'automne et de l'arrière-saison.

Au moyen de cet excellent fruit on parfume délicieusement des sorbets, des glaces; on fait d'excellents gâteaux, des beignets, des tourtes, des flans, des crèmes, des compotes et des conserves, appelées vulgairement confitures sèches ou liquides. Parmi les recettes qui peuvent s'appliquer à l'emploi culinaire de l'abricot, nous mentionnerons celles de ces prescriptions qui sont le mieux garanties.

ENTREMETS

FLAN D'ABRICOTS A LA METTERNICH. Foncez l'abaisse d'une tourte en pâte brisée (*V. Pâtisserie*) avec douze abricots hâtifs dont vous aurez enlevé la peau et les noyaux et que vous aurez séparés par moitié. Joignez-y quarante cerises tardives ou soixante merises dont vous aurez fait sortir les noyaux et qui doivent être également

crues, succulentes et soigneusement choisies. Vous entremêlez ces deux espèces de fruits de manière à ce que chacun de vos morceaux d'abricot se trouve séparé par quatre cerises, vous saupoudrez le tout avec du sucre en poudre, en suffisante quantité, d'après le plus ou le moins de maturité des fruits et vous faites cuire au four d'office ou bien au four de campagne (*V. Tourtière*). Vous aurez eu le soin de réserver les noyaux de vos fruits rouges auxquels vous joindrez la moitié des amandes de vos abricots, que vous pilerez ou ferez piler ensemble au mortier de marbre et sous pilon de métal autant que possible, attendu que le pilon de bois reste toujours empreint de quelque goût antérieurement contracté. Vous sucrez ce mélange et puis vous y délayez de la crème bien fraîche, de manière à ce qu'il ait la consistance d'une sauce aux jaunes d'œufs après cuisson. Vous le versez sur le flan lorsqu'il est sorti du four, en ayant soin qu'il ne déborde pas sur les rebords ou muraille de la tourte, et vous attendez qu'elle soit à moitié refroidie pour la servir.

CRÈME AUX ABRICOTS. Faites cuire douze abricots avec 125 grammes de beau sucre, passez-les au tamis et laissez-les refroidir. Ajoutez ensuite un petit verre de ratafia de quatre fruits ou de ratafia de noyau (*V. Ratafia*), délayez-y huit jaunes d'œufs, passez ce mélange à l'étamine, afin qu'il n'y reste rien des germes, ajoutez-y le sucre nécessaire et faites cuire au bain-marie dans la même jatte, ou dans le moule, ou dans les petits pots que vous désirez servir sur table, en conduisant votre opération comme celle des autres crèmes analogues. On peut remplacer le ratafia par un demi-verre de vin blanc; mais il ne faut pas que ce soit un vin trop savoureux ou trop parfumé, parce qu'il aurait l'inconvénient de masquer le goût du fruit. La recette de cette excellente crème est tirée d'un dispensaire manuscrit du temps de Louis XIV.

BEIGNETS D'ABRICOTS. Faites macérer des moitiés d'abricots qui ne soient pas trop mûrs, avec du sucre pilé et un verre de bonne eau-de-vie. Au bout d'une heure et demie, égouttez vos fruits et plongez-les dans la pâte (*V. Pâte à friture*), en ayant soin de les faire frire au plus grand feu. Vous les saupoudrez de sucre bien pilé, après les avoir égouttés de la friture et vous les glacerez au caramel avec la pelle rouge. Quelques personnes recherchées font ajouter une petite rouelle d'angélique confite au milieu des beignets, ce qu'il est aisé d'opérer en les mettant dans la pâte et s'y prenant avec attention. Dans quelques hautes cuisines on ajoute au cœur des beignets, au lieu d'angélique, une sorte de noyau factice qui se compose de crème sucrée, de jaune d'œuf et d'amandes amères pilées, dont on fait une boulette ou quenelle assortie pour le volume à la grosseur de chaque beignet. On en trouve la recette dans les anciens dispensaires de la Régence, et nous n'omettrons pas de la reproduire, attendu qu'on peut

---

[1]. Nous empruntons ces détails au *Dictionnaire des Aliments et des Boissons*, de M. Aulagnier, membre de l'Académie de médecine; cet excellent livre, moins connu des praticiens qu'il ne mérite de l'être, nous fournira les plus précieux détails sur les fruits de toutes les parties du monde, et surtout des colonies.

l'employer également pour les beignets de pêches et de brugnons. *(V. Crème d'amandes.)*

PUDDING AUX ABRICOTS. Faites éverdumer des abricots musqués ou des abricots-pêches à moitié mûrs, dans un sirop où vous ajouterez un peu d'eau-de-vie; égouttez vos fruits dont vous ôterez les noyaux, que vous ferez concasser pour en garder les amandes. Prenez ensuite une casserole d'argent ou une terrine qui puisse paraître sur la table; foncez-la de tranches de mie de pain légèrement beurrées (il faut que ce soit du meilleur beurre, le plus frais et qu'il ne soit pas salé), saupoudrez ladite abaisse avec du sucre et mettez une couche de vos abricots, que vous alternerez avec une autre couche de tranches de mie de pain beurrées jusqu'à plénitude du vase. Vous aurez soin de semer les moitiés d'amandes de vos noyaux entre les couches du pudding, où vous ajouterez la valeur d'un plein gobelet de jus de groseille légèrement framboisé, et qu'il faudra distribuer exactement par cuillerées entre chaque assise de votre pudding. Faites cuire au four et découvert après avoir doré d'un jaune d'œuf les tranches de pain qui doivent former la dernière assise, et dont il faut tourner la partie beurrée en dedans, c'est-à-dire à l'intérieur et du côté des fruits. — Le *pudding au prince régent* se conduit de la même manière, mais il se compose de riz à demi cuit et assaisonné d'un peu de moelle fondue.

TOURTE OU GATEAU FOURRÉ D'ABRICOTS A LA BONNE FEMME. Ayant ouvert et pelé des abricots, faites-les cuire au petit sucre et laissez refroidir cette compote. Dressez-les ensuite par moitiés sur une abaisse en feuilletage, recouvrez ce gâteau d'une autre lame de pâte feuilletée qui devra être tailladée ou découpée, de peur qu'elle ne se boursoufle et ne se déjette en cuisant. Dorez la calotte et le crénail de la tourte avec un jaune d'œuf, et faites cuire au four de campagne. Le mélange de quelques cerises avec des abricots produit un excellent effet, et cette combinaison moderne est généralement adoptée dans les premières cuisines de Paris.

ABRICOTS A LA CONDÉ. — ABRICOTS A LA GÉNEVOISE. — ABRICOTS A L'ORGE PERLÉ. *(V. Brugnons et Pêches.)*

POUPELURE DE SAGOU AUX ABRICOTS, DITE A LA D'ESCARS. Faites bouillir huit abricots de moyenne grosseur dans un demi-litre d'eau de rivière ou de fontaine, avec 250 grammes de sucre candi bien pilé; passez à l'étamine après cuisson, de manière à ce que votre eau d'abricots soit aussi purement translucide qu'elle sera colorée et parfumée, faites-y cuire 125 grammes du plus beau sagou, bien émondé, bien lavé, comme de coutume, et lorsque votre gelée sera parfaitement cuite et transparente, retirez-la du feu pour y délayer trois verres de liqueur des îles, au

noyau. Immédiatement avant de servir, vous y mettrez douze moitiés d'abricots confits au sec à mi-sucre, et vous éviterez de les déformer en les manipulant. Cette préparation, qui compose un de nos entremets les plus modernes et les plus distingués, doit être servie chaudement et en casserole.

DESSERTS

COMPOTE D'ABRICOTS A LA MINUTE. Faites un sirop où vous ferez bouillir vos abricots fendus, aussitôt qu'il aura pris assez de consistance; au bout de trois minutes, écumez cette compote, ajoutez-y le jus d'une orange et mettez-la refroidir.

COMPOTE D'ABRICOTS GRILLÉS A LA BRETEUIL. Fendez quelques beaux abricots bien mûrs, saupoudrez-les de sucre candi, et faites-les griller sur une braise ardente. Il faut toujours éviter que ce soit de la braise de charbon sur laquelle on fasse griller les fruits, parce que leur égouttement et la vapeur qui s'ensuivrait pourrait leur communiquer un goût nauséabond. Il en est ainsi pour les compotes de poires ou de pommes à la *Portugaise*, et l'on se souviendra de ne jamais employer en pareille occasion que de la braise. Lorsque vos quartiers de fruits sont grillés suffisamment, vous les dressez dans un compotier, et vous les arroserez d'un sirop où vous aurez fait consommer des tranches d'abricots accompagnées de quelques framboises. Le même sirop doit être passé au tamis de soie, et vous aurez eu soin de l'avoir remis sur le feu, pour le verser bouillant sur les abricots dont il pénètre les chairs et dont il perfectionne la cuisson. Les abricots, apprêtés de cette manière, ne sauraient fatiguer les estomacs les plus susceptibles.

COMPOTE D'ABRICOTS VERTS, DITE COMPOTE AU VERT PRÉ. Pour obtenir l'emploi de cette immense quantité d'abricots dont on est obligé, presque tous les ans, de décharger les arbres avant qu'ils n'approchent de la maturité, pelez soigneusement une vingtaine de ces fruits verts, que vous mettrez au fur et à mesure dans de l'eau froide. Vous les ferez ensuite dégorger tous ensemble dans de l'eau tiède, où vous aurez ajouté deux poignées de feuilles d'oseille. Vous les couvrirez et les mettrez ensuite sur un bon feu de charbon, et vous les ferez bouillir jusqu'à ce qu'ils vous paraissent d'une belle couleur verte; alors vous les retirerez du feu et les mettrez dans une jatte à refroidir avec leur cuisson. Vous les égoutterez et les roulerez dans du sucre candi, vous achèverez de les faire cuire dans une grande poêle (*V. Sirop*), et au moment de la retirer du feu, vous y joindrez deux cuillerées de suc d'épinards avec une cinquantaine de pistaches bien vertes, afin de leur assurer cette franche couleur d'un beau vert qui doit justifier le nom de la même compote.

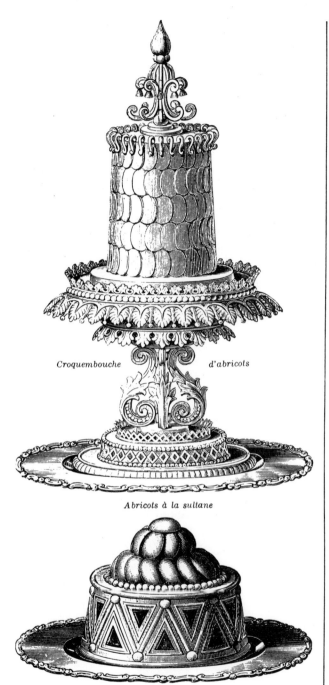

Croquembouche   d'abricots

Abricots à la sultane

CONFITURE D'ABRICOTS VERTS. Si l'on habitait une localité où les bons fruits fussent rares, ou si la température de l'année faisait craindre la disette des fruits, on pourrait utiliser ses abricots verts en les employant en conserve, et se conformant à la prescription suivante : Prenez 3 kilos de ces fruits avant que le bois du noyau soit à l'état solide. Vous les éverdumerez dans de l'eau froide où vous aurez ajouté 186 grammes de tartre, et vous les y frotterez avec un linge, afin d'en détacher la bourre à l'extérieur. Vous mettrez ensuite dans une poêle à confitures 3 kilos de beau sucre que vous aurez fait réduire à la petite plume avant d'y faire cuire vos fruits. Une demi-heure de bon feu doit suffire pour en déterminer la parfaite cuisson. Cette confiture bien faite est beaucoup plus savoureuse qu'on ne le supposerait dans nos climats tempérés, fertiles en productions esculentes.

CONFITURE D'ABRICOTS ENTIERS OU PAR QUARTIERS. Commencez par faire blanchir vos fruits à l'eau bouillante, levez-les ensuite à l'écumoire, et mettez-les sur un tamis de crin pour égoutter. En supposant que vous ayez disposé de 3 kilos de fruits, prenez 3 kilos de sucre que vous ferez cuire à la petite plume; vous y mettrez successivement vos abricots entiers ou coupés, à qui vous ferez prendre seulement deux ou trois bouillons; après quoi vous les mettrez à refroidir, afin qu'ils dégorgent et qu'ils prennent sucre. Vous ferez ensuite revenir votre sirop à la même cuisson de la petite plume, et vous y remettrez les fruits que vous laisserez bouillir cinq à six minutes, après quoi vous les placerez dans leurs pots de conserve, et les couvrirez de leur sirop, sans les fermer, jusqu'à ce qu'ils soient totalement refroidis.

ABRICOTS SECS A LA PROVENÇALE. Lorsque les fruits auront été préparés comme il est indiqué ci-dessus, vous les égoutterez et les placerez sur des ardoises ou des lames de grès, suivant la commodité du lieu; quand ils commenceront à sécher, vous les saupoudrerez de sucre au travers d'un tamis de soie, vous les mettrez à l'étuve ou bien dans un four après la sortie du bain. Il est suffisant, pour les conserver, de les tenir dans un lieu bien sec, enveloppés dans du papier gris, qu'on aura soin de changer si l'humidité s'y manifeste.

MARMELADE D'ABRICOTS A LA ROYALE. Choisissez los abricots les plus mûrs et les plus sains, faites-les blanchir à l'eau bouillante et les mettez à égoutter sur un tamis pour qu'ils jettent le superflu de leur aquosité. Pour 500 grammes de fruits, prenez 500 grammes de sucre royal que vous aurez fait cuire à la petite plume, et puis laissez tiédir votre sirop. Vous y jetterez ensuite les abricots que vous remuerez avec la spatule, afin de les réduire en marmelade, et vous remettrez un moment sur le feu pour en parachever l'incorporation. Deux ou trois bouillons suffisent. On y peut ajouter des pistaches, au lieu du noyau des fruits; c'est la plus parfaite et la meilleure marmelade dont on puisse se servir pour garnir les compotiers.

MARMELADE D'ABRICOTS A LA MÉNAGÈRE. Pour confectionner les tourtes et les gâteaux, pour garnir les omelettes au sucre et pour illustrer les charlottes, il est bon de se trouver pourvu d'une confiture d'abricots moins dispendieuse et moins recherchée, quoiqu'elle soit d'une qualité fort estimable. Pour faire de la bonne marmelade de ménagère, il faudra donc prendre 1 kilo de sucre pour 1 kilo 500 de fruits; on y joindra un plein verre d'eau de rivière ou de fontaine, et l'on fera bouillir le tout ensemble en ayant soin de bien écumer cette mixtion et de la triturer de manière à ce qu'il n'y reste aucune partie du fruit en grumeaux. Comme on profite en y laissant les peaux du fruit, on est obligé de les faire cuire afin qu'elles se dissolvent. On y joint ordinairement les amandes des abricots que l'on sépare en deux et qu'on mêle dans la confiture après qu'elle est parfaitement cuite; il faut les avoir fait bouillir à part de la marmelade avec un peu de sucre, car, sans cette précaution, l'effervescence naturelle à ces noyaux ferait tourner la confiture en fermentant et ne manquerait pas de chancir avec âcreté. C'est une observation sur laquelle on se néglige, ainsi que les personnes délicates ont souvent l'occasion de le remarquer. Pour garnir des gâteaux et des tourtes, il est d'un bon effet de mêler à la marmelade d'abricots la chair de quelques pommes cuites (au cuit-pomme et non pas en compote); on ne saurait dire combien cet appendice est d'un bon résultat pour y donner plus de consistance dans le comestible et plus de finesse dans la saveur.

PATE D'AUVERGNE D'ABRICOTS. Choisissez des abricots de plein vent, les plus mûrs, et les plus chaudement colorés. Otez-en les peaux et les noyaux, faites-les dessécher sur de la cendre chaude et dans une terrine toute neuve, en les remuant souvent avec une spatule de buis bien échaudée de bonne lessive. Quand la dessiccation sera presque totale, et que la pâte aura pris une consistance assez solide, vous la jetterez dans une poêle à confiture où vous aurez fait monter du sucre à la cuisson de la grande plume. Vous la mêlerez fortement, vous la ferez chauffer sans bouillir, et puis vous la dresserez par cuillerée sur des lames d'ardoises, afin de la faire étuver à grand feu.

FROMAGE A LA CRÈME AUX ABRICOTS GLACÉS. Moudez et pilez soigneusement douze abricots-pêches, et passez-en la chair au gros tamis de crin. Délayez-y le jus de 30 grammes de framboises, et que ce soit des blanches, s'il est possible; ajoutez-y le suc de deux oranges de Malte ou de Portugal, avec 250 grammes de sucre

bien pilé. Tenez ce mélange à la glace, et joignez-y un demi-litre de la meilleure crème, la plus fraîche et la plus consistante; il faut qu'elle soit à moitié glacée d'avance, afin que l'acidité des fruits ne la fasse pas cailler, et la mixtion doit en être faite avec promptitude. Mettez le tout dans une sorbetière avec salpêtre et gros sel, ainsi qu'il est usité pour les glaces et les sorbets.

Si nous ne donnons ici aucune recette pour confectionner *les abricots à l'eau-de-vie*, c'est que cette préparation vulgaire et surannée n'est plus d'aucun usage, excepté dans les cafés et les restaurants de province. Il est universellement convenu que les seules conserves de fruits à l'eau-de-vie qui ne sont pas indignes de considération ne sont que les prunes de reine-claude, les merises, les azeroles et les petits citrons nommés *chinois* par les Provençaux. Les abricots, les brugnons, les pêches et les autres gros fruits préparés à l'eau-de-vie ne paraissent jamais à Paris sur une bonne table, et, quant à l'instruction gastronomique, ou plutôt à la direction industrielle de messieurs les confiseurs ou limonadiers, on doit supposer qu'ils ont des livres élémentaires avec des recettes traditionnelles qui suppléeront à cette omission de notre part, omission que la meilleure partie de nos lecteurs n'aura pas à nous reprocher, puisque c'est le bon goût qui l'a prescrite.

Pour compléter cette nomenclature, nous croyons devoir ajouter ici la prescription d'une tisane aux abricots, qui est fort usitée dans l'Asie Mineure, et qu'on dit souveraine en cas d'inflammation de l'estomac et des entrailles. En voici la recette, ainsi qu'elle est formulée dans le quatre-vingt-dix-neuvième numéro du *Spectateur ottoman* : « Tu feras cuire et vivement bouillir des abricots, cinq gros ou six moyens, ou bien dix à douze petits qui soient dépouillés de leurs robes *tigrées*, et vidés de leurs *cœurs de bois*. Ce sera dans une mesure d'eau purifiée, par le moyen que tu l'auras fait bouillir d'avance avec quelques feuilles d'oseille. Tu n'ometras pas d'y joindre une poignée d'orge, avec sept grains de maïs, et trois pincées de fine graine de lin d'Europe. Après une demi-heure de cuisson, tu la retireras de son marc, et tu la feras boire en y délayant du miel clarifié. Peu de miel, et bonne espérance avec pleine confiance! »

C'est cet arbrisseau qui fournit les graines rouges marquées d'un point noir, que vendent les marchands de curiosités, et avec lesquelles on fait des colliers et des chapelets aux enfants.

ABRUS

Petit arbre qui croît en Amérique et dans l'Inde. Sa racine, qui fait une partie de la nourriture des Indous, a une saveur sucrée ; elle est nutritive et adoucissante.
Elle se mange crue.

ABSINTHE

Plante vivace, dont les feuilles sont fort amères ; on la trouve dans toute l'Europe ; dans le Nord, on en fait un vin appelé vermouth.
Il y a deux sortes d'absinthe : la grande absinthe, appelée absinthe romaine, la petite, appelée absinthe pontique ou petite absinthe ; on connaît aussi cette plante sous le nom d'absinthe marine, on mange avec plaisir celle qui vient sur le bord de la mer et sur les montagnes, et c'est à cette dernière surtout que la chair des animaux doit ce goût si estimé des gourmands connu sous le nom de pré-salé.
Quoique tous les dispensaires vantent l'absinthe comme fortifiant l'estomac et aidant la digestion, quoique l'école de Salerne recommande l'absinthe comme un préservatif du mal de mer, il est impossible de ne pas déplorer les ravages que l'absinthe a faits depuis quarante ans, parmi nos soldats et parmi nos poètes, et il n'y a pas un chirurgien de régiment qui ne nous dise que l'absinthe a tué plus de Français en Afrique que la *flitta*, le *yatagan*, ou le *fusil des Arabes*.
L'absinthe, parmi nos poètes bohèmes, a reçu le nom de *muse verte ;* plusieurs qui n'étaient pas des derniers, par malheur, sont morts des embrassements empoisonnés de cette muse. Hégésippe Moreau, Amédée Roland, Alfred de Musset, notre plus grand poète, après Hugo et Lamartine, ont succombé au désastreux effet de cette liqueur.
Cette fatale passion de de Musset pour l'absinthe, qui peut-être d'ailleurs a donné à ses vers une si amère saveur, a fait descendre la grave Académie au calembour par approximation ; en effet, de Musset manquait beaucoup de séances académiques, ne se reconnaissant point en état d'y assister.
« En vérité, dit un jour à M. Villemain un des quarante, ne trouvez-vous point qu'Alfred de Musset *s'absente* un peu trop?
– Vous voulez dire *s'absinthe* un peu trop. »
Mais l'absinthe a pour elle un défenseur compétent, c'est l'auteur des *Mémoires* de la marquise de Créqui, lequel prétend qu'un petit verre d'absinthe au candi ne peut qu'aider à la digestion. Voici la recette qu'il donne :

CRÈME D'ABSINTHE AU CANDI. Prenez eau-de-vie, 8 litres ; sommités d'absinthe rectifiée, 500 grammes ; zestes de 4 citrons ou oranges ; eau de rivière, 4 litres ; sucre, 3 kilos 500.
Vous distillez au bain-marie l'eau-de-vie, l'absinthe et les zestes, pour retirer quatre litres de liqueur ; lorsque le sucre est fondu, vous opérez le mélange que vous filtrez.
L'absinthe est défendue maintenant dans toutes les cantines militaires.

ACACIE A FRUITS SUCRÉS

A Saint-Domingue, on donne le nom de pois sucrin à des fruits longs et cannelés, contenant une pulpe spongieuse blanche et sucrée qu'on mange avec plaisir; c'est un grand arbre qui la produit.

ACACIE DU SÉNÉGAL. L'arbre fournit une glande très nourrissante et qui rafraîchit en même temps. Les Maures et les Arabes la mangent surtout dans les grandes chaleurs. Cette gomme est plus estimée que celle que l'on nomme gomme arabique.

ACALOT ou CORBEAU AQUATIQUE,
espèce de courlis

On lui donne ce nom de corbeau aquatique, à cause de la ressemblance qu'il a avec le corbeau ordinaire; il a environ trois pieds de longueur, ses nuances donnent en général des reflets verts et pourprés sur un fond sombre et approchant du noir, il ne vit que de poissons, et habite le long des lacs.

C'est un oiseau triste et sombre qui porte malheur, dit-on; sa chair a une odeur âcre et marécageuse, qui la rend fort désagréable au goût; quoi qu'il en soit, les Mexicains qui en mangent quelquefois la trouvent assez bonne.

ACANTHE

Plante fort célèbre dans l'histoire des Beaux-Arts; et dont les feuilles très-grandes, lisses, agréablement découpées, servaient à couronner les colonnes corinthiennes à cause de leur beauté et de leur agrément.

Vitruve raconte de la manière suivante l'origine de l'introduction des feuilles d'acanthe comme ornement dans *l'ordre corinthien* : « Une jeune Corinthienne étant morte peu de jours avant un heureux mariage, sa nourrice désolée mit dans une corbeille divers objets que la jeune fille avait aimés, la plaça sur son tombeau, et la couvrit d'une large tuile pour préserver ce qu'elle contenait des injures du temps. Le hasard voulut qu'un pied d'acanthe se trouvât sous la corbeille. Au printemps suivant, l'acanthe poussa, ses larges feuilles entourèrent la corbeille, mais arrêtées par les rebords de la tuile, elles se courbèrent et s'arrondirent vers leurs extrémités. Callimaque passant près de là, admira cette décoration champêtre, et résolut d'ajouter à la colonne corinthienne la belle forme que le hasard lui offrait. »

L'acanthe est assez commune en Grèce, en Italie, en Espagne, et dans la France méridionale, mais il n'y a guère qu'en Grèce et en Arabie, que l'on mange crues les feuilles de cette plante.

ACAPALTI

C'est cette espèce de poivre long, arrondi et de couleur rouge qui croît dans la nouvelle Espagne, et que les Espagnols mêlent à tous leurs ragoûts. Sa propriété excitante qui est moindre que celle du poivre long ordinaire se rapproche du paprika hongrois; on le fait sécher au soleil pour le conserver et l'envoyer en Europe.

ACARNÉ

Poisson du genre de la dorade, écailleux et de couleur blanche, mais lui ressemblant tellement qu'à Rome on le vend sous ce nom. La chair en est tendre, de bon goût et de digestion facile. Suivre pour la manière de le servir toutes les prescriptions de la dorade.

ACCIOCA

Herbe qui remplace le thé du Paraguay au Pérou et qui se prépare comme lui.

ACCOLA

Poisson plus petit que le thon. On le pêche surtout aux environs de l'île de Malte, la chair en est fort blanche et fort délicate. On en mange beaucoup dans cette île. (Voir pour les préparations culinaires le mot *thon*.)

ACÉLINE

Poisson qui ressemble à la perche et qui demande les mêmes préparations culinaires. *(V. Perche.)*

ACÉTO-DOLCÉ

Conserve de certains fruits et de petits légumes. On les fait confire au vinaigre comme les cornichons, puis on y ajoute un résidu de vin nouveau et cuit qu'on a fait bouillir jusqu'à réduction à la consistance de sirop.

Le meilleur *acéto-dolcé* se confectionne avec des quartiers de coings et du moult de raisin muscat ou du miel de Narbonne; le miel de Corse vaut mieux, mais il est un peu plus amer.

ACHANACA

Cactus qui n'a encore été décrit que par le professeur Aulagnier. Il pousse dans la province de Potoxi au Pérou; sa racine épaisse et charnue, de forme conique, est également bonne cuite et crue; on la trouve sur tous les marchés.

ACHARDS

Composition bien connue qui nous vient des Indes orientales et qui porte le nom de son inventeur.

Les meilleurs *achards* se tirent de l'île Bourbon. Il ne s'agit donc que d'émincer finement des tranches de courge et des lames de cardes poirées, vous y ajouterez des oignons blancs, des champignons, des choux palmistes, des choux-fleurs, du maïs au tiers de sa maturité, etc.; on colore le tout avec du safran, et l'on fait confire au sel et au vinaigre d'Orléans, en salant, en poivrant et en conduisant ce mélange à la manière des cornichons. Vous le compléterez avec de la racine de gingembre et quelques piments rouges.

On mange les achards de trois façons, en les tirant tout simplement de leur bocal, en les coupant par morceaux, et en les mêlant à toute sorte de viande rôtie ou bouillie. En les faisant égoutter, en les étanchant à la serviette, et en les imprégnant ensuite de bonne huile verte.

Enfin, en les accommodant au lieu d'huile verte avec de la double crème de lait de chèvre, c'est ce qu'on appelle dans les colonies à la *cucoco*; cette dernière recette a été communiquée aux gastronomes européens par M. le marquis de Sercey, vice-amiral et ancien gouverneur des Indes françaises, auquel nous devons l'aya-pana qu'il a apportée le premier en France. *(V. Aya-pana.)*

ACHIAR

Espèce de confiture au vinaigre, faite avec des rejetons de bambous encore verts; les Hollandais qui en font un très-grand usage pour assaisonner leurs mets l'apportent des Indes orientales où elle se fabrique dans des urnes de terre. Ce condiment est très-âcre, très-échauffant, et ne peut convenir qu'aux tempéraments phlegmatiques et aux vieillards.

ACOHO

Petit coq de Madagascar, dont la chair ainsi que celle de la poule est assez bonne à manger, et approche comme goût de celle du canard sauvage. Les œufs de la poule ne sont pas bons à manger, mais ils sont tellement petits qu'elle peut en couver une trentaine à la fois.

ACTINIE

Vulgairement appelée *ortie de mer*, *anémone de mer*, à cause de sa ressemblance avec l'ortie et l'anémone. Elle se compose d'une masse charnue très-contractile, couronnée à son sommet par un grand nombre de tentacules; au centre est une ouverture qui sert à la fois de bouche et d'anus. L'actinie se fixe par la base, soit sur le sable, soit aux rochers qui bordent les côtes à une faible profondeur, et son adhérence y est si forte qu'on la déchire plutôt que de l'arracher. Les actinies sont très-nombreuses sur les rivages de France où leurs brillantes couleurs variées les font prendre souvent pour des fleurs.

L'odeur et la saveur de l'actinie approchent de celles des crabes et des crevettes dont elle a les propriétés, et les habitants des côtes du midi de la France la recherchent et en mangent avec délices.

Ada

ADANE

Poisson monstrueux et ressemblant beaucoup à l'esturgeon. On en a pêché souvent qui pesaient plus de 500 kilos. Ce poisson ne vit que dans le Pô, et Pline dit que l'oisiveté l'engraisse. Sa chair ne vaut pas celle de l'esturgeon; elle a un assez bon goût, quoique molle, et est en outre de fort difficile digestion.

ÆGLEFIN

Espèce de poisson du genre des gades qui ressemble à la morue; il fréquente nos côtes où on le pêche de la même manière que la morue. Sa chair varie selon son âge, selon le parage où on le pêche, selon son sexe, et selon l'époque de l'année. Il est ordinairement de 6 à 7 mètres de long et du poids de 5 à 7 kilos. Il fraye en mer, et on le trouve à certaines époques en nombre si considérable que, dans l'espace d'un mille d'Angleterre, trois pêcheurs peuvent en remplir leurs barques deux fois par jour.

AGAMI

Genre d'oiseau de l'ordre des échassiers. On le trouve sur les montagnes arides et dans les hautes forêts; à l'état sauvage, cet oiseau vit en troupes nombreuses dans les forêts de la Guyane, mais on le réduit facilement à la domesticité, et alors son intelligence, ses qualités, lui assignent le premier rang parmi les oiseaux de basse-cour. Daubenton dit que « l'Agami est le plus intéressant de tous les oiseaux par les éloges que l'on en fait : on le compare au chien pour l'intelligence et la fidélité; on lui donne une troupe de volailles et même un troupeau de moutons à garder, et il se fait obéir, quoiqu'il ne soit guère plus gros qu'une poule. L'agami est aussi curieux qu'utile; il mérite de trouver place dans toutes les basses-cours. »

L'agami, en effet, n'a pas plus de six décimètres environ de hauteur et sept décimètres de longueur; son bec conique est d'un vert sale, ses yeux, dont l'iris est jaune brun, sont entourés d'un cercle nu et rougeâtre, des plumes courtes et frisées lui recouvrent la tête et les deux tiers supérieurs du cou, dont le tiers inférieur est garni de plumes plus grandes, non frisées et d'un violet noir. La gorge et le haut de la poitrine présentent une sorte de plastron brillant des plus riches reflets métalliques, le reste de la poitrine, le ventre, les flancs et les cuisses sont noirs ainsi que la queue et les ailes.

Me trouvant un jour à dîner chez un de mes amis à la campagne, nous vîmes entrer peu après que la cloche annonçant l'heure du dîner avait sonné, un de ces oiseaux qui, à peine entré dans la salle à manger, se mit à en chasser les chiens et chats, en les poursuivant à coups de bec sans que ni chiens ni chats osassent lui résister; cela fait, il vint à chacun de nous, nous regarda, et satisfait sans doute de son examen il se dirigea vers le maître de la maison et

lui présenta sa tête et son cou que le maître s'empressa de gratter.

Peu habitués à voir un oiseau, gros tout au plus comme un canard, agir de cette façon, avec les chiens et les chats, et désireux d'apprendre quel était ce curieux animal, nous priâmes notre ami de nous donner quelques renseignements à cet égard.

Il nous raconta alors que pendant qu'il voyageait dans la Guyane française, il avait remarqué à Cayenne plusieurs de ces oiseaux précédant ou suivant des colons avec des marques de profonde satisfaction; puis il en avait remarqué d'autres conduisant et gardant des troupes de canards et de dindons, faisant rentrer à l'heure habituelle les oiseaux qui leur étaient confiés, et allant ensuite se percher sur le toit ou sur quelque arbre voisin. Alors la curiosité l'avait pris, et désirant s'attacher deux de ces précieux animaux, il avait prié un de ses amis de les lui céder, il les avait ramenés en France après avoir craint pour eux une traversée toujours dangereuse, et arrivé dans sa campagne, il avait été tout étonné de voir que ses nourrissons lui étaient déjà très-fortement attachés et le suivaient partout. Il les avait fait mettre dans la basse-cour avec les autres volailles où ils n'avaient pas tardé à régner en maîtres. Puis tous les soirs, au moment où la cloche du dîner sonnait, on voyait arriver les deux agamis qui poursuivaient impitoyablement les chiens jusque dans leur chenil, et revenaient ensuite se faire gratter la tête et le cou par leur maître, caresse à laquelle ils sont très-sensibles.

Notre ami finit en nous disant d'une façon très-triste qu'il avait perdu, il y avait quelques jours à peine, un de ses agamis qui s'était cassé les reins en tombant du toit, et qu'il avait eu la gourmandise de goûter à sa chair; il l'avait trouvée délicieuse et bien certainement préférable à celle de la plupart de nos poulets.

La chair de l'agami est en effet très-délicate et très-recherchée.

AGARIC

Genre de plante appartenant à la famille des champignons; il y en a de différentes espèces, et il faut bien se garder de confondre avec les vénéneux ceux dont on se sert pour assaisonner les sauces.

Parmi les espèces d'agarics les plus recherchées comme aliment, nous citerons : L'*agaric comestible, champignon de couche*, dont le pédicule est blanc, court et charnu; il soutient un chapeau de couleur fauve, couvert d'une pellicule qui s'enlève facilement. Ses lames sont rougeâtres à la naissance, puis pourpres ou noires, sa chair ferme et cassante; c'est la seule espèce qu'il soit permis de vendre sur le marché de Paris.

L'*agaric mousseron* est d'un blanc jaunâtre à sa surface, son chapeau est presque sphérique et large de quatre centimètres. Il est très-commun au printemps et pendant une partie de l'été dans les bois découverts, les friches, les prés secs. On le préfère jeune et frais; il entre dans les ragoûts comme assaisonnement. Pour le conserver, on l'enfile par le pied et on le laisse dessécher. Jusqu'à présent, on a essayé inutilement de le cultiver.

L'*agaric faux mousseron* se reconnaît à sa couleur d'un jaune pâle, tirant sur le roux, à son pédicule très-grêle, à son chapeau convexe mamelonné au centre, large de quatre à cinq centimètres. Sa chair est dure, mais assez savoureuse, et d'une odeur agréable.

L'*oronge* est d'une odeur et d'un goût très-agréables; malheureusement, on peut très-facilement la confondre avec l'*agaric moucheté* ou *fausse oronge* qui est extrêmement vénéneux. En Allemagne ce dernier sert à tuer les mouches.

L'*agaric du houx* qui croît en été sous les buissons de houx est, suivant Persoon, un de nos meilleurs champignons.

L'*agaric élevé* est l'espèce la plus haute du genre; son pédicule est très-long, son chapeau roussâtre un peu panaché; il croît en été dans les bois et les champs sablonneux; on le mange en beaucoup d'endroits.

Il y a encore une quantité considérable d'agarics, servant à la nourriture de l'homme, mais il est préférable de s'en tenir à ceux que nous venons d'indiquer, les autres étant peu savoureux ou très-difficiles à distinguer des mauvaises espèces.

Parmi les agarics vénéneux, on distingue : l'*agaric meurtrier;* il en découle un suc laiteux, âcre et caustique. Dans le cas d'empoisonnement le remède le plus usité est l'huile d'olive, prise en lavement et en boisson; on administre aussi le vinaigre comme antidote; l'*agaric caustique*, qui croît dans les bois; sa couleur est d'un jaune livide terreux; l'*agaric âcre*, blanc, à lames jaunâtres et rougeâtres, distillant un suc laiteux très-âcre, ce qui n'empêche pas qu'il soit souvent rongé par les lièvres et les lapins, etc.

On a distingué parmi les agarics un groupe assez remarquable par la propriété de se fondre en une eau noire à l'époque de sa destruction. La plupart de ces champignons croissent dans des lieux infects, sur les substances putrides; leur existence est d'ordinaire de courte durée : par exemple, l'*agaric éphémère*, qui ne dure qu'un jour.

Il existe encore des agarics caractérisés par des qualités particulières. L'*agaric styptique*, lorsqu'on le mâche, produit, au bout de quelques instants, un étranglement analogue à celui du vitriol. La saveur de l'*agaric fétide* est poivrée. Nous avons, enfin, l'*agaric laciniatus* qui croît sur le tronc des palmistes qui pourrissent en terre et qui, selon Commerson, donne un goût de morille aux aliments.

L'*agaric hépatique*, substance molle, superficie gluante rouge brun, un peu velue, pores d'un blanc sale tirant sur le jaune; il a la forme d'un foie de bœuf, on le trouve au pied des arbres; il est très-vénéneux et susceptible de se gonfler dans l'estomac.

L'*agaric du peuplier de bois*, qui ressemble beaucoup à la truffe visqueuse quoique plus charnu, plus sec et plus relevé. A peine est-il cueilli ou même en pleine maturité, que le dessus de son écusson devient d'un blanc sale. Si on le casse, sa chair prend une couleur blanche à laquelle succède bientôt une teinte bleue. Si on exprime le suc aqueux, à l'instant il prend une teinte bleuâtre qui colore la toile. Cet agaric est très-recherché en Russie, où l'on mange impunément les plus pernicieux.

AGAVE

Genre de plante à feuilles épaisses, allongées, à bords épineux, et qu'on a longtemps confondue avec l'aloès. Cette plante est très-abondante à Cuba et au Mexique, et ses tiges contiennent une sève sucrée avec laquelle on prépare un vin qu'on nomme *pulque*, dont les propriétés sont toniques et restaurantes, mais dont le goût est peu agréable et donne une odeur fétide à l'haleine de ceux qui en boivent immodérément. Les peuples de Cuba et du Mexique aiment si fort cette espèce de vin, qu'ils s'en procurent aux dépens de leurs subsistances et même de leurs vêtements.

Les fibres des feuilles de l'agave sont longues, fortes et déliées; on en fabrique des cordes, des filets de pêcheurs, des tapis, des toiles d'emballage, des pantoufles, du papier et divers autres ouvrages. On dégage les fibres en faisant rouir les feuilles, comme du chanvre, dans une eau stagnante ou dans du fumier; on les écrase entre deux cylindres; on les lave, on les bat et on les peigne à plusieurs reprises pour les nettoyer et leur donner de la souplesse.

On retire encore des feuilles de l'agave par la trituration, un suc que l'on passe à la chaux et que l'on fait épaissir par l'évaporation après y avoir ajouté une certaine quantité de cendres. C'est une sorte de savon qu'on emploie pour laver le linge.

On se sert aussi des feuilles de l'agave pour couvrir les toits.

AGNEAU

C'est du mois de décembre au mois d'avril que la chair d'agneau est bonne; il faut que l'agneau ait au moins cinq mois et qu'il n'ait été nourri que de lait.

On donne au nom de cette charmante petite bête une origine toute poétique : selon les étymologistes bucoliques, il viendrait du verbe *agnoscere*, reconnaître, parce que, tout petit, il reconnaît sa mère.

En effet, à peine peut-il marcher qu'il la suit en chancelant et en bêlant. Inutile de dire que c'est le petit de la brebis et du bélier.

L'agneau, de toute antiquité et aujourd'hui encore, a été et est le mets le plus recherché d'Orient. Les Grecs l'estimaient fort et ils donnaient peu de festins sans qu'un agneau rôti en fût le plat le plus important. L'abus de cette chair était l'un des excès gourmands qu'un prophète reprocha aux Samaritains. Sa chair est blanche, mais muqueuse, et dans la suite cette chair fut défendue aux Athéniens.

Dans les temps primitifs, alors que les échanges commerciaux servaient souvent de monnaie, Abraham donna sept agneaux au roi Abimeleck, en témoigne de son alliance. Jacob, pour un champ qu'il acheta aux enfants d'Hémor, leur en donna deux cents.

AGNEAU A LA HONGROISE. Coupez une douzaine de gros oignons d'Espagne en rouelles, joignez-y un morceau de beurre en rapport avec la masse des oignons; faites un roux avec un peu de farine, votre beurre et vos oignons. Ayez soin que les oignons roussissent, mais ne brûlent pas; mettez-y un bouquet assorti, salez et poivrez, ajoutez-y une bonne pincée de poivre rouge hongrois, à défaut duquel vous mettrez quelques atomes de poivre de Cayenne; pendant ce temps vous avez taillé votre poitrine d'agneau en morceaux grands comme des tablettes de chocolat et vous l'avez fait revenir dans du beurre frais. Quand vous le jugez bien revenu, vous versez sur votre agneau et sur votre beurre frais le contenu de la casserole où vous avez fait votre roux d'oignons avec votre bouquet assorti. Puis, comme les oignons ne cuisent que mouillés d'eau ou de bouillon et que, dans le beurre, ne feraient que rissoler, vous versez, de quart d'heure en quart d'heure, un quart de verre à boire de bon consommé; laissez mijoter cinq quarts d'heure et servez.

C'est un des meilleurs plats que j'aie mangés en Hongrie.

PASCALINE D'AGNEAU A LA ROYALE. L'habitude de servir un agneau entier le jour de Pâques s'est conservée en France jusque sous Louis XIV et même sous Louis XV. Voici comment on confectionnait ce plat qui nous venait directement des agapes des premiers chrétiens.

On désossait le collet d'un agneau de six mois; on brisait la poitrine dans laquelle on ajustait les épaules bridées avec des ficelles; on brisait les deux manches des gigots qu'on assujettissait de même. On le remplissait d'une farce composée de chair d'agneau pilée, de jaunes d'œufs durs, de mie de pain rassis et de fines herbes hachées et assaisonnées des quatre épices. On lardait finement la chair de l'agneau, on le faisait rôtir à grand feu et on le servait tout entier pour gros plat, en relevé de potage, soit sur une sauce verte avec des pistaches, soit sur un ragoût de truffes, au coulis de jambon. L'usage de servir cet ancien plat pour les dîners royaux du jour de Pâques s'est, comme nous l'avons dit, perpétué longtemps à la cour de France et est encore suivi dans les grandes maisons qui ont conservé les traditions aristocratiques et religieuses du XVIIIe siècle.

GROSSE PIÈCE D'AGNEAU AUX TOMATES FARCIES. Prenez la moitié d'un agneau, la partie inférieure, retroussez-la, et enveloppez-la de papier beurré, faites rôtir à point, débrochez, dressez et glacez, mettez des papillotes au manche du gigot, garnissez votre moitié d'agneau de tomates farcies et servez à part une sauce à la Uxelles.

Ce qui a valu à M. le maréchal d'Uxelles l'honneur de donner son nom à une sauce, ce n'est pas d'avoir perdu la bataille de Rosbach comme M. de Soubise, ni d'avoir gagné la bataille de Fontenoy comme M. de Richelieu, c'est tout simplement une anecdote racontée je crois par Saint-Simon.

Mlle Choin, maîtresse du grand Dauphin, avait un petit chien qu'elle adorait, et qui estimait tout particulièrement les têtes de lapins rôties; tous les jours Mlle Choin recevait de M. le maréchal d'Uxelles une visite, à la fin de laquelle il tirait de sa poche un mouchoir de batiste d'une blancheur éclatante dans lequel étaient renfermées deux têtes de lapins rôties.

La bonne Mlle Choin était on ne peut plus sensible à cette marque d'attention, et elle n'avait pas peu servi à remettre M. le maréchal d'Uxelles en faveur, après la reddition de la ville de Mayence.

Un beau jour, le grand Dauphin mourut ; le lendemain, le surlendemain et les jours suivants, elle attendit vainement le maréchal : elle ne revit jamais ni le marquis d'Uxelles, ni ses mouchoirs de batiste, ni ses têtes de lapin. Ce n'était point au chien de Mlle Choin qu'il les apportait, mais au grand Dauphin.

AGNEAU ENTIER, SAUCE POIVRADE. Troussez un agneau entier, embrochez-le, enveloppez-le de feuilles de papier beurré, quelques instants avant de servir retirez le papier pour lui laisser prendre une jolie couleur, débrochez-le, dressez-le sur son plat, et mettez deux papillotes au manche du gigot.

ÉPIGRAMME D'AGNEAU AUX POINTES D'ASPERGES. Achetez un quartier de devant d'agneau, détachez-en l'épaule que vous ferez rôtir. Lorsqu'elle sera cuite, faites cuire la poitrine dans une braise, puis mettez-la à la presse entre deux couvercles de casserole avec un poids pour l'aplatir, retirez tous les os et réservez seulement ceux qui vous seront nécessaires pour faire des manches à vos côtelettes, taillez les côtelettes et parez-les ; disposez-les dans un sautoir, saupoudrez-les d'un peu de sel, saucez-les légèrement avec du beurre fondu ou, ce qui vaudrait mieux, avec de l'allemande réduite. Votre poitrine d'agneau découpée de manière à imiter des côtelettes, trempez-les dans une panure composée de mie de pain, d'huile et de pain rassis que vous aurez passé à travers le tamis de laiton, assaisonnez.

Passez les côtelettes dans le beurre clarifié, rangez-les dans le plat à sauter, faites frire les poitrines et égouttez-les. Mettez dans chaque bout de poitrine la moitié d'un os taillé en pointe, de manière à former un manche à vos fausses côtelettes.

Dressez autour d'une croustade poitrine frite et côtelettes sautées en alternant, garnissez la croustade de pointes d'asperges et servez à part une légère béchamel.

Vous pouvez, en suivant le même procédé et en servant toujours votre béchamel ou votre demi-glace ou enfin votre sauce à part, garnir la croustade de petits pois, d'une macédoine de légumes, de haricots verts, d'une purée de cardons, etc.

Veloutez à part le tout réduit avec essence de champignons ou, enfin, avec une garniture de concombres.

L'allemande doit être servie à part.

SELLE D'AGNEAU RÔTIE A L'ANGLAISE. Les doubles filets réunis sont la meilleure partie de l'agneau. On la rôtit, on la sert en relevé de potage ou en flanc de table. On l'accompagne d'une sauce à l'anglaise très-goûtée de ceux des gourmets parisiens à qui nos deux cent dix-sept ans de guerre avec l'Angleterre n'ont point inspiré une horreur invincible pour tout ce qui vient de l'autre côté de la Manche.

Mettez un quart de litre de consommé dans une casserole, avec une pincée de sauge verte hâchée, faites bouillir cinq minutes, ajoutez-y deux échalotes pilées, deux ou

trois cuillerées de vinaigre d'Orléans, 60 grammes de sucre et un peu de poivre noir; salez, passez à l'étamine et servez à part dans une saucière.

L'auteur des *Mémoires* de la marquise de Créqui, de qui nous tenons cette recette, saisit cette occasion de tomber sur ces gourmands exclusifs qui, par patriotisme, ne veulent pas sur la table française l'introduction des cuisines étrangères. « On trouve encore, dit-il dans un mouvement d'indignation, de prétendus gourmets qui déclament contre l'emploi du sucre en mélange avec des acides ou des chairs salées, mélange infiniment agréable en certains cas. Rien n'est encore aussi commun que de rencontrer des retardataires obstinés dans la marche du progrès culinaire, tandis que ce progrès ne pourrait s'établir que si chaque peuple abjurait ses préjugés nationaux dans un sentiment de cosmopolitisme. »

Après cette invitation à l'éclectisme, l'auteur des *Mémoires* de Mme la marquise de Créqui, en véritable gastronome aristocrate qu'il est, s'indigne contre le préfet du palais, M. le comte de Bausset, qui fait servir, au château des Tuileries, pour le dîner de l'empereur, un gigot d'agneau comme plat de rôti au second service.

« Tout le monde a vu, dit-il avec surprise, dans la première édition des *Mémoires* de M. le comte de Bausset, préfet du palais et chambellan de l'empereur Napoléon, deux tableaux d'un menu, d'où il résulte que ce fonctionnaire impérial faisait servir aux Tuileries, pour le dîner de son maître, un gigot d'agneau au second service et comme plat de rôti. Voilà ce qu'un maître d'hôtel du troisième ordre n'aurait eu garde de souffrir de l'autre côté de la rivière de Seine ou dans le faubourg Saint-Honoré, qui n'est pas moins bien habité que le quartier Saint-Germain. Il est à noter que le reste et l'ensemble de cet étrange menu publié par M. le comte de Bausset est tellement vulgaire et si dépourvu d'aucun usage du beau monde, que les habitudes de cette famille impériale et le savoir-vivre de ses principaux officiers en ont beaucoup souffert dans l'estime et la considération publique. La divulgation, très-indiscrète et tout à fait inutile, avait produit un étonnement si général et eut un effet tellement fâcheux, que M. le préfet du palais impérial a cru devoir retrancher ce document dans la dernière édition de ses *Mémoires*, et c'est en vérité ce qu'il y avait de mieux à faire pour la réputation d'un si grand homme, ainsi que pour l'honneur de ses employés du palais. »

Courchamps était un homme de l'ancienne cour qui ne plaisantait avec aucune étiquette et surtout l'étiquette culinaire.

QUARTIER D'AGNEAU RÔTI A LA MAITRE D'HÔTEL. Tirez votre quartier d'agneau de la broche, soulevez-en les côtes et introduisez dans la gerçure une boule froide du mélange appelé maître d'hôtel, dont voici, à ce que nous croyons, la meilleure recette :

Prenez 125 grammes d'excellent beurre, ajoutez-y du sel en quantité suffisante, une demi-pincée de muscade râpée, trois fortes pincées de fines herbes, savoir : un quart de cerfeuil, une moitié de persil, un quart de cresson alénois, un quart de pimprenelle et deux ou trois feuilles d'estragon. Mettez toutes ces herbes finement hâchées avec le beurre froid, en les triturant et en les mélangeant avec le jus d'un fort citron et le jaune cru d'un œuf frais. Tenez cette sauce froide en réserve, à la cave, et servez-vous en selon vos besoins.

GIGOT D'AGNEAU. Faites rôtir, et présentez en entrée de broche sur une purée d'oseille, sur une sauce aux tomates ou sur une ravigote verte, appelée communément *sauce au vert-pré*.

ISSUE D'AGNEAU. Depuis que chaque partie des abatis d'agneau a été annexée aux principales portions de la tête, on les a reconnues susceptibles de recevoir un assaisonnement spécial et un apprêt particulier; cependant, comme certains gourmets ont une religion particulière pour les plats de nos aïeux, l'issue d'agneau se composait autrefois de la tête, du cœur, du mou, des ris, du foie et des pieds de l'agneau que l'on faisait étuver, ensemble, dans un blanc (*V. le mot* BLANC), et que l'on servait avec une liaison de jaunes d'œufs crus et de jus de citron dans le même pot à oille, en façon de potage et quelquefois d'entrée. C'était un ancien ragoût très-salutaire dans certains cas d'inflammation des entrailles et de l'estomac.

POITRINE D'AGNEAU AUX GROSEILLES VERTES. Prenez deux poitrines d'agneau que vous braisez avec quelques tranches de maigre de veau et de jambon cru; au bout d'une heure et demie de cuisson, vous les retirez, vous les déficelez, vous les mettez refroidir entre deux couvercles, puis vous les trempez dans du beurre tiède et vous les pannez. Vous les faites griller à petit feu et les colorez à l'aide d'un four de campagne; puis vous servez cette entrée sur un ragoût de groseilles vertes, assaisonné de muscat et de verjus. (*Recette de Chevriot, cuisinier du roi Stanislas Leckzinski.*)

GALANTINE D'AGNEAU. Désossez un agneau entier, prenez une partie des chairs de gigot, autant de panne de cochon, de la mie de pain trempée dans du lait et bien égouttée; hachez et pilez le tout pour en faire une farce, dans laquelle vous mettrez deux œufs, poivre, sel, un peu de quatre épices. La galantine d'agneau demande au moins une bonne heure pour la cuisson.

TENDRONS D'AGNEAU AUX POINTES D'ASPERGES. Coupez et parez les tendrons de deux poitrines d'agneau, couchez-les dans un sautoir, avec un peu de consommé, faites-les mijoter jusqu'à ce qu'ils se glacent; ayez des asperges aux petits pois les plus tendres, blanchissez-les à l'eau bouillante, légèrement salée, écumez, laissez bouillir un quart d'heure, mettez dans l'eau froide, égouttez-les sur un tamis, apprêtez à la poulette ou au consommé lié de jaunes d'œufs, où vous ferez fondre une demi-cuillerée de sucre; vous verserez ce ragoût d'asperges au milieu du plat et vous dresserez à l'entour les tendrons glacés au feu.

TENDRONS D'AGNEAU AUX PETITS POIS. Opérez comme ci-dessus, mais ne blanchissez ni ne rafraîchissez. Vous ajouterez à ce ragoût quelques feuilles de sarriette, dont le goût s'allie bien à celui des pois verts.

FILETS D'AGNEAU A LA CONDÉ. Parez des filets d'agneau depuis les carrés jusqu'au collet, après les avoir piqués d'anchois, de truffes et de cornichons; faites-les mariner dans du beurre mêlé de bonne huile, et assaisonnez avec champignons, ciboule, échalotes, câpres, hâchez le plus fin possible, ajoutez-y sel, poivre, quatre épices, basilic en poudre, chapelure, deux jaunes d'œufs durs. Des morceaux de crépine vous serviront à envelopper les morceaux de filets sous une couche de cette farce. Mettez-les à la broche avec des attelets, et enveloppés d'un papier huilé. Lorsqu'ils seront cuits, retirez-les, passez-les et versez sur le tout une sauce au blond de veau avec tranches de citron et muscade râpée. Cette sauce devra prendre sur le feu une consistance suffisante.

TRANCHES D'AGNEAU A LA LANDGRAVE. Coupez un filet d'agneau par tranches, salez, mettez des quatre épices et un peu de paprika, faites-les frire, puis maintenez-les chaudes, versez dans une casserole 125 grammes de bouillon où vous avez jeté une demi-cuillerée de farine de seigle, ajoutez-y un peu de saumure de noix et un peu de catchup, essence de champignons, joignez-y 30 grammes de beurre frais, faites bouillir le tout en remuant avec assiduité, mettez-y alors vos tranches d'agneau que vous servirez après avoir passé la sauce.

CROMESQUIS D'AGNEAU (RAGOUT POLONAIS). Parez de la chair d'agneau à moitié rôtie et refroidie, coupez-la par petits morceaux carrés, coupez de la même manière des champignons cuits au blanc et de la tétine de veau, mettez dans une casserole gros comme un œuf de pigeon de glace de viande avec un peu de consommé, faites chauffer, ajoutez-y gingembre et gros poivre, liez avec des jaunes d'œufs et puis mettez dedans la tétine ainsi que les champignons et la chair d'agneau, le tout étant refroidi, divisez par petites parties, moulées comme pour des croquettes; après quoi vous enveloppez chacune de ces petites parties dans des bardes de tétine de veau;

trempez-les dans une pâte croquante et jetez-les dans la poêle; quand elles seront bien colorées, vous les servirez sur une sauce piquante ou avec persil frit.

AGOUTI

Genre de mammifères rongeurs. Cet animal est de la grosseur d'un lièvre; il a la rudesse de poil, le grognement et la voracité du cochon.

L'agouti se rencontre dans les Antilles et les parties chaudes de l'Amérique. C'est un équivalent de nos lapins. Les chasseurs le poursuivent constamment et, dès 1789, l'espèce en était déjà détruite à Saint-Domingue. Il s'apprivoise très-aisément et il est très-facile à élever, car il est omnivore, pourvu qu'on le mette à l'abri du froid.

La chair des agoutis gras et bien nourris est assez bonne à manger, quoiqu'elle ait un peu le goût sauvage; on la prépare comme celle du cochon de lait, dont elle a les propriétés alimentaires.

Chasse à l'agouti, en Guyane.

AIGLE

La grandeur, la noblesse et la fierté du roi des oiseaux ne lui donnent pas pour cela une chair tendre et délicate, car tout le monde sait qu'elle est dure, fibreuse et de mauvais goût, et fut défendue aux Hébreux.

Laissons-le donc planer et défier le soleil, mais ne le mangeons pas.

AIGRE DE CÈDRE ou Aigre au Cédrat

Fort à la mode sous le règne de Louis XIII, fort abandonné depuis, mais que les *Mémoires* de Tallemant des Réaux viennent de remettre à la mode. Orangeade aiguisée de citron vert, édulcorée de miel épuré de Narbonne, au suc de mûres blanches, et puis légèrement aromatisée avec de l'écorce de cédrat rouge. Le cardinal de Richelieu faisait le plus grand cas de l'aigre de cèdre et il en consommait, pendant les deux mois caniculaires, au moins trois à quatre litres par jour.

(Tirée du *Thresor des receptes au lit des malades*, ouvrage de Mme Fouquet, mère du surintendant.)

AIGUILLAT

Espèce de poisson appelé vulgairement *chien de mer*. Il a la forme d'un congre; on le trouve sur les côtes de l'Océan, où on en a pêché qui pesaient plus de 10 kilos Sa chair est filamenteuse, dure et d'une saveur peu agréable.

Lorsque j'étais encore à Roscoff, mon secrétaire étant allé un matin à la pêche avec mon barbier, ils trouvèrent dans le filet, qui avait été tendu la veille, quarante-deux de ces poissons dont le plus léger pesait plus de 5 kilos et deux ou trois rougets à moitié mangés par leurs voraces compagnons de captivité; cette pêche, qui au premier abord paraît assez bonne, ne servit cependant à rien, puisque, ne sachant que faire de ces poissons et ne pouvant les manger, on fut obligé de les porter au vivier où ils firent les délices des quinze ou dix-huit mille homards qui l'habitent.

AIL au singulier, AULX au pluriel

Plante potagère bulbeuse dont les gousses sont employées comme assaisonnement.

Tout le monde connaît l'ail, et surtout les conscrits, qui l'emploient à se faire réformer. Son bulbe contient un suc âcre et volatil qui attire les larmes aux yeux. Appliqué sur la peau, il la rougit et l'escorie même.

Tout le monde connaît l'odeur de l'ail, excepté celui qui en a mangé et qui ne se doute pas pourquoi chacun se détourne à son approche. Athénée raconte que ceux qui mangeaient de l'ail n'entraient point dans les temples consacrés à Cybèle. Virgile en parle comme d'une plante utile aux moissonneurs pour augmenter leurs forces dans les grandes chaleurs, et le poète Macer, pour les empêcher de s'endormir dans la crainte des serpents. Les Égyptiens l'adoraient, les Grecs, au contraire, le détestaient, les Romains en mangeaient avec plaisir. Horace qui, le jour même de son arrivée à Rome, avait pris une indigestion d'une tête de mouton à l'ail, l'avait en horreur.

Alphonse, roi de Castille, l'avait en si grande aversion, qu'en 1330 il institua un ordre dont les statuts portaient que ceux des chevaliers qui auraient mangé de l'ail ou de l'oignon ne pourraient paraître à la cour ni communiquer avec les autres chevaliers, au moins pendant un mois. La cuisine provençale est basée sur l'ail. L'air, en Provence, est imprégné d'un parfum d'ail qui le rend très-sain à respirer; il entre pour principal condiment dans la bouillabaisse et dans les principales sauces. On en fait, écrasé avec de l'huile, une espèce de mayonnaise que l'on mange avec du poisson et des escargots. Le déjeuner des Provençaux des classes inférieures, se compose souvent d'un croûton de pain, arrosé d'huile et frotté d'ail.

AILE

C'est le nom que porte la partie, nous ne dirons pas précisément la plus sapide, mais la plus honorable de l'oiseau. C'est l'aile du poulet, du faisan, du perdreau, que l'on offre en général aux femmes et aux convives à qui l'on veut faire honneur. Cette portion commence au haut de l'estomac et, en se déchirant sous le couteau, s'étend presque sous les cuisses. Il y a trois morceaux dans l'aile des gros oiseaux, comme le dindon ou l'oie : le haut, le bas et le bout. L'aile des jeunes oiseaux bien nourris est délicate et nourrissante, et elle convient à tous les estomacs. L'aile des vieux, au contraire, est comme le reste du corps, maigre, sèche, dure, peu substantielle et peu estimée.

AIRELLE

L'airelle veinée et l'airelle myrtile. Les feuilles de l'airelle veinée sont ovales et veinées; son fruit est savoureux, surtout en Amérique, dont elle semble originaire.

On mange ce fruit fraîchement cueilli ou on le sert avec du petit lait ou de la crème aromatisée.

L'airelle myrtile est un arbrisseau des bois, donnant de petits fruits rouges d'abord, puis tournant au bleu foncé en mûrissant; leur goût est agréable. Les Suédois les emploient pour assaisonner certains aliments; les marchands de vins s'en servent pour colorer les vins blancs. On fait, avec le fruit, du sirop et une espèce de conserves agréables à boire et à manger.

AJAQUE
(d'après M. Olagnier)

Au Siam, on donne ce nom à un fruit beaucoup plus gros que le durion. Il est couvert d'une peau chagrinée; l'arbre qui le produit est fort élevé et d'un port majestueux. On extrait de ses feuilles un lait abondant. Le fruit ne sort que des grosses branches ou du corps de l'arbre. Plus l'ajaque vient près du tronc, plus il est gros. On le dépouille de sa peau épineuse, on le coupe par morceaux qu'on fait cuire en fricassée. Avec sa chair et du sucre, on fait aussi une marmelade qu'on peut conserver toute l'année. Quand ce fruit est parvenu à sa maturité, on trouve sous son bois mince et poli cinquante châtaignes renfermées dans un sac de chair jaune, très-sucrées et d'une odeur très-forte. Ces châtaignes, grillées ou bouillies, ont à peu près le goût de nos marrons, mais elles sont plus petites; elles sont venteuses.

ALALUNGA

Poisson qui se trouve sur les côtes de la Méditerranée; à Malte on l'appelle *thon blanc*; il pèse de 6 à 8 kilos. Sa chair est agréable, mais de difficile digestion.

ALBACORE

Poisson des mers occidentales, baptisé ainsi par les Portugais, à cause de sa blancheur. C'est une bonite gigantesque atteignant le poids de 30, 40 et même 45 kilos.

ALBATROS

De tous les oiseaux d'eau, les albatros sont les plus grands et les plus massifs; l'envergure de leurs ailes est de trois à quatre mètres; le plumage est d'un beau blanc, le dos et l'extrémité des ailes sont gris; sa voix est, dit-on, aussi forte que celle de l'âne; il fait un nid de terre élevé et pond des œufs nombreux bons à manger.

Les diverses espèces de ce genre habitent les mers australes et vivent de poissons volants, de frai de poisson et de mollusques. Malgré leur grande taille et leur force, ils sont très-lâches, se laissent battre par les goélands et les mouettes, et leur abandonnent alors leur proie.

La chair de l'albatros est bardée d'une graisse excellente dont on se sert comme aliment; mais cette chair est dure, coriace, de difficile digestion. Chez les jeunes, au contraire, elle est aussi tendre que celle de l'agneau.

ALBEREN

En Suisse, où on le pêche, surtout aux environs de Genève, on le nomme *lavaret*. C'est une espèce de saumon dont la chair est excellente et que les étrangers ne manquent jamais de demander lorsqu'ils arrivent à Genève, Lausanne et Chambéry. (Voyez, pour l'assaisonnement du lavaret, celui du saumon et des truites.)

ALBERGE

Espèce de pêche qu'on prépare en Touraine et dont la chair jaune et très-compacte est légèrement acidulée. Je me rappelle avoir lu dans les *Lettres* de Paul-Louis Courier qui faisait peu de cas de ce fruit, *que sa femme était devenue rêche et coriace comme une alberge.*

Si le lecteur n'est pas dégoûté de l'alberge par la comparaison qu'en fait le célèbre pamphlétaire, il pourra employer les conserves d'alberge en les coupant en petits morceaux de forme carrée et en garnissant le fond d'un plum-pudding à la moelle et aux tranches de citrons confits.

ALBRAN

Le jeune canard qui se chasse à la fin d'août, s'appelle albran. En septembre, il devient canardeau et passe définitivement canard au mois d'octobre. Les albrans, qui sont au canard ordinaire ce que la perdrix est à la poule, se cuisent à la broche et se servent couchés sur des rôties onctueusement imbibées de leur jus, auquel l'on ajoute un suc d'oranges amères, avec un peu de soya des Indes et des grains de mignonnette. C'est un plat de rôt délicat

et distingué. Aussi est-il honoré de cette note de l'auteur des *Mémoires* de la marquise de Créqui :

« Quand les chasseurs ou les pourvoyeurs en fournissent en grand nombre à la campagne, et quand on veut en faire une entrée, on peut les mettre en salmis ou les servir sur un ragoût d'olives, aussi bien que sur une béchamel de mousserons. Nous n'admettons pas qu'on puisse les faire cuire *aux navets*, ainsi qu'il est conseillé dans l'*Almanach des gourmands*. C'est un apprêt trop vulgaire, pour être appliqué convenablement à des albrans, des canardeaux, et même à des canards sauvages, il ne convient que pour des canards de ferme et pour leurs canetons. Nous suivons ici le précepte et la décision de M. Brillat-Savarin, notre illustre devancier :

« *L'adjonction d'un pareil légume à ce noble gibier serait pour les albrans un procédé malséant et même injurieux, une alliance monstrueuse, une dégradation flétrissante.* »

ALCOOL

Mot arabe qui désigne une substance solide ou un liquide volatil. On ne donne aujourd'hui vulgairement ce nom qu'au produit volatil et inflammable de la liqueur fermentée appelée esprit-de-vin.

Sa découverte remonte au XIVe siècle. Elle est due à un célèbre alchimiste de Montpellier, Arnault de Villeneuve. Elle est le produit des substances sucrées. On peut la tirer du vin, de la bière, du cidre, du riz, du sucre et généralement des fruits, grains ou résines qui contiennent du sucre.

Faible, l'alcool s'appelle eau-de-vie; fort, c'est l'esprit-de-vin inflammable, de saveur vigoureuse, causant l'ivresse et affaiblissant les facultés intellectuelles. Cette saveur est d'autant plus forte que l'alcool a été plus rectifié ou privé d'eau. Il se dissout parfaitement dans l'eau avec laquelle il s'unit, et forme l'eau-de-vie.

Il y a un tel rapport entre ces deux liquides, que nous dirons tout de suite, à propos de l'alcool, ce que nous avons à dire de l'eau-de-vie.

L'eau-de-vie, liqueur alcoolique très-aqueuse, contient un peu d'acide acétique; on l'obtient par la distillation du vin, des grains, des pommes de terre, des marcs de raisin, du poivre, du cidre, de la mélasse, de la lie de vin, du riz, des cerises, des prunes, des carottes, des groseilles, du lait des dattes, du coco, du genièvre, des pois, des haricots, des betteraves et de l'érable. C'est toujours à Arnault de Villeneuve, médecin-alchimiste à Montpellier, qu'on doit les premiers essais réguliers sur la distillation du vin pour en obtenir de l'eau-de-vie, qui est la base de toutes les liqueurs de table et qui même en fait partie.

C'est un liquide limpide, incolore, transparent, volatil, de saveur forte, de densité variable, suivant la quantité d'eau qu'il contient; inflammable, en raison directe de

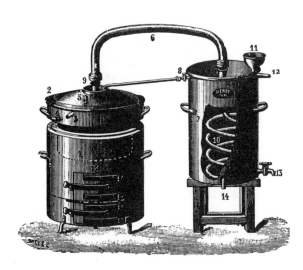

sa densité, ayant la propriété de dissoudre les résines et les principes aromatiques ; enfin de préserver de la putréfaction les substances végétales et animales. (*Dictionnaire des Boissons*, par M. F. Olagnier.)

ALCYON

Peu de personnes savent que cet oiseau, au doux nom qui rappelle les malheureuses amours de Cex et Alcyon, n'est autre que l'hirondelle des rivages de la Cochinchine, que l'on nomme salangane, et dont les Chinois mangent les nids avec tant de volupté. On en trouve la première variété aux îles de France et de Bourbon, aux Moluques et aux Philippines ; elles produisent des nids gélatineux de la forme d'un petit bénitier ; ces nids sont composés d'une substance blanche demi-transparente, dure comme la corne et mêlée intérieurement de légères couches de coton. A l'extérieur, cette substance ressemble à une gélatine très-blanche, desséchée par filaments soigneusement accolés. Cet oiseau, qui s'appelait en grec Alcyon, s'appelle *Chim* au Tong-King et *Salangane* aux îles Manille, qu'il enrichit avec la seule vente de son nid. Ces nids se composent d'une résine inconnue en Europe et qu'on appelle *Calambac*. Cette résine, qui est le *Timbach* des Indiens, est une substance qui s'écrase sous les dents et dont la saveur est délicieuse. En Chine, on la vend au poids de l'or à cause de son parfum ; on la brûle sur des charbons dans les plus fameuses pagodes, dans les occasions solennelles et chez les grands du Céleste-Empire. Le prix de ces nids est extrêmement élevé ; on les appelle *Sacaïpouka*. On sait aujourd'hui que plusieurs espèces d'hirondelles produisent de ces nids gélatineux ; les blancs

sont les plus recherchés, parce qu'ils sont glanés. Sumatra en expédie à Canton de nombreuses pacotilles, dont les Chinois sont enthousiastes. On les trouve entre les anfractuosités des montagnes, pris à de petites coupes attachées le long des murailles. On en fait deux récoltes par an ; les hirondelles mettent plus d'un mois à les construire. On a cru longtemps que ces nids n'étaient autre chose que l'écume de la mer mêlée au frai du poisson. J'ai vu beaucoup de ces nids, je dois dire que j'en ai même mangé plus qu'aucun Français, peut-être, étant lié avec le beau-fils du gouverneur de Java, qui en recevait tous les ans des caisses entières. Il les faisait récolter dans une caverne creusée, non loin de Java, parmi les rochers battus par la mer. La substance dont ils étaient composés, et que nous essayâmes d'analyser, ressemblait à de la colle forte à demi délayée ; ils avaient deux ou trois pouces de diamètre, quelques-uns contenaient encore des œufs qui y avaient été déposés ; ils ne pesaient pas plus de 10 grammes. Ils coûtent là-bas huit à dix piastres le demi-kilo.

Voici comment, sur la recette qui nous était envoyée de Java, nous les faisions cuire : après les avoir nettoyés, nous les laissions tremper, pour en ramollir les filaments qui se séparent. On les met ensuite sous une volaille rôtie dont ils absorbent le jus, ou bien on les fait cuire avec un chapon pendant vingt-quatre heures, et à petit feu, dans un pot de terre hermétiquement fermé. Nous en faisions aussi des bouillons, des soupes et des ragoûts très-rapides et très-nourrissants.

AGAL ou Alhagi

Mot arabe servant à désigner une espèce de manne qu'on recueille sur une variété de sainfoin, qui pousse abondamment en Syrie, en Mésopotamie, et en Perse; elle est onctueuse pendant le jour, mais se condense pendant la nuit. Son goût est le même que celui de la manne de Calabre; on croit que c'est elle qui alimenta les Israélites qui traversèrent le désert avec Moïse.

ALE

Ce mot anglais, qui veut dire *tout*, désigne, pour les Anglais, une boisson qui, selon eux, peut remplacer toutes les autres. C'est une liqueur qu'on obtient par l'infusion du moult et qui ne diffère de la bière qu'en ce que le houblon n'y entre qu'en petite quantité. Cette boisson est agréable, mais enivrante; bue-à dose raisonnable, elle rafraîchit.

ALENOIS (Cresson)

Plante potagère la plus saine des fines herbes. Elle se trouve rarement sur les marchés des grandes villes, attendu qu'elle se fane aussitôt qu'elle est cueillie, et que d'ailleurs, sur la couche, elle monte en graine trop rapidement. Les enfants et les vieilles filles s'amusent à faire pousser ce joli gramen sur du coton mouillé.

ALIMENT

Qu'entend-on par aliment?

Réponse populaire. — L'aliment est tout ce qui nous nourrit.

Réponse scientifique. — On entend par aliment les substances qui, soumises à l'estomac, sont assimilables par la digestion et propres à réparer les pertes que fait le corps humain.

Donc la première qualité de l'aliment est d'être aisément digestif. De là l'épigraphe de notre livre :

« On ne vit pas de ce que l'on mange, mais de ce que l'on digère. »

Les trois règnes de la nature concourent à l'alimentation de l'homme : le règne animal et le règne végétal, plus abondamment que le troisième, le règne minéral, qui ne fournit que des assaisonnements et des remèdes. L'air même porte avec lui un principe plus ou moins nourrissant, selon qu'il est plus chaud ou plus froid.

On croit généralement que l'humanité est originaire de l'Inde, tant l'air indou est chargé de principes nutritifs. On attribue la fraîcheur des bouchers et des bouchères aux émanations des viandes fraîches dont ils sont continuellement enveloppés.

Démocrite vécut trois jours sans manger, et cependant sans ressentir la faim, en respirant la vapeur du pain chaud.

Viterby, Corse condamné à mort par le jury de Bastia, résolut de se laisser mourir de faim, mais, soutenu par l'air nourricier de son pays, il ne mourut que le quarante-huitième jour. Il est vrai que le quarante-troisième, ne pouvant résister à l'étranglement de la soif, il avait bu un demi-verre d'eau.

Le régime végétal convient aux pays chauds, le régime animal aux pays froids où l'homme a besoin de faire beaucoup de carbone. Les nations les plus guerrières et les plus cruelles sont les nations essentiellement carnivores. Comparez le pacifique Indou vivant de racines et de fruits avec le farouche Tatare qui boit le sang de son cheval et mange sa chair crue.

ALIZIER

Arbre de la famille des poiriers et des néfliers, fort répandu dans les bois de la Haute-Marne, du Jura et des Hautes-Alpes. Son fruit se rapproche de la nèfle; il est de la grosseur d'une petite poire rouge et se mange, quoique acerbe, quand on a pris le soin, comme on fait pour les nèfles, de le laisser quelque temps sur la paille, où il parvient à un état intermédiaire entre la pourriture et la maturité, état qu'on appelle *blet*.

Ce fruit est fort agréable quand il est mûr, et on en fait dans certains pays une espèce de cidre qui rafraîchit.

ALKERMESSE DE FLORENCE

Une des liqueurs les plus pâteuses et les plus affadissantes qui existent, quoique jouissant d'une assez bonne réputation. Elle est faite par les mains des dames de Santa Maria la Noella, qui joignent à ce commerce celui de la pharmacie. C'est un intéressant établissement que ne manquent pas de visiter les touristes qui s'arrêtent à Florence.

ALOÈS

Plante du genre des Liliacées. On compte un grand nombre de variété dans l'aloès, remarquables en général par l'épaisseur charnue de leurs feuilles, par la forme singulière de quelques-unes d'entre elles et surtout par la beauté de leurs épis de fleurs dont les couleurs, différemment nuancées, produisent le plus bel effet dans un jardin.

Les aloès sont originaires de l'Afrique et de l'Inde, et ne se plaisent que dans les lieux chauds, secs, et sur les rochers. Les habitants de la Cochinchine retirent de l'aloès perfolié une fécule agréable au goût, qu'ils mangent avec du sucre ou avec des viandes. Pour l'obtenir, ils font macérer les feuilles d'abord dans une eau alumineuse et ensuite dans l'eau froide.

On donne aussi le nom d'aloès à une préparation faite avec le suc épaissi ou l'extrait des plantes de ce nom. On emploie différents procédés pour cette préparation. Dans l'un, on exprime tout le suc de la plante après l'avoir pilée; on le laisse déposer dans un vase pendant une nuit, puis on le décante. On expose ensuite la portion décantée au soleil dans des espèces d'assiettes, et on la réduit ainsi à consistance d'extrait; le sédiment du premier vase est desséché à part et regardé comme un aloès de qualité inférieure; il n'est employé que dans la médecine vétérinaire; on l'appelle *aloès caballin*. D'après un autre procédé, on coupe la pointe des feuilles de la plante qu'on suspend sens dessus dessous et le suc s'écoule spontanément peu à peu dans des vases disposés à cet effet. Ce suc est filtré et évaporé ensuite à une douce chaleur et il devient peu à peu si dur, qu'on peut le réduire en poudre; celui-ci est la première qualité d'aloès ou *aloès succotrin*.

L'aloès est tonique, échauffant, fortifiant et purgatif.

ALOSE

L'alose est un excellent poisson de mer qui remonte les rivières à une certaine époque de l'année; c'est pendant ce voyage qu'il perd sa trop forte salaison et s'engraisse. On les emploie pour rôts ou pour entrées. Si on les emploie pour rôtis, on ne les écaille pas, on les fait cuire dans le court-bouillon comme le saumon et la carpe du Rhin; on les sert alors sur une assiette garnie de persil vert et de raifort râpé. Si on s'en sert comme entrée, on les écaille et on les sert à différentes sauces : à l'oseille, aux tomates, aux câpres. La meilleure manière de les préparer est celle que nous allons mettre sous les yeux du lecteur :

ALOSE A L'OSEILLE. Écaillez, videz, lavez votre alose, enveloppez-la dans un papier beurré, après l'avoir garnie de fines herbes, faites cuire sur le gril et servez sur une farce d'oseille ou sur une copieuse maître-d'hôtel.

ALOSE A LA BROCHE. Si vous pêchez ou si vous trouvez à acheter une alose de forte taille, ce qui arrive souvent à la fin de l'été, il est mieux de la mettre à la broche que sur le gril, où elle cuit plus facilement et plus également. Il faut l'inciser et la faire mariner dans l'huile avec du sel fin, du persil en branche et quelques ciboules coupées. Incisez-la sur le dos légèrement et en biais, retournez-la plusieurs fois dans son assaisonnement, mettez-la à la broche, arrosez-la soigneusement et servez-la comme plat de rôti pour être mangé à l'huile ou au vinaigre, ainsi que les grands poissons cuits au bleu.

ALOSE A LA MARINIÈRE. Maniez 125 grammes de beurre et une pincée de fécule, trempez avec du consommé, faites cuire quelques aloses coupées en tranches avec de petits oignons, et masquez avec une sauce tamisée, garnissez de sardines fraîches bouillies pendant trois minutes.

FILETS D'ALOSE SAUTÉS. Lavez et coupez les filets de l'alose, mettez-les sur un sautoir avec du beurre clarifié, salez, mettez le beurre sur un feu ardent. Retournez les filets, ne les laissez cuire que peu d'instants, égouttez, dressez en couronne et servez avec une sauce à votre gré.

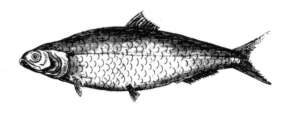

ALOSE A LA HOLLANDAISE. N'écaillez pas, videz par les ouïes, faites bouillir deux ou trois fois avec de l'eau salée, retirez; mettez pendant une demi-heure sur un feu doux, de façon à maintenir chaud sans laisser bouillir; servez sur une serviette avec des pommes de terre et la sauce à part.

ALOUETTE

Les alouettes ont le double avantage d'être aimées par les gourmands et chantées par les poëtes. Juliette dit à Roméo, qui veut la quitter avant le jour :

— Ne t'en vas pas encor, reste, mon Roméo :
C'était le rossignol et non pas l'alouette
Dont le chant a frappé ton oreille inquiète;
Caché dans les rameaux d'un grenadier en fleurs,
A la nuit qui l'écoute il chante ses douleurs :
C'était le rossignol, crois-en ta Juliette!

ROMÉO

Non! c'est bien le matin et c'est bien l'alouette.
Regarde, mon amour, à l'horizon rougi
Monter de pourpre et d'or ce rayon élargi;
Ce nuage qui s'ouvre et laisse passer l'aube,
C'est l'aurore levant un des plis de sa robe.
Tandis que, repoussée à l'occident obscur,
Phœbé fuit éteignant ses flambeaux dans l'azur,
Vois-tu le gai matin, éclairant nos campagnes,
Poser son pied joyeux sur le front des montagnes?
Vois-tu comme un torrent la lumière accourir?
Il faut partir et vivre, ou rester et mourir.

JULIETTE

Tu te trompes, ami, non ce n'est pas l'aurore,
C'est quelque éclair furtif, c'est quelque météore
Que le soleil, touché de notre amour si beau,
Place sur ton chemin comme un porte-flambeau.
Reste donc, du départ ce n'est pas encor l'heure;
Demeure, ô Roméo! je t'aime tant, demeure!

ROMÉO

Veux-tu que l'on me trouve et qu'on me tue ici?
Oh! moi, je suis content si tu le veux aussi.
Avec toi je dirai : Ce n'est pas la lumière

Que verse le matin en ouvrant sa paupière :
C'est le pâle reflet de la sœur d'Apollon
Dont le char argenté glisse sur le vallon.
Ce chant qui dans le ciel éclate sur ma tête,
Non ce n'est pas ton chant, matinale alouette!
Oh! moi, je ne fais pas de l'amour un remords,
Juliette le veut, je reste. — Viens, ô mort!
Je t'attends dans ses bras, ô sublime inconnue,
Pâle sœur du sommeil, mort, sois la bienvenue!

JULIETTE

Oh! non, je me trompais, Roméo! c'est le jour!
Pas un instant à perdre. Oh! fuis! fuis! mon amour.
C'était bien l'alouette aux notes discordantes
Dont le chant menaçait nos amours imprudentes;
C'était bien le soleil, brûlant vainqueur des nuits,
Qui montait sur son char; fuis! mon Roméo! fuis!

Les alouettes étaient recherchées sur les tables des Athéniens; elles étaient sacrées à Lemnos, parce qu'elles avaient délivré l'île des sauterelles. L'alouette est fort délicate et estimée pour son goût. Elle n'est réellement bonne qu'au mois de novembre et les mois qui suivent jusqu'à février. Elle s'engraisse par le brouillard avec une rapidité surprenante; elle a cela de commun, du reste, avec ses fournisseurs, mais elle maigrit plus promptement qu'eux. Rôties et bardées, les alouettes sont très-agréables, mais à la suite d'un dîner solide. L'avis de Grimod de la Reynière est que l'alouette la plus grosse, ainsi que le meilleur rouge-gorge, ne sont, sous les doigts d'un homme de bon appétit, qu'un petit paquet de cure-dents, plus propres à nettoyer la bouche qu'à la remplir.

L'illustre gourmet ajoute :

« Les pâtés d'alouettes de Pithiviers sont l'un des plus délicieux mangers que puisse vergeter le palais d'un galant homme; la croûte en est excellente et l'assaisonnement inimitable. »

Plumée, dressée, troussée, prête à mettre à la broche, enfin, l'alouette change de nom et s'appelle mauviette. Lister, médecin gourmand d'une reine gourmande, établit comme un principe que si douze mauviettes ne pèsent pas 30 grammes chacune, elles ne sont pas mangeables; que si elles pèsent ce poids, elles sont passables; mais que si elles pèsent ensemble 400 grammes ou plus, elles sont excellentes.

Ayez donc soin de faire peser vos mauviettes avant de les mettre à la broche.

ALOUETTES A LA CASSEROLE. Prenez une ou deux douzaines d'alouettes, cela dépend du nombre de vos convives, plumez-les (vos alouettes et non pas vos convives), videz-les, flambez-les. Ensuite vous les mettrez dans la casserole avec un peu de beurre et vous les ferez cuire à moitié. Quand ce sera fini retirez vos oiseaux du feu pour les égoutter, videz-les et ôtez les gésiers que vous jetterez. Pilez tout le reste ensemble en y ajoutant quelques foies

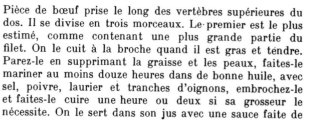

Pièce de bœuf prise le long des vertèbres supérieures du dos. Il se divise en trois morceaux. Le premier est le plus estimé, comme contenant une plus grande partie du filet. On le cuit à la broche quand il est gras et tendre. Parez-le en supprimant la graisse et les peaux, faites-le mariner au moins douze heures dans de bonne huile, avec sel, poivre, laurier et tranches d'oignons, embrochez-le et faites-le cuire une heure ou deux si sa grosseur le nécessite. On le sert dans son jus avec une sauce faite de ce jus, filet de vinaigre, échalotes, sel et poivre; servez dans une saucière une sauce préparée ainsi, ou faites un petit roux que vous mouillez de bouillon ou d'eau et jus; ajoutez poivre, sel, échalotes, cornichons, persil, le tout hâché très-fin, et filet de vinaigre.

Vous pouvez encore servir l'aloyau garni de petits pâtés ou bien entouré de raifort ou sur du céleri, des concombres ou des laitues farcies. Servi au premier service il peut tenir lieu de gros plat. Servez en fricandeau, à la Godard, à la braise, à l'allemande.

ALOYAU A LA GODARD. Empruntons la recette à celui-là même qui l'a trouvée. Otez le dos de l'échine à votre aloyau sans le désosser tout à fait; lardez-le de gros lardons bien assaisonnés, ficelez-le de manière à lui donner une belle forme; mettez-le dans une braisière avec un bouquet garni de fines herbes, oignons et carottes en suffisante quantité; mouillez-le avec du bon bouillon et une bouteille de vin de Madère; mettez-y sel et gros poivre, faites-le cuire à petit feu et de manière que son fond soit réduit presque en glace, retirez-le de sa braise et servez-le avec le ragoût énoncé ci-après : Mettez quatre cuillerées à dégraisser de glace de viande dans une casserole; ajoutez-y la cuisson de votre aloyau, que vous aurez fait passer et dégraisser; coupez quelques ris de veau en tranches, des champignons tournés, des fonds d'artichauts en quartiers, des petits œufs; dégraissez le ragoût avant de servir et saucez votre aloyau avec ce ragoût.

ALOYAU RÔTI (d'après la prescription de M. Beauvilliers, ancien cuisinier de Monsieur, frère du roi). Ayez un aloyau de première ou de seconde pièce; ôtez-en l'arête, sans endommager ses filets; mettez-le sur un plat, saupoudrez-le d'un peu de sel fin, arrosez-le d'un peu d'excellente huile d'olive, en y joignant quelques tranches d'oignons et de feuilles de laurier; laissez-le mortifier deux ou trois jours, si le temps le permet, et ayez soin de le retourner deux ou trois fois par jour; lorsque vous voudrez le faire cuire, embrochez-le ou couchez-le sur fer, de la manière suivante : Passez votre broche dans le gros filet en suivant l'arête ou les os de l'échine; gardez-vous, dirai-je encore, d'endommager le filet mignon; attachez-y, du

de volailles ou des foies gras et quelques truffes; faites-en une farce bien fine que vous assaisonnerez convenablement avec sel, poivre, muscades, etc.; bourrez l'abdomen de vos alouettes avec cette farce. Garnissez-en le fond d'un plat d'argent, enterrez-y vos oiseaux de manière qu'on les aperçoive à peine, et couvrez-les d'une barde de lard et d'un papier beurré. Mettez votre plat sur les cendres chaudes, placez un four de campagne au-dessus et laissez cuire pendant une demi-heure. Au moment de servir, ôtez le papier et le lard, égouttez le plat, saupoudrez-le de chapelure bien fine et soyez tranquille sur les résultats. Ce mets divin peut se manger avec une sauce quelconque. Je m'en suis souvent régalé avec de la gelée de groseille, en avalant à chaque fois une demi-bouchée de l'un et de l'autre. (*Méthode d'Éléazar Blaze.*)

côté du gros filet un attelet, ou petite broche en fer, liez-le avec de la ficelle fortement des deux bouts, afin que votre aloyau ne tourne pas sur la broche; roulez le flanc en dessous, pour mieux présenter le filet mignon et la graisse de votre aloyau que vous dégraissez légèrement; assujettissez ce flanc avec des petits attelets, en les passant d'outre en outre dans le gros filet; enveloppez de papier fort cet aloyau et mettez-le à un feu vif, afin qu'il concentre son jus.

FILET D'ALOYAU BRAISÉ A LA ROYALE. (D'après la tradition de Vincent de la Chapelle, premier cuisinier du roi Louis XV, reproduite par l'auteur des *Mémoires* de la marquise de Créqui.) On lève le filet d'un aloyau dont on tire toute la graisse; on aura soin de le ficeler pour lui donner la forme qu'on jugera la plus convenable, car il est bon de calculer si l'on aura besoin de le servir comme relevé sur un grand plat ovale ou comme entrée sur un moyen plat rond. Dans tous les cas, on mettra au fond d'une braisière des bardes de lard et des tranches de veau, cinq ou six oignons, deux clous de girofle avec un bouquet garni. On place ensuite le filet dans la braisière, on le couvre de lard, et l'on y verse 750 grammes d'excellent bouillon où l'on ajoute un peu de sel; on commence par faire bouillir la braise sur un fourneau bien ardent et on la met ensuite cuire à petit feu pendant six heures. Au bout de ce temps, on prend le fond du ragoût que l'on fait réduire et clarifier; on le dégraisse exactement et l'on en forme une demi-glace bien claire que l'on sert sous le même filet de bœuf, après lui avoir donné une belle couleur. Si l'on veut que le filet de bœuf ait encore une plus belle apparence, on doit le laisser refroidir pour le parer avec plus de goût; on le fait réchauffer dans une partie du mouillement où il a été cuit. On pourrait également le servir à la gelée, en ayant eu soin d'ajouter dans la braisière un pied de veau, avec 30 grammes de corne de cerf.

Après ces grandes façons de préparer et de servir l'aloyau, nous en citerons quelques-unes qui ne sont pas moins bonnes pour être plus simples.

FILET D'ALOYAU A LA BOURGEOISE. Lardez fortement un filet d'aloyau; mettez votre filet à la casserole sur un fond de parures, avec oignons, carottes et céleri, fonds d'artichauts, bouquet garni et 250 grammes de bouillon sans graisse.

FILET D'ALOYAU AUX CONCOMBRES. Parez votre filet, piquez, faites rôtir avec concombres farcis à la chair de volaille et à la moelle de bœuf.

FILET D'ALOYAU AUX OIGNONS GLACÉS OU AUX LAITUES FARCIES. Parez et faites cuire; comme ci-dessus dégraissez et entourez de laitues farcies et d'oignons glacés.

FILET D'ALOYAU AUX CONSERVES. Parez comme pour un aloyau braisé, lardez et faites rôtir; mettez filets de cornichons, rouelles de betterave confite, oignons, choux-fleurs, guignes, cassis, alizes, mirabelles, etc., avec quelques cuillerées à dégraisser de glace de viande et une de vinaigre, le tout dans la casserole, faites chauffer sans bouillir et servez très-chaud sous le bœuf.

FILET D'ALOYAU AUX CORNICHONS A LA BONNE-FEMME. Modification du précédent, qui consiste à remplacer la glace de viande par un roux léger; mouillez avec du consommé dans lequel nageront des cornichons coupés en tranches.

FILET D'ALOYAU AU VIN DE MALAGA. Même parure que pour l'aloyau rôti; lardez fortement; garnissez la casserole d'un lit de bardes de lard, d'une tranche de noix de veau, d'une tranche de jambon cru, de carottes, d'oignons, mousserons, fonds d'artichauts, bouquet garni; mettez l'aloyau sur le tout; mouillez de deux verres de malaga, coupez de deux ou trois cuillerées à pot de bouillon réduit; laissez cuire sur un feu léger pendant un peu plus de deux heures et tamisez afin de glacer avec consistance et transparence. Plat recommandable.

FILET D'ALOYAU AU VIN DE MADÈRE, A LA BOURGEOISE. Mettre à la broche, arroser de son propre jus et d'une demi-bouteille de madère, avec rocambole pilée et mignonnette.

AMANDES DOUCES,
AMANDES AMÈRES

On donne le nom d'amande à la semence de tous les arbres à noyaux renfermée dans une écorce dure. On dit une amande d'abricot, une amande de pêche, etc.; mais il est ici particulièrement question du fruit de l'amandier qui croît en Italie, en Provence, en Languedoc, en Touraine et en Afrique; l'huile qu'il renferme s'altère vite et contient de l'âcreté; les amandes sont en elles-mêmes adoucissantes, rafraîchissantes, nourrissantes et calment la toux; les mauvais estomacs seulement ne doivent pas se donner le travail difficile de les digérer en grande quantité. La peau de l'amande en vieillissant se recouvre au contraire d'une poussière âcre qui irrite la gorge, excite la toux et rend l'amande plus indigeste. L'amande amère n'entre pas dans l'alimentation, elle contient un acide connu sous le nom d'acide prussique ou hydrocyanique; c'est le poison le plus rapide et le plus violent. Une goutte d'acide prussique posée sur la langue ou sur l'œil d'un bœuf le tue à l'instant même. C'est surtout avec les amandes de la pêche qu'on le prépare. S'il y a empoisonnement par acide prussique et que, soit par l'évaporation, soit par toute autre cause, cet empoisonnement n'a pas lieu avec une rapidité foudroyante, il faut faire prendre au malade une préparation de fer. Dans les indispositions à la suite de l'absorption d'une trop grande quantité d'amandes amères, il faut répéter cette expérience. Avec les amandes douces, on peut faire les préparations suivantes :

CRÈME D'AMANDES. Pilez et émondez 460 grammes d'amandes douces, mêlez-y trois amandes amères seulement, passez cette composition à l'étamine après l'avoir délayée avec de la crème bouillante, ajoutez des jaunes d'œufs ainsi que de l'eau double de fleur d'orange, et faites prendre cette crème au bain-marie. On peut garnir ce plat d'amandes pralinées. Consignons ici en passant que c'est à Bourges qu'on fait les meilleures amandes pralinées.

AMANDES PRALINÉES. Ce nom leur vient de la maréchale de Praslin dont le chef d'office avait inventé cette friandise. Vous mettez dans une poêle 500 grammes d'amandes, 500 grammes de sucre, un verre d'eau distillée, vous faites bouillir le tout jusqu'au pétillement des amandes; retirez du feu et remuez jusqu'à ce que le sucre n'adhère plus aux amandes. Enlevez une partie du sucre, remettez l'autre sur le feu; remuez jusqu'à nouvelle adhérence du sucre et des amandes, et mettez les pralines au sec. Les pistaches pralinées, les avelines pralinées, se préparent comme les amandes, et, comme elles, se conservent dans un endroit sec.

GÂTEAU D'AMANDES. Prenez un demi-litre de farine; mettez dedans environ 50 grammes de beurre, deux œufs complets, un peu de sel, 63 grammes de sucre blanc, 90 grammes d'amandes douces pilées, pétrissez le tout, faites cuire comme un gâteau ordinaire et glacez avec sucre et pelle rouge.

GÂTEAU D'AMANDES MASSIF. Prenez un kilo d'amandes douces mondées, lavées, pilées, mêlées à 15 grammes d'amandes amères. Ajoutez-y des épidermes de citrons confits, de l'angélique, de la fleur d'orange pralinée, un peu de sel, 1 kilo de sucre, dix-sept jaunes et seulement cinq blancs d'œufs; mélangez, beurrez votre moule, mettez-y le tout garni de papier beurré, et cuisez à four doucement chauffé.

M. de Courchamps donne le conseil, et je ne puis qu'inviter le lecteur à le suivre, de mettre à proximité de cet entremets une crème liquide aux jaunes d'œufs, dans laquelle vous aurez versé du lait d'amandes au lieu de lait ordinaire et que vous aurez fait cuire au bain-marie.

COMPOTES D'AMANDES VERTES. Préparez comme une compote d'abricots verts, mais versez avant le refroidissement une petite cuillerée de kirsch.

PETITS GÂTEAUX D'AMANDES. Mondez 250 grammes d'amandes douces et deux ou trois amandes amères; pilez-les; mettez un blanc d'œuf; ajoutez-y 500 grammes de sucre, un peu de fleur d'orange pralinée et de crème; abaissez du feuilletage à l'épaisseur de cinq millimètres. Coupez cette pâte ainsi que pour des petits pâtés; garnissez chaque morceau de feuilletage avec votre préparation d'amandes; faites-les cuire à un four chaud et poudrez-les de sucre blanc.

GÂTEAU D'AMANDES A LA MANIÈRE DITE DE PITHIVIERS. Opérez comme ci-dessus, sinon que le gâteau doit être recouvert d'une lame de pâte feuilletée.

MACARONS D'AMANDES AMÈRES. Écossez les amandes mouillées; pilez avec quatre blancs d'œufs pour 500 grammes d'amandes, et mettez dans une terrine; jetez-y 1 kilo 500 de sucre en poudre; si la pâte était trop sèche, on y ajouterait des blancs d'œufs; dressez la pâte sur des feuilles de papier par petites portions, et faites cuire à un feu doux et bien clos.

MACARONS D'AMANDES DOUCES. Procédez ainsi que pour les autres macarons, seulement mettez 1 kilo de sucre par 500 grammes d'amandes.

BISCUITS D'AMANDES. Prenez 250 grammes d'amandes douces, 30 grammes d'amandes amères, 60 grammes de farine et 1 kilo de sucre en poudre, cassez une douzaine d'œufs; mettez les blancs dans une tasse, les jaunes dans une autre, mondez les amandes, pilez-les en y ajoutant deux blancs d'œufs, battez le reste en neige, battez les jaunes à part avec la moitié du sucre, mélangez tous ces jaunes et tous ces blancs avec vos amandes pilées de manière à en former une pâte, incorporez-y le reste du sucre avec de la farine; préparez des caisses de papier, emplissez-les de votre pâte, et glacez-les avec votre mélange de sucre et de farine que vous aurez étendu sur un tamis et que vous agiterez au-dessus de vos caisses pour en faire tomber une pluie fine; faites cuire ces biscuits dans un four médiocrement chaud.

Biscuits aux avelines, biscuits aux pistaches, biscuits au chocolat, biscuits aux marrons glacés, biscuits au rhum, biscuits à l'orange, au citron, à l'ananas, enfin biscuits à la crème salée, se préparent de la même manière. *(Méthode de M. de Courchamps.)*

LAIT D'AMANDES. Prenez 250 grammes d'amandes douces, un litre d'eau chaude, 15 grammes de fleur d'oranger, 180 grammes de sucre; mondez, pilez les amandes, trempez-les de temps à autre d'un peu d'eau; lorsque la pâte est devenue fine, délayez-la dans l'eau chaude et passez le tout au travers d'un linge, et faites bouillir jusqu'à réduction de moitié. Tamisez et laissez refroidir.

AMBRE
(Son origine, ses qualités,
par M. A. F. Olagnier.)

Nous allons laisser parler le célèbre professeur, puis, bon gré, mal gré, nous le forcerons de passer la main à un autre professeur non moins illustre que lui, à M. Brillat-Savarin. Nous rappellerons seulement qu'on trouve l'ambre sur le bord des rivières ou sur le rivage de la mer, mais qu'on ignore encore comment il se trouve là plutôt qu'ailleurs.

« Ambre; substance cireuse ou huile concrète, tenace, molle, fusible, très-aromatique, légère, surnageant sur l'eau, de couleur cendrée, opaque, tachetée ordinairement de points noirs ou blancs, se ramollissant et se fondant à la chaleur, insipide et adhérente aux dents quand on la mâche.

« En 1783, le docteur Swediaur, mon ami, publia dans les transactions philosophiques, un mémoire dans lequel il établit par des inductions et par des faits, que l'ambre gris n'est autre chose que l'excrément durci du cachalot à grosse tête ou de l'animal qui produit le blanc de baleine. Les pêcheurs en trouvent dans le ventre de ces cétacés depuis 100 grammes jusqu'à 50 kilos; cette substance est placée dans un sac qu'on croit être l'intestin cœcum. Les baleines à ambre sont maigres, engourdies et languissantes, il est probable que cette matière est une cause de maladie. « M. Dandrada, de Lisbonne, prétendit que l'ambre n'était pas un excrément, parce qu'on l'avait assuré qu'on en avait retiré de l'estomac des baleines. Quoi qu'il en soit il est considéré comme une substance animale, à cause de son odeur urineuse lorsqu'il est fraîchement rejeté sur le rivage, et de l'avidité avec laquelle le recherchent les oiseaux de mer qui ne vivent que de poissons. Aujourd'hui l'opinion de Swediaur paraît être généralement adoptée. « Il y a deux sortes d'ambre, le cendré et le noir. Le meilleur est le cendré ou gris. Il doit être propre, odoriférant et léger. Le noir est peu estimé. Les Orientaux usent beaucoup de l'ambre comme d'un aphrodisiaque. Il est plus certain qu'il fortifie et qu'il ranime l'esprit; les femmes hystériques n'en supportent pas l'odeur. Il sert aussi comme parfum. La plus odorante de ses préparations est sa dissolution dans l'alcool et, selon Berzélius, c'est sous cette forme qu'on doit l'employer. « L'ambre est composé, selon le même chimiste, d'ambéine, d'un extrait alcoolique rougissant le tournesol et de saveur douceâtre, d'un extrait aqueux avec acide benzoïque et de chlorure sodique. « Pour savoir s'il est falsifié, il faut le percer avec une aiguille chauffée, et s'il en sort un suc gras et odoriférant, il est naturel. Jeté sur des charbons ardents, il exhale une odeur très-pénétrante et agréable, enfin il surnage sur l'eau et n'adhère point au fer chaud.

« L'ambre frotté fortement a la propriété de l'aimant.

« Les huiles d'olive, de colza, celle de térébenthine à chaud le dissolvent. L'éther le dissout à froid. » (*A. F. Olagnier.*)

Passons maintenant à Brillat-Savarin. Nous laissons la parole à l'illustre professeur, pour ne rien ôter ni ajouter à son style :

« Il est bien que tout le monde sache que si l'ambre, considéré comme parfum, peut être nuisible aux profanes qui ont les nerfs délicats, pris intérieurement il est souverainement tonique et exhilarant; nos aïeux en faisaient grand usage dans leur cuisine et ne s'en portaient pas plus mal.

« J'ai su que le maréchal de Richelieu, de glorieuse mémoire, mâchait habituellement des pastilles ambrées, et pour moi, quand je me trouve dans quelqu'un de ces jours où le poids de l'âge se fait sentir, où l'on pense avec peine et où l'on se sent opprimé par une puissance inconnue, je mêle avec une forte tasse de chocolat, gros comme une fève d'ambre pilé avec du sucre, et je m'en suis toujours trouvé à merveille. Au moyen de ce tonique, l'action de la vie devient aisée, la pensée se dégage avec facilité et je n'éprouve pas l'insomnie qui serait la suite infaillible d'une tasse de café à l'eau prise avec l'intention de produire le même effet.

« J'allai un jour faire une visite à un de mes meilleurs amis (M. Rubat); on me dit qu'il était malade et effectivement je le trouvai en robe de chambre auprès de son feu, et en attitude d'affaissement.

« Sa physionomie m'effraya; il avait le visage pâle, les yeux brillants et sa lèvre tombait de manière à laisser voir les dents de la mâchoire inférieure, ce qui avait quelque chose de hideux.

« Je m'enquis avec intérêt de la cause de ce changement subit; il hésita, je le pressai et après quelque résistance : « Mon ami, dit-il en rougissant, tu sais que ma femme est « jalouse et que cette manie m'a fait passer bien des « mauvais moments. Depuis quelques jours, il lui en a pris « une crise effroyable et c'est en voulant lui prouver qu'elle « n'a rien perdu de mon affection et qu'il ne se fait à son « préjudice aucune dérivation du tribut conjugal que je « me suis mis en cet état. — Tu as donc oublié, lui dis-je, « et que tu as quarante-cinq ans, et que la jalousie est un « mal sans remède? Ne sais tu pas *furens quid fœmina* « *possit?* » Je tins encore quelques autres propos peu galants, car j'étais en colère.

« Voyons, au surplus, continuai-je : ton pouls est petit, dur, « concentré; que vas-tu faire? — Le docteur, me dit-il, sort « d'ici, il a pensé que j'avais une fièvre nerveuse, et a « ordonné une saignée pour laquelle il doit incessamment « m'envoyer le chirurgien. — Le chirurgien! m'écriai-je, « garde t'en bien, ou tu es mort; chasse-le comme un « meurtrier, et dis-lui que je me suis emparé de toi, corps « et âme. Au surplus, ton médecin connaît-il la cause

« occasionnelle de ton mal? — Hélas! non, une mauvaise « honte m'a empêché de lui faire une confession entière.

« — Eh bien! il faut le prier de passer chez toi. Je vais te « faire une potion appropriée à ton état; en attendant « prends ceci. » Je lui présentai un verre d'eau saturée de sucre qu'il avala avec la confiance d'Alexandre et la foi du charbonnier.

« Alors je le quittai et courus chez moi pour y mixtionner, fonctionner et élaborer un magistère préparateur qu'on trouvera dans les *Variétés* avec les divers modes que j'adoptai pour me hâter; car, en pareil cas, quelques heures de retard peuvent donner lieu à des accidents irréparables.

« Je revins bientôt armé de ma potion et déjà je trouvai du mieux, la couleur reparaissait aux joues, l'œil était détendu, mais la lèvre pendait toujours avec une effrayante difformité.

« Le médecin ne tarda pas à reparaître; je l'instruisis de ce que j'avais fait et le malade fit ses aveux. Son front doctoral prit d'abord un aspect sévère; mais bientôt, nous regardant avec un air où il y avait un peu d'ironie : — « Vous ne devez « pas être étonné, dit-il à mon ami, que je n'aie pas deviné « une maladie qui ne convient ni à votre âge, ni à votre « état, et il y a de votre part trop de modestie à en cacher « la cause, qui ne pouvait que vous faire honneur. J'ai « encore à vous gronder de ce que vous m'avez exposé à « une erreur qui aurait pu vous être funeste. Au surplus, « mon confrère, ajouta-t-il en me faisant un salut que je « lui rendis avec usure, vous a indiqué la bonne route; « prenez son potage, quel que soit le nom qu'il y donne, et « si la fièvre vous quitte, comme je le crois, déjeunez « demain avec une tasse de chocolat dans laquelle vous « ferez délayer deux jaunes d'œufs frais. »

« A ces mots, il prit sa canne, son chapeau, et nous quitta, nous laissant fort tentés de nous égayer à ses dépens.

« Bientôt je fis prendre à mon malade une forte tasse de mon élixir de vie, il le but avec avidité et voulait renouveler mais j'exigeai un ajournement de deux heures, et lui servis une seconde dose avant de me retirer.

« Le lendemain, il était sans fièvre et presque bien portant; il déjeuna suivant l'ordonnance, continua la potion et put vaquer dès le surlendemain à ses occupations ordinaires, mais la lèvre rebelle ne se releva qu'après le troisième jour.

« Peu de temps après l'affaire transpira, et toutes les dames en chuchotaient entre elles.

« Quelques-unes admiraient mon ami, presque toutes le plaignaient et le professeur gastronome fut glorifié.

« Voici la recette de cet élixir qu'il serait dommage de ne pas livrer à la postérité :

« Prenez six gros oignons, trois racines de carottes, une poignée de persil, hâchez le tout et le jetez dans une casserole, où vous le ferez chauffer et roussir au moyen d'un morceau de bon beurre frais.

« Quand ce mélange est bien à point, jetez-y 180 grammes de sucre candi, 1 gramme d'ambre pilé, avec une croûte de pain grillée et 3 litres d'eau, que vous ferez bouillir pendant trois quarts d'heure en y ajoutant de nouvelle eau pour compenser la perte qui se fait par l'ébullition, de manière qu'il y ait toujours 3 litres de liquide.

« Pendant que ces choses se passent, tuez, plumez et videz un vieux coq, que vous pilerez, chair et os dans un mortier, avec le pilon de fer; hachez également 1 kilogramme de chair de bœuf bien choisie.

« Cela fait, on mêle ensemble ces deux chairs, auxquelles on ajoute suffisante quantité de sel et de poivre.

« On les met dans une casserole, sur un feu bien vif, de manière à les pénétrer de calorique, et on y jette de temps en temps un peu de beurre frais, afin de pouvoir bien sauter ce mélange sans qu'il s'attache.

« Quand on voit qu'il a roussi, c'est-à-dire que l'osmazôme est rissolée, on passe le bouillon qui est dans la première casserole. On en mouille peu à peu la seconde et quand tout y est entré, on fait bouillir à grandes vagues pendant trois quarts d'heure en ayant toujours soin d'ajouter de l'eau chaude pour conserver la même quantité de liquide.

« Au bout de ce temps, l'opération est finie, et on a une potion dont l'effet est certain toutes les fois que le malade quoique épuisé par quelqu'une des causes que nous avons indiquées, a cependant conservé un estomac faisant ses fonctions.

« Pour en faire usage, on en donne le premier jour, une tasse toutes les trois heures jusqu'à l'heure du sommeil de la nuit; les jours suivants, une forte tasse seulement le matin, pareille quantité le soir, jusqu'à l'épuisement de trois bouteilles. On tient le malade à un régime diététique léger, mais cependant nourrissant, comme des cuisses de volaille, du poisson, des fruits doux, des confitures; il n'arrive presque jamais qu'on soit obligé de recommencer une nouvelle confection. Vers le quatrième jour, il peut reprendre ses occupations ordinaires et doit s'efforcer d'être sage à l'avenir, *s'il est possible*.

« En supprimant l'ambre et le sucre candi, on peut par cette méthode improviser un potage de haut goût et digne de figurer à un dîner de connaisseur; on peut remplacer le vieux coq par quatre vieilles perdrix et le bœuf par un morceau de gigot de mouton, la préparation n'en sera ni moins efficace, ni moins agréable.

« La méthode de hacher la viande et de la roussir avant que de la mouiller peut être généralisée pour tous les cas où l'on est pressé; elle est fondée sur ce que les viandes traitées ainsi se chargent de beaucoup plus de calorique que quand elles sont dans l'eau; on s'en pourra donc servir toutes les fois qu'on aura besoin d'un bon potage gras, sans être obligé de l'attendre cinq ou six heures, ce qui peut arriver très-souvent surtout à la campagne. Bien entendu que ceux qui s'en serviront glorifieront le professeur. » (*Brillat-Savarin.*)

AMIE

Poisson de mer qu'on trouve généralement dans la Méditerranée et qui remonte les rivières pendant l'été. Sa chair, que Gallien a placée parmi celles qui sont tendres et bonnes, bien condimentée est assez agréable quoique peu recherchée, mais nourrit peu.

AMMÈDE

Genre d'oseille qui croît dans les déserts de l'Arabie et en Grèce. On mange cette plante comme l'oseille dont elle a l'acidité et dont les propriétés sont les mêmes.

AMOURETTE

Moelle épinière de certains quadrupèdes et de certains poissons qui servent à la nourriture de l'homme. Ce fut un vieux seigneur nommé le commandeur de Froullay, pourvu d'une grande gourmandise et d'un fort appétit, qui à propos probablement des fonctions de la moelle épinière dans le genre humain, la baptisa en gastronomie du nom d'amourette. Il n'y a guère qu'en Russie où l'on fait de la moelle épinière des esturgeons, des pâtés, que cette moelle épinière s'emploie en manière de plat; sur les bords de la mer Caspienne, où l'on arrache avec cette moelle le dernier soupir des esturgeons, elle porte le nom de *viziga* comme les œufs portent le nom de *caviars*. Dans tout le nord de l'Europe, viziga et caviars ont une grande célébrité près des gourmands.

ANACARDE OU NOIX D'ACAJOU

La vieille droguerie employait fréquemment ce fruit qui provient d'un grand arbre nommé *anacardium* qui croît sur les bords des fleuves dans l'Inde et en Amérique; on en mange les jeunes pousses qui ont une saveur approchant de celle de la pistache; les habitants les font rôtir pour leur enlever l'âcreté et les confisent aussi au sucre. Elles sont nutritives, mais fort échauffantes.

M. le docteur Virey dit qu'autrefois on regardait l'amande orientale ou la fève de Malac comme utile pour stimuler ou rappeler la mémoire, et M. Hoffmann raconte l'histoire d'un homme stupide, incapable d'instruction, qui, après avoir fait usage de l'anacarde, devint professeur en droit; mais ensuite le vin altéra sa santé et il mourut d'une manière misérable.

On se servit pendant longtemps, en Sicile, d'un miel anacardin composé pour le même objet, mais comme on reconnut que ceux qui s'en servaient n'étaient ni moins bêtes, ni plus instruits, on abandonna ce philtre d'un nouveau genre.

ANANAS

Fruit originaire du Pérou; sa couleur en maturité tire sur le bleu, son odeur ressemble à celle de la framboise; sa saveur est douce, le suc approche du goût de vin de Malvoisie. Pour manger l'ananas, on le coupe par tranches, on lui fait perdre son âcreté, en le laissant tremper dans l'eau, et on le met dans le vin en y ajoutant du sucre. Dans l'Inde, on fait du suc d'ananas mêlé avec l'eau une boisson rafraîchissante préférable à la limonade. Au Brésil, on récolte une immense quantité d'ananas sauvages. Ils sont gros, juteux, aromatiques; on en tire de l'eau-de-vie, qui ressemble au meskal. L'ananas sauvage atteint soixante centimètres de hauteur, ses feuilles sont creuses et renferment une eau claire souveraine pour l'étanchement de la soif; quoique exposé aux rayons du soleil, cette eau reste toujours fraîche.

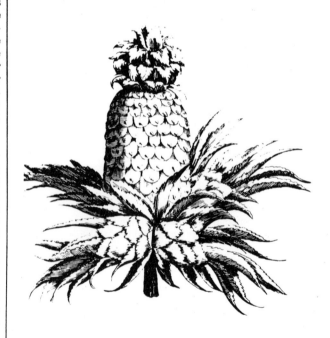

ANCHOIS

Poisson de mer plus petit que le doigt, sans écailles et qui a la tête grosse, les yeux larges et noirs, la gueule très-grande, le corps argenté et le dos rond. On le trouve abondamment sur les côtes de Provence, et c'est de là qu'il nous arrive confit ou mariné. La chair d'anchois a une saveur délicate, on la fait griller et elle est de facile digestion. On la confit aussi avec du vinaigre et du sel, ce qui forme une saumure dans laquelle on le conserve. L'anchois conservé ne figure sur nos tables que pour hors-d'œuvre, où il ne s'emploie que comme assaisonnement. Il doit à sa nature et à sa préparation une propriété excitante qui facilite la digestion quand on en use modérément. C'est avec les anchois qu'on farcit les olives, il entrait dans la préparation du garum des Romains. On pêche pendant la nuit ce poisson sur les côtes occidentales de l'Italie, de la France et de l'Espagne.

ANCHOIS EN SALADE VERTE. Lavez des anchois dans du vin, levez par filets et faites-en une salade avec du cerfeuil et de la laitue.

BEURRE D'ANCHOIS. Pilez des filets d'anchois dessalés avec de la crème, tamisez, mélangez avec 125 grammes de beurre et servez comme hors-d'œuvre.

RÔTIES D'ANCHOIS. Faites frire dans l'huile des tranches de pain longues et minces, préparez-les dans un plat en versant par-dessus une sauce faite avec de l'huile vierge, du jus de citron, du gros poivre, du persil, de la ciboule et de la rocambole hachée. Couvrez à moitié les rôties avec des filets d'anchois que vous aurez lavés avec du vin blanc.

ANCHOIS FARCIS. Les anchois seront entiers; nettoyez-les en les faisant glisser de toute leur longueur dans une serviette, fendez-les en deux, ôtez-en l'arête, mettez à la place une petite farce de chair de poisson, bien liée avec des œufs, trempez-les dans une pâte à beignets, et faites-les frire.

CANAPÉ D'ANCHOIS. Taillez une mince rondelle de pain, faites-la frire à l'huile et placez-la sur un fond de fromage parmesan; arrangez sur la rondelle de pain deux douzaines d'anchois trempés dans du lait, arrosez d'huile de Provence, couvrez de parmesan, mettez au four, et faites servir.

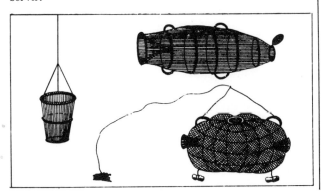

ANCHOIS A LA PARISIENNE. Levez par filets des anchois dessalés, hachez des œufs durs avec du cerfeuil et de la pimprenelle, disposez vos filets d'anchois en les entre-croisant en losanges sur le fond d'une assiette, de manière à laisser un peu de vide entre chaque losange. Remplissez les intervalles et remplissez le tour de votre assiette, avec votre hachis de jaunes d'œufs, de vos fines herbes et de vos blancs d'œufs que vous placerez en les alternant, de manière que leurs couleurs ne puissent se confondre; battez ensuite de l'huile surfine, du verjus, de la mignonnette avec quelques gouttes de soya de la Chine que vous verserez sur le fond de votre plat, afin qu'ils s'incorporent avec l'assaisonnement.

ANDOUILLES DE COCHON

Tirez des boyaux de cochon propres à faire des andouilles, coupez-les de la grandeur et de la grosseur de celles que vous voulez faire; nettoyez-les bien pour leur ôter le goût de charcuterie, faites-les tremper dans un peu de vin blanc, pendant cinq à six heures, avec thym, basilic et deux gousses d'ail; ensuite coupez en filets du porc frais, de la panne et des boyaux; mêlez le tout, assaisonnez-le de sel fin, d'épices fines, d'un peu d'anis pilé, remplissez-en vos boyaux, prenez garde qu'ils ne le soient trop (ce qui les ferait crever); ficelez-les et mettez-les cuire dans un vase juste à leur longueur, avec moitié lait et moitié eau, un bouquet de persil et ciboules, une gousse d'ail, thym, basilic, laurier, sel, poivre, panne : vos andouilles cuites, laissez-les refroidir dans leur assaisonnement; retirez-les, essuyez-les bien, ciselez un peu, faites-les griller et servez-les.

ANDOUILLES DE COUENNE. Coupez en filets de la couenne de jeune cochon, des boyaux et de la panne; mêlez le tout et procédez, pour assaisonner et finir vos andouilles, comme il est énoncé à l'article des *Andouilles de cochon.*

ANDOUILLES A LA BÉCHAMELLE. Mettez un morceau de beurre dans une casserole avec une tranche de jambon, trois échalotes, du persil et de la ciboule, une gousse d'ail, thym, basilic et laurier; posez votre casserole sur un feu doux et laissez suer pendant environ un quart d'heure; mouillez-la avec un demi-litre de lait; faites-la bouillir et réduire à moitié; passez-la au tamis, mettez-y une bonne poignée de mie de pain, et faites-la bouillir de nouveau, jusqu'à ce que le pain ait bu le lait, ensuite coupez en filets de la poitrine de porc frais, de la panne, du petit lard et une fraise de veau, mêlez ces filets avec votre mie de pain et six jaunes d'œufs crus, des épices et du sel, remplissez des boyaux de cette composition; et, ayant fermé vos andouilles, faites-les cuire avec moitié lait et moitié bouillon gras, du sel, du poivre, un bouquet de persil, des ciboules; servez comme à l'article précédent.

ANDOUILLES DE BŒUF. Prenez chez le charcutier des robes d'andouilles; faites-leur passer le goût de boyaux, comme il est expliqué pour celles du cochon; faites cuire aux trois quarts dans de l'eau du gras double et des palais de bœuf; ensuite coupez-les en filets, ainsi que de la tétine de veau et du petit lard; joignez à ces filets de l'oignon coupé de même et que vous aurez fait presque cuire dans du beurre ou du lard; mêlez le tout ensemble, en y ajoutant quatre jaunes d'œufs crus, des épices fines et du sel, entourez cet appareil dans vos boyaux, ficelez-en les deux bouts, et vos andouilles faites, mettez-les cuire dans du bouillon gras où vous aurez mis un demi-litre de vin blanc, un bouquet de persil et ciboules, une gousse d'ail, du laurier, du thym, du basilic, trois clous de girofle, sel, poivre, carottes et oignons. Vos andouilles cuites, laissez-les refroidir dans leur assaisonnement; et, pour les servir, procédez comme il est dit pour les andouilles de cochon. Vous pouvez vous servir de langues en place de palais de bœuf.

ANDOUILLES DE VEAU. Ayez une fraise et une tétine de veau; faites-les blanchir un grand quart d'heure et coupez-les en filets; joignez-y 500 grammes de petit lard coupé de même; maniez le tout dans une terrine, avec sel, épices fines, quelques échalotes hachées, quatre cuillerées à

dégraisser de crème double et quatre jaunes d'œufs : procédez ensuite en employant des boyaux de cochon pour faire vos andouilles, comme il est énoncé à l'article *Andouilles de cochon;* faites-les cuire avec du bouillon, un demi-litre de vin blanc, une gousse d'ail, du thym, du basilic, du laurier et un bouquet de persil et ciboules, laissez-les refroidir dans leur assaisonnement, retirez-les, essuyez-les, et, après les avoir un peu ciselées, faites-les griller et servez.

ANDOUILLES DE FRAISE DE VEAU. Prenez une fraise de veau; faites-la blanchir et cuire; ensuite laissez-la refroidir : ayez une tétine ou deux selon leur grosseur, faites-les cuire comme la fraise, émincez le tout; mettez-le dans une terrine, hachez des champignons, des échalotes, du persil et des truffes, si c'est la saison, mettez ces fines herbes dans une casserole avec du beurre, passez-les et mouillez-les avec un verre de vin de Malvoisie ou de Madère : lorsque cela sera réduit à moitié, mettez-y quatre ou cinq cuillerées d'espagnole; faites-le réduire de nouveau comme pour une sauce aux échalotes; de là mettez-y votre fraise de veau, votre tétine et six jaunes d'œufs, le tout assaisonné de sel, poivre et épices fines; assurez-vous si cet appareil est de bon goût; dans ce cas, mettez-le dans les boyaux que vous avez préparés à cet effet, ayant toujours soin qu'ils ne soient pas trop pleins; liez-les par les deux bouts; mettez-les deux minutes dans de l'eau bouillante pour leur faire prendre leur forme, retirez-les, ensuite laissez-les refroidir; mettez dans une casserole des lames de veau et de jambon, carottes et oignons, arrangez dessus vos andouilles; couvrez-les de bardes de lard, mouillez-les avec du vin blanc et un peu de bouillon; faites-les cuire une heure et doucement, pour qu'elles ne crèvent pas; laissez-les refroidir dans leur assaisonnement pour qu'elles prennent du goût; après retirez-les, parez-les et faites-les griller à la façon des andouilles.

ANDOUILLES DE SANGLIER. Elles se font de la même façon que les andouilles de cochon. Seulement, elles sont plus rares et plus recherchées. C'est un mets de haute saveur, surtout quand elles ont été fumées dans l'âtre, avec du bois de genévrier, pendant *soixante-douze heures de suite.* Alors on les coupe en rouelle et on les fait griller pour les servir sur une purée de pois verts ou de marrons; c'est un plat d'entrée et non pas de hors-d'œuvre.

ANDOUILLES DE LAPIN. Désossez un bon lapin, coupez-le en filets, ainsi qu'une fraise d'agneau et de la tétine de veau de Pontoise. Mêlez avec tous ces filets de l'oignon haché; cuisez; moitié cuit, assaisonnez le tout avec du sel, fines épices, persil, ciboules, échalotes hachées, muscades, basilic; mettez le tout dans des boyaux préparés à cet effet; faites-les cuire dans un consommé avec trois flûtes de champagne et des fines herbes, laissez refroidir dans la cuisson pour les paner et les faire griller. Servez-les pour hors-d'œuvre. Les andouilles de faisan et de perdrix que l'on sert d'ordinaire sur une purée de même gibier se préparent d'une façon semblable.

ANDOUILLETTES

Les meilleures andouillettes que j'ai mangées, et je n'en excepte pas les andouillettes de Troyes, sont les andouillettes de Villers-Cotterets. Le charcutier qui les fabrique se nomme Lemerré, et demeure en face de la fontaine.

ANE

Les goûts changent. Nous avons vu dernièrement le cheval sur le point de détrôner le bœuf, c'eût été toute justice, car le bœuf avait détrôné l'âne. Mécène fut le premier chez les Romains qui mit en usage la chair de l'âne domestique; il y a en Numidie et en Perse quantité d'ânes sauvages qui, dans l'Antiquité, portaient le nom d'*onagres* et qu'on appelle aujourd'hui zèbres. Ils sont d'un gris souris clair, les épaules et le dos sont rayés de noir, leur tête est grosse, leur démarche beaucoup plus légère que celle des autres ânes, et leur caractère encore plus têtu. Les Persans mangent cette chair qu'ils préfèrent à celle de la gazelle. C'était aussi le goût de leurs ancêtres; le docteur Olagnier dit, d'après Oléarius, que dans un grand festin donné par Schah Abbas aux ambassadeurs, on tua et mangea trente-deux ânes sauvages, que leur viande, qu'ordinairement on réservait pour la table du monarque, était exquise. On raconte encore que le roi de Perse se plaisait énormément à cette chasse et qu'il envoyait à la cuisine de sa cour ceux qu'il avait tués. Le lait d'ânesse, on le sait, rend de grands services aux médecins dans le traitement des maladies de poitrine et particulièrement dans la phtisie pulmonaire. Il est essentiel que l'ânesse soit jeune, saine, bien en chair, bien nourrie et privée de son ânon depuis peu. On ne doit pas non plus laisser refroidir ce lait et ne pas l'exposer trop longtemps à l'air qui l'altère aussitôt.

On sait par les vers de Juvénal et par la prose de Suétone que Poppée, femme de Néron, menait à sa suite cinq cents ânesses, et se baignait dans leur lait. En outre si on se rappelait que ce fut une ânesse qui transporta la Sainte Famille lors de sa fuite en Égypte et que ce fut aussi sur un animal de cette espèce que Jésus-Christ fit son entrée triomphante dans Jérusalem, cela suffirait pour diviniser la pauvre bête, que nos paysans au contraire accablent de coups et de mauvais traitements.

Cependant quel animal après le cheval est plus utile que l'âne! Il est sobre, patient, dur à la fatigue, et dans les îles de Malte et de Sardaigne où on en a conservé et élevé avec soin des races pures, il est souvent le rival heureux du cheval qu'il remplace avantageusement dans certaines localités à cause de son pied plus sûr et de sa vue, de son ouïe, de son odorat plus développés.

Quant à la qualité de sa chair, il est vrai de dire que celle de l'âne n'est pas très recherchée, mais celle de l'ânon, au dire de tous ceux qui en ont mangé et qui l'ont trouvée excellente, vaudrait certainement mieux que celle du cheval la plus tendre et la plus savoureuse.

M. Isouard de Malte rapporte que, par suite du blocus de l'île de Malte par les Anglais et les Napolitains, les habitants furent réduits à manger tous les chevaux, chiens, chats, ânes et rats : « Cette circonstance, dit-il, a fait découvrir que la chair des ânes était très-bonne; elle l'est en effet, au point que les gourmands de la cité Valette l'ont préférée à la viande des meilleurs bœufs et même des veaux; aussi, lorsqu'on tuait un âne, c'était à qui pourrait en avoir. En bouilli, en rôti et en daube surtout, le goût en est exquis. Cette chair est noirâtre et la graisse tirant sur le jaune; il faut cependant que l'âne n'ait que trois à quatre ans et qu'il soit gras. J'observe que je ne constate que la particularité des ânes de Malte, nourris avec de la paille et de l'orge, ignorant si la chair des ânes étrangers aurait la même qualité. »

Mécène, ainsi que nous l'avons déjà dit plus haut, fut le premier qui, chez les Romains, mit la chair de cet animal en usage; il régalait ses convives avec de l'ânon mariné. Depuis, en France, au XVIe siècle, le chancelier Duprat, grand amateur, faisait élever et engraisser des ânons pour le service de sa table, et, s'il faut en croire les écrivains du temps, tous ses convives en faisaient leurs délices; il faut croire que cette chair fut trouvée délicieuse puisqu'elle fut en usage pendant quelque temps.

Quant aux ânesses, on sait de quelle utilité elles sont, et combien leur lait est recherché pour différentes maladies de poitrine. Il faut voir ces humbles bêtes se promenant le matin dans Paris, s'arrêtant aux portes et attendant patiemment qu'on vienne les traire; puis elles repartent sans même se soucier du service qu'elles viennent de rendre et vont porter ailleurs sinon la santé, du moins un adoucissement aux douleurs humaines.

J'ai mangé en Kalmoukie de la chair d'ânon qui m'a paru tenir le milieu entre le bœuf et le veau, et être excellente.

ANETH

Espèce de céleri sauvage ou ache. On en distingue deux sortes; l'*Aneth ordinaire* dont la racine est grêle, unique, blanche; les feuilles plus petites que celles du fenouil, verdâtres et d'une odeur forte; ses fleurs sont roses, ses graines d'un jaune pâle, la saveur en est douce, quoique aromatique. On la croit originaire d'Allemagne ou d'Italie; dans le premier de ces pays on en assaisonne les aliments; en Italie, on mange ses jeunes feuilles en salade comme le céleri.

L'*Aneth odorant*, originaire dit-on d'Espagne ou d'Italie, a la tige un peu rameuse, ses feuilles sont finement découpées, ses fleurs jaunes et petites; on cultive cette plante dans les jardins. Son odeur est suave quoique forte, et sa saveur aromatique; elle communique au poisson un goût fort agréable.

Les Romains se couronnaient dans leurs festins avec des feuilles d'aneth à cause de la bonne odeur de cette plante, et les gladiateurs en mettaient dans leurs aliments pour les rendre plus toniques.

ANGÉLIQUE

Plante aromatique, originaire de Syrie, et qui croît en général le long des rivières qui avoisinent les montagnes. Cette plante est un grand régal pour les Lapons; ils en mangent les feuilles et les racines bouillies dans du lait; c'est en la mâchant et en mangeant les baies qu'ils trou-

vent sous la neige qu'ils complètent leur dessert. La meilleure angélique se fabrique à Niort, où l'on a pieusement gardé la tradition et les formules employées par les religieuses de la Visitation de Sainte-Marie pour la confection de cette excellente conserve.

ANGELOT

Excellent petit fromage que l'on fabrique en Normandie et en Lorraine.

ANGLET

Vin blanc fort estimé qui se fabrique à Anglet, département des Basses-Pyrénées.

ANGOBERT

Grosse poire ressemblant au beurré; elle se conserve pendant l'hiver; sa chair est ferme, douce, excellente à manger en compote.

ANGUILLE

Les Égyptiens avaient mis les anguilles au rang des dieux; ils leur rendaient un culte religieux, les élevaient dans des viviers où des prêtres étaient chargés de leur apporter tous les jours du fromage et des entrailles d'animaux. Ils apprivoisaient ces anguilles sacrées et les décoraient de bijoux en forme de colliers. Athénée appelle l'anguille la fille de Jupiter. On cherche vainement comment a pu conquérir cette célèbre généalogie un animal qui vit constamment dans la vase, où il respire des gaz infects qui le rendent parfois venimeux. Elle a les mêmes inclinations que le serpent, s'efforce de mordre, et, lorsqu'elle est de force, mord quelquefois cruellement. Son corps est froid, visqueux et glissant, sans écailles, mais seulement revêtu d'une peau dont on la dépouille facilement; sa vie est si tenace que, coupée en dix ou douze tronçons, chacun de ces tronçons coupés s'agite encore; elle parvient à une grandeur énorme; en Italie et surtout dans les marais de Comacchio, on en a vu de plus de deux mètres de long, pesant jusqu'à dix kilogrammes. En Albanie, leur grosseur égale parfois celle de la cuisse d'un homme.

L'anguille, sur la génération de laquelle la science ne nous a rien appris, est encore un mystère. On prétend que les anguilles, dont, selon Pisanelli, on ne peut distinguer le sexe, vont se faire féconder à la mer, et qu'il en passe près des rives de la basse Seine, et particulièrement à Lécon, près d'Elbeuf, des quantités si nombreuses qu'on peut en remplir des baquets. Mais les pays où elles atteignent la plus grande taille, c'est la Pologne et l'Écosse; le peuple les regarde comme des serpents et n'en mange point; les Juifs s'en abstiennent par scrupule religieux. On en trouva une, en Écosse, qui avait 6 mètres de long sur 65 centimètres de circonférence; les matelots qui l'avaient pêchée la mangèrent et la trouvèrent d'une saveur très-délicate. Les anguilles de rivière sont les meilleures et les plus recherchées par conséquent. Elles ont le dos brun mêlé de bleu, le ventre d'un blanc argenté vif et pur, tandis que les anguilles d'étang, de mare ou de fossé, sont toujours d'une couleur terreuse. Chacun sait que ces animaux ont une telle affection pour la vase que, lorsqu'on vide les étangs, on n'arrive à les faire sortir de la boue qu'en tirant des coups de fusil, pour les épouvanter, sur le bord de ces étangs. Celles qu'on fait sortir ainsi de leur domicile sentent la vase; c'est un inconvénient auquel il est facile de porter remède, d'abord en achetant les anguilles vivantes et en les faisant dégorger, pendant trois jours et trois nuits, dans un filet d'eau courante ou simplement dans un baquet rempli d'eau de source, où on leur jettera quelques morceaux de grains d'orge imbibés de vin rouge et de sel fondu. On peut en faire autant pour les carpes et leur enlever ainsi le goût et l'odeur de la vase. En général, nos cuisiniers et nos cuisinières font autour du cou de l'anguille une incision circulaire, et tirent la peau à eux; mieux vaut, pour dépouiller l'anguille, l'exposer d'abord à un brasier de charbon, sur lequel sa peau se plisse et se boursoufle; alors on fait couler cette peau grillée en la tirant de la tête à la queue avec un torchon; cette manière de faire perdre à l'anguille son huile épidermatique la rend d'un meilleur goût et plus facile à digérer.

ANGUILLE A LA BROCHE. Ayez une belle anguille, dépouillez-la, limonez-la; à cet effet, mettez-la sur des charbons ardents, retournez-la de manière qu'elle se grille partout; essuyez-la avec un torchon, grattez-la avec votre couteau, supprimez-en les nageoires dorsales et celles de dessous le ventre, ôtez-lui toute la peau, coupez-lui la tête et le bord de la queue; pour la vider, ouvrez-lui le haut de la gorge et un peu le bas du nombril; introduisez-lui par le nombril une lardoire, du côté du gros bout, et que vous ferez sortir par le haut, ce qui emportera les intestins; faites qu'il ne lui reste rien dans le corps; lavez-la, tournez-la en rond comme une gimblette; passez au travers des petits hâtelets d'argent (faute de ces hâtelets, servez-vous de brochettes de bois), fixez-la ainsi avec de la ficelle; mettez-la dans une casserole, versez dessus une bonne mirepois (*V. Mirepois* et façon de la faire, articles *Sauces*), faites cuire à moitié votre anguille, égouttez-la, mettez-la sur la broche, emballez-la; faites-la cuire, déballez-la; faites-la un peu sécher, glacez-la, dressez-la sur votre plat, ôtez-en les hâtelets, et servez dessous une italienne rousse ou une ravigote (*V.* l'article *Sauces*).

ANGUILLE A LA SAINTE-MENEHOULD. Préparez cette anguille comme la précédente sous tous les rapports, excepté qu'au lieu de la mettre à la broche, vous la poserez sur une tourtière; couvrez toutes les parties de cette anguille d'une Sainte-Menehould *(V. Sauce Sainte-Menehould)*; panez-la, mettez-la au four ou sous un four de campagne pour achever de la cuire et lui faire prendre une belle couleur; ces deux objets remplis, dressez-la sur votre plat; ôtez-en les hâtelets ou les brochettes et la ficelle; servez dans son puits une italienne blanche, bien corsée, ou une ravigote blanche.

ANGUILLE A LA POULETTE. Prenez une anguille, dépouillez-la, limonez-la comme les précédentes; supprimez-en la tête et le bout de la queue; coupez-la par tronçons égaux; lavez-la et laissez-la dégorger; ôtez bien le sang qui se trouve proche l'arête, et grattez-la; mettez dans une casserole un morceau de beurre ainsi que votre anguille et des champignons tournés, passez-la un instant sur le feu, singez-la avec de la farine passée au tamis, mouillez-la avec du bouillon gras ou maigre et une demi-bouteille de vin blanc; ayez soin de la remuer avec une cuiller de bois jusqu'à ce qu'elle bout; une fois partie, mettez-y un bouquet de persil et ciboules, garni d'une demi-feuille de laurier, d'un clou de girofle, avec sel et poivre; ajoutez-y, si vous le voulez, une trentaine de petits oignons; laissez cuire et réduire votre ragoût; dégraissez-le, ôtez-en le bouquet, et liez-le avec deux ou trois jaunes d'œufs; délayez avec de la sauce de votre anguille et un jus de citron; dressez-la sur votre plat, et masquez-la de sa garniture.

ANGUILLE A LA TARTARE. Ayez une anguille, dépouillez-la, limonez-la, videz-la, comme il est dit ci-dessus; coupez-la par tronçons de 15 à 20 centimètres; ôtez le sang qui se trouve près de l'arête; lavez-la, mettez-la dans une casserole, avec tranches d'oignons, zeste de carottes, quelques branches de persil, deux ou trois ciboules coupées en deux, du vin blanc, du sel, une feuille de laurier, un ou deux clous de girofle et un peu de thym; mettez au feu vos tronçons, faites-les cuire, et, leur cuisson faite, égouttez-les, roulez-les dans de la mie de pain, trempez-les dans une anglaise (*V. Anglaise*, article *Côtelettes de pigeon*); repanez-les; un quart d'heure avant de servir, faites-les griller, retournez-les sur les quatre faces, pour qu'ils soient d'une belle couleur; mettez dans votre plat une sauce à la Tartare, dressez-les dessus et servez.

MATELOTE D'ANGUILLE MARINIÈRE. Prenez une carpe de Seine, une anguille, une tanche, une perche; coupez-les par morceaux. Préparez un chaudron d'airain, récurez le fond légèrement, coupez deux gros oignons en rouelles, mettez vos têtes de poissons par-dessus, et ainsi de suite, en ayant soin d'assaisonner de gros sel et poivre, un bon bouquet garni et quelques pointes d'ail; mouillez le tout avec deux bouteilles de vin de Narbonne, faites partir sur un grand feu de cheminée; aussitôt l'ébullition, ajoutez un verre de cognac, faites flamber, préparez vingt ou trente petits oignons, que vous passez à la poêle avec un peu de beurre, rissolez-les, jetez-les dans la matelote; faites, avec un quart de beurre mêlé à deux cuillerées de farine, de petites boulettes, parsemez-en le poisson et agitez l'anse du chaudron pour lier le tout ensemble; dressez votre matelote, garnissez avec vos croûtons et douze écrevisses cuites au vin du Rhin, et servez chaud. *(Recette Vuillemot.)*

ANGUILLE EN MATELOTE AUX ŒUFS OU AUX LAITANCES DE CARPES. J'ai toujours remarqué la préoccupation des gastronomes qui mangent une matelote faite avec du barbillon, de la carpe, de la perche et de la tanche; cette préoccupation est la crainte de s'étrangler; on n'ose pas tremper son pain dans cette sauce, si excellente, que c'est elle, la plupart du temps, qui fait passer le poisson. On a peur qu'une arête ne s'y dérobe et ne se révèle tout à coup à votre œsophage. Je vais vous offrir un moyen bien simple : c'est de faire votre matelote avec des objets dans lesquels il n'entre point d'arêtes, c'est-à-dire avec l'anguille dont les arêtes sont impalpables, et avec des laitances et des œufs où les arêtes sont absentes; les préparations sont les mêmes, l'assaisonnement est le même, l'adjonction des vingt ou trente petits oignons est aussi importante que dans la matelote ordinaire; seulement vous pouvez faire frire, l'un après l'autre, quatre ou cinq œufs à qui la capacité de la poêle permette de prendre toute leur extension, puis vous garnirez le fond de votre plat de vos quatre ou cinq œufs, vous déposerez dessus, avec la pointe d'une fourchette, vos tronçons d'anguille ainsi que vos œufs ou vos laites, vous verserez sur le tout votre sauce, sur laquelle vous épancherez un petit verre de rhum ou d'eau-de-vie, auquel vous mettrez le feu et que vous servirez chaud.

ACCOLADE D'ANGUILLE A LA BROCHE. L'accolade d'anguille était un des grands plats que l'on servait toujours à la reine Anne d'Autriche, à ses dîners du samedi. Pour faire un beau plat de relevé, il faut avoir de fortes anguilles, d'égale grosseur, à qui l'on coupera la tête et le bout de la queue; on les ficellera dos à dos sur un hâtelet de fer, en contrariant leur accolade, c'est-à-dire en mettant la queue de l'une à la tête de l'autre, afin

*Paté
froid
d'anguilles.*

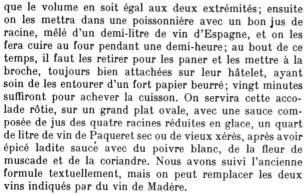

que le volume en soit égal aux deux extrémités; ensuite on les mettra dans une poissonnière avec un bon jus de racine, mêlé d'un demi-litre de vin d'Espagne, et on les fera cuire au four pendant une demi-heure; au bout de ce temps, il faut les retirer pour les paner et les mettre à la broche, toujours bien attachées sur leur hâtelet, ayant soin de les entourer d'un fort papier beurré; vingt minutes suffiront pour achever la cuisson. On servira cette accolade rôtie, sur un grand plat ovale, avec une sauce composée de jus des quatre racines réduites en glace, un quart de litre de vin de Paqueret sec ou de vieux xérès, après avoir épicé ladite sauce avec du poivre blanc, de la fleur de muscade et de la coriandre. Nous avons suivi l'ancienne formule textuellement, mais on peut remplacer les deux vins indiqués par du vin de Madère.

ANGUILLE A LA MINUTE. Dépouillez une anguille, coupez-la par morceaux, faites-la cuire à gros sel pendant dix ou quinze minutes, selon sa grosseur, et servez-la dressée sur un plat, avec une sauce maître d'hôtel chaude, aiguisée avec du verjus ou du citron; entourez le plat d'un cordon de pommes de terre bouillies ou frites, et servez pour entrée au déjeuner.

ANGUILLE A LA SUFFREN. Prenez une anguille, piquez-la avec des filets d'anchois et de cornichons, roulez-la en cercle avec une ficelle beurrée, mettez-la ensuite sur un sautoir, avec une marinade cuite, et puis sur le four de campagne. Une fois cuite, versez une sauce aux tomates relevée de poivre rouge.

ANGUILLE AUX MONTANTS DE LAITUES ROMAINES. Coupez votre anguille, faites-la cuire en fricassée de poulet; quand elle est presque cuite, épluchez des montants de laitues romaines, cuites à l'eau, salées et beurrées,

mettez-les égoutter, faites-leur prendre goût avec l'anguille, vous liez avec trois jaunes d'œufs et le jus d'un citron, sur le feu, et servez entouré de croûtes frites.

ANGUILLE AU SOLEIL. Quand vous aurez coupé une anguille par tronçons, faites-la cuire dans une marinade, laissez-la refroidir et égoutter, trempez-la dans des œufs battus, assaisonnez de sel et de poivre, roulez-la dans de la mie de pain et mettez-la dans de la friture bien chaude; lorsqu'elle est arrivée à une belle couleur dorée, entourez-la d'olives farcies sur une ravigote verte.

PÂTÉ D'ANGUILLE. Dressez une caisse de pâtes, garnissez-en le fond d'un peu de quenelles de carpe, de champignons, de culs d'artichauts et de tronçons d'anguille, que vous aurez fait cuire dans un bon assaisonnement (*V.* ci-dessus); achevez de remplir votre pâté de quenelles de carpe, que vous aurez roulées dans de la farine et desquelles vous aurez formé des andouillettes; couvrez votre pâté, mettez-lui un faux couvercle; faites-le cuire, et, aux trois quarts de sa cuisson, cernez le couvercle; lorsque votre pâté sera cuit, découvrez-le, saucez-le d'une bonne espagnole maigre et réduite, dans laquelle vous aurez mis quelques laitances de carpe.

BASTION D'ANGUILLE. Prendre une belle anguille de Seine, la dépouiller, la désosser, préparer une farce fine de poisson, composée de merlans, carpes; pilez les chairs dans un mortier, assaisonnez de sel, poivre, muscades, épices; faites tremper un peu de mie de pain dans un consommé, laissez-le sécher sur le feu, joignez-y quatre jaunes d'œufs crus, un peu de beurre, assaisonnez le tout. Garnissez votre anguille avec un peu de truffes hachées dans la farce, mettez la galantine d'anguille dans un torchon beurré, faites-la cuire dans une mirepois, ajoutez-y vin blanc, aromates, bouillon; laissez cuire une heure et refroidir. Faites une infusion de cerfeuil, estragon, cornichons, un demi-verre de vinaigre, un peu de gelée de viande; passez le tout après infusion, ajoutez du beurre frais, faites avec quelques feuilles d'épinards un peu de vert que vous passez au torchon, laissez prendre sur le feu, passez de nouveau et versez avec votre beurre. Coupez votre anguille par tronçons, cinq d'égale hauteur, mettez sur un plat froid du beurre de Montpellier, dressez-les droit sur le plat, masquez-les de beurre, faites quatre autres morceaux d'anguille, que vous superposez sur les autres plus petits, masquez-les également. Prenez de la bonne gelée de viande bien clarifiée, coupez-la par petits croûtons, garnissez votre plat de ces croûtons, hachez de la gelée que vous mettez par-dessus vos morceaux d'anguille, et servez bien froid.

ANIS

Plante aromatique, de la famille naturelle des ombellifères; elle est abondante dans toute l'Europe, en Égypte et en Syrie, en Italie et à Rome surtout; elle fait le désespoir des étrangers, qui ne peuvent fuir ni son goût ni son odeur; on en met dans la pâtisserie, dans le pain; les Napolitains en mettent dans tout. En Allemagne, elle est le principal condiment de ce pain, que l'on trouve en compagnie des figues et des poires tapées, et qui a conservé le nom de *pompernick*, qui lui vient de l'exclamation de ce cavalier qui, en ayant goûté une bouchée, porta immédiatement le reste à son cheval nommé Nick, en disant : « *Bon pour Nick* », c'est-à-dire, avec l'accent allemand, *Pompernick*.

ANISETTE

Malgré notre amour-propre national, nous sommes forcés d'avouer que la première anisette du monde vient de chez Fokung, à Amsterdam; celle de Bordeaux ne vient qu'après

et longtemps après. Il faut boire l'anisette de Fokung après le café, et employer l'anisette de Bordeaux pour des entremets.

ANON

Petit poisson ressemblant beaucoup au merlan, et très-abondant dans la Manche, en janvier et en février. La chair est blanche, ferme, feuilletée, de bon goût et de facile digestion. Il a les mêmes propriétés alimentaires que le merlan, et les pêcheurs des côtes en font un très-grand cas; on l'apprête comme le merlan, soit rôti sur le gril soit frit dans le beurre.

ANSÉRINE

Vulgairement appelée *patte d'oie* à cause de ses feuilles palmées, qui, en effet, ont une grande ressemblance avec une patte d'oie. Plante annuelle de la famille de l'oseille et de l'arroche, cultivée soigneusement au Chili et au Pérou.

Il y a plusieurs sortes d'ansérines : l'*ansérine bon-Henri*, encore appelée *toute-bonne, épinard sauvage*, est une grande plante potagère, qui croît dans les lieux incultes, le long des murs et des chemins; dans plusieurs pays on mange ses jeunes pousses comme des asperges, et ses feuilles en guise d'épinards; elle passe pour émolliente, résolutive et détersive.

L'*ansérine polysperme*, ainsi nommée à cause de la grande quantité de graines qu'elle produit; l'*ansérine à balais*, appelée vulgairement *belvédère*, et dont les tiges grêles, chargées de rameaux dressés, servent en Italie à faire des petits balais; l'*ansérine botride*, l'*ansérine ambroisie*, l'*ansérine vermifuge*, l'*ansérine hybride*, l'*ansérine fétide*, qui servent à des préparations pharmaceutiques; et, enfin, l'*ansérine quinoa*, qui est l'espèce la plus digne de toutes; elle abonde sur les plateaux élevés des Cordillères et est pour le Pérou un objet considérable de culture et de consommation : en potage, en gâteaux, hachée comme les épinards, associée à d'autres mets; cette ansérine est un aliment très-sain et de facile digestion; fermentée avec le millet, on en obtient une espèce de bière très-bonne et très-rafraîchissante. La volaille recherche la graine de la variété blanche, et le quinoa produit encore un fourrage vert excellent pour les vaches.

Les essais faits en France et en Angleterre pour sa naturalisation ont parfaitement réussi.

APAR

Petit animal du Brésil dont la chair est aussi blanche, aussi bonne et aussi nourrissante que celle du cochon de lait; ses propriétés alimentaires sont aussi les mêmes, et on l'apprête de la même manière.

APHYE

On l'appelle aussi *loche de mer ;* c'est un poisson de la Méditerranée que l'on trouve aussi dans les mers de Nice et jusque dans le Nil. Ce poisson était très-estimé des anciens; cependant sa chair est de difficile digestion, surtout quand on en mange avec excès.

API

Petites pommes dont un des côtés exposé au soleil devient très-rouge, tandis que l'autre reste blanc; la peau en est fine; la chair, quoique sucrée, est dure, ce qui la rend pesante et indigeste.

APOGON

C'est le roi des rougets; sa chair est exquise et fort recherchée; on le trouve dans les environs de la mer de Malte.

APOS

Oiseau plus gros que l'hirondelle, mais ayant beaucoup de ressemblance avec elle. L'apos n'a pas de pattes; aussi est-il obligé de voler continuellement et de se nourrir d'insectes qui sont dans l'air. Cet oiseau est fort recherché et se vend très-cher en Italie, et surtout à Bologne, à cause de la bonne saveur de sa chair qui nourrit bien et se digère facilement.

APPÉTIT

Il y a trois sortes d'appétit : le premier, celui que l'on éprouve à jeun, sensation impérieuse qui ne chicane pas avec les mets et qui nous fait venir l'eau à la bouche à l'aspect d'un bon ragoût; le second, celui que l'on ressent lorsque s'étant mis à table sans faim on a déjà goûté d'un plat succulent, » qui consacre le proverbe : « l'appétit vient en mangeant; » le troisième appétit est celui qu'excite un mets délicieux qui paraît à la fin d'un repas, lorsque, l'estomac satisfait, les convives sans regret allaient quitter la table.

Le peuple de Paris, les fruitiers et les maraîchers de la banlieue donnent aussi le nom d'appétit à la tige verte de la ciboule et de l'oignon nain, qui font toujours le principal assaisonnement des ragoûts et des salades populaires.

APPLE'S CAKE

Ayez des pommes de Locart (franche reinette) ou d'autres également rouges et très-acides. Après avoir retiré les cœurs de ces fruits, faites-les fondre sur le feu avec 90 grammes de moelle, pour six pommes environ. Ajoutez un bâton de cannelle, et tamisez. Mettez-les alors dans une bassine, avec deux cuillerées de poudre de Salep et d'arrow-root, substances orientales que l'on pourra remplacer par une forte cuillerée de fécule. Joignez-y 375 grammes de beau sucre et faites bouillir à petit feu pendant sept à huit minutes, retirez alors de la bassine et laissez refroidir cette marmelade. Quand elle sera froide, vous y mêlerez six jaunes d'œufs et deux autres œufs avec leurs blancs; placez-la dans un moule graissé de moelle, et faites cuire au bain-marie pendant quarante minutes. Vous renverserez ce gâteau dans un plat d'entremets, assez profond pour pouvoir contenir un chaudeau dont voici la formule : Délayez quatre jaunes d'œufs frais avec de l'eau distillée, sucrez suffisamment avec du sucre candi pulvérisé ; joignez-y une cuillerée de fine liqueur des îles à la cannelle, faites cuire au bain-marie, en remuant sans relâche et sans laisser durcir, jusqu'à ce que cette crème soit bien liée et qu'elle ait acquis une juste épaisseur.

Autre Apple's Cake dit de la reine Anne. Faites une marmelade de belles pommes que vous passerez deux fois au tamis et que vous mettrez à refroidir ; mêlez-y pour lors le sucre nécessaire, en y joignant des zestes de citron confits, roulés et pralinés. Ayez six blancs d'œufs que vous battrez jusqu'à ce qu'ils soient en neige ; mélangez peu à peu votre purée de fruits avec ces blancs d'œufs battus, et continuez à fouetter ce mélange jusqu'à lui donner toute la légèreté possible. Dressez cette mousse en forme de rocher, sur un plat d'entremets qui sera foncé d'une gelée transparente au ratafia d'écorces de citron. Il ne faudra pas donner à cette gelée beaucoup de consistance.

Il est à noter que ces deux jolis entremets ont été perdus de vue chez nous, et qu'ils n'en sont pas moins d'origine française ; car on trouve exactement ces deux mêmes recettes dans nos dispensaires du XVIIᵉ siècle et notamment dans le *Menu royal des diners de Marly.* Les Anglais n'ont fait autre chose que d'en conserver la tradition et de leur imposer le nom qu'ils portent. (*Dictionnaire de la cuisine française,* de M. de Courchamps.)

APRON

Poisson d'eau douce dont la chair est agréable et de bon goût ; on le pêche dans le Rhône et dans quelques autres rivières de France et d'Allemagne.

Ce poisson ressemble beaucoup au goujon, mais il a la tête plus large et se terminant en pointe ; on le fait frire comme ce dernier.

ARACHIDE

Appelée aussi *Pistache de terre,* parce qu'elle présente une singularité très-remarquable : à mesure que les gousses succèdent aux fleurs, elles se courbent vers la terre et y entrent pour y achever leur maturité.

Cette plante est originaire du Mexique. Apportée dans leur pays par les Espagnols, elle y donne aujourd'hui de très-grands produits. Elle fut introduite en 1802 dans le département des Landes et y réussit parfaitement ; mais le défaut d'écoulement de ses produits fit bientôt tomber complètement cette culture, tout à fait abandonnée aujourd'hui.

L'arachide produit un fruit qui n'est pas plus gros qu'une noisette, et ressemble à la pistache ; son amande, à la fois alimentaire et oléagineuse, se mange crue ou cuite ; elle fournit la moitié de son poids d'une excellente huile comestible, saine, économique, et que ses propriétés siccatives

permettent d'employer utilement dans les arts. La tige de cette plante est très-agréable au bétail, et ses racines ont un goût de réglisse.

Les Américains appellent ce fruit *Mani ;* ils en font des pralines, des tartes au sucre, et ils trouvent sa saveur plus délicate et plus agréable que celle de la pistache.

L'arachide mangée crue occasionne, paraît-il, des maux de tête et de gorge violents ; la cuisson et la torréfaction lui ôtent ces propriétés malfaisantes.

Les Espagnols lui donnent le nom de *Cacohuette,* parce qu'elle a le goût du cacao, et la font entrer, en la mêlant avec un peu de cacao, dans la confection d'un chocolat pour les pauvres, dont l'usage n'est pas malsain.

ARBENNE

Oiseau appelé aussi *perdrix blanche,* quoique ce ne soit qu'une gelinotte ; il est de la grosseur d'une perdrix et a les plumes très-blanches, excepté celles de la queue qui sont en général noires ; on le trouve en Savoie. Les Romains estimaient fort sa chair, dont la saveur et les propriétés sont les mêmes que celles de la gelinotte ; elle s'apprête de même.

ARBOUSIER

Appelé aussi *Arbre à fraises* ou *Fraisiers en arbres*, est fort répandu dans l'Europe australe, les îles Canaries, l'Amérique boréale, le Mexique et le Chili. C'est un arbre toujours vert, dont les fruits sont sphériques, charnus, d'un beau rouge dans leur maturité, de la grosseur d'une cerise et de la forme d'une fraise; ils ont une saveur aigrelette très-agréable.

On en cultive aussi dans le Languedoc, et leurs fleurs blanches et rosées, disposées en grappes terminales paniculées, font un très-bel effet dans les jardins.

ARBRE A PAIN

Cet arbre, qui croît spontanément aux Moluques, aux îles de la Sonde et aux archipels de la Polynésie, est ainsi nommé à cause du fruit qu'il produit et que l'on appelle *fruit à pain.*

La hauteur de cet arbre atteint de 13 à 17 mètres; son tronc est très-gros, sa cime est ample, arrondie et composée de branches rameuses. Le fruit qu'il produit est jaune verdâtre à l'extérieur et blanc en dedans, il est plus ou moins gros, suivant l'espèce à laquelle il appartient, mais son diamètre excède rarement 21 centimètres; il contient une pulpe qui d'abord est très-blanche, comme farineuse et un peu fibreuse, mais qui dans la maturité devient jaunâtre et succulente ou d'une consistance gélatineuse. Lorsque ce fruit est mûr, toute la préparation qu'on lui donne consiste à le faire rôtir ou griller sur des charbons ardents, ou bien à le faire cuire en entier au four ou dans l'eau. On le ratisse alors et on mange le dedans, qui est blanc et tendre comme de la mie de pain frais et qui

constitue un aliment très-agréable et très-sain. Sa saveur approche de celle du pain de farine de blé, avec un léger goût d'artichaut ou de topinambour, et il peut conserver sa fraîcheur pendant sept ou huit mois consécutifs.

On assure que deux ou trois de ces arbres remarquables suffisent à la nourriture d'un homme pendant une année entière. Quant à sa culture, elle exige peu de soins, et les Français, puis ensuite les Anglais l'ont introduit à l'île de France, à la Guadeloupe, à la Jamaïque, où les habitants se nourrissent de son fruit, se fabriquent des vêtements avec la seconde écorce de l'arbre et enveloppent leurs aliments avec ses feuilles, qui atteignent quelquefois jusqu'à 1 mètre de longueur et 40 à 50 centimètres de largeur.

L'équipage de l'amiral Anson, se trouvant relâché dans une anse des îles Mariannes et complètement dépourvu de vivres, ramassa une cinquantaine de ces fruits qui étaient tombés à terre, et vécut avec pendant quelques jours. Il s'en trouva très-bien, et ces fruits amassés là par la main de la Providence vinrent à propos le sauver des horreurs de la faim.

On prépare avec le fruit de l'arbre à pain différents mets dont les habitants pauvres de l'île de France et de la Guadeloupe se nourrissent; ils en font une très-grande consommation.

Le célèbre voyageur anglais, capitaine Cook, ne tarit pas sur les éloges qu'il donne à l'arbre à pain; il dit qu'il lui fut d'un très-grand secours, surtout dans les cas de maladies, et prétend qu'il guérissait tous ses malades avec le fruit de cet arbre.

ARBRE DE LA VACHE

Nom donné à un arbre originaire de l'Amérique méridionale qui fournit abondamment un suc laiteux et qui a rapport par ses propriétés avec le lait des animaux et surtout de la vache; on l'emploie du reste au même usage.

Les parties constituantes sont la cire, la fibrine, un peu de sucre, un sel magnésien, de l'eau et point de caséum.

Le premier de ces arbres qu'on ait connu fut nommé par les Espagnols *palo-de-vaca* et fut décrit par M. de Humboldt sous le nom de *galactodendron utile.* C'est un grand et fort bel arbre dont les feuilles oblongues et pointues atteignent jusqu'à 3 mètres de longueur. Dès qu'on entaille cet arbre, on en voit aussitôt s'écouler abondamment un lait d'une belle couleur qui se trouve entre l'écorce grisâtre et le bois de cet arbre. Ce lait, d'une saveur agréable, d'une odeur balsamique et qui n'a d'autre inconvénient que d'être un peu gluant, sert à la consommation des gens du pays. On les voit venir le matin, sous l'arbre, boire une tasse de lait et même en faire un déjeuner plus complet en y émiettant des morceaux de *cassare* ou des *arepas*, sorte de galette de maïs.

Arc

On retire aussi de cet arbre une cire très-blanche et très-bonne à brûler.

ARCHE BARBUE

Coquillage de la Méditerranée qui se mange comme le précédent.

ARCHE DE NOÉ

Petit coquillage de la mer Rouge qui sert à l'alimentation des Arabes pendant l'hiver; on le mange indifféremment cru ou frit.

AREC

Nous ne parlerons ici que de l'*arec-cachou* qui mêlé avec d'autres substances sert à faire le bétel. (*V. Bétel.*)

L'arec, genre de la famille des palmiers, croît principalement aux Moluques et à Ceylan; son fruit, connu sous le nom de noix d'arec, est de la grosseur d'un œuf de poule et jaune doré à l'intérieur, l'amande ressemble à la noix muscade, elle est dure, blanche, variée de pourpre; on la fait sécher pour la manger, mais elle conserve toujours une saveur âcre et désagréable.

Il y a aussi l'arec d'Amérique qui est un des arbres les plus élégants du Nouveau Monde, présentant au centre de son feuillage une espèce de bourgeon auquel on a donné le nom de *chou palmiste* dont les Américains des Antilles se montrent très-friands, et qui se mange accommodé de différentes manières.

ARENG

Genre de palmier fort commun aux Moluques. Les fruits de cet arbre, cueillis avant leur maturité et confits au sucre, sont très-estimés en Cochinchine et se servent sur les tables des gens riches; sa moelle donne une espèce de sagou, dont les habitants des Célèbes font un grand usage dans leur nourriture; enfin on tire de sa sève, par le moyen de la fermentation, du sucre et une liqueur très-agréable. On prétend que le suc de ces fruits, lorsqu'ils sont mûrs, cause des démangeaisons insupportables, de sorte qu'il faut bien faire attention de n'y point porter les lèvres sans les avoir préalablement dépouillés de l'enveloppe charnue dans laquelle est contenue ce suc, si on ne veut point avoir les lèvres enflées.

On rapporte que les habitants des Moluques, connaissant cette propriété *démangeante*, se défendirent victorieusement en jetant du haut des murailles sur les assiégeants des baquets d'eau dans laquelle ils avaient fait tremper la chair de ces fruits.

Nous recommandons ce système aux futurs habitants des futures villes assiégées; ils verront bientôt leurs ennemis jeter leurs armes et fuir en se grattant à qui mieux mieux.

ARÉSAH

Excellent fruit des Indes, très-sain et très-rafraîchissant, d'un goût un peu piquant, mais très-agréable et bon pour les convalescents. Ce fruit est de la grosseur des guignes et a la forme des poires-Catherine.

ARGALI

Espèce de bélier sauvage, vivant dans les haies des montagnes et aux steppes de la Sibérie. La taille de cet animal est celle du daim dont il a la légèreté et la force, son corps est couvert de poils courts, son pelage est d'un gris fauve, traversé au milieu du dos par une raie jaunâtre.

Sa chair a les mêmes propriétés alimentaires et le même goût que celle du chevreuil; elle est très-recherchée des habitants à cause de la difficulté qu'ils éprouvent à s'en procurer.

ARGENTINE

Plante ayant la saveur et les propriétés du panais; les Anglais en mangent la racine en hiver à la place de ce légume et composent avec le suc une liqueur qu'ils mêlent au vin d'Espagne, y font infuser du blé en herbe, y délayent des jaunes d'œufs et assaisonnent le tout avec du sucre et de la noix muscade.

ARMADILLE

Petit animal tenant du cochon de lait par sa forme et de la tortue par la carapace qui le recouvre entièrement et le met à couvert des insultes des autres animaux plus gros qui seraient tentés de lui faire des misères; il vit dans des trous profonds qu'il creuse avec ses ongles.

Cet animal a la chair très-tendre et délicate mais elle ne plaît guère à cause de son odeur musquée; les Indiens cependant l'aiment beaucoup.

ARONDELLE DE MER

Petit poisson ainsi nommé parce qu'il ressemble un peu à l'hirondelle et qu'il s'élance hors de l'eau pour éviter d'être la proie des autres poissons plus gros. La chair est dure, sèche et de difficile digestion.

ARRACACHA

Plante légumineuse de la famille des ombellifères, ressemblant à l'ache et très-probablement originaire de la Nouvelle-Grenade, où sa culture est très-répandue et où elle est cultivée comme plante alimentaire.

Cette plante présente la plupart des avantages reconnus dans les pommes de terre, et se développe dans les mêmes conditions de terrain et de climat. Les insulaires de la Jamaïque la préfèrent même aux pommes de terre et l'apprêtent de même.

Râpée et macérée dans l'eau, elle dépose une fécule qui fournit un aliment substantiel, léger, et que l'on peut donner même aux convalescents.

ARROCHE

Plante potagère connue aussi sous le nom de *belle-dame*, *bonne-dame* et *follette*.

Les feuilles de l'arroche, mêlées à des plantes d'une saveur prononcée, telles que la menthe, le cresson, la marjolaine, etc., composaient autrefois des salades dont on faisait un grand usage en France et qui sont encore aujourd'hui recherchées par les autres peuples de l'Europe. Elles constituent avec l'oseille et l'épinard le mélange connu sous le nom d'herbe cuite et entrent aussi dans la composition du bouillon aux herbes.

L'arroche nourrit fort peu, elle est rafraîchissante et un peu laxative, mais ne convient pas aux estomacs froids, à moins qu'on ne l'assaisonne avec sel, poivre et vinaigre, c'est-à-dire en salade, comme il est dit plus haut.

ARROW-ROOT

Fécule que l'on retire de la racine du *maranta indica* râpée dans l'eau. On s'en sert pour faire des bouillies, et on en fait aussi des crèmes, dont les Anglais sont friands.

ARTICHAUT

Plante potagère dont les feuilles sont longues, larges, découpées, sans uniformité, de couleur verte ou blanchâtre; de leur milieu s'élève une tige cannelée, cotonneuse, moelleuse en dedans, d'où sortent plusieurs rameaux qui soutiennent un calice renfermant les organes de la floraison et de la fructification. Autrefois cette plante ne poussait qu'en Italie. Aujourd'hui nos jardiniers l'ont acclimatée, et nous avons des artichauts blancs, verts, violets, rouges et sucrés. Le blanc, le violet et le vert sont pleins de saveur; les petits, nommés artichauts à la poivrade, se mangent crus.

On peut conserver les artichauts de la manière suivante pour l'hiver :

On les fait cuire à demi, on en sépare les feuilles et le foin pour n'en avoir que le fond. On les jette dans l'eau froide lorsqu'ils sont encore chauds, on les met ensuite sur des claies pour les essuyer; enfin on les enfourne jusqu'à quatre fois lorsqu'on a retiré le pain; ces parties deviennent minces, dures et transparentes, mais elles reprennent leur forme lorsqu'on les remet dans l'eau chaude et qu'on veut les employer à des assaisonnements.

ARTICHAUTS A LA BARIGOULE AU MAIGRE. Coupez les feuilles à moitié, ôtez le foin et nettoyez-le. Hachez menu échalotes, ail, persil; mélangez avec une grosse mie

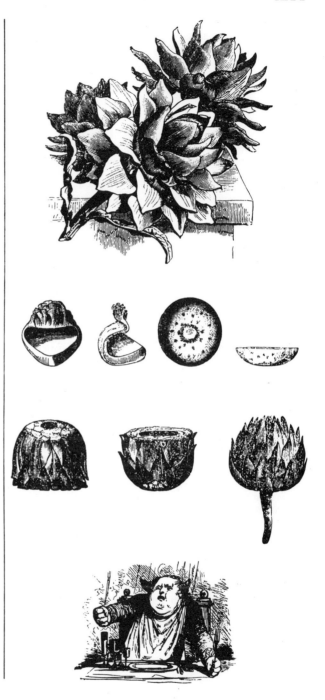

de pain émiettée. Faites fondre du beurre, faites-y revenir les herbes et la mie de pain. Mettez sur chaque artichaut un bon morceau de beurre; garnissez-en aussi le fond de la tourtière, mettez la farce dans les artichauts, sur le fond et entre les feuilles, couvrez avec un four de campagne, feu dessus et dessous. Arrosez de temps en temps jusqu'à ce qu'ils soient cuits.

ARTICHAUTS A LA BARIGOULE AU GRAS. Prenez des artichauts de moyenne grosseur bien tendres, parez, ôtez le foin, faites blanchir, hachez persil, parez avec 125 gr. de beurre et 125 gr. de lard pour quatre artichauts environ. Garnissez-en l'intérieur de l'artichaut et fixez le tout pour que rien ne se déforme. Mettez dans une tourtière entre deux bardes; faites cuire lentement, feu dessus feu dessous; huilez légèrement; faites réduire un verre de vin blanc dans une sauce italienne, et servez sur cette sauce.

ARTICHAUTS A LA DUXELLE. Prenez des champignons hachés, passez au torchon pour en enlever la partie aqueuse; ajoutez échalotes hachées, persil, pointe d'ail, au maigre du beurre, au gras du lard râpé. Ayez bien soin, après avoir paré la tête de l'artichaut, d'en enlever le foin, et faites rissoler la tête des feuilles dans la friture; préparez une mie de pain, faites-les revenir dans une casserole avec lard dessus et papier beurré, mouillez avec consommé et vin blanc, braisez comme le fricandeau, jetez votre fond dans votre sauce italienne. Dressez et servez.

ARTICHAUTS FRITS. Enlevez les trois ou quatre premières rangées de feuilles d'artichaut; faites dix ou douze morceaux de chacun; enlevez le foin, rognez le bout des feuilles, sautez-les dans une marinade d'huile, de sel, de poivre, avec un filet de vinaigre; composez la pâte suivante, qui vous servira pour toutes sortes de friture :
Mettez de la farine dans une terrine, faites un trou, versez-y un ou deux jaunes d'œufs, une cuillerée d'huile, un ou deux verres d'eau-de-vie, du sel; remuez d'une main en tournant toujours dans le même sens et en versant de l'eau peu à peu, pour donner une bonne épaisseur; au moment de vous en servir, ajoutez et mêlez le blanc de vos œufs battus en neige; mais faites attention que ce blanc la rendra trop claire, si votre sauce n'est pas trop épaisse; si vous voulez que votre pâte soit plus légère, faites-la la veille. Si c'est pour friture sucrée, telle que beignets, mettez-y très-peu de sel et ajoutez de l'eau de fleur d'oranger. Revenons à notre pâte. Lorsqu'elle est faite, mettez-y vos artichauts et mêlez le tout ensemble, votre friture étant bien chaude, prenez avec votre écumoire des artichauts que vous laisserez tomber morceau par morceau dans cette friture, tant qu'elle en pourra contenir; remuez-les, détachez ceux qui se collent les uns contre les autres, lorsqu'ils sont d'une

belle couleur blonde, retirez-les de la friture sur une passoire, jetez une bonne poignée de persil en branche dans la friture, et, lorsque la friture cessera de faire du bruit, sortez-le et égouttez-le sur un linge; saupoudrez-le d'un peu de sel, dressez vos artichauts en pyramide, et couronnez-les de persil frit.

ARTICHAUTS A LA SAUCE. Coupez les bouts des feuilles, la queue, les feuilles dures ou filandreuses de dessous, placez-les au fond d'un chaudron, dans de l'eau bouillante qui les couvre aux trois quarts; salez, faites cuire, de trois quarts d'heure à une heure, tirez une feuille; si elle se détache facilement, vos artichauts sont cuits; retirez-les de l'eau, mettez-les égoutter sens dessus dessous; si vous voulez qu'ils se conservent verts, mettez gros comme un œuf de cendre de bois dans un petit sac de toile ou de calicot; versez sur cette cendre l'eau qui doit servir à les faire cuire. Ce moyen s'applique aussi aux haricots chauds; les artichauts cuits de la façon que nous venons de dire se mangent à la sauce blanche, à la sauce blonde ou à la sauce hollandaise.

ARTICHAUTS SAUTÉS. Coupez en quatre des artichauts moyens et tendres, ôtez le foin et parez-les en leur laissant à chacun trois feuilles, lavez et essuyez. Mettez du beurre dans une casserole où vous arrangerez vos artichauts et les mettez sur un feu doux seulement vingt minutes avant de servir. Dressez sur le plat en turban, mettez une cuillerée de chapelure dans le beurre, autant de persil haché et un jus de citron, un peu de sel; servez cette sauce dans le milieu des artichauts. Il ne faut pas les faire blanchir.

ARTICHAUTS A LA PROVENÇALE. Entremets. Prenez des artichauts que vous appropriez dessus et dessous;

faites-les cuire dans l'eau assez pour pouvoir enlever le foin; mettez-les sur une tourtière avec l'huile, gousses d'ail, sel, poivre. Faites cuire sur la cendre chaude avec bon feu dessus; quand ils sont cuits, ôtez les gousses d'ail, et servez à sec avec un jus de citron.

ARTICHAUTS FARCIS, DEMI-BARIGOULE. Entremets. Préparez comme ci-dessus; le foin enlevé, farcissez-les de hachis de viande ou de mie de pain assaisonné de fines herbes et champignons. Mettez dans une casserole un fort morceau de beurre ou de graisse, et faites-les revenir; ôtez-les, faites un roux que vous mouillez de bouillon, ou d'eau faute de bouillon; remettez les artichauts; achevez de cuire, feu dessus et dessous, en les arrosant de temps en temps avec leur cuisson. Servez sur cette cuisson pour sauce

ARTICHAUTS FARCIS A LA VRAIE BARIGOULE. Parez trois artichauts, coupez *droit* les feuilles du dessus, faites blanchir assez pour retirer le foin après les avoir rafraîchis à l'eau froide. Remplacez le foin par une farce de lard gras, champignons, persil, échalotes, le tout haché fin, poivré; liez-les en croix avec du fil. Faites chauffer un peu d'huile d'olive dans une poêle et rissoler les artichauts dessus et dessous; placez-les dans une casserole sur une tranche de lard *dessalé*, ou de veau, ou du beurre et un verre de bouillon ou d'eau; faites cuire, feu dessus et dessous. Servez sans les tranches et sur une sauce faite du fond de la cuisson liée de farine.

ARTICHAUTS A L'HUILE ET A LA POIVRADE. Les gros se servent cuits à l'eau, refroidis et accompagnés de la sauce suivante dans une saucière. Les petits se servent crus avec la même sauce, ou simplement du sel, en hors-d'œuvre.

ARTICHAUTS SAUCE A L'HUILE ET AU VINAIGRE. Écrasez un jaune d'œuf dur dans une saucière et délayez-le avec une cuillerée de vinaigre, sel, poivre, fourniture de salade hachée très-menu, ou avec une échalote aussi hachée menu; ajoutez deux cuillerées d'huile, délayez et servez.

ARTICHAUTS AU GRAS. Coupez en deux de gros artichauts, ôtez-en le foin et les parez, faites-les blanchir à l'eau et sel, mettez dans une casserole des tranches de lard gras, deux oignons, une carotte, un clou de girofle, une petite branche de thym; arrangez les artichauts sur des bardes de veau, mettez-les sur un feu doux; quand le veau a pris couleur, mettez un peu d'eau, faites mijoter; servez les artichauts en turban avec la sauce que vous avez liée de fécule au milieu.

ARTICHAUTS A LA LYONNAISE. Coupez-les en six morceaux, faites blanchir, ôtez le foin ainsi que le dessous, et ne laissez que trois feuilles à chaque partie; mettez-les dans une casserole avec du beurre étendu au fond, saupoudrez-les de sel fin, faites-les cuire feu dessus feu dessous, faites roussir dans une autre casserole de l'oignon haché, et saucez-y vos artichauts au moment de servir.

ARTICHAUTS FARCIS. Faites cuire à demi dans l'eau, puis farcissez de viande, de persil, de ciboule; achevez la cuisson; servez avec fines herbes, huile et jus de citron.

ARTICHAUTS A LA GRIMOD DE LA REYNIÈRE. Coupez de l'oignon en gros dés, passez-les au beurre jusqu'à ce qu'ils soient bien colorés, assaisonnez de sel et d'épices, et laissez refroidir dans le beurre, mais dans une assiette à part, hors de la casserole; faites cuire des fonds d'artichauts séparés de leurs feuilles; après les avoir fait égoutter, remplissez-les avec l'oignon, couvrez avec de la mie de pain et du fromage râpé, faites prendre couleur au four de campagne, et servez à sec.
Ce nouveau plat, inventé par l'auteur de l'*Almanach des gourmands*, nous arrive avec une apostille de l'auteur des *Mémoires de Mme de Créqui;* deux recommandations valent mieux qu'une.

ARTICHAUTS A L'ITALIENNE. Coupez trois artichauts en six morceaux pareils, dépouillez-les de leur foin, parez en les feuilles, lavez-les; mettez-les dans une casserole avec un peu de beurre; assaisonnez de jus de citron, d'un verre de vin blanc, d'un demi-verre de bouillon. Faites cuire, égouttez, dressez et faites, pour les saucer, une sauce blanche à l'italienne.

ARUM

Plante de la famille des aroïdées. Il y a différentes espèces d'arums, mais nous n'avons à signaler que celle qui sert à l'alimentation des Indiens, qui mangent ses feuilles comme celles des choux.
L'arum est d'une grande ressource pour les peuples des Canaries, des Açores et même du Brésil, qui le mangent en guise de pain; il en est dont c'est la seule nourriture.
On en fait des pâtés, des gâteaux, du pain, en en mêlant la farine à celle du froment.

ASPERGE

Il est inutile de décrire cette plante que tout le monde connaît. Il y a la blanche, la violette et la verte. La blanche est la plus hâtive, sa saveur douce est agréable, mais elle contient peu de substance; celles de Marchiennes, de la Belgique et de la Hollande ont eu beaucoup de renommée. La violette est la plus grosse et la plus substantielle, c'est l'asperge par excellence d'Ulm et de Pologne. La verte est moins grosse, mais on la mange presque toute; elle a une bonne saveur. En Italie, où les goûts sont plus étranges que raffinés, on préfère l'asperge sauvage. Les animaux carnivores, les chats, les chiens aiment beaucoup ce légume. La meilleure manière aujourd'hui de préparer les asperges, c'est de les faire cuire à la vapeur. Il y avait un proverbe à Rome relatif aux asperges; quand on voulait que quelque chose se fît vite : « Faites-la, disait-on, en moins de temps qu'il n'en faudrait pour faire cuire des asperges. » Les blanches sont celles qui appartiennent plus particulièrement à la France.

Après les avoir lavées, ratissées et coupées de même longueur, liez-les par bottillons, faites-les cuire croquantes dans l'eau et le sel, et servez-les toutes chaudes sur une serviette pliée qui égoutte leur eau.

On mange l'asperge au beurre ou à l'huile. Nous allons raconter à ce propos une anecdote sur Fontenelle.

Fontenelle aimait beaucoup les asperges, surtout accommodées à l'huile; l'abbé Terrasson, qui au contraire aimait les manger au beurre, étant venu un jour lui demander à dîner, Fontenelle lui dit qu'il lui faisait un grand sacrifice en lui cédant la moitié de son plat d'asperges, et ordonna qu'on mît cette moitié au beurre.

Peu de temps avant de se mettre à table, l'abbé se trouva mal et tomba bientôt en apoplexie. Fontenelle alors se lève précipitamment, court vers la cuisine et crie : « Tout à l'huile, maintenant; tout à l'huile!... »

ASPERGES A L'HUILE. On les fait cuire comme pour la sauce blanche. Elles se mangent froides avec la sauce à l'huile indiquée pour les artichauts.

ASPERGES AU BEURRE. Mettez dans une casserole deux cuillerées de farine, un peu d'eau, assaisonnez de sel, gros poivre, muscade; faites cuire la farine, mouillez avec le bouillon d'asperges. Préparez quatre jaunes d'œufs, 125 grammes de beurre fin, liez votre sauce, en ayant soin que le jaune d'œuf soit cuit. Passez votre sauce à l'étamine; un jus de citron, et servez.

ASPERGES CUITES A LA AUDOT. Cuites à l'eau, trempez-les pour toute sauce dans le jus d'un quasi de veau cuit dans son jus et un peu dégraissé.

ASPERGES EN PETITS POIS. On emploie les plus

petites et on coupe tout ce qui est tendre par petits morceaux. Faites-les cuire croquantes dans l'eau salée, égouttez-les promptement sur une passoire, faites-les sauter dans une casserole avec beurre, sel, poivre et fines herbes, ou bien mettez-les dans la casserole saupoudrées d'un peu de farine et d'un peu de sucre, ajoutez un peu de bouillon ou d'eau, sautez-les un moment et servez.

POINTES D'ASPERGES AU JUS. Coupez des pointes d'asperges, faites fondre du lard, faites-y sauter vos pointes d'asperges, ajoutez persil, cerfeuil haché, sel, poivre blanc, muscade, faites fondre le tout à petit feu dans du consommé, dégraissez ensuite, servez chaud et arrosé de jus de mouton.

ASPERGES FRITES. Enlevez la partie dure, faites-les blanchir à l'eau et au sel, retirez-les de l'eau pour les remettre dans de l'eau fraîche, ce qui conserve leur verdeur; retirez-les de cette eau fraîche, farinez-les, liez-les avec du fil par petites bottes de six ou sept, passez-les dans de l'œuf battu, et faites frire.

ASPERGES A LA MONSELET. Faites blanchir comme ci-dessus la partie tendre, achevez de cuire dans un jus clair de veau et de jambon, puis liez avec un morceau de beurre manié de farine.

Ragout de pointes d'asperges. Coupez le vert des asperges que vous avez fait blanchir, mettez-les en casserole avec coulis de veau, cuisez à petit feu jusqu'à réduction de la sauce à laquelle vous ajouterez un peu de beurre et de farine, et liez en remuant. Un peu de jus de citron donnera une pointe d'acide.

Asperges au jus. Ayez du jus de mouton rôti, de gigot, par exemple; tranchez des asperges et n'en prenez que les pointes; sautez-les avec du lard fondu; ajoutez-y persil, cerfeuil haché, sel, poivre blanc et muscade; faites mitonner le tout à petit feu dans du consommé, dégraissez ensuite et servez chaud en y mêlant votre jus de mouton rôti.

Œufs brouillés aux pointes d'asperges. Profitez d'un jour où vous aurez du bouillon de poulet; salez et poivrez vos œufs battus avec les pointes d'asperges; mêlez-y, pour six œufs un demi-verre, pour douze œufs un verre entier de ce bouillon. Puis achevez la cuisson de vos œufs comme d'habitude, et vous reconnaîtrez que l'adjonction de ce verre ou de ce demi-verre de bouillon donne à vos œufs un velouté extraordinaire.

Asperges a la Pompadour. M. de Jarente, ministre d'État pendant la faveur de Mᵐᵉ de Pompadour, a laissé à notre célèbre gourmand Grimod de la Reynière, digne neveu de son oncle, la prescription suivante :
« Choisissez trois bottes des plus belles asperges du gros plant de Hollande, c'est-à-dire blanches avec le bout violet; faites parer, laver et cuire en les plongeant comme à l'ordinaire, c'est-à-dire dans de l'eau bouillante; tranchez-les ensuite en les coupant en biais du côté de la pointe, à la longueur du petit doigt. Ne vous occupez que des morceaux de choix, et laissez de côté le reste de leurs tiges. Mettez ces dits morceaux dans une serviette chaude, afin de les égoutter en les maintenant chaudement, pendant que vous confectionnerez leur sauce. Videz un moyen pot de beurre de Vanvre ou de la Prévalais, en prenant le contenu par cuillerées et le mettant dans une casserole d'argent; joignez-y quelques grains de sel avec une forte pincée de macis en poudre, une forte cuillerée de fleur de farine d'épeautre, et de plus deux jaunes d'œufs frais bien délayés avec quatre cuillerées de suc de verjus muscat.

Faites cuire ladite sauce au bain-marie, en évitant de l'alourdir en lui laissant prendre trop d'épaisseur; mettez vos morceaux d'asperges tranchés dans ladite sauce, et servez le tout ensemble, en casserole couverte et en extra, pour que cet excellent entremets ne languisse point sur la table et puisse être apprécié dans toute sa perfection. »

ASPIC

C'est ainsi que l'on nomme les filets de volaille, de gibier ou de poisson, qui sont enfermés avec des truffes, des œufs durs et des tranches de champignons dans une masse de gelée transparente et solidifiée au moule. L'aspic est une entrée froide, mais les grands maîtres dans l'art de cuisine nient qu'il existe des entrées froides; aussi recommande-t-on de servir les aspics avec le rôti. Il ne faut jamais les laisser paraître à table qu'au second service et destinés à relever le rôti. Un gastronome de l'ancien régime nous apprend qu'au Palais-Bourbon on les présentait à la ronde entre les deux services, et puis on les déposait sur le buffet des en-cas, avec les soupes à la russe et autres préparations exotiques.

Appareil pour clarifier et filtrer les gelées d'aspic

L'auteur du *Dictionnaire général de la cuisine*, qui n'accorde pas qu'il puisse y avoir des entrées froides, donne le nom d'aspic chaud à la préparation suivante :

Aspic chaud. « Empotez dans une marmite environ deux jarrets de veau, une vieille perdrix, une poule et deux ou trois lames de jambon; ficelez le tout, joignez-y deux carottes et deux oignons, avec un bouquet bien combiné, mouillez d'un peu de consommé; faites légèrement suer; quand la préparation tombera en consistance de glace et prendra une teinte colorée, mouillez avec du bouillon (ou avec de l'eau), en observant alors de laisser réduire davantage; faites repartir, écumez et mettez le sel nécessaire; laissez cuire encore trois heures, et au bout de ce temps passez à travers une serviette mouillée et laissez refroidir; cassez deux œufs, avec blancs, jaunes et coquilles; fouettez-les en mouillant un peu de votre bouillon; mettez-y une cuillerée à bouche de vinaigre d'estragon, ainsi qu'un verre de bon vin blanc, et versez le tout dans votre aspic, que vous remettez sur le feu; agitez-le avec un fouet de buis, et, quand il commencera à repartir, retirez-le sur le bord du fourneau, afin qu'il ne fasse que frémir légèrement; couvrez-le et mettez du feu sur son couvercle. Quand vous verrez que l'aspic est bien clair, passez-le une seconde fois au travers d'une serviette mouillée et tordue que vous attacherez aux quatre pieds d'un tabouret; quand il sera passé, servez-vous-en pour les grands et petits ragoûts, où cette préparation doit être employée. »

ASSA-FŒTIDA

Gomme-résine, roussâtre, obtenue par l'incision de la tige et du collet de la racine de cette plante ombellifère.

L'assa-fœtida, puissant antispasmodique, a une odeur repoussante, qui affecte beaucoup les Européens; les Asiatiques, au contraire, la mangent avec plaisir et en font un si grand usage, que parfois l'air qu'on respire, dans un endroit où il s'en est consommé, en est infecté. Les anciens s'en servaient pour relever le goût de certains mets, et encore aujourd'hui en Orient, et malgré son odeur fétide, l'assa-fœtida est un condiment des plus recherchés.

ASSAISONNEMENT

Nous croyons que c'est le moment de placer ici l'histoire du chevalier d'Albignac, qui a fait sa fortune à Londres en assaisonnant de la salade. Nous empruntons ce récit à l'illustre philosophe auteur de la *Physiologie du goût:*

« M. d'Albignac était émigré et s'était retiré à Londres. Quoique sa pitance fût fortement restreinte par le mauvais état de ses finances, il n'en était pas moins un jour invité à dîner dans une des plus fameuses tavernes de Londres; il était de ceux qui ont ce système qu'on peut bien dîner avec un seul plat, pourvu que ce plat soit excellent. Tandis qu'il achevait un excellent roastbeef, cinq ou six jeunes gens, des premières familles de Londres, se régalaient à une table voisine, et l'un d'eux, s'étant levé, s'approcha et lui dit d'un ton poli :

« Monsieur le Français, on dit que votre nation excelle « dans l'art de faire la salade; voudriez-vous nous favo-« riser et en accommoder une pour nous. »

« D'Albignac y consentit après quelques hésitations, demanda tout ce qu'il crut nécessaire pour faire le chef-d'œuvre attendu, y mit tous ses soins, et eut le bonheur d'y réussir.

« Pendant qu'il étudiait ses doses, il répondait avec franchise aux questions qu'on lui faisait sur sa situation actuelle; il dit qu'il était émigré, et avoua, non sans rougir un peu, qu'il recevait les secours du gouvernement anglais, circonstance qui autorisa sans doute un des jeunes gens à lui glisser dans la main un billet de cinq livres sterling, qu'il accepta après une molle résistance.

« Il avait donné son adresse; et, à quelques temps de là, il ne fut pas médiocrement surpris de recevoir une lettre par laquelle on le priait, dans les termes les plus honnêtes, de venir accommoder une salade dans un des plus beaux hôtels de Grosvenor-square.

« D'Albignac, commençant à prévoir quelque avantage durable, ne balança pas un instant, et arriva ponctuellement, après s'être muni de quelques assaisonnements nouveaux, qu'il jugea convenables pour donner à son ouvrage un plus haut degré de perfection.

« Il avait eu le temps de songer à la besogne qu'il avait à faire; il eut donc le bonheur de réussir encore, et reçut, pour cette fois, une gratification telle qu'il n'eût pas pu la refuser sans se nuire.

« Les premiers jeunes gens pour qui il avait opéré avaient, comme on peut le présumer, vanté jusqu'à l'exagération le mérite de la salade qu'il avait assaisonnée pour eux. La seconde compagnie fit encore plus de bruit, de sorte que la réputation de d'Albignac s'étendit promptement : on le désigna sous la qualification de *fashionable salad-maker;* et, dans ce pays avide de nouveautés, tout ce qu'il y avait de plus élégant dans la capitale des trois royaumes se mourait pour une salade de la façon du gentleman français : *I die for it,* c'est l'expression consacrée.

« Désir de nonne est un feu qui dévore,
« Désir d'Anglaise est cent fois pire encore.

« D'Albignac profita en homme d'esprit de l'engouement dont il était l'objet; bientôt il eut un carrick pour se transporter plus vite dans les divers endroits où il était appelé, et un domestique portant, dans un nécessaire d'acajou, tous les ingrédients dont il avait enrichi son répertoire, tels que des vinaigres à différents parfums, des huiles avec ou sans goût de fruit, du soya, du caviar, des truffes, des anchois, du catchup, du jus de viande, et même des jaunes d'œufs, qui sont le caractère distinctif de la mayonnaise.

« Plus tard, il fit fabriquer des nécessaires pareils, qu'il garnit complètement et qu'il vendit par centaines.

« Enfin, en suivant avec exactitude et sagesse sa ligne d'opération, il vint à bout de réaliser une fortune de plus de quatre-vingt mille francs, qu'il transporta en France quand les temps furent devenus meilleurs.

« Rentré dans sa patrie, il ne s'amusa point à briller sur le pavé de Paris, mais s'occupa de son avenir. Il plaça soixante mille francs dans les fonds publics, qui pour lors étaient à cinquante pour cent, et acheta, pour vingt mille francs, une petite gentilhommière située en Limousin, où probablement il vit encore, content et heureux, puisqu'il sait borner ses désirs. »

ASSIETTE

Les assiettes sont ainsi nommées parce qu'elles marquent les places où l'on doit s'asseoir à table.

Leur usage n'est pas très-ancien en France. Autrefois, des tranches de pain coupées en rond servaient d'assiettes; et Virgile les dépeint ainsi dans le repas des compagnons d'Énée. On parle encore de cette pratique dans le cérémonial du sacre de Louis XII.

Après le repas, on donnait ce pain aux pauvres.

ASTRAGALUS BŒTICUS

Nom d'une graine ressemblant au café et que l'on peut mêler à ce dernier.

ATCHAR DE L'INDE

On donne ce nom à plusieurs espèces de sommités de végétaux et de fruits confits dans la sève des palmiers, qui, d'abord sucrée, devient bientôt un vinaigre fort limpide qui remplace, dans l'Inde, le vinaigre de vin encore inconnu. Les atchars tiennent chez les Indiens le même rang que les cornichons et les câpres parmi nous; ils les emploient aussi pour relever la saveur de certains aliments.

ATHERINE ou BANDE D'ARGENT

Espèce d'anchois de la taille de 20 à 25 centimètres, ayant une raie large et argentée de chaque côté du corps.

Les atherines sont de petits poissons d'un goût délicat; lorsqu'ils sont jeunes, ils se tiennent longtemps en troupes serrées. On les mange sur les côtes de la Méditerranée. Leur chair est très-savoureuse, et leurs propriétés alimentaires sont analogues à celles de l'anchois; on les mange de même.

ATINGA

Poisson qui vit dans les mers du Brésil et du cap de Bonne-Espérance; il a 48 centimètres de long et peut acquérir plus de grosseur en se boursouflant comme un ballon; il se nourrit de petits poissons, de crustacés et de coquillages. La chair de ce poisson est dure et coriace; on la mange cependant, après avoir pris soin d'en séparer le fiel, qui est un poison violent.

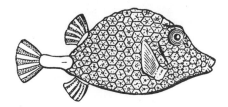

ATTE

Fruit de l'anone squammeuse, abondante entre les deux tropiques. La chair de ce fruit est de saveur agréable et semblable à de la crème sucrée; elle renferme une grande quantité de pépins noirs qu'on prendrait pour des noyaux, tant leur peau est dure.

ATTELET, ou mieux HATELET

Petite lame métallique terminée en pointe et qui fixe les grosses pièces à la broche. On s'en sert également pour réunir de petits oiseaux rôtis qu'on sert ainsi enfilés ainsi que les petits poissons qu'on enfile par les ouïes. Nous expliquerons plus tard comment, pour les petits oiseaux, mieux vaut encore s'en passer, en les faisant cuire soit à la ficelle, soit à la laisse.

ATTEREAU A LA BRETONNE

Au fond d'une terrine placez une sorte de claie formée par de petites branches d'osier, établissez sur cette claie une poitrine de veau salée et poivrée; placez sur cette pièce de veau un carré de porc frais qui n'ait que deux jours de sel; placez au four et laissez pour le cuire aussi longtemps que vous le feriez pour un gros pain de ménage. Faites rissoler le porc pour que la partie supérieure ne se dissolve pas.

AUBERGINE

Fruit d'une espèce de solanée. Ce fruit a la forme d'un gros œuf. Les blanches et les violettes sont les meilleures. On peut les manger en salade ou cuites, et voici les meilleures manières de les apprêter :

AUBERGINE A LA LANGUEDOCIENNE. Fendez en long vos aubergines, ôtez-en la graine et découpez-en la

chair; salez, poivrez, mettez de la muscade, grillez-les à petit feu et arrosez d'huile fine.

SALADE D'AUBERGINES A LA PROVENÇALE. Pelez les aubergines, émincez-les, faites-en macérer les tranches pendant deux heures avec vinaigre, saumure de noix, sel gris, poivre noir et un peu d'ail; puis étanchez-les en les pressant pour en extraire l'eau; ensuite faites-en salade avec du cresson de fontaine et des raiponces, des œufs durs, des olives farcies et quelques filets de thon.

AUBERGINE A LA PARISIENNE. Enlevez les chairs de quatre aubergines violettes, mais en respectant la peau; hachez avec blanc de volaille ou chair d'agneau rôti, ou maigre de cochon de lait, ou toute autre viande blanche et bien cuite; mettez dans ce hachis 180 grammes de moelle, ou, si vous le préférez, assaisonnez le tout avec une pincée de muscades, 180 grammes de gras de lard, un peu de sel. Faites entrer dans votre hachis de la mie de pain rassis, délayez avec quatre jaunes d'œufs, remplissez vos moitiés d'aubergines avec cette farce, et faites-les cuire sur la tourtière, en les arrosant avec de la moelle ou du lard fondu.

AUTRUCHE

Comme oiseau, c'est le plus grand et c'est aussi un des plus célèbres et des plus anciennement connus sous le rapport alimentaire, puisqu'il en est question dans l'*Ancien Testament*, en particulier dans le *Deutéronome*, où Moïse interdit aux Hébreux de manger sa chair, qui devint fort en usage chez les Romains. On rapporte qu'Héliogabale se fit servir dans un repas les têtes de six cents autruches pour en manger les cervelles.

La chair de l'autruche n'est pas très-bonne; elle est dure et sans aucun goût; cependant l'aile, qui en est la partie la plus tendre, et les filets bien assaisonnés peuvent encore se manger.

Les œufs de l'autruche sont très-gros; on en a vu qui pesaient autant que trente œufs de poule, et quelques voyageurs qui ont mangé de ces œufs les ont trouvés très-bons; on fait au cap de Bonne-Espérance un commerce considérable de ces œufs; on en prépare même des omelettes gigantesques; on les accommode encore avec de la graisse; enfin on les emploie à clarifier le café.

Les Arabes de nos jours, comme les Hébreux d'autrefois, s'abstiennent de manger la chair de l'autruche, mais ils recherchent beaucoup la graisse de cet oiseau dont ils se servent pour apprêter leurs mets, et aussi pour se frictionner le corps dans les cas de rhumatismes et autres maladies. On vend cette graisse fort cher, peut-être à cause de sa rareté.

AVELINES

Sorte de grosse noisette pourprée. On dit que la meilleure espèce d'aveline est celle qui nous vient du pays de Foix et du Roussillon, mais je serais tenté de croire que c'est celle qui vient d'Avellines et qui a donné son nom à l'espèce. Les avelines poussent sans culture dans les ravins et dans les ruines qui environnent Avellines. Victor Hugo enfant a failli se tuer en tombant dans un de ces ravins en cueillant des avelines.

AVOINE

Genre de la famille des graminées.
La semence torréfiée de l'avoine réduite en farine prend le nom de gruau de Bretagne et a un goût qui se rapproche de celui du café.

AWABI

Coquillage des mers du Japon et qui est un symbole pour les habitants de ce pays qui, lorsqu'ils donnent un repas, font toujours servir un plat de ce mets, afin, disent-ils, de se rappeler que ce fut la nourriture ordinaire de leurs ancêtres pauvres. C'est aussi un usage parmi ce peuple de joindre à tous les présents qu'ils font un morceau de la chair de ce coquillage, comme étant de bon augure.

AXIS

Espèce du genre cerf qui se reconnaît à son pelage, et se distingue surtout par la forme svelte de ses bois; cet animal change deux fois par an de poil sans changer de couleur.
Au Bengale, l'axis est élevé dans une demi-domesticité, et on l'engraisse pour la table. Sa chair est excellente et supérieure à celle du chevreuil, non seulement pour le goût, mais aussi parce qu'elle peut être consommée aussitôt que l'animal a été abattu.

On l'apprête de même que le chevreuil. (*V. Chevreuil.*)

AXONGE
(*V. Graisse.*)

AYA-PANA

Plante du genre des eupatoires, originaire des îles de France et de Bourbon; ses feuilles contiennent un arome infiniment suave et souverainement fortifiant par diffusion, elles sont stomachiques, apéritives et sudorifiques; c'est M. l'amiral de Sercey qui l'a introduite en France. Son infusion se fait comme celle du thé; mais, comme son arôme est très-puissant, douze ou treize feuilles suffisent pour une théière de six tasses. La meilleure façon d'employer ce nouvel aromate est d'abord de le prendre comme on prend le thé, et ensuite d'en parfumer des soufflés, des moufles et des glaces à la crème. L'aya-pana s'allie admirablement avec les jaunes d'œufs et la crème.
M. de Courchamps nous apprend qu'on a payé l'aya-pana près de 300 francs les trente grammes, et cela dans l'invasion du choléra, pour lequel il était un excellent topique; à présent, on paye le demi-kilo 80 ou 90 francs.

AZEROLE

Espèce de nèfle des pays chauds où on l'appelle *pommette*; ses feuilles ressemblent à celle de l'aubépine, quoique plus grandes; les fleurs sont en grappes de couleur verte; c'est le zazor des Arabes; le fruit est rond, charnu, rouge lorsqu'il est mûr, de saveur aigrelette, agréable et recherché surtout par les femmes enceintes.
Sa pulpe contient trois osselets de semence fort durs; l'azerole est astringente, on la mange crue ou confite. L'azerolier de Virginie mérite d'être cultivé à cause de ses fleurs brillantes et de son fruit éclatant.

Frontispice de Grandville pour l'Almanach des gourmands de H. Raisson. (1829)

BABA

« Le baba est un gâteau d'origine polonaise, qui doit toujours présenter assez de volume pour être servi comme grosse pièce et entremets, et pour pouvoir figurer pendant plusieurs jours sur les buffets d'*en-cas*. Réunissez 1.500 gr. de la plus belle farine que vous pourrez trouver, 45 grammes de levure de bière, 30 grammes de sel fin, 120 grammes de sucre, 180 grammes de raisin de Corinthe, 180 grammes de raisin muscat de Malaga, 30 grammes de cédrat confit, 30 gr. d'angélique confite, 3 grammes et demi de safran; un verre de crème, un verre de vin de Malaga, vingt-deux œufs et 1 kilo du beurre le plus fin. Quand votre farine sera tamisée, prenez-en le quart pour le levain, et, après avoir préparé cette farine en fontaine, vous verserez au milieu un verre d'eau tiède avec la levure, puis vous détremperez votre levain, en y apportant tous les soins que la fermentation réclame. Ensuite vous faites une fontaine avec le reste de la farine, vous versez au milieu 30 gr. de sel fin, 120 grammes de sucre en poudre, un verre de crème, vingt à vingt-deux œufs, 1 kilogramme de beurre d'Isigny, manié en hiver; faites votre détrempe, et, après avoir mêlé le levain qui doit être levé à point, vous battez bien cette pâte que vous élargissez un peu; faites un creux au milieu, dans lequel vous versez un verre de vin de Malaga et l'infusion de votre safran que vous aurez fait bouillir quelques minutes dans le quart d'un verre d'eau, puis vous jetez sur la pâte 180 grammes de raisin de Corinthe, 180 grammes de muscat dont vous aurez ôté les pépins en séparant chaque grain en deux parties; ces raisins doivent être préparés d'avance; puis 30 grammes de cédrat confit, coupé en petits filets ainsi que de la conserve d'angélique; remuez bien ce mélange, afin que le raisin soit bien mêlé dans toutes les parties de la masse entière; vous séparez ensuite un huitième de la pâte que vous rendez lisse par-dessus, vous en ôtez les plus gros raisins qui se trouvent à la surface, et vous la posez de ce côté dans un moule beurré. « En plaçant la détrempe dans le moule, retirez-en les gros grains de raisin, parce que le sucre qu'ils contiennent les attacherait au moule pendant la cuisson.

« Pour la fermentation, vous aurez les mêmes attentions que pour le gâteau de Compiègne (*V. Gâteau de Compiègne*), et pour la cuisson vous y donnerez une heure et demie; la vraie couleur du baba doit être rougeâtre, c'est la cuisson mâle, mais elle n'est pas facile à saisir, parce que le safran, par sa teinte jaunâtre, porte à la couleur, et que le sucre et le vin d'Espagne y contribuent pour le moins autant de leur côté; c'est par ces raisons que cette cuisson réclame beaucoup de soins; un quart d'heure de trop suffirait pour changer cette belle nuance pourprée en une teinte indécise et rembrunie.

« Il paraît, quant à l'origine de ces gâteaux, que c'est réellement le roi Stanislas Leczinski, beau-père de Louis XV, qui les a fait connaître en France. Chez les augustes descendants de ce bon roi (ce n'est pas moi qui parle, c'est Carême), on fait toujours accompagner ce service des babas par celui d'une saucière où l'on tient mélangés du vin de Malaga sucré avec une sixième partie d'eau distillée de Tanésie. On a su par Mᵐᵉ la comtesse Risleff, née comtesse Potoka et parente des Leczinski, que le véritable baba polonais devait se faire avec de la farine de seigle et du vin de Hongrie.

« On voit quelquefois à Paris de petits babas qui ont été formés dans de petits moules, mais alors ils se dessèchent trop aisément pour que l'on puisse approuver cette méthode économique, qui n'est usitée du reste que par les marchands pâtissiers.

« Avec des tranches de baba bien imbibées de vin de Madère et trempées dans de la pâte à friture, on fait un plat de beignets très-confortable et très-bien accueilli dans un déjeuner de garçons. »

(D'après les traditions de la cour de Lunéville et suivant la méthode de M. Carême, auteur du *Cuisinier pittoresque*.) Si vous voulez confectionner un baba dans de plus petites proportions, et qui suive de moins près les traditions de la cour de Lunéville, dont ne pouvaient s'écarter un pâtissier comme Carême et un gastronome comme M. de Courchamps, prenez cette recette au livre de pâtisserie d'Audot :

servez-vous du même levain que pour la brioche et des mêmes proportions pour la pâte, en la tenant un peu plus claire; le mélange étant fait, on assemble la pâte, on fait un trou où l'on ajoute 15 gr. de sucre en poudre, 30 grammes de vin de Madère, Malaga ou rhum, 45 grammes de raisin muscat égrenés et coupés en deux, autant de raisin de Corinthe, 8 grammes de cédrat confit coupé en petits filets et un peu de safran en poudre; ce mélange doit avoir la même consistance qu'avait le levain, soit en y ajoutant un œuf ou de la crème; mettez cette pâte dans un moule beurré deux ou trois fois plus grand que le contenu de la pâte, faites en sorte que le raisin ne touche pas aux parois du moule où il se collerait, laissez reposer en lieu chaud jusqu'à ce qu'il soit bien gonflé, faites cuire une heure et demie à une chaleur très-douce, et le baba est parfait quand il prend une couleur rougeâtre. On sert chaud de préférence.

BABEURRE
(Lait de beurre)

Liqueur séreuse et blanche que laisse le lait quand on l'a battu.

Cette liqueur forme un aliment très-estimé en Hollande, au point que les domestiques, dans leurs engagements avec leurs maîtres, mettent pour condition qu'on leur en donnera une ou deux fois par semaine. On se sert aussi du babeurre pour faire du potage; il est nourrissant et rafraîchissant, et cependant l'usage n'en convient point à tous les estomacs.

BABIROUSSA

Espèce de sanglier avec lequel l'Europe vient de faire connaissance et que les curieux trouveront au Jardin des plantes. Pline a dit de lui : « Aux Indes, il y a une espèce de sanglier qui a sur son front deux cornes comme celles d'un veau et des défenses comme celles d'un sanglier commun » : Élien en fait aussi mention sous le nom de *Quatre-cornes*.

« Ah! mon Dieu, mon ami, demandait une dame à son mari, qu'est-ce donc que cet animal qui, au lieu de deux cornes, en a quatre?

– Madame, dit un passant, c'est un veuf remarié; » et il continua son chemin.

La couleur du babiroussa est cendrée ou sale, ses poils sont laineux et courts, ses oreilles peu étendues, son train de derrière plus élevé que celui de devant; sa peau est mince et ne contient pas de lard, sa chair a un goût fort agréable. On le mange comme le sanglier.

Lorsqu'on chasse l'animal, il se jette à la mer, et, comme les îles de l'archipel de l'Inde sont très-rapprochées, il passe de l'une dans l'autre. Celui qui est au Jardin des Plantes et qui vient manger dans la main prouve que cet animal peut s'apprivoiser.

BACILE

Plante du genre des ombellifères. Cette plante croît sur les bords de la mer, au milieu des rochers; j'en ai cueilli sur toutes les côtes de la Normandie; les tiges sont dures, vertes, garnies de feuilles charnues, les folioles sont étroites, les fleurs blanches, la saveur salée, piquante, aromatique, mais avec tout cela très-agréable, on confit les tiges dans le vinaigre et on les mange comme les cornichons et comme les achards.

BAGASSIER

Arbre de la famille des artocarpies, originaire de la Guyane. Il produit un fruit de la grosseur de l'orange moyenne, de couleur jaunâtre et recouvert d'une peau grenue; sa chair est ferme, succulente, de bon goût, et rafraîchit. Les créoles et les indigènes la mangent avec plaisir.

BAIN-MARIE

Manière de faire prendre certaines sauces qui, posées directement sur le feu, se coaguleraient trop vite. Le procédé est si connu que nous jugeons inutile d'en donner l'explication.

BAKU

Poisson du Japon, recherché à cause de la délicatesse de sa chair; les habitants en jettent la tête, les intestins, les os, le lavent et le nettoient avec beaucoup de soin, et, malgré ces précautions, plusieurs personnes en meurent empoisonnées. Lorsqu'un Japonais est dégoûté de l'existence, il se sert de ce poisson de préférence à tout autre moyen de destruction. Scheutzer, dans son Histoire du Japon, dit que cinq personnes de Nangasaka, ayant mangé un plat de baku, s'évanouirent, furent prises de convulsions, de délire et d'un vomissement de sang tellement violent, qu'elles en moururent en peu d'heures. Malgré cela, les Japonais ne veulent pas s'abstenir d'un aliment qu'ils trouvent très-délicat. Un édit de l'empereur défend expressément aux soldats et aux employés de l'Empire d'en manger; ce poisson se vend beaucoup plus cher que les autres.

BALACHAN

Le balachan est une pâte qui se fait à Siam et à Tonquin, avec des crevettes; on les pile avec du sel pour en former une espèce de saumure épaisse, qu'on fait cuire au soleil pendant plusieurs jours; on a soin de la remuer de temps en temps, ce qui répand au loin une odeur affreuse. Cette pâte supplée au beurre, fortifie l'estomac, excite l'appétit. A Tonquin on lui donne le nom de *nuxman*, on la mange avec le riz et on en assaisonne aussi les viandes.

BALAOU

Poisson de la forme et de la longueur de la sardine; sa mâchoire inférieure a un bec assez fort, mince et pointu comme une aiguille. La chair de balaou est ferme, délicate, de bon goût, et de facile digestion. Ce poisson est abondant à la Martinique, où on le pêche aux flambeaux.

BALEINE

La baleine est le plus grand des mammifères; il y a des baleines qui ont jusqu'à 65 mètres de longueur; l'intérieur de son corps ressemble à celui des animaux terrestres; son sang est chaud; elle respire par le moyen des poumons, ce qui fait qu'elle ne peut rester plus d'un quart d'heure sous l'eau; elle s'accouple comme les vivipares, et elle nourrit son *caffre* de lait. *Caffre* est le nom que les baleiniers donnent au petit de la baleine. La baleine n'a qu'une mamelle, placée juste au milieu de la poitrine. On ne sait

comment le caffre fait pour boire. Nage-t-il sur le dos et boit-il en faisant la planche? Le procédé dont il se sert est bien plus simple que ça, il pousse la mamelle de sa mère d'un violent coup de museau, la mamelle laisse alors sortir un long jet de lait, il se précipite sur ce lait, l'avale avec l'eau à laquelle il est mêlé, puis rend immédiatement l'eau par les ouïes ou par les évents et ne garde que le lait. Il est assez curieux que la baleine, le plus pesant des poissons, voyage aussi rapidement que le pigeon, l'un des oiseaux les plus légers : tous deux font soixante-quatre kilomètres à l'heure.

C'est une baleine qui a résolu ce problème difficile de savoir s'il y avait au-dessous de l'isthme de Panama un passage de l'Atlantique au Pacifique. Une baleine, frappée d'un coup mortel dans le golfe du Mexique, était trouvée deux heures après morte dans l'océan Pacifique. Comme elle n'avait eu le temps de passer ni par le cap Horn, ni par le détroit de Lemaire, ni par celui de Magellan, attendu qu'il lui eût fallu faire près de trois mille lieues, on fut bien obligé de convenir qu'elle avait dû trouver un passage sous-marin. On put reconnaître le moment où elle avait été blessée, par l'inspection du harpon qui l'avait frappée à mort et qui était demeuré fixé dans la plaie. Ce harpon, comme tous les harpons de baleinier, portait son numéro, et, sur le registre de bord, on put voir quel jour et à quelle heure il avait été lancé; le harpon avait été lancé dans le golfe du Mexique, et vingt-quatre heures plus tard la baleine était trouvée morte dans le Pacifique.

La peau de la plupart des baleines est noire, la chair est rouge et ressemble à celle du bœuf. Cette chair et surtout celle du cébillot, la plus grosse de toutes les baleines, est tellement bonne et saine que les pêcheurs et le commun peuple maritime lui attribuent la santé parfaite dont ils jouissent.

BALISTE
(le *caper* de Pline)

Poisson cartilagineux dont les couleurs sont vives et brillantes; il fait, quand on le prend, un bruit semblable au grognement du porc; sa chair est excellente, ce poisson était à Athènes d'un prix exorbitant.

BAMBOU

Grand roseau indien dont on fait des cannes. Il contient un suc dont les Indiens sont friands; c'est de chacun de ses nœuds que découle une liqueur saccharine, qui par l'action de la chaleur solaire se convertit en larmes de sucre. Les anciens ne connurent que le sucre de canne et le sucre de bambou. Les jeunes rejetons du bambou forment une espèce de composition au vinaigre et à la moutarde, qui a pris le nom de son inventeur, Achar.

BANANIER

Plante des Indes orientales et occidentales. En Orient, la banane passe pour être le fruit défendu dans lequel mordit notre grand'mère Ève. Elle rend aux pauvres gens le même service que chez nous la pomme de terre aux ouvriers. Aux Antilles et à Cayenne on en fait un vin, qui porte le nom de vin de bananes.

BANGUE

Chanvre des Indes, qu'Adanson croit être le népenthès des anciens et qu'il est le haschisch des modernes.

BAR

Poisson de mer qui ressemble à notre mulet; très-délicat lorsqu'il ne dépasse pas le poids de deux à trois kilos, il devient dur et désagréable à manger lorsqu'il atteint le poids de quinze à vingt kilos. J'ai pêché à Trouville un bar qui pesait vingt-trois kilos; il était coriace et avait perdu presque toute sa sapidité.

Il n'y a guère qu'une façon de manger ce poisson; c'est de l'apprêter avec un court-bouillon, composé de 125 grammes de beurre salé, de cinq ou six grandes tiges de persil auxquelles on aura laissé leurs racines, et on le mangera avec une sauce hollandaise.

BARAGOUIN

Beaucoup de nos lecteurs vont s'étonner de trouver ce mot dans notre dictionnaire de cuisine; mais, quand ils auront lu l'anecdote qui suit, ils comprendront et nous pardonneront sûrement d'y avoir intercalé le mot *baragouin*.

Deux Bretons, qui voyageaient, se trouvèrent dans une ville où l'on ne parlait que français. Pressés par la faim, ils s'évertuaient à crier dans leur vieille langue celtique *bara-guin* sans que personne les comprît; enfin, ils firent tant de gestes qu'on finit par deviner qu'ils avaient faim et soif, et on s'empressa de les nourrir.

Et voilà comment le mot français *baragouin*, qui signifie langage incompréhensible, a été formé de *bara* qui veut dire pain, et de *guin* qui veut dire vin en langue bretonne.

BARAQUILLE

Espèce de pâtisserie, composée d'une farce faite avec des filets de perdrix, de poulardes, des ris de veau, des champignons, des truffes vertes, hachés ensemble, et dans laquelle on ajoute un bon morceau de beurre bien frais et des fines herbes; on enferme le tout dans une pâte de feuilletage très-légère; c'est un hors-d'œuvre de pâtisserie de la nature des rissoles.

BARBE DE BOUC

Clavaire coralloïde de Linné, plante ressemblant au salsifis et se mangeant cuite à l'eau ou frite, comme ce dernier.

Il y a une autre espèce de barbe de bouc, plus petite, dont on mange les jeunes pousses comme les asperges. On dit que c'est avec cette racine que Jules César nourrit son armée lorsqu'elle se trouva dénuée de vivres et entourée de toutes parts par celle de Pompée.

Barbe de bouc   *Barbe de capucin*

BARBE DE CAPUCIN

Chicorée sauvage, variété de l'endive, dont on mange les feuilles en salade.

La barbe de capucin est une des salades les plus estimées, très-saine, et l'une des plus nourrissantes, la meilleure peut-être de toutes, quoique légèrement amère; c'est la seule que les médecins permettent quelquefois aux malades convalescents.

On la mange le plus ordinairement avec des rouelles de betteraves et assaisonnée de sel, poivre, huile, vinaigre, et sans herbes.

BARBE DE CHÈVRE

Fleur en rose, espèce de champignons que l'on trouve au pied des arbres; il a différentes couleurs, rouge ou violet, ou grenat, et n'est pas vénéneux, quoique en général un peu coriace et par conséquent de difficile digestion.

On les emploie comme les champignons ordinaires dans les sauces; les barbes de chèvre se confisent aussi au vinaigre, après les avoir passées à l'eau bouillante.

BARBEAU, BARBILLON

Poisson doué de deux noms, mais qui ne fait qu'un; il est oblong, de grandeur moyenne, couvert de légères écailles, et doit son nom à quelques filaments de chair qui lui servent de moustaches. Ses œufs sont un purgatif assez violent; il n'y a donc pas de mal à les lui tirer du corps avant de le faire cuire, car leur seule présence dans l'animal pourrait amener des inconvénients. Prenez un barbillon de moyenne grandeur, où il y ait à manger pour quatre personnes, videz, écaillez, et essuyez avec soin; mettez-le dans un plat de terre, ajoutez quatre cuillerées à bouche d'huile, trois pincées de sel et trois prises de poivre; une demi-heure après, faites-le griller à feu modéré; mettez-le sur le plat, couvrez-le avec un hecto de maître-d'hôtel, arrosez de citron, et servez.

Vous pouvez manger le barbillon en matelote en l'ajoutant à la carpe et à l'anguille; il est indispensable à la matelote marinière.

BARBILLON A L'ÉTUVÉE. Après avoir écaillé et vidé les barbillons, faites cuire au vin rouge, le bourgogne est le meilleur, avec sel, poivre, girofle, bouquet garni, et un gros morceau de beurre; quand ils sont cuits, liez la sauce avec un peu de beurre manié de farine ou de farine de riz.

BARBILLON AU COURT-BOUILLON. Prenez le plus beau barbillon que vous pourrez trouver, videz; n'écaillez pas, mettez dans un grand plat, avec sel et poivre, et arrosez de vinaigre bouillant, puis faites partir à grand feu, dans une poissonnière, vin, verjus, sel, poivre, clous de girofle, laurier, oignons blancs, zeste de citron et bouquet garni; après ébullition, faites cuire dans la poissonnière jusqu'à suffisante réduction du bouillon. Écaillez, dressez sur une serviette et garnissez de cresson.

A part la quantité d'arêtes dont sa chair est hérissée, c'est alors un excellent plat.

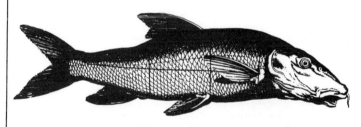

BARBEAU SUR LE GRIL. Videz, écaillez, incisez sur le dos le poisson, frottez avec beurre et sel fin, et grillez. La chose faite, dressez avec une sauce aux anchois. On peut y ajouter des huîtres marinées. Toutes les sauces, d'ailleurs, vont à ce poisson d'excellent caractère.

Sauce verte (avec des anchois et une pointe d'ail), sauce hollandaise, sauce blanche avec des câpres et des olives tournées.

BARBOTE

Poisson de rivière et de lac. Les barbotes qui vivent dans un lac sont moins délicates que celles que l'on pêche dans la rivière, attendu que leur chair sent la vase et se digère difficilement. Le foie, au contraire, a une saveur très-

Bar

agréable; il est fort gros relativement au volume du poisson; quelques gourmands prétendent même qu'il n'y a que le foie de bon à manger.

Limonez votre barbote à l'eau bouillante pour la nettoyer, videz-la et jetez les œufs; faites votre court-bouillon d'avance, parce qu'il ne leur faut qu'une vague de bouillon pour cuire. Petites, les barbotes entrent comme garniture de matelote, bouille-à-baisse, bouride et autres ragoûts de poisson; elles font d'excellentes fritures, et leur foie, dont j'ai déjà parlé, se compare comme finesse à celui de la lotte.

BARBOTE A LA ROYALE. Videz, écaillez, farinez, faites frire les barbotes; faites pendant ce temps un roux dans une casserole avec des anchois fendus, sel, poivre, muscade, jus d'oranges amères, câpres, grains de verjus; faites cuire doucement, entourez de persil et écorces de citron, si vous n'avez pas de bigarades.

BARBOTE A LA CASSEROLE. Apprêtez comme à la royale; mettez le foie à la casserole avec du beurre et une demi-cuillerée de farine; mettez-y vos poissons, arrosez-les de vin blanc, salez, poivrez, laissez tomber un bouquet de fines herbes, un peu de citron vert, des champignons; cuisez à point, garnissez de champignons et entourez-les de croûtons frits. Ajoutez-en d'autres cuits de la même façon si vous jugez à propos; pressez un citron vert et entourez vos barbotes de leur foie, que vous alternerez avec des croûtons passés à la friture.

BARBUE

La forme de ce poisson est rhomboïde; sa peau est revêtue d'écailles ovales et unies; le côté gauche est marbré de jaune, de brun et de rouge. A Paris, on donne souvent à la barbue le nom de carrelet; elle est fort abondante dans la Méditerranée, sur les côtes de Sardaigne, ainsi qu'autour des îles Açores; elle pèse parfois jusqu'à 10 kilos. Sa chair est ferme et exquise : les amateurs la préfèrent à celle du turbot; on ne doit cependant pas en faire excès, étant d'assez difficile digestion.

Dans le fleuve Saint-Louis de la Louisiane, on trouve deux espèces de barbue, la grande et la petite; la première a presque 1 mètre à 1 m 30 de long; sa tête est très-grosse, son corps se termine en pointe; elle n'a d'écailles que celles du milieu. Sa chair ressemble à celle de la morue fraîche du pays, qui est excellente; on la sale aussi. La petite est d'une longueur de 60 à 70 centimètres; sa tête est large, son corps n'est pas aussi rond que celui de la première, et ne se termine pas en pointe, mais la chair en est encore plus délicate.

Videz, lavez, nettoyez l'intérieur de votre barbue; faites une incision du côté droit jusqu'au milieu du dos, relevez les chairs des deux côtés et enlevez un morceau d'arêtes de trois joints ou nœuds, ce qui donnera de la souplesse et empêchera qu'elle ne se fende; mettez de l'eau dans un chaudron en assez grande quantité pour que cette eau, versée du chaudron dans la turbotière, enveloppe entièrement votre barbue; joignez-y une poignée de gros sel, deux feuilles de laurier, du thym, du persil, six à dix oignons coupés par tranches; faites bouillir le tout un quart d'heure, passez au tamis et laissez reposer; versez sur la barbue que vous aurez placée le ventre en dessus, et dont vous aurez frotté le ventre avec du sel et du jus de citron, versez le court-bouillon bien éclairci et laissez-lui donner quelques vagues; laissez mijoter une heure sans bouillir, plus si le poisson est très-gros. En été, il faut le faire partir à feu vif, car à feux doux il pourrait se corrompre; couvrez-le pendant la cuisson d'une serviette ou d'un papier pour empêcher de noircir; quand il fléchit sous le doigt, il est cuit. La cuisson faite, vous le retirez cinq minutes avant de servir, vous le laissez égoutter; vous le parez sur un plat, le ventre en dessus; vous coupez les extrémités des barbes et le bout de la queue; masquez les déchirures, s'il y en a, avec le persil dont vous l'entourez; servez dans une saucière une sauce aux câpres, une autre à l'huile, et une autre, si vous voulez, à la hollandaise; on peut la mettre cuire dans l'eau avec 500 gr. de sel blanc, un litre de lait et une pointe de citron; s'il n'est pas très-frais, mettez-le dans l'eau salée bouillante, et laissez mijoter une heure pour le raffermir.

BARBUE MARINÉE A LA TOMATE OU A L'OSEILLE. Après l'avoir vidée, l'avoir incisée sur le dos pour lui faire prendre la marinade pendant deux heures, avec sel, poivre, verjus, ciboule, citron, poudrez-la de mie de pain et de fine chapelure, faites cuire au four dans une tourtière, et servez sur une purée de tomates ou d'oseille.

BARBUE A LA BÉCHAMEL. Faites bouillir votre court-bouillon à part pendant vingt minutes, tamisez, frottez de citron votre barbue, versez sur elle et dans la turbotière le court-bouillon composé avec moitié lait, moitié eau, avec des oignons coupés en tranches, du sel, des ciboules, du thym, du laurier, du persil, de l'ail, du girofle et du gros poivre. Faites cuire sans gros bouillons et couvrez d'une béchamel au maigre. *(V. Béchamel.)*

BARBUE A LA PARMESANE. Levez les chairs d'une barbue après qu'on l'a desservie, faites-les chauffer dans une béchamel épaisse, arrangez le tout sur un plat en unissant bien le dessus, panez, saupoudrez de parmesan, faites prendre couleur sous un four de campagne ou avec une pelle rougie; beurre fondu et mie de pain par-dessus.

BARBUE A LA PROVENÇALE. Marinez et faites frire une barbue, levez la chair en filets, et servez avec une sauce aux anchois et des olives.

On sert les petits turbots et les petites barbues au gratin, comme on fait pour les merlans et les limandes.

BARDANE

Genre de la famille des flosculeuses, plante ressemblant au chardon, dont elle se distingue par son involucre presque globuleux, formé d'écailles allongées et droites, terminées à leur sommet par une pointe recourbée en crochet. Les jeunes pousses de la bardane, cueillies au printemps, offrent une saveur assez agréable, ressemblant à celle de l'artichaut et sont quelquefois recherchées, par les habitants des campagnes, comme aliment.

En Écosse, les jeunes pousses, et même la racine écorcée, servent à l'alimentation; on l'accommode comme les cardons ou bien on mange ses feuilles en salade.

Cet aliment est sain, de saveur agréable, mais il nourrit peu.

BARDES

Tranches de lard très-minces dont on couvre une pièce qu'on met rôtir. On garnit aussi souvent de bardes le fond des casseroles.

BARDER. Envelopper de bardes de lard : « On barde une volaille, mais on fonce une casserole. » *(Courchamps.)*

BARGE

Oiseau aquatique, ressemblant au courlis, il est fort commun en Égypte, où il est fort estimé à cause de l'excellente saveur de sa chair, qui nourrit et se digère bien.
On trouve aussi des barges sur les bords des mers du Nord.

BARNACHE

Espèce d'oie de passage, qui habite généralement les côtes de la mer. Sa chair est assez bonne à manger, quoique de difficile digestion.
Elle ne convient donc pas aux estomacs fatigués ou affaiblis.

BARTAVELLE

Un des noms de la perdrix grecque. Cet oiseau est plus gros que la perdrix rouge, à laquelle il ressemble beaucoup; le dos est d'un gris roussâtre, la poitrine est grise, le ventre est roux; cet oiseau, répandu dans tout l'Orient, ainsi qu'en Sicile et à Naples, ne descend jamais dans la plaine; sa chair est blanche, fort estimée, quoique d'une saveur résineuse un peu amère, on la trouve principalement dans les Alpes, quelquefois dans les vallées du Grésivaudan, du Viennois et du Valentinois. Elle est d'origine attique; c'est le bon roi René d'Anjou qui a doté sa chère province de ce fin gibier. Un des Scaliger ajoute que la bartavelle est originaire du mont Olympe et qu'elle a conservé le sentiment de sa grandeur, vu qu'elle ne se plaît que dans les hauts lieux, pour y régner en souveraine. Le père Poiré a dit qu'il y avait la même distance entre les bartavelles et les perdrix qu'entre les pêches et les châtaignes; Cyrano de Bergerac estime que les bartavelles sont aux perdreaux ce que les cardinaux sont aux simples moines mendiants. Enfin, M. de la Reynière a dit que les bartavelles méritaient un si profond respect, qu'on ne devrait les manger qu'à genoux; l'auteur des *Mémoires de madame de Créqui* conseille de les piquer de lardons très-fins, ou encore de les barder, s'ils sont très-jeunes, et de les servir en superbe plat de rôti. Mais M. Vuillemot a posé ce principe, qu'il ne fallait jamais piquer le gibier, et nous nous inclinons devant cette autorité.

BATONS ROYAUX

Nous citons ce mets, qui remonte à Charles VII, plutôt à cause de son antiquité que comme hors-d'œuvre culinaire. C'est une farce très-fine, faite avec de la chair de volaille et du gibier. Vous roulez ce hachis, vous l'enveloppez dans des abaisses de pâte fine et vous les faites frire. On les enfile souvent avec des hâtelets, et on les emploie à garnir une pièce de bœuf.

BAUDROIE

Poisson fort commun sur les côtes de Gênes, dans la Manche et dans l'Océan; il ressemble au *têtard* et est très-habile à la pêche des autres poissons plus petits, ce qui l'a fait surnommer *grenouille pêcheuse*.

Sa chair est blanche et bonne comme celle de la grenouille; les habitants du Languedoc le mangent, comme cette dernière.

BAVAROISE

Boisson chaude, qui se fait avec du sirop de capillaire, délayé dans une infusion de thé; selon la substance avec laquelle elle se confectionne, on l'appelle bavaroise à l'eau, bavaroise au thé, bavaroise au chocolat. Boisson adoucissante et soporifique.

BÉCASSE, BÉCASSINE ET BÉCASSEAU

C'est le premier des oiseaux noirs et la reine des marais. Pour son fumet délicieux, la volatilité de ses principes et la finesse de sa chair, elle est recherchée par les gourmets de toutes les classes. Ce n'est, hélas! qu'un oiseau de passage. Mais on en mange pendant plus de trois mois de l'année. Les bécasses à la broche sont, après le faisan, le rôti le plus distingué. On vénère tellement ce précieux oiseau, qu'on lui rend les mêmes honneurs qu'au grand lama; des rôties mouillées d'un bon jus de citron, reçoivent ses déjections et sont mangées avec respect par les fervents amateurs.

Éléazar Blaze, grand chasseur et en même temps grand cuisinier, donnait en ces termes son opinion sur la bécasse : « La bécasse est un excellent gibier lorsqu'elle est grasse; elle est toujours meilleure pendant les gelées; on ne la vide jamais. En pilant les bécasses dans un mortier, on fait une purée délicieuse; si l'on met sur cette purée des ailes de perdrix piquées, on obtient le plus haut résultat de la science culinaire. Autrefois, quand les dieux descendaient sur la terre, ils ne se nourrissaient pas autrement. Il ne faut pas manger la bécasse trop tôt, son arôme ne serait pas assez développé, vous auriez une chair sans goût et sans saveur; apprêtée en salmis, son parfum se marie très-bien avec celui des truffes. Mise en broche avec une cuirasse de lard, elle doit être surveillée par l'œil du chasseur; une bécasse trop cuite ne vaut rien. Mais une bécasse cuite à point, placée sur sa rôtie dorée et onctueuse, est un des morceaux les plus délicats et les plus savoureux qu'un galant homme puisse manger; et lorsqu'il a la précaution de l'arroser d'excellent vin de Bourgogne, il peut se flatter d'être un excellent logicien.

« Un président du tribunal d'Avignon, avait dîné chez le préfet. En sa double qualité de gourmand distingué, de chasseur intrépide, il officiait toujours en conscience. Après avoir pris sa tasse de café pour faciliter la digestion, il en était à son troisième petit verre pour faciliter le passage du café, lorsque son amphitryon l'aborde et lui demande s'il a bien dîné. – Mais... oui... – Cette réponse semble accompagnée de restrictions. – J'ai assez bien dîné. – Assez bien ne signifie pas bien. – Si, si, j'ai bien dîné. – Je vous devine monsieur le président, vous regrettez ces deux belles bécasses qui n'ont pas été découpées. – Ma foi, j'en aurais bien mangé ma part. – Attendez un instant, on va vous les servir. – Après le café?... après la liqueur?... c'est impossible. – Rien n'est impossible aux estomacs comme le vôtre.

« Le préfet donna l'ordre, une petite table est dressée dans le cabinet voisin, on sert les deux bécasses et le bienheureux président les mange. »

On croit que les anciens n'ont pas connu la bécasse; elle est de la grosseur de la perdrix, le bec est fort long, le plumage agréablement varié, l'œil fort large. La bécasse est répandue dans tout l'ancien continent, on la trouve aussi en Amérique. En été, elle va en Suisse, en Savoie, sur les Pyrénées et les Alpes; on en prend le matin sur la lisière des bois, son vol est soutenu, elle vole très-vite, elle est stupide et ne voit, dit-on, rien qu'au crépuscule. La chair de cet oiseau aux pattes noires est excellente comme celle des oiseaux sauvages, elle n'est cependant pas du goût de tout le monde, elle ne convient ni aux mauvais estomacs, ni aux bilieux, ni aux mélancoliques, mais à ceux qui font de l'exercice. Elle est meilleure en automne. On dit que dans la bécasse tout est bon; c'est le gibier dont les chasseurs font le plus de cas, l'odeur et la saveur de cet oiseau déplaisent aux chiens auxquels on a beaucoup de peine à faire rapporter une bécasse.

BÉCASSE, BÉCASSEAU OU BÉCASSINE A LA BROCHE. Prenez quatre bécasses, flambez-les, épluchez-les et retirez la peau de la tête, retroussez les pattes et percez-les avec leur propre bec. Piquez les maigres, bardez les grasses, traversez-les d'un hâtelet fixé des deux bouts. Disposez sous la broche des rôties de pain, qui recevront la graisse et devront être assaisonnées avec mignonnette, huile verte et citron. La cuisson des bécasses sera d'une demi-heure. Les bécasses seront dressées sur les rôties.

Chasse à la bécassine

Bat

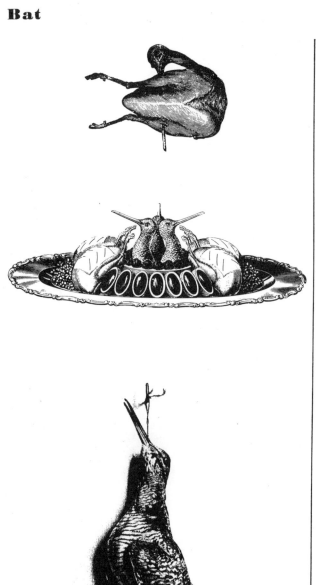

AUTRE MANIÈRE DE LES SERVIR A LA BROCHE. Videz-les entièrement par le dos et remplissez-les à moitié de lard râpé, avec persil, échalotes, ciboule, gros poivre et sel; farcissez ainsi vos bécasses, recousez-les, le reste comme ci-dessus. Si c'est pour les Anglais, servez-les avec une sauce au pain.

SALMIS DE BÉCASSES. Embrochez trois bécasses, levez-en les membres, procédez pour ce salmis comme pour celui de perdreaux, c'est-à-dire finissez-le un quart d'heure avant de servir, mettez les membres de votre gibier à part, ajoutez à votre sauce une cuillerée à dégraisser de gelée d'aspic, posez-le à plat sur la glace ou sur l'eau sortant du puits, remuez bien cette sauce jusqu'à ce qu'elle prenne; une fois à son degré trempez-y les membres des bécasses, les uns après les autres, dressez-les sur votre plat de service, couvrez-les du reste de la sauce, garnissez votre entrée de croûtons passés dans du beurre, décorez-la tout autour avec de la gelée taillée à facettes.

SALMIS DE BÉCASSES A LA ROYALE. « Préparez trois bécasses, lardez-les, faites-les cuire à la broche, laissez-les refroidir, levez-en les membres, ôtez-en la peau, parez-les, rangez-les dans une casserole avec un peu de consommé, posez-les sur une cendre chaude et faites en sorte qu'elle ne bouillent pas. Coupez six échalotes, un peu de zeste de citron, mettez-les dans une autre casserole avec du vin de champagne, faites bouillir, concassez vos carcasses de bécasses, mettez-les dans votre casserole, ajoutez-y quatre cuillerées de consommé réduit ou de glace de viande, faites réduire le tout à moitié, passez cette sauce à l'étamine, mettez entre ses membres des croûtons de pain passés dans du beurre, ajoutez à la sauce un jus de citron. » *(Méthode de M. de Courchamps.)*

SALMIS DE BÉCASSES DE TABLE A L'ESPRIT-DE-VIN. Faites rôtir vos bécasses, dépecez-les; mettez-les dans un plat sur un réchaud. Salez, poivrez, ajoutez un peu d'échalote, un verre de vin blanc, du citron, du beurre, panez avec de la chapelure et laissez mijoter dix minutes.

SALMIS DE BÉCASSES AU CHASSEUR. Vos bécasses sorties de la broche, vous les dépecez, vous les mettez à la casserole avec l'intérieur et le foie haché, de la ciboule, des échalotes, du vin blanc, du sel, du poivre fin; vous faites bouillir deux ou trois fois et vous servez sur des croûtons.

A M. Alexandre Dumas, à Paris.

« Cher maître,

« A propos de votre grand ouvrage sur l'*Art culinaire*, vous me demandez si je pourrais vous enseigner quelques recettes originales de la cuisine de mon pays? Que pourrais-je vous apprendre, à vous le grand savant qui possédez depuis bien longtemps le peu de science que ma jeunesse m'a permis d'acquérir?... Rien! Ce que mon inexpérience remarque n'attire seulement pas votre attention.

« Cependant, voici un plat fort apprécié chez moi et que je n'ai vu figurer sur aucune carte de restaurant, ce qui ne veut pas dire qu'il ne soit pas dans un recueil complet de cuisine bourgeoise. Enfin, je vous le fais connaître à tout hasard, dans l'espoir de pouvoir vous être agréable .

« BÉCASSES BRULÉES AU RHUM A LA BACQUAISE: Les bécasses, après avoir été dressées comme il convient, embrochées sous les ailes afin de ne pas léser les intestins, sont placées devant un feu assez vif. La viande de ces oiseaux, de même que celle des palombes, a besoin d'être saisie si l'on veut qu'elle conserve son fumet.

« Dans la lèchefrite qui doit recevoir le jus, vous placez une rôtie de pain fortement frottée d'ail; cette rôtie, manière d'éponge, boit les déjections et le jus de l'animal.

« Les bécasses cuites à point, la chair doit être légèrement rouge, on les livre au dépeceur qui, après avoir enlevé délicatement les quatre membres, retire avec une petite cuiller tout l'intérieur; il cherche soigneusement le fiel afin de l'ôter, et, ayant écrasé avec le dos d'une fourchette les intestins dans un plat creux, il les étend sur la rôtie, poivre, sale, et vide sur le tout un bon verre de vieux rhum. Aussitôt la liqueur enflammée, pendant que l'opérateur, ordinairement le plus vieux chasseur, agite d'une main le rhum avec la cuiller afin d'augmenter la violence de la flamme, de l'autre main, armée de la fourchette, il prend et promène chaque morceau de gibier sur la flamme bleuâtre.

« Le sacrifice accompli..., la rôtie divisée, placée sous chaque quartier, est aussitôt passée aux gourmets qui se disputent les dernières gouttes de cette sauce merveilleuse.

« L'accessoire dans ce plat vaut mieux que le principal. C'est d'ailleurs un mets on ne peut plus délicat et savoureux. »

B. S.

BÉCASSES AUX TRUFFES. Prenez des bécasses, flambez-les, videz-les par le dos, ôtez-en les intestins. Vous aurez eu le soin d'éplucher d'avance des truffes selon la quantité de bécasses que vous aurez. Ayez soin de faire cuire ces truffes dans du lard râpé avec sel, poivre, fines épices, ciboule et persil hachés; laissez bien refroidir aux trois quarts, hachez les intestins, mêlez-les avec vos truffes, remplissez de ce hachis le corps de vos bécasses, cousez-leur le dos, retroussez-les, bardez-les, mettez-les à la broche ou dans une casserole et faites cuire feu dessus et dessous.

BÉCASSES A LA MINUTE. Vous les flambez et parez, vous les mettez dans une casserole avec un gros morceau de beurre sur un feu ardent, des échalotes hachées, de la muscade râpée, du sel et du gros poivre, puis, quand vous les aurez fait sauter pendant huit ou dix minutes, vous y mettrez le jus d'un citron, un demi-verre de vin blanc, un peu de chapelure de pain. Vous les laissez cuire jusqu'à ce qu'elles aient jeté un ou deux bouillons et vous servez.

BÉCASSES A LA PÉRIGUEUX. Bridez trois bécasses pour entrée, mettez-les dans une casserole, couvrez-les d'une barde de lard, puis mouillez-les avec deux décilitres de vin de Madère et quatre décilitres de Mirepoix; faites cuire les bécasses, égouttez-les et débridez-les. Dressez-les en triangle sur le plat et saucez-les avec une sauce de Périgueux à l'essence de bécasse. *(Recette de Jules Gouffé.)*

HACHIS DE BÉCASSES EN CROUSTADES. Faites cuire trois bécasses à la broche; lorsqu'elles sont froides, levez-en les chairs, hachez le plus fin possible après avoir supprimé les peaux, ôtez le gésier du corps de vos bécasses, pilez-en les débris ainsi que les intestins, versez dans une casserole un bon verre de vin de Champagne avec trois ou quatre échalotes coupées. Lorsque le vin aura jeté un bouillon ou deux, mêlez-y quatre cuillerées à dégraisser pleines d'espagnole réduite; faites bouillir, retirez vos carcasses du mortier, mettez-les dans votre sauce et délayez-les sans les faire bouillir; passez-les à l'étamine à force de bras, ramassez le tout. Mettez dans une casserole votre purée, tenez-la chaudement au bain-marie. Faites d'égale grosseur et longueur sept ou neuf croûtons en cœur ou en rond, le tout de l'épaisseur de trois travers de doigts; faites-les frire dans du beurre, qu'ils soient d'une couleur agréable, vous leur aurez fait du côté où vous voudrez les servir une petite incision convenable à leur forme; videz-les comme vous feriez d'un pâté chaud, mettez votre hachis dans votre sauce, incorporez bien le tout ensemble, ajoutez-y un pain de beurre, goûtez si ce hachis est d'un bon goût, remplissez-en vos croustades, dressez-les, mettez sur chacune un œuf frais poché et servez.

SAUTÉ DE FILETS DE BÉCASSES. Prenez quatre, six ou huit bécasses, selon le nombre de vos convives, levez leurs filets, mettez-les sur un sautoir avec du beurre à demi fondu, du sel, du gros poivre et du romarin en poudre. Au moment de servir, faites passer sur un feu ardent; égouttez, dressez en couronne, séparez par un croûton chaque morceau. Mettez un verre de vin blanc pour huit bécasses, une feuille de laurier, un clou de girofle; laissez réduire. Cela fait, ajoutez un demi-verre de vin blanc, une tasse de bouillon, tamisez et versez sur vos filets.

TERRINE DE BÉCASSES A L'ANCIENNE MODE. « Piquez de gros lard, sans les vider, mais après avoir ôté le gésier, quatre bécasses; garnissez le fond d'une braisière de bardes de lard et de tranches de bœuf battues, ajoutez-y sel, poivre, bouquet garni, oignons coupés par tranches, carottes, panais, ciboules entières et persil haché, un peu de basilic et d'épices; couchez-y les bécasses lestement dessous; assaisonnez sur le dos comme vous avez fait sur l'estomac; ajoutez des tranches de bœuf ou de veau et des bardes de lard. Couvrez la braisière de charbon et faites cuire feu dessus et dessous. Mettez dans une casserole un peu de jambon et de lard coupé en dé. Laissez roussir un peu, ajoutez persil, ciboules, champignons hachés; passez le tout ensemble, mouillez avec du jus, ou à défaut avec du bon bouillon, et, lorsque tout est cuit, liez la sauce en y ajoutant un peu de coulis de veau et de jambon, ou du beurre d'anchois manié de farine et une demi-cuillerée de câpres. Quand les bécasses sont cuites, retirez-les de la braisière, égouttez-les, dressez-les dans la terrine et versez par-dessus la sauce ci-dessus; c'est ce qu'on nomme *sauce hachée*. C'est, à un détail près, la méthode de l'auteur des *Mémoires de la marquise de Créqui*.

SALMIS DE BÉCASSINES DES BERNARDINS. « On prend quatre bécassines (on se réglera quant aux doses sur le nombre et la grosseur des pièces) rôties à la broche mais peu cuites; on les divise selon les règles de l'art, ensuite on coupe en deux les ailes, les cuisses, l'estomac et le croupion; on range à mesure ces morceaux sur une assiette.

« Dans le plat sur lequel on a fait la dissection, et qui doit être d'argent, on écrase les foies et les déjections des oiseaux et l'on exprime le jus de quatre citrons bien en chair et les zestes coupés très-minces d'un seul. On dresse ensuite sur ce plat les membres découpés qu'on avait mis à part; on les assaisonne avec quelques pincées de sel blanc et de poudre d'épices fines (à défaut de cette poudre on mettra du poivre fin et de la muscade), deux cuillerées de l'excellente moutarde de Maille et Aclocque ou de Bordin et un demi-verre de très-bon vin blanc. On met ensuite le plat sur un réchaud à l'esprit-de-vin et l'on remue pour que chaque morceau se pénètre de l'assaisonnement et qu'aucun ne s'attache.

« On a grand soin d'empêcher le ragoût de bouillir; mais, lorsqu'il approche de ce degré de chaleur, on l'arrose de quelques filets d'excellente huile vierge. On diminue le feu et l'on continue de remuer pendant quelques instants. Ensuite on descend le plat et l'on sert de suite et à la ronde, sans cérémonie, ce salmis devant être mangé très-chaud.

« Il est essentiel de se servir de sa fourchette en cette occasion, dans la crainte de se dévorer les doigts, s'ils avaient touché à la sauce. » (*Almanach des gourmands*, année 1806.)

BEC-CROCHE

Nom vulgaire du jeune ibis ou courlis rouge. Oiseau de la grosseur du chapon, et dont la chair a le goût de celle de l'écrevisse.

Son nom lui vient de la forme de son bec. Ce bec lui sert à prendre les écrevisses dont il se nourrit, et qui donnent à sa chair un goût caractéristique.

Cet oiseau est originaire de la Louisiane.

BEC-CROISÉ ORDINAIRE

Genre d'oiseau de l'ordre des passereaux et de la grosseur du bouvreuil et du dur-bec. Cet oiseau a le bec comprimé et les deux mandibules recourbées de manière que leurs pointes se croisent tantôt d'un côté, tantôt de l'autre, selon les individus. Il se sert de ce bec si extraordinaire pour grimper, chercher, ouvrir et fendre les pommes de sapin et tous les fruits des arbres conifères, même les pommes et les poires d'où il retire les pépins, les semences et amandes dont il est très-friand.

Cet oiseau habite le nord de l'Europe, sa chair a une saveur aromatique agréable ressemblant à la térébenthine comme odeur et est très-bonne à manger.

BEC-FIGUE

Les anciens l'appelaient *Avis Cypria*, oiseau de Chypre, parce que, en Grèce et à Rome, on le faisait venir de Chypre, confit dans la saumure.

« Le bec-figue, comme la caille et l'ortolan, cuit dans du papier beurré, sous la cendre, ne laisse rien à désirer pour la saveur. » (*Vuillemot.*)

Brillat-Savarin, qui possède pour le bec-figue une grande affection, dit :

« Parmi les petits oiseaux, le premier, par ordre d'excellence, est sans contredit le bec-figue.

« Il s'engraisse au moins autant que le rouge-gorge et l'ortolan; la nature lui a donné, en outre, une amertume légère et un parfum unique si exquis qu'ils engagent, remplissent et béatifient toutes les puissances digestives. Si un bec-figue était de la grosseur d'un faisan, on le payerait certainement à l'égal d'un arpent de terre.

« C'est grand dommage que cet oiseau privilégié se voie si rarement à Paris, où il en arrive quelques-uns; mais il leur manque la graisse qui fait tout leur mérite, et l'on peut dire qu'ils ressemblent à peine à ceux qu'on voit dans les départements de l'Est et du Midi de la France. »

J'ai entendu parler à Belley, dans ma jeunesse, du Jésuite Faby, né dans ce diocèse, et du goût particulier qu'il avait pour les bec-figues. Dès qu'on entendait crier : « Aux bec-figues! aux bec-figues! » – le bec-figue est, comme on sait, un oiseau de passage, – on disait : « Le père Faby va arriver. »

Le premier janvier, sans faute, il paraissait avec un ami et venait s'en régaler pendant tout le passage; chacun se faisait un plaisir de les inviter.

Ils partaient vers le vingt-cinq, quand les bec-figues étaient partis, bien entendu.

Tant que le père Faby resta en France, il ne manqua pas une seule fois son voyage gastronomique. Par malheur, il fut envoyé à Rome où il mourut grand pénitencier.

Sa plus grande pénitence, à lui, fut bien certainement de ne plus pouvoir manger de nos bec-figues de Provence.

Peu de gens savent manger de petits oiseaux : ortolans, bec-figues, fauvettes, rouges-gorges; en voici la recette, telle qu'elle m'a été confidentiellement transmise par le chanoine Charcot, gourmand par état, puisqu'il était chanoine, mais qui, à force d'études, s'était élevé de la gourmandise jusqu'à la gastronomie.

Recette du chanoine Charcot, transcrite par Brillat-Savarin pour manger des ortolans, fauvettes, bec-figues et rouges-gorges :

« Commencez par ôter le gésier, puis prenez par le bec un petit oiseau bien gras, saupoudrez-le d'un peu de sel et de poivre; enfoncez-le adroitement dans votre bouche, sans le toucher des lèvres ni des dents, tranchez tout près de vos doigts et mâchez vivement. Il en résulte un suc assez abondant pour envelopper tout l'organe et dans cette mastication, vous goûterez un plaisir inconnu du vulgaire. »

Le roi Ferdinand de Naples, grand chasseur et grand gourmand, ayant reconnu que, à leur passage sur l'antique Parthénope, les bec-figues s'abattaient particulièrement sur la colline de Capodimonte, il y fit bâtir un château qui lui coûta cinq millions.

L'ordre était donné, lorsqu'un vol de bec-figues s'abattait à Capodimonte, de venir chercher le roi partout où il était, même au conseil.

Le jour où fut portée au conseil la question de la guerre contre la France, guerre que la reine voulait, mais que le roi ne voulait pas, le roi se rendit au conseil avec la ferme résolution de s'opposer à cette triste fanfaronnade par un vigoureux *veto*.

Mais, à peine la question était-elle engagée, que l'on vint prévenir le roi qu'un magnifique vol de bec-figues venait de s'abattre à Capodimonte.

Le roi essaya de tenir ferme contre lui-même, mais ne pouvant y réussir, il se leva et sortit de la salle du conseil en criant :

« Faites ce que vous voulez et allez au diable! »

La guerre fut décrétée et les bec-figues qui avaient déjà coûté au roi cinq millions, faillirent lui coûter encore son trône.

BÉCHARU

Oiseau de la famille des palmipèdes; de la taille de l'oie, il habite le Midi, les côtes d'Espagne et fréquente les rivages de la Méditerranée, il s'apprivoise facilement quoique sauvage.

La chair du bécharu était très-estimée des anciens; on la servait même assez souvent sur les tables, et on rapporte qu'Héliogabale en fit chercher et s'en régala.

Les nègres considèrent cet oiseau comme sacré.

BÉCUNE

Espèce de brochet de mer, très-vorace et très-gourmand; ce poisson, que sa voracité porte à tout avaler, mange quelquefois jusqu'à des pommes de mancenillier, poison caustique et violent, ce qui rend l'usage de sa chair assez dangereuse.

Autrement, la chair du bécune est blanche, ferme, assez grasse et possède les mêmes propriétés alimentaires que celle du brochet; mais il faut avoir bien soin de s'assurer avant de l'apprêter s'il a les dents bien blanches et le foie très-sain, afin de ne pas risquer d'en être empoisonné.

BEEF-STEAK ou BIFTECK à l'anglaise

Je me rappelle avoir vu, après la campagne de 1815 où les Anglais restèrent deux ou trois ans à Paris, naître le bifteck en France; jusque-là, notre cuisine avait été aussi séparée que nos opinions. Ce ne fut donc pas sans une certaine crainte que l'on vit le bifteck essayer de s'introduire sournoisement dans nos cuisines; cependant, comme nous sommes un peuple éclectique et sans préjugés, à peine nous fûmes-nous aperçus que, quoique *venant des Grecs le présent n'était point empoisonné*, nous tendîmes nos assiettes et nous donnâmes au bifteck son certificat de citoyenneté. Pourtant, il y a toujours quelque chose qui sépare le bifteck anglais du bifteck français. Nous faisons notre bifteck avec un morceau de filet d'aloyau, tandis que nos voisins prennent pour leurs biftecks ce que nous appelons la sous-noix du bœuf, c'est-à-dire le rump-steak; mais chez eux cette partie du bœuf est toujours plus tendre qu'elle ne serait chez nous, parce qu'ils nourrissent mieux leurs bœufs que nous et qu'ils les tuent plus jeunes que nous ne les tuons en France. Ils prennent donc cette partie du bœuf et la coupent par lames épaisses d'un demi-pouce, l'aplatissent un peu, la font cuire sur une plaque de fonte faite exprès et la font cuire avec du charbon de terre au lieu d'employer le charbon de bois. Le bifteck vrai filet doit se mettre sur un gril bien chaud avec une braise ardente, ne le retourner qu'une fois, afin de conserver son bon jus qui se lie avec la maître-d'hôtel. Cette partie du bœuf anglais (et, pour m'en rendre compte, toutes les fois que je vais en Angleterre, j'en mange avec un nouveau plaisir) est infiniment plus savoureuse que la partie avec laquelle nous faisons nos biftecks; il faut la manger aux tavernes anglaises, sautée au vin de Madère ou au beurre d'anchois, ou sur une litière de cresson bien vinaigrée. Je conseillerais de la manger aux cornichons, s'il y avait un seul peuple au monde qui sût faire les cornichons. Quant au bifteck français, la sauce à la maître-d'hôtel est la meilleure parce qu'on y sent dominer la saveur des fines herbes et du citron; mais il y a une observation que je me permettrai de faire : Je vois nos cuisiniers aplatir leurs biftecks sur la table de cuisine, à coups de plat de couperet; je crois que c'est une profonde hérésie qu'ils commettent et qu'ils font ainsi jaillir hors de la viande certains principes nutritifs qui joueraient très-bien leur rôle dans la scène de la mastication. En général les animaux ruminants sont meilleurs en Angleterre qu'en France, parce qu'ils y sont traités vivants avec un soin tout particulier. Rien n'est pareil à ces quartiers de bœuf cuits tout entiers, et que l'on roule sur une petite voiture dans les chemins de fer qui séparent les uns des autres les habitués des tavernes anglaises; ces morceaux de bœuf veinés de gras et de maigre, que l'on coupe soi-même comme on l'entend, sur une portion de l'animal pesant cent livres, n'ont rien de pareil, comme excitation à l'appétit. On arrive à faire des bœufs si gras qu'ils ont l'air de ne plus avoir d'articulations aux jambes et de marcher sur leur ventre. Les éleveurs, les engraisseurs d'animaux arrivent pour engraisser un bœuf jusqu'à lui faire boire 80 litres d'eau par jour. Quant aux moutons,

nourris d'herbe plus fraîche que la nôtre, ils ont des saveurs qui nous sont inconnues.

Où la cuisine fait complètement défaut aux Anglais, c'est à l'endroit des sauces, mais les gros poissons, mais la viande de boucherie est infiniment plus belle à Londres qu'à Paris.

BEFROI

Nom de deux espèces de grives ainsi nommées parce que leur cri ressemble au son d'une cloche qui sonne l'alarme.

On les trouve à la Guyane, leur chair a le même goût et jouit des mêmes propriétés alimentaires que la grive; elles s'apprêtent de même.

BÉGONE

Plante de la famille des bégoniacées, appelée aussi *oseille sauvage* dans les colonies françaises, à cause de sa ressemblance avec cette herbe.

Elle est très-rafraîchissante et on la mange à cause de son acidité agréable.

Pendant que nous en sommes aux mets étrangers, qu'on me permette, puisque nous voilà arrivés à la lettre B, d'emprunter à la cuisine allemande un mets populaire qu'on appelle beilche en Westphalie, et qui n'avait pas échappé à l'érudition culinaire de M. de Courchamps et dont voici la recette.

BEILCHE

« On prend une sous-noix de bœuf assez mortifiée pour être bien tendre, on en enlève toute la graisse, on la coupe à distance égale en sept ou huit morceaux sans détacher les tranches qui continuent à tenir à un centre commun, on les entr'ouvre seulement de manière à introduire dans chacune d'elles une bonne pincée de sel mélangée de poivre fin; puis on place ladite sous-noix, découpée et assaisonnée comme il est dit, dans une grosse terrine à couvercle; on y met immédiatement sur la viande, douze ou quinze pommes de terre crues qu'on a pelées comme on pèle des pommes et qu'on a légèrement saupoudrées de sel blanc; il est important de se procurer pour que rien ne manque à ce plat, des pommes de terre d'Irlande à pulpe farineuse, à forme ronde et de couleur jaune paille. On recouvre la terrine, on en calfeutre le couvercle avec de la pâte, et l'on établit cet appareil dans un coin de cheminée sur un monceau de cendre chaude, sur lequel on entretient pendant quatre heures un grand feu de charbon ardent. » Les Westphaliens ont presque tous pour cet usage un grand pot en vieille argenterie et qui s'appelle le *plat aux beilches*. Il faut avoir goûté ce vieux mets teutonique pour savoir combien il mériterait dans tous les pays du monde la réputation qu'il n'a qu'en Westphalie.

BEIGNETS

D'un mot celte qui signifie *enflure* ou *tumeur*. C'est aux croisades que nous avons fait la connaissance des beignets. Le sire de Joinville nous apprend qu'en rendant la liberté à Saint Louis, les Sarrasins lui présentèrent des beignets. Le beignet est une sorte de pâte frite à la poêle et qui enveloppe ordinairement une tranche de quelque fruit. Nous empruntons à Carême la manière de faire cette pâte :

PATE A FRIRE A LA CARÊME. « Mettez dans une petite terrine 360 grammes de farine tamisée que vous délayez avec de l'eau à peine tiède, où vous aurez fait fondre 60 grammes de beurre fin; vous inclinez la casserole et vous soufflez sur l'eau afin de verser le beurre le premier. Vous versez assez d'eau de suite pour délayer la pâte de consistance *mollette* et sans grumeaux; autrement lorsqu'on la rassemble trop ferme, la pâte se corde et fait toujours mauvais effet à la poêle : elle est grise et compacte; ensuite vous ajoutez assez d'eau tiède pour que la pâte devienne coulante et déliée, quoique pourtant elle doive masquer les objets susceptibles d'y être trempés. Enfin, elle doit quitter la cuiller sans effort. Vous y mêlez une pincée de sel fin, deux blancs d'œufs fouettés bien ferme et l'employez tout de suite. »

Comme pendant à la pâte dont nous venons de donner la recette, voici la pâte à la provençale.

PATE A LA PROVENÇALE. Prenez 360 grammes de farine, deux jaunes d'œufs, quatre cuillerées d'huile d'Aix; délayez avec de l'eau froide; joignez-y deux blancs fouettés et employez.

BEIGNETS DE BRIOCHE. Trempez des tranches de brioche dans du lait sucré, farinez et faites-les frire.

BEIGNETS DE CRÈME. Prenez un litre de lait, faites-le réduire à près de moitié, laissez-le refroidir, délayez-y cinq macarons dont un amer, six jaunes d'œufs, une cuillerée de fleur d'orange, deux cuillerées de fleur

de farine et 125 grammes de sucre en poudre. Ajoutez à cette pâte épaissie de l'écorce de citron râpée.

BEIGNETS DE POMMES. Vos pommes une fois pelées et coupées en tranches, macérez-les deux heures dans de l'eau-de-vie, du sucre et de la cannelle, égouttez, mettez-les dans une friture modérée. Lorsque les pommes seront cuites, sucrez-les et glacez-les. (Même recette pour les beignets de poires, de pêches, d'abricots et de brugnons.)

BEIGNETS A LA CHANTILLY. Prenez trois petits fromages à la crème très-frais, cassez dans le même vase trois œufs et joignez-y 60 grammes de moelle de bœuf hachée et pilée; ajoutez 500 gr. de fleur de farine, détrempez et mêlez la pâte avec du vin blanc, salez, sucrez avec 30 grammes de sucre râpé, et condensez comme les beignets à la crème.

BEIGNETS AUX CONFITURES. Prenez des pains à chanter de 4 à 5 centimètres de diamètre, ou même découpez-en de plus grands, étendez sur chacun de la marmelade d'abricots ou de prunes; couvrez avec un autre pain à chanter et collez les bords; incorporez dans une pâte à frire au vin blanc trois blancs d'œufs à la neige; trempez-y les beignets, faites frire, égouttez, poudrez-les de sel fin et glacez-les.

BEIGNETS SOUFFLÉS A LA BONNE FEMME. Mettez dans une casserole 30 grammes de beurre, 125 grammes de sucre, un citron vert râpé, un verre d'eau, faites bouillir et délayer en pâte épaisse; remuez jusqu'à ce qu'elle s'attache à la casserole; alors mettez-la dans une autre, et cassez-y successivement des œufs en remuant toujours pour les bien mêler avec la pâte, jusqu'à ce qu'elle devienne molle; mettez-la sur un plat et étendez-la de l'épaisseur d'un doigt; faites chauffer de la friture, et quand elle est médiocrement chaude, trempez-y le manche d'une cuiller, et avec ce manche enlevez gros comme une noix de pâte que vous faites tomber dans la friture en la poussant avec le doigt; continuez jusqu'à ce qu'il y en ait assez dans la poêle, faites frire à petit feu en remuant sans cesse; quand les beignets sont bien montés et de belle couleur, retirez-les pour les égoutter et saupoudrez-les de sucre fin. Ce mets, dont la recette ne nous appartient pas, est peu en usage aujourd'hui.

AUTRE CRÈME FAITE AU CARAMEL ET A LA FLEUR D'ORANGE. Mettez 30 grammes de sucre en poudre et une cuillerée à bouche de fleur d'oranger pralinée dans un petit poêlon d'office, tournez jusqu'à ce que le sucre soit devenu brun, mettez-y un demi-décilitre d'eau pour dissoudre le caramel, beurrez huit moules à darioles, mettez dans une terrine des jaunes d'œufs, 125 grammes de sucre en poudre et le caramel; ajoutez une quantité de lait que vous mesurerez en remplissant six fois un des

La marchande de beignets (lithographie L. Boilly)

moules à darioles ; passez à l'étamine après avoir mêlé parfaitement, remplissez les moules à darioles avec l'appareil, faites pocher au bain-marie à doux feu dessus et dessous, retirez les crèmes du feu, laissez-les refroidir et démoulez-les ; coupez chaque crème par le travers en trois parties égales, trempez chaque morceau dans la pâte à frire, faites frire, égouttez et saupoudrez de sucre.

BEIGNETS AUX ABRICOTS, DITS A LA DAUPHINE. Faites 500 grammes de pâte à brioche en y mettant 225 grammes de beurre ; mouillez avec œuf et lait par parties égales, laissez revenir la pâte pendant trois heures, rompez-la, et repliez-la sur elle-même en plusieurs fois ; mettez sur la plaque dans un endroit froid, et lorsque la pâte sera raffermie, faites une abaisse d'un demi-centimètre d'épaisseur ; coupez l'abaisse avec un coupe-pâte rond de 6 centimètres, mouillez les bords et mettez au milieu gros comme une noix de marmelade d'abricots ; couvrez avec une autre abaisse comme pour les petits pâtés, faites frire à friture modérée, égouttez et saupoudrez de sucre en poudre. Dressez les beignets en rocher sur une serviette et servez.

BEIGNETS DE CÉLERI. Épluchez des pieds de céleri coupés à 8 ou 10 centimètres de la racine, faites-les blanchir un quart d'heure, mettez rafraîchir à l'eau froide, égouttez, ficelez par quatre entiers et achevez de cuire dans une casserole foncée de lard avec bouquet de persil, un peu de sel, bouillon ; couvrez d'un rond de papier, égouttez, pressez ; mettez mariner avec sucre et eau-de-vie, trempez dans la pâte dont la recette suit, faites frire, saupoudrez de sucre et servez.

PATE POUR TOUTE SORTE DE FRITURES. Mettez de la farine dans une terrine, faites un trou et versez-y un ou deux jaunes d'œufs, une cuillerée d'huile et une ou deux d'eau-de-vie, plus du sel, remuez d'une main en tournant toujours dans le même sens, et en versant de l'eau peu à peu pour donner une bonne épaisseur. Au moment de vous en servir, ajoutez et mêlez le blanc d'œufs battu en neige, mais ce blanc la rendrait trop claire ; faite d'avance et même la veille, elle devient plus légère.
Si c'est pour friture sucrée, telle que beignets, on met très-peu de sel et on ajoute de l'eau de fleur d'oranger.

BEIGNETS DE FRUITS A LA ROYALE. Cueillez douze petites pêches de vigne bien mûres et de bonne qualité, séparez-les par moitié, ôtez-en la pelure, sautez-les dans une terrine avec du sucre en poudre et une cuillerée de liqueur de noyaux ; deux heures après vous les égouttez, les trempez tour à tour dans la pâte ordinaire, les faites frire de belle couleur et les glacez dans 120 grammes de sucre cuit au caramel ; à mesure que vous les

glacez, vous semez dessus une pincée de gros sucre cristallisé. Les beignets de brugnons et d'abricots se préparent de même. Vous pouvez glacer seulement au sucre en poudre et à la pelle rouge, les beignets décrits ci-dessus ; on en fait aussi de prunes de mirabelle et de reine-claude, au moyen du même procédé. *(Courchamps.)*

BEIGNETS GARNIS DE FRAISES A LA DAUPHINE. Faites votre pâte à brioche, superposez trois belles fraises roulées dans du sucre en poudre, mouillez la pâte autour des fruits et détaillez comme précédemment. Même observation pour les beignets de framboises.

BEIGNETS D'ANANAS. Faites macérer vos tranches d'ananas pendant deux heures dans du vin d'Alicante et opérez comme ci-dessus.

BEIGNETS GARNIS DE RAISIN DE CORINTHE, A LA DAUPHINE. Prenez 60 grammes de raisin de Corinthe, épluchez et lavez ; faites cuire deux minutes dans 60 grammes de sucre ; vous versez le quart d'une cuillerée sur un fond de pâte à brioche et procédez comme ci-dessus.

BEIGNETS D'ORANGES DE MALTE, A LA RÉGENCE. Divisez vos oranges par quartiers, jetez-les dans 120 grammes de sucre pour six oranges, laissez mijoter, égouttez, baignez dans la pâte ordinaire, colorez et glacez.

BEIGNETS GARNIS DE POMMES D'API, A LA D'ORLÉANS. Tournez des pommes d'api, masquez-les par moitié et les faites cuire dans un sirop ; laissez refroidir, trempez chaque moitié de pomme dans une abaisse de pâte à brioche ; faites frire, finissez et servez selon la règle.

BEIGNETS DE FRUITS A L'EAU-DE-VIE, A LA CHARTRES. Vous égouttez vos abricots confits à l'eau-de-vie, vous les coupez par moitié, vous les masquez de pain à chanter, vous les faites frire dans la pâte et vous les saupoudrez de sucre fin.

BEIGNETS DE PÊCHES ET DE PRUNES. Procéder de la même façon.

BEIGNETS SOUFFLÉS A LA VANILLE. « Mettez une gousse de vanille dans trois verres de lait bouillant que vous laissez réduire de moitié, vous ôtez ensuite la vanille et ajoutez au lait 90 grammes de beurre d'Isigny. Faites bouillir ; mêlez-y assez de farine tamisée pour former une pâte molle que vous desséchez pendant quelques minutes ; changez de casserole et délayez votre pâte avec 90 grammes de sucre fin, six jaunes d'œufs et un peu de sel ; fouettez trois blancs d'œufs bien fermes et mêlez-les dans l'appareil avec une cuillerée de crème fouettée, ce qui doit vous donner une pâte consistante, presque molle ; roulez-la alors sur le tour, saupoudrez légèrement de farine, de la grosseur d'une noix verte en la plaçant à mesure sur un couvercle de casserole. La pâte étant ainsi détaillée et roulée, vous la versez dans la friture peu chaude afin qu'elle boursoufle bien, et vous rendez le feu plus ardent vers la fin de sa cuisson; dès qu'elle est colorée de belle couleur, vous l'égouttez sur une serviette, vous la saupoudrez de sucre fin et vous servez de suite.

« Vous variez les formes de cette pâte en croissants, en carrés longs et en gimbelettes. » *(Grimaud de la Reynière.)*

BEIGNETS DE BLANC-MANGER-GIMBLETTES. Même procédé pour la crème. Vous la coupez quand elle est bien froide avec un coupe-pâte et vous en formez des gimblettes, en coupant le milieu avec un coupe-pâte plus petit. Vous conservez les petits ronds que vous retirez des gimblettes et vous les masquez de mie de pain très-fine; vous les trempez ensuite dans quatre œufs battus, vous les égouttez et les roulez de nouveau sur la mie de pain. Les ronds doivent être préparés de la même manière, en plaçant le tout sur des couvercles, et au moment de les servir, vous les faites frire de belle couleur et les saupoudrez de sucre fin.

BEIGNETS DE BLANC-MANGER EN GIMBLETTES AU CARAMEL. Procédez comme ci-dessus, seulement vos beignets étant colorés d'un beau blond, vous les égouttez parfaitement et les glacez avec du caramel, vous pouvez, à mesure que vous les retirez de la friture, les semer de gros sucre avec des pistaches.

BELETTE

Ce petit mammifère de l'ordre des carnassiers, n'a guère que 15 à 25 centimètres du museau à l'origine de la queue; l'exiguïté de sa taille lui permet de pénétrer partout, même dans les plus petits trous, aussi fait-il une guerre acharnée aux jeunes poulets et aux pigeons; il entre dans les poulaillers et dans les pigeonniers, et ouvre le crâne des oiseaux qui les habitent, afin d'en humer la substance cérébrale, dont il paraît être très-friand.

Dans les champs, la belette vit de mulots, de souris et d'œufs d'oiseaux, qu'elle va prendre au nid, et malgré le léger service qu'elle rend à l'agriculteur, en le débarrassant des rats qu'elle peut poursuivre jusqu'au fond de leur trou, elle n'en est pas moins un objet de haine pour celui-ci, qui ne manque pas de la tuer chaque fois qu'il la rencontre. Sa chair salée a, paraît-il, le goût du lièvre et pourrait servir à l'alimentation, mais dans les cas de nécessité seulement, car elle n'est ni tendre, ni agréable.

Les peuples du Mexique mangent la belette, et Fernand Lopez, dans son histoire de l'Inde, rapporte que des soldats prenaient beaucoup de belettes, qu'ils faisaient cuire à la broche et qu'ils mangeaient avec plaisir.

J'aime mieux un bon train de derrière de lièvre, cuit à la broche, et vous?...

BÉLIER

La chair du bélier n'a pas grande valeur en cuisine et est considérée, pour l'alimentation, comme la plus mauvaise après celle du bouc; elle est de difficile digestion, ne nourrit pas et a une odeur fétide très-désagréable.

Il est donc préférable de le manger jeune, c'est-à-dire quand il n'est encore qu'agneau, ou bien de le faire châtrer, afin de l'avoir mouton; du moins pour l'alimentation.

BÉNAFOULI

Riz du Bengale, qui répand, lorsqu'il est cuit, une odeur très-agréable.

Ses propriétés alimentaires sont les mêmes que le riz, il est plus léger que ce dernier.

BÉNARI

Espèce d'ortolan, passager en Languedoc; il devient très-gras, aussi est-il servi sur les meilleures tables.

BENOITE

Plante de la famille des rosacées, dont le nom signifie *herbe bénite* et vient des vertus médicinales et des propriétés merveilleuses qu'on lui attribue.

Elle passe pour vulnéraire, sudorifique et un peu astringente; ses racines fraîches sont recommandées dans les cas de catarrhes chroniques; sèches, on les emploie contre les hémorragies et les fièvres intermittentes. Elle pourrait, paraît-il, remplacer au besoin le quinquina dans certains cas.

En Norvège, on emploie cette plante pour empêcher la bière de devenir âcre; une très-petite quantité, ajoutée au houblon, suffit pour arriver à ce résultat et donner à la bière un parfum fort agréable.

L'Hermine et la Belette sous le pelage d'hiver.

BENNI

Espèce de barbeau du Nil, possédant les mêmes qualités que le barbeau ordinaire.

BERCE

Genre de plante de la famille des ombellifères, dont l'espèce la plus répandue et la plus connue est la *fausse branche ursine*. Cette plante est vivace, elle croît dans les prés de l'Europe et est surtout très-commune dans le Nord. Cette plante n'a d'autres qualités que de servir à faire une espèce de bière, très-forte et très-enivrante, nommée *Raffle*, qu'on obtient par la fermentation. Les Russes, les Polonais et les Lithuaniens boivent, paraît-il, beaucoup de cette liqueur qui occasionne la mélancolie; l'ivresse qu'elle produit dure quelquefois vingt-quatre heures.

BERGFORELLE

Ce poisson, dont la chair molle et tendre, devient légèrement rouge en cuisant, est très-estimé dans le comté de Galles.

BERNARD L'ERMITE

Espèce de cancre dont la chair est regardée comme un mets très-friand; on le fait le plus ordinairement griller dans sa coquille avant de le manger.

Rien de plus drôle que ce petit crustacé; la nature l'a fait armé jusqu'à la ceinture, cuirassé, gants et masque de fer, de ce côté il a tout; de la ceinture à l'autre extrémité, rien, pas même de chemise; il en résulte que le bernard l'ermite fourre cette extrémité où il peut.

Le créateur, qui avait commencé à l'habiller en homard, a été dérangé ou distrait au milieu de la besogne et l'a terminé en limace.

Cette partie, si mal défendue et si tentante pour l'ennemi, est sa grande préoccupation; à un moment donné, cette préoccupation le rend féroce. S'il voit une coquille qui lui convient, il mange le propriétaire de la coquille et prend sa place toute chaude, c'est l'histoire du monde au microscope. Mais comme au bout du compte la maison n'est pas faite pour lui, au lieu d'avoir l'allure grave et honnête du colimaçon, il trébuche comme un homme ivre, et, autant que possible ne sort que le soir de peur d'être reconnu.

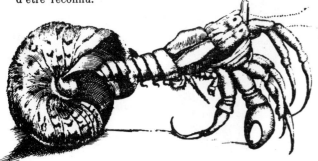

BÉTEL

Plante grimpante des Indes, qui fait le principe du masticatoire de ce nom. Des masticatoires en usage dans les pays chauds, le bétel est le plus énergique. Quatre substances le composent ordinairement : premièrement, la feuille brûlante du poivrier-bétel, qui donne son nom à cette composition. Quelquefois aussi on se sert du fruit jaune de la plante, ou d'une assez forte quantité de feuilles de tabac, ou de chaux vive, beaucoup plus caustique que la nôtre, ainsi que Vauclin s'en est assuré.

Le père Papin indique qu'il y a des individus qui prennent de cette chaux gros comme un œuf par jour.

La noix Dariquier, qui forme à elle seule plus de la moitié du poids du bétel, est encore plus active parce qu'elle contient une très-forte proportion d'acide gallique, ce que l'on reconnaît à la grande astriction qu'elle produit dans tout l'intérieur de la bouche et de la gorge; l'action en est d'autant plus forte qu'elle est mêlée à des substances également irritantes. En effet, toutes les dents en sont corrodées, dissoutes même, au point qu'il est rare de voir chez les peuples mâcheurs de bétel des jeunes gens en avoir encore. Elles ne tombent point, elles sont usées jusqu'au bord des gencives. Et celles-ci sont bientôt horriblement tuméfiées.

De tous les astringents connus, le bétel paraît être le plus énergique, le plus fort, le plus propre à soutenir l'estomac dans un degré de force et de ton nécessaire dans un pays où les sueurs excessives occasionnent des maladies redoutables; il stimule fortement les glandes salivaires et les organes digestifs; il diminue la sueur et prévient la faiblesse qui en résulte; enfin, il doit produire au dedans l'effet salutaire que les bains froids, les frictions huileuses déterminent au dehors.

L'instinct et l'expérience ont pu seuls suggérer à ces nations brûlantes le courage de mâcher le bétel; aussi, malgré la destruction totale de leurs dents, est-il d'usage général dans tous les climats chauds depuis les Moluques jusqu'au rivage du fleuve Jaune, et depuis ceux de l'Indus et du Gange jusqu'au bord de la mer Noire.

Une autre preuve de l'utilité de cet usage, c'est la nécessité où se trouvent les Européens fixés dans ces climats d'avoir recours à ce moyen, ou à d'autres approchant de celui-ci, pour se préserver de l'influence délétère du climat et de sa température.

Dans l'Inde, on offre le bétel à tous ceux qui font visite; ce serait faire un affront si on n'offrait pas aux visiteurs la boîte même qui le contient. Dans le royaume de Siam, l'accordé le présente à son accordée, ainsi qu'à tous les assistants, comme symbole de la fidélité que les nouveaux époux se promettent l'un à l'autre, et de la bonne intelligence qui doit toujours exister entre les deux familles.

Bet

Le bétel de Tonquin est, dit-on, celui que l'on préfère à tous les autres; c'est lorsqu'il est jeune, vert et tendre, qu'on en fait le plus de cas, parce qu'il est alors juteux. Dans les autres pays on l'emploie sec.

BETTERAVE

Espèce de bette ou poirée. Sa racine est couleur de sang au dedans et au dehors, les feuilles surtout; les pétioles sont d'un rouge foncé. La plante contient une plus grande quantité de matière sucrée que toutes les autres, ce qui fit venir, à l'époque du blocus continental, l'idée aux chimistes de substituer le sucre de betterave au sucre de canne. Je me rappelle avoir vu, en 1812, une caricature représentant le petit roi de Rome et sa nourrice : l'enfant pleurait et la nourrice lui présentait une betterave en lui disant : « Suce, mon enfant, ton papa dit que c'est du sucre. » Comme de toutes les grandes découvertes, on avait commencé par rire de celle-là qui nous affranchissait des colonies.

Il y a cinq espèces de betteraves : la grosse rouge, la petite rouge, la jaune, la blanche et la veinée; c'est celle-là que l'on connaît aujourd'hui sous le nom de betterave champêtre. Le peuple, si longtemps fanatique de Napoléon à cause de ses victoires, qui ont coûté à la France le tiers de son sang et le sixième de son territoire, ne songe pas qu'il lui est redevable d'un aliment devenu aujourd'hui d'un usage général. On mêle ses feuilles à celles de l'oseille, pour en adoucir la grande acidité; on estime ses feuilles larges et blanches, que l'on nomme cardons et que l'on mange avec plaisir. En hiver, il y pousse de petites feuilles, qui se mangent en salade. On cuit la betterave au four ou dans la cendre, puis on la conserve dans du vinaigre après l'avoir fait cuire. Les Allemands la mangent avec le potage; dans le Nord, on la fait fermenter et on s'en sert comme préservatif du scorbut.

Lorsqu'on fait cuire les betteraves au four, et c'est la meilleure manière de les faire cuire, il faut d'abord les laver avec de l'eau-de-vie commune; placez-les ensuite dans le four sur des grils de cuisine, afin que par aucun point elles ne touchent à la brique. Il faut que le four soit chauffé comme pour un gros pain de pâte ferme. Laissez-les dans le four jusqu'à ce qu'elles y refroidissent, et le lendemain faites-les cuire de la même façon et au même degré de chaleur. La betterave n'est véritablement cuite, ou plutôt bien cuite, que lorsque sa peau est presque charbonnée.

BETTERAVES A LA CHARTREUSE. Coupez des rondelles de betterave jaune, veillez à ce qu'elle soit bien cuite dans les conditions que nous venons de dire, mettez sur chacune de ces rondelles une rouelle d'oignon cru dont vous aurez enlevé le cœur dans la circonférence

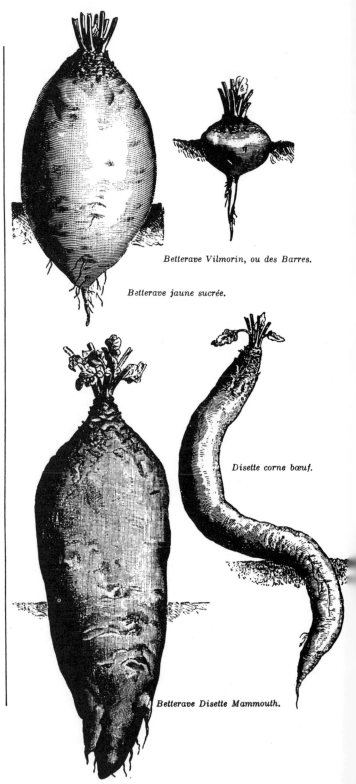

Betterave Vilmorin, ou des Barres.

Betterave jaune sucrée.

Disette corne bœuf.

Betterave Disette Mammouth.

d'une pièce d'un franc, joignez-y de la pimprenelle, du cerfeuil, de la muscade et du sel blanc, couvrez-les par une nouvelle tranche de betterave de la même grandeur que la première; forcez oignons et betteraves d'adhérer par la pression, conduisez-la comme toute autre friture et servez-la garnie de persil frit.

La betterave se mange souvent en salade, avec la mâche, le céleri, la raiponce, mais la meilleure salade de betterave se fait avec de petits oignons glacés, des tranches de pommes de terre violettes, des tronçons de fonds d'artichauts, des haricots de Soissons cuits à la vapeur; on y met des fleurs de capucines, du cresson, ce qui constitue une salade que l'on peut opposer comme sapidité à la salade russe.

La betterave se peut servir encore comme hors-d'œuvre, avec les olives et les sardines, avec une sauce de vinaigre à l'estragon, de fines échalotes, de sel et de poivre, avec un cordon de jaunes et de blancs d'œufs hachés. Dans ce cas ajoutez un peu d'huile à l'assaisonnement de la betterave.

BETTERAVES A LA POITEVINE. Faites cuire des oignons hachés avec un bon morceau de beurre manié de farine que vous conduisez jusqu'au roux brun, joignez-y une pincée des quatre épices, faites-y réchauffer des tranches de betterave assez épaisses, et mettez-y au moment de servir une demi-cuillerée de fort vinaigre d'Orléans.

BETTERAVES A LA CRÈME. Coupez votre betterave en tranches très-minces, faites-les mijoter dans une Béchamel (V. sauce Béchamel) où l'on aura soin d'ajouter un peu de coriandre et un peu de muscade.

BETTERAVES A LA CASSEROLE. Mettez des tranches de betterave dans une casserole avec du beurre, persil, ciboule hachée, un peu d'ail et de farine, du vinaigre, sel, poivre; faites-les bouillir un quart d'heure. On les sert encore à la sauce blanche.

BEURRE

C'est une substance grasse, onctueuse qui se forme de la crème de lait épaissie à force d'être battue. Tous les laits donnent du beurre, le plus gras et le plus riche vient du lait de brebis. Ce furent les Scythes et les Pæoniens qui l'introduisirent en Grèce; Hippocrate ne parle que de celui des Scythes; Horace et Virgile parlent de fromage, mais ne parlent pas de beurre; Werther a rendu le beurre poétique; c'est en voyant Charlotte faire des tartines pour les enfants qu'il prend cet amour fatal, qui se termine par un coup de pistolet. Gœthe a raison : les enfants n'aiment rien tant que les tartines de beurre, si ce n'est les tartines de confitures. Dans quelque pays que j'aie voyagé, j'ai toujours eu du beurre frais du jour même. Je donne ma recette aux voyageurs, elle est bien simple et en même temps immanquable.

Partout où je pouvais me procurer du lait soit de vache, soit de chamelle, soit de jument, soit de brebis, et particulièrement de brebis, je m'en procurais, j'en emplissais une bouteille aux trois quarts, je la bouchais, je la suspendais au cou de mon cheval, et je laissais mon cheval faire le reste; en arrivant le soir, je cassais le goulot et je trouvais à l'intérieur un morceau de beurre gros comme le poing qui s'était fait tout seul. En Afrique, au Caucase, en Sicile, en Espagne, cette méthode m'a toujours réussi. Plusieurs arbres fournissent une matière qui remplace le beurre chez les peuples où la fabrication du beurre est inconnue.

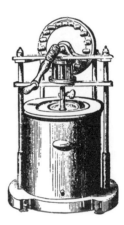

Baratte transparente S. Charles

Baratte en grès.

BEURRE DE BAMBUK. Les Maures et les nègres se servent dans l'alimentation d'un extrait de la graisse végétale que produit le fruit du bambuk. L'arbre est de médiocre grosseur, ses feuilles sont petites et rudes, rendent un suc huileux quand on les presse, le fruit est de la grosseur d'une noix, rond et recouvert d'une coque de couleur blanche, tirant sur le rouge et d'odeur aromatique.

BEURRE DE CACAO. On donne le nom de beurre aux huiles végétales lorsqu'elles sont concrètes. On extrait ce beurre, dont il est question ici, de l'amande du cacao, surtout de celui des îles, légèrement torréfié et chauffé dans l'eau bouillante. La chaleur de l'eau fond cette huile qui se sépare de l'amande et surnage à la surface du liquide. Cette huile se fige par le refroidissement et on purifie ce beurre par deux refontes successives.

BEURRE DE COCO. Le coco fournit aussi une substance onctueuse, grasse et concrète, qu'on a nommée beurre de coco; il est doux, agréable et sert comme l'autre à l'assaisonnement de certains mets.

BEURRE DE GALAM. C'est le produit d'un arbre appelé *shéa* qui croît en Afrique. Il ressemble au chêne américain; on en retire un beurre aussi savoureux que le meilleur qu'on puisse extraire du lait animal; mais l'avantage qu'il a sur tous les autres beurres, c'est de se conserver toute une année sans qu'il soit besoin de le saler.

BEURRE ROTI A LA LANDAISE. Salez d'abord la bille de beurre, cassez quatre œufs entiers, battez-les en omelette, préparez de la mie de pain blanche bien séchée, ajoutez un peu de sel fin, roulez votre bille de beurre dans vos œufs et saupoudrez de mie de pain, recommencez l'opération jusqu'à l'absorption des œufs; mettez votre beurre en broche; à la cuisson, la croûte devient ferme et vous en formez une croustade que vous servez en place de pain pour les huîtres. Buvez du vieux Barsac, mais n'arrosez pas avec. (*Formule de M. Vuillemot.*)

BIBE

Poisson des mers d'Europe dont la chair est excellente et de facile digestion.
Il ressemble au merlan et s'apprête comme lui.

BIBLIMBING

Fruit originaire de l'île de Java dont l'aigreur est tellement forte qu'on ne peut le manger seul; aussi ne s'en sert-on que pour mettre par tranches, dans les soupes, pour donner du goût ou bien encore pour en faire avec du sucre une boisson rafraîchissante.

BIÈRE

La bière est une des boissons les plus anciennes et les plus répandues; les Égyptiens passent pour l'avoir connue les premiers.
C'est certainement après le vin la meilleure liqueur fermentée, elle est infiniment plus répandue que ce dernier et se fabrique dans tout l'univers.
On la prépare avec de l'orge germée et séchée, du houblon sans lequel la liqueur s'altérerait promptement et de l'eau; dans quelques pays, on la fait avec du froment, ou du seigle, ou du maïs ou bien encore du millet, mais la plus estimée est celle qui est préparée avec de l'orge qu'on a fait germer pour y développer un principe sucré, et torréfier afin de lui donner de l'amertume et de la couleur.
Plus on fait bouillir la bière et plus elle se conserve; le houblon, qui y entre pour une grande partie, la rend par son amertume plus savoureuse et l'empêche de s'aigrir.
Nous avons dit qu'il fallait employer de l'orge germée; trois conditions sont nécessaires pour que la germination

ait lieu : de l'humidité, une certaine température et la présence de l'air. Pour cela, on fait tremper une certaine quantité d'orge dans un grand bassin en pierre ou en bois dans lequel on a mis de l'eau suffisamment pour recouvrir entièrement l'orge qu'on veut faire tremper jusqu'à ce que les grains s'écrasent entre les doigts. On renouvelle deux ou trois fois l'eau du bassin pendant le cours de l'opération qui dure environ quarante heures, et quand les grains sont arrivés au point convenable de gonflement, on soutire l'eau et on en passe une dernière pour les laver; on laisse égoutter les grains qui lentement continuent à se gonfler, et au bout de huit heures en été et de quinze en hiver on retire l'orge que l'on réunit en tas dans lesquels il se développe bientôt de la chaleur et on voit peu de temps après de petits points blancs se former à l'extrémité du grain, ce qui dénote la germination; on remue ce tas de temps en temps pour bien exposer toutes les parties à l'air, puis lorsque le grain est bien sec on le met dans un endroit également sec, où il se trouve exposé à une température suffisante pour le torréfier légèrement; on passe ensuite l'orge dans des cribles pour en séparer tous les germes desséchés et on la broie ensuite sous des meules de façon à obtenir une espèce de farine que l'on place dans des cuves en bois faites exprès, on fait arriver dans ces cuves de l'eau chaude à 40° en remuant bien toute la masse afin que l'orge se mêle avec l'eau, puis on laisse reposer un peu et on ajoute encore de l'eau plus chaude, de façon à faire monter la chaleur à 50°, on continue d'agiter, on jette à la surface une certaine quantité de farine de malt très-fine, on couvre bien la cuve et on abandonne la liqueur à elle-même pendant quelques heures, puis on la retire et on la verse dans une chaudière en y jetant du houblon à mesure que le moût de bière y arrive, on porte ainsi la liqueur jusqu'à l'ébullition, puis on la fait refroidir dans des bacs en prenant bien soin que le moût ne s'aigrisse pas, et pour cela nous conseillons de faire passer la liqueur dans un appareil où elle se trouve refroidie à mesure par un courant d'eau froide qui circule dans une double enveloppe en sens inverse du moût, ce qui le fait refroidir très-promptement et l'empêche de s'aigrir.
Le moût de bière abaissé à une température convenable, on y ajoute de la levure; bientôt une fermentation s'y développe plus ou moins rapidement, selon la température; alors on soutire la bière dans les tonneaux où la fermentation s'achève après qu'une écume épaisse formée par la levure s'est déversée au dehors; arrivée à ce point, il suffit pour que la bière puisse être bue, de la clarifier avec de la colle de poisson et de la tirer en bouteilles.
Les bières les plus estimées aujourd'hui à Paris, sont celles du Nord, de Lyon, de Strasbourg, et depuis l'exposition, la fameuse bière de Vienne, fabriquée par M. Dreher.

La Bière (lithographie de J. J. Grandville)

Nous citerons aussi le porter de Londres, l'ale d'Édimbourg, la bière rouge d'Amsterdam et de Rotterdam, la bière brune de Cologne, le faro de Bruxelles, la bière de Louvain, celle de Morlaix, etc.

La bière est une boisson qui demande à être tirée avec beaucoup de soins; il ne faut pas manquer de bien rincer chaque fois les bouteilles, de n'employer que des bouchons neufs, de coucher les bouteilles au bout de trois jours et de les laisser ainsi sept à huit jours, moyennant cela, votre bière se conservera longtemps.

Dans tout le nord de l'Europe, on fait avec la bière une soupe très-substantielle et plus saine que la plupart des aliments usités chez les paysans, et tout le monde sait que le potage indigène et national de la Russie est cette fameuse soupe à la bière que Carême, alors qu'il était maître d'hôtel de l'empereur Alexandre, lui fit servir à tous les repas, lors de son séjour à Paris.

Voir pour ce potage l'article : *Soupe à la bière à la berlinoise.*

La bière, suivant le grain qu'on a employé pour la faire et le degré de fermentation où elle est arrivée, est plus ou moins bonne à la santé. La bière est en général nourrissante et rafraîchissante, mais elle cause quelquefois des viscosités, de la difficulté de respirer, des obstructions et des embarras dans les reins; au reste cela dépend des tempéraments et beaucoup de personnes qui font un usage fréquent de la bière, s'en trouvent très-bien.

Finissons par une petite anecdote qui nous a été racontée par un ennemi acharné de la bière.

Un malheureux condamné à mort se sent sur l'échafaud saisi d'une soif terrible et demande de quoi se rafraîchir. On lui présente alors un verre de bière qu'il repousse en disant :

– Non, pas de bière, elle engendre la gravelle!...

Avis aux condamnés à mort qui ont soif.

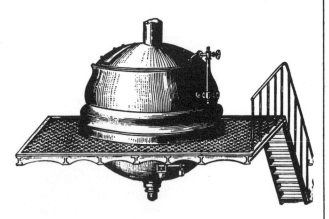

BIGARADE

Sorte de citron trop amer pour être mangé cru. On en fait des confitures agréables; son suc, comme celui du verjus, sert à assaisonner une foule de mets.

BIGARADE (en compote). Aplatissez, dans un compotier, mais sans les écraser tout à fait, 250 grammes de marrons glacés, exprimez le jus de quatre bigarades grillées et mêlez-y un peu de sucre en poudre, avec une demi-cuillerée de curaçao, tournez, faites chauffer au bain-marie et versez sur les marrons, faites refroidir cette préparation, mais il faut toujours que le sirop soit bouillant quand on le transvase, afin que les marrons s'en laissent imprégner.

BIGARREAU

Espèce de cerise bigarrée de rouge et de blanc; sa chair est ferme, et quoique mûre elle reste croquante. Le bigarreau donne dès la mi-juillet, et se mange à demi rouge. Il n'est d'ailleurs d'aucun usage culinaire.

BISCOTIN

Pour opérer ce vieux mets de religieuse, on prendra en proportion du sucre cuit à la plume, on y mêle une pâte saupoudrée de sucre, pilée dans un mortier avec blanc d'œufs, eau de fleur d'oranger et un peu d'ambre; le tout étant bien incorporé se roule en petites boules qu'on jette dans une poêle bouillante; on les égoutte et on les cuit à feu ouvert.

BISCOTTES

Faites des brioches en couronnes plates, coupées par tranches minces et faites dessécher au four à petit feu, forcez un peu la levure et servez-les beurrées et sucrées avec le thé.

BISCUITS

Pâtisseries fines et légères, composées d'œufs, dont les blancs doivent être battus jusqu'à lassitude du poignet, avec du sucre, de la fleur de farine ou de fécule de pommes de terre, et de quelques aromates ou d'autres substances que l'on incorpore dans la pâte.

BISCUIT DE SAVOIE. Prenez douze œufs frais, séparez les jaunes des blancs en ayant soin d'enlever tout le germe de l'œuf, c'est-à-dire le blanc (ce qui vous donne sur douze œufs beaucoup de neige), mettez les jaunes dans une terrine, ajoutez 500 grammes de sucre pilé bien sec, mettez votre essence vanille ou citron zesté; prenez deux spatules, battez bien vos jaunes jusqu'à ce qu'ils blanchissent et que la pâte se boursoufle; après cette manipulation, ajoutez 200 grammes de farine de gruau, 100 grammes de fécule de pommes de terre, faites bien sécher le tout ensemble; passez au tamis de soie, amalgamez farine et fécule dans vos jaunes et lissez la pâte.

Prenez vos blancs dans un bassin d'office; à l'aide d'un fouet en buis, fouettez doucement pour commencer, et lorsque vos blancs sont bien fermes, à l'état de neige, ajoutez-les aux jaunes d'œufs, ayant soin, avec une simple spatule, de manier la pâte légèrement et de la rendre malléable à entonner dans une bouteille; faites clarifier un peu de beurre; à l'aide d'un pinceau, beurrez bien toutes les parties du moule, laissez refroidir, saupoudrez avec de la glace de sucre bien sèche l'intérieur du moule, incorporez votre pâte dedans, à deux centimètres de la hauteur du moule en le frappant sur votre genou pour que la pâte tienne bien au moule, mettez à four doux; deux heures de cuisson suffisent, démoulez, et la glace de votre sucre fera sortir du moule un biscuit bien glacé et d'un jaune mat. C'est ainsi que nous procédions avec MM. Alain et Chrétien, deux pâtissiers émérites, attachés à la maison du feu roi Charles X. Tous deux m'ont donné les principes de la pâtisserie. (*Vuillemot.*)

BISCUIT MANQUÉ. Le biscuit manqué se fait à seize œufs au lieu de douze; même procédé que ci-dessus, seulement ajoutez, après une manipulation légère, 250 grammes de bon beurre d'Isigny fondu dans la pâte, remuez le tout ensemble et beurrez une caisse carrée de quatre centimètres de hauteur, renversez votre pâte dedans, mettez à four doux; après cuisson, prenez des amandes hachées, sucrez-les, ajoutez deux blancs d'œufs, faites-en une pâte, mouillez le dessus du biscuit avec de l'œuf battu sur la surface, étendez votre appareil dessus d'égale épaisseur, laissez praliner au four doux, – découpez et détaillez par petits gâteaux carrés ou ovales et dressez sur une serviette. Cet entremets de pâtisserie est très-bon.

On prétend que ce gâteau a pris le nom de *manqué*, de ce que un apprenti ayant pris du beurre fondu pour de la génoise, mit ce beurre dans la pâte à biscuit, distraction de gâte-sauce qui devint une innovation culinaire. La part du hasard est grande dans les inventions humaines. *(Vuillemot.)*

BISCUIT AUX PISTACHES. Prenez 250 grammes de pistaches bien fraîches, treize blancs d'œufs, neuf jaunes, 50 grammes de farine séchée et passée au tamis, enfin 50 grammes du plus beau sucre que vous pourrez trouver, battez à part les jaunes avec le sucre, fouettez les blancs en neige, mêlez les blancs et les jaunes, répandez la farine sur le tout, ajoutez la pâte de pistaches et peignez ce mélange avec du vert d'épinards; on verse dans des caisses de papier et on en glace le dessus au sucre et à la farine, on fait cuire dans un four peu chaud ou sous un four de campagne.

BISCUIT AUX AMANDES. Les biscuits aux amandes, avelines, noisettes, se font par la même méthode, sinon qu'il faut y ajouter un peu de fleur d'oranger pralinée en poudre ou de la râpure de citron vert; en retrancher le suc d'épinards.

BISCUITS A LA CUILLER. Faites une pâte plus légère que pour le biscuit de Savoie, seize œufs au lieu de douze, 500 grammes de sucre, maniez légèrement la pâte et couchez sur le papier avec une chausse. Glacez les biscuits et four doux pour laisser grêler le sucre dessus, attendez deux minutes avant de mettre au four.

BISCUIT AU CHOCOLAT. Prenez douze œufs, 300 grammes de farine, 650 grammes de sucre, 90 grammes de chocolat fin à la vanille, le tout en poudre, battez les jaunes avec le chocolat et le sucre, ajoutez-y les blancs battus en neige, incorporez-y la farine, en remuant sans cesse, mettez la pâte en moule et glacez comme ci-dessus.

BISCUITS A COUPER. Quand vous aurez battu dix jaunes d'œufs dans une terrine avec 500 gr. de sucre

pulvérisé, un peu de sel, de fleur d'oranger et de zeste de citron, vous les mêlerez avec les blancs bien fouettés, passez dessus, en maniant légèrement, 60 grammes de farine sèche dans un tamis de crin, dressez vos biscuits dans une caisse de papier, glacez-les et mettez-les dans le four à feu doux pendant une heure au moins, retirez-les et quand ils seront froids coupez-les; puis si vous voulez en faire des biscuits à la bigarade, au cédrat, à l'orange, frottez votre fruit sur un morceau de sucre en pain pour qu'il prenne le zeste; mettez ce parfum dans la glace et glacez-en vos biscuits avant de les mettre à l'étuve; on peut encore les glacer à la fraise, à la framboise, à la groseille, en mêlant dans la glace les chairs de ces fruits écrasées et tamisées.

BISCUITS SOUFFLÉS A LA FLEUR D'ORANGER. En mêlant du sucre en poudre passé au tamis avec un blanc d'œuf frais séparé du jaune, faites une glace de suffisante consistance. Quand elle sera à point, mêlez-y trois ou quatre grammes de fleur d'oranger pralinée; remplissez de cette préparation de très-petits caissons de papier, faites cuire à feu doux et retirez quand ils auront acquis de la consistance.

PETITS BISCUITS SOUFFLÉS AUX AMANDES. Faites praliner 250 grammes d'amandes douces coupées en petits dés, mêlez-les avec une pincée de fleur d'oranger pralinée, dans une glace royale, faite avec deux blancs d'œufs bien frais, encaissez et faites cuire vos biscuits comme ci-dessus. Les petits biscuits soufflés au rhum, au vin d'alicante, aux liqueurs des îles, à la crème, se préparent de la même manière, c'est-à-dire au moyen de la même pâte.

BISCUITS A LA GÉNOISE. C'est un biscuit croquant et le type de tous les autres. Prenez 500 grammes de farine, 120 grammes de sucre, de la coriandre et de l'anis en poudre, ajoutez quatre œufs et quantité suffisante d'eau tiède, pour faire une pâte levée; faites cuire dans la tourtière, coupez ensuite en tranches et faites *biscuire*.

BISCUITS A LA MÈRE JEANNE. Faites une pâte de médiocre consistance avec deux blancs d'œufs, quatre cuillerées de sucre en poudre, deux cuillerées de farine et 30 grammes de fleur d'oranger pralinée en poudre.

On prend de cette pâte plein une cuiller à café, et on la couche sur des feuilles de papier en formant des ronds de la grandeur d'une pièce de cinq francs.

On les met au four, et on les retire lorsque les biscuits ont pris une belle couleur; pour les détacher du papier, on mouille la feuille par derrière avec une éponge; on dépose les biscuits sur un tamis pour les faire sécher et on les conserve dans des bocaux.

BISCUITS A L'URSULINE. Prenez seize blancs d'œufs, six jaunes, la râpure d'un citron, 180 grammes de farine de riz, 300 grammes de sucre en poudre, 60 grammes de marmelade de pomme, 60 grammes d'abricots, 60 grammes de fleur d'oranger pralinée.

Pilez dans un mortier les marmelades et la fleur d'oranger, ajoutez-les ensuite aux blancs d'œufs fouettés en neige, battez les jaunes avec le sucre pendant un quart d'heure, mélangez le tout et battez encore. Lorsque le mélange est parfait, ajoutez la farine et la râpure de citron, dressez dans des caisses et faites cuire à un feu très-modéré.

Avant de mettre les biscuits au four, saupoudrez-les de sucre passé au tamis de soie. Et faites servir.

BISET

Espèces commune de pigeon que l'on voit tourbillonner par masses au-dessus des colombiers des fermes et s'abattre dans la plaine si serrés les uns contre les autres, qu'ils semblent faire des tapis bariolés; le biset mangé jeune est beaucoup plus tendre que le ramier et plus succulent que la grosse espèce appelée pigeon de pied. On le mange à la crapaudine, rôti, aux pois, de la même façon enfin que l'on mange les autres pigeons. A la broche, il est important de l'envelopper d'un triple rang de feuilles de vigne recouvert de bardes de lard.

BISHOP

Liqueur dont les Anglais réclament l'invention et qu'ils ont appelés bishop, c'est-à-dire évêque. On appelle ainsi l'infusion de suc d'orange et de sucre dans un vin léger; c'est une boisson fort en usage en Allemagne.

Un Allemand a dit de ce mélange, quand on le fait avec du vin de Bordeaux ou de Bourgogne, c'est une liqueur d'évêque.

Si on le fait avec du vieux vin du Rhin, c'est une liqueur de cardinal.

Si on le fait avec du vin de Tokai, c'est une liqueur de pape. *(A.-F. Aulagnier. Dictionnaire des aliments et boissons.)*

BISON

Le bison, ou bœuf sauvage, habite dans toutes les parties tempérées de l'Amérique septentrionale et produit avec nos vaches.

Ce qui distingue le bison du bœuf est d'abord cette bosse qui s'élève sur ses épaules et qui, comme celle du zébu, n'est formée que d'une masse graisseuse, et varie suivant la grandeur ou l'embonpoint de l'animal; il a aussi une longue barbe de crin et un toupet pareil qui pend échevelé entre ses deux cornes, presque sur ses yeux, ce qui lui donne un air sauvage et féroce, quoiqu'il soit fort doux et tout à fait inoffensif. Son poitrail est large, sa croupe effilée, sa queue épaisse et courte, ses jambes grosses et tournées en dehors, son poil roussâtre et long s'élève sur ses épaules, et le reste du corps est couvert d'une laine que les Indiennes tissent pour en faire des vêtements, des sacs à blé et des couvertures.

Les bisons sont si nombreux dans les steppes du Missouri, que leurs troupes mettent quelquefois plusieurs jours à défiler quand ils émigrent, leur marche fait trembler la terre et on en entend le bruit à plusieurs milles de distance. Les Indiens ont une danse, la *danse du bison* qui vient de ce que pour faire la cour à sa génisse, cet animal danse tout autour en galopant en rond. Immobile au milieu du cercle que décrit son futur mari, la génisse mugit doucement, semblant encourager de cette manière les avances que lui fait le bison.

La viande du bison, coupée en larges et minces tranches, se fait sécher au soleil, à la fumée, et devient alors très-savoureuse, elle se sale et se conserve plusieurs années, comme celle du jambon. Elle a la même saveur que celle du bœuf avec un petit goût âcre et sauvage qui la rapproche de celle du cerf; dans les vaches, ce sont la bosse et les langues que l'on estime le plus, elles sont très-bonnes à manger fraîches, soit bouillies soit rôties.

Cet animal est très-utile aux Indiens; il les nourrit de sa chair, les vêt de sa peau et de sa laine, et sa fiente même, brûlée, donne une braise ardente dont ils se servent pour se chauffer dans les savanes où le manque de bois ne leur laisse que cette seule ressource.

Le bison et le sauvage, a dit Chateaubriand, placés sur le même sol, sont le taureau et l'homme dans l'état de nature; ils ont l'air de n'attendre tous les deux qu'un sillon, l'un pour devenir domestique, l'autre pour se civiliser.

BISQUE

S'il était nécessaire de rappeler à nos lecteurs bien appris, dit l'auteur des *Mémoires* de Mme de Créqui, quelles sont toutes les qualités et toutes les illustrations de la bisque nous commencerions par citer, en guise d'épigraphe, ces vers gaulois du vieux chapelain de François Ier, Meslin de Saint-Gelais :

> Quand on est fébricitant
> Ma dame on se trouve en risque,
> Et pour un assez long temps,
> De ne jouer à la brisque
> Et de mal disner, partant,
> De ne point manger de bisque,
> Si rude et si fascheux risque,
> Que je bisque en y songeant!

Nous passerions ensuite à ce contemporain de l'austère Boileau, à cet heureux gourmand :

> . . . . dont la mine fleurie
> Semblait d'ortolans seuls et de bisque nourrie.

Vincent de la Chapelle a déclaré que la bisque au bon coulis était le plus royal des mets royaux; et M. de la Reynière nous dit fièrement que c'est un aliment princier ou financier. Brillat-Savarin, conseiller à la cour de cassation et commandeur de la Légion d'honneur, a dit dans sa physiologie du goût, que s'il restait dans ce monde une ombre de justice, on rendrait publiquement aux écrevisses cuites, *un culte de Latrie.*

Bisque d'écrevisses (potage). Lavez cinquante écrevisses : jetez-les dans une casserole, ajoutez une mirepoix composée de carottes émincées, oignons en rouelle, un bouquet garni, assaisonnez de sel, poivre, un peu de piment en poudre; mouillez avec une grande cuiller à pot de consommé et un verre de madère, après cuisson, retirez la chair des queues, coupez-les en dés et mettez-les à part. Faites blanchir 125 grammes de riz, faites-le crever au consommé, ajoutez-le aux carapaces d'écrevisses et à la mirepoix; pilez le tout dans un mortier, mouillez et passez le tout à l'étamine; ajoutez à votre purée le bouillon de vos écrevisses, tournez-la sur le fourneau avec une cuiller de bois, retirez-la avant son ébullition et enlevez la pulpe

de votre purée; ajoutez un morceau de beurre frais, mettez-le avant de le servir au bain-marie, ajoutez avec vos queues d'écrevisses des petits croutons en dés passés au beurre, mettez le tout dans une soupière, versez le potage dessus et servez bien chaud. *(Vuillemot.)*

BISQUE A LA NORMANDE (ou potage aux pouparts). Faites cuire vingt minutes, avec de l'oignon, du persil et des tranches de carottes, deux douzaines de petits crabes dans une eau salée, laissez refroidir dans leur cuisson, égouttez sans les éplucher, pilez-les dans un mortier en y joignant gros comme un œuf de mie de pain tendre ou deux cuillerées de riz cuit à la vapeur; mouillez cette pâte avec du consommé si c'est au gras, avec des quatre racines si c'est au maigre; faites-la passer à l'étamine, puis faites-la bien chauffer au bain-marie en y ajoutant votre bouillon gras ou maigre. Ces crustacés doivent être de ceux qu'on appelle pouparts sur la côte de Normandie, ils contiennent plus d'œufs et de laitance que tous les autres petits crabes connus sous d'autres noms.

BISTORTE

Espèce de renouée, ainsi nommée parce que ses racines sont tortues et repliées en forme d'S.

La bistorte, quoique n'ayant pas du tout une apparence farineuse, est très-nourrissante et pourrait, dans un cas de disette, servir à l'alimentation : on ne ferait en cela que suivre l'exemple des Samoyèdes qui la mangent en place de pain.

BLANC

On appelle ainsi une composition dont l'usage est souvent ordonné dans les formules culinaires : faites bouillir dans une petite quantité d'eau du lard râpé, des tranches de carottes, autant d'oignons, une feuille de laurier, du persil en branche, et un nouet de toile fine où vous aurez mis du poivre en grain et quelques clous de girofle; il faut laisser bouillir le tout en le tournant sans cesse jusqu'à ce que l'eau soit entièrement évaporée, mouillez alors avec une plus grande quantité d'eau, faites bouillir de nouveau, écumez avec soin et conservez cette préparation dans une terrine pour vous en servir suivant la formule.

BLANC-MANGER
(suivant l'ancienne recette)

On voit dans les lettres de Mme de Maintenon, que Fagon ordonnait cet aliment dans les cas d'affections ou dispositions inflammatoires.

Pilez 125 grammes d'amandes mondées en y joignant un peu d'eau, pour empêcher la séparation d'huile, ajoutez-y un litre de consommé fait sans légumes et complètement dégraissé; à la place des légumes on met, dans le pot où se fait le consommé, deux clous de girofle, un bâton de cannelle et un peu de sel; quand le bouillon est bien mêlé avec les amandes on y ajoute 60 grammes de blanc de volaille rôtie, hachée et pilée, après qu'on en aura ôté la peau, les tendons et les os; au lieu de volaille on peut se servir de veau rôti, on peut ajouter aussi gros comme un œuf de mie de pain mollet, ce qui rendra le blanc-manger plus épais. Le tout bien mêlé, on étamine en tordant, et on reverse ce qui a passé sur le marc en tordant encore pour en extraire tout ce qui peut en être extrait; on verse ce qui a passé dans un poêlon en y ajoutant le jus d'une orange et 125 grammes de sucre; on met le poêlon sur un feu vif, on remue d'abord pour que le blanc-manger s'épaississe, et on le laisse un peu reposer, ensuite on le remue de temps en temps avec une cuiller, il est cuit quand il est pris.

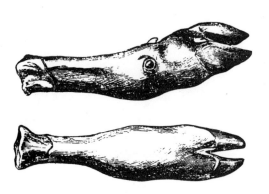

BLANC-MANGER (suivant la recette de M. Beauvilliers). « Ayez deux pieds de veau; fendez-les en deux, afin d'en ôter les gros os; faites-les dégorger et blanchir; rafraîchissez-les; mettez-les dans une marmite, avec une pinte et demie d'eau; faites-les partir; écumez-les; laissez-les cuire deux ou trois heures, dégraissez et passez leur bouillon au travers d'une serviette mouillée; faites blanchir et émondez un quarteron d'amandes douces avec six amères, pilez-les, réduisez-les en pâte; ayez soin de les mouiller de temps en temps avec un peu d'eau pour qu'elles ne tournent point en huile; mettez dans une casserole un demi-setier d'eau, un quarteron et demi de sucre, le zeste de la moitié d'un citron et une bonne pincée de coriandre; laissez infuser le tout une demi-heure; retirez-en la coriandre et le citron, versez cette infusion sur vos amandes; passez-la plusieurs fois à travers une serviette; ajoutez-y autant de gelée de pieds de veau qu'il en faut pour que votre blanc-manger soit délicat, et qu'il puisse prendre suffisamment, ce dont vous vous assurerez en en faisant l'essai. Parvenu à son degré et d'un bon goût, versez-le soit dans de petits pots, soit dans un moule et faites-le prendre à la glace comme les autres gelées. Vous pouvez faire ce blanc-manger, ainsi que toutes les gelées possibles, avec de la colle de poisson, de la corne de cerf ou de la mousse d'Islande. »

La recette de M. Beauvilliers est excellente; elle défie les innovations, on aurait tort de ne la point suivre.

BLANC-MANGER FRIT. Prenez une casserole avec un demi-litre de crème, un quart de farine de riz, des zestes de citron hachés et un peu de sel, laissez sur le feu trois heures en remuant par intervalles. Quand votre préparation sera presque cuite, ajoutez-y du sucre, quatre massepains et six macarons écrasés; achevez de faire cuire, cassez et incorporez avec elle trois œufs l'un après l'autre, faites lier cette pâte, étalez-la sur un couvercle fariné, poudrez de farine, et laissez-la refroidir. Divisez-la en petits carrés, faites-en de petites boules, faites chauffer la friture dans une poêle, et au moment de servir, mettez-la dans une passoire dans laquelle vous aurez versé vos pâtes, remuez souvent la passoire et dès que vos boules auront une belle couleur, retirez-les, goûtez-les, dressez-les et saupoudrez de sucre. On peut hacher des blancs de volaille rôtie et les incorporer dans cette préparation.

BLOND DE VEAU

Voltaire, qui était toujours non-seulement quelque part, mais chez quelqu'un, et qui quelque part qu'il fût, écrivait des lettres pour être imprimées, écrivait de Cirey à son ami Saint-Lambert : « Venez à Cirey où Mme Duchatelet ne vous laissera pas empoisonner; il n'y a plus une cuillerée de jus dans la cuisine, tout s'y fait au blond de veau, nous vivrons cent ans, et nous ne mourrons plus jamais. » Or la recette de ce blond de veau avait été donnée à Mme Duchatelet par le célèbre Tronchin, dont le cours d'hygiène était renfermé dans ces trois recommandations : « tenez-vous la tête froide, les pieds chauds et le ventre libre. » Voici donc la recette de Mme Duchatelet.

BLOND DE VEAU A LA DUCHATELET. « Garnissez le fond d'une casserole avec des tranches de veau, ajoutez-y des abatis de volaille avec un peu de beurre ou du lard fondu, des oignons, des carottes et un bouquet garni; mouillez avec une cuillerée de bouillon, laissez réduire sans laisser attacher, mouillez encore avec du bouillon en suffisante quantité pour que tout soit couvert, faites bouillir et écumez, ensuite amortissez le feu et faites recuire doucement pendant deux heures.

« Faites séparément un roux blanc, passez-y des champignons pendant quelques minutes, et versez-y le jus de la viande en remuant toujours, pour que le roux se mélange intimement, faites bouillir et écumer, et tenez la casserole sur un feu doux pendant une bonne heure, passez à l'étamine après avoir dégraissé. »

BLOND DE VEAU A LA PARISIENNE. Prenez deux casis et deux jarrets de veau, mettez-les dans une casserole avec quatre oignons que vous mouillez avec deux cuillerées de bon bouillon. Vous posez le tout sur un fourneau tout allumé, quand le bouillon qui est dans la casserole est réduit, vous transporterez la casserole sur un feu doux, où votre veau devra suer sans que la glace ait le temps de s'attacher. Quand la glace du fond de la casserole est de belle couleur, vous la remplissez de bouillon soigneusement écumé, et surtout n'assaisonnez pas.

BLOND DE VEAU A LA BEAUVILLIERS. « Beurrez le fond d'une casserole, mettez-y quelques lames de jambon, deux à trois kilos de veau de bonne qualité, deux ou trois carottes tournées, autant d'oignons, mouillez le tout avec une cuillerée de grand bouillon, faites-le suer sur un feu doux, et réduire jusqu'à consistance de glace; quand elle sera d'une belle teinte jaune, retirez-la du feu, piquez les chairs avec la pointe d'un couteau pour en faire sortir le reste du jus, couvrez votre blond de veau, laissez-le suer ainsi un quart d'heure, et mouillez-le de grand bouillon, selon la quantité de vos viandes, mettez-y un bouquet de persil et ciboule, assaisonné de la moitié d'une gousse d'ail et piqué d'un clou de girofle, faites bouillir ce blond de veau, écumez-le, mettez-le mijoter sur le bord d'un fourneau; vos viandes cuites, dégraissez-le, passez-le comme il est dit à l'article précédent, et servez-vous comme de *l'empotage*, pour le riz, le vermicelle et même vos sauces. » *(Recette de M. Beauvilliers.)* Non-seulement avec cette recette on peut faire d'excellents potages, mais un bon velouté et une bonne espagnole *(voir Sauces).*

BAOBAB

Arbre qui produit un fruit connu au Sénégal sous le nom de pain de singe, parce que cet animal s'en nourrit beaucoup; on ne s'en sert guère que pour faire une boisson rafraîchissante en exprimant son suc et le mêlant avec du sucre.

BODIAN

Poisson dont il existe plusieurs variétés étrangères; sa chair est excellente.

BŒUF

On se plaint de la décadence de la cuisine; cette décadence est bien plutôt l'œuvre des maîtres que des serviteurs. Autrefois les grands gastronomes, comme le maréchal de Richelieu, le duc de Nivernais et le comte d'Escur, faisaient une fois au moins par semaine venir leur maître d'hôtel, pour lui demander où on en était des découvertes culinaires; les conversations savantes entre le maître et le serviteur faisaient avancer à grands pas la science gastronomique, en mettant le maître en face de la grande pratique et le cuisinier en face de la grande théorie. Quand M. le duc de Nivernais était obligé de changer ses chefs de cuisine ou qu'ils avaient appris quelques nouveautés qui lui paraissaient admissibles, il avait la patience et la conscience de s'en faire servir et d'y goûter huit jours de suite afin de conduire et de faire aboutir la chose au point de sa perfection. Il avait le palais tellement bien exercé qu'il pouvait distinguer si le blanc d'une aile de volaille provenait du côté du fiel. Quant à M. de Richelieu, c'était le côté pratique surtout qu'il connaissait mieux que le meilleur maître d'hôtel. Une anecdote est parfois plus probante qu'une règle de trois.

C'était à la guerre de Hanovre, où le pays se trouvait dévasté tout autour de l'armée française à plus de quatre-vingts kilomètres à la ronde; on avait fait prisonnier tous les princes et toutes les princesses d'Ostfrise, au nombre de vingt-cinq personnes, auxquelles il est bon d'ajouter une assez raisonnable suite de filles d'honneur et de chambellans. Le maréchal de Richelieu avait résolu de leur donner la clef des champs, mais avant de lâcher prise, il imagina de leur offrir à souper, ce qui mit ses officiers de bouche au désespoir.

Mais quand M. de Richelieu avait résolu quelque chose, il fallait que la chose s'exécutât. Il réunit tous ses officiers de bouche.

« Qu'avez-vous à la cantine, messieurs, leur demanda-t-il?

– Monseigneur, il n'y a rien.

– Comment rien?

– Rien du tout.

– Mais pas plus tard qu'hier, j'ai vu deux cornes passer par la fenêtre.

– C'est vrai, monseigneur, il y a un bœuf et quelques racines, mais que voulez-vous faire de cela?

– Ce que j'en veux faire, mais pardieu j'en veux faire le plus beau souper du monde.

– Mais, monseigneur, on ne pourra jamais.

– Allons donc, on ne pourra jamais. Rudière, écrivez le menu que je vais vous dicter, pour mâcher la besogne à ces ahuris de Chaillot. Savez-vous comment on écrit le tableau d'un menu, Rudière?

– Mais, monseigneur, j'avoue...

– Rendez-moi votre place et votre plume. »

Et voilà le généralissime qui s'assied à la place de son secrétaire et qui improvise un souper classique, un menu qui a été recueilli dans la collection de M. de la Poupelmière, et voici comment il est inscrit dans les nouvelles à la main.

MENU D'UN EXCELLENT DINER TOUT EN BŒUF

DORMANT

Le grand plateau de vermeil avec la figure équestre du Roi;
Les statues de Duguesclin, de Dunois, de Bayard et de Turenne;
Ma vaisselle de vermeil avec les armes en relief écaillé.

PREMIER SERVICE

Une oille à la garbure gratinée au consommé de bœuf

QUATRE HORS-D'ŒUVRE

Palais de notre bœuf à la Sainte-Menehould.	Les rognons de ce bœuf à l'oignon frit.
Petits pâtés de hachis de filet de bœuf à la ciboulette.	Gras-double à la poulette au jus de citron.

RELEVÉ DE POTAGE

La culotte de bœuf garnie de racines au jus
(Tournez grotesquement vos racines, à cause des Allemands.)

SIX ENTRÉES

La queue du bœuf à la purée de marrons.	La noix de notre bœuf braisée au céleri.
Sa langue en civet *(à la bourguignonne).*	Rissolés de bœuf à la purée de noisettes.
Les paupières du bœuf à l'esta-foulade aux capucines confites.	Croûtes rôties à la moelle de notre bœuf. *(Le pain de munition vaudra l'autre.)*

SECOND SERVICE

L'aloyau rôti *(Vous l'arroserez de moelle fondue).*
Salade de chicorée à la langue de bœuf.
Bœuf à la mode à la gelée blonde mêlée de pistache.
Gâteau froid de bœuf au sang et au vin de Juranson *(ne vous y trompez pas).*

SIX ENTREMETS

Navets glacés au suc de bœuf rôti.	Purée de culs d'artichauts au jus et au lait d'amandes.
Tourte de moelle de bœuf à la mie de pain et au sucre candi.	Beignets de cervelle de bœuf marinée au jus de bigarades.
Aspic au jus de bœuf et aux zestes de citron pralinés.	Gelée de bœuf au vin d'Alicante et aux mirabelles de Verdun.

Et puis tout ce qui me reste de confitures ou conserves
Si, par un malheureux hasard, ce repas n'était pas très-bon, je ferai retenir sur les gages de Maret et de Rouquelère une amende de 100 pistoles. Allez, et ne doutez plus.

RICHELIEU.

Bœu

M. Vuillemot, qui raconte volontiers cette anecdote, ne manque jamais de l'accompagner de savants commentaires. Selon cet habile opérateur, la tourte à la moelle, demandée par le galant maréchal, est un mets hérétique; le pied de bœuf à la poulette est oublié à tort sur le menu; les beignets de cervelle sont un hors-d'œuvre et ne sauraient devenir, même de par le vouloir de l'irrésistible duc, un entremets. M. Vuillemot fait observer que, pour le malheur du menu bovin, le gras-double à la mode de Caen était inconnu au xviiie siècle.

Sans le bœuf, dit Buffon, on aurait beaucoup de peine à vivre; la terre demeurerait inculte, les champs et même les jardins seraient secs et stériles; il est le domestique de la ferme, le soutien du ménage champêtre; il fait toute la force de l'agriculture; et aussi les anciens regardaient-ils comme un crime de se nourrir de sa chair. Pline rapporte qu'un citoyen fut banni pour avoir tué un bœuf. Valère-Maxime dit la même chose. Les Grecs modernes n'en mangeaient point, par respect pour *l'animal laboureur*. Dans les villages indous, celui qui mange de sa chair est regardé comme infâme. Les Égyptiens consultaient le bœuf Apis comme un oracle. C'est peut-être par un reste de cette vénération qu'à Paris on promène chaque année le bœuf gras. Cet animal change de nom d'après son âge, il est d'abord veau, puis bouvillon et enfin bœuf. Il y en a de plusieurs espèces, de plusieurs grandeurs et grosseurs, et ceux d'Égypte, par exemple, sont plus gros que ceux de la Grèce; de même qu'en France, nos meilleurs bœufs sont fournis par l'Auvergne et la Normandie. Lors de la découverte de l'Amérique, on n'y trouva pas le bœuf; mais importé par les Espagnols, il s'y multiplia considérablement, et est devenu depuis un des mets favoris des Américains qui, comme les Anglais, proclament en tout et pour tout la supériorité du bœuf sur les autres viandes. Sa chair est celle qu'on emploie le plus généralement, elle nourrit bien et la digestion s'en fait facilement quand elle est de bonne qualité. Elle n'est cependant pas aussi bonne dans tous les pays, elle diffère aussi d'après les pâturages. La viande est excellente quand l'animal est jeune et gras, et convient, en général, à tout le monde, mais plus encore à ceux qui ont un bon estomac, qui font beaucoup d'exercice et qui ont besoin d'être bien nourris. Les personnes sédentaires, les convalescents, les estomacs faibles ne doivent en faire usage qu'après avoir consulté leurs forces. La viande de bœuf est aussi celle qui donne le meilleur bouillon.

Nous allons indiquer maintenant quelques-unes des nombreuses manières d'accommoder le bœuf et de le manger.

Les parties les plus recherchées sont la· culotte, l'aloyau, la noix, les entre-côtes, les côtes et la poitrine; l'épaule, que les bouchers nomment paleron, est inférieure aux parties élancées, le flanchet, le collier et la tête sont les parties les moins estimées comme le filet mignon est ce qu'il y a de plus délicat; laissons de côté la cervelle qui est rarement bonne chez le bœuf, attendu l'habitude qu'on a en France de les assommer. On fait de la langue et du palais sous diverses formes des mets assez délicats, les rognons sont ce qu'il y a de plus grossier dans le bœuf, quoique ce soit souvent avec eux que l'on fasse des rognons au vin de Champagne; comme il semble que la destination naturelle du bœuf soit de faire du bouillon, commençons l'énumération des plats qu'il fournit par celle de bœuf bouilli.

Le bœuf bouilli est fort méprisé des gastronomes, qui l'appellent de la viande sans jus; mais il est la providence des pauvres gens et des petits ménages, à qui il fournit, non-seulement le dîner du jour, mais le déjeuner du lendemain.

Nous dirons plus tard, à l'article bouillon, la manière de faire le bouillon le meilleur possible; ici nous ne nous occupons que du bœuf.

La manière la plus habituelle de servir le bœuf et hâtons-nous de dire que, dans ce cas, le morceau qui offre le plus de sapidité est la pointe de culotte, la manière, disons-nous, la plus habituelle de servir le bœuf, est, après l'avoir fait égoutter, de le servir sur un plat entouré soit de persil, soit de pommes de terre frites, soit d'une sauce tomate, soit d'oignons glacés; vous trouverez tous ces accompagnateurs fidèles du bœuf, chacun à sa lettre.

Bœuf garni aux choux. Prenez deux ou trois choux, coupez-les par quartiers, lavez-les, faites-les blanchir; lorsqu'ils seront blanchis, rafraîchissez-les, ficelez-les, mettez-les dans une marmite, mouillez-les avec du bouillon, si vous avez une braise ou quelques bons fonds servez-vous-en, ajoutez-y quelques carottes, deux ou trois oignons, dont un piqué de trois clous de girofle, une gousse d'ail, du laurier et du thym; de plus, pour que vos choux soient bien nourris, ajoutez-y le derrière de votre marmite, laissez mijoter trois ou quatre heures, égouttez vos choux sur un linge blanc, pressez-les pour en faire sortir la graisse en leur donnant la forme d'un rouleau à pâte, dressez-les autour de votre pièce, masquez-la, ainsi que vos choux, avec une espagnole réduite et servez.

Pièce de bœuf au pain perdu. Si vous n'avez pas une culotte de bœuf, prenez un aloyau ou seulement une partie, levez le filet mignon, il vous servira pour faire une entrée, dressez le reste, ficelez-le, roulez-le en manchon, marquez-le comme une pièce de bœuf ordinaire et faites-le cuire, coupez des lames de pain mollet en queue de paon ou en cœur, cassez trois œufs, battez-les comme une omelette, assaisonnez d'un peu de sel et de crème, trempez-y vos lames de pain, faites-les frire dans du beurre, ayez soin de les retourner les unes après les autres; lorsqu'elles seront d'une belle couleur, égouttez-les sur un linge blanc, la cuisson de votre pièce de bœuf ou d'aloyau étant achevée égouttez-la, après l'avoir déficelée, vous la poserez sur le plat, vous rangerez autour d'elle vos lames de pain, faites sauter le tout, soit avec une espagnole, soit avec une sauce hachée, et servez.

PIÈCE DE BŒUF A L'ÉCARLATE. Prenez tout ou partie d'une culotte de bœuf, laissez-la se mortifier trois jours ou plus, désossez, lardez, avec assaisonnement : persil, ciboules, poivre et épices, frottez de sel très-sec tamisé avec 30 ou 60 grammes de salpêtre purifié, mettez votre pièce dans une terrine d'office, avec genièvre, thym, basilic, ciboule, ail, clou de girofle et oignon, enveloppez d'un linge et couvrez-la d'un vase, laissez-la ainsi huit jours, retournez-la et recouvrez-la avec le même soin, et laissez-la encore trois ou quatre jours, ensuite retirez-la et faites-la égoutter, mettez dans une marmite de l'eau, assaisonnée de carottes, oignons et d'un bouquet, faites-la partir, et lorsque votre eau sera au grand bouillon, mettez-y votre culotte, après l'avoir enveloppée d'un linge blanc, que vous ficellerez; faites-la cuire ainsi pendant quatre heures sans interruption, après retirez-la pour la placer dans une terrine de sa forme, jetez dessus l'assaisonnement dans lequel elle a cuit, et laissez-la refroidir, servez-la sur une serviette comme un jambon, avec du persil vert autour.

Si vous la voulez servir chaude, mettez-la sur un plat comme une pièce de bœuf, avec un bon jus de bœuf corsé, et autour du raifort ou du cran râpé.

CULOTTE DE BŒUF A LA GELÉE OU A LA ROYALE. « Prenez une culotte ou une partie, choisissez-la de bonne qualité et qu'elle soit bien couverte, dressez-la, lardez-la de gros lard, comme la culotte à l'écarlate, et assaisonnez ces lardons de même, enveloppez-la dans un linge blanc, ficelez-la, mettez-la dans une braisière, au fond de laquelle vous aurez mis les os de votre culotte, cinq ou six carottes, quatre oignons, deux gousses d'ail, un bouquet de persil et de ciboules, deux feuilles de laurier, un jarret de veau, un verre de vin blanc, du sel ce qu'il en faut pour qu'elle soit d'un bon goût, deux ou trois cuillerées à pot de bouillon; faites-la partir sur un bon feu, couvrez-la de trois épaisseurs de papier beurré, couvrez votre braisière avec son couvercle, faites-la aller doucement avec feu dessus feu dessous environ quatre heures; lorsque votre culotte sera cuite, retirez-la, laissez-la refroidir dans le linge, passez son fond à travers une serviette que vous aurez eu soin de mouiller afin que la graisse ne passe pas avec, laissez-la refroidir, fouettez avec une fourchette deux blancs d'œufs avec un peu d'eau, jetez-les dans votre fond encore tiède, remuez-le, mettez-le sur le feu jusqu'à ce qu'il commence à bouillir, retirez-le, couvrez-le avec un couvercle sur lequel vous mettrez quelques charbons ardents, laissez dans cet état votre fond près d'un quart d'heure, levez le couvercle, si votre fond est limpide, passez-le de nouveau à travers un linge mouillé et tordu, faites refroidir votre gelée pour voir si elle est trop forte ou trop légère. Dans le premier cas, mettez-y un peu de bouillon; dans le second, faites-la cuire de nouveau avec un jarret de veau et clarifiez-la encore, ainsi qu'il est dit plus haut.

« Si elle n'était pas assez ambrée, vous pourriez y mettre un peu de jus de bœuf; si vous voulez décorer votre pièce de différentes couleurs, telles que rouge et vert, vous pouvez,

Bœu

pour la première, employer un peu de cochenille, après
l'avoir fait infuser sur un feu doux, et en mettre seulement
quelques gouttes, jusqu'à ce que vous ayez atteint le
rouge que vous désirez : le mieux est que la couleur ne
domine pas. Si vous la désirez verte, prenez un peu de
jus d'épinards à cru, mettez-en également fort peu, afin
de conserver la limpidité de votre gelée. Si vous n'aviez
pas de cochenille et que ce fût en hiver, vous la rempla-
ceriez aisément en substituant un peu de jus de betteraves
rouges, pilées à cru, et en agissant comme pour la cochenille; vous coulez toutes ces gelées dans des vases disposés
de manière à pouvoir couper vos gelées de l'épaisseur
d'un pouce ou moins, et de diverses façons, pour en décorer
à volonté la pièce à servir, comme si c'était des rubis
ou émeraudes; ensuite déballez votre pièce, parez-la sur
tous les sens, ôtez légèrement la peau de la première graisse
qui la couvre, mettez-la sur un plat, qu'elle soit d'aplomb,
garnissez-la de gelée, faites une bordure de couleurs, en
les plaçant alternativement, l'une rouge et l'autre verte,
comme le sont les diamants d'une couronne, et servez. »
(Recette originale et manuscrite de V. de la Chapelle,
à la Bibliothèque impériale.)

ROSBIF, ROND-BIF OU CORNE-BIF. Prenez un morceau gras de cuisse de bœuf, coupez au-dessus de la
culotte, de façon que le gros os se trouve au milieu, sciez
cet os, faites sécher et piler 1 à 2 kilos de sel, tamisez ce
sel, mêlez-y un peu d'épices fines et d'aromates en poudre,
frottez-en toutes les parties de votre bœuf, mettez-le dans
une grande terrine de grès avec le restant de votre assaisonnement; couvrez-le d'abord d'un linge, fixez ce linge
avec de la ficelle autour de la terrine et couvrez-le bien,
mettez-le au frais trois ou quatre jours; après, retournez
dans son assaisonnement votre pièce de bœuf, faites-en
de même tous les deux jours, durant huit ou neuf jours.
Lorsque vous voudrez vous en servir, retirez-la, laissez-la
égoutter et ficelez-la, mettez de l'eau dans une casserole
ronde, avec navets, carottes, oignons, quatre clous de girofle,
quatre feuilles de laurier; faites bouillir cet assaisonnement
et mettez-y votre pièce de bœuf, posez-la sur une feuille
de turbotière, afin de pouvoir l'enlever sa cuisson faite,
sans la casser, faites-la bouillir durant trois heures, retirez-
la, dressez-la sur votre plat, garnissez-la des légumes
avec lesquels elle aura cuit, et servez-la avec deux saucières,
une de sauce au beurre et l'autre de jus de bœuf. Surtout
n'oubliez pas deux pieds de veau désossés pour gélatine.

BŒUF A LA MODE, A LA BOURGEOISE. Prenez de
préférence le milieu de la culotte ou tranche grasse,
lardez-la de gros lard, mettez-la dans une terrine avec deux
carottes, quatre oignons dont un piqué de deux clous de
girofle, ail, thym, laurier, sel et poivre, vous verserez
sur le tout un grand verre d'eau, un demi-verre de vin blanc

ou une cuillerée d'eau-de-vie, faites cuire jusqu'à ce que
votre viande soit très-tendre, ensuite dégraissez, passez
votre jus au tamis, et servez; il faut cinq ou six heures
pour faire un bon bœuf à la mode.

LANGUE DE BŒUF, SAUCE HACHÉE. Il faut la
mettre pendant vingt-quatre heures dégorger à l'eau
fraîche en la changeant plusieurs fois d'eau, plongez-la
plusieurs fois dans l'eau bouillante pour la blanchir,
râtissez-la pour enlever la peau et la parer, piquez-la
de gros lardons, assaisonnez-les de poivre, de sel, de
muscade, persil, échalotes hachées, faites-la cuire cinq
heures dans une braise.

COMPOSITION DE LA BRAISE. Garnissez une braisière ou une daubière de bardes de lard, d'un pied de veau
découpé, pour rendre la sauce gélatineuse, à défaut de
pied de veau, prenez un bon morceau de couenne de lard
salé, mettez sel, poivre, bouquet de persil, ciboule, thym,
laurier, clous de girofle, oignons et carottes, mettez sur
cet assaisonnement votre langue de bœuf, ajoutez un verre
de vin blanc, un demi-verre d'eau-de-vie, un verre d'eau
ou de bouillon, couvrez d'un papier beurré, recouvrez
bien hermétiquement votre casserole avec un couvercle
afin qu'il n'y ait point d'évaporation, faites cuire à petit
feu pendant plusieurs heures, puis retirez votre langue,
fendez-la en long sans la séparer, dressez-la sur un plat,
dégraissez la cuisson, passez-la, mouillez-en un roux,
faites réduire, joignez-y un peu d'échalotes, de persil,
de champignons, de cornichons hachés fin, poivrez, faites
bouillir pendant cinq minutes et servez.

LANGUE DE BŒUF PIQUÉE ROTIE. Préparez votre langue comme pour une braise, faites-la cuire avec deux cuillerées de bouillon, tranches de lard, bouquet garni, deux oignons dont un piqué de deux clous de girofle; lorsqu'elle sera aux trois quarts cuite, retirez-la, faites-la refroidir, piquez-la de gros lard dans l'intérieur et de fin par-dessus, mettez-la ensuite à la broche pendant une heure, servez ensuite une sauce piquante dans une saucière.

LANGUE DE BŒUF AU GRATIN. Coupez en tranches très-minces une langue de bœuf cuite à la broche ou à la braise, prenez le plat dans lequel vous comptez la servir sur la table, mettez dans le fond un peu de bouillon, un filet de vinaigre, des cornichons, persil, ciboules, échalotes, un peu de cerfeuil, le tout haché très-fin, sel, gros poivre, chapelure de pain. Couchez en dessus cette préparation les tranches de votre langue, assaisonnez-la dessus comme vous avez fait dessous, finissez par la chapelure, mettez le plat sur un fourneau à petit feu, faites bouillir jusqu'à ce qu'il se gratine, et en le servant délayez-le d'un peu de bouillon.

Les restes de langue cuite à la braise ou à la broche peuvent être coupés par tranches, panés à la Sainte-Menehould, servis sur une sauce à volonté en papillotes comme les côtelettes de veau.

BIFTECKS (cuits selon la méthode de M. Gogué). Les biftecks doivent être pris soit dans les côtes, soit dans le filet du bœuf; après avoir choisi le morceau qui vous convient, vous le parez en ayant soin de ne laisser aucune partie nerveuse, puis vous le coupez en portions de la même épaisseur (deux ou trois centimètres) et vous aplatissez légèrement chacun des morceaux, auxquels vous donnez la forme ronde. Trempez les biftecks dans de l'huile d'olive, si vous voulez les rendre plus tendres, ou bien dans du beurre fin, que vous aurez fait fondre et dans lequel vous aurez mis une pincée de sel.

Ayez alors une bonne braise, claire, ardente, sans fumerons et sans autres corps étrangers qui puissent produire de la fumée. Placez sur cette braise le gril bien nettoyé, et sur le gril les biftecks préparés, ainsi qu'il a été dit. Surveillez-les, mais n'y touchez plus, jusqu'à ce que le moment de les retourner soit arrivé, ce moment vous est indiqué par des bulles qui se forment à la partie supérieure de la viande. Une fois retournés, ils ne doivent plus être maniés que pour être dressés sur le plat. C'est du bout du doigt qu'il faut les interroger, et on reconnaît à une certaine résistance que la cuisson est arrivée à point. Dressez-les alors en couronnes sur le plat, assaisonnez de poivre et de sel, et mettez dessous une sauce maître-d'hôtel qui est tout simplement un morceau de beurre frais manié avec un peu de persil haché et un jus de citron. Faites frire des pommes de terre taillées en petits bâtons carrés de la longueur d'un doigt, légèrement assaisonnés de sel, garnissez-en les biftecks et servez chaud. Les biftecks au beurre d'anchois ou à la tomate, se préparent de la même manière que ci-dessus, à l'exception de la maître-d'hôtel, que vous remplacez par un beurre d'anchois ou par une sauce tomate. On peut également remplacer, si on veut, les pommes de terre, soit par du cresson que l'on assaisonne d'un peu de sel et de vinaigre, soit par de gros cornichons coupés en lames.

Remarque. – Il faut bien se garder d'assaisonner les biftecks pendant leur cuisson, c'est une grave erreur dont nous devons faire connaître les conséquences. Le sel, qui sur le feu devient un dissolvant, fait saigner les viandes et leur enlève ainsi le suc, qui est leur qualité la plus précieuse. Vous remarquerez alors que la braise, sur laquelle cuisent les viandes, se trouve toute arrosée de leur cuisson, et c'est ce qui a donné l'idée, pour remédier à cet inconvénient, d'établir des grils inclinés, avec réservoir, destiné à recevoir le jus et la graisse provenant de la cuisson; cette invention peut être un moyen d'éviter la fumée, mais elle n'a aucun effet pour la cuisson, qui doit être pratiquée comme nous l'avons dit.

Gardez-vous bien aussi, une fois que les biftecks sont sur le gril, de les tourner et retourner plusieurs fois. Il suffit d'avoir un peu d'expérience et de bon sens pour s'abstenir d'un procédé routinier, dont le résultat est de compromettre la bonne cuisson. Suivez à cet égard la méthode que nous avons indiquée.

FILET DE BŒUF SAUTÉ. Coupez par tranches de quatre ou cinq doigts d'épaisseur votre filet de bœuf que vous aplatissez légèrement, en lui donnant une forme ronde. Placez les tranches sur du beurre que vous aurez fait fondre dans un plat à sauter, saupoudrez de sel et de poivre, mettez-les à un feu un peu ardent, quand ils ont pris une belle couleur d'un côté, retournez-les, faites-leur prendre couleur de l'autre, dressez-les en couronne sur le plat, égouttez le beurre du sautoir, mettez-y un peu de jus pour détacher la glace qui s'est formée au fond par la cuisson des filets, ajoutez une cuillerée d'espagnole; faites réduire et servez avec un jus de citron.

Le bœuf rôti livré au peuple.

Le filet de bœuf sauté dans sa glace, le filet sauté au madère, le filet sauté aux olives, le filet sauté aux truffes, aux champignons, le filet sauté aux écrevisses ou au beurre d'anchois, se préparent de la même façon, si ce n'est qu'au filet sauté dans sa glace on ajoute un peu de glace de veau et de jus pour détacher celle du sautoir.

Le filet sauté au madère en mettant au lieu de jus un verre de madère et une cuillerée à bouche d'espagnole.

Le filet sauté aux olives en ajoutant lorsque le plat est dressé un ragoût d'olives au milieu.

Le filet sauté aux truffes et aux champignons en ajoutant à l'espagnole des champignons sautés au beurre ou des truffes.

Le filet sauté au beurre d'écrevisse ou au beurre d'anchois en ajoutant à l'espagnole l'un ou l'autre de ces beurres, mais alors on ne remet plus le filet au feu; enfin tous les filets se préparent et se font sauter de la même manière, seulement les titres changent selon le légume dont on les garnit.

FILET DE BŒUF A LA BROCHE. *(V. Aloyau.)*

TOURNE-DOS. S'il vous reste une moitié ou un quart de filet de bœuf coupez-le par tranches, faites chauffer ces tranches sans les faire bouillir, faites tailler des tranches de pain de même grandeur, auxquelles vous faites prendre couleur en les sautant dans le beurre, dressez en couronne sur un plat, mettez alternativement un filet et un croûton, et versez au milieu une ravigote de sauce piquante ou une poivrade.

COTE DE BŒUF A LA VIEILLE MODE. Étant parée et piquée de moyens lardons bien assaisonnés, faites-la sauter dans le beurre et, lorsqu'elle sera à moitié cuite, vous couvrirez la casserole et vous mettrez du feu sur le couvercle. Dressez et versez dessus le liquide dégraissé contenu dans la casserole.

COTE DE BŒUF AUX ÉPINARDS. Mettez une côte de bœuf à la broche, ôtez-la lorsqu'elle est cuite à l'anglaise, c'est-à-dire un peu saignante et dressez-la sur des épinards au jus.

COTE DE BŒUF A LA PROVENÇALE. Parez, piquez votre côte de bœuf, faites-la sauter dans l'huile à grand feu et jusqu'à moitié de la cuisson, puis couvrez la casserole en mettant du feu sur le couvercle en diminuant celui du fourneau : ces deux feux pourraient arriver à tarir la sauce et à faire brûler la côte de bœuf; d'autre part, faites frire dans l'huile des oignons coupés par tranches minces, et lorsqu'ils seront bien jaunis vous ajouterez à l'huile dans laquelle ils auront cuit, du sel et du poivre, un peu de bouillon et un filet de vinaigre.

COTE DE BŒUF AU VIN DE MALAGA. Parez une côte de bœuf bien épaisse, piquez-la avec des lardons de moyenne grosseur; quand vous l'aurez bien assaisonnée de sel, de poivre, de fines herbes, vous verserez pour la faire cuire la valeur d'une demi-bouteille de vin de Malaga et la valeur d'une demi-bouteille de bouillon, après cela ayez soin de passerez le mouillement au tamis de soie, ayez soin qu'il n'y ait point de graisse, et faites réduire tout ce mouillement de manière qu'il n'en reste qu'un verre pour mettre sur la côte, et surtout ayez soin de ne pas trop saler votre mouillement.

COTE DE BŒUF A LA MILANAISE. Parez, piquez avec lardons, poivrez, salez votre côte de bœuf, faites cuire dans deux verres de vin de Madère avec sel, gros poivre, bouquet garni, carottes et oignons. La côte cuite, passez, dégraissez et faites réduire le fond de cuisson, faites sauter dans ce fond du macaroni que vous aurez fait cuire dans du bouillon, ajoutez un peu de beurre, de fromage de Parme râpé, faites mijoter le macaroni ainsi assaisonné, dressez la côte, glacez et servez chaud.

COTE DE BŒUF AUX CONCOMBRES. Préparez, cuisez une côte comme braisée, surmontez-la et entourez-la de concombres en morceaux, glacez et dressez. Vous pouvez servir de même sur un ragoût de laitues farcies ou sur une litière de choux rouges à la flamande.

COTE DE BŒUF AUX OIGNONS GLACÉS. Nous avons dit tout à l'heure comment il fallait parer et braiser une côte de bœuf, quand elle sera cuite, vous la déficellerez, vous l'égoutterez, vous la dresserez entière sur un plat, vous mettrez des oignons glacés à l'entour, et vous la servirez sur une sauce claire, que vous aurez travaillée avec un peu de mouillement de ce ragoût.

COTES DE BŒUF COUVERTES AUX RACINES. Prenez les côtes couvertes, lardez-les de gros lard comme la noix de bœuf, assaisonnez-les et braisez-les de même, tournez des carottes avec votre couteau ou emporte-pièce, une quantité suffisante pour masquer vos côtes; faites-les blanchir, mettez-les cuire dans une casserole avec une partie de l'assaisonnement de vos côtes, ou du bouillon, faites-le tomber à glace, cela fait, prenez la valeur d'une cuillerée à bouche de farine, un peu de beurre, faites un petit roux, mouillez-le, quand il sera bien blond avec les restants de l'assaisonnement de vos côtes faites cuire votre sauce, dégraissez-la, tordez-la dans une étamine sur vos carottes, remettez le tout sur le feu, afin que votre sauce et vos carottes prennent du goût; mettez-y gros de sucre comme la moitié d'une noix, pour en ôter l'acreté, et un pain de beurre; sautez bien le tout jusqu'à ce que le beurre soit parfaitement fondu et incorporé, masquez vos côtes et servez.

QUEUE DE BŒUF A LA HOCHE-POT. Prenez une queue de bœuf, coupez-la par tronçons de point en point, faites-la dégorger et blanchir, foncez une casserole de viande de boucherie, placez dessus vos tronçons, ajoutez-y sel, oignons, carottes, un bouquet assaisonné d'une feuille de laurier, d'une gousse d'ail, de thym, de basilic et piqué de deux clous de girofle, mouillez le tout avec du bouillon de manière que vos tronçons ne fassent que tremper, couvrez-les de bardes de lard, faites-les partir, mettez-y un rond de papier, et les posant sur un feu modéré, couvrez-les avec un couvercle, avec feu dessus, laissez-les cuire quatre à cinq heures. Vous pourrez juger si votre queue est cuite, lorsque l'ayant pressée entre vos doigts, la chair quittera presque les os, alors égouttez-la, et servez-la avec le ragoût de racines. (Voyez l'article *côtes de bœuf aux racines.*)

QUEUE DE BŒUF A LA SAINTE-MENEHOULD. Faites cuire d'abord votre queue de bœuf en hoche-pot, comme il est dit ci-dessus, assaisonnez-la de sel, de gros poivre, trempez-la dans du beurre tiède et mettez-la dans de la mie de pain, panez-la deux fois, et faites-lui prendre couleur au four ou sur le gril, vous pouvez dès lors la servir comme vous voudrez, soit sur des choux rouges, soit sur une purée de haricots blancs, soit sur une soubise, soit enfin sur une sauce piquante et hachée à l'italienne.

LANGUE DE BŒUF A L'ITALIENNE ET AU PARMESAN. Prenez une langue de bœuf, coupez-en le cornet, mettez-la dégorger deux ou trois heures et plus, retirez-la de l'eau, râtissez-la bien avec votre couteau pour en ôter la malpropreté, faites-la blanchir dans un chaudron ou dans une grande marmite, retirez-la sur un linge blanc, ôtez-en la peau, lardez-la de gros lard que vous aurez assaisonné avec sel, poivre fin, épices fines, persil et ciboule, mettez-la cuire dans une marmite avec oignons et carottes, mouillez-la avec un verre de vin blanc ou du bon bouillon, retirez-la, laissez-la refroidir dans son assaisonnement, coupez-la par lames très-minces, mettez du parmesan dans le fond d'un plat creux, couvrez votre parmesan de vos tranches de langue, ainsi de suite, faites trois ou quatre lits de langue et de fromage, arrosez chaque

lit d'un peu du fond dans lequel aura cuit la langue dont il s'agit, et finissez par un lit de fromage que vous arroserez avec un peu de beurre fondu, mettez le plat au four ordinaire ou de campagne, donnez à votre parmesan une belle couleur et servez. « Il est fâcheux que l'on fasse rarement cette entrée, car étant bien soignée et telle que l'indique la recette ci-dessus, elle est délicieuse. Chez MM. Véry, du Palais-Royal; Grignon, du passage Vivienne; Borel, rue Montorgueil, au Rocher de Cancale; dans les grands dîners de 1825 à 1835, cette entrée était très-recherchée, je tiens à mentionner cela. Les Langlet, les Michel, les Lennevaux, tous bons cuisiniers, ne sont plus. J'ai eu l'idée de recueillir leurs bons principes et je m'en suis bien trouvé. » *(Note de M. Vuillemot.)*

PALAIS DE BŒUF AU GRATIN. Procurez-vous trois ou quatre palais de bœuf que vous mettrez sur un gril du côté de la peau et sur de la cendre rouge; faites-les griller de façon que vous puissiez facilement enlever la peau avec le couteau, grattez la partie blanche qui se trouve sous cette peau afin qu'il n'en reste aucun vestige, supprimez le bout du mufle et celui du côté de la gorge, ainsi que la partie noire qui se trouve au milieu, sans trop l'altérer, faites-les dégorger et blanchir, mettez-les cuire dans un blanc, ainsi que vous verrez à l'article : *Tête de veau en tortue*, pendant trois ou quatre heures, égouttez-les, faites-les refroidir à moitié, séparez-les en deux avec votre couteau comme si vous leviez une barde de lard, garnissez-les d'une farce cuite; pour cela, étendez vos morceaux de palais, mettez avec la lame d'un couteau de cette farce dessus, à peu près de l'épaisseur desdits morceaux, roulez-les sur eux-mêmes, parez-les des deux bouts, égalisez-les, mettez au fond de votre plat à peu près l'épaisseur d'un travers de doigt de la farce ci-dessus, rangez vos petits cannelons debout sur votre fond de farce, en laissant un puits dans le milieu, garnissez de farce au dedans et au dehors les intervalles de vos cannelons, il faut que votre entrée ait la base d'une tour, garnissez ce puits de bardes de lard fines et remplissez la capacité d'un morceau de mie de pain, de façon à maintenir les cannelons dans la position que vous leur aurez donnée; faites fondre du beurre, dorez-les avec un doroir, mettez-les sous un four de campagne avec feu dessus et dessous, faites cuire et prendre belle couleur, ôtez votre bouchon de pain et les bardes de lard, égouttez le beurre, saucez dans le puits avec une italienne et servez.

PALAIS DE BŒUF A L'ITALIENNE. Même préparation que les précédents; faites-les cuire de même, égouttez-les, coupez-les en escalopes ou en petits carrés, coupez-les ensuite en ronds de la grandeur d'une pièce de 5 francs, mettez dans une casserole cinq cuillerées à dégraisser d'italienne rousse que vous ferez réduire au deux tiers de son volume, jetez vos palais dedans, laissez-les mijoter un peu, sautez-les, mettez un jus de citron et servez.

PALAIS DE BŒUF A LA POULETTE. Préparez comme ci-dessus, coupez vos palais en ronds ou en filets, mettez-les dans une casserole avec trois cuillerées à dégraisser de velouté, laissez-les mijoter, faites une liaison de deux jaunes d'œufs, délayez-la avec un peu de lait ou de crème, retirez vos palais du feu, liez-les avec vos œufs, remettez-les sur le feu en agitant toujours afin de bien faire cuire votre liaison, mettez un demi-pain de beurre, un filet de verjus ou un jus de citron, un peu de persil haché et servez-les. Si vous voulez faire une bordure à votre plat, mettez des croûtes de pain tournées en bouchons et frites dans du beurre.

Les palais de bœuf à la ravigote se font de la même manière, on les fait seulement sauter dans une sauce ravigote froide ou chaude.

CROQUETTES DE PALAIS DE BŒUF. Faites cuire dans un blanc trois palais de bœuf, laissez-les refroidir, coupez-les en petits dés avec des champignons et des truffes si c'est la saison; faites réduire quatre cuillerées d'espagnole ou de velouté à demi glacé, jetez dedans tous vos petits dés avec un peu de persil haché; retirez votre casserole du feu, liez votre salpicon avec deux jaunes d'œufs et du beurre gros comme une noix, versez le tout sur un plat, étendez-le avec la lame d'un couteau, en lui conservant une bonne épaisseur, laissez-le refroidir; lorsque votre salpicon sera froid, coupez-le par carrés égaux et donnez-lui la forme qu'il vous plaira : soit en côtelettes, soit en cannelons, soit en petites boules. Cassez trois œufs que vous battrez comme une omelette mettez-y un peu de sel fin; trempez vos morceaux l'un après l'autre dans cette omelette, mettez-les dans de la mie de pain en maintenant la forme que vous leur avez donnée et mettez-les sur un plat au feu et à mesure que vous les aurez passés; repassez votre mie de pain au travers d'une passoire, trempez une seconde fois vos croquettes dans l'omelette, passez-les de nouveau. Saupoudrez votre plat de mie de pain, rangez-les dessus et couvrez-les avec le reste de la mie de pain pour qu'elles ne sèchent point; au moment de servir, retirez-les de cette mie de pain, posez-les sur un couvercle, mettez votre friture sur le feu, faites-la bien chauffer sans la brûler; glissez toutes vos croquettes à la fois, afin qu'elles aient toutes la même couleur, retirez-les, faites-les égoutter un moment; rangez-les sur votre plat et servez avec un bouquet de persil frit dont vous couronnerez vos croquettes.

PALAIS DE BŒUF EN CRACOVIE. Préparez trois palais de bœuf comme les précédents, laissez-les refroidir, coupez-les en quatre, fendez chaque morceau en deux comme si vous leviez une barde de lard, ce qui vous donnera vingt-quatre morceaux. Faites blanchir dans l'eau ou cuire dans la marmite une tétine de veau, coupez-la comme vos palais, faites également un salpicon comme celui des croquettes ci-dessus, étendez-en gros comme le pouce sur chaque morceau de vos palais, roulez-les, enveloppez-les avec votre morceau de tétine, passez-les comme les croquettes, ou trempez-les dans une pâte à frire, faites-les frire comme les croquettes, dressez-les de même et servez.

PALAIS DE BŒUF A LA LYONNAISE. Faites cuire cinq ou six palais dans un blanc, ainsi qu'il est indiqué à l'article précédent, coupez cinq ou six oignons en tranches, passez-les dans le beurre, qu'ils soient d'une belle couleur; lorsqu'ils seront cuits, mouillez-les avec une cuillerée ou deux d'espagnole, si vous n'en avez pas, singez-les et mouillez-les avec un peu de bouillon, faites cuire le tout, coupez vos palais en carrés ou en filets, jetez-les dans votre sauce, mettez-y un peu de sel, de gros poivre et finissez avec un peu de moutarde.

GRAS-DOUBLE. Prenez la partie la plus épaisse du gras-double, mettez-la dans de l'eau tiède, râtissez-la bien, enlevez avec soin la partie spongieuse, remettez-la dans l'eau beaucoup plus chaude, faites-lui jeter un bouillon et nettoyez-la de nouveau, frottez-la avec du citron, faites qu'elle soit aussi blanche que possible, mettez cuire ce gras-double, dans un blanc, sept à huit heures; sa cuisson faite, coupez-le en losanges ou en filets. Si vous voulez le servir à la poulette, voyez l'article *Palais de bœuf à la poulette;* si vous le voulez à *l'italienne,* voyez aussi cet article.

Bœu

GRAS DOUBLE A LA MODE DE CAEN. Prenez une panse de bœuf avec sa mulette et sa caillette, faites-la blanchir, après qu'elle a été bien nettoyée, jetez-la dans l'eau fraîche pendant une heure, – coupez le tout par morceaux, assaisonnez avec sel et poivre, quatre épices; coupez en gros dés du lard maigre et mettez le tout ensemble. Prenez une grande jatte en terre, foncez-la avec carottes et oignons coupés, un bouquet garni à pointes d'ail, mettez par-dessus douze pieds de mouton blanchis, un pied de veau désossé, mettez votre gras-double par-dessus, ajoutez deux carottes coupées, un pied de céleri et douze poireaux entiers, ce qui sert à tenir toujours durant la cuisson du gras-double l'humidité convenable pour ne pas le sécher, – ajoutez une bouteille de vin blanc, un bon verre de cognac, deux litres d'eau et trois cents grammes de moelle de bœuf, couvrez le tout avec une feuille de papier beurré, puis, fermez le tout avec une pâte de farine et eau, – faites partir sur le feu et laissez mijoter, entourez la jatte de braise, et douze heures après, sondez la cuisson et servez bien chaud en ayant soin d'enlever les ingrédients du dessus. *(Vuillemot.)*

CERVELLES DE BŒUF. Elles se préparent exactement de la même façon que les cervelles de veau *(V. Veau)*. Cependant nous l'avons déjà fait observer, comme on foudroie le bœuf d'un coup de masse, il y a presque toujours dans la cervelle un épanchement de sang qui la rend moins délicate.

CRÉPINETTES DE PALAIS DE BŒUF. Faites revenir dans du beurre des oignons coupés en petits carrés, mettez-y un peu de muscade, d'ail, de laurier, du sel et du poivre. Les oignons étant cuits, vous verserez dessus de bon jus que vous aurez battu avec des jaunes d'œufs, jetez dans cette préparation des palais de bœuf bien cuits, et coupez en morceaux carrés longs; laissez refroidir le tout, chaque morceau de palais se trouvant enduit de cette pâte, vous les envelopperez, chacun à part, de crépinette de cochon, puis vous les ferez griller au feu doux sur un gril, ou vous les mettrez sous un four de campagne, et vous les servirez sur une purée de tomates ou sur une soubise.

ÉMINCÉ DE PALAIS DE BŒUF. Coupez des oignons en tranches aussi minces que possible, faites-les revenir dans le beurre jusqu'à ce qu'ils soient bien dorés, versez dessus un demi-verre de consommé, autant de sauce espagnole, faites mijoter le tout, ajoutez-y un peu de beurre bien frais et trois ou quatre pincées de sucre, d'autre part vous aurez émincé les palais de bœuf, vous les mettrez dans cette préparation, après quoi vous ferez encore mijoter le tout pendant deux ou trois minutes, puis vous dresserez votre émincé, vous ferez autour de lui un cordon de croûtons bien jaunes, vous pouvez aussi, arrivé là, faire votre émincé de palais de bœuf aux champignons, il s'agit pour cela de substituer des champignons aux oignons et la sauce allemande à la sauce espagnole.

LE PIED DE BŒUF POULETTE. Faites blanchir un pied de bœuf comme un pied de veau; laissez-le dégorger vingt-quatre heures à l'eau froide, prenez deux mètres de bord de fil (lavez-le pour lui enlever son goût d'apprêt), ficelez votre pied comme une momie, mettez-le dans une marmite avec grande eau, sel, gros poivre, bouquet garni, carottes et oignons avec clous de girofle et laissez bouillir le tout doucement, jusqu'à ce que le nerf du pied se brise, relâchez ensuite votre bord de fil jusqu'à ce que le pied, par son gonflement, devienne émollient.

Préparez une bonne allemande (voir aux sauces), ajoutez des champignons tournés et persil hachés, citronnez la sauce et, avec un bon morceau de beurre frais, liez-la bien. Mettez votre pied bien chaud sur un plat et saucez dessus; ce plat par son confortable, est très-recherché.

Un pied de bœuf poulette suffit à six personnes ayant bon appétit. Voilà un plat que le bon praticien, M. de Richelieu, n'a probablement pas pu indiquer à ses officiers de bouche. *(Vuillemot.)*

PIÈCE DE BŒUF A L'ANGLAISE. Prenez une culotte de bœuf de quatre kilos, assaisonnez-la de sel et poivre, prenez une serviette, beurrez-la; enveloppez votre pièce de bœuf dedans, – prenez une marmite, emplissez-la d'eau que vous faites bouillir, une bonne poignée de gros sel, huit navets, six gros oignons dont un clouté de deux clous de girofle, une pointe d'ail, quand votre eau sera en pleine ébullition, plongez votre pièce de bœuf dedans, fermez hermétiquement la marmite; pour 4 kilos de bœuf, il faut deux heures de cuisson, soit, pour 500 grammes, un quart d'heure, après ce temps, retirez vos légumes, passez-les au tamis à quenottes, mettez-les dans une casserole avec un bon morceau de beurre frais, assaisonnez sel et poivre, mettez cette purée dans un légumier, retirez votre pièce de bœuf de la marmite, dressez-la sur un plat garni de persil et servez. Ce relevé de potage en vaut bien un autre. *(Vuillemot.)*

ROOLPINS. (Article traduit du Hollandais par M. de Courchamps.) « Prenez 3 kilos de viande de bœuf, celle des côtes découvertes est la meilleure; ayez soin qu'elle soit bien marbrée, faites en sorte qu'il y ait autant de gras que de maigre; hachez le tout ensemble, à peu près comme une farce à pâtés; assaisonnez de sel, poivre, épices, muscade. Vous vous serez procuré de la panse de bœuf bien nettoyée, coupez-la en morceaux carrés, de la grandeur de vingt centimètres ou à peu près; remplissez-en l'intérieur de votre farce; rapprochez les extrémités de l'enveloppe et cousez-les avec une grosse aiguille.

Grand socle d'Agriculture. (D'après Urbain Dubois)

Tous vos morceaux préparés ainsi, ayez un chaudron bien étamé, faites bouillir de l'eau avec une bonne poignée de sel et un litre de vinaigre; faites bouillir ces morceaux pendant une heure (vous aurez un grand pot en grès); égouttez vos morceaux sur un linge blanc, versez du vinaigre, ce qu'il en faut pour les couvrir, ne couvrez votre pot que lorsque le tout sera refroidi; vous pourrez vous en servir au bout de quinze jours. Si vous n'en faites pas l'emploi en totalité, laissez-les dans le vinaigre, seulement après ce temps il faut les mettre dans de l'eau tiède une heure, afin que le vinaigre soit absorbé.

Cuisson de roolpins. Prenez ce qu'il vous faut de morceaux, coupez-les en tranches, telles que des biftecks; posez-les dans un plat à sauter où vous aurez mis du beurre, donnez cinq minutes de cuisson à feu vif, en ayant soin de les retourner de temps en temps; vous aurez préparé autant de tranches de belles pommes de reinette, faites-les frire comme les morceaux ci-dessus; dressez ce hors-d'œuvre en couronne, en posant alternativement un morceau de chaque sorte; servez le plus chaud possible.

BOLET

Genre de la famille des champignons dont le chapeau est conique et la surface inférieure garnie de pores ou tubes arrondis.

Le *bolet comestible*, le seul de cette espèce que l'on puisse manger, se trouve par toute la France, dans les bois et les lieux couverts. Il a un pédicule assez gros, cylindrique et quelquefois ventru, blanchâtre ou jaune avec des lignes en réseau; son chapeau est large, voûté, d'une couleur ferrugineuse tirant sur le bleu, quelquefois d'un rouge de brique rembruni ou bien d'un rouge cendré, ou bien encore blanc et jaunâtre, souvent d'une teinte vineuse sous la peau; les tubes sont d'abord blancs, ensuite jaunâtres et verdâtres.

M. Dennezil, à qui nous empruntons cette désignation, ajoute que les bœufs, les cerfs, les porcs, le mangent avec avidité, et il est très-recherché comme aliment et comme assaisonnement dans le midi de la France; mais on n'en fait pas usage à Paris, quoiqu'il se trouve communément aux environs de cette ville, principalement dans les bois de Ville-d'Avray et de Meudon. On le connaît dans le Midi sous le nom de *ceps, cep, girole, giroule, bruguet.* En Lorraine on le mange sous le nom de *champignon polonais,* parce que ce sont des Polonais de la suite du roi Stanislas Leczinski qui montrèrent qu'on en pouvait manger sans danger.

BONITE

Poisson de la famille des maquereaux, mais plus gros que ces derniers; il ressemble beaucoup au thon, et se nourrit comme lui de poissons et d'algues, mais sa chair est plus délicate, et les gourmets l'estiment autant que celle du maquereau. Le nom qu'il porte indique d'ailleurs suffisamment quel genre de mérite on leur a reconnu et prouve assez la bonté de sa chair.

Ce poisson vit dans la Méditerranée, on en trouve aussi sur les côtes de France et d'Espagne; mais il abonde entre les tropiques, et se plaît, dit-on, à suivre les vaisseaux.

Ces poissons vivent à la surface de l'eau et s'élancent même dans l'air pour y saisir les poissons volants qui constituent leur principale nourriture, il est donc facile de les pêcher, et voici le moyen qu'on emploie :

On se sert d'une ligne volante à laquelle on attache deux plumes blanches près du hameçon, afin de simuler le poisson volant, puis on laisse pendre cette ligne en l'agitant de temps en temps à quelques pouces au-dessus de l'eau, la bonite se précipite alors pour saisir sa proie et se trouve saisie elle-même.

Ce qui donne une certaine importance à la pêche de ce poisson, c'est qu'on le sale comme le thon et qu'on l'expédie comme tel dans des barriques, dans tous les pays du monde; bien souvent quand on croit se régaler de thon, on ne mange que de la bonite, qui du reste est tout aussi bonne.

BONITOL

Fils de la précédente; il est presque de la grosseur du maquereau, sa chair est d'un excellent goût.

BONNET DE TURQUIE

Espèce de pâtisserie ancienne, faite dans un moule ayant la forme d'un bonnet turc, avec des côtes. On le fait de pâte de gâteau de Savoie ou de gâteau d'amande, on peut aussi le faire de pâte croquante.

On fait une grande abaisse de cette pâte, dont on fonce le moule en en marquant bien le dessus; puis on le met au four, après l'avoir piqué avec la pointe d'un couteau, afin qu'il ne cloche point. On peut faire la pâte plus fine et même la foncer de pâte de massepains blanche, faite avec des amandes douces bien pilées ensemble; on met le tout sur le feu dans une casserole avec une poignée de sucre, et on remue constamment avec la spatule; quand la pâte est cuite, on en fait une abaisse comme pour une croquante et on la met cuire d'une belle couleur. Lorsque ce gâteau est cuit, on y met des confitures de plusieurs sortes de couleurs; on fait une côte d'une couleur, une autre côte d'une autre couleur, et cela fait un fort bel effet; on le met ensuite sur un fond garni de confiture, on l'enjolive le plus qu'il est possible, et on le sert comme entremets.

BONNET DE TURQUIE A LA TRIBOULET. Mettez 500 grammes de pistaches pilées avec 250 grammes de sucre fin, un peu de citron vert haché, quinze jaunes d'œufs afin que la pâte ne soit pas trop liquide; battez le tout ensemble comme les biscuits, fouettez les blancs d'œufs, en neige et mêlez-les avec le reste, joignez-y 250 grammes de farine passée au tamis, et remuez le tout légèrement; beurrez votre moule en bonnet turc avec du beurre fin, mettez-y votre biscuit, et faites cuire au four à feu doux, et légèrement saupoudré de sucre. Au bout de deux heures il est cuit, alors retirez-le du feu, glacez une bande blanche avec une glace blanche et une bande rougeâtre avec de la glace faite avec de la cochenille.

BONNET DE TURQUIE COLORÉ. Échaudez et pilez 250 grammes de pistaches, quand elles seront bien pilées, mettez-y 375 grammes de sucre fin, du citron confit aussi pilé, un peu de citron vert haché très-fin, et douze jaunes d'œufs; battez bien le tout ensemble avec deux cuillers de bois, puis fouettez les douze blancs en neige en les faisant bien monter, et mêlez-les avec le reste; ajoutez-y aussi 250 grammes de farine très-fine, mélangez bien le tout ensemble avec les verges; vous beurrez ensuite avec du beurre fin votre bonnet turc, vous mettez votre pâte dedans, vous faites cuire au four pendant trois heures, puis, lorsqu'il est bien cuit, vous le couvrez d'une couche épaisse de confitures de quatre couleurs : vous faites un quart avec de la glace blanche, un deuxième avec la confiture de groseilles, un troisième avec de la marmelade d'abricots, puis un quatrième avec du verjus confit ou des pistaches pilées.

Vous servirez ensuite cet entremets qui fait très-bien sur la table.

BONNET DE TURQUIE EN SURPRISE. Vous prenez de la pâte d'amandes, que vous avez faite avec des amandes douces pilées, arrosées d'un peu de blanc d'œuf fouetté avec un peu d'eau de fleurs d'oranger et réduites en pâte avec du sucre en poudre; vous pilez cette pâte d'amandes dans un mortier avec du bon beurre frais, de l'écorce de citron vert hachée, quelques confitures, du sucre, quatre ou cinq jaunes d'œufs; puis beurrez le moule avec du beurre très-fin, mettez au fond et autour de la pâte d'amandes préparée comme il est dit ci-dessus, et faites cuire au four, vous le laissez trois heures, puis quand le gâteau est cuit, vous le levez, le mettez sur un plat, le couvrez de confitures de différentes couleurs comme ci-dessus, et servez.

BORA

Poisson des mers du Japon, ressemblant au brochet, sa chair est blanche et délicieuse et a les mêmes propriétés alimentaires que celle du brochet, c'est-à-dire de bon goût et de facile digestion.

On marine et on fume la chair du bora comme celle du brochet, et cette chair marinée et fumée est l'objet d'un très-grand commerce pour les Hollandais et les Chinois qui la transportent dans toutes les parties de l'empire.

BORDELIÈRE

Poisson de rivière et de lac, ressemblant à la brême; son nom lui vient de ce qu'il se trouve toujours au bord des fleuves.

La chair de ce poisson est du goût de celle de la carpe, elle s'apprête de même.

BORQUIEN

Poisson de l'océan Atlantique, il est très-vorace et saisit avec avidité tout ce qu'on lui jette, sa chair est bonne, mais peu recherchée.

BOUC

Le bouc est le mâle de la chèvre; jeune il se nomme chevreau ou cabri, et doit être mangé, pour que sa chair soit tendre et délicate, avant six mois; mais après ce temps, c'est-à-dire lorsqu'il est devenu bouc, elle a un goût désagréable et porte une odeur très-forte.

Le bouc a été de tout temps sacrifié; il n'y a que les Égyptiens et d'autres peuplades de l'Asie qui, par respect pour le dieu Pan, ses pieds fourchus et ses cornes, aient laissé le bouc paître en paix et courtiser sa femelle; mais il est universellement condamné en Europe; et tout cuisinier qui se respecte méprise profondément cet animal : qui

pue, dit-il, et qui n'est bon tout au plus qu'à faire le chevreau.

Les Grecs immolaient un bouc sur les autels de Bacchus,
parce que les ravages commis dans les vignobles par cet
animal excitaient le courroux du dieu des buveurs; c'est
sans doute en mémoire de cela que dans les fêtes de Bacchus,
en Grèce, on préludait toujours par le sacrifice d'un bouc
aux chants joyeux, aux mascarades et aux autres divertissements auxquels on se livrait aux champs comme à la
ville, divertissements qui furent, comme on le sait, l'origine
très-peu reconnaissable de la tragédie.

Enfin, le Lévitique donne la description de la cérémonie
du bouc émissaire, en ces termes « : Dieu parla à Moïse et
lui dit :

« Puis Aaron jettera un sort sur les deux boucs : un sort
« pour l'Éternel et un sort pour le bouc qui doit être *Haza-*
« *zel*... Et Aaron, posant ses deux mains sur la tête du bouc
« vivant, confessera sur lui toutes les iniquités des enfants
« d'Israël et toutes leurs fautes, selon tous leurs péchés,
« et il les mettra sur la tête du bouc, et l'enverra au désert
« par un homme exprès... Et le bouc portera sur soi toutes
« leurs iniquités dans une terre inhabitable; puis cet
« homme laissera aller le bouc dans le désert. »

Pauvre bouc, va! heureusement qu'il a bon dos, heureusement aussi qu'il n'est pas resté dans le désert; que seraient
devenues nos chèvres?...

BOUCAGE

Plante de la famille des ombellifères, ainsi nommée à
cause de la forte odeur de bouc qu'elle exhale. Il s'en
fait un commerce considérable, car on s'en sert pour la
composition de certains ratafias et de quelques pâtisseries. Les confiseurs s'en servent en place d'anis pour mettre
dans des dragées, et l'on en retire encore une huile essentielle bleue, qui sert dans quelques contrées, à Francfort,
par exemple, pour teindre l'eau-de-vie en cette couleur,
mais ce mélange lui donne une âcreté désagréable.

Les semences du boucage ont les mêmes propriétés que
celles de l'anis; elles sont stomachiques, facilitent la digestion et chassent les vents.

BOUCHER, BOUCHERIE

Autrefois, le privilège de vendre la viande dite de boucherie comprenait aussi celle du porc; mais quelques rôtisseurs et quelques aubergistes s'étant avisés de vendre du
porc cuit et des saucisses, on leur donna le nom de charcutier venant de chair cuite, et s'étant institués en communauté, les bouchers leur cédèrent cette branche de leur
commerce. (*V. Charcutier.*)

L'institution de la boucherie, et par conséquent des bouchers, remonte à la plus haute antiquité : dès qu'on put

faire de la viande du bétail une alimentation constante et
régulière, on forma des établissements, appelés *étaux* ou
boucheries, pour vendre au public de la viande fraîche et
aussi pour servir d'abattoirs avant que des établissements
de ce dernier genre fussent fondés.

Les Romains avaient leurs abattoirs nommés *lanionia*
et leurs étaux ou boucheries nommés *macella;* ces établissements furent d'abord épars dans différents quartiers, puis
ils finirent par se réunir en société, et on leur affecta un
quartier tout entier qui prit la dénomination de *macellum
magnum* après qu'on y eut transporté aussi les marchés où
se vendaient les autres substances comestibles. L'accroissement de la population romaine nécessita bientôt la construc-
tion de deux grandes boucheries qui, par leur magnificence,
ne le cédaient en rien aux bains, aux cirques, aux amphi-
théâtres, etc. Les Romains avaient aussi une police spécialement affectée à l'examen des viandes fraîches qui
entraient au marché, cette police empêchait les marchands, sous peine d'une forte amende, de vendre de la
viande qui eût été tuée depuis plus de quarante huit heures
en hiver et de vingt quatre heures en été.

Dès les premiers temps de l'histoire de France, nous retrou-
vons à Paris des boucheries établies sur le modèle de celles
des Romains. La corporation des bouchers existait déjà
sous la haute surveillance d'un chef nommé par eux;
ce chef devait vider tous les différends qui pouvaient
exister dans la corporation et ne relevait que du prévôt de
Paris, en ce qui concernait le métier et l'administration des
biens de ses sociétaires. La possession de ces biens était
commune à tous les membres, à l'exclusion des filles, et
les familles qui ne laissaient pas d'héritiers mâles cessant
d'appartenir à la communauté, celle-ci profitait des héritages.

Il n'y eut pendant longtemps qu'une seule boucherie à
Paris, dont la tour Saint-Jacques-la-Boucherie seule nous
indique aujourd'hui l'emplacement; puis on en institua
une seconde : la boucherie du Parvis; mais elle fut abandonnée, en 1122, par Philippe-Auguste à l'évêque de Paris;
enfin les Templiers, sur une charte de Philippe le Hardi,
établirent aussi une boucherie dans le voisinage de leur
maison; la vieille corporation et la grande boucherie gar-
dèrent leurs antiques usages et conservèrent seules le
privilège de délivrer des patentes à ceux qui voulaient
ouvrir d'autres étaux.

Par une ordonnance de Charles VI, datée de 1481, tout
boucher qui se faisait recevoir maître à Paris était obligé
de donner un *aboivrement* et un *past*, c'est-à-dire un déjeuner
et un festin. Or, pour l'aboivrement, le nouveau maître
devait au chef de la communauté un cierge de 750 grammes
et un gâteau pétri aux œufs; à la femme de celui-ci, quatre
pièces de viande à prendre dans chaque plat; au prévôt
de Paris, un demi-litre de vin et quatre gâteaux; au voyer

de Paris, au prévôt du Fort-L'Évêque, aux célerier et concierge du Parlement, un quart de litre de vin pour chacun et deux gâteaux.

Pour le past ou festin, il devait au chef de la communauté : un cierge de 500 grammes, une bougie roulée, deux pains, un demi-chapon et 15 kilos 1/2 de viande ; à la femme du chef, douze pains, un litre de vin et quatre pièces à prendre dans chaque plat ; au prévôt, un demi-litre de vin, quatre gâteaux, un chapon et 30 kilos 1/2 de viande, tant en porc qu'en bœuf (car à cette époque les bouchers vendaient encore la viande de porc, ce ne fut qu'au XVIe siècle que les charcutiers s'emparèrent de cette vente) ; enfin, au voyer de Paris, au prévôt du Fort-l'Évêque, au célerier et au concierge du Parlement, un demi-chapon pour chacun, deux gâteaux et 15 kilos 1/2 de viande de bœuf, plus 60 grammes de porc.

Les différentes personnes qui avaient droit à ces rétributions étaient obligées, quand elles les envoyaient prendre, de payer un ou deux deniers au ménétrier qui jouait des instruments dans la salle.

Cela n'était pas cher se nourrir.

Quelques bouchers devenus riches, ayant mis des locataires dans leurs étaux à des prix exagérés, le Parlement décida qu'un conseiller de la cour présiderait chaque année à leur adjudication. Puis enfin, Henri III, par lettres patentes du mois de février 1587, réunit en une seule et unique communauté tous les bouchers de la ville, qu'il érigea en corps de métier juré et leur donna des statuts.

La révolution de 1789, époque à laquelle il y avait environ à Paris 310 boucheries, vint apporter un grand trouble dans ce corps de métier ; la perturbation étant générale, une foule de gens se mirent à vendre de la viande de boucherie fraîche ou non, partout où ils se trouvaient et jusque dans les caves, et il en résulta les abus les plus pernicieux

pour la santé publique ; enfin le désordre et le gaspillage devinrent tels que l'autorité se vit obligée de prendre des mesures pour réprimer cet état de choses. Un arrêté du 9 germinal an VIII porta que « nul ne pourrait exercer la profession de boucher sans être commissionné par le préfet de police » ; puis le 8 vendémiaire an XI, un décret rétablit en corporation la boucherie parisienne, institua un syndicat, et exigea de tout boucher, indépendamment de l'autorisation du préfet de police, le versement d'un cautionnement qui variait de 1,000, 2,000, à 3,000 francs, selon l'importance des établissements. Le décret impérial du 8 février 1811 fut plus restrictif encore : il réduisit à trois cents le nombre des boucheries de la capitale, affecta au rachat des étaux dépassant ce nombre les intérêts des cautionnements dont le capital alimentait la caisse de Poissy et réorganisa sur des bases nouvelles cette caisse,

sorte de banque chargée déjà depuis plusieurs années de servir d'intermédiaire entre les bouchers et les marchands de bestiaux et de faire à ceux-ci l'avance des payements jusqu'à concurrence du cautionnement des acheteurs.

Depuis cinquante ans la boucherie a fait d'immenses progrès ; d'abord il s'est fondé des abattoirs qui ont fait disparaître toutes les tueries des boucheries, effrayants foyers d'infection, que l'usage avait jusque-là tolérées, aux dépens de la salubrité publique, dans les rues étroites du centre de Paris ; on en institua trois principaux : l'abattoir Montmartre, l'abattoir Popincourt et l'abattoir du Roule, qui se fondirent en un seul établi il y a un ou deux ans à La Villette ; c'est là maintenant, dans cet immense et magnifique établissement que viennent s'approvisionner tous les bouchers qui vendent ensuite aux consommateurs, à des prix limités, la viande nécessaire à leur usage journalier ; cette vente augmente tous les jours d'importance, et il se vend quotidiennement à Paris plus de

400.000 kilos de viande de bœuf, de veau ou de mouton. Le nombre des bouchers a aussi considérablement augmenté, et l'on n'en compte pas moins de 300 disséminés dans tous les quartiers de Paris, et qui, chaque matin, se trouvent presque tous réunis à l'abattoir de La Villette, où la viande du bétail tué pendant la nuit leur est débitée; d'autres ont leur voiture qui, à deux ou trois heures du matin et bien avant que la clientèle soit éveillée, apporte la viande fraîchement dépecée; c'est presque sinistre de voir la nuit des voitures voyageant avec rapidité, afin de livrer leur marchandise le plus promptement possible, et portant ces corps sanguinolents, entourés de linge; sanglants et laissant après eux une longue traînée de sang, l'imagination se livre alors aux plus lugubres réflexions. Depuis quelques années, il s'était aussi établi à Paris quelques boucheries de viande de cheval, quelques amateurs hippophages avaient essayé de faire passer cet aliment dans la consommation : des banquets furent donnés dont les comptes rendus furent publiés dans les journaux, puis des prospectus furent distribués, offrant aux consommateurs bon marché et bonne qualité; mais rien n'y fit et l'on vit peu à peu ces boucheries disparaître; c'est à peine aujourd'hui s'il en reste deux ou trois établies dans les quartiers les plus pauvres de Paris et dont le bon marché soutient seul l'existence.

La viande de cheval, du reste, n'est pas précisément mauvaise, mais elle a besoin d'être fortement assaisonnée; et surtout d'être mangée sans préjugés.

Rappelons qu'à Rome, les bouchers avaient des boutiques dans toutes les rues jusqu'au moment où ces boutiques furent réunies dans un seul quartier qui s'appela, comme nous l'avons dit : *Macellum magnum*. Il y en avait surtout au Forum, cette grande exhibition quotidienne des produits de Rome et de ses environs.

Il y avait un étal de boucher en face du tribunal des Décemvirs puisque c'est à un étal de boucher que Virginius arracha le couteau avec lequel il tua sa fille.

Peut-être s'étonnera-t-on que Viginius, qui était centurion, par conséquent capitaine dans l'armée romaine, prit un ignoble couteau de boucher pour tuer la jeune et belle enfant dont Appius était amoureux et qu'il voulait lui enlever.

D'abord, il y a des moments où l'histoire fait du pittoresque mieux que les romanciers; l'histoire, en faisant plonger dans le cœur de cette gracieuse créature l'immonde couteau qui servait à égorger les derniers animaux, faisait une splendide opposition des formes les plus élégantes avec l'arme la plus basse.

Puis il fallait bien que ce fût ainsi, puisqu'à cause des disputes qui avaient lieu à tous moments, il était défendu à tous les citoyens, même aux soldats, d'entrer au Forum avec leurs armes.

Virginius, quoique centurion, avait donc dû subir la loi générale et, venant plaider pour sa fille, y plaider désarmé. Voilà ce qu'ignorait Alfieri qui fait tuer Virginie d'un coup d'épée, attendu, dit-il, que l'épée est une arme plus noble qu'un couteau.

L'arme est plus noble, c'est vrai; mais à notre avis, elle est moins dramatique; puis elle indique chez l'auteur une ignorance des mœurs et des lois du temps qu'il n'est pas permis à un auteur d'avouer.

On sait que c'est à la suite de l'émeute qui accompagna la mort de Virginie que le tribunal des Décemvirs fut renversé. On lui doit la loi des *Douze Tables*, qui fut longtemps le code romain.

Les bouchers, du reste, semblaient destinés à être illustrés par des événements dans le genre de celui que nous venons ci-dessus de raconter et à s'illustrer eux-mêmes, mais toujours dans de sanglantes circonstances; ne sont-ils pas hommes de sang, et par conséquent aimant le sang?

On sait quelle part active les bouchers prirent sous Charles VI à la querelle sanglante des Armagnacs et des Bourguignons. On sait que Caboche, un des leurs, leur chef, devint aussi le chef du peuple parisien. Les Armagnacs victorieux firent démolir la grande boucherie et celle du Parvis et abolirent tous leurs privilèges; mais leurs adversaires s'étant à leur tour retrouvés les plus forts, les rétablirent et relevèrent les ruines des étaux du Châtelet.

BOUCLIER

Poisson vivant sur les côtes de l'Islande et en Danemark. La chair du mâle, trouvée excellente par les habitants, se mange fraîche, cuite sur le gril et quelquefois dans un potage de petit lait; c'est, paraît-il, une nourriture saine et agréable; on sèche aussi la chair, on la sale et on la mange dans le pays, comme nous mangeons les harengs-saurs.

BOUCON

Espèce de ragoût de veau.

Pour faire ce ragoût, vous prenez de petites tranches de rouelle de veau, un peu longues et minces, vous les aplatissez sur une table, vous rangez l'un après l'autre sur ces tranches un gros lardon de lard cru et un de jambon; poudrez le tout d'un peu de persil et de ciboule; assaisonnez de fines épices et de fines herbes. Puis vos tranches ainsi garnies, vous les roulez proprement comme des filets mignons et les mettez dans un pot pour les cuire à la braise. Quand elles sont bien cuites, vous les égouttez et les servez avec un bon coulis et ragoût de champignons, truffes et autres garnitures.

BOUDELIÈRE

C'est un des meilleurs poissons d'eau douce, sa chair nourrit et se digère facilement.

BOUILLANTS

Ancien pâté d'entremets qui se sert encore aujourd'hui sur les meilleures tables.

Pour faire des bouillants, prenez l'estomac de poulets ou chapons rôtis, avec un peu de moelle, gros comme un œuf de tétine de veau blanchie, autant de lard et un peu de fines herbes, hachez et assaisonnez bien le tout et mettez-le sur une assiette.

Faites un morceau de pâte fine, tirez-en deux abaisses, minces comme du papier, mouillez-en une légèrement avec de l'eau, mettez de votre farce dessus par petits tas un peu éloignés les uns des autres. Couvrez-les ensuite avec l'autre abaisse en l'étendant avec le bout de vos doigts; enfermez chaque morceau bien hermétiquement entre les deux pâtes, coupez-les avec un fer propre à cela, dressez-les ensuite proprement sur un plat comme des petits pâtés et faites-les cuire au four; quand ils sont de belle couleur, vous les servez chaudement pour hors-d'œuvre ou garnitures d'entrées.

Cela ressemble beaucoup à ce que nous appelons vol-au-vent à la financière.

BOUILLI

On entend par bouilli toute pièce de viande cuite dans l'eau.

Le président Hénault, raconte un homme d'esprit du temps de la Restauration, dînant chez madame du Deffand, disait d'une poularde trop bouillie qu'elle était comme un rayon de miel où il ne restait que de la cire, et madame du Deffand, chez laquelle on dînait, trouva que le président avait raison; le bouilli n'est que de la viande cuite, moins son jus, disait Mme de Créquyi. Il y avait une chose à répondre à ces illustres gourmands : « Avez-vous goûté du bœuf ou des poulets de la marmite éternelle?

– Non!

– Eh bien, goûtez-en et vous reviendrez sur votre opinion.

– Qu'est-ce que la marmite éternelle? »

La marmite éternelle est ou plutôt était, attendu que cette illustre institution gastronomique a cessé de fonctionner depuis longtemps, la marmite éternelle était un récipient qui ni jour ni nuit ne quittait le feu, dans laquelle on mettait un poulet dès qu'on en retirait un poulet; un morceau de bœuf dès qu'on en tirait un morceau de bœuf; et un verre d'eau dès qu'on en tirait une tasse de bouillon; toute espèce de viande qui cuisait dans ce bouillon gagnait en sapidité plutôt que d'y perdre, car elle héritait des sucs qu'avaient laissés dans ce bouillon où elle venait à son tour laisser une partie des siens, les sucs des viandes qui avaient cuit avant elle; il ne fallait laisser dans la marmite éternelle le morceau de viande qu'on y faisait cuire que le temps absolument nécessaire à sa cuisson; il ne perdait aucune de ses qualités.

Maintenant que la marmite éternelle nous manque, il faudra se contenter de faire un grand bouilli.

Pour faire un beau plat de relevé, achetez une culotte de bœuf de 12 à 15 kilos, faites-la désosser, ficelez-la de manière à ce que votre relevé de potage ait la forme d'un carré long, bombé; faites-la cuire dans un bouillon que vous aurez fait la veille, et dans lequel vous aurez mis tous les restes des rôtis de la veille, poulet rôti, dinde rôtie, lapin rôti, etc., etc. Mettez autour de votre pièce de bœuf une garniture à la Chambord ou à la Godard, décorez-la d'une quantité d'hâtelets garnis de rissolles, et fichés dans les chairs en manière de porc-épic; si la garniture de votre bouilli n'est ni à la Chambord ni à la Godard, garnissez-le de petits pâtés d'oignons glacés, de choucroute, de nouilles ou de légumes à la flamande.

BOUILLI FROID. Faites avec le bouilli froid des tartines au beurre et aux fines herbes, ou mangez-le en salade. Mais comme notre goût peut n'être pas celui de tout le monde, nous allons dire tout le parti qu'on en peut tirer.

POITRINE DE BŒUF ENCHARBONNÉE. Coupez-la froide en longs morceaux; panez-la, faites-la griller lestement et servez-la sur une purée de tomates ou sur une sauce piquante aux échalotes et aux cornichons.

MIROTON SAINT-HONORÉ. Versez sur un plat qui aille sur le feu de bon bouillon gras avec persil, estragon, ciboule, cerfeuil et câpres; couchez sur cet assaisonnement votre bœuf coupé en tranches les plus minces possible, assaisonnez comme dessus, couvrez le plat, et laissez cuire doucement trente ou quarante minutes.

Miroton

Croquettes de Bouilli

MIROTON A LA MODE DE L'ILE SAINT-LOUIS. Coupez le bœuf en tranches minces, en travers, hachez des oignons, faites-les roussir à la graisse de bœuf, ajoutez farine, bouillon, sel, poivre et vinaigre, laissez bouillir un quart d'heure, versez sur votre bœuf disposé dans un plat; laissez mijoter pendant trente ou quarante minutes. Chapelurez et faites prendre couleur au four, s'il vous convient.

BOUILLI AU PAUVRE HOMME. Coupez votre bouilli en tranches, couchez ces tranches sur un plat, semez par-dessus du sel, du poivre, du persil, de la ciboule hachée, un peu de graisse du pot, une pointe d'ail, versez un verre de bouillon, un peu de chapelure de pain; faites-les mitonner sur de la cendre chaude pendant un quart d'heure.
Quand on était plus de huit jours sans donner à Louis XV son bœuf au pauvre homme, il était le premier à le redemander.

HACHIS DE BŒUF A LA MÉNAGÈRE. Vous hachez des oignons avec du persil, des ciboules et un peu de thym, passez-les au beurre jusqu'à ce qu'ils soient bien cuits; vous y ajouterez un peu de farine et vous tournerez jusqu'à ce qu'elle ait pris couleur; vous la mouillerez avec du bouillon et un demi-verre de vin blanc. Assaisonnez de sel, de poivre, et quand l'oignon sera cuit, la sauce réduite, mettez-y le bœuf haché et laissez-le mitonner sur un feu très-doux pendant une demi-heure.

BOUILLI EN PERSILLADE. Mettez au fond d'un plat de la graisse de rôti ou du beurre étendu, semez dessus du persil très-fin et des champignons hachés, saupoudrez le tout de chapelure, superposez des tranches de bœuf cuit dans le pot-au-feu, graisse, persil, champignons, et alternez; mouillez de bouillon, faites bouillir quarante-cinq minutes, ayez soin de rafraîchir de temps en temps, puis, lorsque le tout a bouilli, dégraissez-le et servez-le avec un cordon de pommes de terre sautées.

BOUILLI EN QUENELLES. Hachez du bœuf bouilli avec des pommes de terre cuites dans la cendre, ajoutez-y du beurre ou de la graisse de potage et quelques œufs entiers, maniez bien le tout et faites-en des boulettes que vous passerez au beurre dans une casserole, servez avec une sauce à la ravigote ou une sauce piquante.

BOUILLI EN MATELOTE ET A LA BOURGEOISE. Mettez des petits oignons dans une poêle avec un peu de beurre, faites-les roussir sur un feu doux, mettez-y une cuillerée à bouche de farine; lorsque la sauce aura pris une certaine couleur, mettez un verre de vin rouge, un demi-verre de bouillon, faites-y sauter vos oignons, quelques champignons, du sel, du poivre, une feuille de laurier, un peu de thym; lorsque le ragoût sera cuit, vous le verserez sur les tranches de bouilli que vous aurez mises sur un plat, faites-le mijoter une demi-heure afin que le bouilli se pénètre de la sauce et servez.

BOUILLI A LA POULETTE ET A LA BOURGEOISE. Mettez un morceau de beurre avec du persil et de la ciboule hachée dans une casserole, faites-les revenir, mettez une cuillerée de farine, agitez le tout ensemble, versez un verre de bouillon ajoutez sel, poivre, et muscade; faites bouillir cinq ou six minutes, mettez-y votre bœuf que vous aurez taillé en petites tranches; sautez-le dans votre sauce et liez avec trois jaunes d'œufs.

BOUILLIE

Espèce de potage, composé de farine, de blé ou de fécule que l'on fait cuire dans du lait, ou dans du bouillon, ou dans une émulsion d'amandes; c'est la première nourriture que l'on donne aux enfants qui quittent le sein; la bouillie la plus légère se fait avec la fécule de pomme de terre; c'est celle également qui a besoin de rester le moins longtemps sur le feu pour arriver à son entière cuisson. Pour rendre la farine de froment plus alimentaire que celle de fécule il faut qu'elle soit séchée au four jusqu'à être légèrement roussie. La bouillie au reste se fait avec toutes sortes de farines : avec la farine de sagou, de salep, de tapioca, d'arrow-root, d'orge et d'épeautre; la bouillie de farine d'avoine se nomme gruau; la bouillie de mie de pain, s'appelle panade.

Nota. Pour cette dernière sorte de bouillie, observe M. Vuillemot, ayez grand soin de ne mettre le beurre qu'au moment de la liaison, pour lui conserver toute sa suavité.

BOUILLON

Il n'y a pas de bonne cuisine sans bon bouillon; la cuisine française, la première de toutes les cuisines, doit sa supériorité à l'excellence du bouillon français; cette excellence résulte d'une espèce d'intuition donnée je ne dirai pas à nos cuisinières, mais à nos femmes du peuple.

Rivarol disait à des gourmands de Lubeck et d'Hambourg en laissant son assiette de potage aux trois quarts pleine : « Messieurs, il n'y a pas en France une garde-malade ni une portière qui ne sache faire du meilleur bouillon que le plus habile cuisinier de vos trois villes hanséatiques. Dans ma jeunesse j'habitais ma ville natale, Villers-Cotterêts; elle est entourée d'une magnifique forêt où le duc de Bourbon venait faire de très-belles chasses au sanglier; mon cousin était inspecteur de la forêt; ayant entendu un jour le duc de Bourbon me dire chez lui :

« Monsieur Dumas, votre père et moi avons échangé quelques bons coups de sabre dans notre jeunesse», il m'invita désormais à dîner chez lui toutes les fois que le duc de Bourbon y dînait c'est-à-dire toutes les fois qu'il venait chasser à Villers-Cotterêts.

Un jour le prince racontait qu'en sortant de France en 89, il était allé demander l'hospitalité au prince-évêque de Passau; ce dernier la lui avait donnée avec la fastueuse hospitalité des prélats souverains; au premier dîner le prince de Condé s'écria :

« Ah! par ma foi voilà de bonne soupe, passez-moi encore quelques cuillerées.

— Monseigneur, répondit le prince-évêque, je ferai ordonner que pendant tout le temps que vous passerez chez moi, on y soigne beaucoup les potages; la nation française est une nation soupière.

— Et bouillonnante, monseigneur, répondit le vieil émigré, et de son dernier bouillon elle m'a flanqué à la porte. »

Nous allons donc en recueillant toutes les autorités, dire quels sont les principes de la viande auxquels le bouillon emprunte sa sapidité; ces principes sont la *fibrine*, la *gélatine*, l'*osmazôme*, la *graisse*, et l'*albumine*.

La fibrine. La fibrine est insoluble, la fibre est ce qui compose le tissu de la chair et ce qui se présente à l'œil après la cuisson; la fibre résiste à l'eau bouillante, et conserve sa forme quoique dépouillée d'une partie de ses enveloppes; quand un morceau de viande a longtemps bouilli dans un grand volume d'eau, ce qui en reste est à peu près de la fibrine pure.

La *gélatine* diminue à mesure qu'on avance en âge, à 90 ans les os ne sont plus qu'une espèce de marbre imparfait; c'est ce qui les rend si cassants, et fait une loi de prudence aux vieillards d'éviter toute occasion de chute. Les os sont principalement composés de gélatine et de phosphate de chaux.

L'*osmazôme* est cette partie éminemment sapide de viande qui est soluble à l'eau froide et qui se distingue de la partie extractive en ce que cette dernière n'est soluble que dans l'eau bouillante; c'est l'osmazôme qui fait la valeur des bons potages, c'est lui qui en se caramélisant forme le roux des viandes, c'est par lui que se forme le rissolé des rôtis, enfin c'est par lui que sort le fumet de la venaison et du gibier.

L'osmazôme se tire surtout des animaux adultes à chair noire qu'on est convenu d'appeler chair faite; on n'en trouve point ou presque point dans l'agneau, le cochon de lait, les poulets, et même dans le blanc des plus grosses volailles; c'est la présence de l'osmazôme, dit Brillat-Savarin, qui a fait chasser tant de cuisiniers convaincus de distraire le bouillon, c'est elle qui a fait adopter les croûtes au pot comme confortatif dans le bain et qui a fait inventer au chanoine Chevrier des marmites fermant à clef; c'est le même à qui on ne servait jamais des épinards le vendredi qu'autant qu'ils avaient été cuits le dimanche et remis chaque jour sur le feu avec une nouvelle addition de beurre frais. Enfin c'est pour ménager cette substance, quoique encore inconnue, que s'est introduite la maxime que pour faire de bon bouillon, la marmite ne devait que *sourire*.

L'albumine. Se trouve dans la chair et dans le sang, elle ressemble au blanc de l'œuf, elle se coagule à une chaleur au-dessous de 40 degrés, c'est ce que l'on rejette du pot au feu, sous le nom d'écume.

La graisse est une huile insoluble dans l'eau, elle se forme dans les interstices du tissu cellulaire, et s'agglomère quelquefois en masse dans les animaux prédisposés, comme les cochons, les volailles, les ortolans, et les bec-figues; si dans un pot-au-feu on ne voulait tirer que le bouillon, on pourrait tout simplement la hacher, la manier dans l'eau froide et la faire chauffer lentement jusqu'à ébullition; par là on dépouillerait la viande de tous ses principes solubles, et on obtiendrait en moins d'une demi-heure un véritable consommé; c'est ce que nous invitons à faire les personnes chez lesquelles il arrive des convives inattendus, et qui veulent donner un potage à ces convives.

C'est une erreur de croire que les volailles ajoutent, à moins qu'elles ne soient très-vieilles ou très-grasses, quelque chose à l'osmazôme du bouillon. Le pigeon lorsqu'il est vieux, la perdrix et les lapins rôtis d'avance, le corbeau, en novembre et décembre, ajoutent beaucoup à la sapidité et à l'arôme du bouillon. En général la chair de ces animaux contient tout leur sang, et c'est ce qui fait qu'elle ajoute à la sapidité et à l'arôme du bouillon dans lequel on la met.

Maintenant comme on ne met pas seulement le pot au feu pour avoir du bouillon, mais pour avoir de la viande mangeable qui non-seulement peut le premier jour se servir bouillie, mais le lendemain reparaître sous un autre aspect, nous allons indiquer la marche à suivre pour avoir toujours du bon bouillon sans épuiser la viande.

Prenez toujours le plus fort morceau de viande que comporte votre consommation habituelle, plus le morceau sera fort, frais et épais, plus le bouillon se ressentira de ces trois qualités sans compter l'économie de temps et de combustible. Ne lavez pas la viande, ce qui la dépouillerait d'une partie de ses sucs, ficelez-la après en avoir séparé les os, afin qu'elle ne se déforme pas, et mettez dans la marmite un litre d'eau par cinq cents grammes de viande.

Faites chauffer la marmite avec lenteur, il en résultera que l'albumine se dissoudra d'abord, se coagulera ensuite, et comme dans ce premier état elle est plus légère que le liquide, elle s'élèvera à la surface en enlevant les impuretés que votre viande peut contenir; l'albumine coagulée, ce sont les blancs d'œufs que l'on emploie pour clarifier les autres substances. L'écume a été d'autant plus abondante que l'ébullition a été plus lente. Il doit s'écouler une heure entre le moment où la marmite a été mise sur le feu et celui où l'écume se rassemble à sa surface.

L'écume bien fournie, il faut l'enlever à l'instant même, l'ébullition de la marmite précipiterait l'écume, ce qui troublerait la transparence du bouillon; si le feu est bien conduit, on n'a pas besoin de rafraîchir la marmite pour faire monter une nouvelle écume; lorsque la marmite est bien écumée et qu'elle jette ses premières vagues, on y met les légumes qui consistent en trois carottes, deux panais, trois navets, un bouquet de poireaux et de céleri ficelés ensemble; n'oubliez pas d'y ajouter trois gros oignons piqués, l'un d'une demi-gousse d'ail et les deux autres d'un clou de girofle; dans la cuisine de second ordre, mais de second ordre seulement, on donne la couleur au bouillon avec la moitié d'un oignon brûlé, une boule de caramel ou une carotte desséchée; n'oubliez pas de briser avec un couperet les os qui prennent part à la composition de votre bouillon, qu'ils soient achetés en même temps que le bœuf, ou qu'ils soient des restes du rôti de la veille; plus ils sont brisés en nombreux fragments, plus ils rendent de gélatine.

Il faut sept heures d'ébullition lente et toujours soutenue pour donner au bouillon les qualités requises; devant un feu de cheminée, régler cette ébullition est une chose presque impossible, mais on y parvient facilement au contraire en employant un fourneau qui doit chauffer constamment le dos de la marmite; pour diminuer autant que possible l'évaporation, il faut que la marmite reste couverte; il faut regarder deux fois à la remplir, même lorsqu'on en retire du bouillon, cependant si la viande était à découvert, il faudrait y verser de l'eau bouillante jusqu'à ce que la viande soit baignée, le bouilli en sortant du pot au feu a perdu la moitié de son poids.

Nous comprenons, dit Brillat-Savarin, sous quatre catégories les personnes qui mangent du bouilli.

1° — Les personnes qui en mangent parce que leurs parents en mangeaient, et qui suivant cette pratique avec une soumission implicite espèrent bien aussi être imités par leurs enfants.

2° — Les impatients qui abhorrent l'inactivité à table et ont contracté l'habitude de se jeter avidement sur la première matière qui se présente.

3° — Les inattentifs qui, n'ayant pas reçu du ciel le feu sacré, regardent les repas comme les œuvres d'un travail obligé, mettent sur le même niveau tout ce qui peut les nourrir et sont à table comme l'huître sur son banc.

Enfin, les dévorants qui, doués d'un appétit dont ils cherchent à dissimuler l'étendue, se hâtent de jeter dans leur estomac une première victime pour apaiser le feu gastrique qui les dévore et servir de base aux divers envois qu'ils se proposent d'acheminer vers la même destination. Passons maintenant aux différentes variétés de bouillon.

BOUILLON CONSOMMÉ A LA RÉGENCE. Prenez à nouveau un morceau de bœuf, un morceau de poitrine de mouton, passez-les dans une casserole et faites-les suer, mouillez avec du bouillon, mettez le tout dans la marmite avec des râbles de lapin, une vieille poule, une ou deux perdrix, achevez de remplir votre marmite avec du bouillon, écumez et faites mijoter pendant quelques heures.

Frontispice de La Gastronomie *de Berchoux*

BOUILLON CONSOMMÉ A L'ANCIENNE MODE (qui peut, réduit à moitié, remplacer le jus dans toutes les sauces.) Dégraissez une épaule de mouton, faites-la cuire à moitié à la broche, mettez-la dans la marmite avec un bon morceau de bœuf, un vieux chapon bien en chair, quelques carottes, oignons, navets, un panais et un pied de céleri, mouillez avec du bouillon de la veille.

BOUILLON CONSOMMÉ A LA MODERNE. Mettez à la marmite un morceau de tranche de bœuf, un jarret de veau, une poule, un vieux coq, un lapin de garenne ou une vieille perdrix, mouillez le tout avec un peu de bouillon, faites bouillir encore ce consommé, écumez-le, rafraîchissez-le de temps en temps, mettez des légumes : carottes, oignons, céleri, persil, ciboules, ail et clous de girofle; faites bouillir cinq heures à feu doux. Tamisez dans un linge fin.

GRAND BOUILLON. Si vous avez un grand dîner, il vous faut avoir du bouillon en assez grande quantité pour mouiller vos sauces et confectionner vos potages; mettez alors dans une grande marmite une pièce de bœuf, culotte ou poitrine, joignez-y les débris ou parures de toutes vos viandes de boucherie, bœuf, veau, mouton, tous les abatis, carcasses, cou, volaille et gibier dont vous aurez levé les chairs pour faire des entrées; mettez sur un feu modéré cette marmite qui doit être aux trois quarts seulement remplie d'eau, écumez-la doucement, rafraîchissez-la chaque fois que vous enlèverez l'écume, jusqu'à ce que le bouillon soit parfaitement limpide; mettez-y sel, navets, carottes, oignons, trois clous de girofle, poireaux, conduisez-le aussi lentement que possible, et passez dans un linge fin.

BOUILLON CONSERVÉ. Faites bouillir votre bouillon soir et matin dans les plus fortes chaleurs, et le bouillon se conservera. — Faites bouillir avec adjonction d'un morceau de charbon de bois, qui empêchera le consommé de surir. (*Note de M. Vuillemot.*)

Tout bouillon dans lequel il n'entre pas de viande n'est pour nous qu'un potage. Nous renvoyons donc tous les bouillons maigres et tous les bouillons de santé au mot *Potage.*

BOUILLON. (CUISINE ITALIENNE.) Nous avons dit que tous les peuples, excepté le peuple français, ignoraient l'art de faire du bouillon; les Italiens, nos plus proches voisins, vont nous donner la preuve de ce que nous avons avancé; nulle part on ne mange de plus mauvais potage qu'en Italie, mais cependant comme nous nous sommes engagés à donner des spécimens de toutes les cuisines, donnons quelques recettes sur la manière de faire ce bouillon en Italie.

Le but que l'on doit se proposer lorsqu'on veut faire du bon bouillon est d'abord de se procurer trois choses qui sont nécessaires à sa confection : une chair saine et entremêlée de gras et de maigre, un feu ménagé pour toujours faire marcher le pot au feu d'un mouvement pareil, enfin, de ne jamais allonger avec de l'eau le bouillon que l'on confectionne. Quand le bouillon est bon, il doit être de couleur blonde dorée, il faut en enlever la graisse, passer le reste par l'étamine et avec ce bouillon tremper la soupe. Vous voyez que le cuisinier milanais ne vous fatigue pas de détails; les diverses parties alimentaires que fournit la viande et la quantité qu'elle en fournit, il n'en est pas même question.

Maintenant, quelle est la viande que recommande d'abord ce cuisinier pour faire de bon potage? C'est la viande de veau.

Prenons donc et offrons à nos lecteurs le bouillon de veau qui ne sert chez nous qu'aux malades.

Prenez un morceau de veau, mettez-le dans une casserole avec un morceau de lard, et laissez-le une demi-heure sur les charbons ardents, ayant soin de le tourner sur tous les côtés, au point qu'il ait pris une couleur d'or; pour l'aider à prendre cette couleur, accompagnez-le d'un morceau de lard, après quoi préparez le pot au feu plein d'eau bouillante, jetez-y votre veau roussissant, adjoignez-y des carottes, des oignons, un morceau de bœuf pour donner une certaine puissance au bouillon et faites-le frissonner lentement.

Quand le bouillon sera destiné à des malades, n'y mettez pas de lard, mais du beurre

BOUILLON DE POULET. Prenez la carcasse d'un poulet maigre, brisez-en les os, faites-le bouillir dans un vase avec une quantité d'eau, une pincée de sel; le bouillonnement ne durera pas plus d'une heure et vous aurez un bouillon rafraîchissant qui raffermira un estomac débilité.

BOUILLON PECTORAL. Prenez un poulet, nettoyez-le, mettez dans l'intérieur de celui-ci 31 grammes de semences de melon et de citrouille, 15 grammes d'orge mondé, autant de riz et de sucre, faites bouillir le tout dans deux litres d'eau, prolongez le bouillonnement jusqu'à ce que les deux litres soient réduits à un, faites-le passer par l'étamine, ce bouillon produira des effets excellents sur tous ceux qui sont atteints de faiblesse d'estomac et d'étisie.

BOUILLON A LA MINUTE. Il est quelquefois nécessaire, en se trouvant à la campagne, de se procurer immédiatement du bouillon; voilà une recette pour en faire d'excellent en une demi-heure.

Prenez 600 grammes de viande de bœuf, coupez-la en trois morceaux, ajoutez-y une carotte de demi-grosseur, un oignon, du céleri, des clous de girofle, et mêlez le tout à la viande que vous hacherez en petits morceaux, mettez le tout dans une casserole, versez dessus de l'eau salée, faites bouillir pendant une demi-heure, enlevez l'écume, faites passer dans une étamine, et avec ce bouillon vous pouvez faire un potage au riz de la plus grande sapidité.

BOUILLON CONSOMMÉ. Pour faire ce genre de bouillon, il faut beaucoup de viande, et que, lorsqu'il devient froid, il se réduise en gélatine. Ordinairement les consommés se font avec le reste du gibier et d'autres bonnes chairs qui se préparent pour un grand repas; vous mettez ces restes dans un pot au feu et vous versez dessus une quantité suffisante de bouillon commun; puis vous l'écumez promptement, vous mettez dans le pot au feu des carottes, des oignons, quelques clous de girofle, vous faites mijoter votre bouillon et vous le passez à l'étamine sans y mettre de sel.

BOUILLON DE LAPIN. Les chairs du lapin jeune et tendre contiennent toutes les qualités nécessaires pour faire de l'excellent bouillon; dans quelques pays il est très-utile et ne le cède en rien pour la graisse et la salubrité aux meilleurs bouillons de volaille. Le lièvre lui-même n'offre ni la même substance, ni la même salubrité. Le bouillon du lièvre est noir, pesant et indigeste.

Clarifiez le bouillon de lapin avec un pied de veau bien cuit. Vous obtenez ainsi une gelée claire comme un rubis.

BOUILLON DE PERDRIX. Bouillon excellent et chaleureux qui se peut faire avec de bonnes perdrix bouillies lentement pendant trois ou quatre heures dans deux litres d'eau avec un peu de veau pour en adoucir la saveur; on lui adjoint alors des légumes préparés, puis on le fait passer au tamis et l'on trempe la soupe.

BOUILLON DE COQ. Pour faire un bouillon de coq, il faut d'abord prendre un coq jeune encore, le faire cuire lentement dans très-peu d'eau avec la moitié d'une poule, deux oignons piqués, deux clous de girofle et le laisser sur le feu huit ou dix heures jusqu'à ce que la chair commence à se détacher elle-même des os. On achève alors d'en séparer cette chair, on la met dans un mortier, on en exprime tout le jus au tamis, et l'on en boit un verre chaque heure.

Ce bouillon est restaurant, mais il a le défaut d'échauffer le sang.

Tout cela, vous le voyez, est de la cuisine de pharmacien plutôt que de la cuisine de cuisinier.

Sceau de la corporation des boulangers

BOULANGER, BOULANGERIE

Il y avait trop de simplicité chez les Anciens pour qu'ils apportassent à la préparation du pain un soin dont ils ne pouvaient même avoir idée; aussi la profession de boulanger leur était-elle complètement inconnue. Ils mangeaient le blé en substance comme les autres fruits de la terre, et très-longtemps encore même après avoir découvert le moyen de le réduire en farine, ce qu'ils faisaient en broyant le blé entre deux pierres, ils se contentaient d'en faire de la bouillie.

Plus tard, quand ils furent parvenus à en pétrir du pain et à en faire leur nourriture principale, ils le faisaient dans chaque ménage et seulement à l'heure du repas. C'étaient les femmes qui étaient chargées de ce soin, et les plus grandes dames, les plus qualifiées, ne dédaignaient pas elles-mêmes de mettre la main à la pâte.

L'Écriture nous dit, à l'appui de cette vieille coutume des peuples anciens, qu'Abraham, entrant dans sa tente, dit à Sarah : « Pétrissez trois mesures de farine et faites cuire des pains sous la cendre. »

Ils n'apportaient pas du reste dans la fabrication de leur pain le raffinement que la gourmandise des peuples, augmentant à mesure que le progrès avançait, leur fit introduire dans cette préparation; c'était tout simplement des espèces de galette, ou de gâteaux dans lesquels on faisait entrer, avec la farine, du beurre, des œufs, de la graisse, du safran et autres ingrédients. On ne les cuisait pas non plus dans un four, mais sur l'âtre chaud, sur des pierres, sur une sorte de gril ou dans une espèce de tourtière.

Mais le plus souvent, c'était sur des pierres plates posées sur la cendre chaude qu'on faisait cuire ces pains dans lesquels le sel n'entrait pas, ce condiment n'ayant pas encore été découvert.

Le plus difficile à trouver fut, on le comprend, le moyen de convertir le blé et les autres grains en farine; ce travail étant très-pénible, attendu que la trituration du blé se fit d'abord avec des pilons et des mortiers, ce qui était très-long et très-fatigant, fut employé comme châtiment; on y condamnait les esclaves pour les fautes les plus légères;

puis vinrent les moulins à bras moins difficiles, mais aussi fatigants, et pour se faire une idée de la force qu'exigeait ce pénible travail, on n'a qu'à se rappeler que Samson, après avoir eu les cheveux coupés par Dalila qui le livra aux Philistins et avoir eu les yeux crevés par ces derniers, fut condamné à tourner la meule.

Quant à la cuisson des pains dans des fours, elle vint plus tard encore, et ce n'est qu'à partir de la découverte de ces derniers que la boulangerie devint une profession.

Ce furent les Grecs qui les premiers eurent des moulins à bras et des fours à côté l'un de l'autre; c'est-à-dire des boulangeries organisées; ce ne fut guère que vers le vi^e siècle de la fondation de Rome que cette coutume passa chez les Romains. Ils conservèrent à ceux qui avaient la direction de ces établissements leur ancien nom de *pinsores* ou *pistores*, dérivé de leur première occupation, celle de piler le blé dans des mortiers, et ils donnèrent la dénomination de *pistorix* aux lieux où ils travaillaient.

Ces boulangeries, qui s'étaient augmentées et qui étaient distribuées dans plusieurs quartiers différents, étaient presque toutes tenues par des Grecs qui étaient les seuls qui sussent faire du bon pain. Peu à peu ils firent des apprentis qui, à leur tour, devinrent maîtres, s'établirent, et bientôt après on s'occupa de former un corps comme celui des bouchers, corps auquel eux et leurs enfants furent attachés; on leur accorda plusieurs priviléges; on les mit en possession de tous les lieux où l'on s'occupait de moudre le blé auparavant, ainsi que des meubles, des esclaves, des animaux et de tout ce qui appartenait aux premières boulangeries. On y joignit des terres et des héritages, et l'on n'épargna rien de tout ce qui pouvait contribuer à soutenir et à encourager leurs travaux et leur commerce; pour qu'ils pussent vaquer sans relâche à leurs fonctions et ne fussent pas obligés de laisser en suspens un travail dont tout le monde aurait souffert, ils furent déchargés de tutelles, curatelles et autres charges onéreuses; il n'y eut pas de vacances pour eux, ce qui ne leur allait pas toujours; enfin les tribunaux leur étaient ouverts en tout temps, ce qui leur permettait de vider immédiatement les différends qu'ils pouvaient avoir entre eux.

Les conditions de ces avantages étaient peut-être un peu fortes, comme on va le voir, mais elles étaient formelles et exposaient les rebelles aux peines les plus sévères.

Ils furent soumis à certaines restrictions et obligations, telles que celle de demeurer ensemble et de s'allier presque exclusivement entre eux. Ils ne pouvaient surtout se mésallier, c'est-à-dire marier leurs filles, soit à des comédiens, soit à des gladiateurs, sans s'exposer à être fustigés, bannis et privés de leur état. Ils ne pouvaient non plus léguer leurs biens à d'autres qu'à leurs enfants ou à leurs neveux, qui devaient nécessairement faire partie de la corporation des boulangers, et si un étranger, pour une

*Le boulanger
à Cuba*

cause ou pour une autre, les acquérait, ils lui étaient de fait agrégés.

L'institution des boulangers fut à son tour introduite dans les Gaules par les Romains; ils avaient choisi pour patron Mercure-Artius, ainsi nommé du grec *Artos*, qui signifie pain, et lui avaient bâti un temple dont on voyait encore dans ces derniers siècles des ruines avec un pavé en marqueterie dans un petit village nommé *Artas*, près de Grenoble, département de l'Isère.

Il y eut en France des boulangers dès le commencement de la monarchie. Une ordonnance du bon roi Dagobert, celui-là même que la chanson a illustré, datée de l'année 670,

nous apprend que les meuniers ou mouleurs de grains réunissaient à leur état de moudre le grain celui de cuire le pain pour les particuliers qui voudraient acheter leur farine chez eux; on les nomma par la suite *panetiers, talmeliers* et *boulangers*.

A leur imitation, les fourniers s'emparèrent de cette industrie, se firent marchands de farine et vendirent du pain. Charlemagne, au siècle suivant, s'occupa de la police d'une profession qui devenait tous les jours plus importante, et il ordonna dans ses Capitulaires que le nombre de ces artisans, si utiles pour chaque ville, fût toujours complet et que, pour cela, « ils aient à former des apprentis qui puissent remplacer au besoin les maîtres dans les cas de grande nécessité »; de plus, qu'ils tinssent avec ordre et propreté le lieu de leur travail, que leur conduite soit irréprochable, et il chargea spécialement des juges et autres officiers de bien faire observer ce dernier et important statut.

Saint Louis fit plus encore, et, pour mieux reconnaître les véritables services que cette institution rendait à tout le monde, en même temps que pour les dégager de toutes charges et rendre leur stabilité plus grande, il exempta tout boulanger du service militaire, et cette grâce était d'autant plus importante que, dans ces temps de guerre, tous les sujets, à moins d'un privilège particulier, étaient obligés de se rendre à l'armée quand le seigneur l'ordonnait. Il y eut bientôt dans Paris quatre sortes de boulangers, ceux des villes, ceux des faubourgs et banlieue, les privilégiés et les forains.

La maîtrise s'achetait du roi, mais, pour être reçu maître boulanger, il se pratiquait une cérémonie bien singulière; cérémonie dont il est fait mention dans les statuts que leur donna Saint Louis.

L'aspirant, accompagné des anciens maîtres et jurés de sa communauté, venait présenter au lieutenant du grand Panetier un pot de terre neuf, rempli de noix et de nieules (fruit inconnu aujourd'hui); toute l'honorable assemblée, composée de cet officier, des autres maîtres et des *geindres* (mitrons), sortait dans la rue et allait casser ce pot contre la muraille; puis tout le monde rentrait et était tenu de payer un denier au lieutenant, lequel devait en échange leur fournir du feu et du vin que l'on buvait ensemble.

Cette bizarre cérémonie était un hommage public de dépendance envers les autorités préposées, signifiant qu'elles pouvaient vous punir aussi aisément que l'on cassait ce pot, si votre gestion était répréhensible et si vous ne vous conformiez pas aux statuts.

Cette cérémonie se modifia dans les siècles suivants. Au commencement du XVIIe siècle, le nouveau maître, à la troisième année de sa réception, était obligé de venir, le premier dimanche après les Rois, présenter au grand Panetier un pot neuf rempli de pois sucrés (dragées), avec un romarin, aux branches duquel étaient suspendus diverses sucreries, des oranges et les fruits que comportait la saison. Cette offrande fut changée ensuite en une rétribution d'un louis d'or.

Le grand Panetier de France avait la maîtrise des boulangers et talmeliers en la ville et banlieue de Paris, avec droit de justice. Ce fut Saint Louis qui donna cette juridiction sur eux et sur leurs compagnons, à son maître panetier, pour en jouir tant qu'il plairait au prince, comme on l'apprend du recueil des usages de la police des boulangers fait par Étienne Boileau. Cette juridiction ne fut supprimée qu'en 1711.

Les boulangers, privilégiés deux siècles plus tard, n'étaient plus que de deux sortes : 1º les boulangers suivant la cour, établis par Henri IV, au nombre de dix, en 1601, et augmentés de deux par Louis XIII; ils avaient tous demeure à Paris et avaient mission de suivre la cour partout où elle allait; 2º ceux qui habitaient en lieu de franchise. Les boulangers forains étaient ceux qui exerçaient hors de la ville et des faubourgs, et qui fabriquaient le pain pour la plus grande partie de la population.

A partir du VIIIe siècle et pendant plusieurs autres, une maladie terrible, la lèpre, s'était répandue et multipliée en France d'une façon effrayante. Les boulangers, leurs femmes et leurs enfants, toujours privilégiés, avaient l'avantage d'entrer à l'hôpital Saint-Lazare pour s'y faire soigner et guérir, ce qui était considéré dans ce temps comme une des plus grandes faveurs; il est vrai que pour acquérir ce droit, chaque maître boulanger était obligé de donner toutes les semaines un pain à l'hôpital. Sur la fin du XVIe siècle, on substitua au pain un denier parisis qui fut appelé le denier Saint-Lazare ou denier Saint-Ladre. Des boulangers faisant concurrence aux marchands de

Une boutique de boulanger au XVe siècle

grains ayant acheté et revendu du blé et de la farine sous ce dernier titre, les Romains instituèrent des lois qui défendirent aux boulangers, sous peine des plus fortes peines, à servir en qualité de pilotes sur les vaisseaux qui amenaient les blés à Rome.

Plus tard, en France, on fut obligé de faire la même chose, et un arrêt du Parlement, suivi d'autres ordonnances, défendit également aux boulangers d'être mesureurs de grains ou meuniers.

Les boulangers furent d'abord nommés boulangers, talmeliers, ainsi que nous l'avons dit plus haut, puis le premier nom leur resta seul; il vient, dit Ducange dans son Histoire de Paris, de ce que le pain qu'ils firent dans le commencement avait la forme d'une boule. Cette coutume, du reste, d'arrondir le pain, existe encore aujourd'hui en France, et dans tous les villages où les ménagères font généralement leur pain elles-mêmes, c'est la seule forme qu'on lui donne, en l'aplatissant cependant comme une galette et même, dans certains pays, en lui laissant cette forme primitive de boule qui lui faisait donner, sous les premiers rois de la première race, le nom de tourte ou tourteau.

Quant au nom de talmeliers, aujourd'hui tout à fait oublié, c'est une corruption de celui de tamisiers; le bluteau n'étant point encore inventé, chacun était obligé de passer sa farine au tamis, celui qui ne voulait pas se donner cette peine appelait un boulanger qui, tenu par sa profession d'avoir des tamis, venait la passer pour une mince rétribution.

La corporation des boulangers est aujourd'hui une des meilleures institutions et une des mieux organisées; nul ne peut exercer cette profession sans l'autorisation du préfet de police, et cette autorisation ne lui est accordée qu'autant qu'il est justifié par lui qu'il est de bonnes mœurs, qu'il a fait un apprentissage et qu'il connaît les bons procédés de son art.

En outre, chaque boulanger, une fois autorisé et reçu, ne doit jamais manquer d'approvisionnement; il doit avoir constamment en réserve, dans son magasin, une quantité suffisante de farine pour pourvoir à la consommation journalière pendant un mois; de plus, sa boutique doit toujours être garnie de pains.

Depuis la liberté de la boulangerie, le nombre des boulangers a considérablement augmenté dans Paris, et il se débite quotidiennement plusieurs millions de kilogrammes de pain fabriqués la nuit par ces êtres étranges, presque nus, qu'on aperçoit à travers les soupiraux des caves et dont les cris pour ainsi dire sauvages, sortant de ces antres profonds, causent presque toujours une impression pénible. Le matin, on rencontre ces hommes pâles, encore tout blancs de farine et portant sous le bras le pain d'un kilo et demi dont on les gratifie, allant se reposer et prendre des forces pour recommencer le soir leur utile et pénible labeur.

Pour moi, j'estime beaucoup ces braves et humbles travailleurs qui fabriquent la nuit ces jolis petits pains bien tendres et bien croustillants, ressemblant bien plutôt à des gâteaux qu'à des pains.

BOURRUT

On appelle vin *bourrut*, et non pas *bourru*, un vin qu'on a empêché de fermenter et qui a encore toute sa lie. Prenez une décoction de froment bien chargé, mettez-en deux litres avec un sachet de fleurs de sureau dans 5 hectolitres de vin blanc, pendant qu'il fermente encore. Du temps de Mᵐᵉ de Sévigné et de Mᵐᵉ de Grignan, c'était le régal des domestiques.

BOUTARGUE

Espèce de caviar de surmulet qui se fait en France, aux Martigues et à Terrin; et en Italie, à Gênes et à Porto-Ferrago.

BRAISE

Garnissez une braisière de bardes de lard, d'un pied de veau découpé ou d'un bon morceau de couenne de lard à demi salé pour rendre la sauce gélatineuse; joignez-y sel, poivre, bouquet de persil, thym, laurier, clous de girofle, oignons et carottes; mettez sur cet assaisonnement la pièce que vous voulez faire cuire, que ce soit une dinde ou une oie, ajoutez un verre de vin blanc, un demi-verre d'eau-de-vie, un verre de bouillon, faites cuire à petit feu pendant plusieurs heures, en couvrant l'objet que vous faites cuire d'un papier beurré et en couvrant également en outre votre casserole afin qu'il ne puisse y avoir d'évaporation. *(Recette de la cuisinière de la ville et de la campagne.)*

Braise a la Condé. Enveloppez la pièce à braiser avec des tranches minces de veau ou de mouton, et par-dessus des bardes de lard, le fond de votre braisière aura dû être couvert de bardes et de viandes amincies. Mouillez avec un verre de Madère, assaisonnez, poivre, sel et muscade, ajoutez quelques truffes coupées en tranches, cuisez lentement à feu doux. Cette braise est excellente pour les faisans et les perdrix, préalablement farcis. Le vin blanc convient pour mouiller les viandes noires.

BRANDADE
(Recette de Grimod de la Reynière)

« Parmi les ragoûts de Provence ou de Languedoc qui ont pris singulièrement faveur à Paris, il faut distinguer surtout les brandades de merluche. On sait qu'un restaurateur du Palais-Royal a fait sa fortune par sa manière de les préparer, et qu'on envoie journellement en chercher chez lui, parce qu'il a la réputation de les faire excellentes. Comme plus d'un de nos lecteurs serait peut-être bien aise de faire exécuter chez lui ce ragoût méridional dont la recette ne se trouve imprimée nulle part (au moins ne l'avons-nous trouvée dans aucun des nombreux dispensaires qui nous ont passé entre les mains, pas même dans le *cuisinier gascon*, ce qui doit paraître assez étrange), nous pensons qu'on nous saura gré de la publier telle qu'elle nous a été communiquée dans une ville du Languedoc, qui, sous le rapport de la bonne chère, jouit d'une réputation éclatante et méritée.

Nous remarquerons d'abord que le nom singulier de brandade donné à cette préparation, et qu'aucun dictionnaire n'a pris le soin de recueillir ni de définir, dérive sans doute du vieux verbe *brandir*, qui signifie remuer, agiter, secouer avec force et pendant longtemps; et cette action, presque continue, est en effet indispensable pour que ce ragoût soit ce qu'il doit être; c'est ce qui surtout en rend la facture difficile et ce qui l'empêchera probablement d'être adopté généralement dans nos cuisines, car tout ce qui exige beaucoup de patience n'est pas du goût de tous les cuisiniers. Le mouvement qu'on imprime à la casserole dans cette circonstance est un mouvement d'un genre particulier; il exige une sorte d'étude et demande beaucoup de dextérité. Quoi qu'il en soit, voici la recette des brandades :

Il faut prendre un morceau de belle merluche et la faire tremper dans l'eau pendant vingt-quatre heures pour la dessaler et la ramollir.

Ensuite vous la mettez dans un pot, sur le feu, avec de l'eau, en observant qu'il faut la retirer quand l'eau commence à bouillir.

Vous mettez du beurre, de l'huile, du persil, de l'ail, dans une casserole, que vous faites fondre sur un feu doux.

Pendant ce temps, vous épluchez la merluche que vous rompez en très-petits morceaux, puis vous la mettez dans la casserole, et de temps en temps vous ajoutez de l'huile, du beurre et du lait, quand vous voyez qu'elle épaissit.

Vous remuez très-longtemps la casserole sur le feu, ce qui fait que la merluche se réduit en une espèce de crème.

Si vous la voulez verte, vous pilez des épinards dont vous y joignez le suc.

Cette recette est, comme on voit, fort simple; mais nous ne cesserons de le répéter, la perfection des brandades dépend surtout du mouvement imprimé pendant très-longtemps à la casserole et qui seul opère l'extrême division de toutes les parties du poisson, naturellement coriace, et le métamorphose en une espèce de crème. Il ne faut donc pas se lasser de remuer, autrement vous n'auriez qu'une béchamel au lieu d'une brandade.

Au reste, une brandade bien faite est un ragoût délicieux, et, quoique la merluche soit de sa nature fort indigeste, elle devient, sous cette forme, aussi facile à digérer qu'une panade à la cannelle.

BRÊME

On pêche ce poisson dans les rivières et dans les grands lacs de presque toute l'Europe; il est l'objet d'une pêche importante, qui se fait d'habitude dans les mois glaciaux. En 1749, d'un seul coup de filet, on en prit dans un lac de Suède cinquante mille, qui ensemble pesaient plus de

9,000 kilogrammes. La brême a quelque ressemblance avec la carpe, seulement son corps n'a pas la même épaisseur, il est plus large et aplati latéralement; sa tête est noire, sa gueule petite, ses lèvres grosses. Comme l'alose, dont elle n'a point la finesse, sa chair contient beaucoup d'arêtes. On peut, en la couvrant de neige, en lui mettant dans la gueule un morceau de pain trempé dans de l'eau-de-vie, la transporter vivante à une grande distance. On la mange avec une sauce piquante à l'échalote.

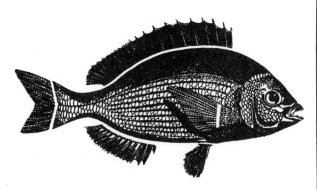

BRÉSOLLES

Le valet de chambre du marquis de Brésolles inventa ce ragoût, tandis que son maître faisait la guerre de Sept Ans. Voici la recette comme la reproduisent les gastronomes autorisés :

Vous foncez une casserole avec une tranche de jambon, de l'huile, du persil, des ciboules, des champignons, une pointe d'ail, le tout haché fin et battu avec de l'huile; vous mettez sur ce fond une couche de filets de rouelle de veau coupés très-minces, puis une seconde, puis une troisième, tant que l'huile ne la surmonte pas; à chaque couche vous assaisonnez de poivre et de sel; quand les brésolles sont cuites, vous en faites autant de couches que vous voulez. Seulement il est important que chaque couche soit arrosée avec de l'huile mêlée avec des fines herbes comme la première; vous les levez une à une, vous les mettez dans une casserole à part; dégraissez la sauce et liez-la avec un peu de farine ou, ce qui vaut mieux, avec quelques marrons cuits et pilés, versez sur les brésolles cet assaisonnement et faites chauffer sans bouillir. Le veau, le mouton et la chair de l'agneau surtout peuvent être préparés en brésolles.

BRIGNOLES (Prunes de)

Prunes que l'on fait sécher au soleil et qui portent le nom de Brignoles, ville du département du Var, où on les prépare. Ces prunes sont agréables à l'œil et au goût, on en fait d'excellente compote, et l'on peut les employer hachées dans les babas.

BRIOCHE

Le nom de brioche vient à cette pâtisserie du fromage de Brie, qui entrait autrefois dans sa composition.

BRIOCHE FINE OU ROYALE. Prenez 1 kilo 500 grammes de farine de gruau. Prenez le quart de la farine, formez-en un bassin sur le tour à pâte; délayez 60 grammes de bonne levure bien sèche dans de l'eau tiède, la quantité suffisante pour user votre farine et en faire une pâte légère; tournez-la, fendez-la en quatre et laissez revenir dans une sébile à température modérée; de la farine qui vous reste, formez un autre bassin dans lequel vous ajoutez 30 grammes sel fin et 120 grammes sucre en poudre; ajoutez un peu d'eau pour faire fondre le tout; maniez bien 1 kilo 500 grammes de beurre fin, ajoutez-le aux 30 ou 36 œufs frais que vous aurez jetés dans votre puits, ondulez légèrement votre pâte afin qu'elle soit en harmonie avec votre levain, maniez légèrement le tout ensemble; mettez le tout dans une sébile farinée, laissez reposer la pâte, et, de temps en temps, *rompez-la* légèrement au bout de douze heures de fermentation, en évitant de la laisser surir.

Moulez votre pâte selon la grosseur de votre brioche, mettez-la dans un moule cannelé en fer-blanc; dorez-la en ayant soin de dégager la tête de la brioche, chiquetez-la assez largement si la pâte est ferme, et mettez-la au four très-chaud. Aussitôt sa couleur prise, couvrez-la d'un papier mouillé, en dégageant la tête de la brioche qui lui fait faire le cou de cygne. Sondez sa cuisson et servez.

On l'appelle en terme de pâtisserie : brioche mousseline. *Nota.* Si c'est une grosse brioche pour pièce de fond, faites-la cuire dans une laisse de papier de beurre. *(Recette de M. Vuillemot.)*

BRIOCHE AU FROMAGE. Faites un quart de pâte à brioche, et laissez-la revenir; mêlez-y alors 750 grammes de bon fromage de Gruyère coupé en dés; séparez votre pâte en deux parties, l'une du quart de la totalité; roulez-les toutes deux; posez la plus forte du côté de la moulure sur un fort papier beurré, aplatissez-la dans le milieu avec la paume de la main, roulez l'autre petite partie et ensuite la grosse, soudez-les ensemble en les rapprochant et en les appuyant l'une sur l'autre, la plus petite au-dessus; cassez deux œufs, battez-les comme pour une omelette, dorez-en la brioche, coupez du fromage de Gruyère en lames ou en cœurs, faites-en une rosette sur la tête de cette brioche, mettez-la à un four bien atteint, laissez-la cuire trois heures environ, retirez-la, ôtez-en le papier, dressez-la sur une serviette et servez-la comme grosse pièce à l'entremets. *(Recette de M. de Courchamps.)*

BRIOCHINES VERTES
(Entremets saxon)

Versez une demi-bouteille de lait bouillant sur la mie de deux petits pains; laissez cette mie de pain environ une heure dans cet état; mettez-y ensuite, pour lui donner un peu de saveur, du jus de tanaisie; vous ajouterez alors du jus d'épinards pour la colorer d'un beau vert, puis une cuillerée d'eau-de-vie; râpez-y la moitié d'une écorce de citron, battez quatre jaunes d'œufs, mêlez le tout ensemble et sucrez à volonté. Mettez ensuite cette préparation dans une casserole avec 125 grammes de beurre frais sur un feu doux et tournez jusqu'à ce qu'elle soit épaissie. Retirez-la du feu, laissez-la reposer deux ou trois heures et versez-la par cuillerée dans du saindoux bouillant. Dès que vos briochines sont faites, vous râpez du sucre dessus, et vous les servez avec du vin blanc, du rhum bien sucré, dans une saucière chaude. (*Recette du baron de Mülbacher.*)

BROCHE

Le spirituel auteur des Mémoires de la marquise de Créquy, arrivé dans son dictionnaire à l'article *Broche*, dit : « Ustensile assez connu pour que sa description soit inutile. » On voit bien que le comte de Courchamps écrit pour des Français; s'il eut écrit pour des Espagnols, il eût fait une longue description de cet instrument culinaire, espérant donner aux compatriotes de Don Quichotte le désir de faire connaissance avec lui.

En effet, excepté dans le dictionnaire, je n'ai pas trouvé une seule broche dans toutes les Espagnes; il en résulte qu'on y fait d'exécrables rôtis, attendu qu'il n'y a de vrai rôti qu'à la broche et au feu de bois ou, à la rigueur, au feu de charbon de terre. C'est d'autant plus fâcheux qu'on y rencontre à chaque pas des lièvres que les Espagnols ne mangent pas, parce que, disent-ils, cet animal gratte la terre pour déterrer les cadavres; et des perdrix de toutes couleurs que, faute de broches, on est obligé de manger à *l'olla podrida*, c'est-à-dire à *l'huile ponte*.

Dans les anciens livres de cuisine on voit que, sous le règne des Valois et même sous Louis XIII, toutes les broches et les brochettes des cuisines royales étaient d'argent. On donnait alors le nom de brochettes à ce que nous appelons aujourd'hui des hâtelets.

Les broches et les hâtelets doivent être tenus avec une extrême propreté, car, lorsqu'ils se rouillent,. ils communiquent aux parties qu'ils traversent une saveur ferrugineuse.

BROCHET

On ne trouve nulle part le mot *brochet* ni son équivalent dans l'Antiquité; c'est le requin des eaux douces, aussi rusé, aussi carnassier, aussi dévastateur que le requin de mer. Dans le lac de Zirkmitz, en Carniole, il y a des brochets de 20 et 25 kilogrammes, dans l'estomac desquels on trouve des canards entiers. Ce poisson peut arriver, si on le laisse vivre, à toutes les grosseurs et à tous les âges. En 1749, on en prit un, à Kaiserslautern, long de plus de 6 mètres et pesant 175 kilogrammes; on conservait son squelette à Mannheim. (Olagnier, *Dictionnaire des aliments et des boissons*.)

La fécondité du brochet, sans être comparée à celle du hareng et à celle de la morue, est assez grande pour que dans une femelle d'un mètre de longueur on trouve jusqu'à 180,000 œufs.

Du temps du roi Charles IX, il y avait dans le vivier du Louvre un brochet qui arrivait lorsqu'on l'appelait Lupul; il sortait la tête de l'eau pour recevoir le pain qu'on lui jetait. L'empereur Frédéric II en avait mis un dans un étang le 5 octobre 1230, il fut pris dans le même étang deux cent soixante-sept ans après. Les brochets de Châlons étaient ceux qui, au XIIIe siècle, jouissaient comme finesse de la meilleure réputation.

Se garder de ses œufs qui, cuisant avec sa chair, peuvent communiquer à cette chair la faculté d'exciter les nausées et les vomissements.

Quelques journaux qui s'occupent de l'élevage du poisson protestent contre la trop grande multiplication du brochet dans les étangs. M. Sauvadon, dans le *Bulletin de la Société zoologique*, est au nombre des opposants et fournit à l'appui de sa thèse des chiffres intéressants. Chacun connaît la voracité du brochet, c'est même cette qualité qui rend la présence de ce poisson nécessaire dans les pièces d'eau trop abondamment peuplées, mais on a peut-être rarement calculé par une règle de proportion combien un brochet de six ans a dévoré de kilogrammes de fretin et comparé son prix de vente à celui de la masse alimentaire qu'il a dévorée. C'est ce qu'a fait M. Sauvadon, et il est arrivé au résultat suivant :

Un brochet qui, en six ans, a absorbé 252 kilogrammes de nourriture, revient, en ne comptant le poisson qu'à un franc le kilogramme, à 252 francs; nous ne tenons pas compte de la plus-value qu'aurait acquise en six ans le poisson victime, qui aurait doublé plusieurs fois de poids dans ce laps de temps. Admettons que le brochet pèse 100 grammes à la fin de la première année; qu'il triple de la seconde à la quatrième et double de la quatrième à la sixième, ce qui est en rapport avec l'observation, car il est avéré que, quand le poisson vieillit, il grossit moins vite que dans les premières années; il pèsera dix kilogrammes la sixième année. Ainsi ce poisson, qui ne se vend en moyenne que deux francs le kilogramme, vaut en réalité à l'éleveur vingt-cinq francs deux centimes le kilogramme, ce que nous ne croyons pas possible, car le brochet que nous avons vu profiter le plus pesait 500 grammes au moment où on le mit dans une pièce d'eau abondamment pourvue de poissons; cinq ans après, il ne pesait que 5 kilogrammes; par contre, le produit de la pêche fut moindre d'un tiers que les autres fois. Nous ne demandons pas, ajoute l'auteur, qu'on supprime l'éducation de ce poisson, mais nous désirons qu'on mette une certaine mesure dans sa propagation, convaincus que nous sommes que la culture du poisson deviendrait impossible si on laissait se propager sur une trop vaste échelle un poisson qu'à juste titre on a nommé le requin d'eau douce.

BROCHET A LA CHAMBORD. Prenez un beau brochet, échardez-le, videz-le, ouvrez-lui le ventre pour qu'il n'y reste ni œufs ni laitances, et ôtez-lui les ouïes; la peau levée sans avoir affecté les chairs, levez le nerf de la queue et piquez-le en totalité avec de l'anguille taillée en petits lardons, ou moitié avec des truffes et des carottes coupées de même; si vous servez votre brochet au gras, piquez-le de lard, de truffes ou de carottes, mettez-le dans une poissonnière, mouillez-le d'une braise maigre et faites-le cuire; mettez dans une casserole trois baquetées d'espagnole maigre et une demi-bouteille de vin blanc de Champagne; faites réduire votre sauce et dégraissez-la, mettez-y des champignons retournés, des fonds d'artichauts, des truffes, des laitances de carpes, de l'anguille coupée par tronçons, faites mijoter un quart d'heure votre ragoût et finissez-le avec un beurre d'anchois; égouttez votre brochet, pressez-le, mettez vos garnitures autour et joignez-y des écrevisses, décorez-le, saucez-le, glacez-le et servez. Si c'est au gras, ajoutez-y des ris de veau piqués, des pigeons ou des cailles, si c'est la saison, puis des crêtes et des rognons de coq.

BROCHET AU BLEU OU AU COURT-BOUILLON. Videz votre brochet, éventrez-le sans lui crever l'amer et sans endommager ses écailles, ôtez-lui ses ouïes sans lui gâter le palais, placez-le dans une poissonnière de capacité suffisante pour le contenir, faites bouillir un quart de litre de vinaigre rouge, arrosez-en votre brochet pour lui donner une couleur azurée, servez-vous-en tout bouillant; mouillez-le d'une braise maigre ou grasse, enveloppez-le dans un papier beurré, faites-le cuire à petit feu; sa cuisson achevée, égouttez-le, dressez une serviette sur votre plat, posez-le dessus, entourez-le de persil et servez.

BROCHET A LA CHAMBORD (Recette de M. de Courchamps.) Pour bien exécuter ce beau relevé qu'on sert en grosse pièce au premier service, et qui est un des mets les plus somptueux de la cuisine moderne, il faut d'abord être en possession d'un très-fort et très-beau brochet; d'où vient que c'est un plat dispendieux à Paris où un brochet de belle taille avec sa garniture à la Chambord ne saurait coûter moins de quatre-vingts francs, et peut, quelquefois, revenir au triple de la même somme. Après en avoir ôté les écailles et enlevé toute la peau, vous le piquerez par bandes ou raies transversales, larges chacune comme trois doigts; savoir, une bande avec de fins lardons épicés; la seconde avec des truffes bien noires coupées en forme de clous de girofle; la troisième, avec des filets de carottes et la dernière avec des filets de cornichons bien verts et pareillement coupés en forme de clous. Vous farcissez ce gros poisson avec un hachis pour quenelles aux truffes émincées *(V. Quenelles)*. Cette opération terminée, faites cuire le brochet dans une poissonnière avec un court-bouillon dont le mouillement soit du vin de Champagne blanc et mousseux, mais qui soit assaisonné d'épices, de racines et d'un bouquet garni, comme pour un autre court-bouillon. Le poisson cuit, retirez assez de son fond de cuisson pour que le côté piqué, c'est-à-dire le dessus du brochet, s'en trouve à découvert, et mettez-le au four afin que les sucs se concentrent et que les parties piquées au lard y prennent une belle couleur dorée. Procédez maintenant au ragoût qui doit former la garniture de ce mets superbe.

La chasse au brochet

Mettez dans une bassine ou grande casserole une demi-bouteille de vin de Sillery, d'Aï ou autre bon vin de Champagne non mousseux, ajoutez-y un demi-litre de blond de veau ou de consommé réduit, des quatre épices et le jus de quatre bigarades, dans lequel vous aurez délayé deux fortes pincées de poudre de Kari; faites réduire et passez ensuite au tamis de soie; remettez sur le feu et faites-y prendre sauce à des fonds d'artichauts braisés, des mousserons blancs et des champignons cuits à la moelle, de grosses truffes au vin de Bordeaux, des laitances et des langues de carpes, des foies de lottes et des quenelles de turbot à la crème et aux truffes, des tronçons d'anguilles piqués et des filets d'olives cuits au vin de Madère, des écrevisses d'Alsace au vin blanc, des ris de veau piqués et glacés, des ris d'agneau pralinés au vert-pré, des becfigues ou des râles de genêts et des cailles sautées, enfin des crêtes et des rognons de coq, et, si l'on veut, quelques pigeonneaux de l'espèce dite à la Gau-

thier. On terminera cet appareil splendide en y mêlant du beurre d'anchois avec quelques cuillerées de glacis de viande, et l'on passera ce mélange avant de le placer au fond du plat. On arrangera le tout avec ordre et symétrie autour du brochet, dans le corps duquel on piquera quelques longs hâtelets d'argent, bien garnis de rissoles et autres substances variées, telles que belles truffes noires, grandes oranges ou ceps du Midi, jaunes d'œufs de pintade, ortolans rôtis, gros fruits d'Italie marinés au vinaigre. Comme pour un plat d'une telle importance on ne saurait être trop bien renseigné, nous devons équitablement ajouter à la recette de M. de Courchamps les critiques qu'un autre maître, M. Vuillemot, lui oppose :

« A l'article *Brochet à la Chambord*, de M. de Courchamps, j'accueille favorablement le brochet farci, les garnitures au maigre, mais ce qui est de ses ris de veau, pigeons à la Gauthier, je ne puis les accepter.

« Couronnez votre brochet par les quenelles de poisson,

champignons, truffes, écrevisses, queues de crevettes, huîtres, moules et autres. Cela me représente un beau relevé maigre. Bien croûtonné, et une bonne sauce genevoise avec beurre d'anchois. »

BROCHET EN DAUPHIN. Prenez un gros brochet, écaillez-le, videz-le par les ouïes, retroussez-lui la queue; à cet effet, passez-lui un hâtelet dans les yeux et une ficelle dans la queue (il faut que les deux bouts se joignent de chaque côté du hâtelet); posez votre brochet sur le ventre et faites qu'il s'y maintienne, mouillez-le d'une braise maigre, et si c'est au gras, d'une bonne mirepoix; mettez-le dans un four, retirez-le de temps en temps pour l'arroser de son assaisonnement; sa cuisson faite, égouttez-le et saucez-le d'une italienne rousse et grasse ou d'une maigre. *(Méthode Beauvilliers.)*

BROCHET A LA BROCHE. Écaillez, incisez légèrement votre brochet, lardez-le avec des filets d'anguille salés, poivrés; embrochez-le et arrosez-le, en cuisant, avec du vin blanc, de l'huile fine et du jus de citron vert. Dès qu'il est cuit, faites fondre des anchois dans ce qui est tombé dans la lèchefrite, ajoutez-y des huîtres que vous faites chauffer sans bouillir, des câpres, du sel et du poivre, liez cette sauce avec un peu de jus ou avec un roux, et servez.

La sauce *Pluche* ou verte convient très-bien à ce brochet en raison des anchois. – Les huîtres sont très-nécessaires.

BROCHET A LA TARTARE. Coupez votre brochet par tronçons et faites-les mariner tout écaillés avec de l'huile, sel, gros poivre, persil, ciboules, échalotes et champignons hachés très-fin; saucez-les dans la marinade et panez-les avec de la mie de pain, mettez-les sur le gril et faites cuire en arrosant avec le reste de la marinade, faites-les prendre belle couleur et servez à sec avec une rémoulade dans une saucière.

M. le comte de Courchamps a payé sa dette à la marquise de Créquy, dont il a écrit les mémoires, en donnant le nom de Créquy à un brochet, c'était bien de l'honneur pour ce poisson; on sait que la devise des barons de Créquy était : *Créquy haut baron, Créquy haut renom.* Voyons ce qu'il fallait que fît un brochet ou ce qu'il fallait qu'on lui fît pour le conduire à un si grand honneur.

BROCHET A LA CRÉQUY. Après avoir enlevé la peau qui supporte les écailles d'un gros brochet, mortifié depuis quelques jours, on le pique jusqu'à la quatrième partie des côtes avec des anchois, l'autre quart avec des cornichons, puis des carottes et enfin des truffes, on le remplit avec farce au poisson, pour le placer dans une poissonnière, de manière à laisser en dehors tout ce qui a été piqué et qui doit être arrosé aussi souvent que possible,

avec le mouillement qui se trouve dans l'intérieur; on le couvre pour continuer, le feu par-dessus; sa cuisson terminée, on le retire et lorsqu'il est égoutté on verse dessous une sauce à la crème et au jus de poisson bien réduit. C'est un des plus beaux relevés maigres, dit le *Cuisinier de la cour et de la ville.*

BROCHET A L'ALLEMANDE. (Recette de Beauvilliers.) Ayez un beau brochet, faites attention qu'il ne sente pas la vase, laissez-le mortifier deux ou trois jours et davantage, s'il fait froid; lorsque vous voudrez vous en servir, videz-le, ôtez-lui les ouïes, supprimez-en les nageoires et le petit bout de la queue, lavez-le et nettoyez bien le dedans, faites une eau de sel, mettez votre brochet dans une casserole avec quelques branches de persil, une feuille de laurier et quelques carottes coupées en lames, mouillez-le avec moitié eau de sel et moitié eau de rivière, faites-le cuire; sa cuisson faite, égouttez-le, ôtez-en la peau, mettez-le dans une casserole et versez dessus de son assaisonnement, tenez-le chaudement, posez une serviette sur un plat, remplissez le vide des tronçons avec du raifort râpé, dressez-les et servez à côté une saucière remplie d'une sauce au beurre ou de toute autre sauce.

BROCHET A L'ALLEMANDE. (Recette de M. de Courchamps.) Pour le préparer de cette manière, on le choisit de grosseur moyenne; après l'avoir coupé en trois ou quatre parties égales, on le met dans une casserole avec de l'oignon, du persil, du laurier, de la ciboule, du sel et du poivre; on mouille avec du vin blanc, et après une demi-heure on le retire; après l'avoir paré on le met dans une casserole, on verse dessus le court-bouillon passé au tamis; après avoir égoutté et mis sur un plat le brochet, on prend une autre casserole avec du beurre, un peu de fécule, de la muscade râpée, du poivre, un verre de court-bouillon, et l'on agite, en tournant sur le feu, jusqu'à ce que le tout soit bouillant; après avoir lié cette sauce avec les jaunes d'œufs, on continue de tourner sans pousser à l'ébullition, on la passe au tamis en la versant sur le poisson.

BROCHET A LA GENEVOISE. Prenez un brochet que vous ficellerez de distance en distance, de la largeur de deux doigts, et mettez-le dans une poissonnière avec sel, poivre, un oignon piqué de deux clous de girofle et un bouquet garni; mouillez avec un demi-litre de vin moitié blanc moitié rouge par 500 grammes de poisson. Mettez votre poissonnière sur un feu très-vif et poussez assez vivement pour que les vapeurs vineuses qui s'élèvent s'enflamment. Quand le feu a ainsi fait son effet, mettez 250 grammes de beurre dans la poissonnière, ajoutez-y des épices mélangées et laissez cuire doucement environ une heure. Quand le court-bouillon sera assez réduit, jetez-y quelques morceaux de beurre en remuant toujours la poissonnière, retirez ensuite le poisson, égouttez-le et liez la sauce.

BROCHET EN FRICANDEAU. Après avoir écaillé, vidé et lavé votre brochet, coupez-le en tronçons, piquez ces tronçons en dessus avec du petit lard, versez dans une casserole un verre de vin blanc, du bouillon ; ajoutez-y un bouquet garni, des rouelles de veau coupées en dés, du sel, du gros poivre, de la muscade, et mettez vos tronçons de brochet tremper dans cet assaisonnement, puis faites-les cuire ; la cuisson achevée, tamisez la sauce, faites-la réduire presque complètement et passez-y les tronçons de votre brochet du côté du lard pour les glacer ; cette opération deviendra plus facile en ajoutant un peu de caramel à la sauce.

Dressez le poisson glacé sur un plat chaud et détachez avec un peu de bouillon ce qui reste au fond de la casserole.

GRENADINS DE BROCHET, lisez : FRICANDEAU DE BROCHET. Si vous voulez les manger gras, piquez-les de lard ; si vous voulez les manger au maigre, piquez-les de lardons d'anguille et de filets d'anchois, servez dessous soit une sauce tomate, soit une purée de champignons, soit toute autre sauce ou toute autre purée.

COTELETTES DE BROCHET. Apprêtez et lavez les chairs d'un brochet, supprimez-en la peau, donnez à ces chairs, en les coupant, la forme de côtelettes de veau ou de mouton, faites-les cuire dans une enveloppe de papier huilé avec des fines herbes hachés, tel que vous feriez pour des côtelettes de veau ; procédez en tout comme pour ces côtelettes, c'est-à-dire faites-les griller en prenant garde que le papier ne brûle, et laissez-les cuire jusqu'à ce qu'elles aient atteint une belle couleur.

FILETS DE BROCHET A LA BÉCHAMEL. Mettez dans une béchamel réduite les restes de votre brochet, dressez-les ensuite sur un plat arrosé d'un peu de beurre fondu, entourez-le de bouchons de pain trempés dans une omelette ; mettez-les au four, laissez-les jusqu'à ce qu'ils aient belle couleur et servez.

SALADE DE BROCHET. Coupez votre brochet froid par morceaux et assaisonnez-le en y ajoutant câpres, anchois et cornichons coupés en filets, ainsi que de la fourniture hachée ; dressez-la sur un plat sans y comprendre les anchois, les cornichons et les câpres, garnissez le bord de votre plat de laitues fraîches coupées par quartiers et d'œufs durs coupés de même, décorez votre salade de filets d'anchois et de câpres, saucez-la avec son assaisonnement et servez.

BROCOLI

Le brocoli est une espèce de chou-fleur qui au lieu de fleurir blanc fleurit noir, qui au lieu de se réunir en rameaux compacts se divise en rameaux séparés ; c'est un excellent légume, seulement il est mal connu en France, excepté dans le Midi, où la chaleur est suffisante pour le faire pousser. Nous avons dit qu'il fleurissait noir, en Italie il fleurit violet. On les fait cuire et on les prépare comme des choux-fleurs. Le parenchyme en est plus léger, mais il a la saveur plus exquise. Ne pas confondre les brocolis avec les choux de Bruxelles. C'est du Milanais que nos jardiniers soigneux tirent la graine de cette plante.

Ils les font venir sur des couches préparées qui rendent le légume très-flexible à la cuisson.

Apprêtez avec une bonne sauce au beurre – ou une sauce au gratin avec parmesan.

BROU

C'est le nom de la coque verte qui renferme certains fruits à écale, c'est ce qui fait faire la grimace à la guenon de la fable qui mord dans le brou au lieu d'éplucher la noix.

BROU DE NOIX A LA SAINTE-MARIE. Prenez 2 kilos de noix vertes, 7 grammes de cannelle, 3 grammes et demi de malcis, huit litres d'eau-de-vie à 50 degrés, 2 litres d'eau de rivière, 2 kilos de sucre ; choisissez des noix aux deux tiers de leur grosseur, assez peu formées cependant pour qu'une épingle passe encore facilement à travers leurs coquilles ; vous les pilez au mortier de marbre et les mettez infuser avec les aromates et dans l'eau-de-vie pendant un mois et demi, puis vous tamisez le tout et recueillez la liqueur ; vous faites fondre le sucre à l'eau de rivière, vous opérez le mélange des deux liqueurs et vous les laissez éclaircir pendant six semaines ; enfin vous décantez le ratafia par inclinaison. Au lieu de laisser déposer votre liqueur, on peut à la rigueur la filtrer.

BROU DE NOIX A LA CARMÉLITE. Prenez 150 noix vertes, 3 gram. ½ de muscades, 3 gram. ½ de girofle, 2 kilogrammes de sucre concassé, mettez le tout dans 8 litres d'eau-de-vie, vous choisissez les noix comme pour le brou ci-dessus, vous les pilez de même, vous les faites infuser deux mois dans l'eau-de-vie, vous les égouttez dans un tamis au-dessus d'un vase, vous faites fondre le sucre dans cette liqueur que vous renfermez de nouveau dans un vase pendant trois autres mois, vous la décantez ensuite et la mettez en bouteilles. Ce dernier ratafia, comme stomachique, est encore supérieur à l'autre.

BRUGNON

Espèce de pêche presque ronde, lisse et de couleur rouge tirant sur le violet ; elle est moins grosse que les autres, sa chair est ferme et comme saveur tient le milieu entre la pêche et la prune; elle est de facile digestion. Le brugnon violet musqué est plus estimé que les autres, on le mange en août et en septembre.

BRULURE

La brûlure est un des accidents les plus fréquents qui puissent arriver à un cuisinier consciencieux et exerçant de sa personne; nous extrayons du *Traité des préparations* de M. Lorrain l'indication des remèdes reconnus comme les plus propres à en prévenir les suites. Nous remercions d'abord pour notre compte M. Lorrain en lui laissant à recueillir les remercîments de ceux qu'il aura soulagés.

« Les plus fortes brûlures auraient presque toujours des suites très-légères si on y appliquait aussitôt les remèdes convenables; pour peu qu'on attende, l'action du feu qui, d'abord n'a attaqué que la superficie de la peau, pénètre dans l'intérieur et occasionne de grands désordres qu'il aurait été facile de prévenir.

« Les premiers soins à prendre doivent avoir pour but de diminuer l'inflammation qui est toujours la suite des brûlures, ou même de l'empêcher de naître.

« On arrosera donc la partie brûlée avec de l'eau la plus froide possible, sans le moindre délai; si la partie est couverte d'un vêtement, on commencera par l'imbiber d'eau froide jusqu'à ce qu'elle pénètre la brûlure, ou, ce qui est préférable, on plongera tout le membre dans l'eau froide; si on n'a pas d'eau froide sous la main, on enlèvera de suite le vêtement et on appliquera sur la brûlure un corps froid et, s'il est possible, de nature métallique. Par ces moyens, on empêchera la continuité d'action du calorique.

« Lorsque la brûlure sera à nu, on la couvrira avec des compresses trempées dans l'eau la plus froide, même à la glace, et qu'on renouvellera de minute en minute, ou qu'on arrosera par-dessus. Si on peut se procurer de l'alun, on en fera dissoudre dans l'eau froide et on en imbibera des compresses qu'on posera sur la brûlure. On arrosera fréquemment les compresses pendant la première heure sans les lever, et pendant les cinq ou six heures suivantes, on aura soin de ne pas les laisser s'échauffer et se dessécher. Ces moyens et surtout l'emploi de l'eau d'alun suffisent souvent pour prévenir les suites de brûlures très-fortes.

« Après cinq ou six heures d'arrosage, on fixe les compresses avec des bandelettes, et on ne fait plus rien. Il se forme ordinairement, sous les compresses, une croûte qui prend de l'épaisseur et de la dureté et qui se sépare d'elle-même dans un moment plus ou moins loin. L'alun agit dans ce cas par sa propriété astringente, aussi peut-on le remplacer par d'autres substances qui jouissent de la même propriété, quoiqu'à un degré moindre. Telle est, par exemple, la pulpe crue de pommes de terre, on en recouvre la brûlure et on la renouvelle à mesure qu'elle s'échauffe. Cette pulpe agit par le froid qu'elle apporte et par le principe astringent qu'elle contient. Pour obtenir la pulpe de pommes de terre, on les frotte sur une râpe ordinaire, ou, à défaut de râpe, on les écrase avec un marteau jusqu'à ce qu'elles soient réduites en bouillie.

« En général, la première chose à faire pour une brûlure, c'est de refroidir le plus qu'on peut la partie affectée; on emploie à ce refroidissement l'eau la plus froide et même la glace; ce refroidissement doit être continué sans interruption pendant une heure; ensuite, et même plus tôt si on le peut, tout en continuant à refroidir la partie brûlée et celles qui sont avoisinantes, on passe à l'emploi des astringents, l'eau d'alun, l'eau de goulard, la pulpe de pommes de terre, la boue ferrugineuse qu'on trouve dans l'auget des meules à émoudre, etc.; ou les toniques tels que l'éther, l'alcool, l'eau-de-vie; ces dernières substances doivent être employées sans compresse, on en mouille de temps en temps la partie brûlée.

« Si, malgré l'emploi des moyens ci-dessus, la plaie vient à suppuration, on la panse alors avec le cérat siccatif ou avec le baume de Geneviève. »

BUFFLE

Animal originaire des Indes et de l'Afrique, qui ressemble assez au taureau, mais qui est plus fort.

La chair du buffle est moins agréable à manger que celle du bœuf, cependant elle est fort bonne et fort saine.

On fait avec le lait des femelles un fromage excellent que l'on appelle en Italie *œuf de buffle*, parce qu'on lui donne la forme d'un œuf.

Nous devons à l'obligeance de M. Duglerez, ancien chef de bouche de la maison Rothschild, une excellente recette pour assaisonner le museau de buffle; nous nous empressons de la donner à nos lecteurs.

Le museau de buffle est très-peu employé en cuisine, cependant c'est un mets qu'un bon cuisinier peut rendre très-délicat.

Prenez un museau de buffle, faites-le dégorger, blanchir et rafraîchir, puis grattez et flambez pour en extraire les poils; mettez-le après dans un bon fonds et faites cuire pendant trois heures. Assurez-vous de temps en temps si c'est cuit, puis égouttez-le et placez-le sur le plat imbibé d'une bonne sauce hachée bien relevée et servez.

On peut servir ce mets de plusieurs manières :

Soit en papillotes, à la Provençale, en matelote, à la Lyonnaise, à la Tartare, à la sauce aux tomates et à la Villeroy. *(V. ces sauces.)*

CABELAN ou CAPLAN

Sorte de poisson commun dans la Méditerranée. Sa chair
est douce, tendre et de bon goût. On en fait, à Paris, des
sandwichs à la crème de Meaux, et, sur les côtes de Bretagne, des beurrées fort appétissantes. Il sert pour amorcer
les morues sur le banc de Terre-Neuve.

CABILLAUD, plutôt CABIAU

Nom de la morue fraîche en Hollande; comme c'est le
même poisson qui reçoit le nom de morue quand il est
salé, c'est à ce nom de Cabillaud que nous dirons tout
ce que nous avons à dire sur la morue.

CABILLAUD. Genre de poisson de la famille des *gadoïdes*,
différent du merlan par la présence d'un barbillon attaché
sous la symphise de la mâchoire inférieure. La fécondité
du cabillaud égale sa voracité. Dans un cabillaud de la
plus grosse taille, c'est vrai, pesant 30 à 32 kilogrammes,
on a trouvé huit millions et demi et jusqu'à neuf millions
d'œufs. On a calculé que si aucun accident n'arrêtait l'éclosion de ces œufs et si chaque cabillaud venait à sa grosseur,

il ne faudrait que trois ans pour que la mer fût comblée
et que l'on pût traverser à pied sec l'Atlantique sur le
dos des cabillauds.

Les cabillauds frayent, en décembre, sur les côtes d'Espagne; au printemps, sur celles d'Amérique, et alors
la voracité de ces poissons ne connaît plus d'obstacles,
ils se réunissent en troupe serrée et infligent à leurs
proies, et surtout aux maquereaux, une chasse qui les
pousse par milliards sur les côtes. La résidence habituelle
des cabillauds est sur les bancs de Terre-Neuve, au cap
Breton, à la Nouvelle-Écosse, à la Nouvelle-Angleterre,
à la Norwége, aux côtes d'Islande, aux bancs de Dogger
et aux Orcades. C'est particulièrement au printemps
qu'on les voit se réunir par bancs en forme de parallélo-
grammes et pulluler de façon à épouvanter ceux qui cal-
culent la quantité de poissons dévorants que contiennent
ces bancs de plusieurs pieds d'épaisseur; aussi le cabillaud
est-il une des premières pêches auxquelles les nations
d'Europe se sont livrées. Nous avons des preuves certaines
que ces pêches sont organisées depuis le commencement
du IXe siècle; car vers la fin de ce siècle, nous trouvons

des pêcheries établies sur les côtes de Norwége et d'Islande. Dès 1368, Amsterdam avait une pêcherie de morue sur les côtes de la Suède; au rapport d'Anderson, ce fut en 1536 que la France envoya au banc de Terre-Neuve son premier vaisseau pour y pêcher. Longtemps on prétendit qu'il était monté par des Malouins, aujourd'hui on en fait honneur aux Basques; et, en effet, cent ans environ avant l'expédition de Christophe Colomb, les pêcheurs basques poursuivant une baleine s'aperçurent de la grande abondance de cabillauds qu'il y avait à Terre-Neuve, et en firent la première pêche. En 1578, la France envoyait à Terre-Neuve 1,050 navires pour la pêche, l'Espagne 110, le Portugal 50 et l'Angleterre 30; au moment de notre première Révolution, le produit de la pêche française s'élevait à 15,731,000. La pêche de la morue se fait ordinairement pendant le mois de février et est plus souvent terminée en six semaines; il n'est pas rare cependant qu'elle dure, dans les bonnes années, quatre ou cinq mois. On se sert pour pêcher la morue de lignes, d'hameçons, de rêts; un pêcheur ne pêche à la fois qu'un poisson, mais le cabillaud est si abondant que chaque pêcheur peut en prendre trois cent cinquante à quatre cents par jour. Le rendez-vous des morues et par conséquent des pêcheurs est au banc de Terre-Neuve, à l'île de Sable, à celle de Saint-Pierre et au banc Vert. Les morues sont d'une telle voracité, que tous les genres d'appâts sont bons pour les prendre. Les pêcheurs flamands se servent particulièrement de grenouilles, les Basques d'anchois et de sardines, les pêcheurs de Boulogne de harengs, de maquereaux et même de vers de terre. En Irlande, on fait usage de moules; en Hollande, de morceaux de lamproies.

CABILLAUD (ou morue fraîche à la Hollandaise.) Choisissez un cabillaud frais et gras, ce qu'il sera facile de reconnaître à l'œil et en le flairant, qu'il ait la peau blanche et tachée de jaune, ce sont les meilleurs; videz-le, ôtez les ouïes, layez-les à plusieurs eaux, ficelez-lui la tête, mettez-le dans une poissonnière, faites-le cuire dans une bonne eau de sel que vous aurez préparée ainsi. Mettez de l'eau dans un petit chaudron, proportionnez-y le sel à la quantité de l'eau, jetez-y quelques ciboules entières, du persil en branches, une gousse d'ail, deux ou trois oignons coupés en tranches, du zeste de carotte, du thym, du laurier, du basilic, deux clous de girofle; faites bouillir trois quarts d'heure, écumez votre eau, descendez-la du feu, couvrez-la d'un linge blanc, laissez-la reposer une demi-heure ou trois quarts d'heure, passez-la au travers d'un tamis de soie, servez-vous-en pour faire cuire votre poisson et, en général, tout ce qui doit être cuit à l'eau de sel. La cuisson de votre cabillaud achevée, sans l'avoir laissé bouillir, cinq minutes avant de le servir, retirez-le de l'eau, laissez-le s'égoutter sur la feuille, glissez-le sur le plat où il doit paraître sur la table, servez-le avec des pommes de terre cuites à l'eau et épluchées, et avec une saucière remplie de beurre fondu. Vous pouvez le servir aussi avec une sauce aux huîtres, une sauce blanche aux câpres, ou une sauce à la bonne morue. (*Recette Beauvilliers.*)

CABILLAUD A LA SAINTE-MENEHOULD. Choisissez avec soin votre cabillaud, c'est-à-dire frais et gras; introduisez-lui dans le corps une farce cuite. Si c'est en maigre, que la farce soit en poisson; dressez-le immédiatement sur le plat où vous devez le servir; mouillez votre cabillaud d'une braise grasse ou maigre, selon que sera grasse ou maigre la farce que vous lui aurez introduite dans le ventre; mettez-le au four, et, sa cuisson faite, égouttez-le sans l'enlever de dessus son plat; saucez-le d'une Sainte-Menehould, passez-le avec de la mie de pain et du fromage de Parmesan, arrosez-le de beurre fondu, faites-lui prendre une belle couleur, égouttez-le de nouveau, nettoyez votre plat, et mettez-y une italienne blanche. (*V. italienne blanche.*)

CABILLAUD A LA HAMBOURGEOISE. (Recette traduite de l'allemand par l'auteur du *Dictionnaire de cuisine*.) Prenez à cet effet un cabillaud bien frais et bien charnu; lorsque vous l'aurez bien nettoyé (en ayant soin de ne pas faire une trop grande ouverture pour lui retirer les intestins), faites-le égoutter et essuyez-le bien en dedans et en dehors. Faites blanchir six douzaines d'huîtres, égouttez-les sur un tamis; laissez reposer l'eau des huîtres, que vous aurez eu soin de conserver; faites une béchamel mouillée avec cette eau et moitié crème; faites réduire cette sauce jusqu'à ce qu'elle tienne à la cuiller; assaisonnez d'un peu de sel, poivre et muscade; mêlez-y les huîtres et remplissez-en l'intérieur de ce cabillaud; posez-le ensuite sur un plat ou une plaque bien étamée, ciselez légèrement la surface de votre poisson; prenez six jaunes d'œufs crus, 125 grammes de beurre fondu, sel et muscade; battez le tout, prenez un pinceau, enduisez bien toute la surface du poisson, semez de la mie de pain (cette opération doit se faire vivement), arrosez ensuite de beurre fondu toute cette panure (une heure suffit pour la cuisson, qui doit être à un four un peu chaud). Si c'est sur une plaque que vous avez posé votre poisson, enlevez-le avec deux couvercles de casserole. Pour sa sauce, ayez un gros homard cuit; retirez-en les chairs, pilez les coquilles avec ses œufs et intestins; ajoutez 180 grammes de beurre, relevez le tout dans une casserole, exposez-le sur un fourneau, remuez cette préparation avec une cuiller de bois, et quand le beurre sera bien fondu, versez-y une cuillerée de bon bouillon, faites bien chauffer; au premier bouillon, versez le tout dans une étamine, tordez fortement sur une terrine préparée à cet effet et laissez monter le beurre, ensuite enlevez-le avec une cuiller ; servez-vous de ce qui reste dans la terrine pour faire votre sauce, en y ajoutant de la bonne crème en quantité égale à votre fond. Vous aurez coupé en dés vos chairs de homard que vous incorporez dans la sauce au moment de servir, ainsi que votre beurre rouge ; goûtez si la sauce est de bon goût ; lorsque vous mettez votre poisson au four, versez sur un plat un bon verre de vin blanc. Ce relevé fait le meilleur effet possible quand il est bien soigné.

CABILLAUD A L'ITALIENNE. Choisissez avec soin un beau cabillaud, tâchez qu'il soit d'Ostende ou des côtes de la Manche, faites une farce avec des merlans et des anchois pilés, remplissez-en la cavité du cabillaud, dressez votre poisson sur un plat creux avec du beurre et du persil haché, mouillez le tout avec une bouteille de vin blanc, mettez-le au four après l'avoir pané et saupoudré de mie de pain mêlée de fromage de Parmesan râpé, arrosez de beurre fondu, et faites-lui prendre couleur sous le four de campagne ; vous pouvez le saucer alors avec telle sauce que vous voudrez.

CABILLAUD AUX FINES HERBES. Même préparation que ci-dessus ; quand il sera resté une heure dans son eau salée, servez avec fines herbes, beurre, sel, poivre, muscade, aromates et chapelure ; mouillez-le d'une bouteille de vin blanc, mettez-le au four et arrosez plusieurs fois.

MORUE A LA MAITRE D'HOTEL. Vous choisissez une belle crête de morue d'une peau blanche piquée de jaune ; pour vous assurer qu'elle est tendre, pincez-en la chair, goûtez aussi si elle est d'un bon sel et, dans le cas où elle serait trop salée, mettez-la dans l'eau avec moitié lait, et elle se dessalera promptement ; trempez-la dans l'eau chaude, ôtez les écailles en la grattant avec un couteau, mettez de l'eau fraîche dans une casserole avec votre morue, faites-la cuire ; dès qu'elle aura bouilli, retirez-la pour l'écumer, couvrez-la un instant, puis égouttez-la, dressez-la et saucez-la d'une sauce à la maître d'hôtel forcée d'un peu de citron ou de verjus (*V. sauce à la maître d'hôtel*) ; vous pouvez aussi supprimer la peau, la défaire par feuillets, la sauter dans une maître d'hôtel en y ajou-

tant un filet de verjus ou un jus de citron, la dresser et la servir aussitôt.

BRANDADE DE MORUE. Faites cuire votre morue comme ci-dessus, supprimez-en les peaux, égouttez-la, puis divisez-la par petites feuilles, mettez de l'huile d'olive dans une casserole et jetez-y votre morue avec deux gousses d'ail écrasées, remuez fortement tout, en faisant tourner et retourner votre morue jusqu'à ce qu'elle soit bien mêlée à l'huile, ajoutez du gros poivre, un jus de citron, dressez-la en rocher et servez.

MORUE AU BEURRE NOIR. Préparez et faites cuire votre morue de la même manière que les précédentes, égouttez-la, faites un beurre noir en procédant ainsi : mettez du beurre dans une poêle et faites-le fondre et cuire au point de noircir sans qu'il soit brûlé, mettez ensuite du persil en branche pour frire, ajoutez à votre sauce du vinaigre en suffisante quantité, ne mettez pas de sel, dressez votre morue, saucez-la et servez.

MORUE A LA CRÈME, OU BONNE MORUE. La même préparation et la même cuisson que ci-dessus, égouttez-la, dressez-la et saucez-la d'une sauce bonne morue que vous faites en mettant dans une casserole 120 grammes de beurre, une cuillerée de farine, une bonne pincée de persil et une de ciboule hachée, poivre, sel, muscade râpée, un verre de crème ou de lait ; mettez sur le feu, tournez et faites bouillir un quart d'heure, versez sur votre poisson et servez.

CABILLAUD OU MORUE A LA HOLLANDAISE. Prenez un cabillaud ou une morue bien fraîche, ce que vous pouvez reconnaître en flairant ; les meilleurs sont ceux qui ont la peau blanche et tachée de jaune ; videz-le, ôtez les ouïes, lavez-le à plusieurs eaux, ficelez-lui la tête et mettez-le dans une poissonnière, faites-le cuire dans une bonne eau de sel sans le laisser bouillir ; il faut un peu de lait dans la cuisson ; quand il sera cuit, et cinq minutes avant de le servir, retirez-le de l'eau, laissez-le s'égoutter sur la feuille, glissez-le avec sur le plat que vous devez servir, mettez au four des pommes de terre cuites à l'eau et épluchées et du beurre fondu dans une saucière. Vous pouvez servir ce poisson avec une sauce aux huîtres ou une sauce blanche aux câpres ou encore une sauce à la bonne morue.

CABILLAUD OU MORUE AU GRATIN. Si vous avez du cabillaud de desserte, épluchez-le, ôtez les peaux, et les arêtes et faites une béchamel (*V. cette sauce*) ; assurez-vous que votre sauce n'est pas trop longue, mettez-y votre cabillaud et faites-le chauffer sans bouillir, dressez-le sur un plat en l'étendant avec la lame de votre couteau, vous le panez ensuite avec de la mie de pain et vous y ajoutez, si vous le jugez nécessaire, un peu de fromage de

Parmesan; arrosez-le de beurre comme pour le cabillaud à la Sainte-Ménehould, garnissez avec des bouchons de pain le tour de votre plat, mettez-le au four, faites-lui prendre belle couleur, retirez-le, ôtez les bouchons, mettez-en d'autres passés au beurre et servez.

MORUE A LA BOURGUIGNOTE. Coupez cinq ou six oignons en rouelles et mettez-les avec un bon morceau de beurre dans une casserole où vous les ferez cuire et roussir; leur cuisson achevée, faites un beurre roux que vous tirez au clair et que vous mettez sur vos oignons, avec sel, poivre et un fort filet de vinaigre; vous ferez cuire votre poisson comme il est indiqué pour la morue à la maître d'hôtel; égouttez-la ensuite, dressez-la sur votre plat, saucez avec vos oignons au beurre roux et servez.

QUEUES DE MORUE A L'ANGLAISE. Vous ferez cuire des queues de morue comme ci-dessus, que vous égoutterez bien; faites une sauce avec la chair de deux citrons coupés en dés, filets d'anchois, persil et ciboule hachée, échalote, une pincée de gros poivre, une pointe d'ail; ajoutez-y un morceau de beurre et un peu d'huile, faites chauffer cette sauce à petit feu en la remuant bien, mettez-en la moitié dans le fond de votre plat, dressez-y votre morue, garnissez-la de croûtons frits dans le beurre, jetez sur votre morue le reste de votre sauce, panez-la avec de la chapelure, laissez-la mijoter un bon quart d'heure sous un four de campagne, nettoyez le bord de votre plat et servez.

CABILLAUD OU MORUE A LA NORWÉGIENNE. Procurez-vous une petite morue fraîche que vous couperez en quatre ou cinq morceaux, désossez, marinez avec beurre chaud, jus de citron, persil haché, échalote et fines herbes; servez avec marinade dessus et dessous, panez, arrosez avec beurre chaud, faites cuire au four, servez avec sauce au vin blanc, jaunes d'œufs et muscade.

CABILLAUDS GRILLÉS A LA CRÈME ET AUX HUITRES. (La recommandation reste toujours la même pour votre cabillaud.) Mettez-lui dans le corps une farce maigre ou grasse, au poisson si c'est au maigre, à la viande si c'est au gras. Vous suivez en tous points les mêmes instructions que pour le cabillaud à la Sainte-Ménehould, seulement en le retirant du four vous le couvrez d'une sauce à la crème et aux huîtres.

CABILLAUD PANÉ. Coupez votre cabillaud en cinq ou six morceaux, marinez avec sel, poivre, persil, échalotes, ail, thym, laurier, ciboules, basilic; le tout haché, le jus de deux citrons et du beurre fondu; dressez-les, servez avec la marinade, panez et faites cuire sous un four de campagne.

La fête du dieu Chocolat

CACAO

Graine de la grosseur d'une petite fève, nichée dans une pulpe butyracée du fruit du cacaoyer ou cacaotier. Cet arbre croît abondamment en Amérique, produit des cosses cannelées et rayées, d'environ trois lignes d'épaisseur, renfermant trente ou trente-cinq amandes assez semblables à nos pistaches, mais plus grandes, plus grosses, arrondies et couvertes d'une pellicule sèche; la substance de ces amandes est d'un goût amer et légèrement acerbe.

Il y a différentes sortes de cacao : le cacao de Cayenne, celui de Caracas, de l'île Sainte-Madeleine, de Berbice et de Saint-Domingue; ils diffèrent entre eux par la grosseur et la saveur des amandes. Le gros Caraque, dont l'amande un peu plate ressemble assez à nos grosses fèves par son volume et sa figure, est le plus estimé de tous; après lui viennent ceux de Sainte-Madeleine et de Berbice, dont l'amande est moins aplatie que celle du Caraque, et sa pellicule est couverte d'une poussière de couleur cendrée très-fine. Les autres ne sont bons qu'à faire du beurre de cacao à cause de leur âcreté et de l'huile qu'ils contiennent. La différence qui existe entre nos amandes et le cacao, c'est que son germe est placé au gros bout de l'amande, au lieu que dans nos amandes européennes il est placé à l'autre bout.

Pour obtenir un chocolat de première qualité, il faut allier par parties égales les cacaos Caraque, de Sainte-Madeleine et de Berbice; cela lui donne la dose d'onctueux et d'oléagineux qu'il doit avoir; le chocolat fait avec le seul Caraque serait trop sec, et celui qui ne contiendrait que du cacao des îles deviendrait trop gras et trop âcre. On *terre* le cacao, afin de lui faire perdre son âcreté, et il faut avoir bien soin, avant de l'employer, de le dépouiller de cette enveloppe de terre qui le rend un peu moisi, ce qui n'empêche pas le Caraque, le seul qu'on soumette à cet enterrement préparatoire, de produire le meilleur des chocolats connus; toutefois il est nécessaire, comme nous l'avons déjà dit, d'y mêler d'autres sortes pour en corriger la fadeur par une certaine âpreté qui n'est pas déplaisante. Ces cacaos sont légèrement torréfiés; étant refroidi ce cacao s'écrase pour en séparer les enveloppes ou écorces qui se rejettent. En Suisse et en Allemagne cependant on les conserve pour faire dans l'eau bouillante une infusion que les habitants mélangent avec le lait et boivent en place du vrai chocolat. En Orient, les arilles ou enveloppes du café s'emploient de la même manière pour le *café à la Sultane*.

On attend pour recueillir le cacao que les fruits, parfaitement mûrs, résonnent en les agitant par le choc intérieur des semences; alors on en fait des tas que l'on laisse sécher pendant trois ou quatre jours, afin de briser le fruit et de le débarrasser de la pulpe qui l'environne.

Torréfaction et pate de cacao. Vous écossez les amandes de cacao, vous en mettez environ cinquante centimètres d'épaisseur dans une poêle de fer que vous placez sur un feu de charbon pour brûler légèrement l'écorce ligneuse du cacao que vous remuez avec une grande et large spatule de bois. Cette torréfaction, qui fait perdre au cacao son odeur de moisi, doit être faite avec ménagement, sinon le cacao trop chauffé amène un commencement de décomposition et ne produit plus qu'un chocolat brun ou noir qui est plus âcre et qui, loin de posséder les vertus de celui qui serait torréfié avec précaution, ne peut donner que de mauvais résultats. Lorsque l'écorce se sépare de l'amande sans difficulté en appuyant avec les deux doigts, le cacao est arrivé au degré de torréfaction nécessaire; vous retirez alors votre poêle du feu et vous le versez dans un tonneau, vous le mettez ensuite dans un crible assez serré pour que le moindre grain ne puisse passer sans être brisé; vous prenez un morceau de brique que vous appuyez sur votre cacao qui en se brisant se sépare de son enveloppe; il est préférable, pour cette dernière opération, de prendre un moulin qui a l'avantage d'abréger ce travail et de le rendre plus perfectionné; vous passez ensuite la première et la seconde grosseur du cacao dans des cribles de diverses grandeurs, et vous le mettez dans un petit van, afin de le remuer pour en séparer les écorces; quand la première grosseur est vannée, vous passez à la seconde, et ainsi de suite jusqu'à ce qu'il ne reste plus aucune ordure. Vous éviterez, en faisant cette opération avec soin, la perte de temps que vous éprouveriez si vous étiez obligé d'éplucher grain à grain votre cacao pour en séparer les enveloppes qui resteraient

avec les petits morceaux, si vous n'aviez pris la précaution de le passer plusieurs fois dans les différents cribles. Votre cacao bien nettoyé, vous en pesez, par exemple, dix livres que vous torréfiez de nouveau en le remuant sans discontinuer avec une stapule de bois très-large pour le bien faire chauffer jusqu'au centre sans le griller, et vous le retirerez quand il commencera à devenir luisant. Vous le passez légèrement dans le van pour en extraire les dernières parcelles d'écorce brûlée. Il faut bien se pénétrer que la torréfaction est indispensable pour enlever l'âcreté du cacao en faisant évaporer sa première huile et servir à le broyer plus facilement.

Après le second vannage, vous remplirez un mortier de fer de charbons ardents, afin de le bien faire chauffer; vous l'essuyez, puis vous mettez votre cacao que vous pilez promptement avec un pilon de fer jusqu'à ce qu'il soit réduit en pâte et en huile et que le pilon puisse s'enfoncer par sa seule masse au fond du mortier.

CHOCOLAT A LA VANILLE (façon de Paris). Prenez, par exemple, 5 kilogrammes de pâte de cacao, 60 grammes de vanille et 5 kilogrammes de sucre. Vous incorporez 4 kilos ½ de sucre avec la pâte de cacao, vous les mettez en deux fois dans le mortier pendant qu'il est encore chaud, vous mélangez bien le tout en le pilant et vous retirez cette pâte quand elle est bien mêlée pour la mettre dans une terrine à la réserve de 500 grammes, que vous broyez sur une pierre à chocolat. Cette pierre doit être unie, de 43 à 48 centimètres de large sur 81 de long et 8 centimètres d'épaisseur. Vous l'affermissez sur un châssis de bois en forme de buffet garni de tôle à l'intérieur et disposé de manière à recevoir une petite poêle de braise bien allumée, suffisamment couverte de cendres pour conserver à la pâte une chaleur douce; vous mettez à côté de ce feu la terrine dans laquelle est le surplus de votre pâte; puis vous broyez celle qui est dessus avec un cylindre de fer poli. Lorsque votre pâte est suffisamment broyée, vous la transvidez dans une autre terrine que vous mettez de même à côté du feu pour la conserver fluide, vous en remettez de nouveau sur la pierre et vous procédez ainsi jusqu'à ce que votre pâte ait entièrement passé par cette opération. Vous aurez soin pendant ce travail de toujours entretenir le feu sous votre pierre, qui doit conserver le degré de chaleur convenable, c'est-à-dire assez chaude pour qu'on ne puisse y laisser le dos de la main qu'un instant. Vous ajoutez à votre mélange suffisamment broyé la vanille pulvérisée avec 500 grammes de sucre et tamisée. Remettez votre pâte sur la pierre, retirez-la promptement et roulez-la sur une feuille de parchemin, afin de lustrer votre chocolat; coupez-le par morceaux, mettez-les dans les moules frappés, le plus droit possible pour que le chocolat devienne uni et luisant, et, dans le cas où il se formerait dessus des petites

bulles produites par l'effet de l'air, piquez ces bulles avec une épingle, et votre tablette devient parfaitement unie. Laissez refroidir votre chocolat dans le moule, afin qu'il durcisse; quand il s'est solidifié, il se sépare des moules facilement, il suffit pour cela de les renverser ou de les presser légèrement par les deux bouts, comme si on voulait les tordre; de cette façon, les tablettes qui seraient attachées par quelque côté se retirent très-facilement sans courir le risque de se briser. Si votre chocolat est mis trop chaud dans les moules, il se forme dessus des taches; s'il est trop liquide, jetez deux ou trois cuillerées d'eau sur une quantité de 10 kilogrammes et remuez-le jusqu'à ce qu'il soit devenu plus épais, ce qui donne plus de facilité pour le mettre dans les moules.

Pour obtenir un chocolat qui flatte le goût, vous ajoutez au lieu de vanille 45 grammes de cannelle et 3 gr. ½ de macis que vous mélangez et pulvérisez avec le sucre; si vous désirez un chocolat plus fin, retranchez 1 kilogramme de sucre sur la quantité indiquée ci-dessus. Vous enveloppez vos tablettes dans du papier blanc et vous le conservez dans un endroit bien sec, la moindre humidité le ferait moisir.

La vanille contenant une matière résineuse et balsamique et étant dans un état de mollesse perpétuelle, il est indispensable de la piler avec le sucre et autant que possible par un temps sec, parce que le sucre passe difficilement à travers le tamis par les temps humides; il est important aussi que la vanille soit choisie fraîche et de bonne qualité. La dose que nous prescrivons ci-dessus n'est que comme exemple; on emploie les différentes substances qui entrent dans la composition du chocolat à volonté et dans les proportions convenables à la quantité que l'on veut faire.

CHOCOLAT A LA MANIÈRE DE BAYONNE ET D'ESPAGNE. Ce chocolat diffère seulement de celui ci-dessus par la main-d'œuvre; les substances qui entrent dans sa composition sont les mêmes.

Ayez une pierre des Pyrénées, de 60 centimètres de largeur sur 80 de longueur, avec un rouleau du même grain; ménagez une pente à cette pierre et posez-la sur une table à la hauteur de la ceinture; faites faire quatre auges de bois mince, mettez-les sur la pierre de façon que l'ouvrier en ait une devant lui et une de chaque côté, la quatrième servira pour remplacer lorsque le cacao sera broyé; cette pierre vous dispensera de broyer le cacao dans le mortier de fonte, car vous le mettez dessus lorsqu'il est torréfié et vous le broyez avec le rouleau en procédant comme pour le chocolat de Paris, et jusqu'à l'entier broyage de votre pâte. Quand toute votre venue est broyée, vous retirez l'auge dans laquelle est tombé le cacao broyé et vous la remplacez par une autre dans laquelle vous mettez le sucre, vous broyez de nouveau la pâte et vous serrez avec le rouleau de manière à ce qu'il n'y ait que l'huile qui tombe dans l'auge sur le sucre.

Cela fait, vous formez une pâte avec votre huile et votre sucre mêlés; vous repassez une dernière fois cette pâte sur la pierre en y ajoutant les aromates, et vous mettez votre chocolat dans les moules.

Si vous voulez le faire sans sucre, lorsque le cacao est en huile dans les auges, vous le mettez dans des moules en fer-blanc, comme cela se pratique à Bayonne, où ce chocolat est excellent et du plus grand débit.

CHOCOLAT A LA FAÇON DE MILAN OU D'ITALIE. Il se fait de la même manière que le précédent; la différence existe seulement dans la forme de la pierre qui est cintrée et cannelée. Une seule espèce de pierre est propice à ce travail; elle se travaille aux environs de Milan, et se vend avec les deux rouleaux du même grain 300 fr. dans le pays. Le chocolat qui se fait sur cette pierre est de qualité supérieure, parce que le cacao s'y trouve mieux broyé qu'il ne saurait l'être dans un mortier de fonte qui, très-chaud, ne manquerait pas d'en absorber l'huile. Aussi les ouvriers italiens apportent-ils cette pierre à Paris, et leur chocolat fabriqué avec est-il trouvé meilleur.

VACACA CHINORUM. Prenez du cacao bien torréfié et vanné et broyez-le avec soin, mêlez-y 120 grammes d'amandes de cacao, 30 grammes de vanille, 30 grammes de cannelle fine, 2 gr. ½ d'ambre gris et 30 grammes de sucre en poudre; formez-en une pâte que vous renfermez dans une boîte en fer-blanc; si vous voulez aromatiser agréablement votre chocolat, mettez dedans dix à douze grains de cette composition, qui est excellente et bonne à réparer les forces perdues par épuisement. Les Chinois

font un très-grand usage de cette pâte et s'en trouvent très-bien.

BOISSON DE CHOCOLAT. Mettez dans une chocolatière une tasse de lait ou d'eau par 30 grammes de chocolat, vous faites bouillir et vous ajoutez du chocolat râpé, vous remuez ce mélange. Quand le chocolat est fondu et incorporé avec le lait ou l'eau, vous le laissez reposer dans un endroit chaud pendant environ un quart d'heure; remuez fortement votre boisson et versez-la dans des tasses lorsqu'elle est bien mousseuse.

FALSIFICATION DU CHOCOLAT. Les falsificateurs de chocolat emploient pour le faire du petit cacao commun, duquel ils ont tiré la plus grande partie du beurre, ils y ajoutent une grande quantité d'amandes pilées, de la cassonade au lieu de sucre et du storax commun en place de vanille. Il est impossible, pour les personnes qui s'y connaissent, de confondre le bon et le mauvais chocolat; on le falsifie également avec du beurre, de la fécule de pomme de terre ou de l'amidon.

CACHOU

Mélange de sucs provenant des gousses fraîches de la partie centrale du bois de l'acacia-catchen.

C'est une substance sèche, cassante, qui fond dans la bouche, et dont on se sert pour parfumer l'haleine ou du moins neutraliser les mauvaises exhalaisons. Il est de quelque usage pour le fumeur.

PASTILLES DE CACHOU. Pilez 180 grammes de cachou que vous passerez au tamis de soie et délayerez dans 1 kilogramme de sucre et de l'eau, pour en former une pâte bien ferme que vous roulez par très-petites parties. Vous retirez vos pastilles de dessus les plaques une ou deux heures après, et vous les mettez à l'étuve environ vingt-quatre heures; vous les renfermez ensuite dans des boîtes. Ces pastilles sont stomachiques et astringentes.

On peut s'en servir en boisson, en mettant 30 grammes dans un litre d'eau bouillante qui prend, en remuant avec une cuiller, une teinte rougeâtre d'une saveur douce et fort agréable. Cette eau convient aux personnes qui ont de la répugnance pour les tisanes; elle fait cesser les diarrhées, elle convient dans les maladies bilieuses, et elle est salutaire dans les maux de gorge; elle arrête les vomissements et convient dans les dysenteries. On peut parfumer ces pastilles de diverses manières, en ajoutant dans la pâte quelques gouttes d'essence de cédrat, de bergamote, d'angélique, d'iris, etc. *(M. de Courchamps.)*

CAFÉ

La plante qui le produit est un petit arbrisseau fort bas qui porte des fleurs odorantes. Le café est originaire de l'Yémen, dans l'Arabie-Heureuse; on le cultive aujourd'hui dans plusieurs pays. L'historien arabe Ahmet-Effendi croit que c'est à un derviche qu'est due la découverte du café, vers le xvᵉ siècle ou l'an 650 de l'Hégire. Le premier Européen qui ait parlé de cet arbre est Prosper Alpin, de Padoue. En 1580, il suivit, en Égypte, un consul de la république de Venise; l'ouvrage où il en est question, écrit en langue latine, fut adressé à Jean Morazini. J'ai vu au Caire cet arbre dans les jardins d'Ali-Bey, on l'appelle *bon* ou *boun;* les Égyptiens, avec le grain qu'il produit, préparent une boisson que les Arabes nomment *Kawa.* Le goût pour le café fut porté si loin, à Constantinople, que les Imans se plaignirent que les mosquées étaient désertes tandis que les cafés étaient toujours pleins. Amurat III permit alors que l'on en prît dans les maisons particulières, pourvu que les portes en fussent fermées. Le premier pied de café qui, en 1714, fut planté dans les jardins du Roi, à Paris, y périt; il avait été apporté par M. de Resson, lieutenant général d'artillerie. M. Brancastre, bourgmestre d'Amsterdam, en envoya un pied à Louis XIV, qui le fit mettre dans son jardin de Marly.

Le café ne fut connu, en France, qu'en 1657; ce furent les Vénitiens qui l'apportèrent les premiers en Europe, et ce fut par Marseille qu'il fut introduit en France. Son usage devint universel; les médecins s'en alarmèrent, leurs prédictions sinistres furent traitées de rêveries; il en résulta que, malgré ces disputes, les cafés n'en furent pas moins fréquentés.

En 1669, l'ambassadeur de Mahomet II en apporta une grande quantité en France; on assure que le café se vendit, à Paris, jusqu'à 40 écus la livre.

Posée-Oblé, dans son *Histoire des plantes de la Guyane,* sous le règne de Louis XIII, dit qu'on vendait à Paris, sous le petit Châtelet, la décoction de café nommée *cahuet.* En 1676, un Arménien, nommé Pascale, établit un café à la foire de Saint-Germain, qu'il transporta ensuite quai de l'École; il fit une assez belle fortune. Mais ce ne fut qu'au commencement du siècle suivant qu'un Sicilien, nommé Procope, rétablit la foire des cafés; il y attira la meilleure compagnie de Paris, parce qu'il ne fournit que de bonnes marchandises; après la foire Saint-Germain, il vint s'établir dans une salle, en face de la Comédie-Française, qui devint le rendez-vous des amateurs de spectacles et le champ de bataille des disputes littéraires; c'est dans ce café que Voltaire passait deux heures tous les jours. Il s'établit à Londres, à la même époque, plus de trois mille cafés; Mᵐᵉ de Sévigné lutta le plus qu'elle put contre cette mode et prédit que Racine et le café passeraient en même temps l'un que l'autre.

Il y a dans le commerce cinq principales sortes de café, sans compter la chicorée, que nos cuisinières s'entêtent à y mêler. Le meilleur vient de *Moka* dans l'Arabie-Heureuse; on le divise lui-même en trois variétés : la première nommée *baouri* qu'on réserve pour les grands seigneurs, le *saki* et le *salabi.*

Le café de Bourbon est bien coté dans le commerce; cependant on y préfère celui de la Martinique ou de la Guadeloupe. Le Saint-Dominique, qui comprend aussi celui de Portorico et d'autres îles Sous-le-Vent, est d'une qualité inférieure.

Le café était devenu en France d'un usage général; lorsqu'en 1808 Napoléon publia son décret du système continental, c'était priver la France, à la fois, de sucre et de café; on suppléa au sucre de canne par le sucre de betterave, et l'on allongea le café en y mêlant moitié chicorée, ce qui fut tout bénéfice pour les épiciers et pour les cuisinières qui adoptèrent la chicorée avec fureur; elles soutinrent que le café mêlé de chicorée avait meilleur goût et était plus sain; le malheur est, aujourd'hui, que le décret continental est tombé en désuétude; les cuisinières l'ont enregistré à leur avoir et continuent toujours, sous le prétexte de rafraîchir leurs maîtres, à mêler au café qu'elles achètent tout moulu une certaine quantité de chicorée. Les maîtres ont ordonné alors d'acheter du café en grain, mais, dans des moules faits exprès, on a donné, à de la pâte de chicorée, la forme du café, et bon gré mal gré la chicorée lui est restée fidèle. Voltaire et Delisle ont fait abus du café, qui, loin d'être un poison, comme on l'a dit d'abord, est un antidote pour tous les poisons stupéfiants; il opère rapidement sur l'opium, sur la belladone, etc. Il faut alors le prendre très-fort et une cuillerée à café toutes les cinq minutes.

Nous croyons donner un excellent avis à nos lecteurs en leur enseignant l'essence de café de Trablit, pharmacien, rue Jean-Jacques-Rousseau; quelques gouttes du café Trablit suffisent à donner au lait une couleur et un arôme que jamais on n'obtiendra avec du café ordinaire.

Le café doit être torréfié (brûlé) en le remuant sans cesse dans un appareil quelconque en tôle, mais plutôt dans un brûloir dont le récipient, qui contient le café, est arrondi en tous sens, de manière à présenter le café partout également à la surface chauffante, en commençant par un feu très-doux de façon à le faire renfler d'abord sans le saisir, pour qu'il se torréfie en même temps à l'intérieur du grain comme à sa superficie et devienne d'un beau roux brun. Il faut trois quarts d'heure pour le brûler, on le retire alors du feu quand il est près d'être à son point et qu'il répand une agréable odeur, mais on le laisse dans le brûloir pour achever de se faire; vous l'étendez ensuite sur un torchon pour refroidir et vous le serrez dans une boîte de fer-blanc hermétiquement fermée; ayez soin de ne le moudre qu'au fur et à mesure des besoins, afin qu'il ne puisse perdre son arôme; il en faut à peu près une demi-cuillerée par tasse. Le café moka ayant plus de parfum et de force que les autres, on le mélange ordinairement avec moitié Bourbon. Le Martinique ne convient guère qu'avec du lait, à cause de son âcreté.

On sert ordinairement après le repas, avec le café à l'eau, un petit pot de lait non bouilli ou de crème, que l'on ajoute à son café, si on le juge convenable.

Pulvérisation du café. Dans le Levant on pile le café, en Europe on le moud, et comme plus une substance est divisée, plus on extrait de ses principes en la soumettant à l'infusion, la méthode orientale est infiniment préférable, mais le café levantin est trouble et épais.

Infusion du café. Tout le monde sait aujourd'hui comment se fait cette infusion, et l'usage de la cafetière est trop répandu pour qu'il soit nécessaire d'en donner la description.

Nous donnerons seulement à nos lecteurs le conseil de ne pas laisser séjourner trop longtemps le café dans des vases de fer-blanc; il contient une substance qui attaque le fer et cela lui donne une saveur désagréable.

Le café se fait en Orient comme il se faisait autrefois chez nous, seulement on ne le passe point à la chausse, on le laisse trouble, et les Orientaux le prennent trouble; cependant, quand on veut précipiter le nuage qui ôte à votre café sa transparence, on n'a qu'à laisser tomber deux ou trois gouttes d'eau froide dans la tasse et le café se précipite.

Les Orientaux font bouillir le sucre avec le café, ils vous le versent tout mousseux dans de petites tasses du Japon maintenues par des coquilles en filigranes d'argent, que l'on nomme *fitzyanes*.

Le café bu de cette façon est loin de produire l'excitation nerveuse du café fait à la Dubelloy, qui est au reste la meilleure manière de le faire pour le prendre selon notre système; le grand avantage des cafetières à la Dubelloy, avantage qui se retrouve dans toutes celles où l'eau bouillante est obligée de traverser le café en poudre, c'est de donner immédiatement du café clair, qu'on est dispensé de faire clarifier par le repos, afin de le faire chauffer une seconde fois, ce qui altère toujours sa qualité, ou par celle de colle de poisson qui en précipite un des principes les plus essentiels.

CAFÉ A LA CRÈME FRAPPÉ DE GLACE. Vous faites une infusion assez forte de café Moka ou de café Bourbon, vous la mettez dans un bol de porcelaine, vous la sucrez convenablement et vous y ajoutez une égale quantité de lait bouilli ou le tiers d'une crème onctueuse. Vous entourez ensuite le bol de glace pilée.

Le blocus continental, dont nous avons parlé plus haut, étant dans toute sa vigueur, l'empereur Napoléon Ier passa dans un village où s'exhalait un parfum de café en torréfaction. Curieux de savoir d'où venait ce parfum, il s'avança près du presbytère et aperçut le curé tournant tout tranquillement un brûle-café.

« Ah! ah! je vous y prends, monsieur le curé, dit l'empereur, dites-moi, s'il vous plaît, ce que vous faites là?

— Mais vous le voyez, sire, répondit l'impassible curé sans se déconcerter et tout en continuant à tourner son café, je fais comme Votre Majesté, je brûle les denrées coloniales. »

Fontenelle aimait beaucoup le café et en prenait à tous ses repas; un jour qu'un médecin de ses amis lui disait que le café était un poison lent et qui finissait toujours par exercer une influence mauvaise sur la santé :

« Docteur, répondit l'académicien, je le crois comme vous, il y a quatre-vingts ans que j'en prends, il faut qu'il soit bien lent en effet pour que je ne sois pas encore mort. »

CAILLES

 La caille tient un rang distingué parmi les mets les plus excellents; c'est un animal voyageur qui se reproduit dans les pays tempérés, mais qui y reste rarement. Longtemps on a cherché par quel moyen la caille, qui n'a aucune des qualités des oiseaux au long vol, pouvait passer par-dessus les plus hautes montagnes et traverser les mers, car tout le monde sait que la caille un peu grasse est forcée à son troisième vol et que le chasseur la prend soit à la main, soit au chapeau, sous le nez de son chien; aussi la question fut-elle longtemps pendante pour savoir comment la caille et l'hirondelle, qui ont si peu de ressemblance des ailes et de la queue, peuvent opérer d'aussi

longs trajets l'une que l'autre; le problème est resté insoluble, mais les termes en furent nettement posés par la présence de deux ou trois mille cailles dans une île où il n'y en avait pas une seule la veille.

Dans mes longues navigations dans la Méditerranée, j'ai été témoin de cette espèce de prodige, et dans mon jardin, j'en ai fait lever : où il n'y avait pas une caille la veille, j'en ai tué cinq ou six. Les passages, très-sensibles à Naples, sont au mois d'avril et au mois d'octobre. En avril, elles viennent du sud; en octobre, elles y retournent; seulement en avril, où elles viennent de traverser la grande mer d'Afrique, n'ayant pour se reposer que la Sicile et les îles Lipari et Caprée, elles arrivent épuisées au cap Misène et au cap Campanella; épuisées à ce point qu'au jour naissant ou par un beau clair de lune, on les voit s'abattre, et qu'on peut aller les ramasser sans qu'elles fassent la moindre tentative pour fuir.

La caille est, parmi le gibier proprement dit, ce qu'il y a de plus mignon et de plus aimable. Une caille bien grasse plaît également par son goût, sa forme et sa couleur. On fait acte d'ignorance culinaire toutes les fois qu'on la sert autrement que rôtie et en papillote, parce que son parfum est très-fugace et que, toutes les fois que l'animal est en contact liquide, son parfum se dissout, s'évapore et se perd. Nous n'en donnerons pas moins les différentes manières de préparer les cailles, tout en insistant pour qu'on les mange rôties.

CAILLES A LA BROCHE. Plumez, épluchez et videz six ou huit cailles bien grasses, flambez-les, troussez-les, enveloppez-les d'une feuille de vigne, mettez une barde de lard dessus afin qu'elles n'aient que la moitié des pattes à découvert, embrochez-les dans un hâtelet, posez-les sur une broche, faites revenir et servez. Mais n'oublions pas les croûtes et leur bon jus naturel.

CAILLES AU LAURIER. Épluchez, videz et flambez; hachez le foie avec le lard, ciboule, laurier, sel, poivre et farcissez; embrochez vos cailles sur un hâtelet en les enveloppant de bardes de lard et de papier afin qu'elles continuent à être enveloppées de leur jus, puis vous les servirez avec une sauce ainsi composée :

Coupez deux ou trois lames de jambon, mettez-les suer dans une casserole; lorsqu'elles commenceront à s'attacher, mouillez avec un verre de vin blanc, deux cuillerées à dégraisser de consommé et autant d'espagnole réduite; mettez-y une demi-gousse d'ail et deux feuilles de laurier, faites bouillir et réduire le tout à la consistance de sauce, passez cette sauce à l'étamine; pendant la cuisson de vos cailles, faites blanchir huit grandes feuilles de laurier, la cuisson achevée supprimez-en le lard, couchez chacune d'elles dans une feuille de laurier, ajoutez à votre sauce

le jus d'un citron, du gros poivre et un peu de beurre, saucez et servez.

CAILLES AUX PETITS POIS. Prenez un certain nombre de cailles, videz-les, flambez-les, troussez-les, foncez votre casserole d'une lame de veau et de jambon, joignez-y une carotte, un oignon et un bouquet assaisonné; couvrez-les de bardes de lard et d'un rond de papier de la largeur de la casserole, faites partir et cuire avec feu dessus et dessous; la cuisson achevée, égouttez-les et masquez-les d'un ragoût de pois au lard ou au jambon. Qu'on nous permette de regarder personnellement comme une hérésie ce ragoût d'un mets aussi distingué que l'est la caille avec un ragoût aussi vulgaire que les pois au lard ou au jambon. Dans tous les cas, selon l'observation de M. Vuillemot, les cailles revenues avec le petit lard, faire cuire les pois avec est plus logique. Le ragoût n'a pas la même saveur quand il n'est pas cuit dans son objet.

CAILLES AU GRATIN. (Méthode Beauvilliers.) Flambez et désossez neuf cailles; faites un bouchon de la mie d'un pain du diamètre d'environ trois pouces et demi et de deux et demi de hauteur; entourez-le d'une barde de lard, posez-le au milieu de votre plat, garnissez le tour de ce bouchon de pain d'un gratin que vous tiendrez en talus (v. l'article GRATIN), c'est-à-dire que ce gratin soit presque de la hauteur du pain vers le milieu du plat, et qu'il aille en diminuant vers les bords de ce plat, à peu près de l'épaisseur d'un demi-pouce; remplissez vos cailles de ce même gratin, donnez-leur la forme primitive, dressez-les sur votre gratin, les pattes en dehors, que ces pattes ne débordent pas le pain; remplissez de gratin les intervalles de vos cailles de manière qu'on en voie l'estomac, unissez-bien votre gratin sans couvrir les estomacs de vos cailles que vous couvrirez de bardes de lard, mettez-les dans un four avec un petit âtre dessous ou sous un four de campagne avec feu modéré dessus et dessous, faites qu'elles aient une belle couleur. Leur cuisson faite, ôtez toutes les bardes de lard, ainsi que la mie de pain; égouttez-les, versez au milieu une bonne italienne rousse, glacez les estomacs de vos cailles, si vous le voulez; ajoutez des croûtons coupés en forme de crêtes et passés au beurre entre chaque caille, et servez.

CAILLES AUX LAITUES. Troussez et flambez quatre ou six ou huit cailles, foncez une casserole d'une barde de lard et d'une lame de jambon, rangez vos cailles dans cette casserole, coupez un morceau de rouelle de veau en dés, ajoutez un oignon, piquez-le d'un clou de girofle, joignez une demi-feuille de laurier, une carotte tournée, un petit bouquet de persil et de ciboules; mouillez cela d'un verre de consommé et d'un demi-verre de vin blanc, couvrez vos cailles de bardes de lard et d'un rond de papier. Une demi-heure avant de servir, faites-les partir et cuire ; aussitôt la cuisson faite, égouttez-les, dressez-les en les entremêlant de laitues. Si vous le voulez, ajoutez entre vos cailles et vos laitues des croûtes de pain passées dans du beurre, qui doivent être d'une belle couleur. Avant de placer ces crêtes, saucez vos cailles et, vos laitues avec une bonne espagnole réduite dans laquelle vous aurez mis gros comme le pouce de glace, et servez.

CAILLES EN CROUSTADES. Désossez six cailles, remplissez-les d'un gratin fait avec leur foie et quelques foies de volailles, cousez vos cailles et procédez pour leur cuisson comme il est dit à l'article précédent ; faites autant de croustades que vous avez de cailles ; vos cailles cuites, égouttez-les en défaisant les fils, mettez les cailles dans vos croustades, dressez-les, saucez-les avec une bonne italienne dans laquelle vous aurez mis des truffes hachées et passées au beurre, puis servez.

CAILLES A L'ANGLAISE. Ayez huit cailles, troussez-les comme des poules, flambez-les, mettez dans une casserole, entre quelques bardes de lard avec une cervelle de veau séparée en deux avec une douzaine de saucisses à la chipolata, un bouquet de persil et de ciboule, du sel et du poivre ; mouillez le tout avec une tasse de bouillon et un verre de vin de Champagne. couvrez vos cailles de bardes de lard et d'un rond de papier, faites-les cuire ; leur cuisson achevée, égouttez-les ainsi que les cervelles, ôtez la peau de vos saucisses, rangez-les au milieu du plat, mettez vos cailles autour, posez vos cervelles sur vos saucisses, marquez le tout d'une financière au blanc.

CAILLES AUX TRUFFES. Videz par la poche neuf cailles, flambez-les légèrement, épluchez neuf belles truffes, coupez-les en dés, donnez-leur la forme de petites truffes, hachez toute leur parure très-fin avec des foies de cailles, assaisonnez de sel et de mignonnettes, mettez le tout sur un morceau de beurre, faites cuire légèrement, laissez-le refroidir et remplissez-en vos cailles, marquez-les dans une casserole comme celles aux laitues. Leur cuisson faite, égouttez-les, dressez-les, servez-les avec une sauce à la Périgueux.

CAILLES A LA POÊLE. Fendez vos cailles un peu sur le dos, faites une farce avec du lard râtissé et un peu de jambon, une truffe, quelques foies gras, un jaune d'œuf cru, le tout haché ensemble pilé et assaisonné de sel, poivre, muscades et fines herbes ; farcissez-en vos cailles. Mettez au fond d'une casserole des bardes de lard, rangez vos cailles dessus, l'estomac en dessous, avec sel, poivre, fines herbes dessus et dessous, couvrez-les de tranches de veau et de jambon et de bardes de lard, fermez ensuite votre casserole avec une assiette en sorte qu'elle touche la viande, mettez un linge autour de l'assiette et une autre couverture par-dessus, laissez votre casserole pendant

deux heures sur des cendres chaudes, et au moment de servir ôtez les tranches de veau, de jambon et de lard ; remettez-les cuire sur le fourneau, et quand elles ont pris belle couleur et que le jus est attaché à la casserole, tirez les cailles, arrangez-les sur le plat, ôtez la graisse qui est dans la casserole, mouillez ce qui est attaché de bouillon et de jus pour le détacher, mettez-y un peu de poivre concassé et un jus de citron, passez ce jus au tamis, jetez-le sur vos cailles et servez chaudement.

CAILLES A LA CENDRE AUX ÉCREVISSES. Flambez vos cailles, videz-les, laissez-leur les pattes en leur ôtant les ergots, videz-les par la poche et refaites-les légèrement, foncez une casserole de tranches de veau et de jambon, passez des truffes et des champignons hachés dans du lard fondu, mettez-les sur le veau et arrangez les cailles dessus, l'estomac en dessous. Mettez autant d'écrevisses que de cailles après les avoir passées dans du lard fondu, et arrangez-les entre les cailles ; couvrez de bardes de lard et faites cuire à la braise pendant une heure ; ôtez ensuite les écrevisses et laissez les cailles. Quand elles sont cuites, vous les dégraissez et les finissez comme ci-dessus, puis vous remettez chauffer les écrevisses dans la sauce après avoir ôté les petites pattes, et vous servez un jus de citron.

CAILLES SOUS LA CENDRE. Videz, flambez et troussez vos cailles, assaisonnez-les de sel, bande de lard dessus et dessous. Prenez du gros papier de beurre, beurrez-le, enveloppez vos cailles dedans sous la cendre chaude comme pour les pommes de terre. Au bout d'une demi-heure retirez et servez : c'est délicieux.

Vous laissez à l'intérieur de la caille le foie avec un peu de beurre assaisonné. *(Méthode de M. Vuillemot.)*

CAILLES AU LAURIER. Prenez des cailles, flambez-les, videz-les, farcissez-les d'une farce faite avec leurs foies, lard râpé, persil, ciboules, champignons hachés, assaisonnez de sel, poivre, liez de deux jaunes d'œufs, coulez vos cailles quand elles seront farcies, faites-les refaire dans de la graisse et faites-les cuire à la broche, enveloppées de bardes de lard et de feuilles de papier.

Prenez ensuite des feuilles de laurier, faites-les blanchir, mettez-les dans une essence, faites un bouillon, et servez dessus les cailles.

CAILLETEAUX AU SALPICON. Prenez six cailleteaux, flambez-les, refaites-les sur un fourneau, laissez-leur les pattes en entier, foncez une casserole de tranches de veau et de jambon avec léger assaisonnement, mettez-y du lard fondu, arrangez ensuite vos cailleteaux, l'estomac en dessus, couvrez de bardes de lard et faites cuire à la braise à petit feu. Quand ils sont cuits, dressez-les sur un plat, après les avoir bien essuyés de leur graisse et servez en salpicon par-dessus.

Pour faire le salpicon, prenez des champignons, des ris de veau blanchis que vous coupez en petits dés et un bouquet, vous passez le tout avec un morceau de beurre, une tranche de jambon; mouillez-les de bon bouillon, faites-les cuire et dégraissez-les; quand le salpicon sera presque cuit ajoutez-y du coulis, quelques fonds d'artichauts coupés en dés et de petits œufs blanchis; mettez-les dans un plat et servez vos cailleteaux dessus.

CAILLES EN COMPOTE. Habillez les cailles, troussez les pattes dans le corps, passez une brochette pour les tenir en état, faites-les revenir un peu dans la casserole avec du beurre, retirez-les ensuite et passez-les sur le feu avec un ris de veau blanchi coupé en quatre, des truffes, des champignons, une tranche de jambon, un morceau de beurre, un bouquet de toutes sortes de fines herbes, mettez-y une pincée de farine mouillée avec du bouillon, un peu de réduction, un verre de vin de champagne; faites cuire le tout ensemble à petit feu, dégraissez le ragoût. Quand les cailles sont cuites, mettez-y un peu de coulis, ôtez le jambon et le bouquet, pressez un jus de citron dans la sauce, dressez les cailles au milieu et la garniture autour.

POUPETON DE CAILLES. Prenez de la cuisse de veau, moelle de bœuf, lard blanchi, le tout bien haché avec champignons, ciboules, persil, mie de pain trempée dans du jus et deux œufs crus. Cela fait, formez votre poupeton, c'est-à-dire prenez une tourtière, garnissez le fond de bardes de lard et par-dessus mettez votre hachis, couvrez votre tourtière, mettez du feu dessus et dessous et faites-les cuire. Votre poupeton étant cuit, vous le tirez adroitement sans le crever, le renversant dans un plat sens dessus dessous.

CAILLES AU BASILIC. Échaudez vos cailles et faites-les blanchir, faites-leur sur le dos une petite fente pour pouvoir y mettre la farce suivante :
Prenez du lard cru, basilic, persil, sel, poivre, hachez le tout ensemble, farcissez-en vos cailles, faites-les cuire ensuite dans un pot avec de bon bouillon et assaisonnement. Quand elles seront cuites, retirez-les, dorez-les avec des œufs battus, poudrez-les de mie de pain, ensuite faites-les frire dans le saindoux jusqu'à ce qu'elles aient pris une belle couleur et servez-les chaudement pour entrée.

BISQUES DE CAILLES. Vos cailles troussées proprement, passez-les au roux comme des poulets, empotez-les dans un petit pot avec de bon bouillon, bardes de lard, un bouquet de fines herbes, clous et autres assaisonnements avec une tranche de bœuf battu, une autre de lard maigre et du citron vert. Faites cuire à petit feu, garnissez votre bisque comme la bisque de poularde (*V. Poularde*), de ris de veau, de fonds d'artichauts, champignons, truffes, fricandeaux, crêtes, dont vous faites un cordon avec les plus belles, mettez un petit coulis de veau clair par-dessus et servez.

POTAGE DE CAILLES. Faites cuire vos cailles blanchies et bien troussées dans du bon bouillon gras, avec fines herbes, quelques bardes de lard dans la marmite, faites un coulis de blanc de volaille rôtie, mettez-le dans une petite marmite bien couverte, trempez-en votre potage qui doit être de croûtes de pain mitonnées avec du bon bouillon clair, mettez ensuite vos cailles dessus, arrosez-les de bon jus et avant de servir pressez un jus de citron dans le coulis et le mettez dessus, puis servez ce potage garni de crêtes de coq farcies, de ris de veau piqués et rôtis.

POTAGE DE CAILLES AUX RACINES. Faites du bon bouillon, passez-le dans une marmite, empotez-y vos cailles avec des racines de persil, panais et petites ciboules entières; le tout étant cuit ensemble, mitonnez votre potage, mettez vos cailles dessus, garnissez de panais et de petites ciboules, arrosez avec de bon jus de veau et servez.

POTAGE DE CAILLES EN MANIÈRE D'OIL. Faites blanchir à l'eau vos cailles et les empotez avec de bon jus. Mettez-y un paquet de poireaux coupés par morceaux, quelques ciboules et bouquet de fines herbes, un de céleri, un autre de navets et un paquet d'autres racines. Le tout étant cuit, faites mitonner votre potage du même bouillon, rangez vos cailles dessus, faites un cordon de vos racines, jetez un bon jus par-dessus et servez.

POTAGE DE CAILLES FARCIES. Faites une farce de blanc de chapon, moelle de bœuf, jaunes d'œufs crus, assaisonnée de sel, muscade et un peu de poivre blanc, farcissez-en vos cailles, faites-les cuire dans un pot avec bon bouillon et bouquet de fines herbes. Quand elles sont cuites, entretenez-les sur la cendre chaude puis faites un coulis.
Prenez un kilogramme de veau, un morceau de jambon, coupez-les par tranches, garnissez-en le fond d'une casserole avec un oignon coupé en tranches, carottes et panais et le laissez cuire. Quand il sera attaché comme un jus de veau, mouillez-le de bouillon et de jus, moitié l'un, moitié l'autre, mettez-y quelques croûtes de pain, champignons, truffes hachées, un peu de persil, de ciboule et de basilic, deux ou trois clous de girofle et faites cuire ensemble.
Pilez dans un mortier deux ou trois cailles cuites à la broche ou bien un perdreau; le coulis étant cuit, ôtez les tranches de veau de la casserole, délayez dedans les cailles qui sont pilées, passez-les à l'étamine, videz votre coulis dans une marmite que vous tiendrez chaudement sur des cendres, mitonnez vos croûtes d'un bon bouillon, dressez vos cailles sur le potage tout autour, mettez au milieu un petit pain farci, jetez votre coulis par-dessus et servez chaudement.

POTAGE AU ROUX DE CAILLES SANS LES FARCIR. Faites-les cuire comme on vient de le dire, faites un ragoût de truffes ou de petits champignons, mitonnez des croûtes d'un bon bouillon, dressez les cailles sur votre potage, mettez ce ragoût tout autour, jetez par-dessus le coulis de cailles, comme on l'a dit dans l'article précédent et servez chaudement.

On fait un potage de croûtes attachées avec un coulis de cailles par-dessus et on le sert chaudement.

POTAGE DE CAILLES EN PROFITEROLES. Faites cuire des cailles à la braise, passez crêtes, ris de veau, fonds d'artichauts, champignons et truffes dans une casserole avec un peu de lard fondu, mouillez-le d'un jus de veau et dégraissez-le bien, liez-le d'un coulis de perdrix. Tirez ensuite les cailles cuites à la braise, laissez-les égoutter et mettez-les dans le ragoût. Videz vos petits pains, mettez dans chacun une caille avec un peu de ragoût, faites-les mitonner ensuite tant soit peu dans un jus de veau, mitonnez des croûtes dans un plat, moitié jus de veau et moitié bouillon, dressez le gros pain dans le milieu et les petits autour, avec les fonds d'artichauts entre deux. Garnissez le tour de votre potage de crêtes et de ris de veau ou bien d'une bordure de petits champignons farcis. Quand le ragoût et le coulis sont d'un bon goût, jetez-les par-dessus et servez chaudement.

PATÉ CHAUD DE CAILLES. Videz et retroussez proprement vos cailles, gardez-en les foies, battez-les sur l'estomac avec un rouleau, piquez-les de gros lard et jambon, assaisonnez de poivre, sel, fines herbes et fines épices, fendez vos cailles par le dos; faites une farce avec les foies de vos cailles, du lard râpé, champignons, truffes, ciboules, persil, sel, poivre, fines herbes, fines épices, le tout haché menu et pilé, farcissez-en le corps de vos cailles.

Hachez encore et pilez du lard, faites une pâte composée d'un œuf, de bon beurre, de farine et d'un peu de sel, formez-en deux abaisses, mettez-en une sur du papier beurré, prenez du lard pilé dans le mortier, étendez-le proprement sur l'abaisse, assaisonnez vos cailles et les rangez avec soin sur votre lard après leur avoir cassé les os.

Ajoutez champignons, truffes, feuilles de laurier, le tout bien couvert de bardes de lard, couvrez-le de votre seconde abaisse, fermez les bords tout autour, dorez votre pâté et mettez-le au four.

Dès qu'il sera cuit, ôtez le papier de dessous, ôtez le couvercle du pâté, levez les bardes de lard et dégraissez-le bien; ayez ensuite un bon coulis de perdrix, quelques ris de veau, champignons et truffes. Jetez ce ragoût dedans avec un jus de citron, couvrez votre pâté et servez chaudement pour entrée.

TOURTE DE CAILLES. Ayant bien nettoyé et troussé vos cailles, vous les dressez sur une abaisse de pâte fine, assaisonnez de sel et de poivre, paquet de fines herbes, ajoutez-y ris de veau, champignons et truffes par morceaux,

lard pilé ou fondu au-dessus de vos cailles et moelle de bœuf, couvrez votre tourte, faites-la cuire et servez-la chaudement.

AUTRE TOURTE DE CAILLES. Prenez les foies de vos cailles, ôtez-en l'amer, mettez-les sur une table avec des champignons, un peu de jambon et de lard, de la ciboule et du persil haché; assaisonnez de poivre, sel, fines herbes, hachez bien le tout ensemble, pilez-les dans un mortier avec deux jaunes d'œufs, le tout bien pilé; farcissez-en vos cailles, farinez une tourtière, faites une abaisse de pâte brisée qui ne soit ni trop épaisse, ni trop mince, faites un petit lit de lard ratissé, assaisonné de sel, poivre, un peu de muscade, arrangez les cailles avec quelques ris de veau, crêtes, petits champignons, et mousserons, assaisonnez-les dessus comme dessous, mettez un bouquet dans le milieu, couvrez-les de tranches de veau, de bardes de lard et d'une abaisse de même pâte, frottez votre tourte d'un œuf battu et mettez-la au four; lorsqu'elle est cuite, dressez-la sur un plat, découvrez-la, ôtez-en les tranches de veau et de lard, jetez dedans une essence de jambon, recouvrez-la et servez.

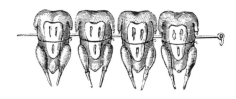

CAKE ou KAKE
(gâteau anglais)

Lorsqu'en Angleterre on marie ses enfants, on fait, comme on peut le voir dans Dickens, un énorme gâteau dont on distribue un morceau à chacun des conviés. Voici de quelle façon se fait ce gâteau. Vous prenez 2 kilogrammes de belle farine, 2 kilos de beurre frais, 1 kilo de sucre passé fin, 7 grammes de muscade; pour chaque livre de farine, il faut 8 œufs; lavez et triez 2 kilos de raisins de Corinthe que vous faites sécher devant le feu; vous prenez 500 grammes d'amandes douces que vous faites blanchir, dont vous ôtez la peau et que vous coupez en morceaux très-minces; ajoutez-y 500 grammes de citrons confits, 500 grammes d'oranges confites, un demi-litre d'eau-de-vie, écrasez entre vos mains le beurre et battez-le avec le sucre pendant un quart d'heure, battez les blancs de vos œufs, mêlez-les avec votre beurre et votre sucre, mettez ensuite votre farine et la muscade et battez le tout ensemble en y mêlant bien les raisins et les amandes ; faites trois couches en alternant avec oranges et citrons que vous mettez dans un moule et que vous placez au four, couvrez-le d'un papier et laissez-le dans le four jusqu'à parfaite cuisson.

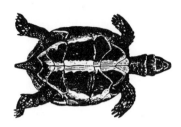

CALAPE

Ragoût que quelques praticiens confondent avec canapé ; calape est un mot américain qui désigne un ragoût composé de la partie d'une tortue qu'on fait griller dans son écaille ; ce ragoût, qui faisait les délices de mon équipage quand nous voguions entre la Sicile et l'Afrique, ne m'a jamais paru digne de paraître sur une table qui se respecte ; voici comment on prenait les tortues, et comment on les préparait.

Lorsqu'arrivaient les mois de juin et de juillet, mois de calme, on mettait un homme en vigie, sur la flèche de la grande voile, qui, dès qu'il apercevait une tortue dormant sur l'eau, criait : Tortue, tortue !

Aussitôt on mettait le you-you à la mer, on approchait sans bruit, le plus près possible, de la tortue qui surnageait, quoiqu'elle pesât parfois soixante ou quatre-vingts livres. Alors notre pilote Podimata, c'était lui qui d'habitude était chargé de cette expédition, se laissait glisser à la mer et nageait dans le sillage de la tortue ; il s'approchait d'elle sans qu'elle s'aperçût de son voisinage, puis il la prenait par les deux pattes de derrière et la retournait sur le dos ; dans cet état, quelques efforts qu'elle fît, elle ne pouvait ni plonger ni se retourner. Seulement, comme elle agitait sa tête qui sortait de l'écaille, il lui passait une corde au cou, remontait à bord, reprenait un des deux avirons et revenait le plus vite possible. Arrivée à bord, on la suspendait par les pattes de derrière à un des étais, on tirait la corde qui lui tenait le cou, et on le lui coupait d'un coup de sabre, elle dégorgeait alors une grande quantité de sang ; nous la laissions pendue douze heures, puis une seconde fois on la renversait sur le dos, on introduisait un fort couteau entre l'écaille du ventre et l'écaille dorsale en faisant attention de ne pas abîmer les intestins et de ne pas crever le fiel, ce qui arriverait si vous introduisiez votre couteau trop avant ; enlevez le côté plat de la carapace, videz-la comme nous faisions, gardez le foie seulement ;

l'aliment transparent que l'on trouve dedans n'est bon à rien. Vous trouverez à l'intérieur deux lobes de chair que l'on peut comparer à deux noix de veau, tant pour le goût que pour la blancheur. Parfois nous leur trouvions dans le ventre dix ou douze œufs sans coquille, comme ceux que l'on trouve dans le ventre des poules, et qui doivent venir successivement à leur tour.

Alors nous coupions par morceaux de la grosseur d'une noix une quantité suffisante de chairs de tortue, nous les mettions, après les avoir fait dégorger, dans du bon consommé avec poivre, girofle, sel, thym, carottes et laurier ; nous faisions cuire le tout pendant trois ou quatre heures sur un feu doux ; préparez pendant ce temps des quenelles de volaille que vous assaisonnerez de sel, persil, ciboule et d'anchois ; faites pocher ces quenelles dans du consommé, égouttez-les, versez sur votre tortue votre consommé, dans lequel vous aurez mis quelques instants auparavant trois ou quatre verres de vin de Madère sec. Puis, au lieu de faire un plat séparé, vous le versez dans l'écaille et vous le servez à cinquante convives, et il y aura à coup sûr à dîner pour les cinquante personnes.

Quant à nous, tout notre équipage s'en régalait, à l'exception de deux Grecs à qui j'avais donné l'hospitalité du passage, et qui allaient à Chypre pour retrouver un trésor perdu.

CANARD

Il y a quarante-deux variétés de canards, parmi lesquels on distingue le canard musqué dont la chair est très-délicate, mais il faut avoir soin de couper le croupion avant de le faire cuire ; sans cette précaution il prend une odeur de musc si forte qu'il est presque impossible de le manger. On estime particulièrement la chair de l'estomac que l'on appelle vulgairement les aiguillettes. Les sarcelles petites et grasses sont mises au rang des canards sauvages, elles sont plus délicates. L'empereur Paul Ier accorda la grâce à un Polonais qui trouvait le moyen de lui envoyer de Toulouse chaque semaine un pâté de foie gras de canard dont le

A *Canard eider*
B   »   *ordinaire*
C   »   *milouin*
D   »   *macreuse*
E   »   *de la Chine*
F   »   *sarcelle*

trajet n'altérait aucunement la fraîcheur. Le célèbre Vaucanson, entre autres chefs-d'œuvre mécaniques, fit, en 1741, deux canards qui nageaient, barbotaient, mangeaient et semblaient digérer.

Le canard est de tous les oiseaux celui qui approche le plus de l'oie, il est le plus délicat et le plus facile à la digestion; il en est du canard comme de l'oie, il y en a de sauvages et de domestiques, ces derniers sont les plus gros. Nous avons des variétés dans ces espèces, par exemple celle de Barbarie, qui est la plus grosse, moins délicate et plus sujette à sentir le musc; mais si on croise cette espèce avec les autres, il en provient des mulets qui n'ont pas le désavantage d'avoir le mauvais goût de ceux de Barbarie. C'est avec cette espèce de mulet qu'on fait les canetons de Rouen, si estimés pour leur grosseur et leur qualité. Le canard sauvage se mange presque toujours à la broche; cependant on en fait des entrées que je vais tâcher de faire connaître.

CANARDS SAUVAGES A LA BROCHE. Avant d'acheter votre canard, étudiez-le, voyez s'il a les pattes fines d'une belle couleur et non desséchées; pour juger s'il est vieux tué, ouvrez-lui le bec et flairez pour savoir s'il n'émane pas une mauvaise odeur, tâtez-lui le croupion et le ventre; s'ils sont fermes et que l'animal soit pesant, c'est une preuve qu'il est gras et frais; s'il a toutes ces qualités, prenez-le. J'ai remarqué que les femelles étaient plus délicates que les mâles, quoique en général les mâles se vendent plus cher.

Plumez ces canards, ôtez-en le duvet, coupez-en les ailes bien près du corps, supprimez-en les cous, videz-les, flambez-les, épluchez-les, retroussez-en les pattes, bridez-les et frottez-les avec leur foie, mettez-les à la broche, faites-les cuire verts, débrochez-les, dressez-les et servez-les avec deux citrons entiers.

FILETS DE CANARDS SAUVAGES A L'ORANGE. Prenez trois canards, levez les filets, ciselez du côté de la peau, faites mariner avec ciboules, persil, gros poivre, etc.; au moment de servir, versez deux cuillerées d'huile dans une sauteuse, mettez-y vos filets, retournez, égouttez, dressez, servez avec sauce à l'orange *(Voyez Sauce à l'orange)*.

SALMIS DE CANARDS SAUVAGES. Prenez deux ou trois canards que vous faites cuire à la broche et dont vous coupez les estomacs en aiguillettes; levez-en les cuisses, séparez la carcasse en plusieurs morceaux, mettez-y sel et gros poivre, arrosez-les de quatre cuillerées à bouche d'huile d'olive et d'un demi-verre de vin de Bordeaux, exprimez dessus le jus de deux citrons et remuez bien le tout ensemble.

ESCALOPES DE FILETS DE CANARDS SAUVAGES. Levez les filets de trois canards, retirez-en les peaux, coupez-les en escalopes, battez-les avec le manche d'un cou-

teau, parez-les en rond et placez-les sur un sautoir, avec sel, poivre, quatre cuillerées d'huile d'olive, et mettez un papier huilé dessus; faites sauter vos escalopes au moment de servir, et quand elles sont roidies d'un côté, égouttez l'huile, retournez-les, mettez-les dans une bonne poivrade réduite de façon à masquer le canard avec la sauce, ajoutez-y un peu de citron et d'huile et dressez avec des croûtons.

CANETONS A LA ROUENNAISE. Nous intercalons ici la recette d'un cuisinier poëte :

Je le dénonce tout d'abord,
Mon CANARD est un volatile;
Il n'a, messieurs, aucun rapport
Avec ces écrits, qu'en leur style,
De trop spirituels loustics
Dénomment des « canards publics ».
Or, donc, sans *ceux* du journaliste,
Dont j'excepte les vérités,
LE CANARD compte, dans sa liste,
Quarante-deux variétés!

Détournez les yeux de la boue,
Dans laquelle il fait son festin;
N'écoutez sa voix qui s'enroue,
A « cancaner » soir et matin;
Et lorsque l'oiseau palmipède
Sera devenu gras et gros,
Faites-en des *daubes*, des *rôts*;
A ses qualités, gourmet cède :
En *lui*, non, plus rien de mauvais :
A sa forte odeur, quel remède,
Qu'une sauce aux tendres navets,
— Où, pour qui les aime, *aux olives!*...

Salut au fin gibier des rives,
CANARD SAUVAGE, oui, tu nous plais!
Et quelle que soit ton espèce,
Qu'on te *rôtisse*, et te dépèce,
Pour ne manger que tes *filets*,
— *Chair savoureuse et cuite rose,*
Que le jus d'un citron t'arrose!...

J. ROUYER.

Voici la formule moins lyrique mais plus précise des canetons à la rouennaise :

Ayez un beau caneton bien blanc et bien gras; flambez-le légèrement sans lui roidir la peau. Coupez les petits bouts des pattes et refaites-les; retournez-les lui en dehors et rentrez lui le croupion; coupez-en les ailes près du corps, supprimez-en le cou, videz, flambez, épluchez, bridez pattes retroussées, frottez-les avec leur foie, mettez à la broche; laissez cuire et servez avec deux citrons.

CANARD AU VERJUS. Comme le précédent. Mais ayez du verjus dont vous ôtez les queues et que vous faites blanchir et égoutter; mettez trois cuillerées d'espagnole réduite dans une casserole avec vos grains de verjus, faites réduire votre ragoût, dégraissez-le, masquez-en vos canards et servez.

CANARDS AUX OLIVES. Comme ci-dessus, en y ajoutant de belles olives confites dont vous aurez enlevé les noyaux et que vous aurez fait blanchir à l'eau bouillante, afin de leur ôter leur âcreté; vous achevez leur cuisson dans du bouillon, vous les placez sur un feu vif, assaisonnez de bon goût et versez sur votre canard.

CANARDS A LA CHOUCROUTE. Cuisez dans du bouillon de la choucroute avec des saucissons, des cervelas et du petit lard tranché par morceaux. Votre choucroute à moitié cuite, ôtez cette garniture que vous remplacez par votre canard retroussé et paré. Le tout étant cuit, vous dressez le canard, vous l'entourez de choucroute et vous arrangez sur cette dernière les cervelas, les saucisses et le lard tenus au chaud.

CANARDS AUX NAVETS A LA BOURGEOISE. Videz un ou deux canards, retroussez-les en poule avec les pattes en dedans, puis mettez du beurre dans une casserole, faites-y revenir vos canards. Apprêtez une quantité suffisante de petits navets coupés d'égale grosseur, faites-les roussir dans le beurre de vos canards, égouttez-les, faites un roux que vous délayerez avec du bouillon ou de l'eau et prenez garde que votre sauce ne soit grumeleuse, ajoutez-y sel, poivre, un bouquet de persil et ciboules, assaisonné d'une demi-gousse d'ail et d'une feuille de laurier. Mettez cuire les canards dans cette sauce; à moitié de leur cuisson mettez-y les navets mijoter, ayez soin de retourner les canards sans écraser les navets; une fois la cuisson terminée, dégraissez votre ragoût et servez.

CANARDS AUX PETITS POIS. *(V. Pigeons.)*
Les canards et canetons peuvent encore être employés de différentes manières : en galantine, en pâté froid, en daube, à la macédoine, en hoche-pot, en haricot vierge, à la purée verte, aux petits oignons, aux concombres, au beurre d'écrevisses et au vert-pré; mais comme ces sauces sont formulées pour certaines substances auxquelles on les applique habituellement avec plus d'aptitude qu'à ce volatile, la simple énumération suffit.

CANEPETIÈRE

La veille du jour où je devais quitter l'Astrakan je reçus la visite du prince Tumen, chef des Kalmoucks. J'étais assez embarrassé sur la manière dont j'allais vivre en traversant les steppes des Tatares Nogaïs; je savais qu'elles contenaient pour tout gibier des canepetières et des oies sauvages, mais que ces animaux très-défiants partaient à une telle distance du chasseur qu'il était presque impossible de les tuer au fusil. Le prince, dont j'aurai occasion de parler plus d'une fois, à propos de l'hospitalité qu'il nous a donnée et des objets quelque peu bizarres qu'il nous a fait manger, me dit alors de ne pas m'inquiéter et qu'il se chargeait de ma nourriture pendant tout le temps que durerait notre voyage. Il me demanda seulement si je croyais que le pain nous fût absolument indispensable, et dans ce cas, il nous invitait à nous procurer deux ou trois pains de la plus grande dimension et de la plus forte épaisseur. Quant au vin, nous avions à notre disposition toute la cave de notre hôte, une des mieux garnies avec lesquelles j'eusse encore fait connaissance.

Nous devions partir le lendemain soir vers six heures; le prince s'informa de tous ces détails, calcula les heures sur ses doigts et nous dit :
« Ne vous inquiétez pas, la viande ne vous manquera pas. »
J'avoue que cette assurance me réjouit fort. Un bon repas est un des moments agréables d'un voyage long et fatigant; or, nous voyagions jour et nuit, faisant en tarentasse une cinquantaine de lieues toutes les vingt-quatre heures, et la tarentasse est une voiture, non suspendue, passant partout, à travers tout, ne se dérangeant ni pour les ravins, ni pour les ruisseaux, ni même pour les petites rivières.

Nous partîmes à l'heure convenue sans avoir vu reparaître aucun messager du prince Tumen, ce qui ne laissa pas que de nous inquiéter; mais confiant dans sa parole, nous nous contentâmes d'attendre quelques minutes après avoir franchi la Volga qui, à Astrakan, a près d'une lieue de large; mais ne voyant aucun Kalmouck ni près ni loin, nous crûmes que le prince avait oublié, nous criâmes à notre cocher :
« *Pascare* », c'est-à-dire *allons vite*, et nous partîmes.

La nuit fut assez bonne, les steppes à travers lesquels on roule sur une couche de bruyère sont un assez agréable chemin, nous eûmes bien deux ou trois violentes secousses, mais c'est que nous traversions alors des ravins qui eussent mis en capilotade une voiture d'Europe. Nous vîmes de loin une espèce de déménagement à chameau : c'était une famille kalmoucke qui, mécontente du lieu qu'elle avait choisi pour y établir sa tente, allait en chercher un autre. Je commençais à avoir une certaine inquiétude, non pas pour notre pain, mais pour ce que nous aurions à mettre dessus, lorsque j'aperçus un lac salin dont les rives étaient

couvertes d'oies sauvages et de canepetières. Je savais la difficulté que j'aurais à approcher de ces deux espèces d'oiseaux, les deux plus défiants de toute la race ornithologique, et j'ordonnai à mon cocher de se déranger du chemin et de s'avancer avec la voiture vers les rives du lac qui resplendissait comme un bassin d'argent.

C'était un lac de sel dans lequel les oiseaux au long cou pâturaient au milieu de plantes rouges à têtes argentées; mais au premier mouvement que je fis au fond de ma voiture, une cane poussa un cri d'éveil et toute ma bande trompettante s'éleva avec le bruit que fait en chargeant un régiment de cavalerie.

Tout à coup au milieu de ces cris, que je reconnus parfaitement pour des cris d'oies sauvages et de canepetières, j'entendis des cris de chasseur et je vis s'élancer au milieu du tourbillon de ces oiseaux affolés deux oiseaux qui, au milieu des premiers, semblaient gros comme. des hirondelles.

C'étaient deux nobles faucons que, fidèle à sa promesse, le prince Tumen m'envoyait avec leurs fauconniers.

C'étaient enfin mes pourvoyeurs.

Au même instant, nous vîmes passer près de notre tarentasse nos deux Kalmoucks à cheval qui rappelaient leurs faucons en leur montrant de la viande crue. Chacun des faucons avait déjà choisi sa proie et s'était attaqué à une canepetière qu'il avait abattue.

Nous sautâmes en bas de la tarentasse, et en quelques instants nous fûmes avec les cavaliers au lieu où se livrait le combat. Il n'y avait plus de combat, au reste, les deux outardes, car la canepetière est une espèce d'outarde, s'étaient rendues, secourues ou non secourues.

Nous refîmes connaissance avec nos Kalmoucks, car je me rappelai bien vite les avoir vus à la chasse au cygne et au héron que nous avions faite quelques jours auparavant. Eux aussi nous reconnurent, burent une goutte d'eau-de-vie à nos gourdes, et nous invitèrent à reprendre place dans notre tarentasse.

Je demandai à faire l'examen de notre prise, car je n'avais jamais vu de près la petite outarde. Un jour, seulement, en traversant le *Guadalquivir* j'en avais tué une grande, mais entraîné par le bateau à vapeur, je n'avais pas pu aller la ramasser.

La canepetière est un joli oiseau, ayant une tête charmante qui tient de la perdrix, un très-beau plumage blanc sur le ventre et des couleurs variées sur le dos; j'essayai de leur arracher quelques plumes, mais à la façon dont elles tenaient à la peau, je commençai quelque peu à craindre pour nos dents, si solides qu'elles fussent.

Sur ces entrefaites, nous arrivâmes à une maison de poste. Le prince nous avait dit de ne pas nous inquiéter et de nous en rapporter à nos hommes.

En effet, un quart d'heure après, nos deux outardes enfilées à des bâtons et correctement battues le long du mur, nous offraient du rôti, sinon tendre, du moins mangeable.

J'avais remarqué aussi autre chose qui m'avait donné une certaine satisfaction; nous n'avions, pendant les vingt lieues de steppes déjà faites, encore rencontré ni un hochequeue ni une alouette. En approchant de la maison de poste, je vis un nuage s'élever au-dessus du toit avec des cris dans lesquels je reconnus ceux de ces estimables oiseaux à qui nous avons donné le nom passablement vulgaire de pierrot. C'étaient en effet des nuées immenses de pierrots qui s'élevaient au-dessus de la maison de poste. Ces pauvres oiseaux ne trouvant rien à manger dans toute la plaine que des détritus de blé, d'avoine et de crottin qui abondaient autour de ces haltes, s'étaient fixés là où se fixaient les hommes, ces grands partageurs de la nature, et vivaient de leur superflu.

Au moment où une de ces bandes passait au-dessus de ma tête, je tirai au plein travers et j'en abattis une vingtaine. Il fut convenu que ce serait le petit plat du dîner.

La route fut occupée tout entière à plumer notre gibier qui, malheureusement, ne changeait pas de nom comme les alouettes, lesquelles au fur et à mesure qu'elles perdent leurs plumes prennent le nom de mauviettes.

Nous repartîmes après le déjeuner, et nous assistâmes à une nouvelle chasse dont une superbe oie sauvage fit les frais.

Tout notre passage à travers les steppes fut assaisonné de cette triple variété : oies sauvages, canepetières et petits oiseaux à gros bec; voilà comment, grâce au prince et à ses deux fauconniers, nous traversâmes près de deux cents lieues de steppes sans mourir de faim, et en faisant connaissance avec un nouveau gibier.

CANETONS en bâtons

Prenez un caneton, flambez-le, fendez-le en deux; désossez chaque moitié et étendez sur chacune une farce faite avec de la volaille cuite, graisse de bœuf, lard blanchi, persil, ciboule, champignons, pointe d'ail, sel et poivre, liez de quatre jaunes d'œufs, puis roulez chaque morceau, enveloppez-le de morceaux d'étamine, et ficelez par les deux bouts; faites cuire ensuite dans une bonne braise, retirez, essuyez et servez avec un jus de citron.

CANETONS AU CHAUSSON. Désossez un caneton sans le fendre en commençant du côté de la poche et renversez-le à mesure que vous ôtez les os, puis remettez-le comme il était, remplissez-le d'une bonne farce, recousez-le, faites-le cuire dans une bonne braise, retirez-le, dégraissez-le et servez.

CANETONS AUX FINES HERBES. Blanchissez et aplatissez un caneton sur l'estomac, refaites-le dans de la graisse; foncez une casserole de veau, de jambon, persil, champignons hachés et lard fondu, mettez le caneton dessus, l'estomac dessous, couvrez-le de bardes de lard et faites cuire à la braise, retirez-le lorsqu'il est cuit, dégraissez-le, ajoutez-y du coulis, passez la sauce au tamis, assaisonnez-le de bon goût et servez avec un jus d'orange.

CANETONS AUX PAUPIETTES. Flambez des canetons et coupez-les en quatre, aplatissez chaque morceau avec le couperet et étendez dessus une farce faite avec de la poularde, mie de pain desséchée et trempée dans la crème, graisse de bœuf, lard blanchi, persil, ciboule hachée, une pointe d'ail, le tout lié de cinq jaunes d'œufs, sel et poivre, roulez chaque morceau, enveloppez-le de bardes de lard, réunissez les deux bouts avec un couteau trempé dans l'œuf battu, passez-le de mie de pain, embrochez-le dans un hâtelet enveloppé de bardes de lard et de papier, faites cuire à la broche, retirez-le de ses bardes, dégraissez-le et servez chaud.

CANETONS DE ROUEN A L'ÉCHALOTE. Prenez le caneton le plus blanc que vous trouverez, faites-le cuire à la broche, à petit feu, enveloppé de papier, hachez très-fin des échalotes, mettez-les dans une bonne essence et versez sur votre caneton avec un jus d'orange.

CANETONS DE ROUEN GLACÉS. Flambez un caneton, videz-le, piquez de petit lard, faites-le blanchir, et faites cuire avec du bouillon, un bouquet, une tranche de jambon. La cuisson faite, glacez-le comme un fricandeau, finissez-le de même (v. Fricandeau) et servez avec un jus d'orange.

CANETONS A L'ORANGE. Prenez deux canetons, troussez-les en entrée de broche. Foncez une casserole d'une bonne mirepoix, ajoutez-y les canetons, couvrez-les d'une feuille de papier beurré, faites subir un suage, mouillez avec une demi-bouteille de champagne, une cuillerée à pot de bon consommé, laissez mijoter le tout jusqu'à sa parfaite cuisson. Prenez le zeste de deux oranges, ciselez-le bien fin, blanchissez à l'eau bouillante, séparez les quartiers des oranges en enlevant la peau et blanchissez-les également. Passez le fond des canetons à la serviette, dégraissez-le bien, clarifiez le tout avec deux blancs d'œufs et un peu de mignonnette, passez à la serviette et mettez le tout au bain-marie. Ajoutez un jus de citron, gros comme une noisette de glace de viande et un peu de mignonnette. Ajoutez les canetons et dressez-les, mettez autour les quartiers d'orange, couchez le jus sur les canetons et laissez le zeste dessus. *(Recette Vuillemot.)*

J'avoue mon goût prononcé pour ce mets, surtout préparé par l'excellent opérateur à qui j'en emprunte la formule.

CANETTES

AUX POINTES D'ASPERGES. Prenez des canettes, troussez-les en poulets, flambez-les et faites-les blanchir, ficelez et faites cuire dans une bonne braise. Prenez des asperges, coupez-en les pointes, faites blanchir et achevez de les faire cuire dans du bouillon, retirez-les, mettez-les sur une essence de bon goût et servez-les sur vos canettes.

CANETTES AUX POIS. Flambez, troussez, blanchissez vos canettes et faites-les cuire dans la braise, comme ci-dessus. Mettez vos pois dans une casserole avec un morceau de beurre, singez-les légèrement, mouillez-les moitié jus, moitié bouillon, liez-les d'un coulis et servez-les sur les canettes.

Vous pouvez encore faire cuire vos canettes avec les pois, elles en sont meilleures, mais elles n'ont pas si bonne mine.

CANNELLE

L'arbre qui produit la cannelle est très-commun dans l'île de Ceylan, d'où il paraît être originaire. C'est la seconde écorce d'un petit arbre nommé cannellier; son tronc est assez élevé, ses feuilles ont de l'analogie avec celles du laurier, elles sont pointues et ont la même saveur que l'écorce. La cannelle de Ceylan est la plus estimée, et à Ceylan, on appelle kérandu l'arbre qui la produit. La cannelle de Tonin serait un objet de commerce considérable pour une nation plus intelligente; les forêts en sont remplies, on la cultive dans les forêts du roi et dans les temples seulement.

EAU DE CANNELLE. Infusez, une semaine, cannelle fine dans eau et eau-de-vie avec zeste de citron et bois de réglisse; distillez, mélangez avec dissolution de sucre et passez.

Proportions : deux litres d'eau-de-vie, un quart de litre d'eau, un zeste de citron, quinze grammes de bois de réglisse, enfin cinq cents grammes de sucre dans un litre d'eau par trente grammes de cannelle.

HUILE DE CANNELLE. Concassez cent vingt grammes de cannelle, sept grammes de macis et trente grammes de bois de réglisse battu; faites infuser le tout dans six litres d'eau-de-vie pendant quelques jours et distillez après, faites fondre dans trois litres et demi d'eau deux kilogrammes de sucre et mélangez.

PASTILLES A LA CANNELLE. Délayez dans de l'eau un kilogramme cinq cents grammes de sucre, faites-en une pâte très-solide, que vous parfumez avec quelques gouttes d'essence de cannelle et coulez.

CANNELLON

On appelle ainsi, de la forme de leurs moules, certaines compositions de pâtes fines.

CANNELLONS A LA D'ESCARS OU CANAPÉS AUX ABRICOTS (recette de M. de Courchamps). Abaissez un demi-litron de feuilletage à dix tours; donnez à cette abaisse dix-huit pouces carrés, et détaillez en vingt-quatre petites bandes de neuf lignes de largeur, ayez à portée de vous vingt-quatre colonnettes de bois de hêtre tourné, de six pouces de longueur sur six lignes de diamètre, et qu'elles perdent une ligne de fût d'un bout à l'autre, afin que le bout le plus petit quitte plus facilement la pâte quand elle sera cuite. Beurrez ensuite légèrement ces petites colonnes, et, après avoir humecté six bandes de feuilletage seulement, vous commencerez avec le bout d'une bande à masquer le bout le plus mince d'une colonne en tournant la colonne de manière que vous formiez une espèce de vis à quatre pouces de longueur; vous suivez le même procédé pour le reste des colonnes, que vous placez sur deux plaques à deux pouces de distance entre elles. Dorez légèrement le dessus, et mettez au four chaud. Lorsque ces cannellons sont cuits, de belle couleur, vous les saupoudrez de sucre fin et les glacez au four à la flamme selon la règle; aussitôt qu'ils sont sortis du four, vous ôtez les colonnes, et placez au fur et à mesure les cannellons sur un plafond froid. Au moment du service, vous les garnissez de gelée de pommes et de marmelades de framboises ou d'abricots.

CANNELLONS (recette de M. Beauvilliers). Abaissez du feuilletage, coupez ce feuilletage en rubans de la largeur de treize millimètres; ayez des petits bâtons tournés, posez votre ruban de pâte sur un des bouts du bâton; tournez ce ruban sur lui-même en en couvrant la moitié jusqu'à l'autre extrémité de ce bâton, où vous fixerez votre ruban; vos cannellons ainsi préparés, posez-les sur un plafond, dorez-les et faites-les cuire, leur cuisson presque achevée, retirez-en les bâtons, approchez-les l'un contre l'autre, saupoudrez-les de sucre fin, faites-les glacer au four, remplissez leurs vides avec des confitures, dressez et servez.

CAPILOTADE

Espèce de ragoût fait avec des reliefs de volailles, de gibier, etc.

Mettez du beurre dans une casserole avec de la viande cuite coupée en morceaux, sel, poivre, écorce d'orange, de la ciboule hachée menu, des croûtons de pain avec un peu de persil et des câpres, mouillez avec du bouillon, faites cuire jusqu'à ce que la sauce soit suffisamment réduite, ajoutez une pointe de vinaigre ou de verjus et de la chapelure de pain. Quand la capilotade est faite avec des viandes noires, on peut mouiller moitié bouillon et moitié vin et huilez légèrement.

CAPRES

Boutons ou fleurs qui croissent aux sommités du câprier, arbuste originaire d'Asie. Quand ces boutons ont acquis une certaine grosseur, on les cueille et on les confit avec de l'eau et du sel. Les câpres contiennent beaucoup de sel essentiel et un peu d'huile, elles conviennent dans un temps froid aux vieillards et aux personnes d'un tempérament flegmatique et mélancolique.

Les câpres bien confites servent beaucoup dans les ragoûts, plutôt pour exciter l'appétit que comme aliments. Elles ont donné leur nom à une sauce qui n'est autre qu'une sauce blanche dans laquelle elles remplacent le verjus et le vinaigre.

CAPUCINES

Les graines vertes se confisent au vinaigre et conservent la même saveur que ses fleurs, qui, épanouies, servent à garnir les salades.

CARAMEL

Sucre brûlé, prenez sucre en poudre ou cassonade, faites chauffer à sec, remuez, retirez bruni et délayez avec de l'eau.

CARDONS

Il y a deux espèces de cardons : le cardon d'Espagne qui est très-épineux et le plus estimé à cause de ses côtes plus épaisses et plus charnues; et le cardon ordinaire, peu épineux et qui se rapproche beaucoup de l'artichaut commun.

CARDONS D'ESPAGNE A LA MOELLE. Coupez les côtes de deux ou trois cardes près du pied, les blanches, non les creuses; coupez celles qui sont pleines, parez, faites blanchir, retirez et mettez dans l'eau fraîche, limonnez, mettez dans la marmite, mouillez d'un blanc citronné *(v. Blanc)*. Faites partir; couvrez d'un papier beurré, laissez mijoter environ trois ou quatre heures, une fois cuits, égouttez, parez, mettez dans la casserole en arrosant de consommé, faites tomber presque à glace, puis dressez sur un plat avec espagnole réduite, ajoutez croûtons à la moelle.

CARDONS AU PARMESAN. Sur un lit de fromage au fond de votre plat, mettez un lit de cardes saupoudré de parmesan arrosé de beurre et colorez vos cardes.

CARDONS AU COULIS DE JAMBON. Blanc comme ci-dessus, mijotez dans du consommé que vous faites réduire et tomber à glace. Dressez-les, masquez d'une sauce à l'essence de jambon avec deux jaunes d'œufs.

RAGOUT DE CARDON. Épluchez vos cardons et mettez les cuire dans une eau blanche, quand ils sont cuits, faites une sauce :

Prenez un morceau de beurre frais que vous mettez dans une casserole avec une pincée de farine, sel, poivre, un peu de muscade; mouillez avec un peu de vinaigre et un peu d'eau, mettez-y une demi-cuillerée à potage de coulis d'écrevisses, si c'est au maigre, et d'un peu de coulis de veau ou de jambon si c'est au gras, tirez les cardes de la marmite, égouttez-les et mettez-les dans la casserole où est la sauce, remuez de temps en temps jusqu'à ce que tout soit bien lié, dressez-les sur le plat et servez chaudement.

CARÊME

Nous avons à choisir, en écrivant carême, entre le nom d'une époque qui représente le jeûne et le nom d'un homme qui représente l'art culinaire arrivé à sa perfection. Commençons par la prescription religieuse qui d'ailleurs a un droit chronologique.

On appelle Carême le jeûne annuel en usage dans l'Église catholique et qui commence le mercredi des cendres, et finit à Pâques, excepté dans l'Église de Milan, où il ne part que du dimanche de la Quadragésime et chez les Grecs, qui le commençant le même jour, s'abstiennent de viande le lundi d'après la Quinquagésime, jusqu'au dimanche suivant, sans jeûner toutefois, mais en observant un Carême plus rigoureux, puisqu'ils se privent non-seulement de laitages et d'œufs, mais encore de poisson et de viande. On n'est point d'accord sur l'époque de l'institution du Carême, quelques-uns l'attribuent à Moïse, d'autres prétendent qu'il était observé en Égypte longtemps avant Moïse et que ce fut l'un des usages que les Israélites rapportèrent de ce pays; toutes les nations qui ont des lois ont aussi leur carême. On doit en conclure que ce n'est point uniquement pour plaire à Dieu que le Carême fut institué, mais aussi pour la santé en prévenant la transition des saisons, toujours funeste aux tempéraments non préparés par un régime convenable.

Dans l'enfance des nations, les peuples ignorants n'eussent point suivi un conseil d'hygiène, on en fit un précepte religieux, la superstition l'adopta.

La rigueur du Carême, aussi bien que sa durée, a varié selon les pays; dans l'Église d'Occident, on ne faisait qu'un repas vers le soir, et on ne mangeait que des légumes et des fruits; le laitage, les œufs, les viandes et le vin étaient défendus; le poisson était permis, mais la plupart des fidèles s'en abstenaient; il paraît que le jeûne était encore plus rigoureux en Orient, où presque tous les chrétiens ne vivaient que de pain et d'eau et de quelques légumes; les Latins, au rapport de Bède, avaient d'autres carêmes, celui de Noël et celui de la Pentecôte, et tous deux, comme celui de Pâques, étaient de quarante jours. Les Grecs ont encore quatre carêmes outre celui de Pâques; ce sont ceux de Noël, des Apôtres, de la Transfiguration et de l'Assomption, mais ils ne sont que de sept jours chacun. La France est peut-être aujourd'hui le pays du monde où le Carême est le moins observé; il n'en était pas de même autrefois. Quand le clergé fut devenu riche et puissant, son influence fit rendre sur l'abstinence les lois les plus rigoureuses, et tandis qu'il contentait sa sensualité en rompant l'uniformité des viandes par les poissons les plus exquis, que son insatiable cupidité entassait l'or en vendant des dispenses aux riches, le misérable qui n'avait pas d'or pour racheter son malheureux péché était pendu pour avoir mangé de la viande une fois en Carême; le boucher qui en avait vendu était fouetté et mis au carcan; on lit dans les *Capitulaires* (année 780) que Charlemagne, voulant forcer les Saxons d'adopter le christianisme, déclara que les Saxons qui ne voudraient pas se faire baptiser et qui mangeraient de la viande en Carême seraient punis de mort.

En 1522, on fouetta par sentence du prévôt de Sens, et l'on condamna à l'amende honorable, devant la porte de l'église cathédrale le nommé Passeigne pour avoir mangé en Carême des haricots au lard. Sous Henri III, la peine de mort fut abolie, mais celle du fouet fut maintenue contre les délinquants. Voltaire rapporte un fait à l'appui des précédents, arrivé près de Saint-Claude. L'an de grâce 1729, le 28 juillet, eut lieu l'exécution d'un nommé Claude Guillon, qui eut la tête tranchée pour avoir, étant dans la plus affreuse misère, et pressé d'une faim dévorante, emporté, fait cuire et mangé de la viande d'un cheval tué et abandonné dans un pré, et cela le 31 mars.

Voici textuellement le prononcé de la sentence du juge : « Nous, etc., après avoir vu les pièces du procès, et ouï l'avis des docteurs en droit, déclarons le dit Claude Guillon dûment atteint et convaincu d'avoir emporté de la viande d'un cheval tué dans les prés de cette ville; d'avoir fait cuire ladite viande le 31 mars, jour du samedi, et d'en avoir mangé, etc. »

A quels déplorables et ridicules excès ne poussait pas l'engeance monacale si nombreuse et si influente dans ces siècles de ténèbres, lorsque nous voyons encore, en 1791, à Rava en Pologne, des juges condamner et faire brûler par la main du bourreau une *poupée* coupable de sacrilège, parce que les enfants d'une luthérienne lui avaient attaché au cou l'image de la Vierge. Et la même année, en Espagne, furent jugés et condamnés à périr au milieu des flammes, comme atteints et convaincus d'hérésie et de blasphème, un *perroquet* et un *singe*, appartenant à un Français. Le perroquet pour avoir crié : « Au feu le bref Margot! » et le singe, parce qu'il semblait applaudir par ses sauts et ses gambades. Ces deux grands criminels furent renfermés et brûlés dans une cage de fer, sur laquelle étaient deux écriteaux; l'un portait : Blasphémateur, impie, sacrilège, traître à Dieu et à N. S. P. le pape; et l'autre : Complice de sacrilège par gestes, signes et autres preuves non équivoques.

Un autre fait rapporté par M. B. Saint-Edme, dans son *Traité de législation historique du sacrilège, chez tous les peuples du monde*, est bien plus récent. L'an 1823, un samedi, quatre individus de la commune de Saint-Laurent de Cerdans, arrondissement de Céret, département des Pyrénées, vinrent pour leurs affaires à Céret; ils entrèrent dans une auberge pour dîner et se firent servir des côtelettes. Cette auberge étant située sur la place, ils furent aperçus faisant gras; rapport au maire; citation devant le procureur du roi; et condamnation, comme prévenus du délit d'outrage à la morale religieuse, à une année d'emprisonnement et 300 fr. d'amende. Bien leur en prit d'en appeler, car le jugement fut cassé le 9 juillet par le tribunal de Perpignan. A la même époque, un boucher de Rome fut arrêté, conduit sur la place Fontana di Travi, et marqué par le bourreau; un écriteau annonçait son crime, qui était d'avoir mangé de la viande un vendredi dans une auberge, avec quelques-uns de ses amis.

CARÊME
(Marie-Antoine)

Voilà un nom qui n'était certes pas destiné à acquérir la célébrité gastronomique à laquelle il est parvenu. Depuis la mort de Carême, arrivée le 12 janvier 1833, bien des princes ont perdu leur principauté, bien des rois sont descendus de leur trône. Carême, roi de la cuisine par le génie, est resté debout, et aucune gloire rivale n'est venue obscurcir la sienne. Comme tous les fondateurs d'empires, comme Thésée, comme Romulus, Carême est une espèce d'enfant perdu. Il naquit à Paris le 7 juin 1784, dans un chantier de la rue du Bac, où travaillait son père; celui-ci, chargé de quinze enfants et ne sachant où trouver de quoi les nourrir, emmena un soir le petit Marie-Antoine, âgé de 11 ans, dîner à la barrière. Puis, le laissant là au milieu du pavé, il lui dit :

« Va, petit, il y a de bons métiers dans ce monde, laisse-nous languir, la misère est notre lot, nous devons y mourir. Ce temps est celui des belles fortunes, il suffit d'avoir de l'esprit pour en faire une, et tu n'en manques pas; va, petit, ce soir ou demain quelque bonne Maison s'ouvrira peut-être pour toi. Va avec ce que le bon Dieu t'a donné et ce que j'y ajoute. » Et l'excellent homme y ajouta sa bénédiction. A partir de ce soir-là, Marie-Antoine ne revit plus ni son père, ni sa mère, qui moururent jeunes; ni ses frères, ni ses sœurs, qui se dispersèrent dans le monde. Cependant la nuit était venue.

L'enfant vit une fenêtre qui brillait, il alla y frapper; c'était l'officine d'un gargotier dont l'histoire n'a pas conservé le nom; celui-ci le recueillit et le lendemain l'enfant était à son service.

A seize ans, il quittait ce cabaret borgne pour travailler en qualité d'aide chez un restaurateur en pied; ses progrès y furent rapides, l'adolescent annonçait déjà ce qu'il serait un jour; admis chez Bailly, pâtissier en renom de la rue Vivienne, qui excellait dans les tourtes à la crème et fournissait la maison du prince de Talleyrand; à partir de ce moment, il vit clair dans son avenir et décrouvrit sa vocation.

« A dix-sept ans, dit Marie-Antoine dans ses Mémoires, j'étais premier tourtier chez M. Bailly. Ce bon maître s'intéressait à moi; il me facilita des sorties pour aller dessiner au cabinet des estampes; il me confia la direction de plusieurs pièces montées, destinées à la table du premier consul. J'employais au service de M. Bailly mes dessins, mes nuits, et ses bontés payaient largement mes peines. Chez lui je me fis inventeur. Alors florissait dans la pâtisserie l'illustre Avice. Son œuvre m'enthousiasma, la connaissance de ses procédés me donna du cœur; je fis tout pour le suivre sans l'imiter, et devenu capable d'exécuter toutes les parties de l'état, je confectionnai seul des *extraordinaires* uniques. Mais pour en arriver là, jeunes gens, que de nuits passées sans sommeil! Je ne pouvais m'occuper de mes dessins et de mes calculs qu'après neuf ou dix heures, et je travaillais les trois quarts de la nuit.

« Les larmes aux yeux je quittai mon bon M. Bailly; j'entrai chez le successeur de M. Gendron; je lui fis mes conditions; j'obtins que lorsque je serais appelé pour un *extra*, j'aurais le loisir de me faire remplacer. Quelques mois après, je sortais des grandes maisons pâtissières pour suivre mes seuls grands dîners : c'était bien assez, je m'élevais de plus en plus, et je gagnais beaucoup d'argent. Les envieux me jalousaient, pauvre enfant du travail, et depuis je me suis vu en butte aux attaques de bien des petits pâtissiers qui auront fort à faire pour arriver où je suis. » Au milieu des prodigalités du Directoire, Carême avait préparé le luxe délicat et l'exquise sensualité de l'Empire.

Portrait de Carême, fils
posthume de Mardi-Gras

Le Bal de Mi-Carême

La table du prince de Talleyrand était servie, dit Carême, avec sagesse et grandeur, donnait l'exemple et rappelait aux bons principes les gens comme il faut.

Cette maison était dirigée culinairement parlant par M. Bouchée ou Bouchesec qui sortait de la maison de Condé, citée pour sa succulence et sa bonne chère. Ainsi la cuisine de M. de Talleyrand n'était que la cuisine de la maison de Condé continuée. M. Bouchée avait débuté par la maison de la princesse de Lamballe, et pendant longtemps ce fut lui qui choisit les cuisiniers des grandes maisons de l'étranger. Carême lui a dédié son *Pâtissier royal.* Ce fut là qu'il fit aussi la connaissance de Laguipière, le cuisinier de l'empereur, qui mourut dans la retraite de Moscou, n'ayant pu supporter la transition des 35 degrés de chaleur de sa cuisine aux 35 degrés de froid de la plaine de la Moscowa. Jusque-là Carême avait appris à suivre son art; à partir de Laguipière, il apprit à l'improviser. Mais la pratique ne lui suffisait plus, il voulait approfondir la théorie, copier des dessins, lire, analyser des livres de science, suivre des cours analogues à sa profession; il écrivit et illustra une *Histoire de la table romaine;* malheureusement copie et dessins ont été perdus. Carême était un poëte; il mettait son art à la hauteur de tous les autres, et il avait raison; car, arrivé où il en était, il n'y a plus de taille.

« Je contemplais, dit-il, de derrière mes fourneaux, les cuisines de l'Inde, de la Chine, de l'Égypte, de la Grèce, de la Turquie, de l'Italie, de l'Allemagne et de la Suisse, je sentais crouler sous mes coups l'ignoble fabrication de la routine. »

Carême avait grandi avec l'Empire; qu'on juge de sa douleur en le voyant s'écrouler; il fallut le forcer à exécuter, dans la plaine des Vertus, le gigantesque banquet royal de 1814. L'année suivante, le prince régent l'appelait à Brighton comme chef de cuisine; il resta auprès du régent d'Angleterre deux ans, chaque matin il rédigeait le menu sous les yeux de son altesse, gourmand blasé; c'est pendant ces tête-à-tête qu'il lui faisait un cours de gastronomie hygiénique qui, s'il était imprimé, serait regardé comme un des livres classiques de la cuisine.

Ennuyé du vilain ciel gris d'Angleterre, il revint à Paris; mais le prince régent, devenu roi, le rappela en 1821.

De Londres, Carême alla à Saint-Pétersbourg remplir les fonctions vacantes de l'un des chefs de cuisine de l'empereur Alexandre, puis il revint à Vienne exécuter quelques grands dîners de l'empereur d'Autriche. Attaché à lord Stuart, ambassadeur d'Angleterre, il revint avec lui à Londres, mais il le quitta pour revenir à Paris écrire et publier. Les congrès qui se multipliaient, les souverains qui tous voulaient l'avoir, l'arrachaient à chaque instant à la théorie; Carême était devenu l'homme indispensable des réunions politiques. Mais les grands travaux abrègent l'existence. « Le charbon nous tue, disait-il, mais qu'importe, moins d'années, plus de gloire. » Il mourut, tué en réalité par son génie, le 12 janvier 1833, avant d'avoir accompli sa cinquantième année, laissant des élèves dignes de lui, entre autres l'excellent Vuillemot.

CAROTTE

Plante potagère de la famille des ombellifères dont la racine est fort en usage dans les cuisines à cause de son goût qui est fort agréable; elle est sudorifique et apéritive, et purifie la masse du sang. La carotte est saine et ne produit d'incommodité que par son usage immodéré, elle contient beaucoup d'huile et de sel essentiel et convient à tout âge et à tout tempérament. On s'en sert ordinairement pour mettre dans toutes sortes de potages, pour braises, pour coulis, on s'en sert aussi pour des entrées de viandes en terrines qu'on appelle hochepot. *(V. Hochepot.)* On doit les choisir longues, grosses, charnues, jaunes ou d'un blanc pâle, se rompant aisément et d'un goût tirant sur le doux.

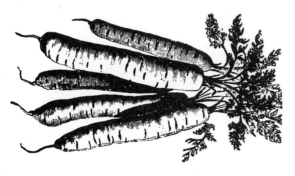

CARPE

RAGOUT DE CAROTTES OU CAROTTES A LA MÉNAGÈRE. Coupez vos carottes de la longueur de deux doigts et tournez-les en rond, faites-les cuire dans l'eau un quart d'heure et mettez-les dans une casserole avec du bon bouillon, un verre de vin blanc, un bouquet de fines herbes, un peu de sel. Quand elles sont cuites, ajoutez-y un peu de coulis pour lier la sauce, et servez avec ce que vous voulez.

CAROTTES A LA FLAMANDE. Faites blanchir vos tranches de carottes, faites-les revenir dans le beurre, mouillez de bouillon avec sel, poivre et sucre; faites réduire à glace. Remettez du beurre, un peu de sauce tournée et des fines herbes, faites bouillir encore un instant, ajoutez croûtons et servez.

POTAGE AUX CAROTTES. Mettez dans un pot assez d'eau pour faire un grand plat de potage, et quand elle sera bouillante, ajoutez-y 250 grammes de bon beurre et du sel, puis un demi-litron de pois secs, trois ou quatre carottes bien nettes coupées par morceaux, faites cuire, et une heure avant de dresser, mettez des herbes douces telles que cerfeuil, oseille, etc., de la chicorée blanche, un peu de racine de persil, ciboule, oignons, faites cuire le tout ensemble, dressez et servez.

GATEAU DE CAROTTES. Faites cuire de belles carottes avec du sel, broyez-les et passez-les au tamis avant de les faire dessécher dans une casserole, ajoutez-y de la crème, de la fécule, un peu de fleurs d'oranger pralinées, du sucre, des œufs (plus de jaunes que de blancs), puis du beurre; mélangez le tout. Mettez-le dans un moule, faites-le cuire et renversez-le sur un plat d'entremets que vous ferez accompagner d'une saucière de sabayon. *(V. Sabayon.)* *(M. de Courchamps.)*

CAROTTES AU SUCRE. Cuisez à l'eau, faites sécher, pulvérisez, aromatisez, édulcorez avec sucre en poudre, œufs battus, beurre; cuisez sous four de campagne, renversez sur plat creux et servez chaud, saupoudré de sucre.

Poisson d'eau douce de rivière et d'étang dont il n'est pas fait mention par les Grecs ni par les Latins. Dans le Rhône on trouve des carpes de 40 à 50 livres dont la chair est délicieuse. Ce poisson vit plusieurs siècles ainsi qu'on a pu s'en assurer par les carpes mises de la main de François Ier au vivier de Fontainebleau; la carpe grossit moins dans le Nord qu'à l'Ouest et au Midi. Dans une carpe femelle de 18 pouces de long, le docteur Petit a trouvé 342,000 œufs. Dans l'Orient les Juifs, à qui on défend le caviar d'esturgeon, font du caviar avec des œufs de carpe. La plus grosse carpe qu'on ait vue fut prise en 1711; elle pesait 70 livres.

Me trouvant à Poti, à l'embouchure du fleuve Rioni, le Phâse des anciens, m'ennuyant de ne manger que du bélier, j'exprimai le désir de changer de nourriture. Vasiln, alors depuis trois jours à mon service, me proposa d'aller faire une pêche dans le lac de Poti; forcé d'attendre le bateau d'Odessa, je ne demandais pas mieux que d'occuper un jour à un exercice amusant. Nous fîmes à peu près une lieue à travers la forêt et nous nous trouvâmes sur le bord du lac où nous montâmes dans une barque de pêcheur. Il fut convenu qu'au moyen de deux roubles, c'est-à-dire huit francs, elle pêcherait à forfait pour nous. Au bout de deux heures, nous avions pris trois ou quatre cents livres de poissons.

Nous choisîmes les plus beaux, nous laissâmes les autres à nos pêcheurs et nous revînmes à l'hôtel de maître Jacob. La plus grosse pièce était une carpe pesant 40 livres et un soudak en pesant 35; nous ouvrîmes la carpe, elle renfermait 13 livres d'œufs, une de ses écailles suffisait pour couvrir entièrement une pièce de 5 francs. Il fallut 12 bouteilles de vin pour la cuire. C'est le plus gros poisson de cette espèce que j'aie jamais vu; comme elle avait été pêchée dans un lac de 8 lieues de tour communiquant avec la mer, elle ne sentait pas la vase et était sous ce rapport aussi pure qu'une carpe de rivière.

Le second jour nous en fîmes cadeau à l'hôtelier qui en nourrit tout son monde.

Puisque nous venons de parler de carpes sentant la vase, indiquons tout de suite le moyen de faire passer ce goût aux poissons qui en sont atteints :

Faites avaler au poisson qui vient d'être pêché un verre de fort vinaigre, et à l'instant même vous verrez s'établir sur tout son corps une sorte de transpiration épaisse que vous enlèverez en l'écaillant. Quand il est mort, sa chair se raffermit et est d'aussi bon goût que s'il avait été pêché dans une eau vive.

CARPE FRITE. Écaillez une carpe, fendez-la en deux morceaux par le dos, videz-la, ôtez-en la laite ou les œufs.

Faites-la mariner une ou deux heures avec sel, poivre, oignon, thym, laurier, persil, demi-cuillerée de vinaigre; passez-la dans la farine et mettez-la dans une friture bien chaude. Votre carpe à moitié cuite, vous la farinez à part et vous ajoutez dans la friture la laite ou les œufs; faites cuire et servez garni de persil frit et saupoudré de sel.

CARPE GRILLÉE. Échardez ou écaillez une carpe, coupez-en les nageoires et le petit bout de la queue, ôtez-en les ouïes, videz-la sans trop lui ouvrir le ventre, et prenez garde d'en crever l'amer; ciselez-la, passez la laitance dans du beurre et des fines herbes, telles que persil et ciboules hachés; assaisonnez de sel, poivre, remettez-la dans le ventre de votre carpe, cousez-la, mettez-la sur un plat, marinez avec un peu d'huile, des branches de persil et de ciboule hachées, un peu de sel fin, puis faites-la griller, ôtez-en les fils, et servez-la avec une sauce blanche et des câpres ou une maître-d'hôtel chaude. (V. Sauces.)

CARPE AUX CHAMPIGNONS. Prenez une belle carpe, faites-la cuire avec de l'eau, un peu de vin, sel et poivre, quand elle est cuite à propos, dressez-la dans un plat à sec et avant de la servir, jetez par-dessus un ragoût de champignons, laitances, fonds d'artichauts, bon beurre, le tout bien assaisonné de sel, poivre, fines herbes en paquet, et servez garni de croûtons frits.

CARPE A LA CHAMBORD. Ayez une belle carpe du Rhin, échardez-la, levez-en la peau, videz-la sans lui ouvrir le ventre en totalité, ôtez lui les ouïes sans endommager la langue, levez ensuite le nerf de la queue, piquez votre carpe entièrement avec de l'anguille taillée en petits lardons, ou moitié avec des truffes et des carottes coupées de même; si vous servez cette carpe au gras, piquez-la de lard, de truffes ou de carottes, mettez-la dans une poissonnière, mouillez-la d'une braise maigre et faites cuire, mettez ensuite dans une casserole trois tasses d'espagnole maigre et une demi-bouteille de vin blanc de Champagne, faites réduire votre sauce, dégraissez-la, mettez des champignons tournés, des truffes, des laitances de carpes, des quenelles, de l'anguille coupée par tronçons, faites mijoter un quart-d'heure votre ragoût et finissez-le avec du beurre d'anchois, égouttez votre carpe, dressez-la, mettez vos garnitures autour, joignez-y des écrevisses, décorez-en votre carpe, saucez-la, glacez-la et servez. Si c'est au gras, ajoutez-y des ris de veau piqués, des pigeons à la Gautier ou des cailles, si c'est la saison, des crêtes et des rognons de coq.

CARPE A LA DAUBE. Faites une farce avec la chair de deux soles et d'un brochet désossés, hachez bien cette chair avec un peu de ciboule et fines épices, sel, poivre, muscade, beurre frais et un peu de mie de pain trempée dans de la crème; liez votre farce avec des jaunes d'œufs, emplissez une belle carpe de cette farce, et faites-la cuire à petit feu avec du vin blanc, assaisonnez de sel, poivre, clous de girofle, citron vert, un bouquet de fines herbes et bon beurre frais.

Faites un ragoût de champignons, morilles, truffes, mousserons, fonds d'artichauts, laitances de carpes, queues d'écrevisses, passé à l'étamine après avoir bouilli deux ou trois tours dans une casserole avec un peu de coulis ou de bouillon de poisson, vous faites mitonner vos filets dans cette sauce bien assaisonnée de champignons, sel, poivre, fines herbes et servez.

Vous les faites aussi aux concombres en liant vos concombres marinés et cuits dans une casserole avec bon beurre et bouillon de poisson, avec un bon coulis, vous faites mitonner vos filets dans cette liaison et vous les servez chaudement pour entrée.

LAITANCES DE CARPES FRITES. Vous supprimez les boyaux de 15 à 18 laitances de carpes, puis vous les mettez dégorger dans l'eau en les changeant plusieurs fois afin qu'elles soient bien blanches; vous mettez dans une casserole de l'eau, un filet de vinaigre et une pincée de sel, mettez-y vos laitances, quand vous la voyez bouillir, faites-leur jeter un bouillon, trempez-les dans une pâte légère, faites-les frire d'une belle couleur et servez-les avec du persil frit.

CARPE A LA HUSSARDE. Prenez une belle carpe, ouvrez-la le moins que vous pourrez pour la vider, mettez dans le corps du beurre manié avec des fines herbes hachées et assaisonnées de bon goût; faites mariner votre carpe avec fines herbes, huile fine, thym, basilic; quand elle aura bien pris le goût de sa marinade, faites-la griller et servez avec une sauce rémoulade. *(V. Sauce rémoulade.)*

CARPE EN POUPETON. Dépouillez une anguille et une carpe, gardez-en les peaux et hachez-en les chairs; mettez celle de la carpe avec de la mie de pain passée sur le feu et avec de la crème, ajoutez-y un morceau de beurre, persil, ciboule, sel, poivre et liez le tout avec six jaunes d'œufs.

Prenez ensuite l'anguille que vous coupez par filets et passez-la au beurre, avec champignons, truffes, un bouquet garni, une pincée de farine, un peu de jus maigre et un demi-verre de vin de Champagne : faites cuire ce ragoût avec bon assaisonnement, et quand la sauce est bien réduite, mettez-la refroidir.

Mettez dans le fond d'une poupetonnière une feuille de papier beurré. Mettez dessus les peaux de la carpe et de l'anguille entremêlées, le côté de l'écaille en dessous, garnissez bien le tour et le fond de votre poupetonnière, mettez ensuite de la farce de carpe partout sur les peaux de l'épaisseur d'un doigt et le ragoût froid de l'anguille au milieu, recouvrez-le avec la farce et les peaux de carpe, mettez dessus une feuille de papier et faites cuire au four. Quand votre poupeton sera cuit, dressez-le sur un plat, ôtez-en le papier et la graisse et servez par-dessus une sauce hachée avec un jus de citron.

MATELOTES DE CARPES ET D'ANGUILLES. *(V. Matelote d'anguilles.)*

HACHIS DE CARPES. Écaillez, videz et écorchez vos carpes prenez-en la chair que vous hacherez avec sel, poivre, fines herbes, champignons, laitances et fonds d'artichauts. Votre hachis fait, passez-le en casserole au blanc, ajoutez un peu de bouillon de poisson ou de la purée claire, laissez-le bien mitonner, tirez-le et servez pour entrée avec un jus de citron garni de champignons frits ou câpres ou andouillettes de poisson.

AUTRE HACHIS DE CARPES. La chair de votre carpe étant bien hachée, comme on vient de le dire, mettez-la dans une casserole sur le feu, remuez avec une cuiller pour la faire un peu dessécher. Videz-la ensuite sur une table, mettez-y beurre frais, persil, ciboule, champignons, hachez le tout ensemble, faites ensuite un roux dans une casserole avec un morceau de beurre et une pincée de farine, mettez-y votre hachis avec sel, poivre, une tranche de citron, remuez toujours afin qu'il ne s'attache pas, mouillez d'un peu de bouillon de poisson et servez chaudement; mettez, si vous en avez, trois ou quatre cuillerées de coulis de poisson.

FRICANDEAU DE CARPES. Après avoir enlevé la peau de votre carpe, levez-en les chairs et ne laissez que la colonne vertébrale; si c'est au gras, piquez vos chairs de menu lard, coupez-les par grenadins et marquez-les de même *(V. Grenadins de veau);* si c'est au maigre vous les piquez de lardons d'anguilles, foncez votre casserole avec du beurre, ajoutez-y tranches d'oignons, lames de carottes, vin blanc et bouillon de poisson maigre, posez votre poisson sur ce fond, couvrez-le d'un papier beurré et faites-le cuire dessus et dessous comme un fricandeau. Quand il est cuit, égouttez-le et tirez par les gros bouts les côtes de votre carpe en prenant bien soin qu'il n'en reste aucune, vous glacez ensuite vos fricandeaux et les servez sur une purée de champignons, d'oseille ou d'oignons.

FILETS DE CARPES. Vous coupez votre carpe en filets que vous mettez mariner et que vous trempez ensuite dans une pâte claire ou poudrés seulement de farine, vous les faites frire au beurre affiné et servez garnis de persil frit.

La Chasse et la Pêche. Illustration de Bertall.

Vous pouvez aussi manger ces filets à la sauce blanche que vous faites avec une liaison de carpe et de mie de pain, le tout passé auparavant à la casserole, avec beurre frais et assaisonné de bon goût. Mettez dedans un bon coulis d'écrevisses.

Votre carpe cuite, dressez-la sur un plat ovale, versez votre ragoût par-dessus et servez.

CARPE FARCIE. Levez les chairs, décarcassez en majeure partie, conservez tête et queue avec trois doigts d'arêtes. De ces chairs et de celles d'une ou deux autres petites carpes faites une farce (comme à l'article *Quenelles de carpes*), étendez de cette farce dans le fond d'un plat, mettez aux deux bouts la tête et la queue; faites un salpicon maigre ou gras, avec lequel vous remplacerez le ventre de votre carpe, ou un ragoût de laitances de carpes, le tout à froid, couvrez ce salpicon de votre farce, donnez-lui la forme d'une carpe, unissez-bien votre farce avec votre couteau trempé dans l'œuf, dorez-la avec deux œufs entiers et battus, ayez une cuiller à bouche, trempez-la dans le reste de votre dorure et formez avec la pointe les écailles de votre carpe; enveloppez la tête et la queue d'un papier beurré; une heure avant de servir, mettez votre carpe dans un four moyennement chaud, donnez-lui une belle couleur, ôtez le papier, nettoyez les bords de votre plat, saucez-la, soit d'une bonne espagnole réduite, maigre ou grasse, soit d'un ragoût de laitances, de fonds d'artichauts et de champignons et servez (méthode de M. Beauvilliers).

AUTRE CARPE FARCIE. Fendez votre carpe le long de l'épine du dos, séparez la peau d'avec la chair, y laissant la tête et la queue, faites une farce avec de la chair d'anguille, assaisonnée de sel, poivre, bon beurre frais, fines herbes, champignons, clous de girofle, muscade, thym, le tout haché bien menu, mêlez-y des laitances de carpe et faites votre farce.

Votre farce faite, garnissez-en la peau de votre carpe comme ci-dessus, cousez-la, et mettez cuire votre carpe au four ou dans une casserole avec bon beurre, bouillon de poisson ou purée claire, bon assaisonnement et farine frite pour liaison, quand elle est cuite, servez-la sur un plat, la sauce dessus et entourée de la garniture qu'il vous plaira.

CARPE AU BLEU OU AU COURT BOUILLON. Ayez une carpe que vous aurez soin de vider sans trop lui ouvrir le ventre, sans lui crever l'amer et sans endommager ses écailles; ôtez ses ouïes avec ménagement afin de ne pas gâter la langue, faites bouillir un demi-setier de vinaigre rouge avec lequel vous arroserez votre carpe placée dans une poissonnière de sa dimension; mouillez-la ensuite d'une braise grasse ou maigre, couvrez-la d'un papier beurré et faites-la cuire à petit feu, égouttez-la quand elle sera cuite, posez-la sur une serviette étendue sur le plat, entourez-la de persil et servez.

CARPE A LA PIÉMONTAISE. Prenez une belle carpe, videz-la et ôtez-en les ouïes, ciselez-la des deux côtés, faites-la mariner avec de l'huile, sel, poivre, persil, ciboules entières, tranches d'oignons, ail, échalotes en tranches, thym, basilic, laurier et laissez-la dans la marinade pendant deux heures.

Faites-la ensuite griller en l'arrosant de temps en temps avec sa marinade, passez des truffes et des champignons avec un morceau de beurre, un bouquet garni, une pincée de farine, mouillez avec du bon jus, ajoutez-y des fonds d'artichauts blanchis à moitié cuits, de petits oignons blancs et un demi-verre de vin de Champagne.

Quand votre ragoût est cuit, la sauce réduite, liez avec trois jaunes d'œufs et de la crème, pressez-y un jus de citron, et dressez votre carpe dans un plat avec le ragoût autour.

CARPE A LA FLAMANDE. Habillez proprement votre carpe, coupez une anguille en lardons bien assaisonnés de fines herbes hachées, sel, fines épices, lardez-en la carpe, mettez dans une casserole champignons, truffes, petits oignons blanchis avec un morceau de beurre, un bouquet de toutes sortes de fines herbes, une pincée de farine; mouillez votre ragoût avec du jus maigre et une demi-bouteille de vin de Champagne. Quand il est à moitié cuit mettez-y la carpe pour achever de cuire; si la sauce n'est pas encore assez réduite, poussez-la à grand feu, mettez-y des câpres et servez la carpe au milieu, le ragoût autour.

CARPE A LA BIÈRE OU A LA MOSCOVITE. Coupez votre carpe en trois morceaux, après l'avoir proprement arrangée, mettez-la dans une casserole avec une bouteille de bonne bière, un verre d'eau-de-vie, un morceau de beurre fin manié avec un peu de farine, un bouquet de persil, ciboule, ail, clous de girofle, thym, laurier, basilic, oignons coupés en filets, sel, poivre, faites cuire à grand feu et servez quand la sauce est bien réduite et après avoir ôté le bouquet.

CARPE A LA BOURGUIGNONNE. Après avoir habillé une grosse carpe, dont vous conservez le sang dans une casserole, vous la lavez en dedans avec un peu de bon vin rouge que vous faites ensuite tomber dans la casserole où est le sang. Mettez ensuite la carpe dans un plat et piquez-la partout, afin d'y faire pénétrer le sel fin, laissez-la deux heures dans son sel, puis mettez-la dans une poissonnière avec quelques tranches d'oignons dans le fond, un bouquet garni et une bouteille de vin de Bourgogne. Faites cuire à petit feu.

Quand elle est cuite, passez son court bouillon dans un

tamis et versez-le dans la casserole où est le sang, en y joignant un bon morceau de beurre manié de farine, et vous faites bouillir à grand feu, jusqu'à forte réduction; ajoutez-y un anchois haché, muscade râpée et câpres entières. Dressez ensuite votre carpe sur un plat et masquez-la de cette sauce.

CARPE A LA CHAMBORD GARNIE DE VOLAILLE ET DE TRUFFES. Choisissez une belle carpe, écaillez-la, ôtez les ouïes, prenez garde de gâter la langue, ouvrez-la sur le côté, ôtez-en l'amer, dépouillez-la le plus légèrement que vous pourrez du côté où elle n'est pas ouverte, piquez-la ensuite de lard le plus dru que vous pourrez, remplissez-la d'un ragoût de ris de veau, foies gras, truffes, liez d'une bonne essence. Cousez-la bien pour empêcher le ragoût de s'échapper et laissez passer un bout de ficelle par la tête.

Foncez une grande poissonnière de veau et de jambon, assaisonnez de sel, poivre, clous de girofle, bouquet garni; racines et oignons; mettez la carpe sur une feuille de papier beurré, couvrez-la de bardes de lard et faites cuire sur la braise, mouillez-la ensuite d'une bouteille de vin de Champagne, un peu de bouillon et faites cuire à petit feu pendant trois ou quatre heures.

Quand elle est cuite, laissez-la refroidir et glacez-la avec une cuiller de bois que vous trempez de temps en temps dans la glace et que vous promenez ainsi partout. Quand elle est bien glacée et égouttée, dressez-la sur un très grand plat. Garnissez-la alors de six petits poulets glacés, de quatre perdreaux farcis de leurs foies et cuits à la broche, de douze pigeons naissants cuits dans un blanc et achevez de la faire cuire dans une bonne essence où vous aurez cuit huit belles truffes entières. Entre-mêlez les pigeons, les poulets, les perdreaux et les truffes, versez par-dessus une grande essence de bon goût avec le jus de deux oranges et servez.

CARPE PIQUÉE AUX CRÊTES. Prenez une carpe d'une bonne grosseur, piquez-la, glacez-la et servez autour un ragoût de crêtes. Vous prenez des crêtes, vous les passez et les faites cuire à moitié dans un blanc que vous faites en prenant une cuillerée à bouche de farine que vous délayez avec du bouillon; mettez-y la moitié d'un citron en tranches, du sel, retirez-les quand elles sont à moitié cuites, achevez de les cuire dans une bonne essence et servez avec un jus de citron.

CARPE PIQUÉE ENTIÈRE GLACÉE, GARNIE DE TRUFFES. Écaillez, videz une grosse carpe par le côté, faites-la piquer de l'autre et faites-la cuire dans un bon bouillon, un demi-setier de vin blanc, un bouquet garni et glacez-la comme un fricandeau; quand elle est bien glacée, vous la dressez et servez tout autour un ragoût de truffes

que vous faites en prenant des truffes que vous coupez par tranches et que vous faites cuire dans de bon bouillon avec un bouquet. Quand elles sont cuites, vous y ajoutez du coulis pour que la sauce soit de bon goût et servez avec un jus de citron.

CARPE ROTIE A LA BROCHE. Choisissez une belle carpe laitée, habillez-la à l'ordinaire, faites une farce avec la laitance, chair d'anguille, anchois, champignons, marrons, chapelure de pain, oignons, oseille, persil, thym, poivre, clous de girofle et bon beurre frais; farcissez-en votre carpe, recousez l'ouverture, piquez-la de clous de girofle et de feuilles de laurier, enveloppez-la de papier beurré, embrochez-la et arrosez-la en cuisant de beurre délayé avec du verjus ou mieux encore avec du lait chaud et du vin blanc; servez-la quand elle est cuite et jetez dessus un ragoût de champignons, laitances, truffes, morilles et autres choses semblables, le tout assaisonné de bon goût.

CASSEROLE DE CARPES. Ayez un hachis préparé comme celui dont nous avons parlé au *hachis de carpe*, remplissez-en une belle carpe proprement habillée, mettez-la cuire dans une casserole avec du vin blanc, sel, poivre, clous de girofle, citron vert et paquet de fines herbes.

Quand elle est cuite, dressez-la à sec dans un plat, mettez dessus un ragoût fait avec champignons, truffes, morilles, fonds d'artichauts, laitances, le tout passé à la casserole avec beurre frais et bien assaisonné, et servez votre carpe pour grande entrée avec laitances frites ou morceaux d'anguille marinée et tranches de citron.

PATÉ DE CARPES. Habillez vos carpes, lardez-les de lardons d'anguille, assaisonnez-les de bon beurre, sel, poivre, clous de girofle, laurier, muscade; faites une abaisse de pâte fine de la longueur de vos carpes que vous dresserez dessus, couvrez-les d'une autre abaisse et faites cuire à petit feu; versez un verre de vin blanc quand votre pâté sera à moitié cuit.

Vous pouvez aussi farcir vos carpes. Comme il est dit à l'article : *Carpes farcies*, et le pâté étant cuit, y jeter un ragoût d'huîtres bien dégraissé. *(V. Huîtres.)*

TOURTE DE CARPES. Choisissez une bonne carpe, écaillez-la, ôtez-en les ouïes et fendez-la, coupez-la par tranches, faites une abaisse d'un demi-feuilletage et foncez-en une tourtière; faites un godiveau d'anguille, dans le fond, assaisonnez de sel, poivre, fines épices, un peu de fines herbes, mettez votre carpe dessus avec le même assaisonnement et un peu de beurre frais; couvrez d'une abaisse de même pâte avec une bordure, frottez-la d'un œuf battu et mettez cuire au four ou sous un couvercle, feu dessus et dessous. Quand votre tourte est cuite, découvrez-la, dégraissez-la bien, jetez-y un ragoût de laitance, recouvrez et servez chaudement.

SAUTÉ DE FILETS DE CARPES. Tirez filets, dépouillez, coupez en carrés, arrangez sur sautoir, faites chauffer à feu vif, retournez, égouttez, dressez en miroton avec purée ou poivrade et servez.

LANGUES ET LAITANCES DE CARPES. Mettez dans une casserole du beurre, des champignons, une tranche de jambon, un bouquet de fines herbes et le jus d'un citron, laissez mijoter ce ragoût quelque temps et à petit feu, joignez-y un peu de farine, vos langues et vos laitances de carpes et un peu de bon bouillon; laissez bouillir le tout environ un quart d'heure, assaisonnez avec du poivre et du sel. La cuisson faite, vous l'épaississez avec une liaison de deux ou trois jaunes d'œufs, d'un peu de crème et de persil blanchi.

QUENELLES DE CARPES. Épluchez, préparez et hachez anguille et carpeaux, faites-en des quenelles, avec anchois, et servez avec une béchamel. *(V. Quenelles.)*

ASPIC DE LAITANCES DE CARPES. Préparez votre aspic comme il est indiqué pour les crêtes et rognons de coqs, et servez-vous pour le remplir de laitances de carpes cuites dans un bon assaisonnement.

CARRELET

Poisson de mer appelé ainsi parce que plutôt qu'un autre il approche de la forme d'un losange dont les angles seraient arrondis; les yeux sont placés sur la partie gauche de sa tête, l'ouverture de sa gueule est très-ample, le côté gauche du corps est couleur cendrée mêlée de noir, le côté droit est blanc; la chair est blanche, molle, fort humide et délicate, préférable à celle de la limande, mais s'altérant facilement par le transport.

CARRELETS A LA BONNE EAU. Faites bouillir pendant un quart d'heure dans trois litres d'eau salée, à la hollandaise, c'est-à-dire à l'eau de racines de persil, servez dans un plat creux, dans une partie de son mouillement, parez-le avec des branches de persil blanchies; placez près de lui une sauce hollandaise.

CARRELETS AU GRATIN. Ce poisson aqueux et peu consistant n'est vraiment bon qu'au gratin.
Mettez sur un plat un morceau de beurre frais, des fines herbes hachées, des quatre épices; appliquez dessus votre poisson arrosé de vin blanc et masqué de chapelure, puis faites cuire sous un four de campagne.

CARRELETS MATELOTE NORMANDE. Mettez sur un plat foncé de beurre frais, avec persil et oignons, un carrelet limoné du dos. Versez une bouteille de cidre, ajoutez-y une ou deux douzaines d'huîtres, une douzaine de moules, des crevettes, et faites cuire à feu doux. Arrosez de son jus.
N. B. Ne craignez pas, si vous voulez faire une véritable matelote normande, de substituer le cidre mousseux au vin blanc; c'est cette substitution qui lui donne tout son cachet.

CARRELET COMME ON LE SERT EN HOLLANDE. Coupez un carrelet dans sa longueur; puis ces deux moitiés en six ou huit parties dans le sens opposé; faites cuire à l'eau de sel avec persil, et dressez sur un plat foncé d'une serviette.
Passons à sa sauce, que vous servirez pour conserver sa couleur locale, non pas dans une grande saucière d'argent, mais dans un bol du Japon, ou dans une jatte de la Chine. Épluchez de l'oseille, et ne gardez que les feuilles; mettez-les dans une passoire que vous plongerez deux fois dans l'eau bouillante, et vous ajouterez ces feuilles blanchies à 250 grammes de beurre frais que vous ferez fondre au bain-marie.

FILETS DE CARRELETS A LA ORLY. Levez les filets de quatre petits carrelets, faites mariner dans du jus de citron, avec sel et gros poivre; de leurs arêtes et de leurs débris, tirez un bon consommé fait avec du vin blanc, farinez et faites frire vos carrelets jusqu'à ce qu'ils soient d'une belle couleur, arrosez du consommé que vous aurez tiré des arêtes, et qui, clarifié, servira de sauce.

CARRELETS GRILLÉS. Videz, lavez, huilez, salez, poivrez, grillez sur chalumeau, dressez et masquez de sauce blanche aux câpres ou de sauce brune au jus de racines avec boutons de capucines au vinaigre. Enfin chapelurez afin de lier ladite sauce.

CASSEROLE

Que serait l'art culinaire sans la casserole, qui en est d'abord le principal ornement? Ce qu'il était du temps des patriarches, où la broche suffisait pour faire rôtir les viandes, et la marmite pour les faire bouillir; mais la casserole est sans contredit l'arme favorite, le talisman, la bonne fortune d'un cuisinier. Les splendides repas des Verrès, des Lucullus, des Néron, des Vitellius, des Domitien, des Apicius, ne se faisaient certes pas sans casserole, car on ne peut penser que ces grands gourmands ne vivaient que de viandes rôties ou grillées et de légumes bouillis.

En France la casserole est plus en honneur que partout ailleurs; on sait que les Espagnols ne vivent que de chocolat, de garbanços et de lard rance; les Italiens de macaroni; les Anglais de roast beef et de pudding; les Hollandais de viande cuite au four, de pommes de terre et de fromage; les Allemands de choucroute et de lard fumé; aussi la casserole a-t-elle fait chez nous la réputation de plusieurs de ceux qui l'ont mise en œuvre avec le plus de talent : les Mignot, les Robert, les Miot, les Beauvilliers, les Véry, les Carême, etc.; et de ceux qui l'ont célébrée, tels que les Grimod de la Reynière, les Berchoux, les Brillat-Savarin, dont les œuvres resteront à la postérité.

Il est inutile de recommander à tout cuisinier de tenir toujours bien proprement ses casseroles; la moindre détérioration suffirait pour gâter ou affecter d'un mauvais goût les aliments qui doivent y cuire. Les casseroles de cuivre sont les plus généralement employées dans les cuisines, à cause de leur solidité; mais si vous ne les entretenez continuellement ou si vous y laissez refroidir des viandes ou de la graisse, vous vous exposez au danger d'être empoisonné. On donne aussi le nom de casseroles à plusieurs préparations culinaires dont nous allons indiquer les principales.

CASSEROLE AU RIZ A LA BOURGEOISE

Braisez un morceau de viande cuit, égoutté, dressez-le, couvrez-le de riz croquant avec bouillon arrosé de lard, formez une masse demi-ronde et mettez au four afin que la croûte soit bien formée, et servez à sec.

CASSEROLE AU RIZ A LA REINE. Hachez les blancs de deux poulardes avec champignons, cuisez, pilez, délayez; vous passez cette purée avec de la béchamel travaillée de consommé de volaille à l'essence de champignons, à l'étamine blanche, et la mettez au bain-marie afin qu'elle devienne presque bouillante sans ébullition; versez-la ensuite dans votre casserole au riz; placez dessus en cou-

ronne, et pour servir de couvercle, six œufs frais pochés à l'eau bouillante avec sel et un demi-litre de vinaigre, placez en travers sur chaque œuf un filet mignon de poulets *à la Conti*. Masquez le milieu des œufs avec un peu de béchamel, glacez légèrement et servez.

CASSEROLE DE RIZ GARNIE D'UN ANANAS FORMÉ DE POMMES. Nous empruntons à l'excellent livre de M. de Courchamps la préparation de cet aliment. Vous faites cuire 360 grammes de riz de la Caroline avec de l'eau, du beurre et du sel; le riz étant prêt, vous le séparez en deux parties : de l'une vous formez un dôme plat du dessus et cannelé autour, puis de l'autre partie vous formez un second dôme, le bord évasé, afin de former la coupe. Vous faites cuire ces deux petites casseroles au riz à four chaud et leur donnez une belle couleur blonde; vous les videz parfaitement, mais par-dessous, alors vous remplissez le dôme cannelé avec du riz (180 grammes préparés selon la règle), et vous mettez au milieu des pommes coupées en quartiers; vous retournez le moule sens dessus dessous sur son plat d'entremets, vous placez alors par-dessus, la coupe; avec la pointe d'un couteau vous ôtez le fond des deux casseroles au riz qui se trouvent l'une sur l'autre et vous garnissez ensuite le fond et les parois de la coupe de manière qu'elle figure un vase où vous placez le reste du riz en forme d'ananas en groupant à l'entour de ce riz des quartiers de pommes cuites dans du sucre au caramel afin de les colorer en jaune. Quand vous les aurez coupées en forme de têtes de clous, de manière qu'ils imitent un corps d'ananas sur lequel vous placerez une couronne de longues tiges d'angélique, garnissez le pourtour avec des feuilles de biscuits aux pistaches. Au moment du service, vous masquez légèrement la surface de la croûte de la casserole au riz avec de la marmelade d'abricots bien transparente, de même couleur que l'ananas. On peut servir ce bel entremets froid ou chaud.

CASSONADE

Sucre non encore purifié; ce nom lui vient de ce que les Portugais du Brésil qui la livraient au commerce, l'apportaient dans des caisses qu'ils appelaient *casses*. La cassonade ne diffère du sucre en poudre que par son état pulvérulent et sa moins grande pureté, elle contient une certaine quantité de mélasse qui la rend oléagineuse; la cassonade, quoique contenant moins de sucre pur que le sucre en pain, a une saveur plus sucrée, cette saveur vient de sa dissolubilité qui permet à toutes ses molécules d'agir à la fois sur l'organe du goût; le sucre, et surtout le sucre pur étant moins soluble, n'a qu'une action successive qui paraît moins intense. Il est important de l'avoir aussi pure que possible, car l'usage de la cassonade trop impure cause des dévoiements qu'on ne sait souvent à quelle cause attribuer.

CAVAILLON

A vingt-cinq kilomètres sud-est d'Avignon. Restes d'un arc de triomphe. Melons d'hiver renommés.

On présume que la ville de Cavaillon n'est citée ici ni pour sa position sur la Durance, ni pour son voisinage d'Avignon, ni pour son arc de triomphe, mais pour ses melons, non pas d'hiver, mais verts, renommés.

Un jour je reçus une lettre du conseil municipal de Cavaillon, lequel me dit que, fondant une bibliothèque et désirant la composer des meilleurs livres qu'il pourrait se procurer, il me priait de lui envoyer deux ou trois de mes romans qui, dans mon esprit, tiendraient la première place. J'ai un fils et une fille, je crois les aimer également; j'ai cinq ou six cents volumes, je crois éprouver pour eux tous une sympathie à peu près égale; je répondis à la ville de Cavaillon que ce n'était pas un auteur qu'il fallait faire juge du mérite de ses livres; que je trouvais tous mes livres bons, mais que je trouvais les melons de Cavaillon excellents; que, par conséquent, j'allais envoyer à la ville de Cavaillon une collection complète de mes œuvres, c'est-à-dire quatre ou cinq cents volumes, si le conseil municipal voulait me voter une rente viagère de douze melons verts.

Le conseil municipal de Cavaillon, je dois le dire, me répondit poste pour poste que ma demande avait été accueillie à l'unanimité et que je me trouvais avoir une rente viagère, la seule selon toute probabilité que j'aurai jamais.

Il y a une douzaine d'années que je jouis de cette rente, et, je dois le dire, elle n'a jamais manqué une fois d'arriver à l'époque où les melons verts, un peu en retard sur les autres, entrent dans leur maturité; or je ne sais pas si le conseil municipal de Cavaillon a l'obligeance de faire un choix parmi ses melons et de m'envoyer ceux qu'il croit les meilleurs, mais je répète que je n'ai jamais rien mangé de plus frais, de plus savoureux et de plus sapide que les melons de ma rente. Je n'ai donc qu'un désir à émettre, c'est que mes livres aient toujours pour les Cavaillonnais le même charme que leurs melons ont pour moi; c'est à la fois une occasion qui se présente d'exprimer à mes bons amis de Cavaillon toute ma reconnaissance, et de désigner à toute l'Europe leurs melons comme les meilleurs que je connaisse.

CAVE

Une cave soigneusement organisée doit être à la fois sèche et fraîche, l'air ne doit y pénétrer que par de faibles issues, le soleil, dont les rayons méritent notre hommage au dehors, le soleil, qui a d'abord été adoré par les peuples comme le Dieu de l'univers parce qu'il faisait naître et mûrir tous les dons de la nature, est funeste pour la cave. Un gourmand expérimenté ne fait point grâce à ses rayons, il les condamne à un éternel exil.

On trouve ces préceptes déjà suivis dans l'Antiquité; on doit au célèbre architecte Mazois la description de la maison de Scaurus.

Voici ce qu'il dit de la cave :

« Du côté du nord sont les *cellæ vinariæ* où l'on conserve les vins de toute espèce qui, selon certains plaisants, comptent plus de consulats que les ancêtres de Scaurus n'en ont vu à eux tous. Ces caves tirent leur jour du côté du septentrion et du levant équinoxial; cette exposition est choisie de préférence afin que les rayons solaires ne puissent, en échauffant le vin, le troubler et l'affaiblir. On a soin qu'il n'y ait près de cet endroit ni fumier, ni racines d'arbres, ni aucune chose fétide. On en éloigne aussi les bains, les fours, les égouts, les citernes, les réservoirs, dans la crainte que leur voisinage n'altère le goût du vin en lui communiquant une mauvaise odeur. Scaurus, qui a plus de soin de sa cave que de sa réputation, fréquente volontiers les hommes les plus corrompus de Rome; mais il ne souffrirait pas que rien de ce qui peut corrompre son vin approchât des murs de son cellier; il pensa une fois faire divorce avec sa femme parce qu'elle avait visité cet endroit dans un moment où elle était indisposée comme les femmes ont coutume de l'être; ce qui pouvait, selon lui, faire aigrir ses vins précieux. Il porte si loin l'attention à cet égard, qu'il fait parfumer avec de la myrrhe, non-seulement les vases pour donner bon goût au vin, mais même le local tout entier.

Voici la liste des vins
dont la cave d'un amphitryon de nos jours
doit être garnie :

« La cave de Scaurus est renommée, il est parvenu à y rassembler trois cent mille amphores de presque toutes les sortes de vins connues; il en a de cent quatre-vingt-quinze espèces différentes qu'il soigne d'une manière particulière; rien n'est négligé, la forme des vases a été soumise à certaines observations, et les amphores trop ventrues y sont proscrites.

« Au-dessus des caves, ou plutôt des celliers, sont les magasins pour les provisions, recevant aussi la lumière du septentrion, afin que le soleil ne puisse, en y pénétrant, faire éclore les insectes qui dévorent les grains. »

Après avoir vu comment était aménagée la cave d'un gourmand antique, voyons comment doit s'aménager la cave d'un gourmand moderne.

Le nombre des espèces de vins que doit contenir la cave d'un amateur n'est pas limité, mais une sage prévoyance, la science de l'âge auquel le vin doit être bu, doivent allier le luxe à l'économie; il n'y a que quelques espèces qui doivent être amoncelées en grande quantité, beaucoup d'autres ne doivent figurer qu'en nombre suffisant pour la consommation de quelques années. Malheur au buveur ignorant qui entasse dans sa cave les tonneaux de bourgogne et de champagne; ces vins qui n'ont que peu d'années à vivre, doivent être bus aussitôt qu'ils ont atteint leur maturité; leur dégénérescence est rapide, le bourgogne aigrit, le champagne graisse. En général, les vins blancs sont d'une conservation difficile, on ne doit s'approvisionner qu'au fur et à mesure des besoins, mais le bordeaux, les vins méridionaux et les vins d'Espagne peuvent et doivent être conservés longtemps, parce que la vieillesse est leur principal mérite; ceux-là doivent s'élever en tas énormes, les espèces encore trop jeunes seront cachées sous les piles d'autres vins, afin qu'elles ne reparaissent que lorsqu'elles auront été longtemps oubliées; alors elles se produiront sur la table dans des bouteilles murées d'une triple couche de tartre, et si l'amphitryon, poussé par un noble orgueil, s'écrie comme Horace : « Voilà du vin de l'époque de ma naissance, Mummius étant consul, » un rire sardonique ne circulera pas parmi les convives, et l'on ne prendra pas ces paroles pour une gasconnade.

Aï.
Alicante.
Anjou.
Arbois.
Aubigny.
Auxerre.
Avallon.
Barzac.
Beaugency.
Beaune.
Bellay.
Benicarlo.
Bordeaux.
Bougy.
Brue.
Bucella.
Cavello.
Cahors.
Calabre.
Calon-Ségur.
Canaries.
Cap de Bonne-Espé-
    rance.
Carbonnieux.
Chablis.
Chambertin.
Chambolle.
Champagne rouge.
Champagne blanc
    tisane.
Chassagne.
Château-Grillé.
Château-Margaux.
Château-Neuf.
Chio.
Chypre.
Clos-Vougeot.
Collioure.
Constance.
Condrieu.
Cortone.
Coteaux de Saumur.
Côte-Rôtie rouge et
    blanc.
Côte Saint-Jacques.
Coulanges.
Esparron-Lazerme.
Falerne.
Fley.
Florence.
Frontignan.

Grave.
Grenache.
Guigne.
Haut-Brion.
Haut-Villiers.
Hermitage.
Irancy.
Joigny.
Julna.
Jurançon rouge ou
    blanc.
Lachaïnette.
Lacryma-Christi.
La Ciotat.
Lafitte-Mouton.
Lafitte-Ségur.
La Gaude.
La Malgue.
La Neïthe.
Langon.
Lunel.
Mâcon.
Madère.
Malaga.
Malvoisie de Madère.
Malvoisie de Sitges.
Malvoisie de Téné-
    riffe.
Médoc.
Mercurey.
Meursault.
Miés.
Monte-Fiascone.
Monte-Pulciano.
Montilla.
Montrachet.
Moulin-à-Vent.
Muscat de Fronti-
    gnan.
Muscat de Rivesal-
    tes.
Nuits de Rivesaltes.
Œil-de-perdrix.
Œras.
Orléans.
Pajaret.
Paille.
Paphos.
Pédro Ximenès.
Perpignan.
Picoli.

Pierry.
Piquepouille.
Pommard.
Porto.
Pouilly-Fuissé.
Rancio.
Reuilly.
Richebourg.
Rivesaltes.
Romanée.
Romanée-Conti.
Rosée.
Rota.
Roussillon.
Sancerre Fuissé.
Samos.
Saint-Amour.
Saint-Émilion.
Saint-Estève.
Saint-Georges.
Saint-Julien.
Saint-Julien du
    Sault.
Saint-Martin.
Saint-Péray.
Savigny.
Shiras.
Se
Sétural.
Sillery.
Syracuse.
Sauternes.
Stancho.
Terrats.
Tavel.
Thorins.
Tokaï.
Tonnerre.
Torremilla.
Val de Pégnas.
Vauvert.
Vermanton.
Vermouth.
Verzi-Verzenay.
Volnay.
Vosne.
Vougeot.
Vouvray blanc.
Xerès.

On sait au reste que les Anciens ne préparaient pas leurs vins de la même façon que nous; ils ignoraient l'art de la fermentation, et faisaient cuire leurs vins avec du sucre. Cela les conservait, mais leur donnait une apparence de sirop qui devait bien vite émousser la soif; ils ne connaissaient au reste en vins romains que le Falerne, le Massique et le Cœcube; en vins grecs, ils connaissaient le Chypre, le Samos, le Santorin et le Ténédos; mais sans doute, dès cette époque, le gâtaient-ils comme ils font aujourd'hui, en mettant dans leurs amphores des pommes de pins, sous prétexte que cet arbre avait fourni le thyrse de Bacchus. Les Grecs modernes ont malheureusement conservé cette habitude, ce qui rend leurs vins impossibles à boire à tout autre qu'à des Grecs.

On trouve quelque chose d'analogue en Espagne, où le vin serait excellent, si on ne l'enfermait pas dans des peaux de boucs qui lui communiquent une odeur à laquelle les étrangers ne peuvent s'habituer.

CAVIAR
(sorte d'esturgeon)

J'ai assisté pendant un mois à la pêche du caviar sur les bords de la mer Caspienne, dans toute la longueur de son rivage, qui s'étend de l'Oural à la Volga. Rien de plus curieux que cette pêche, où l'on détruit en six semaines ou deux mois des milliers de poissons du poids de 300 livres, et de la taille de douze à quinze pieds; on en trouve dans le Danube qui ont jusqu'à vingt pieds de long; ils viennent de la mer Noire, et remontent pour frayer jusqu'à Bade. La chair du caviar a une saveur délicate, qualité fort rare

dans les poissons cartilagineux; il est facile de la faire prendre pour de la chair de veau; mais nous devons avouer que les nations modernes n'ont pas pour cette chair l'enthousiasme qu'avaient les peuples anciens, qui non-seulement couronnaient ce poisson de fleurs, mais encore ceux qui le servaient, et qui l'apportaient sur la table au son des flûtes. Au rapport d'Athénée, on regardait en Grèce l'esturgeon comme le meilleur plat du festin. Ovide a dit de lui :

Esturgeon, pèlerin des plus illustres ondes.

On le trouve dans l'Océan, dans la Méditerranée, dans la mer Rouge, dans tous les grands fleuves. Au XVIe siècle, il était si commun en Provence, qu'il ne valait qu'un sou la livre. L'esturgeon grandit et s'engraisse dans les fleuves, où il trouve la tranquillité, la température et les aliments qui lui conviennent. En Russie, où on en fait les pêches les plus nombreuses, on les prend au moment où ils essayent de remonter la Volga et l'Oural.

D'après la manière dont on prend ce poisson, on peut se faire une haute idée de son intelligence : on ferme les fleuves avec des barricades, ce qui est d'autant plus facile que les fleuves n'ont pas de profondeur. Les esturgeons viennent par troupes de mille ou deux mille pour remonter les fleuves; ne pouvant y réussir, ils se promènent de long en large devant l'embouchure, où l'on a tendu des espèces de gros hameçons suspendus à des traverses et flottant à deux pieds, trois pieds, quatre pieds sous l'eau. Quelques-uns de ces hameçons sont amorcés, mais cela ne m'a jamais paru nécessaire; les esturgeons, en allant et en venant, s'accrochent à un obstacle qu'ils veulent forcer, l'obstacle leur entre dans la chair et ils sont pris. Des hommes qui se promènent en bateau entre les sillons que forment les poutres placées transversalement sur le fleuve, recueillent les esturgeons qui sont pris. Quand la barque est pleine, on la conduit à l'abattoir, véritable abattoir, où l'on assomme à coups de marteau, à coups de masse, deux ou trois mille esturgeons par jour. L'animal, quoique très-fort et pouvant renverser d'un coup de queue l'homme le plus robuste, ne fait aucune résistance; il pousse seulement un cri lorsqu'on lui arrache la moelle épinière; il fait un bond de quatre ou cinq pieds de haut et retombe mort. Avec cette moelle épinière, que l'on appelle visigha, on fait des pâtés fort estimés. Mais ce qui est plus estimé que le pâté à la moelle épinière, ce sont les milliers d'œufs que l'on recueille pour faire le *caviar* (car on appelle particulièrement caviar une préparation d'œufs d'esturgeon); privés d'air, les œufs se conservent quelque temps dans leur fraîcheur. Outre ceux-là, que l'on expédie le jour même où ils ont été enfermés dans des barils pareils à nos barils de poudre de huit, de quinze et vingt livres, il y en a encore qu'on prépare à demi-sel et à sel entier, qu'on envoie à leur heure.

Les esturgeons arrivent à un développement énorme. En 1769 on pêcha un de ces poissons qui avait 20 mètres de long, qui pesait 1,155 kilogrammes et l'on en tira 3,030 kilogrammes d'œufs; le calcul fait, on suppose qu'il y en avait 30,412,860. Henri Cloquet dit qu'on en pêche souvent du poids de 1,400 kilogrammes et pouvant atteindre une longueur de 13 mètres.

La pêche d'hiver a lieu en janvier, et se fait avec un grand cérémonial; c'est celle-là que j'ai vue; le jour en est fixé à l'assemblée publique. Des lettres de convocation sont adressées, on se réunit sur la place avant le jour; on nomme un chef qui, avant le départ, passe les pêcheurs en revue, ainsi que leur armement, qui consiste en un crochet d'acier fixé à une longue perche; au lever du soleil, deux coups de canon donnent le signal de se mettre en route. c'est à qui arrivera le premier à la meilleure place; une décharge de mousqueterie annonce le commencement de la pêche. Mais, à notre grand étonnement et à celui des pêcheurs, nous ne trouvâmes, en arrivant au rivage, ni la Volga ni la mer Caspienne pris; mais au contraire toutes les préparations de la pêche d'été, qui avait continué, quand on avait vu que le froid ne prenait pas. C'est donc une pêche d'été que j'ai racontée, parce que c'est une pêche d'été que j'ai vue.

CÉLERI

Le céleri est la plante dont les anciens se couronnaient dans leurs repas, pour neutraliser la puissance du vin; les anciens l'appelaient ache; la langue italienne s'en est emparée et de ache a fait céleri. « Remplissons les coupes de ce vin de Massique qui fait oublier les maux, dit Horace, tirons les parfums de ces larges pompes, et qu'on se hâte de nous faire des couronnes d'ache et de myrte. »

SALADE DE CÉLERI. Le céleri plein, tendre et frais, mangé en salade et assaisonné avec du vinaigre aromatique, avec de l'huile de Provence et un peu de moutarde fine, est vraiment délicieux; il réveille l'action de l'estomac, donne de l'appétit et une sorte d'alacrité qui se prolonge pendant quelques heures.

RAGOUT DE CÉLERI. Vous faites cuire du céleri haché comme de la chicorée ou des épinards, vous l'assaisonnez de sel, de poivre, de muscade et de bon bouillon, vous le servez avec des croûtons dorés; vous pouvez même, si vous êtes un peu friand, placer sur un lit bien douillet quelques ortolans ou quelques filets de perdreaux rouges; essayez de ce plat, vous en serez peut-être satisfait. (Dictionnaire des plantes usuelles du docteur Roques.)

CÉLERI AU JUS, A LA BONNE FEMME. Nettoye des pieds de céleri en enlevant toutes les feuilles dures et vertes, coupez les pieds d'égale longueur, faites blanchir; roux léger; passez-y le céleri, mouillez de bouillon. Sel, gros poivre, muscade râpée. Le céleri cuit, liez la sauce avec du jus ou du beurre.

CÉLERI FRIT A LA BOURGEOISE. Après avoir épluché et blanchi votre céleri (surtout choisissez pour le faire frire du céleri bien plein), rognez les feuilles très-près de la racine, et fendez les pieds.

CÉLERI A LA CRÈME. Épluchez du céleri, coupez-le comme il est dit à l'article : *Asperges aux petits pois*. Faites blanchir et égouttez dans une passoire; passez-le dans la casserole avec un morceau de beurre; saupoudrez d'une pincée de fécule, mouillez avec du consommé; cuit, réduit, liez de jaunes d'œufs délayés dans la crème, avec muscade, et servez garni de croûtons.

CÉLERI AU VELOUTÉ. Épluchez, lavez, coupez, faites blanchir, salez et beurrez; après cuisson, faites rafraîchir, coupez votre céleri à dix centimètres de long, mettez au feu avec beurre, sel, poivre, muscade; mouillez avec du velouté du bouillon, faites réduire et servez avec croûtons glacés.

CÉPHALOPODE

Les céphalopodes sont des mollusques du plus haut rang. Empruntons les détails qui le concernent à l'excellent livre de M. Meunier : *Les grandes pêches*.

Figurez-vous un sac musculeux, épais, mollasse, visqueux, sphérique chez les uns, cylindrique ou en fuseau chez les autres, et de couleurs changeantes comme le caméléon. Renfermez-y des organes de respiration aquatiques, un appareil circulatoire, un tube digestif, y compris un estomac comparable au gésier des oiseaux.

Surmontez ce sac d'une tête ronde, munie de deux gros yeux situés latéralement, entre lesquels débouchera un petit tube représentant non pas un nez, mais l'anus (au milieu du visage!).

Sur le sommet et au milieu de cette tête, placez une bouche formée d'une lèvre circulaire, armée de deux mâchoires verticales cornées (un véritable bec de perroquet) et garnie à l'intérieur d'une langue hérissée de pointes. Enfin, tout autour de cette bouche, implantez une couronne d'appendices charnus, souples, vigoureux, rétractiles, quelquefois beaucoup plus longs que le corps, et le plus souvent armés à leur face externe de deux rangs de ventouses.

Argonaute dans ses trois positions.

Vous avez une idée approximative des céphalopodes, ainsi nommés depuis Cuvier, parce qu'ils ont les pieds sur la tête, car les appendices que nous venons de décrire sont des pieds ou des bras, comme on voudra, vu qu'ils servent indifféremment à la préhension et à la locomotion.

Ces céphalopodes comptent parmi les plus anciens habitants de la mer; les masses nerveuses groupées autour du tube digestif dans leur tête percée verticalement tendent à se réunir en une seule masse, ce qui est un trait de ressemblance avec les animaux vertébrés; leur infime cerveau est protégé par un cartilage, rudiment de squelette sur lequel s'insèrent les principaux muscles; la circulation a du rapport avec celle des poissons; chez quelques-uns les yeux sont presque des yeux de vertébrés. Ces caractères leur assignent le premier rang parmi les mollusques, et la noblesse d'une antique origine ne leur manque pas davantage, ils datent des temps antédiluviens. Tous sont marins et carnassiers, les uns habitent la haute mer, les autres ne s'écartent point des côtes; celles de la Méditerranée, celles de la Grèce surtout en sont infestées; ils font un grand massacre de crustacés et de poissons; leur domicile se reconnaît aux débris d'êtres vivants qui en jonchent les approches; ils nuisent doublement aux pêcheurs, d'abord en leur faisant concurrence, ensuite en faisant fuir les animaux pour qui leur voisinage est malsain. Les pêcheurs se vengent d'eux en les mangeant, vengeance en général d'assez mauvais goût, culinairement parlant. Voulez-vous vous représenter les céphalopodes, rampant, nageant ou saisissant leur proie, renversez l'image qu'a offerte à votre esprit la description qui précède; la bouche redressée verticalement, la tête en bas, les bras étendus, vous donnent le poulpe (les calmars et les seiches se tiennent horizontalement). Tous rampent en appliquant sur le sol leurs bras armés de ventouses; c'est de la même façon qu'ils saisissent leur proie, leur étreinte est irrésistible; la victime, enlacée et comme aspirée, a bientôt senti la morsure du redoutable bec de perroquet dont ces longs appendices sont les pourvoyeurs. Il y a des exemples d'hommes morts de ce supplice.

L'abondance des poulpes sur certains points du littoral de la Grèce en rend la fréquentation dangereuse pour les baigneurs; dans les îles de la Polynésie, ils sont l'effroi des plongeurs. C'est que leur taille est souvent très-grande; le *poulpe commun* de la Méditerranée est long d'environ 0^m,64 cent. et il en existe une espèce trois fois aussi grande dans l'océan Pacifique.

Aristote parle d'un calmar long de 5 coudées (2^m,71). Pline va plus loin et décrit un poulpe dont les bras avaient 30 pieds de long. Un auteur moderne renchérit et raconte le cas d'un céphalopode qui, s'étant jeté sur un navire, manque de le faire sombrer. A partir de ce moment, le

poulpe géant fut mis par les naturalistes de niveau avec le serpent de mer.

Des découvertes récentes les ont cependant convaincus qu'il existe des céphalopodes dont la taille dépasse de beaucoup celle que les traités de zoologie assignent aux animaux de cette classe. Ainsi Péron a rencontré dans les parages de la Tasmanie un calmar dont les bras avaient 6 à 8 pouces de diamètre et 6 à 7 pieds de long. MM. Quoy et Gaymard ont recueilli dans l'océan Atlantique, près de l'équateur, les débris d'un mollusque de la même famille dont ils évaluent le poids à plus de 100 kilogrammes. Dans les mêmes eaux, Rang en a rencontré un de couleur rouge qui était de la grosseur d'un tonneau. M. Streenstrup (de Copenhague) a publié d'intéressantes observations sur un céphalopode auquel il a donné le nom d'*Architeuthis dux* et qui fut rejeté en 1853 sur le rivage du Jutland; le corps, dépecé par les pêcheurs pour servir d'amorce à leurs lignes, fournit la charge de plu-

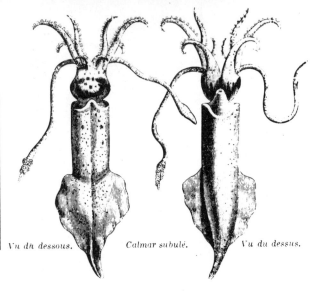

Vu du dessous.   *Calmar subulé.*   *Vu du dessus.*

Poulpe commun.

Seiche commune.

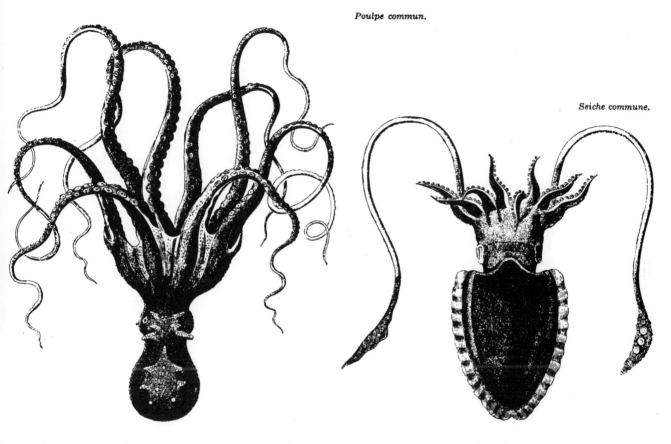

sieurs brouettes; le pharynx, qui a été conservé, a le volume d'une tête d'enfant, un tronçon de bras montré à M. Duméril a la grosseur de la cuisse. Enfin, en 1860, M. Harting a décrit et figuré plusieurs parties d'un animal gigantesque du même genre qui se trouvent dans le musée d'Utrecht. Mais toutes ces observations le cèdent de beaucoup en intérêt à celle qui a été communiquée à l'Académie des sciences à la fin de l'année 1861 et que nous allons rapporter.

Le 30 novembre de l'année susdite, à deux heures de l'après-midi, l'aviso à vapeur l'*Alecton*, commandé par M. Bouyer, lieutenant de vaisseau, se trouvant entre Madère et Ténériffe, à 40 lieues dans le nord-est de cette dernière île, fit la rencontre d'un poulpe monstrueux qui nageait à la surface de l'eau.

Cet animal mesurait de 5 à 6 mètres, sans compter huit bras formidables, longs de 1^m,80 environ et couverts de ventouses, qui couronnaient sa tête. Sa couleur était d'un rouge brique, ses yeux à fleur de tête avaient un développement prodigieux et une excellente fixité. Sa bouche pouvait offrir 0^m,50. Son corps fusiforme et très-renflé vers le centre présentait une masse dont le poids a été estimé à plus de 2,000 kilogrammes. Ses nageoires, situées à l'extrémité postérieure, étaient arrondies en deux lobes charnus et d'un très-grand volume.

« Me trouvant, écrit M. Bouyer, en présence d'un de ces êtres bizarres que l'Océan extrait parfois de ses profondeurs, comme pour porter défi à la science, je résolus de l'étudier de plus près et de chercher à m'en emparer. »

Aussitôt, il ordonna de stopper. En toute hâte, les fusils furent chargés, un nœud coulant disposé, les harpons préparés. Malheureusement une forte houle qui imprimait à l'*Alecton*, dès qu'elle le prenait en travers, des roulis désordonnés, gênait les évolutions, en même temps que l'animal, presque toujours à fleur de l'eau, se déplaçait avec une sorte d'intelligence et semblait vouloir éviter le navire; mais celui-ci le suivait toujours. Aux premières balles qu'on lui envoya, le monstre plongea, passa sous le navire et ne tarda pas à reparaître à l'autre bord, en agitant ses grands bras; on le frappa d'une dizaine de balles, plusieurs le traversèrent inutilement. L'une d'elles produisit plus d'effet, car il vomit aussitôt une grande quantité d'écume et de sang mêlé à des matières gluantes qui répandirent une forte odeur de musc.

Ce fut alors qu'on parvint à l'*accoster* d'assez près pour lui lancer un harpon avec un nœud coulant, mais la corde glissa le long du corps élastique du mollusque, et ne s'arrêta que vers l'extrémité à l'endroit des deux nageoires. On tenta de le hisser à bord; déjà la plus grande partie du corps se trouvait hors de l'eau, quand l'énorme poids de cette masse fit pénétrer le nœud coulant dans les chairs et sépara la partie postérieure qui, amenée à bord, pesait une vingtaine de kilogrammes.

« Officiers et matelots me demandaient, dit le commandant de l'*Alecton*, à faire amener un canot, à aller garrotter l'animal et à l'amener le long du bord. Ils y seraient peut-être parvenus, mais je craignais que, dans cette rencontre corps à corps, le monstre ne lançât ses longs bras garnis de ventouses sur les bords du canot, ne le fît chavirer et n'étouffât peut-être quelques matelots dans ses fouets redoutables.

« Je ne crus pas devoir exposer la vie de ces hommes pour satisfaire à un sentiment de curiosité, cette curiosité eût-elle la science pour base, et, malgré la fièvre ardente qui accompagne une pareille chasse, je dus abandonner l'animal mutilé qui, par une sorte d'instinct, semblait fuir avec soin le navire, plongeait et passait d'un bord à l'autre quand nous l'abordions de nouveau.

« Cette chasse n'a pas duré moins de trois heures ».

M. S. Berthelot rapporte qu'ayant interrogé de vieux pêcheurs canariens, ceux-ci lui ont déclaré avoir vu plusieurs fois vers la haute mer de grands calmars rougeâtres de 2 mètres et plus de long, dont ils n'avaient pas osé s'emparer.

Cependant malgré les dimensions respectables du poulpe rencontré par M. Bouyer, la réalité cède ici à la fable.

« Les pêcheurs norwégiens, raconte Pontoppidan, évêque de Berghem, affirment tous sans la moindre contradiction dans leurs récits que lorsqu'ils poussent au large à plusieurs milles, particulièrement pendant les jours les plus chauds de l'année, la mer semble tout à coup diminuer sous leurs barques, et s'ils jettent la sonde, au lieu de trouver 80 ou 100 brasses de profondeur, il arrive souvent qu'ils en trouvent à peine 30. C'est le Kraken qui s'interpose entre les bas-fonds et l'onde supérieure. Accoutumés à ce phénomène, les pêcheurs disposent leurs filets, certains que là abonde le poisson, surtout la morue et la lingue, et ils les retirent richement chargés, mais si la profondeur de l'eau va toujours diminuant, et si ce bas-fond accidentel et mobile remonte, les pêcheurs n'ont pas de temps à perdre, c'est le serpent qui se réveille, qui se meut, qui vient respirer l'air et étendre ses larges plis au soleil. Les pêcheurs font alors force de rames, et quand, à une distance raisonnable, ils peuvent enfin se reposer avec sécurité, ils voient en effet le monstre qui couvre un espace d'un mille et demi de la partie supérieure de son dos. Les poissons surpris par son ascension sautillent un moment dans les creux humides formés par les protubérances de son enveloppe extérieure, puis, de cette masse flottante sortent des espèces de pointes ou de cornes luisantes qui se déploient et se dressent, *semblables à des mâts armés de leurs vergues.* Ce sont les bras du Kraken, et quels bras! Telle est leur vigueur, que s'ils saisissaient les cordages d'un vaisseau de ligne, ils le feraient infailliblement sombrer. Après être resté quelque temps sur les flots, le monstre redescend avec la même lenteur et le danger n'est guère moindre pour le navire qui serait à sa portée, car en s'affaissant, il déploie un tel volume d'eau qu'il occasionne des tourbillons et des courants aussi terribles que ceux de la fameuse rivière Male (le Maëlstrom). »

Ellen nous montre ailleurs le poulpe donnant à son corps la couleur du rocher sur lequel il repose. Le fait du changement de couleur est réel; c'est un des traits les plus curieux de l'histoire de ces animaux. Il a été observé à Nice avec soin par M. Vérant sur des individus du genre Élédone. Quand elle dort, l'élédone est d'un gris livide en dessus, vineux en dessous avec des taches blanches. Éveillée, mais tranquille, elle est jaunâtre, ses yeux sont largement ouverts, sa respiration est régulière. Lorsqu'elle marche elle est d'un gris perlé avec des taches lie de vin. Lorsqu'elle nage, elle est d'un jaune clair livide avec de très-petits points rougeâtres et des taches claires. Enfin, si on l'irrite, et rien n'est plus aisé, il suffit de la toucher même légèrement, elle prend une belle couleur marron, se couvre de tubercules, contracte les yeux, lance par son entonnoir une colonne d'eau qui peut jaillir à un mètre de distance, en même temps sa respiration s'accélère; elle devient saccadée, irrégulière (Victor Meunier). Ce poisson que, selon les différents pays où il apparaît sur le marché, on appelle poulpe, pieuvre ou calmar, est le régal des Napolitains. Il se pêche avec une ligne particulière qui s'appelle la *palingolle*. C'est un bout de ficelle auquel pendent de petits morceaux de drap rouge, ce drap rouge cache des hameçons; on les fait danser devant les yeux du calmar, qui s'élance après eux et les saisit avec son bec de perroquet.

Il est probable que le nom calmar leur vient de l'italien et surtout de la liqueur noire qu'ils ont la faculté de répandre autour d'eux au moment d'être pris. En Italie on appelle *Calamayo* un encrier.

Cet affreux mollusque, si hideux à voir, se mange cependant, comme nous l'avons dit, et particulièrement à Naples; on le fait cuire dans l'eau avec une sauce aux tomates, mais plus souvent encore, on le fait cuire d'abord et frire ensuite. Nous avons voulu manger nous-même du calmar pour nous rendre compte de cette chair qui ressemble énormément à de l'oreille de veau frite.

Diogène le Cynique mourut, dit-on, pour avoir voulu manger un calmar cru.

CÈPES FRANCS

Champignons d'un volume considérable, ayant leurs chapiteaux tombants et réguliers; leur surface est sèche, entrouverte profondément, leurs tiges fortes enflées du bec, leur substance blanche, légère, leur parfum suave, et leurs qualités bonnes, dit-on, en font distinguer deux espèces principales : le cèpe franc à la tête rousse, et le cèpe franc à la tête noire. Le cèpe franc, tête rousse, est sec de consistance; cependant il cède à la pression du doigt, sa chair est fine, délicate, de bon goût, d'une odeur agréable; elle ne change pas au contact de l'air : on le trouve en septembre, en octobre, dans les beaux environs de Paris, on le conserve très-bien en le séchant; on le fait revenir dans l'eau chaude. En Hongrie on en fait des sauces et des coulis. Le cèpe franc est chaud et aphrodisiaque; on ne doit jamais oublier de couper cette plante, et si elle change de couleur au contact de l'air, il ne faut pas en faire usage.

Le cèpe franc tête noire est un champignon haut d'environ quatre pouces; le chapiteau a quatre centimètres d'épaisseur et quatre centimètres de diamètre; sa couleur devient marron foncé, sa substance est sèche, douce au toucher, d'un parfum très-suave et de la saveur des bons champignons; c'est l'espèce la plus répandue dans le nord et dans les parties tempérées de l'Europe; il est très-recherché; on l'apprête comme l'espèce ci-dessus.

C'est particulièrement dans le Midi et dans les environs de Bordeaux que se recueille cet excellent champignon; seulement, comme on ne le fait pas sécher comme à Gênes ou en Italie, comme il a ou que l'on croit qu'il a d'excellente huile, on le vend enfermé dans des boîtes de fer-blanc.

Ne vous laissez prendre ni aux prospectus imprimés ni au boniment oral : les cèpes de Bordeaux se gonflent dans l'huile, deviennent de véritables éponges auxquelles il est impossible de rendre leur fermeté première; il en résulte que, soit sur le gril, soit frits, de quelque façon qu'on les fasse cuire, enfin, ils deviennent presque impossibles à manger.

CÈPE FRANC TÊTE NOIRE. Ce cryptogame ne se trouve pas seulement dans les environs de Bordeaux : ceux de la forêt de Compiègne sont pleins de saveur parce qu'ils naissent dans l'ombre des hautes futaies; c'est surtout en août qu'ils pullulent.

Voici la recette dont j'ai moi-même constaté l'excellence : Coupez les queues, hachez-les, ajoutez persil haché, mie de pain, échalotes, beurre frais, une pointe d'ail haché; faites un pâté de tout, assaisonnez, sel, poivre et un peu de piment, garnissez le dessous de vos cèpes, jetez un peu de mie de pain dessus, gratinez à four chaud et servez. (Recette Vuillemot.)

On peut les faire à la provençale, sautés à l'huile d'olive, persil, ail hachés; faites bien rissoler, ajoutez un peu de glace de viande et servez bien chaud.

CERISE

Fruit rouge à noyau du cerisier. Ce fruit est aqueux et acide. Si on le consomme en petite quantité, il ajoute à l'estomac un complément utile de sucs aqueux, de sels alcalins et de matières sucrées.

Un poëte didactique, l'excellent cuisinier J. Rouyer, décrit dans les vers suivants les différentes variétés de cet excellent fruit :

Les gobets de Montmorency
Sont originaires d'Asie;
Ce *fruit rouge* du *cerisier*,
Fut importé de Cérisonte
Par Lucullus, gourmand-guerrier,
Lequel (l'histoire le raconte),
Pour *la cerise*, en sa saison,
Alla combattre Mithridate,
Roi, fameux mangeur de poison!...

Oui, de l'antique Rome, date
La cerise dans nos desserts;
Mais, jusqu'à nous, l'arbre-trophée
A vu chaque branche « greffée »,
Se produire en genres divers :
A part *la merise sauvage*,
Pour *le kirschwasser* en usage,
Et qui reste aux importateurs;
Nous, de *la cerise-aigriotte*,
Pour *tourte, gelée* et *compote*,
Nous pouvons nous dire inventeurs.
Que rapidement je désigne
Pour *ratafia, cassis-liqueur*,
Cette espèce noire, *la guigne*.
Quant à celle en forme de cœur,
(*Le bigarreau*, dur, indigeste),
Elle recèle un ver... Au reste,
On vous la croque à belles dents,
Sans jamais regarder dedans!...

SOUPE AUX CERISES. C'est un entremets sucré, d'un bon usage. On saute des cerises noires entières avec leurs noyaux, dans des cubes de mie de pain, préalablement sautés au beurre. On mouille, on sucre, on arrose de kirsch, on sert avec le sirop et les croûtes.

SOUPE AUX CERISES A L'ALLEMANDE. Nous ne citons que pour mémoire ce détestable plat de cerises écrasées et de noyaux pilés; le tout férocement épicé, noyé de vin et servi froid.

COMPOTE DE CERISES. Faites cuire vos cerises entières, la queue à moitié coupée, dans de l'eau sucrée; parfumez de framboise et servez avec le jus. (V. Compote.)

CERISES A L'EAU-DE-VIE. Pour cette préparation universellement connue, écoutons encore les enseignements lyriques de M. Rouyer :

> Gobets, dont la queue est petite,
> Et qu'il faut raccourcir encor,
> Sont dans l'eau-de-vie un trésor.
> En bocal, ranger tout de suite,
> Noyé de spiritueux pur,
> Le fruit qu'on a choisi peu mûr,
> Jusqu'à deux doigts du bord; puis, vite,
> Boucher très-fortement avec
> Liége, parchemin et ficelle;
> Placer le bocal en lieu sec...
> Après deux mois, qu'on le descelle
> Pour la simple opération
> D'y verser du sucre en liquide,
> Afin de combler tout le vide
> Qu'a fait l'évaporation;
> Et qu'encor le bocal on bouche
> Pour les huit jours d'infusion;
> Surtout, qu'aucune main n'y touche
> Avant la dégustation!

« Les cerises, dit le célèbre chimiste Payen, se conservent bien lorsqu'on peut les soumettre à une cuisson et à une évaporation rapide, en contact avec 25 à 33 centièmes de leur poids de sucre. Les préparations ainsi obtenues non-seulement sont agréables à manger et se conservent bien, surtout dans les endroits secs, mais encore elles sont plus nourrissantes et plus salubres en raison du sucre qu'elles contiennent, car le sucre constitue l'un des meilleurs aliments réparateurs, et en augmentant la masse de substance solide, il rend d'autant moindre la proportion d'acide, à poids égal de substance alimentaire. »

CERNEAUX

Une chose excellente et tout à fait inconnue hors de France, c'est les cerneaux; je dis tout à fait inconnue parce que les cerneaux ne sont bons qu'à la condition qu'on les fera d'une certaine façon. Un proverbe de bonne femme dit :
« A la Madeleine, les noix sont pleines,
« A la Saint-Laurent on regarde dedans. »
Quelques jours après la Saint-Laurent, c'est-à-dire après le 10 août, ou même quelques jours auparavant si l'année a été hâtive ouvrez les noix; si les cerneaux sont parfai-

tement formés, si la liqueur qui doit les fournir est à l'état de l'amande, c'est le moment de les détacher des noix. Vous ouvrez les noix, vous les détachez d'un mouvement circulaire du couteau; vous les laissez tremper dans un saladier plein d'eau, dans laquelle vous aurez mis une légère dissolution d'alun en poudre qui conservera à la chair de vos noix sa blancheur; puis, quand il y en a le nombre que vous en désirez, vous les lavez en les passant dans un tamis ou dans une passoire pour que l'eau puisse s'échapper, puis vous les remettez dans un saladier.

La marchande de cerneaux.

Des gros cer_neaux

Prenez alors (ne jetez pas les hauts cris) prenez alors une poignée de sel de cuisine, jetez-là sur vos cerneaux, hachez aussi fines que possible deux échalotes, jetez-les sur vos cerneaux; pilez dans un petit pilon ou de marbre ou de fonte une grappe de verjus, quand elle vous aura donné un demi-verre de liqueur, versez ce demi-verre de liqueur sur vos cerneaux, retournez-les non pas comme on retourne la salade, c'est-à-dire avec une cuiller et une fourchette, mais par un simple mouvement du plat qui fait venir ceux qui sont dessus, dessous, et qui fait passer ceux qui sont sous dessous, dessus; prenez vos cerneaux un à un, trempez-les dans leur jus, sucez d'abord, épluchez et mangez.
Je n'ai rencontré dans aucun pays du monde qu'à Paris, et encore rarement, des cerneaux assaisonnés de cette façon.

CERVELAS

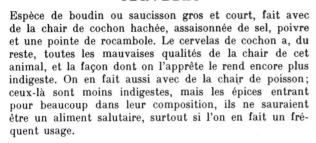

Espèce de boudin ou saucisson gros et court, fait avec de la chair de cochon hachée, assaisonnée de sel, poivre et une pointe de rocambole. Le cervelas de cochon a, du reste, toutes les mauvaises qualités de la chair de cet animal, et la façon dont on l'apprête le rend encore plus indigeste. On en fait aussi avec de la chair de poisson; ceux-là sont moins indigestes, mais les épices entrant pour beaucoup dans leur composition, ils ne sauraient être un aliment salutaire, surtout si l'on en fait un fréquent usage.

CERVELAS A LA MÉNAGÈRE. Dépouillez de ses nerfs et de ses membranes de la chair de cochon, hachez-la en y mêlant une quantité égale de lard, ajoutez-y persil, ciboules, thym et basilic pilés, sel et fines épices; mêlez le tout ensemble et formez-en des petites masses ovales que vous enveloppez avec de la crépine après les avoir aplaties et ficelées par les deux bouts.
Les saucisses rondes se préparent de la même manière, avec cette différence qu'on les entonne dans des intestins de volaille bien nettoyés, au lieu de les envelopper avec de la crépine.
Pendez vos cervelas à la cheminée pour les faire fumer pendant trois jours, faites-les cuire ensuite dans le bouillon pendant trois heures avec sel, une gousse d'ail, du thym, du laurier, du basilic et un bouquet de persil et ciboules, laissez-les refroidir et servez au besoin.

CERVELAS DE MILAN. 3 kilogrammes de chair de porc maigre, 500 grammes de bon lard, 120 grammes de sel, 30 grammes de poivre, hachez le tout, mêlez-le bien ensemble, ajoutez-y un litre de vin blanc et 500 grammes de sang de porc avec 15 grammes de cannelle et girofle pilés et mêlés, et des morceaux en manière de gros lardons que l'on fait de la tête de porc qu'il faut saupoudrer de ces épices et larder dans les cervelas en les finissant; faites cuire et servez.

GROS CERVELAS APPELÉ SAUCISSON DE LYON. Que la chair du cochon soit maigre et courte; ajoutez moitié de filet de bœuf et autant de lard; hachez le cochon et le filet et pilez-les, coupez le lard en dé et mêlez-le de manière qu'il soit réparti également, assaisonnez avec sel, poivre fin, poivre concassé moyen et gros poivre entier, nitre, ail et échalotes, pétrissez le tout et laissez reposer pendant vingt-quatre heures, prenez ensuite de gros boyaux lavés à plusieurs eaux; emplissez-les du mélange ci-dessus, fermez-les et ficelez-les; mettez-les dans un saloir avec sel et salpêtre pendant huit jours; faites-les sécher à la cheminée. Quand ils sont devenus blancs, c'est-à-dire qu'ils sont assez secs, vous resserrez les ficelles et vous les barbouillez d'une composition de sauge, de thym et de laurier que vous avez fait bouillir avec de la lie de vin. Secs, on les enveloppe de papier et on les conserve dans la cendre.

CERVELAS A TRANCHER ET POUR GARNIR. Hachez de la chair de cochon bien tendre et entrelardée avec du persil et un peu d'ail, assaisonnez de sel et épices mêlés; emplissez de ce mélange des intestins de grosseur convenable, faites cuire pendant deux ou trois heures et conservez au sec.

CERVELAS MORTADELLES DITS SAUCISSON DE BOLOGNE. Hachez de la chair de porc grasse et maigre, ajoutez du sel, du poivre entier, autant de vin blanc et de sang qu'il est nécessaire pour lier la pâte, mêlez le tout ensemble, pétrissez-le, remplissez-en des boyaux en serrant fortement, faites les cervelas de la longueur que vous voulez, nouez-les aux deux bouts, faites-les sécher à l'air ou à la fumée.

CERVELAS MAIGRES A LA BÉNÉDICTINE. Hachez anguilles et carpes avec beurre frais, persil, ciboules hachées, échalotes, ail, sel, épices fines, œufs; prenez des boyaux de poisson bien nettoyés, emplissez-les de votre farce, faites-les fumer à la cheminée pendant trois jours, et mettez-les cuire dans du vin blanc avec oignons et racines aromatiques.

CERVELAS DE PLUSIEURS FAÇONS. On procède comme ci-dessus, on ajoute de plus des truffes, des pistaches, des échalotes hachées ou des oignons; on les passe sur un feu un peu ardent, on les incorpore dans leur enveloppe et on procède comme pour les autres.

CHAMPIGNON

Nom générique d'un grand nombre de plantes spongieuses, cryptogames, en chapiteau, sans branches ni feuilles. Les champignons croissent dans les lieux humides; il y en a beaucoup de vénéneux; les bons sont eux-mêmes capables d'intoxiquer légèrement les personnes qui, comme l'empereur Claude ou le Trimalcion de Pétrone, seraient tentés d'en faire abus.

CHAMPIGNONS A LA BORDELAISE. Prenez les plus gros cèpes que vous pourrez, préférez les plus secs, les plus épais et les plus fermes, surtout qu'ils ne soient pas vieux cueillis; lavez-les, égouttez-les, ciselez légèrement le dessous en losange, mettez-les dans un plat de terre, arrosez-les d'huile fine, saupoudrez-les d'un peu de sel et de gros poivre, laissez mariner deux heures, faites-les griller d'un côté. Leur cuisson achevée, ce dont vous jugerez facilement s'ils sont flexibles sous les doigts, dressez-les sur votre plat à servir, saucez-les avec la sauce suivante :

Mettez dans une casserole de l'huile en suffisante quantité pour saucer vos champignons, hachez très-fin dans votre huile du persil, de la ciboule, une pointe d'ail; faites chauffer le tout, saucez-en vos champignons, pressez le jus de deux citrons ou arrosez-les de verjus, ce qui vaudrait mieux.

CHAMPIGNONS A LA BORDELAISE SOUS LA TOURTIÈRE. Préparez ces champignons comme les précédents, laissez-les mariner une heure ou deux dans de l'huile fine, du sel, du poivre et un peu d'ail; hachez les queues et les parures de vos champignons, pressez-les dans un linge pour en ôter l'eau, mettez-les dans une casserole avec de l'huile, du sel, du gros poivre, du persil, de la ciboule hachée et une pointe d'ail. Passez ces fines herbes un instant sur le feu, posez vos champignons sens dessus dessous sur la tourtière, mettez dans chaque une portion de ces fines herbes, faites cuire vos champignons ainsi préparés dans un four ou sous un four de campagne, avec feu dessus, feu dessous. Leur cuisson faite, dressez-les sur le plat, saucez-les avec l'assaisonnement dans lequel ils ont cuit, exprimez dessus le jus d'un citron, arrosez-les d'un filet de verjus et servez.

CHAMPIGNONS A LA TOURTIÈRE. Comme ceux à la bordelaise, posez-les sur votre tourtière, assaisonnez-les d'un peu de sel et de gros poivre, passez vos fines herbes dans du beurre, au lieu d'huile, garnissez-en vos champignons, faites-les cuire, soit au four, soit sous un four de campagne; leur cuisson faite, dressez-les sur votre plat, arrosez-les de l'assaisonnement dans lequel ils ont cuit, exprimez dessus le jus d'un citron et servez.

CROUTES AUX CHAMPIGNONS. Tournez, faites cuire, mettez dans une casserole avec un morceau de beurre un bouquet de persil et des ciboules, posez votre casserole sur un fourneau, sautez, singez d'une pincée de farine, mouillez au consommé-bouillon, faites partir, laissez mijoter, assaisonnez de sel, de gros poivre et d'un peu de muscade râpée, prenez de la croûte d'un pain râpé, beurrez, mettez sur un gril, sur une cendre rouge, laissez sécher ainsi, liez les champignons avec des jaunes d'œufs délayés dans de la crème, versez un peu de sauce dans le creux de votre croûte, dressez et servez.

CROUTES AUX MORILLES. Épluchez, fendez, lavez, faites blanchir, égouttez, mettez à la casserole vos morilles avec beurre, persil, ciboules, passez-les sur le feu, sautez, farinez, mouillez avec consommé, faites cuire, réduisez, supprimez le bouquet, liez avec jaunes d'œufs délayés, sucrez et servez avec garniture de truffes noires. (Voir l'article *Cèpes*).

AVIS. J'avoue que rien ne m'effraye plus que l'apparition de champignons sur une table, surtout lorsque je me trouve par hasard dans une petite ville de province. Je vois cet entrefilet dans un journal :

« Hier M. X., sa femme et sa fille aînée ayant été se promener dans la forêt de ......, en ont rapporté un plat de champignons qu'ils ont mangé à leur dîner; ce matin le mari et la femme étaient morts empoisonnés, et l'on désespérait de leur fille. »

Le grand malheur de l'empoisonnement par les champignons, c'est que, quand les premiers symptômes d'intoxication se font sentir, il est déjà trop tard, l'aliment vénéneux étant déjà à moitié digéré.

Il n'existe donc pas, à proprement parler, de contre-poison pour les champignons vénéneux; on commencera par administrer un vomitif, puis, si le vomitif n'agit pas suffisamment, on donnera un purgatif doux : 30 grammes d'huile de ricin, 60 grammes de manne, des lavements avec de la casse, 60 grammes, sulfate de soude et de magnésie, 15 grammes; on donnera en outre quelques cuillerées d'une potion éthérée avec de l'eau de fleur d'oranger; pendant ce temps le médecin arrivera et appréciera la situation.

CHAPELURE

Croûte de pain râpée qui se vend chez tous les épiciers, et qui, unie à de fines herbes, à du sel et à de la muscade, sert à couvrir les côtelettes, les jambons, etc.

CHAPON

Nous avons déjà dit dans notre préface que c'était les habitants de l'île de Cos qui avaient appris aux Romains l'art d'engraisser les volailles. Dans les lieux clos et sombres la profusion qui s'en faisait à Rome obligea le consul Caïus Fanius à rendre une loi qui défendait d'élever les poules dans les rues. Que firent alors les Romains pour éluder la loi? Ils apprirent à châtrer des coqs qu'ils élevèrent comme des poules. Ainsi nous devons l'introduction des chapons sur les tables modernes à la défense faite aux Romains de manger des poulardes.

CHAPON AU GROS SEL. Ayez un chapon, videz, flambez, épluchez, troussez les pattes en dedans, bridez, bardez et faites-le cuire dans le consommé; égouttez, dressez, salez, saucez au jus de bœuf réduit et servez.

CHAPON AU RIZ. Préparez comme ci-dessus; faites blanchir environ 375 grammes de riz, égouttez-le, mettez dans la marmite, mouillez le tout avec deux cuillerées à pot de consommé, faites partir et couvrez, laissez mijoter sur la paillasse, ayez soin de remuer de temps en temps votre riz. La cuisson faite, dressez, dégraissez votre riz, finissez d'assaisonner avec beurre, sel, gros poivre, un peu de réduction, si vous en avez, et masquez-en votre chapon.

CHAPON AUX TRUFFES. Préparez comme ci-dessus; videz par la poche, épluchez environ un kilogramme de bonnes truffes, hachez-en quelques-unes, coupez par dés et pilez environ 500 grammes de lard gras, mettez-le dans une casserole avec vos truffes, du sel, du poivre, un peu de muscade râpée et des fines épices, faites mijoter environ une demi-heure, laissez refroidir, remplissez-en votre chapon jusqu'à la poche, et cousez-la, bridez-le, les pattes en long, conservez-le, et si vous pouvez attendre deux ou trois jours, bardez-le, embrochez-le après l'avoir enveloppé d'un papier, faites-le cuire à peu près une heure et demie, déballez-le si vous l'employez pour relevé, supprimez la barde, servez-le à la peau de goret et mettez dessous une sauce aux truffes. (Voir l'article *Sauces aux truffes*.) Cette recette est honorée de l'approbation de l'excellent Villemot.

CHAPON A L'INDIENNE OU EN PILAU. Après avoir troussé un chapon les pattes en dedans, vous le bridez; mouillez une casserole avec du bon consommé, couvrez-la d'une barde de lard et mettez-y votre chapon, joignez-y 250 grammes de riz bien lavé quand vous verrez votre chapon aux trois quarts cuit; retirez-le ensuite, quand vous verrez que le grain de votre riz ne se délayera pas; égouttez votre chapon, dressez-le sur un plat, mettez autour votre riz, safrané et pimenté.

CHAPON POÊLÉ A LA CAVALIÈRE. Videz, parez, bridez un chapon, mettez-le au feu avec bouillon, oignons, carottes, céleri et bouquet d'herbes; laissez cuire une heure, égouttez et servez dans une purée d'écrevisses, ou purée de tomates aux anchois, ou sauce Robert à la moutarde, ou crème à la Béchamel aux huîtres, ou sauté de champignon, etc.,

CARI DE CHAPON A L'INDIENNE. Dépecez un ou plusieurs jeunes chapons, faites-les dégorger vingt minutes, épongez-les bien dans un linge, assaisonnez-les, hachez quelques oignons bien fin, beurrez grassement votre casserole; couchez vos chapons les membres en dedans, ajoutez un bouquet garni, faites suer quinze minutes, jusqu'à réduction complète d'humidité, en ayant soin toutefois de ne pas laisser prendre trop de couleur à votre volaille; ajoutez ensuite les oignons hachés que vous avez préparés, faites passer le tout à feu doux sans obtenir couleur, égouttez-les de leur graisse, ajoutez quelques cuillerées de sauce suprême ou velouté de volaille; à défaut de cette sauce, vous pouvez en faire une de la façon suivante : lorsque votre chapon et vos oignons seront à revenir, ajoutez dans la casserole quelques cuillerées de farine et du bon bouillon sans que votre sauce soit trop consistante. Laissez cuire le tout pendant vingt minutes ou plus suivant la tendreté de votre volaille; quand la cuisson sera parfaite, faites dissoudre dans un vase quelconque deux ou trois cuillerées de poudre de cari à l'indienne, soit avec du consommé froid, soit avec de l'eau, versez cette dissolution dans votre fricassée et laissez cuire encore un moment afin qu'elle s'imprègne dans toutes les parties de votre chapon et retirez vos membres; passez la cuisson à travers une étamine, faites réduire jusqu'à consistance d'une bonne allemande, ajoutez-y un bon morceau de beurre fin, afin d'en corriger l'âcreté et passez après avoir goûté si c'est de bon goût, relevez bien le tout, et dressez dans un grand plat d'entrée. Pendant ces préparations, faites cuire à l'eau de sel seulement 500 grammes de riz de la Caroline, à grande eau surtout; faites-le bouillir pendant 12 ou 15 minutes sans discontinuer, égouttez-le, mettez dans un plat un fort morceau de beurre fin, faites sauter votre riz et mettez-le sécher à l'étuve ou au four à température modérée, de façon à le bien faire égoutter de toutes les eaux que le riz contient et à le faire gonfler. Il doit après ces opérations se détacher grain par grain, et vous le servez avec votre cari dans un autre vase; vous pouvez aussi, si cela vous plaît, passer votre riz au beurre noisette. (Recette de M. Verdier, Maison d'Or.)

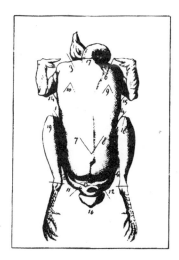

CHARBONNÉES

On donne ce nom aux morceaux d'un petit aloyau tiré des fausses côtes tendres; on les fait cuire sur le gril après les avoir saupoudrées de chapelure et trempées dans une marinade, vous les faites cuire à la braise en les dressant sur une purée de haricots rouges au vin de Bourgogne ou un ragoût des quatre racines au jus. Vous pouvez aussi les servir à la maître d'hôtel.

On donne aussi le nom de charbonnées à des tranches maigres de veau, de porc et de venaison.

CHARCUTERIE

 L'art de préparer la chair de porc. On fait à la charcuterie les honneurs d'une foire, que l'on appelle *Foire aux jambons* et qui a lieu à Paris dans la semaine sainte; son nom lui vient de ceux qui l'exercent et qu'on appela *chaircuitier* (cuiseur de chair) et depuis *charcutier*. Les produits qu'ils tirent du cochon, cet animal immonde, dont depuis les pieds jusqu'à la tête tout est bon, sont immenses : jambon, saucisson, saucisses, pieds, hure, hachis, oreille, langue, couenne, fromage de cochon, fromage d'Italie, lard, boudin, petit salé, côtelettes, etc.

La vente du porc n'est exclusive aux charcutiers que depuis 1475, où ils se réunirent en communauté; par leurs statuts, que confirma un édit du roi, la vente du porc cuit leur fut attribuée, mais cette vente devait cesser pendant le carême, et alors ils pouvaient la remplacer par celle du hareng salé et du poisson de mer; aujourd'hui on trouve chez la plupart des charcutiers un grand nombre de mets froids dont la base est le veau, la volaille et le gibier et dans lesquels la chair de porc n'entre que comme accessoire.

Comme la charcuterie ne se fait qu'avec du cochon, nous indiquerons à cet article les différentes manières de le préparer et de le servir.

CHARLOTTE

Plat d'entremets à la crème et aux fruits.

CHARLOTTE DE POMMES AUX CONFITURES. Coupez des pommes en morceaux après les avoir pelées et en avoir retranché les cœurs, faites-en une marmelade, après avoir ajouté du sucre à peu près le tiers des pommes, un peu de cannelle en poudre et la moitié d'un zeste de citron, laissez réduire cette marmelade.

Coupez des tranches de pain le plus mince possible, les unes en carré long, les autres en triangle, trempez-les dans le beurre tiède, couvrez le fond d'une casserole beurrée avec les triangles et revêtissez les bords de ladite casserole avec les carrés longs, jusqu'à la hauteur à laquelle vous voulez la remplir et mettez au milieu de cette marmelade une forte cuillerée de groseille framboisée ou de confiture d'abricots.

La casserole préparée, vous y mettez de la marmelade de pommes, bien unie par-dessus et panée avec de la mie de pain trempée dans du beurre; la casserole mise sur des cendres rouges, vous couvrez avec un four de campagne un peu chaud ou un couvercle sur lequel vous mettez du feu et laissez prendre une belle couleur.

CHARLOTTE DE POIRES A LA VANILLE. Pelez des poires de Messire Jean, ôtez les cœurs, coupez-les en morceaux, et les mettez avec un verre d'eau dans une casserole que vous couvrez, faites-les cuire jusqu'à amollissement, écrasez, tamisez, ajoutez du sucre, une gousse de vanille pilée sous marbre et faites cuire.

CHARLOTTE DE POIRES A LA CONDÉ. Comme

ci-dessus, en y ajoutant vingt-quatre petits citrons chinois. (Façon de Provence.)

CHARLOTTE D'ABRICOTS. Prenez vingt-quatre abricots de plein vent un peu rouges et pas trop mûrs; vous coupez chacun d'eux en huit quartiers après avoir ôté la pelure, sautez-les ensuite dans une casserole avec 120 grammes de sucre fin et 60 grammes de beurre tiède pendant dix minutes à petit feu; foncez la Charlotte comme celle aux pommes d'api, versez-y les abricots bouillants, recouvrez la Charlotte et faites-la cuire jusqu'à coloration blonde, puis glacez de marmelade d'abricots et servez.

CHARLOTTE DE PÊCHES. Vous opérez comme ci-dessus après avoir coupé vingt pêches de vigne un peu fermes, que vous faites blanchir dans un sirop; quand elles sont égouttées, vous coupez chaque moitié en trois quartiers d'égale grosseur et vous les sautez dans la casserole avec 120 grammes de sucre en poudre et 60 grammes de beurre tiède. Vous versez cette marmelade dans la charlotte que vous avez foncée comme la précédente, vous la dressez sur le plat en la masquant dessus et autour avec le sirop qui vous a servi à cuire le fruit et vous servez.

Procédez de même pour les charlottes de prune de reine-claude et de mirabelle.

CHARLOTTE DE POMMES D'API. Épluchez quatre-vingts pommes d'api, coupez-les par petits quartiers minces, sautez-les dans une grande casserole avec 120 grammes de sucre en poudre et autant de beurre tiède, ajoutez le zeste d'une orange ou d'une bigarade jaune. Placez ensuite les pommes couvertes sur un feu modéré et sautez-les de temps en temps, afin de les cuire bien également et le plus entières possible. Mêlez un pot de belles cerises égouttées de leur sirop. Pendant qu'elles cuisent, vous coupez la mie d'un pain mollet de 1 kilo avec un coupe-racine de 18 millimètres de diamètre; trempez ces colonnes de mie dans du beurre tiède et garnissez-en le fond et le tour de votre moule. Versez les pommes dans la charlotte, couvrez-les de mie de pain trempée dans du beurre, et un peu avant de la servir, mettez-la au four gai ou sur des cendres rouges et entourez-la de braises ardentes. Après une demi-heure de cuisson, vous observez la charlotte, si elle est colorée bien blonde, vous la renversez sur un plat, sinon, vous renouvelez le feu jusqu'à ce qu'elle soit cuite; enlevez alors le moule, masquez légèrement la charlotte avec un doroir imbibé de marmelade d'abricots, de gelée de pommes ou de groseilles rouges et donnez-lui une *physionomie* brillante.

On glace le moule avec du sucre en poudre avant de s'en servir; mais il est préférable de le beurrer, parce que le sucre est susceptible de donner en cuisant une couleur trop foncée à la charlotte. (*Recette de M. de Courchamps.*)

CHARLOTTE RUSSE AU CAFÉ. Foncez un moule d'entremets uni avec des biscuits à la cuiller, faites infuser

Le relais de la Belle Charcutière.

100 grammes d'excellent café dans un litre de lait et laissez cette infusion une heure dans un endroit chaud. Mettez 8 jaunes d'œufs et 3 hectogrammes de sucre en poudre dans une casserole; mettez 25 gr. de grenetine tremper dans l'eau froide, passez la crème sur les œufs et le sucre, mêlez parfaitement et faites lier sur le feu. Lorsque votre crème est liée, égouttez la grenetine, mettez-la dans le moule et remuez jusqu'à ce qu'elle soit dissoute, passez ensuite au tamis et faites prendre sur la glace. Ajoutez 15 décilitres de crème fouettée ferme, emplissez votre moule, et couvrez la charlotte d'un plafond glacé, laissez une heure dans la glace et servez.

Charlotte russe.

CHARLOTTE RUSSE AUX AMANDES GRILLÉES. Hachez des amandes, faites fondre du sucre en poudre, mêlez vos amandes au sucre et pralinez-les au feu. Mettez-les sur un couvercle et laissez refroidir; pilez-les ensuite, passez-les dans un tamis fin pour en ôter la crème, mêlez-les dans une casserole avec des jaunes d'œufs et du sucre, finissez et servez comme ci-dessus.

CHARLOTTE FROIDE A LA BRUNOY. Émincez des biscuits et garnissez-en un moule uni en faisant dans l'intérieur plusieurs compartiments, remplissez de confitures diverses, couvrez votre charlotte avec du biscuit, renversez-la sur un plat et servez.

CHARLOTTE A LA CRÈME, DITE A LA RUSSE OU A LA RICHELIEU. Arrangez des biscuits à la cuiller au fond et autour d'un moule que vous remplissez de la composition suivante : délayez des jaunes d'œufs avec de la crème, mettez-y infuser deux pincées de fleur d'oranger pralinée, joignez-y 125 grammes d'amandes douces et 4 amères que vous aurez bien pilées; jetez cette composition dans la crème bouillante, mettez-y du sucre en poudre, posez le tout sur un feu très-doux et remuez jusqu'à ce que vous la voyiez s'épaissir, mais qu'elle ne bouille pas, cela ferait tourner les œufs, passez-la ensuite dans une étamine ou un tamis de soie, laissez-la refroidir, mettez-la

dans une sarbotière, faites-la glacer en y adjoignant un fromage fouetté à la Chantilly et quelques filets très-déliés d'écorces de cédrat confis et d'angélique.

CHARLOTTE AUX MACARONS D'AVELINES. Préparez d'abord la crème aux macarons (v. cet article), faites-la prendre, et quand vous la voyez commencer à se lier et devenir coulante, vous y amalgamez une assiettée de crème fouettée; vous couvrez le fond d'un moule uni avec des macarons aux avelines, vous en placez d'autres le long du moule et vous remplissez les vides avec des fragments de macarons. Versez de la crème dans la charlotte pour contenir les macarons du tour, placez-en d'autres dessus, remettez de la crème et, votre charlotte bien garnie, vous la glacez et la servez au bout d'une heure.

CHARLOTTE AUX GAUFRES DE PISTACHES. Coupez des gaufres aux pistaches de la hauteur de votre moule en leur donnant cinq centimètres et demi de largeur, roulez-les en petites colonnes, garnissez-en le tour du moule en les plaçant droites. Masquez le fond de votre moule avec des gaufres coupées en carrés, allongées et pliées en cornets de façon à foncer la charlotte partout; garnissez-la ensuite de crème fouettée à la liqueur, placez à la glace pendant une heure, renversez et servez.

Charlotte de pommes.

CHARTREUSE

M. Carême a décidé que la *grande-chartreuse* était la reine des *entrées modernes;* mais nous allons laisser parler cet illustre professeur, attendu que nous n'avons pas, à beaucoup près, autant d'éloquence que lui.

« La grande-chartreuse ne doit contenir, comme on sait, que des légumes et des racines, mais elle ne saurait être parfaite que dans les mois de mai, juin, juillet et août, saison riante et propice, où tout se renouvelle dans la nature et semble nous inviter à apporter de nouveaux soins dans nos opérations, par rapport à la tendreté de ces excellentes productions. Les détails minutieux de la Chartreuse sont à peu près les mêmes que pour les pâtés chauds de légumes, c'est pourquoi je passerai *rapidement* sur la description de cette entrée. »

CHARTREUSE A LA PARISIENNE, EN SURPRISE.
Faites cuire huit belles truffes bien rondes dans du vin
de Champagne ou sous la cendre; quand elles sont froides,
vous les épluchez, les coupez dans leur plus grande longueur; parez ensuite légèrement une centaine de queues
d'écrevisses dont vous formez une couronne au fond d'un
moule beurré; vous placez vos colonnes de truffes parées
sur vos queues d'écrevisses, de façon qu'elles forment une
espèce de bordure grecque ou méandre, vous y joignez
des filets mignons de poulets que vous avez fait roidir dans
le beurre et proprement parés, et pour faire pendant à la
couronne de queues d'écrevisses qui se trouve sur le fond,
vous placez sur le haut de votre chartreuse une autre
couronne de queues d'écrevisses, de façon qu'elle s'en
trouve entourée, ce qui est d'un effet charmant.
Hachez ensuite les parures de vos truffes, masquez-en une
première fois le fond du moule, puis masquez-le de nouveau
avec soin de quenelle de volaille un peu ferme à la hauteur
d'un centimètre et demi, vous masquez aussi de la même
façon votre bordure grecque. Votre moule étant ainsi garni
partout, vous mettez au milieu une blanquette de ris
d'agneau ou un ragoût à la financière ou à la Toulouse,
mais en ayant soin d'y mettre ces ragoûts à froid et de ne
remplir le moule qu'à 13 millimètres du bord; mettez
ensuite un morceau de papier beurré de la grandeur de votre
moule afin de le couvrir, une couche de farce d'environ
13 millimètres d'épaisseur et placez ce couvercle sur la
garniture qui se trouve contenue par ce moyen; dégraissez
et ôtez ensuite ce papier au moyen d'un couvercle de casserole chaud que vous mettez dessus pour en faire fondre le
beurre afin d'en détacher la farce, que vous liez avec la
pointe d'un couteau à celle du tour de votre moule.
La chartreuse ainsi faite, vous couvrez le dessus d'un rond
de papier beurré, puis vous la mettez pendant une heure
au bain-marie; prête à servir, vous l'ôtez du moule. Vous
la dressez sur un plat en la masquant d'une couronne de
petits champignons bien blancs entourant une rosace
préparée d'avance avec huit filets mignons à la Conti en
forme de croissant; placez au milieu de votre croissant un
beau et gros champignon; glacez-la, si vous voulez, et
servez.
Cette entrée est d'un très-bel effet, et d'après Carême, ce
qu'il a composé de mieux en fait d'*entrée de farce*.

CHARTREUSE DE POMMES. Ayez une vingtaine de
belles pommes de reinette, pelez-les, servez-vous d'un
vide-pomme un peu moins gros que le petit doigt pour en
enlever les chairs tout autour du cœur, comme vous feriez
pour extraire le cœur de la pomme; garnissez votre
moule de ces petits montants de pommes, et faites une
marmelade avec le reste des chairs; faites en sorte que vos
montants soient tous d'égale grandeur, faites infuser une
pincée de safran en la mettant dans un verre d'eau bouillante, faites-en une teinture, sucrez-la, mettez-y un tiers
de vos montants, retirez-les, égouttez-les. Vous faites
la même opération avec le second tiers de vos montants,
dans un peu de cochenille, et vous faites jeter un bouillon
à votre troisième tiers dans du sirop de sucre blanc. Prenez
ensuite de l'angélique en quantité égale à l'un des tiers de
vos montants; garnissez votre moule de papier blanc et
faites au fond le dessin que vous voudrez avec vos montants
verts, jaunes, rouges et blancs, coupez en liards ou autrement, et en les entremêlant, garnissez-en aussi le tour;
remplissez votre moule de marmelade et faites cuire;
au moment de servir, renversez votre chartreuse sur un
plat, ôtez le papier et servez.
Vous pouvez aussi faire votre chartreuse toute blanche
en trempant vos petits montants dans de l'eau mêlée avec
le jus d'un citron. *(D'après Carême.)*

CHASSELAS

Raisin blanc fort estimé, surtout celui de Fontainebleau.
Il y en a aussi du rouge, mais il est plus rare.

CHASSEUR

Homme aimable, jovial, bien portant, mangeant bien,
buvant encore mieux, se couchant de bonne heure, se
levant matin, dormant toute la nuit. En général les dames
n'aiment pas les chasseurs. Tel est le portrait que trace
des chasseurs, dans son livre du *Chien d'arrêt*, Elzéar Blaze,
l'un des plus grands chasseurs devant Dieu qui aient existé
depuis Nemrod.
Ce n'est pas sous ce rapport que j'examinerai le chasseur.
Vous voyez de loin dans la plaine un homme armé d'un
fusil et accompagné d'un chien; s'il vous évite, c'est qu'il
n'a pas de port d'arme, pas la permission de chasser sur le
terroir où il se trouve ou pas de gibier dans sa carnassière.
Il y a chasseur et braconnier.
Chasseur qui chasse pour le plaisir et la gourmandise.
Je me rappelle dans mes premières chasses avoir chassé
souvent avec un fermier nommé Moquet. Quand il manquait
une perdrix, il était rare qu'on ne l'entendît pas s'écrier :
« Sapristi! elle aurait été si bonne aux choux! »
Et quand c'était un lièvre :
« Sapristi! il eût été si bon aux petits oignons! »
A ce chasseur, qui chasse pour le plaisir et par gastronomie,
nous allons donner quelques conseils, non pas sur la
manière de tenir son fusil, de mettre en joue, de diriger son
chien, de marcher à contre-vent, de chanter un petit air
si on aperçoit un lièvre au gîte, mais sur la manière de
placer le gibier tué dans sa carnassière.
La carnassière, le chasseur le sait, a deux séparations, l'une
en cuir, l'autre en filet, celle en cuir est destinée à mettre

dans les petites poches qui y sont pratiquées le port d'arme, la permission de chasse, les capsules et les lièvres, mais les lièvres seulement, pas d'autre gibier.

Si la carnassière du chasseur déborde, qu'il attache tout le menu gibier, cailles, cailletots, perdreaux, faisandeaux à l'extérieur avec des ficelles passées dans les mailles; qu'il réserve le filet pour les perdrix, les faisans et les gros oiseaux qui ne craignent pas d'être froissés les uns par les autres; s'il fait très-chaud, qu'il ne mette jamais le lièvre dans le compartiment de cuir sans l'avoir fait pisser.

Qu'il ne mette jamais la perdrix ou le perdreau dans le compartiment de filet sans lui avoir, à l'aide d'une petite branche, ôté le gros intestin.

Tout chasseur qui ne sait pas comment cette opération se pratique, se la fera apprendre par un chasseur mieux renseigné.

Recommandation suprême : qu'il ne tire jamais une caille plus près que vingt ou vingt-cinq pas, la chair de la caille essentiellement délicate, déchiquetée par le coup de fusil, s'il fait chaud, n'arrivera pas mangeable à la maison; mieux vaut manquer une caille, que l'on retrouvera plus tard, que de la rendre impossible à manger.

Les Italiens, sous ce rapport, sont mieux outillés que nous. Ils ont des carnassières dont le filet, bombé en osier, laisse passer l'air et ne presse pas le gibier; le chasseur n'y perd rien comme amour-propre. Les mailles d'osier laissent voir le poil et la plume aussi bien que les mailles de fil.

CHATAIGNE

Fruit du châtaignier, arbre de la famille des *hêtres*, la châtaigne s'allie très-bien à toutes les viandes et peut être employée comme garniture de viandes cuites à la braise; on en introduit aussi dans toutes les farces, mais dans la saison seulement, car elles se conservent difficilement jusqu'à la fin de l'hiver; cependant on peut les conserver indéfiniment après les avoir fait sécher à l'étuve, comme cela se pratique depuis longtemps dans les provinces et plus particulièrement dans le Limousin où les châtaignes sont une partie considérable de la nourriture. On en fait même du pain dans les endroits où le blé est très-rare, mais ce pain est toujours de mauvaise qualité, pesant et difficile à digérer.

Châtaignes a l'eau ou a la ménagère. Mettez dans une casserole avec de l'eau, du sel et un pied de céleri, la quantité de châtaignes que vous voulez faire cuire, laissez-les le temps voulu et vous aurez des châtaignes excellentes et de fort bon goût.

CHAUFROID
de poulets, de perdreaux ou de bécasses
en pain de munition

Poulets tendres découpés, sautés au beurre, saupoudrés de farine, mouillés avec de l'eau chaude. Assaisonner de sel, poivre, champignons, petits oignons blancs, bouquet de persil. Faire cuire rapidement en agitant la casserole. Lier ensuite avec deux ou trois jaunes d'œufs et un jus de citron. Oter le bouquet de persil, et mettre la fricassée dans un pain rond préalablement vidé de sa mie, par une très-petite ouverture. Refermer le pain. Laisser bien refroidir avant que d'emballer le chaufroid, afin que le pain reste croustillant. Rompre au moment du service cette sorte de tourte par parts. (J. Rouyer.)

CHEVAL

Manger du cheval est une locution proverbiale qui veut dire manger une viande hyperboliquement dure : la viande du cheval est en effet plus serrée que celle du bœuf. Elle est rouge, huileuse. Bien que très-azotée, par conséquent très-nourrissante, il est fort douteux qu'elle entre jamais dans la consommation journalière. M. de Saint-Hilaire a tenté vainement jusqu'ici, par ses agapes de cheval, d'installer définitivement cet animal dans les boucheries parisiennes; il est probable que le noble animal que l'homme associe à sa gloire militaire ne lui servira d'aliments que dans les circonstances exceptionnelles de blocus et de famine. Tant que le cheval ne sera point élevé, nourri, engraissé comme le bœuf, en vue uniquement de la consommation, il ne devra figurer sur la table que dans des temps

difficiles. Alors, seulement alors, identifiez le cheval au bœuf et préparez-le comme vous voudrez ou comme vous pourrez.

Chevreau rôti, partie du derrière.

CHEVREAU

A trois ou quatre mois, le chevreau est totalement exempt de saveur bouquetine et d'odeur capriacée.
Le chevriot des roys est ainsi décrit par Jean Leclercq :
« Estant despouillé, vuidé, nestoyé emundé trez bien, je le faits rostir tout entier, en l'arrousant d'un bon graissage et de vin d'épices; et du sel à deux foix par dessus, quand je le mets à l'astre et le sors de broche. Emmi la saulce au chevriot, ne fault obmettre ou ménaiger les herbes fort en goust, comme le vin vieulx d'Espaigne, le fin miel et bons onguants d'oultre-mer, avec cassepèire aisgre et moustarde à la royalle. Aussi chasqu'un m'en huschoit-il et le roy le premier, quand me voyoit en la grand'cour : « Hola doncq, hé! maistre Jehan, maistre queux, tu nous « veulx doncq empifrer de bombanse et faire cresver, « avecq tes daulphins chevriers d'Epiphanie, tu nous « sauspique et nous ards tout vifs, mon brave homme! » Et nous de rire à ces joyeusetés, comme en disoit touts jours à ceulx du Louvre, icelluy bon prince et grand roy Françoys que Dieu l'absolve et recueille en sa gloire celeste! » Malgré la difficulté qu'il y aurait d'accommoder un chevreau comme l'indique Jean Leclercq, il est resté quelque chose de sa recette, puisqu'au jour des Rois, selon la tradition, on assaisonne encore aujourd'hui, dans certaines provinces, le chevreau avec de la sauge et du vin blanc sucré, auxquels on ajoute des quatre épices.

CHEVRETTE

Femelle du chevreuil.
On appelle aussi de ce nom une espèce de crevette, moins recherchée cependant que la crevette vulgaire et qui s'apprête et s'emploie de la même façon. *(V. Crevettes.)*

Filet de chevreuil.

CHEVREUIL

Petite espèce du genre cerf auquel il ressemble beaucoup, mais il a plus d'élégance et paraît plus leste et plus vif. Le chevreuil est très-sauvage, très-difficile à apprivoiser. On a essayé d'en apprivoiser en les prenant très-jeunes, mais leur naturel impétueux et indépendant reparaissait à la première occasion, et ils étaient alors sujets à des caprices dangereux pour les personnes qu'ils avaient prises en aversion.

On distingue l'âge du chevreuil, comme celui du cerf, par le nombre d'andouillers qui sont à ses bois. Pour que sa chair soit tendre et savoureuse, il faut le prendre de dix-huit mois à trois ans; sa chair est alors très-bonne, quoique sa qualité dépende aussi beaucoup des lieux qu'il habite; les meilleurs nous viennent des Cévennes, des Ardennes, du Rouergue et du Morvan. Mais la meilleure est sans contredit celle du chevrotin ou faon de chevreuil quand ils n'ont encore que neuf ou dix mois.

Nous allons indiquer les différentes manières de préparer ce gibier, un des plus connus et des plus recherchés par les chasseurs.

QUARTIER DE CHEVREUIL ROTI. Faites macérer votre chevreuil avec huile fine, vin rouge, persil, épices et quelques tranches d'oignons.

Enlevez ensuite la peau du filet et celle du dehors de la cuisse, piquez-les de lard fin; enveloppez le quartier d'un papier beurré; faites cuire et servez pour grosse pièce avec une poivrade.

CIVET DE CHEVREUIL. Lardez de gros lard les deux parties de la poitrine d'un chevreuil, passez-les à la casserole avec persil et lard fondu; puis faites-le cuire avec un bouquet de fines herbes, sel, poivre, laurier, citron vert. Quand tout est cuit à point, faites une sauce que vous liez avec farine frite, filet de vinaigre, poignée de câpres et quelques olives désossées, et servez avec des croûtons.

GIGOT DE CHEVREUIL ROTI. Après avoir paré un gigot de chevreuil et l'avoir piqué de lard fin, vous le mettez mariner quelques heures avec du sel et de l'huile d'olive, puis vous le laissez une heure à la broche, l'arrosant avec sa marinade, et faites une sauce avec cette marinade et du jus d'échalotes.

COTELETTES DE CHEVREUIL. Lavez, aplatissez, marinez un jour, faites revenir dans l'huile vos côtelettes. — Cuites et d'une belle couleur, égouttez et servez avec une sauce poivrade ou une sauce tomates.

ÉPAULES DE CHEVREUIL. Levez la chair des épaules, ôtez les peaux, piquez comme ci-dessus, faites mariner, cuisez et servez. *(Sauce au pauvre homme.)*

FILETS DE CHEVREUIL SAUTÉS A LA MINUTE. Parez, piquez, marinez, faites sauter au beurre sur un feu vif, dressez, glacez et servez à la poivrade.

ESCALOPES DE CHEVREUIL. Vous levez les chairs de deux épaules, ôtez les peaux, coupez en escalopes, faites cuire sur sautoir avec du beurre fondu, sel, poivre, ail, laurier, placez vos escalopes au moment de servir sur un fourneau un peu ardent, retournez-les, ajoutez du beurre et garnissez le plat avec du verjus.

CRÉPINETTES DE CHEVREUIL. Joignez à des chairs de chevreuil rôties, des truffes, des champignons, de la tétine de veau; faites réduire dans une bonne sauce, laissez refroidir le tout et amalgamez avec du beurre pour partager en portions à peu près égales, que vous enveloppez de *crépines*, mettez ensuite vos crépinettes sur un plafond beurré, faites prendre couleur, versez dessus en les servant une ravigote d'anchois.

HACHIS DE CHEVREUIL AUX ŒUFS POCHÉS. Hachez des chairs de chevreuil rôti avec des fines herbes cuites, mettez le tout avec un peu de beurre dans une poivrade bien réduite, sans le laisser bouillir et surmontez ce hachis avec des œufs pochés.

ÉMINCÉ DE CHEVREUIL AUX OIGNONS. Faites un roux avec des oignons coupés en rouelles, faites-y chauffer vos tranches de chevreuil en y ajoutant du poivre blanc et le jus d'un citron.

CHEVREUIL EN DAUBE. S'il a été mariné, ne le faites macérer qu'un jour et faites-le cuire environ cinq heures dans une braise; faites réduire la sauce et passez-la au tamis; ajoutez-y quantité suffisante de corne de cerf pour en faire une gelée, laissez refroidir, masquez-en votre pièce de chevreuil et servez.

CERVELLES DE CHEVREUIL. *(V. Cervelles de veau et d'agneau.)*

CHICORÉE

Il y a deux genres de chicorée qui servent de types à dix-huit ou vingt sortes, la *chicorée sauvage* et la *chicorée cultivée*, vulgairement connue sous le nom de *scarole*.

La chicorée sauvage appelée aussi *pisse-en-lit*, à cause de la vertu qu'elle possède de pousser aux urines, ne se mange qu'en salade, et elle doit être choisie jeune et tendre. Nous parlerons donc seulement de l'autre espèce, en renvoyant pour celle-ci nos lecteurs à l'article *Salade.*

RAGOUT DE CHICORÉE A LA BONNE FEMME. Faites blanchir à l'eau bouillante, mettez dans l'eau froide, égouttez, divisez, mettez dans la casserole, mouillez avec bouillon et beurre, liez avec farine; servez avec croûtons frits.

CHICORÉE AU GRAND JUS. Prenez et faites blanchir des chicorées et fendez-les par le milieu avant de les avoir égouttées; ficelez-les, mettez-les dans une casserole avec des bardes de lard, poivre et muscade, ajoutez des morceaux de bœuf, de veau ou de mouton, des oignons, des carottes, un bouquet bien garni; faire cuire feu dessus et dessous pendant trois heures; pressez-les dans un linge blanc pour bien les égoutter, dressez-les en couronne sur un plat et servez-les avec les entrées que vous désirerez.

CHICORÉE AU BLANC OU A LA CRÈME. Épluchez vos chicorées, ôtez-en tout le vert, lavez-les à plusieurs eaux, égouttez-les, faites-les blanchir avec une poignée de sel et mettez-les rafraîchir dans l'eau fraîche, hachez cette chicorée, mettez-la dans une casserole avec du beurre, faites-la cuire un quart d'heure pour la dessécher, versez petit à petit deux verres de crème ou de lait réduit, ajoutez muscade râpée, sel et laissez bien cuire le tout.

MANIÈRE DE LA CONSERVER. Après avoir épluché et lavé votre chicorée, vous la jetez dans l'eau bouillante jusqu'à ce qu'elle soit amortie et non cuite, mettez-la ensuite dans l'eau fraîche et faites-la bien égoutter. Mettez-la dans des pots de grès en la foulant bien, et au bout de vingt-quatre heures retirez l'eau salée qu'elle a jetée; versez ensuite dessus de la saumure bien claire et recouvrez d'huile ou de beurre fondu.

CHIEN

Plusieurs peuples de l'Asie, de l'Afrique et de l'Amérique mangent la chair du chien. Les nègres même la préfèrent à celle des autres animaux et leur plus grand régal est de manger du chien rôti. Ce même goût se retrouve chez les sauvages du Canada, chez les Kamtchadales et dans les îles de l'Océanie. Le capitaine Cook fut sauvé d'une maladie dangereuse avec du bouillon de chien. Hippocrate dit que les Grecs mangeaient du chien et que les Romains en servaient sur les tables les plus somptueuses; Pline assure que les petits chiens rôtis sont excellents et qu'on les jugeait dignes d'être présentés aux Dieux. A Rome, on mangeait toujours des chiens rôtis dans les festins que l'on donnait pour la consécration des pontifes ou dans les réjouissances publiques.

Or voici comment Porphyre, écrivain grec du IIIe siècle, raconte l'origine de la coutume de manger du chien : « Un jour qu'on sacrifiait un chien, certaine partie de la victime (on ne dit pas laquelle) tomba par terre, le prêtre la ramassa pour la remettre sur l'autel; mais comme elle était très-chaude, il se brûla. Par un mouvement spontané et naturel dans cette circonstance, il mit ses doigts dans sa bouche et il trouva que le jus était bon. La cérémonie terminée, il mangea la moitié du chien et porta le reste à sa femme; puis, à chaque sacrifice, ils se régalaient de la victime. Bientôt le bruit en courut dans la ville, chacun voulut en essayer, et en peu de temps on trouva des chiens rôtis sur les meilleures tables. On commença par faire cuire les jeunes chiens, qui étaient naturellement plus tendres, puis les jeunes n'y suffisant plus, on se servit des gros. »

Les bulletins de la récente expédition des Anglais en Chine nous ont donné des détails fort curieux sur la nourriture des Chinois; entre autres, qu'ils engraissent des chiens dans des cages comme nous faisons de nos poulets; ils les nourrissent de substances végétales, puis ils les mangent et les trouvent excellents. C'est, paraît-il, un des mets les plus recherchés du Céleste-Empire. On le vend dans toutes les boucheries chinoises, mais c'est une friandise qui, comme nos dindes truffées, n'est réservée qu'aux heureux du siècle, et le commun des mortels est obligé de s'en tenir à la vue seulement.

Dessin de Cham.

CHIPOLATA

Ragoût d'origine italienne dont voici la recette :
Prenez deux douzaines de carottes, de navets, de marrons

rôtis et d'oignons, faites cuire dans du consommé sucré; procurez-vous des petites saucisses appelées *chipolates*, et ajoutez-les avec quelques morceaux de lard sans votre ragoût. Mettez le tout dans une casserole avec des champignons, des fonds d'artichauts, des tranches de céleri et quelques cuillerées de blond de veau; faites réduire, écumez; clarifiez bien et faites-y réchauffer des volailles ou des tendrons de veau, des cervelles de desserte, etc., et vous en garnissez des entrées de broche ou vous vous en servez pour mettre sous des chapons ou autres volailles.

CHOCOLAT

Le mot chocolat vient, croit-on, de deux mots de la langue mexicaine : *choco*, son ou bruit et *atle*, eau, parce que le peuple mexicain le bat dans l'eau pour le faire mousser. Les dames du nouveau monde aiment, paraît-il, le chocolat à la folie et en font un usage considérable. On rapporte que, non contentes d'en prendre chez elles à tout moment de la journée, elles s'en font quelquefois apporter à l'église, sensualité qui leur a souvent attiré la censure et les reproches de leurs confesseurs, qui ont cependant fini par en prendre leur parti, y trouvant leur intérêt d'ailleurs, car ces dames leur faisaient la gracieuseté de leur en offrir de temps en temps une tasse, ce qu'ils se gardaient bien de refuser. Enfin, le révérend père Escobar, dont la métaphysique était aussi subtile que sa morale accommodante, déclara formellement que le chocolat à l'eau ne rompait aucunement le jeûne, proclamant ainsi en faveur de ses belles pénitentes l'ancien adage : *Liquidum non frangit jejunium.*

Importé en Espagne vers le XVIIᵉ siècle, l'usage du chocolat y devint promptement populaire; les femmes et surtout les moines se jetèrent sur cette boisson nouvelle et aromatique avec un grand empressement, et le chocolat fut bientôt à la mode. Les mœurs n'ont guère changé à cet égard, et encore aujourd'hui, dans toute la Péninsule, il est de bon goût de présenter du chocolat dans toutes les occasions où la politesse exige d'offrir quelques rafraîchissements, et cela partout et dans toutes les maisons qui se respectent. Le chocolat passa les monts avec Anne d'Autriche, femme de Louis XIII, qui la première l'importa en France, où toujours à l'aide des moines français à qui leurs confrères d'Espagne en envoyaient aussi des échantillons comme cadeaux, il devint bientôt en vogue. Au commencement de la Régence, il était devenu plus en usage que le café qui, tout nouvellement importé aussi, était regardé comme boisson de luxe et de curiosité, tandis que le chocolat était considéré, à juste titre du reste, comme un aliment sain et agréable.

M. Brillat-Savarin, dans son excellent livre sur les *Classiques de la table*, recommande le chocolat comme une substance tonique stomachique et même digestive; il dit que les personnes qui en font usage jouissent d'une santé constamment égale, et il parle du chocolat ambré comme très-bon pour les personnes fatiguées par un travail quelconque.

Laissons parler lui-même l'illustre gastronome :

« C'est ici le vrai lieu, dit-il, de parler des propriétés du chocolat ambré, propriétés que j'ai vérifiées par un grand nombre d'expériences, et dont je suis fier d'offrir le résultat à mes lecteurs.

« Or donc, que tout homme qui aura bu quelques traits de trop à la coupe de la volupté, que tout homme qui aura passé à travailler une portion notable du temps qu'on doit passer à dormir, que tout homme d'esprit qui se sentira temporairement devenu bête, que tout homme qui trouvera l'air humide, le temps long et l'atmosphère difficile à porter, que tout homme qui sera tourmenté d'une idée fixe qui lui ôtera la liberté de penser, que tous ceux-là, disons-nous, s'administrent un bon demi-litre de chocolat ambré à raison de soixante à soixante-douze grains d'ambre par demi-kilogramme, et ils verront merveille.

« Dans ma manière particulière de spécifier les choses, je nomme le chocolat à l'ambre, *chocolat des affligés*, parce que, dans chacun des divers états que j'ai désignés, on éprouve je ne sais quel sentiment *qui leur est commun* et qui ressemble à l'affliction. »

C'est toujours M. Brillat-Savarin qui parle :

« Quant à la manière officielle de faire le chocolat, c'est-à-dire pour le rendre propre à la consommation immédiate, on en prend environ une once et demie pour une tasse, qu'on fait dissoudre doucement dans l'eau à mesure qu'elle s'échauffe en le remuant avec une spatule de bois; on la fait bouillir pendant un quart d'heure pour que la solution prenne consistance, et on sert chaudement.

« Monsieur, me disait il y a plus de cinquante ans Mᵐᵉ d'Arestrel, supérieure du couvent de la Visitation, « à Belley, quand vous voudrez prendre du bon chocolat, « faites-le faire dès la veille dans une cafetière de faïence « et laissez-là. Le repos de la nuit le concentre et lui donne « un velouté qui le rend bien meilleur. Le bon Dieu ne peut « pas s'offenser de ce petit raffinement, car il est lui-même « tout excellence. »

Nous avons indiqué à l'article *Cacao* les différentes manières de faire le chocolat avec le cacao, et nous renvoyons pour les emplois culinaires dont il est susceptible à chacune des prescriptions suivantes. (*V. Beignets, Cannelons, Crèmes, Fromages glacés, Mousses, Pastilles, Pralines et Profiteroles.*)

CHOU

Genre de la famille des crucifères.

Il y a différentes espèces de choux qui presque toutes sont originaires d'Europe, où l'on en fait du reste la plus grande consommation. Dans presque toutes les provinces de la France, c'est le régal des paysans, qui la plupart du temps ne vivent que de légumes, quoiqu'il nourrisse fort peu, qu'il soit venteux et répande une mauvaise odeur. Le chou était en grande vénération chez les Anciens, ils juraient par lui, semblables en cela aux Égyptiens qui rendaient les honneurs divins à l'oignon. L'histoire rapporte cependant qu'Apicius ne l'aimait pas et qu'il en inspira du dégoût à Drusus, ce dont Tibère blâma son frère.

On donne aussi le nom de chou à une sorte de pâtisserie dont nous indiquerons plus loin la recette.

CHOU BLANC OU VERT. Ceux de Milan sont les meilleurs; les choux de Saint-Denis, de Bonneuil et ceux qu'on appelle le petit pommé, le frisé hâtif sont les premiers qui paraissent et ceux qu'on emploie généralement dans la consommation.

CHOU AU LARD. C'est un des excellents mets plébéiens; vous le faites de la façon suivante : coupez un gros chou pommé en quatre morceaux, faites-les blanchir, mettez-les ensuite dans un pot quelconque avec du lard, des saucisses, des cervelas, du céleri, des oignons, des grosses carottes, du laurier et du thym; faites cuire pendant une heure et demie à petit feu; dressez ensuite le tout sur un plat en mettant le petit salé et les cervelas par-dessus; retranchez les autres légumes et faites une sauce de votre mouillement réduit.

CHOU FARCI AU GRAS. Prenez une bonne tête de chou, ôtez-en le pied ou trognon et un peu dans le corps; faites-le blanchir et tirez-le de l'eau quand il est blanchi; étendez les feuilles avec soin pour ne pas les briser et remplissez-les d'une farce faite avec la chair de volaille, un morceau de veau, du petit lard, de la moelle de bœuf ou de la graisse de jambon cuit, truffes et champignons hachés, persil, ciboules, sel, poivre, mie de pain, deux œufs entiers, deux ou trois jaunes, une pointe d'ail; hachez le tout ensemble et pilez-le bien dans un mortier. Après avoir rempli votre chou de cette farce, refermez-le, ficelez-le bien afin qu'elle ne s'échappe pas des feuilles et mettez-le dans une casserole; faites ensuite du jus avec des tranches de bœuf ou de veau bien battues que vous faites réduire dans une casserole, mettez-y un peu de farine, faites prendre couleur, mouillez-le de bon bouillon, assaisonnez de fines herbes et de tranches d'oignon. Quand votre jus est à moitié cuit, vous mêlez vos tranches et ledit jus avec votre chou et faites cuire le tout ensemble.

Dressez ensuite votre chou sur un plat, mettez dessus un ragoût de champignons ou de ris de veau bien assaisonné et de bon goût, puis servez chaudement avec votre jus autour.

CHOU FARCI AU MAIGRE. Procédez comme ci-dessus en farcissant votre chou avec de la chair de poisson ou autres garnitures, ainsi qu'on le ferait pour la carpe, le brochet ou autre poisson. *(V. ces articles.)*

CHOU EN SURPRISE. Vous faites blanchir et ensuite rafraîchir un chou entier; ôtez le trognon, écartez les feuilles avec soin et remplissez-le de marrons, de saucisses et de mauviettes; arrangez les feuilles dans leur état habituel, ficelez le chou, faites-le cuire à la braise; laissez-le égoutter quand il sera bien cuit et servez-le avec une sauce faite avec de la moelle fondue et de la muscade râpée.

CHOU A LA PETITE RUSSIENNE. (Méthode Rouyer.) Exactement comme choux farcis à la française. (La farce, ici, est composée de champignons, oignons, persil hachés grossièrement et liés en bouillie de semoule au lait; sel, poivre, muscade râpée; longue cuisson au four.) Servir avec une sauce au beurre et crème aigre.

CHOU EN GARBURE. (Cuisine bordelaise.) Après avoir fait blanchir des choux et les avoir égouttés, vous ôtez les plus grosses côtes des feuilles; puis vous prenez une soupière pouvant aller sur le feu; vous placez au fond un lit de feuilles de choux, puis un lit de tranches de fromage de Gruyère très-minces et vous les couvrez avec des tranches de pain; vous continuez de faire des couches en alternant toujours, chou, fromage et pain; vous assaisonnez ensuite, vous mouillez de bon bouillon et vous faites mijoter et gratiner pendant une heure; puis vous servez comme potage avec du bouillon dans un autre vase.

PAIN DE CHOU. Faites blanchir un chou de Milan; mettez-le dans de l'eau, levez-en les feuilles et ôtez-en les grosses côtes, faites mariner ensuite une noix de veau avec huile fine, persil, ciboules, champignons, ail, échalotes, gros sel, poivre et tranches de jambon. Étendez quelques feuilles de chou bien égouttées, mettez dessus des tranches de veau et de jambon et un peu de leur marinade, et continuez ainsi les couches les unes par-dessus les autres, jusqu'à ce que vous ayez formé la grosseur d'un petit pain; faites cuire dans une braise bien nourrie. Quand ils sont bien cuits, vous les dégraissez et servez avec une sauce à l'espagnole dessous.

Cho

CHOU ROUGE PIQUÉ. Prenez un chou gros et dur faites-le blanchir et enlevez-en le trognon; piquez-le de très-gros lard. Mettez à la place du trognon une sauce faite avec de la graisse, du jus, poivre, sel; enveloppez-le d'une toilette de porc et mettez le tout dans une casse-role en le renversant sens dessus dessous; faites cuire à petit feu, retirez-le, dégraissez la sauce, faites-la réduire et servez-la sur le chou.

CHOU ROUGE A LA HOLLANDAISE. Nous allons indiquer la manière de faire ce chou qui est un des meilleurs entremets.
Épluchez des pommes de reinette et des oignons que vous hachez bien menu; puis vous faites blanchir des choux rouges dont vous aurez préalablement rejeté les trognons et le bout des feuilles. Mettez ensuite le tout cuire dans une casserole avec un bon morceau de beurre, une cuillerée de sucre en poudre, une pincée de sel, poivre et bouquet garni; faites cuire le tout pendant cinq ou six heures; ajoutez un verre de vin de Bordeaux, ôtez le bouquet et achevez votre préparation en faisant fondre dedans un bon morceau de beurre.

CHOU A LA CRÈME. Faites presque cuire à l'eau bouil-lante, retirez, faites égoutter et laissez rafraîchir; hachez et mettez dans la casserole avec beurre, sel, poivre, muscade râpé et une cuillerée de farine. Mouillez ensuite avec de la crème et laissez réduire jusqu'à ce que votre chou soit bien lié avec son assaisonnement.

CHOUX DE BRUXELLES. Vous prenez des choux de Bruxelles (qui, vous le savez, sont des petits choux verts de la grosseur d'une noix et bien pommés); vous les faites cuire à l'eau bouillante avec du sel après en avoir enlevé les premières feuilles, puis vous les faites égoutter. Mettez ensuite un bon morceau de beurre dans la casserole, versez vos choux dedans et faites-les revenir avec sel, poivre et persil haché, et, pour le maigre, ajoutez-y une cuillerée de jus ou de crème.

CHOUCROUTE. (En allemand *Sauer-kraut*, c'est-à-dire *choux aigres*.) Tous les peuples du Nord et de l'Est en font un grand usage, et les navigateurs au long cours s'en approvisionnent pour leurs voyages.

C'est le mets par excellence des Allemands qui en raffolent; aussi est-il passé en proverbe qu'un moyen certain de se faire assommer, c'est : en Italie, de ne pas trouver les femmes jolies; en Angleterre, de chicaner le peuple sur le degré de liberté dont il jouit; et en Allemagne, de ne pas croire que la choucroute est un mets des dieux.

Le célèbre capitaine Cook attribue aussi en grande partie l'excellente santé de ses matelots dans tous ses voyages à la grande quantité de choucroute qu'il leur faisait distribuer; la choucroute étant d'une digestion plus facile que le chou ordinaire, qui, d'après un proverbe grec, causait la mort au bout de deux fois.

On conserve la choucroute de préférence dans des tonneaux qui ont renfermé du vinaigre, du vin ou tout autre liquide contenant un acide. On emploie de préférence le *chou cabu* blanc, dont on enlève les feuilles pendantes et la tige; on coupe la pomme de chou par rouelles en la rabotant sur une espèce de *colombe* de tonnelier. Cette opération la divise en tranches minces qui se développent d'elles-mêmes comme des rubans. Vous étendez au fond du tonneau un lit de sel marin, sur ce lit une couche de vos choux coupés en rubans; vous saupoudrez par-dessus avec une poignée de graines de genièvre ou de carvi afin de l'aromatiser; puis vous continuez à mettre couche sur couche en procédant toujours de même jusqu'à ce que le tonneau soit plein et en foulant bien la matière et terminez par une couche de sel.

Vous couvrez votre dernier lit de sel avec les grandes feuilles vertes du chou sur lesquelles vous placez une grosse toile humide et un fond de tonneau assez lourd pour empêcher par son poids que la masse ne se soulève par la fermentation qui va avoir lieu. Les choux ainsi entassés laissent écouler une eau fétide, acide, boueuse, que l'on soutire par un robinet placé à la base du tonneau, et que l'on remplace par une saumure nouvelle qu'il faudra

changer encore au bout de quelques jours, jusqu'à ce qu'il n'existe plus aucune fétidité. La choucroute dès lors achevée, vous la mettez dans un lieu très-frais afin de la conserver et vous en servir au besoin.

PRÉPARATION DE LA CHOUCROUTE. Après avoir lavé votre choucroute à plusieurs eaux, vous l'égouttez bien et la mettez dans une casserole avec un bon morceau de lard de poitrine fumé, saucisses, cervelas, graisse de rôti, genièvre, vin blanc et bouillon. Laissez-la cuire six heures à feu doux, égouttez-la, dressez-la sur un plat avec du lard dessus entremêlé de vos saucisses et de vos cervelas.

CHOUX-FLEURS. Nous empruntons aux dispensaires du temps de Louis XIV la plus excellente et royale façon d'apprêter ce légume :

CHOUX-FLEURS ÉTUVÉS. Prenez des hauts choux-fleurs, lavez-les à l'eau tiède et faites-les cuire dans du consommé en y ajoutant quelque peu de macis en poudre. Étant bien cuits et au moment de les servir égouttez-les de leur mouillement et remuez-les avec du beurre tout frais et tout cru; aussitôt que le beurre sera fondu, dressez et servez sur la table. »

CHOUX-FLEURS AU BEURRE. Épluchez bien les pommes de vos choux-fleurs et ne leur laissez aucune feuille, lavez-les dans de l'eau fraîche et faites-les cuire ensuite dans de l'eau avec sel, poivre et un morceau de beurre manié. Quand ils sont cuits, égouttez-les, dressez-les sur un plat avec une sauce dessous faite avec beurre frais, sel, poivre, muscade, un filet de vinaigre et servez.

CHOUX-FLEURS AU JUS. Comme ci-dessus. Prenez moitié sauce blanche et moitié blond de veau, vannez, sassez, dressez, masquez et servez chaud.

CHOUX-FLEURS AU FROMAGE. Cuisez, égouttez vos choux-fleurs, foncez un plat d'une sauce que vous faites avec du coulis, du beurre, du gros poivre; mettez au fond de votre plat du parmesan râpé, rangez les choux-fleurs dessus, jetez sur eux le reste de la sauce et du parmesan, puis mettez au four avec feu dessus et dessous, glacez et servez.

CHOUX-FLEURS FRITS. Cuisez comme à l'ordinaire, égouttez, laissez mariner avec sel, poivre, vinaigre, trente minutes; égouttez, trempez dans une pâte légère; faites frire et servez chaud.

CHOUX-FLEURS FARCIS. Blanchissez à l'eau salée, égouttez, bardez, farcissez dans la casserole avec rouelle de veau, graisse de bœuf, persil, ciboule, sel, épices, champignons, œufs et consommé; faites cuire à petit feu jusqu'à réduction entière. Dressez, servez. Si vous avez mis vos choux-fleurs la tête en bas dans la casserole, vous dresserez aisément en retournant vivement votre casserole.

RAGOUT DE CHOUX-FLEURS. Faites blanchir des choux-fleurs, mettez-les cuire avec de l'eau et de la farine, faites-les égoutter et, si c'est pour garnir un plat de viande, vous les dressez autour du plat avec une bonne sauce; si c'est pour entremets, dressez-les seuls et la sauce par-dessus.

CHOU
(Pâtisserie)

Expliquons les différentes manières de faire cet excellent petit gâteau.

CHOUX PATISSIER (à la parisienne). Faites bouillir un peu d'eau avec du beurre et du sel, mettez-y deux ou trois poignées de farine et délayez le tout sur le feu; remuez jusqu'à ce que la pâte se détache; mettez-y alors du sucre en poudre, ôtez la pâte du feu, délayez dedans des œufs, jaunes et blancs, jusqu'à ce qu'elle soit liquide et faites cuire dans des petits moules à pâtés que vous aurez beurrés.

CHOUX A LA ROYALE. Faites bouillir du lait et du beurre fin, ôtez-les de dessus le feu quand ils commencent à bouillir et joignez-y de la farine tamisée; remettez la casserole sur le feu en remuant bien le tout pour qu'il ne s'attache pas; votre pâte bien desséchée, vous la mêlez dans une autre casserole avec du beurre, du parmesan et des œufs; ajoutez une pincée de mignonnette, une cuillerée de sucre fin, un œuf et du fromage de gruyère coupé en petits morceaux, mélangez bien le tout et joignez-y de la crème fouettée; cela doit vous donner une pâte assez semblable à une pâte de beignets; vous dorez vos choux, les mettez au four gai pendant vingt minutes et les servez de suite.

CHOUX AUX AMANDES. Comme ci-dessus; après avoir doré vos choux, vous les couvrez de filets d'amandes légèrement trempés dans du blanc d'œuf sucré et vous faites cuire.

CHOUX SOUFFLÉS AU ZESTE D'ORANGE. Vous faites bouillir dans une casserole du beurre d'Isigny et de la bonne crème, puis vous le remplissez légèrement avec de la farine de crème de riz desséchée; transvidez dans une autre casserole en y joignant du beurre, des œufs, un grain de sel; le tout bien mêlé, vous y joignez des jaunes d'œufs, du sucre; râpez dessus la moitié d'un zeste de citron et la moitié d'un zeste d'orange. Mélangez bien le tout, fouettez deux blancs d'œufs et mettez-les dans la pâte avec de la crème fouettée. Mettez ensuite vos choux dans de petites caisses rondes ne les remplissant qu'à moitié, couvrez-les de gros sucre; mettez au four à une chaleur ordinaire, laissez-les cuire un quart d'heure et servez sans les dorer.

CHOUX EN CAISSE AU CÉDRAT. Comme ci-dessus, vous les parfumez seulement avec du cédrat haché très-fin et mêlé à la pâte.

CHOUX A LA MECQUE. Mêlez ensemble du beurre et de la crème bouillis, de la pâte mollette un peu desséchée, du beurre et un peu de lait; faites un peu dessécher le tout et transvidez dans une autre casserole en y ajoutant deux œufs, du sucre en poudre, puis vous y mêlez encore des œufs, une cuillerée de bonne crème fouettée et un grain de sel; vous couchez vos choux à la cuillerée en forme de navette, vous les dorez, les masquez de gros sucre et les faites cuire au four, chaleur modérée. Quand ils sont de belle couleur, vous les servez parfumés soit avec du cédrat, de l'orange, de la bigarade ou du citron.

PETITS CHOUX A LA SAINT-CLOUD. Même préparation et même cuisson que ci-dessus, seulement quand ils sont cuits, vous les glacez à la flamme en mettant un allume à la bouche du four et les servez chauds.

CIBOULE
Espèce d'ail qu'on emploie pour mettre dans tous les bouquets qui entrent dans la composition des sauces.

CIBOULETTE
Petite ciboule qui s'emploie comme la précédente.

CIDRE ET POIRÉ
Le cidre n'est connu en Europe que depuis que les Maures de Biscaye l'importèrent d'Afrique; d'Espagne, il a passé en France et les conquérants Normands l'ont naturellement mené à leur suite en Angleterre. Le cidre a été l'objet de discussions très-sérieuses. Pour le Normand, c'est le vrai nectar des maîtres de l'Olympe, pour l'habitant des pays vignobles, au contraire, ce n'est qu'un fade et épais breuvage. Quoi qu'il en soit, le Normand lui est resté fidèle et le cidre a pénétré dans d'autres contrées de la France où il est presque aussi estimé que le vin.

Un jour, je reçus de M. Jules Oudin, propriétaire d'un château et d'une terre appelée la Pommeraye, à cause de la quantité de pommiers qui y poussent, la lettre suivante:

SOCIÉTÉ D'HORTICULTURE DU CENTRE DE LA NORMANDIE.

A Monsieur Dumas.

« Maître,

« Vous m'avez fait l'honneur de me donner l'accolade en me disant : « Nous nous reverrons. »

« Ce sera l'ère du bonheur de mon existence.

« J'en prends texte pour vous demander un renseignement, qu'il vous sera probablement très-facile de me donner et qu'il me faudrait peut-être une année pour trouver, sans votre aide.

Les buveurs de cidre. Lithographie de Grandville.

« — Quels sont les faits historiques les plus saillants de l'Antiquité et du Moyen Age au sujet des pommes, des pommiers, des poiriers et du cidre?

« Je serais au désespoir de vous demander ce renseignement s'il n'avait pour moi un but très-utile.

« Mon remercîment sera d'aller vous montrer l'usage que j'en aurai fait.

« Pendant la saison d'été, vous viendrez, n'est-ce pas, respirer les parfums des végétations exotiques et indigènes *sous un pommier*. Ne me faites pas languir, je vous prie.

« Bien à vous.

« JULES OUDIN. »

Je pris la plume, et poste pour poste je fis la réponse suivante :

« Cher Monsieur Jules,

« Je vais vous répondre d'abord sur ce que je sais certainement moins bien que vous sur la pomme, le pommier, le poirier, l'origine du cidre et son invasion en Europe.

« Devons-nous mettre la pomme avant le pommier, ou le pommier avant la pomme? Le pommier est-il poussé d'un pépin jeté dans l'espace et venant d'une pomme par conséquent, ou la pomme a-t-elle poussé sur un pommier créé en même temps que la création?

« C'est la question de la poule et de l'œuf : la poule vient-elle de l'œuf, ou l'œuf vient-il de la poule?

« Si nous nous en rapportons à Moïse, le premier auteur qui parle de pommes et de pommiers, le pommier et la pomme préexistaient à l'homme dans le Paradis terrestre, puisque les arbres fruitiers furent créés le troisième jour et l'homme le sixième.

« Nous savons le commandement qui fut fait à Adam et Ève à l'endroit de ce pommier, et comment ils désobéirent pour notre malheur à ce commandement de Dieu.

« Le serpent présenta la pomme à Ève, Ève y mordit, Adam l'acheva et nous fûmes tous condamnés à l'exil, au travail et à la mort.

« Un autre poëte, né cinq cents ans après Moïse, nous a appris comment, dans une autre circonstance, la pomme ne fut pas moins fatale au genre humain.

« Aux noces de Thétis et de Pélée, la Discorde, qu'on avait oublié d'inviter, jeta pour se venger, au milieu de l'assemblée des dieux et des déesses, une pomme portant cette inscription : « *A la plus belle !* »

« Trois déesses crurent avoir droit à la pomme, Minerve, Junon et Vénus ; elles allèrent devant Pâris qui l'adjugea à Vénus.

« Il y avait encore une autre déesse qui avait des prétentions à la beauté et qui n'avait point oublié que le jour où Vénus avait été proclamée la plus belle, un affront lui avait été fait. C'était la mariée elle-même, la femme de Pélée, la mère d'Achille, la belle Thétis ; aussi, sachant que Vénus devait, sur le rivage des Gaules, venir chercher des perles pour se faire un collier, ordonna-t-elle à tous les monstres de la mer de tâcher de s'emparer de cette pomme pour laquelle Vénus n'avait pas craint de se montrer nue au beau berger du mont Ida.

« Et en effet, tandis que Vénus cherchait des perles au même endroit, sans doute, où son fils César vint pêcher celle dont il devait payer l'amour de Servilie, un triton lui déroba sa pomme, et alla la porter à Thétis. Thétis, aussitôt pour vulgariser le fatal présent de la Discorde, et afin que toutes les déesses pussent avoir la leur, prit les pépins de la pomme et les planta sur les rivages de la Normandie.

« De là viennent, disent nos aïeux, les vieux Celtes, la multitude de pommiers qui poussent du Maine à la Bretagne, et la beauté des femmes de toute cette côte septentrionale.

« Malgré le mauvais tour joué par Thétis à Vénus, les pommes, et surtout celles des Hespérides, étaient restées précieuses dans l'île de Scyros, puisque Atalante, la fille du roi, perdit à la fois le prix de la course et sa liberté pour ramasser les pommes qu'Hippomène laissait tomber sur sa route.

« La pomme avait cessé d'être un fruit rare et son prix était rentré dans celui des autres comestibles du même genre, puisque Solon, effrayé des sommes que coûtaient les repas de noces chez les Athéniens, ordonna que les mariés ne mangeassent qu'une pomme à eux deux, avant de se mettre au lit.

« Pline et Diodore de Sicile parlent des pommes comme d'un fruit très-estimé des Romains et surtout lorsqu'elles venaient des Gaules ; mais ni l'un ni l'autre ne dit qu'on en tirât une boisson quelconque. Saint Jérôme est le premier qui parle du cidre et qui constate que les Hébreux en faisaient une de leurs boissons habituelles. Tertullien, qui vivait vers la fin du deuxième siècle à Carthage, et saint Augustin, qui vivait vers la fin du quatrième siècle à Hippone, parlent tous deux du cidre des Africains.

« Mais la première trace que l'on trouve de l'existence de cette boisson en France est dans les *Capitulaires* de Charlemagne où il est question des fabricants de cidre et de poiré. Mais à cette époque, le cidre avait déjà avec les Maures traversé le détroit de Gibraltar.

« Voici comment :

« Mahomet, l'an 609 de l'ère chrétienne, publie son Coran, sans défendre positivement le vin aux Arabes, il le leur présente comme une liqueur pernicieuse qu'il ne leur conseille de boire qu'à titre de médicament. Aussi, dans toutes les villes tatares que j'ai visitées, ai-je vu les marchands de vin intituler leur boutique : « *Balzam* », c'est-à-dire pharmacie. Du moment où le vin se vend dans une pharmacie, ce n'est plus du vin, en effet, c'est un médicament.

« Pour obéir à Mahomet, les Arabes alors imitèrent les Hébreux et du fruit des pommiers et des poiriers firent du cidre.

« Appelés en Espagne par la trahison du comte Julien, ils y transportèrent leur science agriculturale sur laquelle les Espagnols vivent encore aujourd'hui. Ce fut en Biscaye que se firent les premiers essais de ce genre.

« De Biscaye, l'usage passa en France. Les Normands l'accueillirent tout particulièrement, leur pays étant fécond en pommiers et stérile en vignes. Guillaume le Conquérant l'implanta en Angleterre, en même temps que son drapeau, après la bataille d'Hastings en 1066.

« D'Angleterre, l'usage du cidre s'est répandu en Allemagne et même en Russie.

« Il existe, au reste, une brochure qui a recueilli sous le titre : *De Origine Cidri*, tout ce que la science humaine a colligé sur cet intéressant sujet.

« Maintenant, je présume que vous êtes au courant des derniers travaux de Pasteur sur la fermentation du cidre, et que vous savez que le ferment n'est autre chose que l'agglomération par milliards de petits animalcules ou plutôt de cryptogames, moitié animaux, moitié végétaux, qui, sous le nom de microzoaires et de microphites opèrent ce singulier travail, de changer le sucre en alçool, travail qui se fait chez eux simplement par la digestion.

« Voilà tout ce que je sais sur le cidre, et je m'empresse de vous vider mon sac, pour vous prouver combien j'ai bon souvenir de votre réception et comment je serai heureux d'aller un jour, avec ma fille, vous demander l'hospitalité d'une demi-semaine.

« Mille compliments empressés.

« ALEXANDRE DUMAS. »

CITRON

Fruit dont l'arbre est toujours vert comme l'oranger; ses feuilles sont larges et longues comme celles du laurier; il est originaire de l'Asie, et les Hébreux furent les premiers qui le naturalisèrent dans les belles vallées de la Palestine; ce qui le prouve, c'est que, aujourd'hui encore, ils se présentent le jour des Tabernacles, dans les synagogues, avec un cédrat à la main.

Virgile a célébré le citron sous le nom de pommes de Médie. Delille a traduit les vers que le poëte latin a consacrés à cet arbre.

> L'arbre égale en beauté celui que Phœbus aime;
> S'il en avait l'odeur, c'est le laurier lui-même;
> Sa feuille sans effort ne se peut arracher;
> Sa fleur résiste au doigt qui la veut détacher,
> Et son suc, du vieillard qui respire avec peine,
> Raffermit les poumons et rafraîchit l'haleine.

Et pour que rien ne manque à la gloire et à l'importance de ce fruit, Aristophane qui l'appelle *axioma persicum* à cause de sa saveur aigre, dit qu'autrefois on faisait avec les feuilles du citronnier des couronnes qu'on plaçait sur la tête des dieux immortels.

Le citron est souvent employé dans la cuisine pour l'assaisonnement de plusieurs sauces; on en fait aussi une boisson très-rafraîchissante et de fort bon goût.

CITRONS CONFITS. Pelez, coupez en quatre, faites blanchir vos citrons. Lorsqu'ils sont cuits, vous les mettez d'abord dans l'eau fraîche et ensuite au sucre clarifié; quand vous les aurez bien égouttés, laissez-les bouillir un quart d'heure dans le sucre, et laissez-les refroidir ensuite; étant refroidis, vous les remettez sur le feu et les faites bouillir jusqu'à ce que le sucre soit cuit à soufflé, puis vous les laissez reposer jusqu'au lendemain, et vous liquéfiez le sirop en trempant votre poêlon dans l'eau.

Faites cuire à part du sucre à la plume, égouttez vos citrons et jetez-les dedans et donnez-leur un bouillon couvert; ôtez-les du feu; le bouillon abaissé, blanchissez votre sucre en le travaillant et l'amenant avec la cuiller contre le bord du poêlon.

Ce sucre étant blanchi, passez-y vos citrons, mettez-les égoutter sur des planches, faites-les sécher et serrez-les.

Vous confisez de la même manière les oranges, cédrats, limons, pommes, etc. (*V. Orange.*)

PETITS CITRONS VERTS CONFITS. Incisez de petits citrons verts, faites-les blanchir jusqu'à ramollissement, retirez-les du feu et laissez-les dans leur eau jusqu'au lendemain; vous les remettez alors sur un feu doux, vous jetez une poignée de sel dans l'eau, qui ne doit pas bouillir et vous remuez. Poussez le feu, donnez à vos citrons quelques bouillons, puis mettez-les dans l'eau fraîche et égouttez-les. Vous faites bouillir un peu d'eau dans du sucre clarifié et vous en donnez un bouillon couvert à vos citrons. Le lendemain, vous les égouttez, vous leur faites jeter trois bouillons en ajoutant chaque fois du sucre clarifié; vous faites donner encore un bouillon aux fruits dans du sucre cuit au perlé, vous les mettez dans une terrine à l'étuve et vous les laissez glacer dans le sucre cuit.

ZESTES DE CITRON CONFITS. Faites bouillir vos zestes dans quatre eaux différentes et remettez-les autant de fois dans l'eau fraîche, il faut les laisser bouillir un quart d'heure chaque fois sur le feu.

Faites cuire d'abord du sucre clarifié et jetez-y vos zestes, quand il commence à bouillir, faites-leur prendre une vingtaine de bouillons et laissez-les refroidir; remettez ensuite votre poêlon sur le feu pour cuire le sirop à lissé et glissez-y vos zestes à qui vous faites prendre sept ou huit bouillons. Retirez votre confiture du feu, laissez-la refroidir, égouttez les zestes, faites bien cuire le sucre perlé, donnez-leur un bouillon couvert, tirez-les au sec et glacez-les.

CITRONATS. Ils se font avec les écorces de citrons dont vous avez rejeté la plus grande épaisseur du tissu blanc et que vous avez coupés en long, faites blanchir et confire comme ci-dessus et faites sécher.

MARMELADE DE CITRONS. Prenez le nombre que vous voulez de citrons à écorce très-épaisse, ôtez-en la peau, faites-les blanchir et mettez-les à l'eau fraîche; égouttez-les, pilez-les fortement et passez-les dans un tamis de crin;

pesez-les, mettez du sucre en proportion (750 ou 500 gr.), et faites bouillir le tout en remuant avec la spatule, jusqu'à ce que la marmelade soit bien cuite, ce que vous reconnaissez en appuyant avec le bout de votre doigt; retirez-la alors et mettez-la en pot.

CONSERVE DE JUS DE CITRON. Faites cuire du sucre au fort perlé, tirez-le ensuite du feu, mettez-y votre jus de citron que vous faites bouillir en remuant afin qu'ils se mêlent bien ensemble et jusqu'à ce qu'ils commencent à s'épaissir et à former une petite glace autour du poêlon, laissez refroidir votre conserve et mettez-la dans des moules pour la garder.

SIROP DE CITRONS. Après avoir fait cuire du sucre au fort boulet, vous le sablez et le mettez dans une terrine en terre ou en grès, puis vous y versez le jus de vos citrons avec un peu d'eau et vous le mettez au degré de cuisson qu'il doit avoir; mettez ensuite votre terrine au bain-marie et remuez de temps en temps afin de bien faire fondre le sucre et le bien mêler avec le jus de citron; quand votre sirop sera très-clair, vous le retirez et vous le mettez en bouteille, après l'avoir laissé un peu refroidir.

GRILLAGE DE TAILLADINS DE CITRONS. Mettez des zestes de citrons découpés dans du sucre cuit à la plume, remuez, grillez presque; poudrez de sucre blanc, dressez et servez.

CITRONNELLE. Ayez six citrons zestés pour deux litres d'eau-de-vie, à peu près; ajoutez cannelle, coriandre, sucre fondu (500 gr.), laissez infuser trente jours, passez et mettez dans les flacons.

EAU DISTILLÉE DE CITRON. Râpez l'écorce de bons citrons, mettez la pulpe et la râpure sur la grille de la cucurbite, lavez dans l'eau de vos citrons la râpe qui a enlevé une partie de l'odeur, ajoutez cette eau dans la cucurbite, dressez votre appareil et procédez à la distillation du petit filet.

VINAIGRE AU CITRON. Enlevez les zestes, mettez vos citrons dans la cornue, versez le vinaigre et distillez jusqu'à réduction au quart.

BISCUITS DE CITRON. Faites cuire du sucre, ôtez-le du feu et mettez-y un peu de raclure de citron en lui donnant telle couleur que vous voudrez; ajoutez-y deux blancs d'œufs bien fouettés et versez promptement votre glace dans des moules de papier double plié en longueur ou en largeur, à proportion du sucre que vous voulez mettre. Quand votre pâte commence à refroidir, vous la coupez de la façon que vous voulez, et vous faites cuire vos biscuits à l'ordinaire.

COMPOTE DE CHAIR DE CITRON. Faites cuire une

gelée de pommes, pelez bien épais et proche du jus un gros citron, coupez-le en long par la moitié et faites plusieurs tranches avec; jetez ces tranches dans votre gelée après en avoir ôté les pépins et faites bouillir le tout ensemble; tirez-la ensuite du feu et laissez-la refroidir à moitié; chargez une assiette de tranches de citrons et couvrez-les de votre gelée.

CITROUILLE

Variété du potiron, qui en diffère par la forme oblongue et la grosseur de son fruit dont la couleur est tantôt verte, tantôt jaune ou blanche. La chair de citrouille se mange de plusieurs façons : soit en potages gras ou maigres, en gâteaux, en crème cuite et gratinée. On en fait aussi des andouillettes avec du beurre frais, jaunes d'œufs durs et frais cassés, persil, sel, poivre, fines herbes, etc.

CIVET

(V. aux articles Lièvre, Chevreuil, Lapin, Outarde, Dinde Oie sauvage, etc.)

CLARIFIER

La clarification est la séparation, par précipitation ou par ascension, de toutes les matières liquides étrangères tenues en suspension. On clarifie le plus communément avec de la colle de poisson ou du blanc d'œuf.

CLOVIS DE SAINT-JEAN-DE-LUZ

Appelées à Saint-Jean-de-Luz *Chirlat*, à Marseille *Praires*, et à Naples *Vongoli (Conca Veneris)*.

Mettre sur le feu, faire sauter jusqu'à ce qu'elles rendent toute leur eau; les enlever de la casserole et les mettre à part; ajouter dans le jus qu'elles ont rendu trois petites gousses d'ail hachées bien fin; poivrer seulement, le jus rendu par le coquillage étant suffisamment salé; mettre de la mie de pain, ou mieux encore de la chapelure, aussitôt que l'ail commence à chauffer; remettre le coquillage dans la casserole, lui faire sauter deux ou trois bouillons et servir chaud. (Recette donnée par François Frères, excellent chef de l'hôtel de France à Saint-Jean-de-Luz.)

COCHEVIS

Genre d'alouette huppée. (*V. Mauviettes.*)

COCHON

« C'est le roi des animaux immondes, dit Grimod de la Reynière, dans l'éloge qu'il fait de cet animal; c'est celui dont l'empire est le plus universel et les qualités les moins contestées. Sans lui, point de lard, et par conséquent, point de cuisine; sans lui, point de jambon, point de saucisson, point d'andouilles, point de boudins noirs, et par conséquent, point de charcutiers.

« Gras médecins, continue Grimod de la Reynière, en s'élevant jusqu'au style lyrique, vous condamnez le cochon et il est sous le rapport des indigestions l'un des plus beaux fleurons de votre couronne. »

Puis retombant au style familier : « La cochonnaille, continue-t-il, est beaucoup meilleure à Troyes et à Lyon que partout ailleurs. Les cuisses et les épaules de cochon ont fait la fortune de deux villes : Mayence et Bayonne. Tout est bon en lui; par quel oubli coupable a-t-on pu faire de son nom une injure grossière? »

Et par quel ingrat oubli M. Grimod de la Reynière ne se souvient-il pas lui-même que c'est à la finesse de l'odorat du cochon que nous devons les truffes; et de quelle façon le cochon est-il récompensé pour chaque truffe qu'il trouve, et qu'il permet à l'homme de mettre dans son panier? Et comment n'admire-t-on pas la persistance de l'intrépide chercheur et sa patience gastronomique qui a sur lui cette bienheureuse influence de toujours le tromper, non pas dans sa recherche, mais dans son résultat; il persiste toujours à chercher pour être battu et voit la truffe lui passer devant le grouin.

Au reste, au mot truffe nous nous étendrons plus longuement sur ce produit que les savants ont placé entre le règne minéral et le règne végétal, ne sachant auquel des deux l'appliquer.

Le cochon était la principale nourriture des Gaulois, aussi en avaient-ils des troupeaux considérables.

Les Romains les faisaient cuire entiers et de différentes manières; une de ces manières consistait à les faire bouillir d'un côté et rôtir de l'autre.

La seconde s'appelait à la Troyenne, par allusion au cheval de Troie dont l'intérieur était rempli de combattants. Celui du cochon se farcissait de bec-figues, d'huîtres, de grives, le tout arrosé de bons vins et de jus exquis; ces mets devinrent si chers que le sénat fit une loi somptuaire pour les défendre.

Athénée parle d'un marcassin à demi bouilli, à demi rôti préparé par un cuisinier qui avait eu l'art de le vider et de le farcir sans l'éventrer; il avait fait un petit trou sous une épaule; l'animal lavé en dedans par du vin avait été ensuite farci par la gueule. Les Égyptiens regardaient le cochon comme un animal immonde, si quelqu'un par mégarde avait touché à un cochon, il devait de suite pour se purifier entrer dans le Nil avec ses habits. Un seul jour et dans une seule circonstance, il était permis de manger du cochon, c'était au moment de la pleine lune : l'animal était alors immolé à Bacchus et à Phœbé. Tout le monde sait que les Israélistes regardent la chair du cochon comme une chair immonde; mais tout le monde sait aussi que cette prescription est plus hygiénique que religieuse; le pays où les cochons acquièrent le plus haut degré de délicatesse, sans doute par les fréquentes occasions qu'ils ont, si l'on en croit, à tort d'ailleurs, les pères jésuites, de manger de la chair humaine est la Chine; aussi les Chinois font-ils du cochon la base de tous les festins et leurs jambons ont-ils une qualité supérieure à ceux de tous les pays.

En 1131 mourut le jeune roi Philippe, que Louis le Gros, son père, avait associé au royaume et fait couronner à Reims. En passant dans une rue étroite un cochon s'embarrassa dans les jambes de son cheval, son cheval s'abattit et le jeune prince se heurta si vivement la tête qu'il en mourut le lendemain; il fut alors défendu de laisser vaguer les pourceaux dans les rues; la crainte de déplaire à saint Antoine fit que l'on excepta de cette défense ceux de l'abbaye du digne saint, mais à la condition qu'ils auraient une clochette au cou.

En 1386, par sentence du juge de Falaise, une truie fut condamnée à être mutilée et pendue, pour avoir tué un enfant.

En 1394, dans la paroisse de Roumaigne, vicomté de Morraigne, un porc fut condamné pour le même crime.

Humbert, Dauphin du Viennois, partant pour la croisade, en 1345 (nous laissons aux savants à dire quelle fut cette croisade), Humbert Dauphin du Viennois fit un règlement par lequel il fixa la maison de la Dauphine, son épouse, à trente personnes; or, pour ces trente personnes il accorda un cochon par semaine et trente cochons salés par an; ce qui faisait trois cochons par personne.

Le défilé des agathopèdes.

Cuvier, ennuyé d'entendre dire que l'intérieur du corps du cochon ressemblait en tout à celui de l'homme et que les anciens chirurgiens, qui n'avaient pas le droit d'ouvrir les morts, étudiaient sur les cochons une anatomie équivalente, a écrit ces quelques lignes pour redresser l'erreur dans laquelle les historiens de la science médicale sont tombés.

« L'estomac de l'homme et celui du cochon n'ont aucune ressemblance ; dans l'homme ce viscère a la forme d'une cornemuse, dans le cochon il est globuleux ; dans l'homme, le foie est divisé en trois lobes, dans le cochon il est long et plat ; dans l'homme, le canal intestinal égale sept à huit fois la longueur du corps, dans le cochon, il égale quinze à dix-huit fois la même longueur. L'épiploon, c'est-à-dire cette partie qu'on appelle vulgairement toilette, est beaucoup plus étendu et plus chargé de graisse ; et, ce qui est très-consolant pour les âmes délicates qui ne veulent avoir rien de commun avec le naturel du cochon, c'est que son cœur présente des différences notables avec celui de l'homme.

« J'ajouterai, pour la satisfaction des savants et des beaux esprits, que le volume de son cerveau est aussi beaucoup moins considérable ; ce qui prouve que ses facultés intellectuelles sont fort inférieures à celles de nos académiciens. » (*Cuvier*.)

Le cochon est, avec le lapin, l'animal le plus prolifique qui soit au monde. Vauban, qui était, comme on le sait, excellent mathématicien, a fait sur les cochons un traité qu'il appelait : *Ma cochonnerie*. Il avait calculé la postérité d'une seule truie pendant douze ans.

Cette postérité se montait en enfants, petits-enfants, arrière-petits-enfants, à 6,434,838 cochons.

Le cochon a été longtemps regardé, à Naples, comme un personnage sacré ; c'était le seul balayeur de rue qui existât dans la moderne Parthénope ; il y avait peu de maisons où un cochon ne fût attaché avec une corde assez longue pour qu'il nettoyât un diamètre de vingt-quatre pieds. Aussi les cochons étaient-ils, ceux qu'on laissait libres, du moins, de toutes les fêtes.

Un des frères du roi de Naples, nommé le prince Antoine, dont la réputation s'expliquera par un mot de son frère, disait devant le roi, en parlant du marquis de Sal... « Nous sommes amis comme cochons. » Et le roi lui répondait en haussant les épaules :

« Vous êtes encore plus cochon qu'ami. »

Le prince Antoine fut surpris dans la chambre d'une paysanne, par un des frères de la jeune fille armé d'un bâton ; il voulut se sauver par la fenêtre, où était appliquée une échelle, mais au bas de l'échelle il trouva le second frère armé d'un second bâton ; il ne lui fallait pas passer par les verges du balai, mais par le manche ; les deux frères s'en donnèrent si bien et vengèrent si galamment l'honneur de leur sœur sur le dos du prince Antoine, que celui-ci en mourut douze ou quinze jours après ; on lui fit un enterrement en grandes pompes, qui partit du palais du roi et s'achemina vers Sainte-Claire, l'église des tombes royales. Mais l'étonnement fut grand lorsqu'on vit un énorme cochon, dont personne ne réclamait la propriété, prendre le haut du pavé et servir de conducteur au cortège ; on fit tout ce qu'on put pour le chasser, mais rien au monde ne put parvenir à le faire dévier de sa route ; arrivé à l'église Sainte-Claire il s'arrêta de lui-même, et monta les sept ou huit marches qui conduisent à l'intérieur de l'église. Alors on fit de nouveaux efforts pour éloigner l'animal immonde ; mais celui-ci sembla défendre ce qu'il paraissait regarder comme son droit ; le suisse s'avança en le menaçant de sa hallebarde, dont il allait peut-être le percer lorsqu'une voix dans la foule s'écria :

« Malheureux ! ne voyez-vous pas que c'est l'âme du prince Antoine ? »

Il ne fallut que cet éclaircissement pour faire connaître les droits du cochon, à qui l'église fut ouverte et qui assista à toute la cérémonie mortuaire avec la tranquillité d'une âme qui sait qu'elle peut compter sur des prières.

Le cochon est de tous les animaux celui qui est le plus employé dans la cuisine; car dans presque tous les mets, soit entrées ou rôtis, on se sert de lard et de jambon; les autres parties de cet animal sont moins recherchées; cependant la hure est un mets fort distingué, quand elle est apprêtée par un homme qui connaît bien son état; les pieds se servent à la Sainte-Menehould ou farcis de truffes; les oreilles se servent en menu de rois, et les poitrines s'emploient dans bien des ragoûts; il faut choisir le porc jeune et gras, mais bien prendre garde que sa chair ne soit envahie par des parasites qu'on appelle trichines; la science moderne a appris que cette invasion des trichines n'était rien autre chose que la ladrerie.

Dans cet animal, il n'y a rien à jeter : de son sang on fait du boudin, de ses intestins des andouilles, des débris de ses chairs des saucisses et des fromages de cochon.

Terminons par une boutade poétique et porcine du cuisinier lyrique Rouyer :

> Entre Pâques et Pentecôte,
> Que de *Jambons* l'on mangera!
> Aussi chacun, en aimable hôte,
> Sur ce *mets*, son mot contera.
>
> Citons la réponse naïve
> Faite par un gourmand abbé,
> A qui disait un gai convive :
> – « Si dans la religion juive
> Vous viviez...; pour vous prohibé
> Ce *Jambon gras*, à chair exquise!...
> – Oui; pour en manger bel et bien,
> (Si j'étais enfant de Moïse,)
> Je me ferais vite chrétien! » –

> Bonne riposte à l'Esculape
> Grondant le bel esprit Beautru,
> Qui fait de ses draps une nappe
> Sur laquelle est un *Jambon cru:*
> – « Quelle qu'en soit la provenance,
> Cuit ou non cuit, mon ordonnance
> Vous défend, malade piteux,
> Ce jambon, mauvais pour la goutte!...
> – Pour *Elle*, oui, docteur, oui, sans doute;
> Mais qu'il est bon pour le goutteux! »

COCHON
(Hure de)

Le célèbre Beauvilliers et l'illustre M. de Courchamps donnant exactement la même recette pour la hure de cochon ou de sanglier, nous croyons ne pouvoir faire mieux que de nous joindre à ces deux grands maîtres – en l'art de manger. Coupez votre hure jusqu'à la moitié des épaules, c'est-à-dire plus longue qu'on ne la coupe ordinairement; flambez-la, de manière qu'il n'y reste aucune soie; nettoyez le dedans des oreilles en y introduisant un fer presque rouge, pour en brûler les poils qui s'y trouvent; cela fait, lavez bien cette hure, épluchez-la de nouveau, ratissez-la et désossez-la; prenez garde de n'y faire aucun trou, surtout à la couenne de dessous le nez; la chair qui provient des parties charnues, telles que celle des épaules, étendez-la dans les parties de votre hure, où il n'y en a pas, afin que les chairs soient égales partout; ensuite mettez-la dans un grand vase de terre; faites une eau de sel, laissez-la refroidir, tirez-la à clair et versez-la dans votre vase sur la hure, afin qu'elle trempe entièrement; mettez-y une poignée de graines de genièvre, quatre feuilles de laurier, cinq ou six clous de girofle, deux ou trois gousses d'ail (coupées en deux), une demi-once de salpêtre en poudre, du thym, du

basilic et de la sauge; couvrez votre terrine d'un linge blanc et mettez dessus un autre vase qui le couvre le plus possible; laissez-la mariner huit ou dix jours; ensuite égouttez-la; faites une farce pour en garnir votre hure. A cet effet, prenez de la chair de porc, ôtez-en la peau et les nerfs; mettez à peu près la même quantité de lard assaisonné de sel fin et de fines épices; hachez le tout très-menu, en sorte qu'on ne puisse distinguer le lard d'avec la chair; mettez votre farce dans un mortier, pilez-la bien; incorporez, l'un après l'autre, cinq ou six œufs entiers; faites l'essai de cette farce, et remédiez à ce qui pourrait y manquer. Votre farce achevée, étendez votre hure sur une nappe blanche; ôtez les ingrédients qui ont servi à lui donner du goût. Vous aurez coupé du lard en grands lardons que vous aurez assaisonnés avec sel, poivre, quatre épices, des aromates pilés, persil et ciboules hachés et que vous aurez incorporés le mieux possible avec vos lardons; arrangez de nouveau vos chairs dans la peau de la hure; garnissez-la de ces lardons, posés en long de distance en distance, bien entremêlés avec la chair et la farce, de l'épaisseur d'un pouce, mettez-y la langue que vous aurez échaudée et épluchée; faites un autre lit de lardons, et entre ces lardons, placez des truffes épluchées et coupées en long, entremêlées de pistaches que vous aurez émondées; faites ainsi plusieurs lits, jusqu'à l'emploi entier de votre farce, de vos truffes, de votre lard et des pistaches. Votre hure remplie, cousez-la avec une aiguille à brider; ménagez-lui bien sa première forme; enveloppez-la dans une étamine neuve et cousez-la; attachez les deux bouts avec de la ficelle; foncez une braisière avec des parures de boucherie, surtout de veau, des oignons, des carottes, trois feuilles de laurier, deux bouquets de persil et ciboules, quelques clous de girofle, de l'ail et trois bouteilles de vin rouge de Bourgogne; achevez de mouiller avec du bouillon; il faut qu'elle trempe dans son assaisonnement; faites-la partir; couvrez-la avec deux feuilles de fort papier beurré; couvrez la braisière de son couvercle; mettez-la sur une paillasse, avec feu dessus et dessous; faites-la cuire cinq à six heures, cela dépendra de la grosseur de la pièce et de la jeunesse de l'animal dont elle provient; pour vous assurer si elle est cuite, sondez-la avec une lardoire; si elle entre facilement, retirez votre braisière du feu, laissez votre hure dedans et ne la retirez de son assaisonnement que quand elle sera presque tiède; laissez-la refroidir dans son étamine; après, déballez-la, retirez la graisse qui pourrait se trouver dessus; ôtez les ficelles, parez-la du côté du chignon, dressez-la sur une serviette et servez.

HURE DE COCHON A LA MANIÈRE DE TROYES. Appropriez, désossez comme ci-dessus. Seulement remplacez la farce dont vous remplissiez votre hure par des truffes et des pistaches.

JAMBON AU NATUREL. Procurez-vous un bon jambon, ceux de Westphalie sont les meilleurs et en général plus estimés que ceux de Bayonne; parez-le c'est-à-dire enlevez le dessus des chairs et sur le bord du lard ce qui pourrait être jaune, ôtez l'os du quasi, coupez le bout du jarret et mettez votre jambon tremper, après l'avoir égoutté en enfonçant une lardoire dans la noix ce qui vous décidera de laisser dessaler plus ou moins longtemps; cela fait, mettez-le dans un linge, nouez-en les quatre bouts, arrangez-le dans une marmite ou une braisière, proportionnée à sa grosseur; mouillez-le avec de l'eau, mettez-y quatre ou cinq carottes, autant d'oignons, quatre clous de girofle, trois ou quatre feuilles de laurier, deux ou trois gousses d'ail et un ou deux bouquets de persil, thym et basilic; faites-le partir et cuire ensuite à petit feu, par poids de 500 gr.; lorsque vous soupçonnerez qu'il est cuit, sondez-le avec la lardoire : si elle s'enfonce facilement, c'est que sa cuisson est faite; retirez-le; dénouez et renouez le linge pour serrer davantage; votre jambon à moitié refroidi levez-en la couenne près du combien; parez-le et panez avec de la chapelure passée au travers d'un tamis; mettez une serviette sur un plat et dressez-le dessus.

JAMBON BRAISÉ. Parez, ôtez le bord du lard, coupez le manche, désossez l'os du quasi, faites dessaler, mettez dans un linge, liez et posez dans la braisière foncée de bœuf, veau, carottes, oignons, ciboule, persil, clous de girofle, laurier, thym, etc. Mouillez, faites partir, arrosez mi-cuit d'une bouteille de vin blanc (Champagne mêlé d'eau-de-vie ou préférablement Madère pur). Ne couvrez pas, laissez réduire; égouttez, levez la couenne, glacez avec sauce de veau réduite. Servez sur légumes, *ad libitum*.
C'est, modifiée légèrement, la recette Beauvilliers.

JAMBON A LA BROCHE. Dessalez, parez, mettez dans une terrine avec oignon, carotte, laurier, cassis, un litre de Malaga ou Marsala (voir plus haut); fermez dans un linge, laissez mariner un jour et une nuit; faites cuire à la broche arrosé de sa marinade. Levez la couenne, panez et servez sur anglaise et sur la marinade tamisée.

ÉCHINÉE DE COCHON. Prenez-la comme vous feriez d'un carré de veau, ôtez-en l'arête jusqu'au point des côtes et deux heures avant de la mettre à la broche, saupoudrez-la d'un peu de sel dessus et dessous; faites-la bien cuire, et servez-la sous une sauce poivrade. (*V. cette sauce.*)

COTELETTES DE COCHON, SAUCE ROBERT. Coupez, aplatissez, parez, salez, faites griller et vous servirez avec une sauce Robert. (*V. sauce Robert.*)

OREILLES DE COCHON, EN MENU DE ROI. Flambez, nettoyez au fer presque rouge, ratissez, lavez, faites

*Frontispice
de l'Annulaire agathopédique et saucial
paru en 1843.*

blanchir et cuire dans une braisière; laissez refroidir; coupez par filets agrémentés d'oignons en filets cuits au beurre et au blond de veau et dont vous verserez la sauce, en servant, sur vos oreilles de cochon avec adjonction d'un filet de vinaigre.

OREILLES DE COCHON A LA PURÉE. Comme ci-dessus. Puis braisez avec bouillon, carottes, oignons, persil, ciboules, thym, laurier et basilic, égouttez, dressez et masquez avec purée de pois ou de lentilles. (*V. Purée de pois verts.*)

QUEUES DE COCHON A LA PURÉE. Procédez à l'égard de ces queues comme il est dit à l'article précédent pour les oreilles.

PIEDS DE COCHON A LA SAINTE-MENEHOULD. Lorsque le roi Louis XVI s'enfuit de Paris pour se faire arrêter à Varennes, dix brochures parurent pour exposer les causes de cette arrestation; une entre autres de cet enfant terrible de la Révolution que l'on appelait Camille Desmoulins insinue que le roi fugitif n'avait pu résister au désir de manger des pieds de cochon à la Sainte-Menehould, ceci était un mensonge qui, dans la situation où il était fait, prenait les proportions d'une calomnie. Louis XVI ne s'arrêta à Sainte-Menehould que le temps d'y être reconnu par le fils du maître de poste Drouet qui, lui-même, sella son cheval et partit par des chemins de traverse, afin d'arriver avant le roi à Varennes; il le précéda en effet de quelques minutes, et le roi fut arrêté en face de l'hôtel.

Ceci posé et c'est toujours la place de poser une vérité, revenons à nos pieds de cochon.

Flambez ce qu'un cochon peut avoir de pieds, c'est-à-dire quatre, en général; ratissez-les, lavez-les à l'eau chaude, faites qu'ils soient bien propres, fendez-les en deux, rapprochez les morceaux l'un contre l'autre; entortillez-les de ruban de fil, appelé ruban à tabliers, exactement comme si un perruquier faisait une queue; cousez les deux bouts du ruban, faites-les cuire dans une braise ou dans du bouillon, comme les queues à la purée. Égouttez-les, laissez-les refroidir, ôtez-en les rubans, séparez ces morceaux; trempez dans du beurre fondu, panez-les, faites-les griller, et servez à sec.

COCHON (PETIT SALÉ AUX CHOUX). Nous pourrions évoquer les ombres des Grecs et des Romains pour prouver que le chou a mérité les suffrages des premiers peuples de la terre. Et par exemple Caton, ennemi irréconciliable des médecins, médicastre lui-même, traitait toute sa maison avec le chou, sans distinction de maladie, et chose merveilleuse, ses gens ne s'en trouvaient pas plus mal. – A l'exception d'Auguste, tous les empereurs, jusqu'à Vespasien, furent gourmands. Mais il faut le dire à la louange de ce stupide Claude, ce fut lui qui releva le chou par l'amour qu'il portait au petit salé. « Pères conscrits, s'écria-t-il un jour en entrant au sénat, dites-moi, je vous prie, est-il possible de vivre sans petit salé? » Et l'honorable compagnie de répondre aussitôt : « Oui, seigneur, plutôt mourir que de se passer de lard. »

Dès ce moment les sénateurs, pour faire la cour à Claude, se régalèrent de petit salé aux choux.

Pour faire le petit salé, vous coupez des poitrines de cochons en morceaux; frottez-les de sel fin comme le lard, ajoutez-y un peu de salpêtre, arrangez-les au fur et à mesure les uns après les autres dans un pot, ayez soin de les bien fouler pour éviter qu'elles ne prennent le goût d'évent; bouchez les vides que pourra laisser le sel, recouvrez le vase d'un linge blanc et fermez le plus hermétiquement possible et servez-vous-en au bout de huit ou dix jours pour mettre sur des choux ou sur ce que vous voudrez.

LANGUES DE PORC FOURRÉES ET FUMÉES. Prenez des langues de porc dont vous ôtez une partie du cornet, échaudez-les pour leur ôter la première peau, mettez-les dans un vase en les serrant bien l'une contre l'autre, et les salant avec du sel et un peu de salpêtre; joignez-y du basilic, du thym, du laurier, du genièvre et quelques échalotes, si vous voulez, couvrez le pot comme il est indiqué au petit salé, mettez-le de même dans un endroit frais pendant huit jours; au bout de ce temps, retirez-les de la saumure, faites-les égoutter, emballez-les dans des boyaux de cochon, de bœuf ou de veau, liez-en les deux bouts, faites-les fumer, et quand vous voudrez vous en servir mettez-les cuire dans l'eau avec un peu de vin, un bouquet de persil et ciboules, quelques oignons, thym, laurier, basilic; laissez refroidir et servez.

CERVELLES DE COCHON. On les prépare comme les cervelles de veau (*V. cet article*), en ayant soin de les faire accompagner en les servant d'une sauce relevée soit à l'estragon, soit au Cari des Indes.

SAUCISSONS DITS DE BOLOGNE. Les saucissons se font de la même manière que les cervelas dits Mortadelles. (*V. cet article.*)

ÉMINCÉ DE PORC FRAIS A LA MINUTE. Coupez des filets mignons de porc en forme d'escalopes que vous posez dans une poêle ou sur une tourtière après les avoir saupoudrés de mie de pain assaisonnée de fines herbes, sel et poivre; mettez du beurre dans une casserole et passez-y des échalotes hachées, mouillez avec le jus des côtelettes, sel et poivre, faites lier avec du beurre manié de farine et ajoutez une cuillerée de moutarde à votre sauce au moment de servir.

ROTIE AU LARD. Coupez les deux extrémités d'un petit pain mollet et piquez-le d'une extrémité à l'autre avec des languettes de filets mignons de porc frais et de petit lard ; coupez votre pain en tranches et trempez ces tranches dans des œufs battus, faites cuire à petit feu et servez à sec ou à la sauce piquante.

Côtelettes de cochon aux truffes.

COCHON DE LAIT

(Article copié dans un vieux formulaire.)

En choisissant un cochon de lait, vous devez avoir soin de le prendre court, gras et jeune, c'est-à-dire qu'il n'ait pris pour nourriture que le lait de sa mère et alors il doit être bon ; préférez les tonquins aux autres espèces, ils sont beaucoup plus délicats. Quand vous voudrez le tuer prenez-lui le corps entre vos genoux, en lui serrant le grouin dans la main gauche, et vous lui enfoncez le couteau au bas de la gorge, ce qu'on appelle le petit cœur : il est nécessaire que le couteau soit étroit de lame et fort pointu ; dirigez-le bien droit afin d'atteindre l'animal au cœur. Prenez garde de l'*épauler*, car alors il serait difficile à échauder, et comme il saignerait peu, les chairs en seraient noires et moins délicates ; vous aurez fait chauffer une chaudronnière d'eau un peu plus que tiède, vous aurez eu la précaution d'avoir un peu de poix-résine. Avant de tremper votre cochon dans l'eau ayez soin de lui casser les défenses de crainte qu'elles ne vous blessent en l'échaudant ; trempez-lui la tête dans cette eau ; si le poil des oreilles commence à quitter retirez votre eau du feu et trempez en entier votre cochon ; mettez-le sur la table et la résine près de vous ; posez votre main à plat sur cette résine (ce qui vous donnera l'aisance de bien approprier votre cochon), frottez-le, trempez-le plusieurs fois dans l'eau, afin qu'il n'y reste aucun poil, déchaussez-le, c'est-à-dire ôtez-lui les sabots, videz-le et prenez garde de faire l'ouverture trop grande, ôtez-lui tout ce qu'il a dans le corps, hors les rognons, passez votre doigt entre le quasi, pour lui faire sortir le gros intestin, supprimez-le, ciselez-lui le chignon, faites-lui quatre incisions sur la croupe pour lui retrousser la queue entre la peau et les chairs, passez-lui trois brochettes, une dans les cuisses pour lui assujettir les pieds de derrière comme ceux d'un lièvre au gîte, une autre à travers la poitrine pour lui trousser les pieds de devant, et une autre auprès des rognons pour l'empêcher de faire le dos de chameau ; cela fait, mettez-le dégorger dans l'eau fraîche, égouttez-le, laissez-le se ressuyer et mettez-le à la broche ; s'il lui restait quelques poils, flambez-les avec du papier ; lorsqu'il aura fait trois ou quatre tours de broche, frottez-le d'huile avec un pinceau de plumes pour que la peau soit croquante ; faites cette opération plusieurs fois pendant le temps de la cuisson, quand il sera cuit, débrochez-le, faites-lui une incision autour du cou, afin que la peau reste croquante et servez-le très-chaudement.

COCHON DE LAIT FARCI A L'ANGLAISE. La seule différence de celui-ci d'avec le précédent est que la farce sera faite avec le foie haché, de la mie de pain trempée dans le lait, du beurre, de la tétine, des œufs, des jaunes surtout, des assaisonnements épicés, etc.

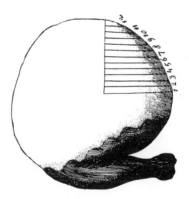

COCHON DE LAIT EN GALANTINE. Échaudez un cochon, comme il est indiqué plus haut, faites-le dégorger, égouttez-le, désossez-le, à la réserve des quatre pieds et prenez garde de trouer sa peau ; faites une farce cuite, de volaille ou de veau, étendez la peau de votre cochon sur un linge blanc, mettez-y de cette farce l'épaisseur d'un doigt, garnissez-la de gros lardons de lard et placez entre ces lardons des filets de truffes, des filets d'omelettes et des jaunes d'œuf entiers, des filets de pistaches, des filets d'amandes douces et des filets de noix, de jambon cuit, couvrez le tout d'une même épaisseur de farce et continuez ainsi jusqu'à ce que la peau soit bien remplie sans être trop tendue; surtout faites en sorte de conserver à la tête de l'animal, ainsi qu'à son corps, leurs premières formes; cousez-le avec une grosse aiguille et du meilleur fil de Bretagne, fixez les quatre pieds comme pour le mettre à la broche, frottez-le de jus de citron, couvrez-le de bandes de lard, emballez-le dans une étamine neuve que vous coudrez en attachant les deux bouts, formez une braise avec les os et les débris de ce cochon, quelques lames de jambon cru, un jarret de veau partagé en deux, deux gousses d'ail, deux feuilles de laurier, du sel, carottes, oignons et un bouquet de persil et ciboules; posez dessus le même cochon que vous mouillerez avec du bon bouillon et une bouteille de vin de Graves; faites-le partir, retirez-le sur les bords du fourneau, faites-le aller doucement pendant trois heures, laissez-le refroidir dans sa cuisson, ensuite déballez-le, ôtez les bardes de lard, dressez-le sur le plat. Vous aurez passé le fond de votre braise au travers d'un tamis de soie, si ce fond n'est pas assez *ambré*, mettez-y un peu de jus, faites-le réduire et clarifiez comme il est indiqué à l'aspic (*V. Aspic*), faites un cordon de cette gelée autour de votre plat, soit en *diamant* ou de toute autre manière, et servez pour grosse pièce à l'entremets. (Recette traditionnelle.)

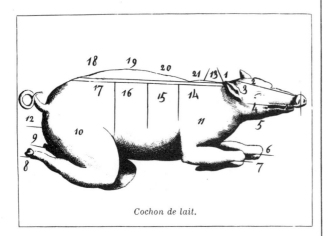

Cochon de lait.

COING

Fruit du cognassier. On en fait un sirop de coings qu'on administre dans les cas de diarrhées rebelles et l'eau mucilagineuse qu'on obtient par l'immersion des pépins de coings. Le coing sert à faire la *bandoline*, dont se servent les coiffeurs pour lisser les cheveux.
Le coing sert aussi à fabriquer des confitures dont nous allons indiquer les différentes recettes.

COINGS AU BEURRE. Vous faites cuire des coings au four puis vous les pilez et les émincez en bons morceaux, en évitant d'en rien détacher; jetez-les encore chauds dans une bassine de faïence dans laquelle vous aurez mis un bon morceau de beurre frais, une pincée de sel, une bonne dose de sucre en poudre et de la cannelle, sautez sans laisser bouillir et servez avec des croûtons frits.

COINGS CONFITS. Prenez des coings bien odorants, coupez-les par moitié ou par quartiers, pelez-les et ôtez-en les cœurs, mettez-les à mesure dans l'eau fraîche, faites-en bouillir d'autre, mettez-y vos coings et laissez-les jusqu'à ce qu'ils commencent à s'amollir.
Cela fait, tirez-les et remettez-les dans de l'eau fraîche, faites cuire du sucre, mettez-y vos coings et faites-les bouillir à petit feu, couvrez-les pour leur faire prendre une couleur rouge, ôtez-les quelquefois de dessus le feu et remettez-les après qu'ils se seront un peu reposés, jusqu'à ce que le sirop soit cuit presque en gelée et couvrez-les lorsqu'ils seront froids.
Faites une décoction des pelures, des trognons et de quelques autres parties de coings, passez-les au tamis ou à travers un linge et servez-vous-en pour cuire ceux qui sont destinés à être confits, ajoutez-y de la cochenille préparée pour leur donner belle couleur.

COMPOTE DE COINGS. Les coings ne forment point une substance assez compacte pour qu'on en puisse faire rien qui vaille en compote.

COINGS A LA MOELLE. Mettez vos coings sous la cendre dans une robe de papier beurré. Cuits, coupez-les, sucrez-en les tenant devant le feu. Ajoutez quelques grammes de moelle parfaitement fraîche, du ratafia de coings, de la cannelle, laissez bouillir et dressez avec biscuits d'une pâte légère.

GELÉE DE COINGS. Prenez et coupez par morceaux une certaine quantité de coings, tirez-en la décoction en les faisant bouillir dans l'eau, qu'ils trempent seulement sans être noyés, jetez-les sur un tamis, lorsqu'ils seront bien cuits, ayez du sucre clarifié, une cuillerée pour deux de décoction, faites-le cuire au soufflé, ajoutez-y votre décoction et faites cuire votre gelée, retirez-la, sa cuisson faite, et mettez-la en pots.

CONSERVE DE COINGS, APPELÉE COTIGNAC D'ORLÉANS. (Cette bonne recette provient des archives de M. Grimod de la Reynière qui la tenait du confiseur de son oncle, M. de Jarente, évêque d'Orléans.) Prenez les plus beaux coings et ôtez-en les pépins en y laissant toute la peau des fruits, car c'est dans la peau des coings que se trouve la plus grande partie de leur parfum et de leur saveur particulière; enlevez les pépins et la partie fibreuse, vous les mettez avec de l'eau dans une bassine, les retournant de temps en temps avec une spatule jusqu'à ce qu'ils soient bien tendres, alors vous les retirez et les jetez dans un tamis sur une terrine; quand ils sont refroidis, vous les écrasez et les réduisez en pulpe que vous faites réduire à moitié sur le feu, vous la retirez et la versez de la bassine dans un vase de terre vernissée ou dans une terrine, précaution sur laquelle on ne peut trop insister.

Vous clarifiez même quantité de sucre que de marmelade, et vous le faites cuire au petit cassé; vous y versez la marmelade en remuant bien avec une spatule; quand le mélange est bien fait vous remettez la bassine sur un petit feu, en remuant toujours jusqu'à ce que vous découvriez facilement le fond de la bassine, alors vous la retirez de dessus le feu.

Vous posez sur une plaque de fer-blanc ou sur des ardoises des moules de différentes figures, soit en rond, soit en carré, soit en forme de cœur, vous les emplissez de votre pâte ou marmelade, ayant soin d'en bien unir la surface avec un couteau; lorsque tous les moules sont remplis, vous saupoudrez avec du sucre et les mettez à l'étuve avec un bon feu. Le surlendemain vous les retirez des moules, vous les posez sur des tamis en les retournant et les saupoudrez aussi de sucre de ce côté; vous les laissez en cet état un jour à l'étuve et les conservez dans des boîtes bien bouchées, en les disposant par lits et mettant entre chacun une feuille de papier blanc.

Nous avons cru devoir mettre ces recettes au mot coing, plutôt que de les indiquer aux mots compotes, conserves ou gelées, et nous ferons de même pour les autres fruits, susceptibles des mêmes préparations.

COLLAGE

On appelle collage, en termes culinaires, l'opération que l'on fait subir aux vins pour les clarifier.

Le collage du vin a pour but de lui donner de la limpidité, de le dégager de la lie et des parties trop colorantes, d'opérer enfin ce qu'on appelle la clarification. Pour obtenir ce résultat, on se sert ordinairement de colle de poisson et de blancs d'œufs ou de poudres préparées à cet effet. On a soin d'abord de tirer de la pièce la valeur de deux bouteilles, on prend six blancs d'œufs que l'on bat ensemble avec une demi-bouteille de vin. On introduit par la bonde un bâton fendu et l'on agite le vin en faisant pénétrer le bâton dans tous les sens, et puis on verse les blancs d'œufs préparés et l'on achève de remplir la pièce qui doit être bouchée environ un quart d'heure après avec une bonde fraîche; huit jours après on peut tirer le vin sans inconvénient. Pour opérer le collage avec de la colle de poisson (collage qui convient uniquement au vin blanc, retenez-le bien, tandis que les blancs d'œufs ne sont bons que pour coller le seul vin rouge), il faut prendre 6 grammes de colle, la couper par feuilles très-minces, la faire dissoudre dans une demi-bouteille de vin

pendant vingt-quatre heures, et agir de la même façon qu'avec les blancs d'œufs.

Le collage de la bière se fait de la même manière.

COMPOTE

On se sert également de ce terme pour désigner un grand nombre de préparations culinaires.

On fait des compotes avec toutes sortes de volailles, telles que pigeons, tourtereaux, ramiers, perdreaux, alouettes, etc., que l'on fait cuire avec des carrés de petit lard et dans du consommé assaisonné avec des cinq racines, des sept fines herbes et des quatre épices.

Quant aux compotes de fruits, ce sont tout simplement des confitures qui n'ont pas assez cuit pour dénaturer la forme du fruit qui fait leur base, et qui, par ce seul fait, conservent encore toute leur saveur originelle, ainsi que leur fraîcheur et leur parfum. Les compotes doivent être mangées aussitôt leur préparation, sans quoi elles perdent toutes leurs qualités.

Nous allons indiquer les différentes espèces de compotes en renvoyant, pour leur préparation, aux fruits qui les composent :

Compote de pommes dite à la paysanne. *(V. Abricot)*.
Compote de pommes de reinette à la gelée d'oranges.
Compote de pommes de calville rouge à la gelée de framboises.
Compote de cœur de pigeon aux tranches de cédrat.
Compote de pommes grillées à la portugaise.
Compote de poires à la ménagère. *(V. Abricot.)*
Compote de poires crues à la royale. *(V. Bon-chrétien.)*
Compote de poires de bon-chrétien mêlées de petits citrons confits.
Compote de poires de Martin-sec à la portugaise.
Compote de poires de rousselet aux montants d'angélique.
Compote de coings. *(V. Coing.)*
Compote de pêches à la coque.
Compote de pêches royales au jus de groseilles blanches.
Compote de pêches de vigne au vin de Clos-Vougeot.
Compote de pêches tardives au vin de Lunel.
Compote de brugnons à la ménagère.
Compote de brugnons glacés au candi.
Compote d'abricots.
Compote de prunes de reines-Claude au naturel.

Compote de reine-claude au rhum.
Compote de prunes de mirabelle mêlées de cerises.
Compote de prunes de Damas jaune au ratafia de fleur d'oranger.
Compote de framboises mêlées de groseilles épipennées.
Compote de verjus au naturel.
Compote de verjus muscat au candi.
Compote des quatre fruits et de verjus rouge en macédoine.
Compote de cerises hâtives à la bourgeoise.
Compote de cerises au marasquin.
Compote de fraises ananas crues au vin de Rivesalte.
Compote de fraises des bois cuites au bain-marie.
Compote d'oranges au naturel.
Compote d'oranges à leur gelée.
Compote d'oranges à leurs zestes pralinés.
Compote de citrons doux à l'écorce de cédrat.
Compote de limons à l'eau de vanille.
Compote d'ananas crus au vin grégeois. *(V. Ananas.)*
Compote de marrons au jus de bigarade.
Compote de marrons glacés à la liqueur de cannelle.
Compote de groseilles vertes à la crème fouettée.
Compote d'amandes vertes à la purée de pistaches.
Compote de nèfles frites à la moelle et au vin de Bordeaux sucré.

Toutes ces compotes se préparent de la même manière, les fruits seuls en changent la composition.

CONCOMBRE

Il y a différentes espèces de concombres, mais nous n'avons à nous occuper ici que des concombres verts dont on se sert le plus ordinairement dans la cuisine où on les emploie de diverses manières.

CONCOMBRES FARCIS. Épluchez trois ou quatre concombres, parez-les avec soin et tournez-les; coupez-en les pointes du côté de la queue, prenez une grosse lardoire et videz-les après en avoir ôté tous les pépins. Mettez-les dans l'eau avec un filet de vinaigre, rincez-les bien et faites-les blanchir au grand bouillant; rafraîchissez-les, laissez-les égoutter, et remplissez-les d'une farce cuite, faite avec des blancs de volaille (*V. Farce*), foncez une casserole de bardes de lard, posez-y vos concombres, assaisonnez-les avec sel, poivre, bouquet de persil, ciboules, un verre de vin blanc, une demi-feuille de laurier, deux clous de girofle, joignez-y une cuillerée à pot du derrière de la marmite, couvrez-les d'un rond de papier, faites-les partir, mettez-les mijoter sur une cendre chaude; leur cuisson achevée, égouttez-les, dressez-les, glacez-les, saucez-les d'une espagnole réduite, bien corsée et servez.

RAGOUT DE CONCOMBRES POUR GARNITURES. Vous coupez vos concombres par tranches et vous les faites mariner avec sel, poivre, un peu de vinaigre et des oignons coupés, puis vous les pressez dans une serviette et les passez avec du lard fondu, liez la sauce en la mouillant avec du jus, avec du blond de veau ou coulis de jambon.

CONCOMBRES A LA POULETTE. Faites blanchir vos concombres et mettez-les, après les avoir coupés, dans une casserole avec du beurre, singez-les d'une pincée de farine bien fine, sautez-les, mouillez-les avec de l'eau, avec sel et poivre, faites cuire et réduire, mettez du persil haché, un peu de muscade, liez-les avec des jaunes d'œufs et de la crème, faites cuire votre liaison sans laisser bouillir et servez.

CONCOMBRES A LA BÉCHAMEL. Préparez ces concombres prêts à être accommodés, et mettez cuire et réduire avec de la béchamel grasse ou maigre dans une casserole, ajoutez au moment de les servir du beurre et un peu de muscade râpée, sautez-les, assurez-vous s'ils sont de bon goût et servez.

CONCOMBRES FRICASSÉS. Vos concombres coupés par tranches, vous les faites cuire entre deux plats avec sel, clous de girofle, et un peu de beurre, ajoutez de la croûte de pain, des raisins de Corinthe et des champignons coupés bien menu; quand vos concombres sont cuits mettez-y du verjus ou des jaunes d'œufs délayés avec du verjus et un peu de muscade et servez.

SALADE DE CONCOMBRES. Prenez un ou deux concombres, qu'ils ne soient pas encore à leur maturité, épluchez-les, goûtez s'ils ne sont pas amers et dans ce cas rejetez le concombre, coupez-les en ronds bien minces, mettez-les dans un compotier avec sel, poivre, vinaigre, oignons hachés, laissez-les confire deux ou trois heures et servez avec le bœuf après avoir supprimé une partie de leur assaisonnement.

CONFITURES

Il y a deux sortes de confitures, les *confitures sèches* et les *confitures liquides*. Les premières sont composées de fruits, de tiges, de racines, de certaines plantes et des écorces de certains fruits. Les secondes se font avec des fruits confits dans du liquide et leur préparation demande les plus grands soins.

Les marmelades, les gelées et les pâtes sont aussi de la catégorie des confitures, seulement les marmelades ne s'appliquent guère qu'aux abricots et aux prunes; quant aux gelées, elles s'obtiennent avec des jus de fruits dans lesquels on fait dissoudre le sucre et que l'on fait bouillir jusqu'à consistance sirupeuse.

Nous allons d'ailleurs donner, par catégories, les différentes recettes des marmelades, gelées, pâtes, etc.

GELÉES

GELÉE DE GROSEILLES. Il est important pour faire cette gelée que vous preniez des groseilles qui ne soient pas trop mûres et encore acidulées afin que votre gelée soit bien claire; dans le cas contraire, vous seriez obligé de la clarifier, ce qui ne saurait se faire sans nuire à l'arôme des fruits.

Il faut ordinairement pour faire une bonne gelée 500 grammes de sucre par 500 grammes de fruits, mais cette proportion n'est pas de rigueur.

Prenez 2 kilos de sucre, cassez-le par morceaux dans une poêle d'office, ayez 5 kilos de groseilles dont un kilo de blanches pour que votre gelée soit plus belle, égrenez-les ensemble, mettez-les dans une autre poêle avec un demi-setier d'eau, pour les fondre, mettez-les sur le feu et remuez de temps en temps afin qu'elles ne s'attachent pas; ajoutez-y pour donner du goût un petit panier de framboises bien épluchées, et faites bouillir le tout; passez-les après sur un tamis pour en retirer le jus que vous versez sur le sucre, remettez ce sucre sur le feu, pour lui faire jeter une douzaine de bouillons et assurez-vous si elle est cuite à point, mettez-en une pleine cuillerée à bouche sur une assiette, laissez-la refroidir; si elle tombe en gelée vous pourrez l'empoter, sinon faites-lui prendre un ou deux bouillons de plus.

Vous couvrez vos pots, d'abord avec une rondelle de papier blanc trempé dans de l'eau-de-vie, puis vous recouvrez cette rondelle d'un autre papier double que vous rabattez sur les parois de votre pot et que vous attachez avec une ficelle fine.

On ne saurait trop insister sur la couverture des pots : s'ils sont mal couverts, l'air, en pénétrant, altère votre confiture et lui fait perdre une grande partie du liquide qu'elle contient, ce qui la dessèche et lui donne une consistance trop forte.

Il faut aussi employer toujours pour la couverture des pots du papier blanc collé : l'autre absorbe trop facilement l'air.

Je reçois à l'instant un billet d'un maître. On ne saurait être trop renseigné. Je le transmets à mes contemporains et à la postérité. Le voici :

« Cher et illustre maître,

« Voici ce que mon expérience, acquise devant les fourneaux, me suggère sur le point où vous voulez bien me consulter.

« Pour faire de la bonne gelée de groseilles prenez le fruit peu mûr, qui est gélatineux, égrenez-le, jetez les grains dans une terrine, ajoutez quelques framboises également; prenez pour deux kilos de fruits, deux kilos de sucre, que vous ferez fondre dans une bassine avec un demi-litre d'eau; à la première ébullition, cinq minutes après, jetez vos groseilles dans le sucre. — Un quart d'heure de grande ébullition; enlevez la pulpe, jetez votre gelée de groseilles sur un tamis fin; ondulez-la deux minutes, et mettez dans vos pots. — Vous obtenez par ce moyen de la belle gelée, et le goût de fruit bien prononcé. — Infaillible réussite.

« Vuillemot. »

GELÉE DE POMMES A LA FAÇON DE ROUEN. On emploie ordinairement pour faire cette gelée, des pommes de reinette, à cause de la plus grande quantité d'acide qu'elles contiennent, et qui leur permet de ne pas faire une gelée trop fade malgré cela; on y ajoute encore généralement un jus de citron.

Pelez des pommes de reinette avec un couteau d'argent afin d'empêcher leur jus de se colorer, lavez-les bien à l'eau chaude, égouttez-les, mettez-les dans un poêlon, avec assez d'eau pour les baigner complètement, faites-leur jeter un bouillon afin qu'elles soient bien cuites mais pas écrasées, versez-les sur un tamis, laissez-les égoutter, mettez dans votre jus que vous avez passé deux cuillerées de sucre clarifié et cuit au fort lissé; versez le tout dans le poêlon et faites bouillir jusqu'à ce qu'elle tombe en nappe, ajoutez-y de l'écorce de citron coupée en petits filets, laissez bouillir encore une minute ou deux, enlevez les filets de citron avec lesquels vous couvrez les pots que vous avez remplis de gelée.

GELÉE DE FLEUR D'ORANGER. Quand votre gelée de pommes est arrivée à son point de cuisson, vous retirez la bassine du feu et vous laissez tomber l'ébullition, alors vous versez et mêlez rapidement de la teinture de fleur d'oranger en faisant bien attention que la gelée soit encore assez chaude pour faire évaporer l'esprit tandis que l'arôme se mélange avec le sucre.

GELÉE DE ROSES. Se fait de la même manière que celle d'oranger en ajoutant à votre gelée de pommes la quantité suffisante d'eau double de rose, délayée avec un peu de carmin pour donner à la gelée une teinte suave de rose pâle.

GELÉE DE CERISES. Écrasez des cerises dont vous ôtez les noyaux en en conservant seulement une partie pour donner un bon goût d'amande à votre gelée, vous y ajoutez un quart de groseilles égrenées puis vous mettez le tout dans une casserole avec du sucre en suffisante quantité, entretenez l'ébullition pendant un quart d'heure et passez le contenu de votre bassine sur un tamis afin de bien extraire le jus que vous remettez dans la bassine et que vous faites cuire jusqu'à ce qu'il ait atteint la consistance prescrite ; alors vous retirez votre gelée et la mettez dans les pots.

MARMELADES

MARMELADE DE PÊCHES. Choisissez des pêches automnales et mûres que vous pelez et coupez par morceaux, ajoutez du sucre en quantité que vous clarifierez et ferez cuire au fort perlé ; puis mettez vos pêches dans le sucre, ne manquez pas de remuer continuellement, quand votre composition cuit, avec une spatule, jusqu'à ce qu'elle soit arrivée au degré de cuisson voulu.

Ajoutez aussi quelques amandes comme à la marmelade d'abricots.

MARMELADE DE PRUNES MIRABELLES. Prenez de la petite espèce de mirabelles, bien mûres, ôtez les noyaux et faites macérer 24 heures avec du sucre en poudre.

Faites cuire, tamisez et procédez comme pour les autres marmelades de fruits.

MARMELADE DE CERISES. Prenez des cerises mûres, que les oiseaux auront jugées telles en les piquant du bec. Otez-en les queues et les noyaux, écrasez-les et donnez-leur un fort bouillon, passez-les au travers d'un tamis, mettez ce qui est passé dans un poêlon, faites-le réduire à moitié et ajoutez-y quantité égale de sucre ; finissez comme ci-dessus.

La marmelade de groseilles se fait de même.

MARMELADE DE FRAMBOISES. Faites macérer vos framboises pendant 3 ou 4 heures avec du sucre en poudre, mettez-les ensuite dans une bassine et faites cuire à grand feu, passez-les quand elles seront bien fondues sur un tamis très-fin, remettez-les dans la bassine et faites chauffer jusqu'à ce que la marmelade ait pris la consistance nécessaire, empotez-la quand la chaleur est tombée.

MARMELADE DE FRAISES. Comme ci-dessus.

MARMELADE DE VERJUS. Choisissez du verjus presque mûr dont vous ne prendrez que les grains, écrasez-les et mettez-les au feu, faites-leur prendre plusieurs bouillons et passez-les au travers d'un tamis, pour qu'il ne reste que les peaux et les pépins, vous les remettez réduire au feu et vous y ajoutez la même quantité de sucre ; faites cuire et finissez comme ci-dessus.

MARMELADE SANS NOM. Elle se fait avec des fruits d'églantier cueillis après les premières gelées, elle est très-agréable et fortement astringente, c'est un bon stomachique dont il ne faut pas abuser.

Après avoir ôté les queues et les calices de vos fruits, vous les fendez et enlevez toutes les graines. Mettez vos églantines épluchées dans une bassine avec assez d'eau pour les baigner, et faites cuire doucement, passez-les, ajoutez leur poids de sucre, faites réduire et faites bouillir jusqu'à ce que la marmelade ait en refroidissant acquis plus de fermeté que les autres.

MARMELADE DE POIRES. Pelez des poires de bonne espèce, coupez-les par quartier et mettez-les baigner dans l'eau, faites cuire à grand feu, retirez-les et mettez le sucre dans leur eau, pendant que le sucre se fond, vous écrasez vos poires et vous les passez à travers un tamis, puis vous remettez le tout dans la bassine et vous achevez de faire cuire en finissant comme pour les autres.

RAISINÉ DE POIRES A LA PAYSANNE. Prenez un moût de raisins blancs ou de raisins noirs, faites-le réduire d'un quart en bouillant, laissez-le refroidir, versez-y du vin blanc d'Espagne ou de la craie délayée avec de l'eau, mêlez bien la craie avec le moût, il se fait alors une vive effervescence ; quand elle est apaisée, vous ajoutez une nouvelle portion de craie et vous continuez jusqu'à ce que cette effervescence soit disparue. Laissez reposer la nuit, le lendemain décantez le dépôt, passez-le à la chausse jusqu'à ce qu'il soit bien clair ; puis remettez-le sur le feu et faites bouillir avec quelques blancs d'œufs battus dans l'eau ; mettez alors vos poires coupées en morceaux, faites bouillir le tout ensemble jusqu'à cuisson complète des poires et réduction suffisante du moût.

RAISINÉ DE COINGS A LA DAUPHINOISE. Il se fait de la même manière que le raisiné de poires, on y ajoute seulement des coings coupés en morceaux et que l'on a bien brossés pour enlever les poils.

PATES DE FRUITS

PATE DE PRUNES. Cuisez de la mirabelle en gelée et évaporez par couches à l'étuve, même pour toutes les pâtes de fruits. *Observation générale:* Sucrez fortement pour conserver le goût et la couleur.

PATE DE POMMES. On la fait avec une belle gelée de pommes aromatisée.

PATE DE FRUITS VARIÉS. On peut convertir en pâte tous les fruits dont on fait des gelées et des marmelades; on peut en faire en toutes saisons, il ne s'agit que de mettre les gelées ou les marmelades dans une bassine et de les faire amollir en les chauffant doucement.

PATE TRANSPARENTE D'ABRICOT, DE PRUNE, ETC. Écrasez à froid, mettez le suc exprimé dans une bassine avec un peu de gomme arabique, puis vous clarifiez au blanc d'œuf, en l'introduisant dans le jus que vous remettez dans la bassine et que vous mêlez bien en faisant bouillir et en ôtant les écumes à mesure qu'elles se forment.

COUGLOFF A L'ALLEMANDE. On ne saurait donner une meilleure formule que celle ci-après, recueillie par M. Carême.

Mettez dans une grande terrine vernissée une livre et demie de beurre fin que vous avez fait tiédir, puis avec une grande cuiller en bois (neuve ainsi que la terrine) vous mêlez ce beurre pendant six bonnes minutes, afin qu'il devienne velouté et d'un mœlleux parfait, vous y joignez ensuite deux œufs, puis vous remuez ce mélange pendant deux bonnes minutes, ajoutez trois jaunes d'œufs et remuez encore deux minutes. Vous sucrez ce procédé, en mettant successivement dix autres œufs et neuf jaunes, ce mélange de beurre et d'œufs doit vous donner une crème extrêmement douce au toucher; alors vous y mêlez peu à peu deux livres de belle farine tamisée, ce qui commence à donner une pâte mollette, vous y joignez douze gros de bonne levure dissoute dans un verre de lait chaud. Vous passerez ce liquide dans le coin d'une serviette (on emploiera le même procédé pour passer la levure liquide avant de la joindre dans les détrempes où son addition est nécessaire), remuez bien ce liquide à la pâte en y mettant huit onces de farine passée, puis faites un creux dans la pâte, dans laquelle vous mettez une once de sel fin et quatre onces de sucre en poudre, ensuite vous versez dessus un verre de lait chaud et le mêlez à la masse entière en y joignant encore huit onces de farine.

Cette pâte se travaille encore quelques minutes en y versant de temps en temps un peu de lait chaud, afin de la rendre de la consistance mollette du gâteau de Compiègne. L'addition du lait donne plus de corps et la rend plus lisse qu'elle n'était d'abord.

Il est aisé, ce me semble, de voir que la manière de travailler cette détrempe contribue seule au moelleux de ce délicieux gâteau.

Ensuite vous avez tout prêt un moule de la même grandeur et beurré de même que pour le gâteau de Compiègne; mais avec cette différence que dans celui-ci vous placez avec symétrie des amandes douces séparées en deux parties, puis vous y versez la pâte par petite partie, afin de ne pas déranger les amandes pour la fermentation et la cuisson. C'est absolument la même manière de procéder que pour la brioche royale ou gâteau de Compiègne. *(V. Brioche.)*

« Nous sommes redevables de cette intéressante recette (dit toujours M. Carême) à M. Eugène Wolf, chef de cuisine du prince Schwartzenberg, et je remercie bien sincèrement cet estimable et savant praticien de ce qu'il a bien voulu me rendre ce service important, puisque aujourd'hui je peux en enrichir notre grande pâtisserie nationale.

« M. Eugène Wolf m'a assuré que les Viennoises ont un talent tout particulier pour bien faire ce gâteau. Elles ont la sage précaution de se mettre dans un lieu chaud pour travailler, puis elles font tiédir les œufs, le beurre, la farine et même la terrine, ce qui fait le plus grand honneur aux femmes de Vienne. »

CONSERVES

Les conserves sont une grande et précieuse ressource pour la marine et l'armée, ainsi que pour l'économie domestique.

On donne aussi ce nom à des substances végétales sèches ou fraîches, qu'on incorpore avec une quantité suffisante de sucre pour en faire une pâte assez consistante mais toujours molle.

La conservation des aliments paraît toujours beaucoup plus moderne que celle des corps. La plus simple méthode est celle des salaisons, quoiqu'elle ne soit pas générale, et ne s'applique qu'à un petit nombre d'aliments.

La méthode la plus générale est celle soumise par M. Appert à l'Institut, et qui consiste à conserver toutes les substances alimentaires dans des boîtes de fer-blanc et de fer battu. Avant de renfermer une substance alimentaire quelconque, M. Appert la fait soumettre à l'influence de la chaleur du bain-marie, qu'il considère comme le principe unique et universel de conservation; par ce procédé, les substances animales ne perdent rien de leur poids ni de leur volume; dans les substances végétales au contraire, le calorique en sépare l'eau de végétation qui, restant dans les bouteilles, devient un jus excellent; il diminue d'autant le volume de la substance conservée et en améliore la qualité.

M. Masson, jardinier en chef de la Société d'horticulture, emploie pour la conservation des substances alimentaires végétales le procédé suivant.

Ces substances sont épluchées avec soin, débarrassées des parties dures comme pour les préparations usuelles culinaires; on les dispose sur des claies en canevas très-clair cloué sur un cadre en lattes; ces claies sont placées sur des rayons en lattes, et les matières sont soumises à l'action de l'air chaud dans une étuve chauffée à environ 40 degrés. Cette opération prive les substances de l'eau surabondante qui n'est pas indispensable à leur constitution et qui, pour certains végétaux, tels que les choux et les racines s'élève à plus de 80 ou 85% de leur poids à l'état frais. On les soumet ensuite à la compression très-énergique d'une presse hydraulique, compression qui réduit leur volume, augmente leur densité, la porte à celle du bois de sapin, et facilite ainsi la conservation, l'arrimage et le transport de ces substances. Les légumes desséchés et comprimés sont habituellement livrés en tablettes de 0^m,20 de côté environ, enveloppées d'une feuille mince d'étain; 25,000 rations ne demandent qu'un espace d'un mètre cube. Pour employer les légumes ainsi préparés, il suffit de les laisser tremper de 30 à 45 minutes dans l'eau tiède; ils reprennent alors presque toute l'eau qui leur a été enlevée; on les cuit ensuite pendant le temps nécessaire et on les assaisonne à la manière ordinaire. Le procédé ci-dessus s'applique à tous les légumes verts, aux racines, aux tubercules et mêmes aux fruits.

Si vous voulez de bon bouillon, prenez de l'essence de chair crue du baron Liebig, et mettez-en une cuillerée à café dans un bol d'eau bouillante, salez-le en conséquence, et vous aurez en cinq minutes de l'excellent consommé, où vous pouvez ajouter des pâtes après les avoir préalablement fait cuire.

Ne nous occupons ici que des conserves de fruits, en renvoyant pour la préparation des conserves de viande à l'article qui les concerne.

CONSERVES DE FRUITS ENTIERS

PRUNES CONFITES. On laisse le fruit tel qu'il est, et on le pique en divers endroits, pour qu'il puisse rendre son eau et se bien pénétrer de sirop. On suit le même procédé que pour les abricots *(V. Abricots)*, mais il faut que le sirop soit concentré cinq ou six fois, c'est-à-dire chaque fois qu'on le verse sur les prunes dont il absorbe une partie de l'eau qu'elles contiennent.

A la dernière cuisson, on y jette les prunes et on leur fait essuyer un gros bouillon, on laisse les prunes dans le sirop pendant quarante-huit heures, en prenant bien soin que le sirop ne refroidisse pas.

On fait ensuire sécher les prunes comme les abricots.

CONSERVE DE CITRONS. Vous zesterez un citron dans une assiette, vous exprimerez le jus sur vos zestes et les laisserez infuser un peu de temps, faites cuire environ une demi-livre de sucre clarifié au fort perlé, passez votre jus de citron au travers d'un linge ou tamis de soie pour en retirer les zestes, vous mettez votre jus dans le sucre et le travaillez avec une cuiller, jusqu'à ce qu'il soit très-blanc, et le versez après dans vos moules.

NOIX CONFITES. Vous enlevez l'épiderme des noix vertes, et vous les jetez à mesure dans l'eau fraîche pour les empêcher de noircir, faites-les blanchir dans l'eau bouillante, et remettez-les ensuite dans l'eau fraîche; clarifiez et faites cuire du sucre au lissé, laissez-le refroidir et versez-le sur vos noix. Le lendemain, faites chauffer votre sirop sans bouillir, ajoutez du sucre pour remplacer celui que les noix ont absorbé et versez-le sur vos noix après l'avoir laissé un peu refroidir, répétez cinq fois cette opération en ajoutant chaque fois assez de sucre pour que le sirop revienne à la même consistance; faites sécher au four sur des assiettes saupoudrées de sucre dans lequel vous aurez roulé les noix.

C I T R O N S V E R T S C O N F I T S. *(V. Citrons.)*

O R A N G E S C O N F I T E S. Incisez par endroits l'écorce de vos oranges, mettez-les dans un sirop bouillant, mi-eau, mi-sucre, laissez bouillir jusqu'à ce que les oranges soient devenues très-tendres, retirez-les alors.

Remettez du sucre dans le sirop, de manière à l'amener au lisse, faites-le bouillir et remettez vos oranges auxquelles vous donnerez quelques bouillons; écumez le sirop, retirez vos oranges, mettez-les dans une terrine et versez le jus dessus.

Vous les laissez jusqu'au lendemain, vous donnez encore quelques bouillons au sirop et vous les versez sur les mêmes fruits.

Le troisième jour on met le sucre à la nappe et on y ajoute les oranges auxquelles on donne un bouillon couvert. On opère de même les deux jours suivants; le dernier jour après avoir amené le sirop au perlé, vous y mettez les oranges auxquelles vous donnez trois ou quatre derniers bouillons, vous les retirez, les faites égoutter et sécher à l'étuve.

Les cédrats et les bergamotes se préparent de la même manière.

M A R R O N S G L A C É S. Ayez de beaux marrons de Lyon, faites-les cuire à la braise, puis faites clarifier du sucre et faites-le cuire au cassé, placez ensuite vos marrons, jetez-les les uns après les autres dans le sucre, retirez-les aussitôt avec une cuiller et mettez-les à mesure dans l'eau fraîche; le sucre se glacera aussitôt autour.

C O N S E R V E D E C A F É. Faites du café très-fort et très-clair, prenez une livre de sucre clarifié, faites-le cuire au boulet ou au petit cassé, retirez-le du feu et l'affaiblissez avec une tasse de café pour le mettre à son point afin de le travailler, c'est-à-dire qu'il faut toujours que votre conserve soit cuite au fort perlé ou au petit soufflé pour qu'elle puisse prendre et sécher, dressez-la ensuite comme les autres.

C O N S E R V E E N F O R M E D E T R A N C H E S D E J A M B O N. Choisissez le plus beau sucre que vous pourrez, faites-en deux parties que vous mettez dans deux poêlons et faites cuire à soufflé dans l'un et dans l'autre, mettez-y du jus ou de la râpure de citron et un peu de cinabre dans un seul, remuez-le bien avec du sucre pour lui faire prendre couleur, faites ensuite une couche de conserve blanche sur une feuille de papier, par-dessus une couche de conserve rouge, et ainsi de suite en alternant jusqu'à l'épaisseur de quatre doigts, en sorte que la dernière soit rouge; coupez le tout avec un couteau en forme de tranche de jambon, et ren-

versez-le à mesure sur du papier en ajoutant chaque fois à la conserve rouge un peu de cinabre pour rougir davantage.

C O N S E R V E D E R O S E S. Faites cuire une demi-livre de sucre au fort soufflé, prenez de la meilleure eau double de roses, quand votre sucre sera cuit, faites-le cuire avec votre eau jusqu'au fort perlé, donnez-lui de la couleur avec un peu de cochenille préparée ou du carmin que vous travaillerez et coulerez dans des moules.

C O N S E R V E D E N O U G A T. Mondez 500 gr. d'amandes douces et séparez les dicotylédons, faites-les sécher et blondir sur le feu dans une bassine, faites fondre à sec, en remuant toujours, douze onces de sucre dans une casserole non étamée et légèrement beurrée; jetez vos amandes chauffées dans le sucre quand il est fondu et blond; mêlez-les ensemble et étalez-les en les relevant sur les bords de la casserole, en en laissant au fond une couche d'égale épaisseur, laissez ensuite refroidir la casserole et moulez.

CONSOMMÉ
(V. Bouillon.)

COQ

Le coq est à coup sûr l'oiseau le plus glorieux, le plus vigilant et le plus courageux qui existe.

Comme orgueil, il n'y a qu'à le voir marcher au milieu de son harem de poules pour reconnaître que, sous ce rapport, il est le rival du paon. Comme vigilance, il ne dort jamais plus de deux heures de suite et, à partir de une heure du matin, il arrache, par son chant aigu, l'homme au sommeil et le renvoie à ses occupations. Comme courage, Levaillant rapporte dans ses *Mémoires* que son coq était le seul de tous ses animaux que ne troublât ni l'approche ni le rugissement du lion.

Le coq fut de tous temps mêlé à la magie, et les magistrats de Bâle, en Suisse, condamnèrent un coq à être brûlé pour avoir pondu un œuf.

Il fut un instant question, sous le premier empire, de prendre, comme emblème et comme armes au drapeau français, l'ancien coq gaulois. L'empereur Napoléon Ier à qui l'on soumettait cette question refusa en répondant : « Je ne veux pas, parce que le *Renard le mange.* »

Et il choisit l'aigle.

Le coq ne sert dans la cuisine qu'à faire un consommé à qui les anciens dispensaires attribuent des vertus héroïques connues sous le nom de *gelée de coq.*

Le coq-vierge cependant, le célibataire de nos basses-cours, doit à sa continence et à sa vertu un goût et un parfum qui le distinguent éminemment de son oncle le

chapon qui, on le sait, est non le père mais l'oncle des poulets. On le mange à la broche et simplement bardé, car ce serait l'outrager que de le piquer et le déshonorer que de le mettre en ragoût.

Nous avons aussi le coq de bruyère, superbe gibier qui nous vient principalement des Ardennes, des Vosges et des montagnes d'Auvergne, et qui se mange comme le coq-vierge rôti ou piqué.

Le coq, en somme, est un fort bel animal, galant, intrépide, doué d'une voix sonore, et représentant bien l'esprit français ; mais fort peu estimé à la cuisine, où l'on préfère sa progéniture.

CORNICHON

Ce sont de jeunes concombres que l'on confit ordinairement au vinaigre de la façon suivante :

Prenez de très-petits cornichons, brossez-les, coupez le bout de la queue, mettez-les dans un vase de terre avec deux poignées de sel, retournez-les assez pour qu'ils soient tous bien imprégnés de sel, laissez-les reposer vingt-quatre heures, égouttez-les bien, versez du vinaigre blanc bouillant en quantité suffisante pour les faire baigner. Couvrez le vase et laisser infuser vingt-quatre heures, ils auront pris une couleur jaune ; retirez-en le vinaigre que vous mettez bouillir dans un chaudron non étamé sur un feu très-vif, jetez-y les cornichons, remuez-les et, au moment où ils seront près de bouillir, retirez-les du chaudron, laissez-les refroidir, ils reprennent le vert ; mettez-les dans les vases où ils doivent rester et couvrez-les d'assaisonnements comme passe-pierre, estragon, piment, petits oignons, ail, remplissez les vases de vinaigre, de manière que le tout baigne ; couvrez-les avec soin, ils sont bons huit jours après. Si vous tenez plus *au goût qu'à la verdeur*, brossez-les par petites portions à mesure de la cueille, salez-les, faites-les égoutter de leur eau comme ci-dessus, et mettez-les dans le vinaigre à froid avec assaisonnements.

COTELETTES

(V. Agneau, Chevreuil, Mouton, Bœuf, Veau, Cochon, etc)

COTELETTES A LA GENDARME

Mais c'est pour les offrir aux gens les plus honnêtes,
Qu'ici je taille en *veau* de larges *côtelettes :*
J'assaisonne de : *sel, poivre* ; et de *beurre frais*
J'enduis chaque *morceau*, puis je le roule après
Dans une *chapelure*. Ainsi qu'en une *croûte,*
    La *côtelette* est mise toute ;
Ensuite sur un gril, je fais, au feu très-doux,
Cuire, en les retournant, ces *pains* aux beaux tons roux,
    Qu'il faut servir sur *sauce citronnée...*

                  J. ROUYER.

COULEURS
(ou coloration culinaire)

On se sert toujours dans la préparation des pièces d'office de colorations artificielles, voici les colorations inoffensives :

BLEU. Indigo étendu d'eau.

JAUNE. Gomme-gutte ou safran.

VERT. Jus cuit au feu, tamisé, étendu d'eau et sucré de feuilles d'épinards ou de blé vert pilées.

ROUGE. Cochenille et alun en poudre bouillis dans de l'eau.

POURPRE. Pollen de fleurs de carottes sauvages séché et étendu d'eau, ou jus de sureau étendu d'eau.

VIOLET. Cochenille et bleu de Prusse.

ORANGE. Safran et cochenille.

La couleur verte peut se composer de bleu et de jaune, plus le jaune y domine, plus la nuance verte est claire. Le violet se forme également du rouge et du bleu dont la teinte s'assombrit en augmentant l'une ou l'autre de ces couleurs.

Avec ces diverses indications, on pourra donner aux mets qui doivent être colorés les couleurs que l'on jugera les plus appropriées à leur nature.

COULIS

Préparation faite à l'avance et réservée dans les cuisines pour achever certains ragoûts dont le mouillement doit être lié.

Votre coulis d'abord ne doit être ni trop épais ni trop clair et offrir une belle couleur cannelle ; mettez dans un poêlon de la rouelle de veau, en proportion de ce que vous voulez avoir de coulis et du lard coupé en petits morceaux, ajoutez trois ou quatre carottes et placez le tout sur un feu doux ; quand la viande a jeté son jus, vous faites cuire à grand feu ; quand tout est cuit, vous retirez la viande et les légumes, et vous mettez dans la casserole du beurre et de la farine, faites un roux de belle couleur, mouillez-le avec du bouillon chaud, jetez la viande dedans et faites cuire deux heures à petit feu ; passez-le ensuite à l'étamine pour vous en servir au besoin.

COULIS DE POISSON. Faites fondre un bon morceau de beurre à la casserole et mettez revenir et prendre couleur des carottes et oignons par tranches, mouillez avec de l'eau et ajoutez des chairs, bien nettoyées, de poisson, avec sel, poivre, muscade et bouquet garni. Le poisson étant bien cuit, passez ce bouillon dans une passoire et servez-vous-en pour bouillon ou sauce.

COURT-BOUILLON

Sorte de bouillon maigre destiné à lier certaines sauces de poissons. Faites cuire ensemble du vin blanc, du vin rouge, du beurre, des fines épices, du laurier et des fines herbes ; servez votre poisson, quand il est cuit, sur une serviette et mangez-le à la sauce à l'huile et au vinaigre. Les courts-bouillons dits au bleu consistent en employant du vin bouillant dans lequel on met le poisson pour lui donner une belle couleur bleuâtre.

CRABES

Il y a plusieurs espèces de crabes ; mais il n'y a guère que le gros crabe de Bretagne et le crapelet de la Manche qui puissent figurer dignement sur la table, quoique leur chair soit toujours de difficile digestion ; leurs œufs sont meilleurs et les nègres s'en nourrissent ; les Caraïbes ne vivent presque que de crabes.

On les fait cuire à l'eau de sel, ainsi que les homards et les crevettes avec du beurre frais, du persil, un bouquet de poireaux, vous les laissez refroidir dans leur brouet, vous en détachez proprement les chairs blanches, et vous enlevez avec une cuiller la crème de laitance que vous mélangez avec les chairs épluchées en y joignant du cresson, du gros poivre, un peu d'huile vierge et un peu de verjus ; garnissez votre plat de ces deux mordants et servez comme rôt fort élégant, surtout en carême.

CRAPAUD

Le crapaud n'a point dans tous les pays la qualité malfaisante que nous lui connaissons. Quand les nègres d'Afrique sont incommodés de migraines auxquelles l'ardeur du soleil les rend sujets ils se frottent le front avec des crapauds vivants, ce qui les soulage merveilleusement. Les crapauds des Antilles ont la chair aussi bonne et aussi délicate que l'est celle de nos grenouilles, et comme ils sont fort gros, deux de ces crapauds suffisent pour faire un bon plat que l'on sert en fricassée de poulet et dont les indigènes sont friands.

CRÈME

On appelle ainsi l'espèce de peau qui s'élève sur le lait avant ou après son ébullition; elle est composée de sérum, d'un peu de fromage et de beurre à l'état d'émulsion; on ne s'en sert guère comme aliment à cause de la grande quantité de beurre qu'elle contient qui pèserait sur l'estomac et donnerait lieu à des nausées et même à des vomissements; à Roquefort cependant, on en fait un fromage nommé crème de Roquefort, elle est faite avec le lait une fois caillé et avant d'être broyé; elle s'altère facilement, ne supporte pas le voyage et se dénature par une fermentation très-prompte.

On donne aussi ce nom à diverses préparations culinaires dont la base est le lait et qui se font par la cuisson.

Nous allons en indiquer quelques-unes :

CRÈME FOUETTÉE A LA PAYSANNE. Vous prenez une certaine quantité de crème que vous faites réduire à moitié, en y mettant du sucre et une bonne pincée de gomme arabique dissoute dans de l'eau de fleur d'oranger.

Fouettez fortement jusqu'à ce que votre crème forme mousse.

Si vous voulez que votre crème se conserve, mettez le vase qui la contient sur la glace pilée ou recouvrez-le d'un autre plat sur lequel vous mettez de la glace.

CRÈME FRITE. Ayez un demi-litre de lait que vous faites bouillir avec un zeste de citron, délayez deux œufs entiers avec de la farine tant qu'ils en pourront boire, relâchez cet appareil avec quatre œufs blancs et jaunes, mouillez avec votre lait chaud, et supprimez le citron; délayez cette crème de manière qu'il ne se forme pas de grumeaux, faites cuire en tournant comme une bouillie et au bout d'un quart d'heure de cuisson, vous ajoutez du sel, du sucre, un peu de beurre et quelques gouttes de fleur d'oranger, achevez de la faire cuire 7 ou 8 minutes, mêlez de suite quatre jaunes d'œufs, versez-la sur un plafond que vous aurez beurré ou fariné en l'étendant d'un doigt d'épaisseur, laissez-la refroidir, coupez-la en losange ou

en petits pâtés, farinez-la ou panez les beignets avec de la mie de pain bien fine, et faites frire d'une belle couleur, égouttez-les sur un linge blanc, posez-les sur un plafond, saupoudrez de sucre fin, glacez-les, dressez et servez. On peut faire cette crème au chocolat mais sans macaroni.

CRÈME EN MOUSSE A LA VANILLE. Vous versez le tiers d'une gousse de vanille, que vous aurez fait bouillir dans du lait, sur votre crème à fouetter après l'avoir passée au tamis.

CRÈME EN MOUSSE AU CAFÉ. Vous mettez deux ou trois cuillerées de café infusé dans votre crème et vous procédez comme ci-dessus.

CRÈME EN MOUSSE AUX LIQUEURS. Vous procédez comme ci-dessus en ajoutant les liqueurs que vous voulez.

CRÈME EN MOUSSE AU CHOCOLAT. Fouettez fortement votre crème dans laquelle vous aurez mis du chocolat bien fin.

CRÈME EN MOUSSE AUX FRUITS. Prenez un demi-litre de crème bien fraîche, ajoutez-y du sucre en poudre, un peu de gomme arabique et un moyen verre de pulpe de fraises passée au tamis.

Fouettez bien le tout, enlevez la mousse et dressez en forme de rocher.

On fait de cette façon les crèmes de pêches, d'abricots, de framboises, d'amandes, de prunes, etc.

CRÈME AU CAFÉ BLANC. Prenez de la crème suivant la quantité que vous voulez obtenir, ajoutez-y du zeste de citron et du sucre, faites brûler deux onces de café; lorsqu'il sera de belle couleur, jetez-le dans votre crème bouillante, et couvrez le tout avec un couvercle; laissez infuser votre café dans la crème, retirez-le, mettez dans une étamine trois dedans de gésiers lavés, séchés et presque en poudre; passez votre crème à demi refroidie trois fois à travers cette étamine, en bourrant un peu le gésier avec une cuiller de bois; remplissez promptement vos pots de crème en ayant soin de la remuer, puis faites-la prendre au bain-marie, et couvrez la casserole dans laquelle sont vos pots avec un couvercle sur lequel vous mettez du feu. Quand votre crème est prise, vous les retirez et les mettez dans de l'eau fraîche sans les couvrir, essuyez-les, dressez-les, et servez.

Nota. La gélatine de gésier vaut mieux que le blanc d'œuf, retenez-le bien.

CRÈME A LA RELIGIEUSE. Mettez dans une casserole, farine, sucre en poudre, sel, jus de citron, d'orange, ou vanille, mettez ensuite du lait ou de la crème bouillante et faites prendre votre crème au feu. Laissez-la ensuite refroidir et garnissez-la autour d'une mousse, que vous aurez faite avec des jaunes d'œufs durs et un peu de sucre que vous aurez disposés en mousse.

CRÈME RENVERSÉE. Ayez un bol assez grand pour contenir, par exemple, un litre de lait, six œufs et une demi-livre de sucre; faites cuire ensuite au caramel environ un quart de sucre en poudre, ajoutez-y un peu d'eau pour le rendre coulant, puis versez-le dans un moule en enduisant bien les bords et le fond de ce moule; vous laissez refroidir et vous versez ensuite votre crème liquide que vous aurez bien battue, c'est-à-dire, bien mêlé votre lait, les œufs, le sucre et la substance à laquelle vous voudrez faire la crème; mettez le tout au bain-marie dans votre moule avec feu dessus et dessous, jusqu'à cuisson parfaite et belle couleur; laissez ensuite refroidir votre crème dans son moule pendant douze heures afin qu'elle se durcisse bien, renversez ensuite votre moule sur un plat de façon que la crème se trouve sens dessus dessous, dressez et servez avec le jus autour.

CRÈME BACHIQUE. Elle se fait avec du vin de Champagne rose, du sucre, de l'écorce de citron ou de la cannelle que l'on fait bouillir ensemble; cassez ensuite une certaine quantité d'œufs dont vous prenez les jaunes et que vous liez bien ensemble avec un peu de vin que vous versez peu à peu dessus et que vous continuez de remuer sur le feu sans laisser bouillir; puis vous la passez et versez dans le vase qui doit la contenir.

Les crèmes au chocolat, aux pistaches, à la rose, aux oranges citrons, etc. se font toutes comme celle au café. (*V. Crème au café.*) Les substances seules changent et vous les mettez toujours en proportion avec la quantité de crème que vous voulez obtenir.

SABAYON (cuisine italienne). Soit : douze jaunes d'œufs, une demi-bouteille de Madère ou de Malvoisie, 50 grammes de sucre et cannelle en poudre; cuisez, remuez, faites mousser, servez chaud dans de petits pots.

CRÈME AU CÉLERI. Faites bouillir du lait ou de la crème et ajoutez-y une racine de céleri, rave épluchée, coupée par quartiers et lavée; laissez infuser pour faire prendre le goût; prenez ensuite des jaunes d'œufs et liez-les avec 250 grammes de sucre concassé, puis versez-y et liez votre crème en remuant constamment, passez-la, versez-la dans des pots et finissez-la au bain-marie.

CRÈME AUX ŒUFS EN SURPRISE. Vous faites un trou dans un œuf avec la pointe d'un couteau pour le vider entièrement, puis vous mettez dans cette coquille telle crème que vous voudrez; posez-les ensuite sur des coquetiers ou des morceaux de navets taillés pour cet usage; placez-les dans une casserole où ils puissent baigner dans l'eau à moitié, faites-les prendre au bain-marie, lavez-les et servez-les comme des œufs à la coque; on peut aussi les remplir de blanc-manger ou de gelée de poissons.

CRÈME AU FROMAGE BAVAROIS, AUX NOIX FRAICHES. Vous pelez des noix vertes et vous les mouillez légèrement par intervalles, vous les délayez ensuite avec de la crème bouillante dans laquelle vous aurez fait dissoudre du sucre; laissez infuser et passez à l'étamine; ajoutez à la crème un peu de colle clarifiée tiède, et versez le tout dans un moule quelconque que vous placez dans de la glace pilée; remuez-la alors jusqu'à ce qu'elle soit bien liée, c'est-à-dire qu'elle soit très-lisse et coulante; vous ôtez votre moule de dedans la glace, vous mêlez à votre préparation un peu de fromage de Chantilly bien égoutté, vous remuez parfaitement le tout et vous replacez le moule dans la glace où vous le laissez congeler une demi-heure environ; au bout de ce temps vous pouvez démouler votre composition qui vous donne un excellent fromage bavarois, d'un velouté et d'un moelleux parfait.

Les fromages bavarois à l'essence de menthe, au thé, au cacao, aux boutons de roses, à la fleur d'œillet, aux pêches, aux melons, etc., se font de la même manière en les parfumant avec ces différentes matières.

CRÊPES

On les opère avec une pâte à frire faite avec de la farine, du lait, des jaunes d'œufs et un peu d'eau-de-vie. Beurrez votre poêle, versez une cuillerée de pâte sur le beurre chaud, étendez, retournez, retirez et neigez de sucre. (*V. Pannequets.*)

CRÉPINETTES

Ragoût fait avec des viandes hachées et qu'on place dans des morceaux de crépines ou de crépinette de porc.

CRESSON

Herbe crucifère antiscorbutique. Il y a le cresson de fontaine et le cresson alénois. (*V. cet article*). Le cresson de fontaine qui est le meilleur et très-dépuratif se sert en salade mêlé avec la laitue, la chicorée, etc., et pour assaisonnement sain à des volailles rôties ou à des beefsteaks.

CRÊTES

Expansions purpurines et déchiquetées que les coqs et les poules possèdent sur la tête (*V. Abatis et garniture.*)

CREVETTES

Tout le monde connaît ce petit crustacé qu'on voit sur toutes les tables bien servies mais qui semble y être plutôt

La crevette. Illustration de Humbert.

pour l'ornement que pour l'utilité. En effet à peine vit-il deux heures hors de son élément sans mourir et il a besoin d'être cuit vivant encore.

Rien n'est plus joli que de voir nager des crevettes dans un bocal; l'animal est transparent lui-même comme le cristal dans lequel il est enfermé; on voit tout son organisme intérieur et jusqu'aux battements de son cœur; vivante, sa chair semble être visqueuse, cuite elle est compacte et du plus beau blanc

Les crevettes des bords de la Manche sont renommées et celles surtout des environs du Havre qu'on appelle *bouquet*. Nous inviterons les touristes qui habitent le Havre ou Étretat à aller manger des crevettes, à Saint-Jourt, chez la *belle* Ernestine, et en effet, Ernestine est une belle et sage personne de vingt-huit ans, tenant un hôtel et ayant réputation faite sur toute la côte.

Là, on mange le plus beau bouquet qui se pêche à dix lieues à la ronde; c'est le rendez-vous des gourmands du Havre, des peintres et des poëtes de Paris qui ont laissé les uns des dessins les autres des vers à sa louange sur son album. Ce sont en général les femmes qui pêchent les crevettes en poussant devant elles un filet qui ratisse le fond de la mer et ramasse tout ce qui s'y trouve.

Quand elle doit être mangée séance tenante, la crevette se jette tout simplement vivante dans une casserole pleine d'eau de mer bouillante, à laquelle on joint un filet de vinaigre; quand elle doit être transportée à Paris, on plonge la crevette vivante dans un chaudron d'eau douce avec un kilogramme de sel par quatre kilogrammes de crevettes, on la laisse bouillir cinq minutes et on la retire, on la mouille avec de l'eau froide et non salée qui lui donne pour le regard, une valeur égale à celle qu'elle conserve pour le goût.

Outre la crevette servie comme on sert les écrevisses on fait encore une foule de choses à la crevette que nous allons indiquer ici.

On fait du potage à la crevette.

POTAGE A LA CREVETTE. Prenez 6 belles tomates, 6 oignons blancs, faites une purée, moitié tomate, moitié oignons, faites cuire vos crevettes dans du vin blanc avec sel, poivre, un peu de poivre de Cayenne. Vous épluchez vos queues de crevettes que vous posez sur une assiette à part, 100 à peu près. Vous gardez le corps que vous faites bouillir avec l'assaisonnement de vos crevettes, vous le pilez, lui faites prendre un bouillon et le passez au tamis. Vous faites trois parties égales de très-bon bouillon de votre bisque aux crevettes et de vos tomates et oignons; vous mêlez le tout dans trois ou quatre bouillons qui lient bien les trois substances, vous goûtez et si le mélange est bien fait et ne laisse rien à désirer, vous y jetez vos queues de crevettes et vous servez bouillant.

OMELETTE AUX QUEUES DE CREVETTES. Vous faites cuire de la même façon vos crevettes, vous les nettoyez de même et vous les pilez également; vos œufs battus, salés, poivrés, vous y mêlez votre bisque de crevettes, et vous faites l'omelette selon la coutume.

Il en sera de même pour les œufs brouillés aux queues de crevettes. Si vous avez du bouillon de poulet vous le mêlerez avec votre bisque; puis bisque, crevettes, vous jetterez tout dans vos œufs battus dont vous aurez retiré un blanc sur trois, vous tournerez et brouillerez vos œufs comme vous le feriez avec des pointes d'asperges.

Vous pouvez aussi éplucher deux ou trois cents crevettes, pilez les corps dans l'huile et le vinaigre, passez au tamis et cette bisque froide, l'étendre sur une salade salée et poivrée.

CROMESQUIS

Ragoût polonais. Genre croquettes seulement enveloppez-les avec de la toilette de porc, passez à la maréchale, faites frire, servez sauce tomate. (*Vuillemot.*) (*V. Agneau.*)

CROQUANTS
(V. Croquembouche.)

CROQUEMBOUCHE

On donne ce nom aux pièces montées qui se font avec des croquignolles, des gimblettes, macarons, nougats et autres pâtisseries croquantes, qu'on réunit avec du sucre cuit au cassé et qu'on dresse sur une abaisse de feuilletage en forme de large coupe; cette préparation n'est usitée que dans la décoration d'un ambigu d'apparat ou pour l'ornement d'un buffet de grand bal.

CROQUEMBOUCHE A LA SOUBISE. (Recette de M. de Courchamps.) Après avoir fait et cuit une livre et demie de croquignolles à la reine, vous aurez le soin de les *coucher* le plus également possible et d'un pouce seulement de diamètre, puis vous en coucherez le quart plus petit de moitié. Lorsqu'elles seront cuites et refroidies, vous moulerez ce croquembouche de cette manière : après avoir fait cuire dans un petit poêlon d'office huit onces de sucre au cassé, un peu serré, vous en versez la moitié sur un couvercle de casserole à peine beurré, puis vous masquez le feu du fourneau de cendres rouges afin de maintenir le sucre du poêlon assez chaud pour vous en servir et en même temps pour l'empêcher de prendre davantage de couleur; alors vous glacez légèrement le dessus et l'épaisseur des croquignolles que vous placez de suite dans un grand moule uni, parfaitement bien essuyé, mais pour tremper vos croquignolles dans le sucre vous devez les piquer à la pointe du petit couteau, vous les posez avec symétrie dans la forme qui vous agrée le mieux, mais toujours avec l'intention soutenue d'une forme régulière et pittoresque. Lorsque le sucre du poêlon est diminué de trois quarts vous y joignez alors la moitié du sucre au cassé conservé et quand cette partie se trouve employée vous ajoutez le reste du sucre, mais dès qu'il commence à se colorer, vous le versez sur le couvercle de la casserole où vous en avez déjà mis, ensuite vous faites cuire comme ci-dessus huit onces de sucre dans un petit poêlon d'office bien propre, puis vous l'employez de même que le précédent et après celui-là vous recommencez la même opération; lorsque le moule se trouve garni de croquembouche, vous n'aurez pas garni le fond attendu que vous le remplacez par une abaisse de pâte d'office, du même diamètre et que vous aurez parée bien ronde, ainsi que deux plus petites dont une de six pouces de diamètre et une de quatre pouces; alors vous les placez sur leur épaisseur, c'est-à-dire tout autour, puis avec des petites croquignolles que vous placez dans le reste du sucre, vous faites fondre dans le même poêlon comme les précédents, vous les placez en deux ronds l'un sur l'autre à l'entour et sur le bord des deux petites abaisses, vous collez la grande abaisse sur le croquembouche et sur cette abaisse vous collez le plus grand socle par-dessus le second sur lequel vous collez un rang seulement de croquignolles, vous collez par-dessus une espèce de coupe que vous formez dans un moule en dôme avec des croquignolles glacées, et à l'entour du haut vous ajoutez un double rang de croquignolles glacées, et dessus, pour servir de couronnement, vous collez des denticules formées de croquignolles que vous aurez parées carrément, puis au moment de servir vous garnissez la coupe de crème fouettée à la vanille.

CROQUEMBOUCHE DE QUARTIERS D'ORANGES. Faire sécher des quartiers d'oranges, faire cuire le sucre au cassé et non au caramel, les tremper dans le sucre un à un et les dresser dans un moule huilé; renversez sur un plat et servez.

Les marrons de même. *(Recette Vuillemot.)*

On connaît aussi les croquembouches de feuilletage blanc; ces préparations se trouvent en abondance chez les bons pâtissiers de Paris. On aura meilleur compte à les faire venir qu'à les exécuter soi-même.

CROQUETTES

Sortes de beignets panés et frits, foncés de hachis de viandes rôties ou de chair de poisson ou encore d'œufs durs et de purée de pommes de terre, etc.

On verra du reste par les recettes qui vont suivre et que nous a transmises M. de Courchamps, quelles sont les diverses préparations qui se rapportent à ce mets :

Grand croquembouche de choux, sur socle.

CROQUETTES DE LAPEREAU. Après avoir fait cuire deux lapereaux à la broche et les avoir fait refroidir, vous en levez les chairs et en supprimez la peau et les tendons, vous coupez ces chairs en petits dés, avec des truffes, des champignons, quelques foies gras ou demi-gras coupés de même, faites réduire ensuite une cuillerée à pot de blond de veau à la consistance de demi-glace, ajoutez-y persil, ciboules hachées, laissez cuire cinq ou six minutes, mettez les chairs et les truffes dans votre sauce sans la laisser bouillir, liez le tout avec deux jaunes d'œufs, ayant soin de remuer avec une cuiller de bois, versez cet appareil sur un plafond, étendez-le avec la lame d'un couteau et laissez refroidir. Divisez-le ensuite par parties égales grosses comme la moitié d'un œuf, formez-en des poires ou des canelons, ainsi préparées, roulez-les dans la mie de pain, trempez-les dans une omelette où vous aurez mis un peu de sel fin, roulez-les encore une fois dans la mie de pain en leur conservant la forme qu'il vous aura plu de leur donner, faites-les frire à friture un peu chaude, afin qu'elles soient de belle couleur, égouttez-les, dressez-les en dôme et servez-les avec un bouquet de persil frit.

CROQUETTES DE VOLAILLES. Détaillez par membres un jeune poulet, faites le mariner deux à trois heures avec huile, un jus de citron ou vinaigre, sel, gros poivre, ail, tranches d'oignons, persil, égouttez, essuyez, farinez : faites frire, servez avec persil frit ou sur une sauce à volonté.

Vous pouvez vous servir des membres de desserte, mais alors on fait frire la pâte. On fait aussi ces croquettes comme celles de veau. (V. Veau.)

CROQUETTES DE MARRONS A LA DAUPHINÉ. Faites griller cinquante beaux marrons de Lyon ou de Luc, épluchez-les et ôtez-en toutes les parties colorées par l'âpreté du feu, ensuite choisissez-en que vous partagez par moitiés bien intactes, pilez le reste avec deux onces de beurre, et passez ensuite par le tamis de crin; puis vous délayez cette pâte dans une casserole avec un verre de crème, deux onces de beurre, deux de sucre en poudre et un grain de sel. Tournez cette crème sans la quitter sur un feu modéré, desséchez-la deux minutes seulement, mêlez-y 6 jaunes d'œufs et remettez-la un moment sur le feu. Alors la crème doit se trouver un peu consistante mais non pas ferme; versez-la sur un plafond légèrement beurré, et élargissez-la. Couvrez-la également d'un rond de papier beurré; lorsqu'elle est froide vous prenez une de ces moitiés de marron, que vous avez conservée, vous la placez au milieu d'un peu de crème, le double en grosseur d'une moitié de marron que vous enfermez en roulant la crème pour en former une croquette très-ronde; vous la roulez ensuite sur de la mie de pain

extrêmement fine; vous employez ainsi toutes vos moitiés de marron en les masquant de crème. Toutes les croquettes étant formées et roulées dans la mie de pain, vous battez 5 œufs entiers avec un grain de sel fin dans une petite terrine où vous trempez vos croquettes et vous les égouttez un peu, vous les roulez de nouveau sur la mie et vous les placez ensuite, au fur et à mesure, sur un couvercle de casserole; enfin vous trempez tour à tour les croquettes dans l'œuf et les roulez sur la mie de pain; après quoi vous les versez dans une friture très-chaude; si la poêle est grande vous y mettez toutes les croquettes, sinon vous n'en mettez que la moitié afin de les conserver bien rondes; vous les remuez doucement avec la pointe d'un hâtelet et les ôtez avec l'écumoire. Aussitôt qu'elles sont colorées d'un beau blond, égouttez-les sur une serviette double, ensuite vous les saupoudrez de sucre fin, les dressez en pyramide et servez bouillant.

CROQUETTES DE RIZ. Faites crever du riz, comme pour le gâteau de riz (V. cet article), mais au lieu de le mettre dans un moule, vous en faites des boulettes allongées que vous battez dans de l'œuf battu et sucré, passez-les, retrempez-les, repassez-les et faites frire.

CROQUETTES DE POMMES DE TERRE A LA VANILLE. Faites cuire dans les cendres vingt belles vitelottes, épluchez-les, parez-les pour ôter le tour rougeâtre afin de ne vous servir que du cœur de la pomme de terre, alors employez-en une partie que vous pilez et dont vous faites une espèce de marmelade, que vous faites revenir sur le feu avec des œufs, du lait, de la vanille, de l'ail et des macarons amers; puis laissez-la refroidir, faites-en des boulettes, que vous tremperez dans la pâte à frire, et vous finissez comme les beignets.

CROQUETTES DE NOUILLES AU CITRON CONFIT. (Très-peu usité.) Vous détrempez et détaillez 6 onces de pâte de nouille que vous versez peu à peu dans quatre verres de lait en ébullition, faites prendre quelques bouillons, joignez-y 4 onces de beurre, 4 de sucre fin, une once de citronnat émincé, faites mijoter pendant vingt-cinq minutes pour que les nouilles renflent et deviennent moelleuses; alors vous mêlez trois onces de macarons amers, 6 jaunes d'œufs et un grain de sel, laissez refroidir l'appareil et terminez l'opération en procédant comme il est dit précédemment.

Vous procédez de la même manière pour toutes les croquettes à la pâte, en changeant la substance, et en continuant de la verser dans le lait bouillant.

CROQUIGNOLLES

Espèce de petits fours qui entre dans la composition des cro-quembouches. *(V. Croquembouche.)*

CROQUIGNOLLES A LA CHARTRES. Vous pelez une certaine quantité (250 grammes environ) d'amandes douces, et une demi-once d'amandes amères, mouillez-les ensuite avec des blancs d'œufs et mettez-les sur un tour avec de la farine, du sucre, un peu de beurre, de sel et d'écorce de citron râpé, puis cassez des œufs et pétrissez le tout; quand votre pâte sera bien ferme, vous la roulerez et la couperez en petits morceaux que vous poserez sur un plafond beurré, vous les dorerez et les ferez cuire dans un four bien chaud.

CROUSTADES

On appelle ainsi des pâtes de différentes dimensions dont la pâte est plus croquante que celle des *vol-au-vent, des timbales, des casseroles de riz*, etc.

CROUSTADES A LA FINANCIÈRE. Vous faites une pâte comme pour les petits pâtés et vous en foncez des moules de croustades, vous garnissez de farine au vous faites cuire, couvrez-les avec des couvercles de feuilletage fin, posez dessus un deuxième couvercle et faites cuire.
Préparez un ragoût financière avec des quenelles de volailles, crêtes, truffes, champignons, coupés en dés; vous en garnissez vos croustades et vous les servez avec la sauce financière.

CROUSTADES A LA REINE. Vous prenez un pain rond de la veille, vous le coupez en lames minces, vous coupez ensuite dans la mie douze croustades sans la séparer, et vous formez le couvercle en faisant du côté le plus uni de votre pain, une petite incision à environ deux lignes du bord.
Vous prenez ensuite six de vos croustades que vous mettez dans une casserole en les masquant avec du beurre clarifié et vous leur faites prendre couleur, vous les égouttez ensuite et vous procédez de même pour les six autres; vous ôtez la mie et vous la remplacez par une cuillerée de farce fine; vous formez ensuite des petits ballons avec 12 cailles désossées, assaisonnées, glacées et farcies, vous en placez une sur chaque croustade, l'estomac en dessus, et vous mettez les douze croustades sur un plafond masqué de bardes de lard, entourez-les de bardes, et pour les tenir d'une bande de papier fixée avec une ficelle; masquez vos cailles de bardes de lard et par-dessus deux ronds de papier beurré; faites cuire environ une heure et demie au four et à chaleur modérée; otez les bardes, égouttez vos croustades et saucez avec de la glace de veau.
Les croustades de mauviettes, de grives, de ramereaux ou autres petits oiseaux se font de la même manière après avoir eu bien soin de désosser le gibier.

CROUSTADES AUX TRUFFES EN SURPRISE. Vous faites cuire douze belles truffes bien nettoyées dans du vin de Champagne et vous les laissez refroidir, vous les coupez ensuite en dedans avec un coupe-racine, de façon à ne pas percer la peau, puis vous les videz avec soin. Quand la chair de vos truffes est entièrement retirée, vous la remplacez par une purée de volaille ou de gibier, ou un salpicon de blancs de volaille coupés en dés, ou bien encore de rognons de coq avec des petites truffes de la même forme, le tout saucé à la béchamel, et vous les servez sur une serviette.

CROUSTADE DE CARCASSONNE. Vous bridez trois jeunes pigeons, les pattes en dedans et les mettez dans une casserole avec oignons et saindoux, sel, poivre, vous faites prendre belle couleur, vous y joignez ensuite un peu de petit salé et saupoudrez d'une cuillerée de fine farine, mouillez ensuite avec du bouillon et du vin blanc. Vous faites cuire ce ragoût un quart d'heure, avec quelques salsifis cuits coupés en morceaux, quelques mousserons crus et une pointe de Cayenne. Vous masquez ensuite le fond et le tour d'un plat à tarte d'un feuilletage fin; vous mettez votre ragoût et vous le couvrez d'une abaisse de la même pâte que vous dorez, vous faites cuire ensuite votre pâté dans un four à une chaleur modérée, dès que la pâte commence à se colorer, vous le retirez du feu et le servez sur une serviette posée dans un plat.

CROUTES AU POT

On donne ce nom à un potage dans la composition duquel il entre des croûtes de pain grillées.

CROUTES AU POT A LA BONNE FEMME. Prenez des croûtes de pain bien dorées, arrosez-les de bouillon non dégraissé, qui bouille jusqu'à entière réduction; et lorsque vos croûtes commenceront à gratiner, jetez dessus du bouillon chaud, dégraissez et servez votre potage.
On fait aussi d'excellents potages avec des croûtes gratinées aux laitues farcies, à la moelle, aux petits oignons glacés, à la purée de lentilles, aux tranches de concombre, au parmesan, aux huîtres, à la purée de crevettes, aux œufs de homard, etc.

CROUTONS

Tranches de mie de pain découpées et frites dans du beurre dont on se sert pour garnir les potages, certains ragoûts et les purées de légumes ou d'herbes cuites.

CUILLER et FOURCHETTE

L'usage des cuillers et des fourchettes ne s'introduisit que fort tard en Europe. Avant leur invention, on mangeait avec ses doigts, ou on se servait comme cuiller d'une espèce d'écuelle en bois, grossièrement travaillée, et comme four-chette, de deux petits morceaux de bois avec lesquels on prenait les aliments solides pour les porter à la bouche. En Angleterre, en 1610, on regardait comme une des manies du voyageur Thomas Coryate d'avoir apporté d'Italie l'usage de meubles aussi inutiles. Cependant, en ayant reconnu plus tard l'utilité, l'usage s'en introduisit peu à peu parmi les riches; le peuple, à leur imitation, se servit de cuillers et fourchettes de bois, leur fragilité fit employer depuis le fer et l'étain.

Un jour dans un grand dîner, un prince voulant embarrasser un médecin de ses amis, qu'il avait invité et à qui il avait défendu qu'on servît une cuiller, lui adresse en se mettant à table ces paroles : « C... qui ne mange pas de soupe! » Le médecin qui vit bien que c'était une farce qu'on voulait lui jouer, prit son pain, le creusa, mit sa fourchette dedans et s'en servit comme d'une cuiller pour manger sa soupe; puis après s'être sorti d'embarras de cette manière, il voulut à son tour embarrasser le prince et ses amis qui s'étaient déjà apprêtés à rire à ses dépens. Il prit donc le pain qui lui avait servi de cuiller, l'avala et dit : « C... qui ne mange pas sa cuiller! »

Qui fut attrapé? Ce fut le prince qui avoua franchement sa défaite et rit beaucoup de l'imagination du docteur.

La fourchette à quatre dents (illustration de Bertall)

CUISINE, CUISINIER, CUISINIÈRE

Nous renvoyons pour la cuisine à l'article de M. Victor Hugo qui se trouve dans la préface de notre livre.

CUISINIER. Monsieur de Courchamps donne dans son *Dictionnaire de la cuisine*, le titre de : *Cuisinier du roi de Sidon*, à Cadmus, que nous ne connaissons que comme le fils d'Agénor, le frère d'Europe, le fondateur de la ville de Thèbes et l'inventeur de l'écriture.

Ces titres nous semblaient suffisants pour illustrer Cadmus; M. de Courchamps y joint celui de cuisinier, nous ne le contesterons pas. La fonction de cuisinier au moyen âge n'était point incompatible avec la noblesse, et ne fût-ce que par Vatel, ils auraient au moins droit à l'illustration; et en effet on voit par les annales de Saint-Denis que Thibaut de Montmorency, chevalier de l'ordre et seigneur de Boury, avait été grand queux, c'est-à-dire chef de cuisine ou premier cuisinier du roi Philippe de Valois.

Nous n'hésitons pas à donner un démenti à cette seconde assertion de notre confrère Courchamps, attendu que Philippe de Valois était mort depuis plus de deux cents ans lorsque l'ordre fut fondé en 1578 par Henri III; ce qu'il y a de certain au moins, c'est qu'il existe sous le règne de Louis XI un arrêt du conseil d'en haut, lequel arrêt maintient dans sa noblesse et tous les privilèges d'icelle, un ancien cuisinier de madame de Beaujeu, nommé Cyrant de Bartas, attendu que ladite charge de maître queux n'a jamais fait ni dû faire encourir nulle déchéance en maison noble. Le célèbre Montesquieu descendait de Robin, second cuisinier du connétable de Bourbon et anobli par ce prince; il est curieux que cet homme, nous parlons du connétable de Bourbon, que Bayard dégradait de son titre de noblesse, pût faire de son cuisinier un noble. Henri IV anoblit Nicolas Fouquet, seigneur de la Varenne, et maître cuisinier de la reine Marguerite, pour services rendus dans l'exercice dudit office; en outre il avait trouvé moyen d'acquérir soixante-dix mille livres de rentes, non pas en piquant ses poulets, dit cette bonne langue de Margot, mais en piquant ceux du roi.

Selon Brillat-Savarin on peut devenir bon cuisinier, mais rester mauvais rôtisseur; on naît rôtisseur comme on naît poëte.

Carême et Beauvilliers nous prouvent péremptoirement, Carême surtout, qu'on peut être à la fois écrivain archéologue et cuisinier.

Quelques gourmands, bien connus et à qui l'on ne peut disputer le titre de gastronomes, préfèrent *les cuisinières aux cuisiniers;* ils prétendent que ces dames ont la main plus savante et plus légère dans la distribution des épices; il est vrai que comme les anciennes bacchantes de Thrace, elles sont rancunières en diable; je me rappelle que deux vaudevillistes de beaucoup d'esprit ont fait, il y a trente-

Cui

cinq ou quarante ans, une petite pièce qui fut jouée aux Variétés sous le titre *des Cuisinières*, et sous les noms de Brasier et de Demersan.

Messieurs les auteurs n'avaient point gardé vis-à-vis les artistes femelles tous les ménagements qui étaient dus à leur talent et à leur sexe; le lendemain les deux auteurs eurent à régler leurs comptes avec leurs cuisinières qui les quittèrent en les vouant à la haine de toutes les corporations. Ce ne fut pas le tout, les cordons bleus de Paris se réunirent en une assemblée générale; dans cette assemblée on montra les intentions les plus sinistres, et on fulmina les plus atroces malédictions contre les auteurs de la pièce; une d'elles les attendit même à la sortie du théâtre des Variétés, et, de même qeu l'on dénonce la *vendetta* en Corse, elle lui cria : « Garde-toi, et nous nous garderons. »

Pendant plusieurs années, Brasier et Demersan racontaient qu'il avaient été forcés de se passer de cuisinières, d'abord parce qu'ils n'en pouvaient pas trouver, et ensuite parce qu'ils craignaient de confier leurs jours précieux à un membre quelconque de cette vindicative corporation; quand ils ne dînaient pas ou ne déjeunaient pas chez leurs amis, les deux malheureux parias vivaient d'œufs frais et de saucisson de Lyon.

Aussi se vengèrent-ils d'elles dans un couplet de leur prochain vaudeville qui se terminait par ces deux vers :

> Et j'dis qu'celles qui sont les meilleures
> Sont les cuisinières en fer-blanc.

Le président Hénault, paraît-il, n'avait pas non plus les cuisinières et surtout les mauvaises cuisinières en grande odeur de sainteté, puisqu'il disait de la cuisinière de madame du Deffant, qui était véritablement par trop bourgeoisement mauvaise, surtout pour un gastronome tel que lui chez lequel était le meilleur cuisinier de l'époque : « Entre elle et la Brinvilliers, il n'y a de différence que dans l'intention. »

Comme c'était aimable et comme c'était rassurant!

Malherbe, qui se piquait aussi d'être gourmand et qui surtout aimait voir les cuisiniers à l'œuvre, disait qu'il fallait, pour qu'un dîner fût bon, qu'il ait été combiné et préparé longtemps à l'avance.

Aussi, allant un jour dîner chez un de ses amis, il trouva à la porte de cet ami un valet qui avait des gants aux mains; il était midi, et on devait, suivant l'usage du temps, dîner à une heure. « Qui êtes-vous, mon ami? demanda Malherbe au valet.

« Monsieur, je suis le cuisinier! – Vertudieu! reprit l'invité en s'éloignant au plus vite, je ne dîne pas chez un homme dont le cuisinier à midi a des gants aux mains; la cuisine doit lêtre bien faite, je m'en moque.

– Ce gigot est *incuit*, disait à son hôte un homme qui faisait le beau parleur.

La cuisine du Petit-Ramponneau, à la barrière de Rochechouart.

— Monsieur, répondit l'autre piqué, c'est par l'*insoin* de la cuisinière. »

Finissons par un mot fort spirituel du marquis de Bièvre.

Le marquis de Bièvre, regardant deux marmitons qui se boxaient et quelqu'un lui ayant demandé ce que c'était que ce bruit :

« Ce n'est rien, répondit-il, ce n'est qu'une *batterie de cuisine.* »

CUISINE ESPAGNOLE. En Espagne, il n'y a qu'un plat pour tout le monde, ce plat c'est le *puchero.*

Voici les ingrédients dont un puchero bien conditionné se compose :

Viande de bœuf, une livre.

Remarquez qu'aussitôt que le bœuf est mort il devient vache, et qu'au lieu de dire *buey* on dit *vaca.*

Jambon fumé, avec des os, 1/2 livre.

Plus le jambon est vieux, meilleur il est : le meilleur est celui de Galice.

Faire bouillir ces viandes dans quatre litres d'eau, jusqu'à réduction à deux litres.

Garbanços, 1/4 livre.

Avant d'aller plus loin nous devons dire ce que c'est que le garbanços.

Le garbanços est un énorme pois chiche, ce doit être le pois chiche de Cicéron ; il tire sa valeur de la terre où il est né.

Le garbanços qui cuit en une demi-heure n'a pas de prix ; mais s'il est né dans une mauvaise terre, il est plus dur après une heure de cuisson qu'avant d'être mis au feu.

Sa pellicule un peu froissée et sa grosseur qui est à peu près celle d'une balle de fusil de vingt-deux à la livre, indiquent qu'il est de qualité supérieure. Dès la veille du jour où on veut s'en servir, on le trempe dans l'eau salée. C'est un légume extrêmement capricieux au physique et au moral ; si on y ajoute une goutte d'eau froide pendant qu'il cuit, il profite de cette erreur pour ne plus cuire ; plus pressé que le haricot, il produit dans l'estomac le bruit que le haricot produit seulement dans les entrailles.

Si vous paraissez étonné qu'un Espagnol se livre devant vous à cette incongruité qui chez nous paraîtrait fort excentrique, il vous répond très-tranquillement que *por*

un punado de aire no se debe perder un barrenon de tripas.
C'est-à-dire que, pour une poignée d'air, il ne faut pas perdre une marmite de tripes.

L'excuse ressemble assez à celle que donnait le maréchal Lefèvre lorsque quelques paroles étranges échappées à la bouche de sa femme laissaient transparaître la blanchisseuse sous la maréchale.

Un autre proverbe dit en Espagne que *el buen garbanços y el buen ladron de Fuente-Sanco son,* c'est-à-dire que le meilleur garbanços et le meilleur voleur sont de Fuento-Sanco.

Revenons à notre puchero qui est loin d'être fini.

L'heure est arrivée de mettre le chorizo.

Le chorizo est un hachis de viande de porc et de viande de veau, assaisonné de piments rouges et d'autres substances vigoureuses.

Quand la réduction que nous avons indiquée de quatre litres d'eau en deux est faite à petit feu, on prend une once de lard, une once de jambon, une pincée de persil, une demi-gousse d'ail; on hache le tout avec une cuillerée de bouillon prise dans la marmite, on casse ensuite deux œufs que l'on bat comme pour une omelette, on y émiette un petit morceau de pain, on mêle le tout ensemble et on le fait frire en autant de cuillerées qu'il y a de personnes à manger le puchero.

Lorsque les cuillerées sont bien frites on les ajoute au bouillon et on retire le tout une demi-heure après.

Dans certaines parties de l'Espagne on glisse un quart de volaille dans le puchero.

Voilà l'invariable dîner de l'Espagnol. De tout Espagnol qui n'a pas ce dîner, on peut dire ce qu'on dit du voyageur qui n'a pas de manteau :

Pauvre diable !

Mais que cependant on ne s'extasie pas sur la sobriété de l'Espagnol; cet homme, à l'heure où il mange son puchero, c'est-à-dire à deux heures de l'après-midi, a déjà, s'il se respecte, pris son chocolat du matin à six heures, mangé un ou deux œufs à onze heures, et à six heures il reprendra son chocolat s'il n'a pas quelqu'un à rafraîchir; dans ce cas le chocolat s'augmentera de glaces et de pâtisserie.

Puis enfin à onze heures du soir il soupera de guisado, qui, pareil au puchero éternel, est toujours prêt à être servi dans une maison bien réglée.

Le guisado se compose de bœuf et de veau accompagné de pommes de terre; il doit être mis sur le feu à l'heure du dîner pour être mangé comme nous l'avons dit le soir à onze heures.

La seule différence qu'il y ait entre les guisados, c'est que dans les uns on met les pommes de terre cuire en même temps que la viande, et que dans les autres on les ajoute au moment de servir, après les avoir fait griller d'avance.

Ceci est l'ordinaire de la Castille, de cette bonne Castille où nous avons erré avec don Quichotte et Sancho Pança, demandant à cor et à cri comme eux du lait et du fromage à la pie.

En Galice l'ordinaire change, ce n'est plus le puchero qui attend le voyageur, c'est le caldo.

D'abord au lieu du chocolat épais que vous trouvez dans les deux Castilles vous avez le chocolat clair; toute la différence est que la tasse de Galice est plus grande et qu'elle contient un chocolat plus liquide.

Vous qui avez le malheur de traverser la Galice comme je l'ai fait, gardez-vous d'une surprise.

Dans la cour de l'hôtel où descend la diligence à la gare des chemins de fer, si, ce dont je doute, il y a maintenant des chemins de fer en Galice, vous trouverez comme partout des aboyeurs qui vous inviteront à vous rendre à leur hôtel, renseignez-vous bien, ou vous tomberez dans quelque atroce *posada* que l'on appelle *casa de huéspedes ;* là ne cherchez ni le chocolat potable, ni caldo mangeable, ni lit praticable.

Si au contraire vous suivez le domestique d'un bon hôtel qu'on vous aura recommandé d'avance, vous ne mangerez en Galice ni mieux ni plus mal que dans les autres parties de l'Espagne.

Au reste je donnerai le conseil au touriste qui parcourra l'Espagne de voyager d'abord en Italie, l'Italie est une heureuse intermédiaire entre la France et l'Espagne.

En Italie, où l'on mange mal, les bons hôtels vous disent : « Monsieur, j'ai un cuisinier français. »

En Espagne, où l'on mange abominablement, les grands hôtels vous disent; « Monsieur, j'ai un cuisinier italien. »

Si en Galice vous avez la chance de tomber dans un bon hôtel, on vous servira d'abord le caldo, espèce de soupe qui se compose d'une grande marmitée d'eau dans laquelle on a taillé des choux, des pommes de terre, des navets et où l'on verse des haricots; le cuisinier ajoute pour donner du goût au bouillon un quart de porc frais et un quart de porc rance. Vous qui voulez faire du caldo, ne confondez pas porc rance avec porc salé; plus le porc est rance, meilleur il paraît aux Galiciens.

Puis viendront quelques plats de viandes et de poissons, cuisinés, vous dira-t-on, à la française ou à l'italienne.

Le poisson, la volaille ou le gibier seront excellents, mais l'assaisonnement sera abominable.

La volaille, faute de broche, se mange frite à la poêle ou rôtie à la casserole; il en sera de même du gibier. En Espagne la broche n'est connue que comme substantif; elle est dans tous les dictionnaires, mais on ne la rencontre dans aucune cuisine.

C'est un grand malheur, car le gibier est très-commun et, quoiqu'à bon marché, excellent en Espagne.

Les lièvres coûtent de quinze à vingt sous; personne n'en

mange sous prétexte qu'ils grattent la terre évidemment pour déterrer les morts.

Les perdrix, d'excellentes perdrix rouges coûtent de huit à dix sous; c'est en Galice, au reste, que l'on mange le meilleur poisson. Au centre de l'Espagne, c'est-à-dire en Castille, avant les chemins de fer, il était impossible de manger du poisson frais; il lui fallait quatre jours pour arriver et on ne le mangeait que salé ou pourri.

Le poisson dont on usait alors le plus habituellement dans ces provinces éloignées de la mer était la bonite ou plutôt le thon.

C'est à Castroréale et aux environs que se fait cette pêche; à l'instant même où on prend la bonite, les pêcheurs la vendent à de grandes fabriques qui la font frire dans l'huile et la préparent en conserves dans des barriques, lesquelles barriques sont détaillées aux consommateurs qui les mangent de quatre façons :

Naturelle, comme elle est, avec adjonction d'huile fraîche;

Cuite avec des tomates dans la même casserole;

En omelette;

Et enfin avec des piments enragés.

Quant au poisson frais qu'on mange en Galice, c'est particulièrement la morue, c'est l'anguille, soit de mer, soit de rivière, c'est la lamproie, et enfin le poulpe ou les pieuvres qui sont le manger des pauvres.

C'est en Galice que vous mangerez les plus belles fraises comme grosseur.

A Madrid seulement vous pourrez leur faire concurrence avec la fraise d'Aranjuez dont une assiettée suffit pour parfumer un palais.

En fait de coquillages, il y a des étangs qui les conservent; on trouve là des huîtres, comme dans les lacs de Naples, plus grasses et plus dessalées que dans la mer.

Les coquillages ordinaires sont les prayres marseillaises; on les vend deux sous le cent.

La Galice est le seul pays où l'on fasse des huîtres marinées, qu'on expédie par petites barriques dans toute l'Europe.

Santiago, situé à une lieue et demie environ de la mer, est le meilleur pays de la Galice pour y manger le poisson, car il y arrive juste assez aéré pour perdre de sa pesanteur alimentaire, et attendu à ce point qu'il jouisse de sa plus grande sapidité.

Une autre partie de l'Espagne est renommée pour ses truites ordinaires et ses truites saumonées.

C'est la Puébla san Abria, près de laquelle est situé le *Lac*.

C'est le seul nom que cette immense flaque d'eau porte dans le pays; on y pêche des truites de vingt-cinq et trente livres.

Une petite rivière, qui passe à côté, fournit des truites inférieures en grosseur, mais pas en qualité, et vient aider pour sa part à la pêche du Lac.

Cui

La propriété dans laquelle se trouve cette petite rivière qui appartenait à des moines a été vendue pendant la dernière révolution comme propriété nationale. C'est un nommé Perès Gallos qui l'a achetée.

Par malheur le peu de voyageurs qui passent par cette partie détournée de l'Espagne, fait que le propriétaire ne peut tirer aucun parti de ce Lac ni de cette rivière et qu'il se contente de faire manger ses truites grosses et petites à ses amis, aux voyageurs qui vont lui demander l'hospitalité et non à un public qui n'existe pas.

Selon le nombre de ses convives, il dit à un de ses pêcheurs de plonger et de lui rapporter une truite de douze ou quinze livres.

Le nageur plonge, rapporte la truite et se trompe rarement d'un quart ou d'une demi-livre.

La légende de ce Lac est que sur son emplacement s'élevait autrefois une ville qui disparut dans un tremblement de terre et donna cette masse d'eau à la place de la masse de pierres.

Tout cela est tellement abandonné, que l'on a laissé tomber en morceaux la seule barque qui existât.

Les truites se mangent sur les bords du Lac par les habitants du pays avec une sauce que l'on apporte.

Je dis que l'on apporte, car on fait là-bas des parties de truites comme à Naples on fait des parties d'huîtres.

Voici la composition de cette sauce :

On prend une tasse à chocolat d'huile, une tasse pareille d'eau, deux cuillerées de vinaigre, du persil; et de l'ail hachés, du sel, du poivre rouge et du piment enragé; on mêle le tout ensemble en le battant avec une fourchette.

Arrivé au bord de l'eau, on allume du feu et on met cuire le poisson tout frais pêché et tout frétillant encore dans cette composition qui devient son court-bouillon et sa sauce.

Là on prépare aussi des truites pour envoyer à ses amis; frites d'abord, elles sont encaissées dans de petits pots où elles font le voyage plus ou moins long qu'elles ont à faire.

Il résulte de ces diverses préparations qui se font en Espagne, qu'il y a dans ce pays des commissionnaires en poisson.

Ces commissionnaires déposent leur poisson, en surveillent la vente et repartent avec l'argent pour s'approvisionner de nouveau.

A côté de ces commissionnaires mobiles, il y a d'autres commissionnaires qui restent stationnaires pour surveiller leur vente; ceux-là ont des Arriéros qui apportent ce poisson venant des Asturies dans les autres villes et principalement à Rio-Secco qui est l'endroit où il s'en fait le plus grand débit.

Il est assez curieux, je crois, de jeter un regard sur la nourriture de ces Arriéros et de tous les Arriéros en général.

Il y a deux espèces d'Arriéros, les Maragatos, auxquels on se fie comme chez nous aux Auvergnats et qui font principalement le transport des marchandises, et les Arriéros proprement dits qui font le commerce des vins et autres denrées pour leur compte; leur nourriture se compose de riz et de morue qu'ils font cuire de cette façon :

Sans dessaler la morue, ils la déchirent par morceaux, la

couchent sur des braises où elle se dessale, enfin ils la font cuire avec du riz, de l'huile et de l'eau.

Chacun d'eux a son sac sur lequel il couche; son dîner fini, il faut pour deux sous emplir son sac de paille, c'est le seul loyer qu'il paye; moyennant ces deux sous, il a droit au couvert.

Si cependant l'Arriéro fait de bonnes affaires dans son voyage il change son modeste repas contre un extra, mais toujours au riz, poule au riz, lapin au riz, perdrix au riz. Alors la morue disparaît et se change en volaille ou en gibier, mais le riz reste invariablement comme condiment principal du repas. C'est Valence qui produit le meilleur riz; dans les temps les plus chers il ne dépasse pas six sous la livre, c'est à peine la moitié de ce qu'il coûte en France. Ce qui me faisait, lorsque je voyageais en Espagne, entrer dans des rages d'estomac, c'est que la vie animale pourrait y être aussi agréable et aussi sensuelle qu'en France; le gibier y abonde, les perdrix rouges et grises y vont par bandes, et j'ai déjà dit que le lièvre, qui est en Espagne d'un tiers plus gros qu'en France, s'y vendait vingt sous.

Mais les malheureux Espagnols ont si peu le sentiment de la cuisine que lorsqu'ils tuent un lièvre, la première chose qu'ils font, même celui qu'ils tuent pour le vendre, ils le saignent par la carotide jusqu'à la dernière goutte de son sang; ils ne savent pas, les ignorants, que le sang du lièvre ne se fige point à sa mort et reste liquide parce que le lièvre veut être assaisonné dans son sang.

Voici comment les Espagnols préparent le lièvre :

Ils le dépouillent, le font mariner trois jours avec une once de piments doux, une poignée d'origano, herbe qui n'a point d'analogue en France, mais qui en Espagne sert à toutes les sauces; du sel, du poivre, une pointe d'ail hachée, et l'on fait baigner le tout pendant trois jours dans de l'eau ordinaire. Au bout de ce temps on le retire de l'eau, on le suspend pour égoutter, on le fait étouffer dans une casserole avec une livre d'oignons, deux onces d'huile rance, deux onces de vinaigre, une gousse d'ail entière et des épices, on recouvre le tout d'une feuille de papier huilé, on replace le couvercle sur la casserole, on remet du feu sur le couvercle et on laisse cuire l'animal pendant trois ou quatre heures.

La seconde manière de le manger est rôti dans le four avec des oignons et des pommes de terre tout autour.

Quant aux perdrix dont on fait très-peu de cas, le maître les donne à la cuisinière, qui, pour les plumer plus facilement, les trempe dans l'eau bouillante sans se douter qu'elle leur ôte le meilleur de leur goût, et les jette dans l'*olla podrida* où elles cuisent et d'où on les tire au hasard avec une grande fourchette, souvent plutôt qu'à leur tour.

Voici ce qu'est l'*olla podrida*, mets très-peu commun en Espagne, mais rendu très-connu en France par les romanciers qui ne connaissent guère que celui-là, et de nom seulement :

Une *olla podrida*, c'est une immense marmite placée sur le feu, que jamais on n'en retire, et dans laquelle on jette successivement toutes les viandes et particulièrement les viandes gélatineuses qui entrent dans la maison.

Ainsi les pieds de veau, les pieds de mouton, les pieds de cochon, les museaux et les oreilles de cochon, tout cela fait partie de l'*olla podrida*.

Cela distille, comme on le comprend bien, un jus fort épais, fort savoureux, que j'eusse trouvé excellent sans l'adjonction de l'éternel gras-double qui lui donne un goût de tripe qui m'était insupportable.

Il était donc bien rare que j'attendisse dans l'olla la cuisson de mes perdrix, que je mangeais rôties devant le feu au bout d'une ficelle.

Quant à mon lièvre, j'en faisais un civet que l'absence du sang rendait malheureusement incomplet.

Un des embarras les plus inattendus se dresse parfois devant les voyageurs : c'est la façon dont ils sont obligés de boire dans certaines contrées de l'Espagne et jusque dans la Navarre et le bas Aragon.

Je ne sais si, aujourd'hui que l'Espagne se vante de progresser, il se trouve des verres dans cette province, mais je sais que de mon temps il n'y en avait pas; comme cependant il faut boire, surtout quand on mange, on met sur la table des burettes en verre de la capacité d'un litre ou d'un demi-litre; dans ces burettes est contenu le vin qui doit désaltérer les convives, et chacun d'eux est obligé de boire à la régalade pour ne pas toucher le bord de la burette avec les lèvres; ce qui est fort incommode pour l'étranger qui ne s'est jamais servi de ce mode de désaltération; si on a le malheur de toucher des lèvres le col de la burette, les autres convives vous arrachent la bouteille des mains et vous en jettent le contenu au visage en vous accablant des plus grossières injures.

Quant au coucher, il est aussi difficile de trouver un lit que de trouver un verre : on ne rencontre ce meuble, très-nécessaire chez nous, mais regardé comme très-superflu par les Espagnols, que chez les gens mariés depuis peu, qui, pour une mince rétribution, vous cèdent le leur.

Cela m'est arrivé à Castrejou, où j'ai été obligé de me mettre sous la protection du maire et du maître d'école, à qui j'étais recommandé, pour obtenir un lit qui me fut disputé le soir même par un voyageur plus tardif que moi. Mais il est si rare que l'on soit bien couché en Espagne que je tins bon, et le touriste retardataire fut forcé de se rouler dans son manteau et de passer la nuit devant le feu, ce qui me serait arrivé bien souvent à moi-même si je n'avais été chaudement recommandé par don Vento d'Alvarès, le patron des étrangers qui voyagent dans la Navarre et dans l'Aragon.

Tout ménage a sa servante.

La plus pauvre fille qui se marie, fût-elle servante elle-même, a, le lendemain à sept heures du matin, une servante au chevet de son lit qui lui présente son chocolat.

L'homme est déjà sorti depuis cinq heures du matin pour aller à ses affaires ou à son travail, et il a pris dans la taverne la plus voisine de sa maison son aguardiente.

L'aguardiente, comme l'indique son nom, est une espèce d'eau-de-vie, eau-de-feu, comme l'ont appelée les Indiens dans leur langage pittoresque; elle se fait avec le marc du raisin; elle se passe dans un alambic avec de l'eau et de l'anis; il y en a depuis dix-huit degrés jusqu'à quarante.

L'aguardiente se boit rarement pure; on en met une dizaine de gouttes dans un grand verre d'eau qu'elle blanchit; on avale ce verre d'eau à jeûn; il donne de l'appétit et ne brûle pas l'estomac comme l'absinthe.

C'est la même chose à peu près que le sambucco que, pendant les jours d'été, on vend à chaque coin de rue à Naples; seulement l'aguardiente se fait, comme nous l'avons dit, avec de l'anis, et le sambucco avec du fenouil.

L'autre eau-de-vie est tout simplement du tafia venant de La Havane et fait avec la canne à sucre.

Aucun vin fin en Espagne n'est naturel; ce sont en général les pâtissiers qui font les vins d'extra; ils sont en même temps que pâtissiers, confiseurs, fabricants de vins et fabricants de cierges.

Le xérès, le malaga, l'alicante, le pagarété sont fabriqués par ces industriels et se vendent en général deux francs cinquante, achetés chez les fabricants.

Les Français qui ont voulu soutenir la concurrence en l'honneur de notre pays fabriquent une espèce de vin de Champagne avec des vins de Ronéda, qui sont blancs et très-capiteux.

Ces vins se boivent généralement au moment où on sert le poisson.

Quant aux salades elles se mangent presque toujours avant le potage.

Voici les principales salades et la manière de les faire :

SALADE DE CHOUX-FLEURS. On fait cuire les choux-fleurs avec quatre œufs durs, choux-fleurs et œufs se servent en même temps dans un plat après avoir épluché des œufs et les avoir coupés en quatre, on l'assaisonne chaude.

Deux raisons pour que la salade soit exécrable.

La première, parce que les œufs cuits dans de l'eau de choux-fleurs contractent un goût affreux.

La seconde, c'est que toute salade, excepté la salade au lard, est exécrable à manger chaude.

SALADE DE CHOU. On fait bouillir le chou avec des os de jambon, lorsqu'il est bien cuit on l'égoutte et on le fait frire dans la poêle avec de l'huile, on présente ensuite le chou sur la table pour y être assaisonné une seconde fois avec de l'huile, du sel, du poivre et du vinaigre.

Les autres salades sont les mêmes qu'en France et s'assaisonnent de la même manière.

J'ai dit, dans mon voyage en Espagne, comment, pour échapper à l'huile infecte des Espagnols et à leur vinaigre insipide et à ses animalcules visibles à l'œil nu, je faisais de la salade sans huile et sans vinaigre avec des jaunes d'œufs frais et du jus de citron.

Aujourd'hui que les chemins de fer existent, il s'est fait une grande amélioration à ce qu'on assure parmi les victuailles, je n'étais déjà plus en Espagne lorsqu'on m'apprit le secret d'enlever à l'huile sa rancité.

Comme quelqu'un de mes compatriotes pourrait se trouver en face d'une burette d'huile rance, hâtons-nous de lui dire le moyen de rendre à l'huile sa saveur primitive.

On met l'huile dans une poêle et on la fait bouillir après avoir eu le soin de fermer toutes les portes et toutes les fenêtres de la cuisine, quand elle est à cent ou à cent cinquante degrés de chaleur, vous y jetez un morceau de pain que vous laissez littéralement brûler dans l'huile, il fume et entraîne avec lui toute la mauvaise odeur du liquide.

C'est à asphyxier un Esquimau; on ouvre les fenêtres, l'odeur s'en va de la maison empoisonnée, des voisins accourent sur leur porte pour ne rien perdre de cette odeur délicieuse, et l'huile est devenue mangeable, seulement elle a perdu sa teinte jaune pour prendre une teinte noirâtre.

Les salades se mangent ordinairement en Espagne avant le potage.

Le potage le plus estimé des Espagnols, est la soupe à l'ail. En voici la recette :

Prenez deux onces de graisse par litre d'eau, mettez chauffer la graisse dans la poêle, prenez une gousse d'ail que vous laissez rôtir jusqu'à ce qu'elle soit brûlée, alors vous y versez l'eau, vous y ajoutez une bonne pincée de sel et vous faites prendre à votre potage trois ou quatre bouillons, puis vous coupez dans une soupière du pain en tranches minces, vous cassez autant d'œufs que vous avez de personnes et vous en couvrez le pain, et vous versez dessus le bouillon en ébullition.

Lorsque le repas a quelque consistance, le potage est ordinairement suivi d'une langue de bœuf à l'étouffée.

On arrive à faire ce plat par les moyens suivants : Vous prenez une langue de bœuf que vous faites mariner trois jours dans la même marinade que celle indiquée déjà pour le lièvre; au bout de ce temps vous la retirez, vous l'égouttez, vous la piquez de lard très-fin, puis vous la faites cuire à l'étouffée comme le lièvre, avec des oignons et des pommes de terre.

Ajoutons à la langue à l'étouffée un des mets les plus appréciés des Espagnols, la *Poule en pépitoria*.

On coupe la poule en quatre, on la fait roussir dans la friture bien chaude, on met ensuite le tout, poule et saindoux, dans une casserole, on ajoute de l'eau, du sel, une feuille de laurier; on le laisse bien cuire; puis on pile dans un mortier trois jaunes d'œufs durs, un peu de mie de pain, du persil, et on mêle le tout ensemble de façon à former une sauce épaisse, on le fait cuire avec la poule, et l'on sert le plus chaud possible.

Il est possible qu'on échappe dans un dîner bourgeois donné par des Catalans à la poule pépitoria, mais on n'échappera pas à coup sûr au poulet aux tomates et aux piments.

Supposez que vous vouliez régaler vos amis de cet entremets exotique.

Vous faites frire le poulet dans le saindoux, comme il est dit pour la poule en pépitoria, puis vous enlevez les morceaux quand ils sont frits dans la poêle, puis dans la graisse bouillante vous jetez les tomates et les piments épluchés et déjà rôtis sur les braises, enfin vous remettez le poulet avec les piments et les tomates et faites frire le tout ensemble jusqu'à entière cuisson.

Voici ce que l'on appelle une omelette de famille.

Vous faites cuire une douzaine de pommes de terre en robe de chambre avec du sel, vous les épluchez et vous les pilez dans un mortier; puis on casse six œufs, on ajoute du sel, du poivre, on les mêle bien avec les pommes de terre et on verse le tout dans la poêle pour être cuit à petit feu afin que l'omelette ne tienne pas au fond du récipient.

On la sert accompagnée d'une sauce au pauvre homme.

Il n'y a pas de charcutiers en Espagne; le sang de cochon avec lequel nous faisons le boudin se garde dans de gros intestins bouilli avec du riz et des oignons, puis on le garde ainsi jusqu'à ce qu'on l'utilise, soit en le coupant par tranches et en le faisant frire, soit en le faisant bouillir dans la soupe, ou cuire sous les cendres comme des pommes de terre.

Tout le reste du porc est salé et se vend chez des marchands de salaison qui sont presque tous de l'Estramadure.

La charcuterie qui peut se rapprocher le plus de la charcuterie française se fait dans les maisons.

Une ordonnance qui défendait, par hygiène, de tuer les cochons depuis le premier de juin jusqu'à la fin d'août est cause de ce manque d'industrie publique en Espagne. Toute maison un peu régulière tue un, deux et même trois cochons au mois de décembre pour les besoins de l'année.

J'ai connu un maître de maison, à Sérisi, qui tuait à cette époque de l'année jusqu'à dix-huit cochons pour la nourriture de son personnel.

Un des principaux comestibles que l'on tire du cochon est le *chorizo*, c'est-à-dire un certain saucisson fait de viande de porc, de viande de veau hachée, fortement épicée, fumée, et conservée comme le jambon.

Dans les maisons réglées, on fait autant de chorizos qu'il y a de jours à s'écouler, et le jour de l'année suivante où on le tuera, c'est-à-dire que l'on fait trois cent soixante-cinq chorizos plus une cinquantaine pour les jours où l'on aura des invités.

Quant aux jambons, ceux de Bayonne peuvent nous en donner une idée, avec cette différence que les jambons de Catalogne atteignent le double de leur grosseur; ces jambons se fument et se conservent comme les nôtres. On mange ces jambons de deux façons.

D'abord à la minute, et ils se font alors cuire ainsi :

On coupe le jambon par tranches pas trop minces, puis on le fait frire dans le saindoux, ayant soin de ne pas trop le laisser se dessécher dans la poêle; on jette alors dans la friture un verre d'eau dans laquelle on a mis une ou deux cuillerées de vinaigre suivant sa force, et deux cuillerées de sucre en poudre, puis on fait bouillir le tout ensemble jusqu'à ce que la sauce soit liée.

C'est, à mon avis, la meilleure manière de manger le jambon espagnol quand on est pressé; j'invite donc les voyageurs à demander du jambon à la minute et surtout à en apprécier la sauce.

Voici maintenant le jambon *doux* qui constitue la véritable charcuterie particulière.

Peu de noces se passent en Espagne sans le fameux plat de jambon *doux*.

On désosse le jambon, puis on le met dessaler dans l'eau bouillante pendant une heure; on le retire, on jette l'eau, on égoutte le jambon, on le fait tremper entièrement dans du vin blanc, on laisse réduire à moitié et on ajoute une demi-livre de sucre par litre de vin; on laisse bouillir le tout jusqu'à ce que le jambon soit bien cuit, on retire la viande, on jette le vin dans lequel il a cuit, à moins qu'on ne l'emploie à quelque sauce; puis vous mettez le jambon dans un moule de la forme que vous voulez lui donner, vous le pressez ainsi pendant deux jours sous une forte presse, cela forme une pâte compacte et très-serrée que l'on coupe par tranches et que l'on mange comme il est.

Le mouton est très-apprécié en Espagne. – Un proverbe dit :

« Mange du mouton pour cher qu'il soit, demeure dans la ville pour mal que tu y sois, et bois de l'eau de rivière si trouble qu'elle soit. »

Il se mange rôti, en côtelettes, ou en ragoût, avec des haricots, mais toujours poinçonné de beaucoup d'ail.

L'abondance des agneaux et leur bon marché sont tels qu'un de mes amis, logeant à Carion de los Condès, après en avoir mangé pendant tout un mois, fut obligé de quitter le pays pour manger autre chose.

Le chevreau passe avant l'agneau, et s'accommode exactement de la même manière; il n'en est pas plus cher pour cela.

L'agneau, comme nous l'avons dit, est en telle défaveur que tout berger a droit de prendre trois agneaux par mois pour sa nourriture, pourvu qu'il rapporte les peaux à son maître.

Les autres petits bénéfices lui viennent des voleurs dont il est presque toujours l'espion, quand il n'est pas voleur lui-même.

CONSEIL GÉNÉRAL
DONNÉ
AUX
VOYAGEURS

Ne demandez jamais de renseignements aux bergers, afin qu'ils ne sachent pas d'où vous venez et où vous allez.

Un des grands plaisirs des Espagnols, qui ne se laissent pas mourir de faim, comme on le voit, est de goûter dans les champs en plein air. Ce plaisir ne serait pas complet si l'*épanada* manquait.

Disons ce que c'est que l'épanada et de quelle manière elle se fait.

Vous prenez, suivant le nombre des convives, six ou huit livres de pâte de pain prête à être mise au four; vous l'emportez chez vous où vous la travaillez avec du saindoux connu sous le nom de *grapo*, vous en trouvez partout en Espagne; il peut, dans certains cas, remplacer le beurre; vous en formez un pâté rond, creux au milieu, que l'on enduit partout avec des œufs battus, pour que la viande qui doit y entrer ne se colle pas aux parois. En Castille, l'épanada se fait soit avec six ou huit pigeons, et c'est alors une épanada de pigeons; soit avec quatre ou cinq poulets, et c'est une épanada de poulets.

On en fait avec du porc, avec du veau, ou toute autre espèce de viande.

En Galicie, les épanadas se font en poisson au lieu de se faire en viande.

La viande qui doit entrer dans la confection de l'épanada est frite à l'avance; les poissons seulement s'y mettent crus.

Cette viande, placée dans la cavité qui lui est ménagée, est recouverte, comme nos pâtés, d'une couche de la même pâte, puis on porte ce pâté chez le boulanger pour être mis au four, avec une marque indiquant le nom du propriétaire, les boulangers ayant parfois à faire cuire en un seul jour des milliers d'épanadas.

On laisse le pâté au four le temps suffisant pour cuire la viande qu'il renferme, on paye la cuisson; puis chacun part avec son épanada pour le champ de la fête.

Arrivée sur le terrain, chaque famille se réunit au porteur de l'épanada, qui est presque toujours la servante, et qui s'est munie des couverts et ustensiles nécessaires pour le repas; elle porte en même temps les fruits, le vin, toujours dans une peau de bouc; enfin tout ce qu'on ne veut pas acheter aux marchands qui s'établissent sur le champ de la fête pour tout le temps qu'elle dure.

C'est le jour de saint Jeidre que cette fête se passe à Madrid.

A un quart de lieue de la ville, et sur une petite côte, s'élève la chapelle de Saint-Jeidre; toute la rampe qui conduit à cette chapelle est couverte de frituriers et de marchands de vin, destinés à remplacer les lacunes de ceux qui n'ont pas pu faire préparer l'épanada de circonstance.

La colline est une ruche couverte d'abeilles; trente ou quarante mille personnes se pressent à la porte de la chapelle pour voir le saint, se bousculant, se poussant et s'engouffrant dans la chapelle, arrivent à voir le saint, font une prière, et se poussent dehors comme il se sont poussés dedans.

De la porte de la chapelle, on domine la plaine, où deux cent mille personnes assises, faisant leur *merienda*, c'est-à-dire leur goûter, présentent le spectacle le plus curieux qui se puisse voir, celui qui sans doute a donné à Cervantès l'idée de ses noces de Gamache.

Cette fête semble le reste du carnaval romain qui mettait les serviteurs et les esclaves au niveau des maîtres; les serviteurs espagnols oublient ce jour-là leur domesticité, et peuvent se croire autant que ceux avec lesquels ils sont assis, puisqu'ils mangent la même nourriture et boivent le même vin à la même table.

A mesure que le temps s'écoule, que les outres se vident, on voit les groupes s'amuser, l'agitation devient de la confusion, la confusion du tumulte, et il est bien rare que ces fêtes se passent sans quelques jolis coups de couteau et sans que quelques convives n'aient payé de leur vie le plaisir de faire la merienda en famille.

Je donne donc au voyageur le conseil d'aller voir ce spectacle fort curieux, mais non de prendre part à la fête. Qu'il tâche surtout d'y aller et de revenir en voiture, car

le pont de Tolède, même en plein jour, est dangereux ce jour-là.

Nous serions ingrats envers la Catalogne, si nous oubliions deux de ses plats nationaux.

Le longuet et les ragoûts aux pruneaux.

Le longuet se fait avec de petits pains longs particuliers à la Catalogne; on les fait bouillir dans du lait, on en ôte la mie, on la remplace par du hachis de viande, et on les met frire dans la graisse.

La France farcit aux truffes, la Castille aux olives, la Galice aux châtaignes, et la Catalogne aux pruneaux.

Ainsi le fricandeau s'apprête comme les ragoûts ordinaires; ils ajoutent seulement des pruneaux qu'au premier coup d'œil les amateurs prennent pour des truffes.

Le même étonnement existe pour les poulardes et dindons; à travers leur peau transparente, apparaissent des taches noires qui font venir l'eau à la bouche des gourmands; prenez garde, imprudents convives, ce sont des prunes sèches.

Cui

CUISSON

Temps que demandent à cuire, avec un feu de bois ou de charbon, les aliments. — La cuisson des viandes est le fondement des consommés et des jus, tout aussi bien que la cuisson du sucre à la nappe, à la plume, au caramel ou au perlé est celui de l'art de confire.

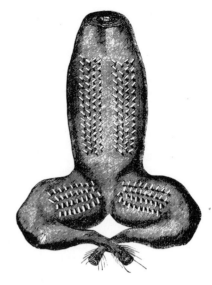

Bœuf, pesant 10 kilos, quatre heures de cuisson.
«   «   5 kilos, deux heures et demie.
«   «   3 kilos, deux heures.
Veau,   «   5 kilos, trois heures et demie.
«   «   2 kilos, deux heures.
Mouton, pesant 5 kilos, deux heures.
«   «   3 kilos, une heure et demie.
«   «   2 kilos, une heure.
Porc frais, pesant 4 kilos, quatre heures.
«   «   2 kilos, une heure trois quarts.
Jambon, une demi-heure par livre.
Cochon de lait, deux heures et demie.
Venaison, pesant 5 kilos, deux heures et demie.
«   «   3 kilos, une heure et demie.
«   «   2 kilos, une heure.
Agneau, selle ou gros quartier, deux heures.
«   quartier ou gigot, une heure.
Dindon farci, deux heures.
«   moyen, une heure un quart.
Dindonneau, une heure, toujours enveloppé de papier.
Chapon, une heure.
Poularde, une heure un quart.
Poulet gras, trois quarts d'heure.
«   à la reine, une demi-heure.
Coq vierge, vingt-cinq minutes.
Pintade, trois quarts d'heure.
Paonneau, une heure.
Oie grasse, une heure un quart.
Oison, trois quarts d'heure.
Canard, trois quarts d'heure.
Caneton, vingt-cinq minutes.
Albran, vingt minutes.
Pigeon, une demi-heure.
Pigeonneau, vingt minutes.
Lièvre, une heure et demie.

Levraut, trois quarts d'heure.
Lapin, trois quarts d'heure.
Lapereau, vingt-cinq minutes.
Faisan, trois quarts d'heure.
Poule faisane, quarante minutes.
Faisandeau, vingt-cinq minutes.
Perdreau rouge, une demi-heure.
«   gris, vingt-cinq minutes.
Bartavelle, vingt-cinq minutes.
Outarde, une heure un quart.
Oie sauvage, une heure.
Coq des bois, une heure.
«   de bruyère, une heure un quart.
Poule   «   trois quarts d'heure.
Gelinotte, une demi-heure.
Bécasse, une demi-heure.
Bécassine, vingt minutes.
Bécasseaux, un quart d'heure.
Pluvier doré, vingt minutes.
Rouge de rivière, vingt-cinq minutes.
Poule d'eau, vingt minutes.
Sarcelle, un quart d'heure.
Macreuse, vingt-cinq minutes.
Râle de genêt, une demi-heure.
Caille, vingt minutes.
Engoulevent, vingt minutes.
Mauviette, vingt minutes.
Grive, vingt minutes.
Ortolan, un quart d'heure.
Bec-figue, une quart d'heure.
Merle de Corse, vingt minutes.
Guignard, un quart d'heure.
Bécot, dix minutes au plus.
Rouge-gorge, dix minutes.

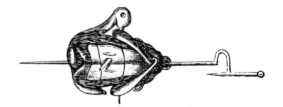

CURAÇAO

On nomme curaçao une espèce d'orange dont on tire une liqueur qui porte le même nom qu'elle, et dont les zestes desséchés nous arrivent par la Hollande; on distille ses écorces avec de l'alcool, on en mêle l'esprit avec du sirop. Cette écorce est d'un goût amer et charmant. On la lave, on l'égoutte, on la laisse infuser dans 1/4 d'eau et 3/4 d'alcool, quinze jours. On égoutte sur tamis, on mêle à un fort sirop et on filtre.

N.-B. – Agitez de temps à autre votre réceptacle pendant l'infusion.

Cette opération, simple en théorie, est d'une pratique scabreuse. Le plus sûr est d'acheter son curaçao tout préparé.

C'est chez Foking, à Amsterdam que se vend le meilleur curaçao; quelque soin que l'on donne à cette liqueur, à Bordeaux, elle n'atteint pas le degré de perfection de sa rivale.

CYGNE, PATÉ DE CYGNE

Les cygnes qui, pour plusieurs naturalistes, rentrent dans le genre canard, forment au contraire dans la classification de Cuvier un genre distinct de l'ordre des Palmipèdes; de tous les oiseaux, le cygne est celui dont le cou se compose d'un plus grand nombre de vertèbres, il en a vingt-trois; les dorsales sont au nombre de onze, il en a quatorze sacrales et trois caudales.

Le cygne domestique a une élégance de forme qui ne permet pas de le confondre avec l'oie et le canard, qu'il touche cependant de si près; une seule anomalie signale le cygne aux yeux ou plutôt aux oreilles des ornithologistes : c'est que les naturalistes aient appliqué à cet animal le nom de *cygnus musicus*. Or, quiconque a entendu le fameux chant du cygne avouera que c'est le cri le plus désagréable qu'il ait jamais ouï. – Le chant du cygne est une locution qu'il faut accepter à cause de sa poésie, et non à cause de sa vérité; ce qui a maintenu le cygne dans sa position de virtuose, c'est l'admirable rôle qu'il joue dans tout le Lohengrin; mais au point de vue de la cuisine, tout cela n'aurait pas pu lui constituer une position, si la chair du jeune cygne, et surtout du cygne sauvage, n'était pas plus tendre et plus savoureuse que celle de nos meilleurs palmipèdes; on en fait des pâtés à la manière des pâtés d'Amiens.

Les boissons. Illustration de Bertall pour La Physiologie du goût.

DAIM

Quadrupède de l'ordre des ruminants et de la famille des cerfs. On regarde, avec raison, la chair de cet animal comme un excellent aliment.

Le daim est trop connu pour qu'il soit besoin de le décrire ici. Nous ne faisons pas d'ailleurs un cours d'histoire naturelle. Nous dirons seulement que la chair du daim, comme celle du chevreau, est meilleure quand il a été tué étant en exercice.

Les parties du daim les plus estimées sont le train et les pieds de derrière, parce qu'elles sont les plus charnues; la cervelle est aussi, d'après Redi, qui dit en avoir mangé avec du lard, un morceau fort délicat.

On doit choisir le daim jeune, tendre, gras et bien nourri; sa chair produit un bon suc et nourrit beaucoup. Quand il est trop vieux, elle est dure et difficile à digérer.

Quartier de derrière du daim. (Mode anglaise.) Lorsque vous aurez un quartier de daim bien gras, c'est-à-dire couvert de graisse, tel que peut l'être un gigot de mouton, désossez-en le quasi, battez-le bien, saupoudrez le dessus d'un peu de sel fin, faites une pâte avec trois litrons de farine, dans laquelle vous mettrez une demi-once de sel, six œufs entiers et un peu d'eau seulement pour que votre pâte soit extrêmement ferme; enveloppez-la dans un linge blanc et humide, laissez-la reposer une heure; après abaissez-la bien également en lui donnant l'épaisseur d'une pièce de six livres, embrochez votre venaison, enveloppez-la entièrement de votre abaisse de pâte, pour cela elle doit être d'un seul morceau, soudez-la en mouillant les bords, et les joignant l'un sur l'autre; enveloppez le tout de fort papier beurré; puis faites cuire à un feu bien égal environ trois heures; la cuisson faite, ôtez le papier, faites prendre belle couleur à la pâte, débrochez-la, servez-la en joignant une saucière de gelée de groseilles qu'on appelle en anglais : *Corinthe gelée.* (Recette de M. Beauvilliers.)

Daim roti a la broche. Lardez-le de gros lard assaisonné de sel, poivre, clous de girofle, mettez-le tremper dans le vinaigre avec laurier, sel, tranches d'oignons et de citron, faites-le rôtir à petit feu en l'arrosant de sa marinade. Faites ensuite une sauce avec anchois, échalotes hachées, citron vert et farine frite, liez le tout avec un coulis et versez sur votre quartier de daim.

DALLE OU DARNE

On donne ce nom à une tranche de saumon, de cabillaud, de bar, etc.

DAMPINARD
(fromage de)

Ces fromages d'une ferme de l'Aisne sont faits avec du lait de chèvre en forme de boules de 8 centimètres de diamètre. Ils sont estimés des connaisseurs.

DARIOLE

Pâtisserie d'entremets; voici la manière de les faire : Faites une abaisse de pâte brisée, de l'épaisseur d'un centimètre. Coupez-la avec un coupe-pâte assez grand pour que vos abaisses débordent les moules de vos darioles, et vous leur donnez avec la pointe d'un couteau la forme qu'elles doivent avoir; posez-les dans les moules beurrés d'avance, rognez la pâte qui déborde des moules, mettez dans une casserole pour la quantité de darioles que vous voulez faire une ou deux cuillerées à bouche de farine, huit ou dix macarons bien écrasés, du sel, de la fleur d'oranger et des jaunes d'œufs crus, vous délayez le tout avec un bon verre de crème, versez cette composition, après l'avoir bien remuée, dans vos moules et faites-les cuire au four; leur cuisson achevée, retirez-les des moules, dressez-les sur un plat, saupoudrez-les de sucre fin et servez-les le plus chaudement possible.

DARIOLES A LA DUCHESSE. Vous opérez comme ci-dessus en ajoutant à votre pâte de la fleur d'oranger pralinée, un zeste de citron, une pleine cuillerée de raisins de Corinthe, une forte pincée d'angélique hachée et quelques merises confites au sec, vous les mettez de même dans des moules et faites cuire comme ci-dessus.

DARIOLES AU MOKA. Vous faites bouillir de la crème double, la quantité que vous voulez et vous jetez dans cette crème trois onces de café Moka que vous avez fait bouillir jusqu'à légère coloration; vous faites infuser un quart d'heure, vous passez votre crème et vous procédez, pour le reste, comme il est indiqué pour les darioles ci-dessus.
Les darioles au chocolat, au rhum, au thé se font de la même manière; celles au fromage de Brie se nomment *Talmouses. (V. Talmouses.)*

DATTES

On donne ce nom au fruit du dattier commun. Les meilleures dattes nous viennent d'Afrique, c'est la principale nourriture des Arabes, et en France on les voit rarement sur les tables, et l'on ne s'en sert guère que pour faire des sirops ou confitures.
Ce fruit doit être mangé bien mûr et bien frais, autrement il occasionne des indigestions et des maladies de la peau; Pline rapporte que plusieurs soldats d'Alexandre moururent pour avoir mangé avec excès des dattes trop vertes. Il contient un noyau très-dur que l'on fait broyer et macérer et que l'on donne à manger aux chameaux et aux moutons.

DAUBE

C'est la préparation à chaud ou à froid d'un aliment gras et charnu; les substances les mieux appropriées pour être mises en daube sont ordinairement : la noix de bœuf et le filet d'aloyau, le gigot de mouton, le carré de porc frais et les grosses volailles.

DAUPHIN

Mammifère de l'ordre des cétacés et de la famille des souffleurs. J'ai dans mes voyages mangé du foie et de la langue de dauphin qui est un mets d'honneur. La chair a le goût du thon et une forte odeur de marée : elle est indigeste.

DAUPHIN
(fromage)

Fromage flamand qu'on mange très-fait et qui excite à boire.

DÉGUSTATION

Action d'apprécier, par le moyen de la langue et non du palais comme on le dit à tort, la saveur propre aux aliments. Un fin dégustateur est rare.

DÉJEUNER

A la lettre : *repas qui rompt le jeûne.* C'est le repas du matin ou celui de midi. Ce dernier doit être servi sans nappe et sans étiquette rigoureuse.

DELESSERIA

Genre de la famille des Algues et de l'ordre des cryptogames. Les Écossais en mangent, cuite dans du lait ou du bouillon.

DEMI-BEC

Genre de poisson osseux, à chair huileuse, lourde à digérer.

DENTS

La mâchoire humaine est meublée de trente-deux dents ou moins. Celles de devant tranchent et celles des côtés broient les aliments. L'absence des dents rend la digestion difficile à cause de l'insuffisante trituration des aliments, de là des spasmes, des crampes, etc.

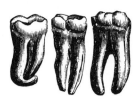

DESSERT

Dernière partie du dîner, composée d'aliments légers.
Un dessert bien ordonné doit charmer les yeux autant que
le goût des convives. Soignez donc l'arrangement des
assiettes et l'harmonie générale des pièces.

DIABLOTINS

On donne ce nom à différentes choses; c'est d'abord un
plat d'entremets qui n'est autre chose que de la crème aux
œufs qu'on a partagée, refroidie et fait frire; c'est ensuite
une sorte de petites dragées napolitaines. *(V. Dragées.)*
Enfin, on donne ce nom à des bonbons de chocolat enveloppés d'une papillote.

DIGESTION

Fonction qui consiste dans la transformation des substances
alimentaires, introduites dans l'estomac, en matières
assimilables.

DINDE
(V. Dindon.)

DINDON

En ornithologie on dit un dindon et une dinde pour désigner
le mâle et la femelle de ces animaux. En cuisine on dit
généralement un dinde du mâle et de la femelle.
La femelle est toujours plus petite et plus délicate que le
mâle. Les dindons étaient connus des Grecs, qui les appelaient des *Méléagrides*, parce que ce fut Méléagre, roi de
Macédoine, qui les apporta en Grèce l'an du monde 3,559.
Quelques savants ont contesté ce fait, et ont dit que c'était
des pintades; mais Pline (livre 37, chap. II) décrit le dindon
à ne pouvoir s'y méprendre. Sophocle, dans une de ses
tragédies perdues, introduisait un chœur de dindons qui
pleuraient sur la mort de Méléagre.
Les Romains professaient une estime particulière pour les
dindons : ils les élevaient dans leurs métairies. Comment
disparurent-ils? Quelle épidémie les enleva? C'est ce que
l'histoire ne nous apprend point. Seulement ils devinrent
si rares qu'on finit par les mettre en cage, comme on y met
aujourd'hui les perroquets.
En 1432, les vaisseaux de Jacques Cœur, qui commença
par être un des premiers négociants du monde et qui finit
par être argentier et maître d'artillerie du roi Charles VII,
en 1432, disons-nous, les vaisseaux de Jacques Cœur
rapportèrent les premiers dindons de l'Inde. Nous ne devons
donc point ce précieux oiseau aux jésuites, comme la
croyance en est vulgairement répandue, puisque l'ordre
des jésuites ne fut fondé par Ignace de Loyola qu'en 1534
et ne fut approuvé par le pape Paul III qu'en 1540.
Cette croyance que les sectateurs de Loyola ont importé
le dindon d'Amérique, fait que quelques mauvais plaisants

ont pris l'habitude d'appeler les dindons des jésuites. Les
dindons ont exactement le même droit de se fâcher de ce
changement de nom, que l'auraient les jésuites si on les
appelait des dindons.
Notre avis n'est donc pas celui de la plupart des savants
qui disent que le dindon vient d'Amérique. L'Amérique,
découverte en 1492 par Christophe Colomb, ne pouvait
en 1450, c'est-à-dire quarante-deux ans auparavant,
approvisionner les vaisseaux de Jacques Cœur, quoique la
devise de celui-ci fût : « A vaillant cœur, rien d'impossible. »
Son nom de poule d'Inde, d'où dérive le mot dindon,
paraîtrait plus naturel d'ailleurs venant de l'Inde que
venant d'Amérique, quoique l'on prît à cette époque
l'habitude d'appeler l'Amérique l'Inde occidentale.
Aujourd'hui on trouve en Amérique, et surtout chez les
Illinois, le dindon à l'état sauvage. Brillat-Savarin, dans
sa Physiologie du goût, se fait le héros d'une chasse où il
eut le bonheur de tuer un dindon. Un chasseur canadien
m'a assuré avoir tué un de ces animaux qui pesait près
de cinquante livres.

Quoique la chair du dindon, surtout froide, soit excellente,
pleine de sapidité, et préférable à celle du poulet, il y a des
gourmets qui n'en mangent absolument que les *sot-l'y-
laisse*, étymologie : *sot qui le laisse.*
Un jour Grimod de la Reynière, oncle du célèbre comte
d'Orsay, qui pendant vingt ans a donné la mode à la France
et à l'Angleterre, un jour Grimod de la Reynière étant,
dans une tournée financière, surpris par la nuit ou par le
mauvais temps, ou par un de ces obstacles insurmontables
enfin qui forcent un épicurien à s'arrêter dans une auberge
de village, demande à l'hôte ce qu'il peut lui donner pour
souper.
Celui-ci lui avoue avec honte et regret que son garde-
manger est complètement vide.
Un grand feu qui brille à travers les carreaux d'une porte
vitrée, qui n'est autre que celle de la cuisine, attire les
regards de l'illustre gourmand, qui voit avec étonnement
sept dindes tournant à la même broche.

Din

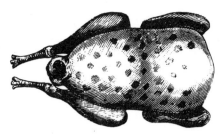

Grimod de la Reynière

« Comment osez-vous me dire que vous n'avez rien à me donner à souper, s'exclama Grimod de la Reynière, quand je vois à la même broche sept magnifiques dindes, arrivées à leur degré de cuisson?
— C'est vrai, monsieur, lui répondit l'hôte, mais elles sont retenues par un monsieur de Paris qui est arrivé avant vous.
— Et ce monsieur est seul?
— Tout seul.
— Mais c'est donc un géant que ce voyageur?
— Non, monsieur, il n'est guère plus grand que vous.
— Oh! oh! dites-moi le numéro de la chambre de ce gaillard-là, et je serai bien maladroit, s'il ne me cède pas une de ses sept dindes. »
Grimod de la Reynière se fait éclairer et conduire à la chambre du voyageur, qu'il trouve près d'une table dressée, assis devant un excellent feu et aiguisant l'un sur l'autre deux couteaux à découper.
« Et pardieu! je ne me trompe pas, s'écrie Grimod de la Reynière, c'est vous, monsieur mon fils!
— Oui, mon père, répondit le jeune homme en saluant respectueusement.
— C'est vous qui faites embrocher sept dindes pour votre souper?
— Monsieur, lui répondit l'aimable jeune homme, je comprends que vous soyez péniblement affecté de me voir manifester des sentiments si vulgaires et si peu conformes à la distinction de ma naissance, mais je n'avais pas le choix des aliments, il n'y avait que cela dans la maison.
— Pardieu! je ne vous reproche pas de manger de la dinde, à défaut de poulardes ou de faisan; en voyage on est bien obligé de manger ce qu'on trouve, mais je vous reproche de faire mettre pour vous seul sept dindes à la broche.
— Monsieur, je vous ai toujours entendu dire à vos amis qu'il n'y avait réellement de bon, dans le dindon non truffé, que les *sot-l'y-laisse*. J'ai fait mettre sept dindes à la broche pour avoir quatorze *sot-l'y-laisse*.
— Ceci répliqua son père, obligé de rendre hommage à l'intelligence du jeune homme, me paraît un peu dispendieux pour un garçon de dix-huit ans, mais je ne saurais dire que ce soit déraisonnable. »
Avignon a été de tout temps une ville où l'on a mangé à merveille, c'est une vieille tradition du temps où Avignon était ville pontificale.
Un respectable président du tribunal de cette ville appréciait les qualités du dindon.
Il disait un jour:
« Par ma foi, nous venons de manger un superbe dinde, il était excellent, bourré de truffes jusqu'au bec, tendre comme une poularde, gras comme un ortolan, parfumé comme une grive. Nous n'en avons, ma foi, laissé que les os.

– Combien étiez-vous? demanda un curieux.

– Nous étions deux, monsieur! répondit-il.

– Deux?...

– Oui. Le dinde et moi. »

Louis XV, voulant un jour visiter la ménagerie de Versailles, prit le chemin de Saint-Hubert pour s'y rendre, mais il fut arrêté en route par un groupe de dindons qui lui barrait le passage. Ces dindons étaient ceux de la ménagerie qui sans doute s'étaient échappés.

« Qui est-ce, dit le roi, qui est chargé de cette volaille?

– Sire, c'est le capitaine La Roche, lui répondit-on.

– Eh bien, allez dire au capitaine La Roche que s'il lui arrive encore de laisser échapper ses dindons, je le casserai à la tête de sa compagnie de volailles. »

La couleur rouge a la faculté d'exciter la colère du dindon, comme celle du taureau; il s'élance alors sur celui qui la porte et l'attaque à coups de bec. C'est ce qui fut cause de l'accident arrivé à l'illustre Boileau.

Boileau, étant encore enfant, jouait dans une cour où se trouvait entre autres volailles un dindon; tout à coup l'enfant tombe, sa jaquette se retrousse et le dindon, qui aperçoit la couleur abhorrée, se jette dessus et, à force de coups de bec, meurtrit le pauvre Nicolas de telle sorte que celui-ci, ne pouvant plus jamais devenir un poëte érotique, prit par la suite le parti d'être un poëte satirique et de médire des femmes.

Le poëte fut incommodé toute sa vie. C'est là sans doute la cause de l'aversion secrète qu'il eut toujours contre les jésuites qu'il croyait, d'après l'opinion la plus commune, les introducteurs du dindon en France.

DINDE AUX TRUFFES. (Recette de Courchamps.) Ayez une jeune et belle poule d'Inde, bien grasse et bien blanche; épluchez-la, flambez-la, videz-la par la poche, prenez garde d'en crever l'amer et d'en offenser les intestins; si ce malheur-là vous arrivait, passez-lui de l'eau dans le corps; ayez quatre livres de truffes, épluchez-les avec soin, supprimez celles qui seraient musquées, et hachez une poignée des plus défectueuses (pour la forme); pilez une livre de lard gras; mettez-le dans une casserole avec vos truffes hachées et celles qui sont entières; assaisonnez-les de sel, gros poivre, fines épices et une feuille de laurier; passez le tout sur un feu doux, laissez-le mijoter pendant trois quarts d'heure et puis retirez vos truffes du feu; remuez-les bien, et remplissez-en le corps de votre dinde jusqu'au jabot; cousez-en les peaux, afin d'y faire tenir les truffes; bridez-la et laissez-la se parfumer pendant trois ou quatre jours, si la saison vous le permet; au bout de ce temps, mettez-la à la broche, enveloppez-la de fort papier, faites-la cuire environ deux heures, et puis déballez-la pour lui faire prendre une belle couleur. Servez-la avec une sauce faite sur son jus de cuisson,

où vous ajouterez un léger hachis des mêmes truffes. Brillat-Savarin a le malheur, ou plutôt commet la faute, dans sa Physiologie du goût, de qualifier la dinde aux truffes de rôti. Cette hérésie culinaire exaspère M. de Courchamps, le vieil ami des Lauraguais et des Ximenès, qui avait été des petits soupers de Sophie Arnould et du maréchal de Richelieu. Il tance vertement Brillat-Savarin dans les quelques lignes suivantes, où l'on reconnaît la haine, nous dirons presque le mépris, que la noblesse d'épée a toujours eue pour la noblesse de robe.

Aussi au-dessous de la recette que nous venons de citer, écrit-il la note suivante :

« Nous n'avons pas besoin d'avertir qu'il ne faudra la donner que pour les grosses pièces, au premier service. Rien n'est si lourdement bourgeois et si *Chaussée d'Antin* que de faire servir, ou même de laisser paraître une dinde aux truffes en guise de plat de rôt! On ne comprend pas comment l'auteur de la *Physiologie du goût* a pu se tromper sur un pareil article. De la part de M. Brillat-Savarin, c'est l'effet d'une légèreté singulière, ou d'une illusion prodigieuse. L'estime qu'il avait méritée sous d'autres rapports et la considération de son ouvrage en ont beaucoup souffert. »

RECETTE DE LA DINDE AUX TRUFFES, DE M. LE MARQUIS DE CUSSY. Vous disposez vos truffes, vous les passez dans du lard râpé, assaisonné de poivre, sel, quatre épices; vous laissez mijoter les truffes vingt minutes, puis vous les introduisez dans l'intérieur de la dinde que vous venez de sacrifier et de vider. Vous la laissez pendue par les pattes dans un garde-manger frais, et, au bout de trois jours après l'avoir plumée et flambée, vous remplacez les premières truffes par des truffes vierges, pareillement préparées et disposées.

M. de Cussy, vous le voyez, comme Grimod de la Reynière ne veut pas qu'on plume la volaille truffée. « Faites donc attention, dit-il, qu'en ne plumant pas l'animal, tous les pores restent fermés, et il n'y a point d'évaporation. Les truffes chaudes se combinent avec les chairs palpitantes, et l'infiltration de leurs parfums est plus active, plus intense, plus universelle. Mais dans cette combinaison, les truffes perdent ce qu'elles donnent. » Dès lors, nous avons pensé qu'il fallait les remplacer par des truffes vierges.

Nous reconnaissons les deux recettes pour excellentes; mais comme tout le monde ne peut pas dépenser 40 francs à bourrer une dinde de truffes, nous allons donner la nôtre : Faites un hachis de veau, de poulet, de perdrix, si vous en avez, ajoutez-y un quart de chair à saucisses; faites cuire dans une eau bien salée, où vous aurez introduit une feuille de céleri, quinze ou vingt beaux marrons de Lyon que vous pilerez et réduirez en bouillie avec votre hachis. Joignez-y un bon boudin de table, que vous hacherez avec le reste; mettez un bouquet de persil au centre de cette farce, que vous introduirez dans le ventre de votre dinde; rétrécissez autant que possible l'orifice intérieur, dans lequel vous fourrerez un morceau de beurre salé et poivré; mettez votre dinde à la broche, et ne l'en retirez que lorsque jailliront de son corps, comme d'un volcan, de petits jets de fumée qui indiqueront qu'elle est cuite à point.

Cette dinde pourra s'appeler : *Dinde des artistes*.

Surtout, n'arrosez jamais vos rôtis, quels qu'ils soient, qu'avec du beurre manié de sel et de poivre. Toute cuisinière ou cuisinier qui met une seule goutte de bouillon dans sa lèchefrite mérite d'être chassé à l'instant et mis au ban de la France.

DINDE EN DAUBE. (Recette de M. Beauvilliers). Prenez une vieille dinde, après l'avoir flambée et épluchée, refaites-lui les pattes, videz-la et retroussez-la en poule; coupez de gros lardons, assaisonnez de sel et poivre, épices fines, aromates pilés, persil et ciboules hachés, roulez bien les lardons dans tout cela, lardez-en votre dinde en travers et en totalité, bridez-la, enveloppez-la dans un morceau d'étamine, cousez-la et ficelez-la des deux bouts, foncez une braisière de la grandeur convenable à la grosseur de votre dinde de quelques bardes de lard et de débris de veau, de quelques lames de jambon et du restant de vos lardons; ajoutez encore, si vous le voulez, un jarret de veau; posez votre dinde sur ce fond, assaisonnez-la de sel, d'un fort bouquet de persil et ciboules, de deux gousses d'ail et de deux feuilles de laurier, de deux ou trois carottes, de quatre ou cinq oignons dont un piqué de trois clous de girofle, mouillez votre dinde avec du bouillon et un verre de bonne eau-de-vie, faites en sorte qu'elle baigne dans son mouillement; couvrez-la de quelques bardes de lard et de feuilles de papier beurré, faites-la partir et couvrez votre braisière de son couvercle; mettez-la sur la paillasse avec feu dessus et dessous, entourez-la de cendres rouges, laissez-la mijoter ainsi pendant quatre heures; cependant à moitié de sa cuisson découvrez votre dinde, retournez-la, goûtez si elle est d'un bon sel, et ajoutez, au cas contraire, ce dont elle peut avoir besoin. Sa cuisson faite, retirez-la du feu, laissez-la presque refroidir dans son assaisonnement, retirez-la sur un plat, ayez soin de la laisser égoutter, passez son fond au travers d'un tamis de soie, clarifiez-le de même que l'aspic. (*V. Sauces*). Laissez refroidir votre gelée, déballez votre dinde, dressez-la et garnissez-la de cette gelée. (Observez qu'on peut servir cette dinde chaude avec partie de son fond réduit.)

DINDE GRASSE A LA CARDINALE. Prenez une petite dinde bien grasse, flambez-la, videz-la, prenez son foie et coupez-le avec truffes, champignons que vous mêlerez bien avec lard râpé, sel, gros poivre; mettez cette farce dans le corps de votre dinde, détachez la peau de l'estomac, mettez-y du beurre d'écrevisses; cousez la dinde, troussez les pattes en long, faites-la cuire à la broche, enveloppée de bardes et de papier beurré, et servez-la avec un coulis d'écrevisses.

DINDON EN BALLON. Prenez un bon gros dindon qui soit tendre, levez-en la peau en prenant garde de la déchirer et désossez tout le reste. Quand toute la chair est ôtée de dessus la peau, mettez-la dans une casserole, avec du lard pilé, des fines herbes hachées très-fin, puis dessus une couche de tous les filets de dindon coupés très-minces; ajoutez-y des fines herbes, un peu d'ail, des champignons coupés en tranches, du poivre concassé, très-peu de sel, couvrez avec une couche de tranches de jambon coupées très-minces et continuez ainsi par couches en alternant toujours et finissant par les fines herbes; foncez ensuite une marmite de bardes de lard, jetez dessus le ballon avec quelques racines, oignons, champignons, bouquet garni; mouillez de bon bouillon et faites cuire à la braise; retirez-le, égouttez-le bien et servez avec une bonne essence.

Vous pouvez aussi garnir le tour du ballon d'un cordon de choux-fleurs cuits dans un blanc comme à l'ordinaire et arrosés avec la sauce de votre dindon.

DINDON A LA CRÈME. Suivant le plat que vous voulez faire, vous prenez un ou deux dindons que vous habillez et faites cuire à la broche et que vous laissez refroidir. Vous faites ensuite une farce avec un morceau de noix de veau, un morceau de lard blanchi avec de la graisse de bœuf, une tétine de veau, quelques champignons, persil, ciboules; fines herbes, fines épices, sel, poivre; vous faites cuire le tout ensemble et vous le hachez en y ajoutant l'estomac des dindons; vous mettez cette farce avec du pain bouilli dans du lait, six jaunes d'œufs, la moitié des blancs fouettés en neige; le tout bien pilé; vous mettez une couche de cette farce au fond du plat, et sur cette couche, le dindon rempli d'une partie de la farce ci-dessus; vous mettez au milieu du dindon, dans un trou fait à l'avance, un ragoût fait de ris de veau, de crêtes, de champignons, vous couvrez ce ragoût et vous arrondissez autant que possible votre dindon que vous panez de mie de pain très-fine et que vous mettez cuire au four; quand il a pris belle couleur vous le dégraissez et servez chaudement.

SALMIS DE DINDON. Troussez proprement un dindon, faites-le cuire à demi à la broche, puis coupez-le en pièces et mettez-le cuire dans une casserole avec du vin, ajoutez des truffes, des champignons hachés, un peu d'anchois, du sel et du poivre; lorsqu'il est cuit, vous liez la sauce avec un coulis de veau, vous le dégraissez et servez pour entrée avec du jus d'orange.

DINDON GRAS A LA PÉRIGORD. Prenez deux livres de truffes pelées, lavées et bien essuyées, maniez-les avec du lard râpé, sel et gros poivre, farcissez-en un dindon frais tué, cousez-le, troussez les pattes en long, laissez-le mortifier et prendre le goût des truffes pendant trois ou quatre jours, mettez-le ensuite à la broche enveloppé de lard et de papier beurré, laissez-le bien cuire et servez avec une sauce hachée aux truffes.

DINDON EN FILETS. On accommode ces filets comme ceux de poulets *(V. Poulets)*, et on les sert de même, ou bien on les sert avec un ragoût aux concombres passés avec un coulis roux.

DINDON AUX ÉCREVISSES. Habillez proprement et videz un dindon, détachez bien la chair de la peau, ôtez-en l'estomac et faites avec une farce en y ajoutant du lard, de la graisse de bœuf, un peu de jambon, ciboules, champignons, truffes, le tout assaisonné de sel, poivre et muscade, un peu de mie de pain trempée dans la crème et deux jaunes d'œufs crus, le tout haché ensemble et pilé dans un mortier, vous en farcissez le dindon et vous lui mettez dans le corps un bon ragoût d'écrevisses; puis vous le bouchez par les deux bouts, le cousez et le mettez à la broche enveloppé de bardes de lard, de tranches de veau et de jambon que vous couvrez avec un papier beurré et vous ficelez le tout.
Votre dindon étant bien cuit, vous le dressez dans un plat, vous mettez le ragoût par-dessus et vous servez chaudement.

DINDON AUX HUITRES. Il se fait de la même manière que celui ci-dessus, on fait seulement un ragoût aux huîtres au lieu d'un aux écrevisses. *(V. Huîtres.)*

DINDON AUX MARRONS. Épluchez et videz un dindon, hachez le foie avec du persil, de la ciboule, du lard râpé, beurre, sel, poivre, fines herbes et marrons que vous aurez d'abord fait cuire dans la braise pour ôter la petite peau; mettez cette farce dans le corps du dindon et embrochez-le, enveloppé de bardes de lard et de papier beurré et laissez-le cuire jusqu'à ce qu'il soit bien tendre. Prenez d'autres marrons épluchés et mettez-les cuire dans une casserole avec un peu de bouillon, quand ils sont cuits vous ôtez le bouillon, vous mettez dans la casserole un peu de coulis, du jus et un peu d'essence et vous en garnissez votre dindon que vous aurez bien dégraissé et dressé sur un plat.

Dindon bridé pour relevé

DINDON EN GALANTINE. Chaque dindon devant former une galantine, vous en prenez la quantité que vous voulez et que vous préparez à l'ordinaire; fendez-le par le dos, ôtez-en la peau le plus proprement possible sans la casser, prenez ensuite le blanc de ces volailles que vous coupez en filets avec du jambon, du lard, des pistaches également coupés en filets, et arrangez le tout sur un plat; faites une farce avec le restant de votre chair, une noix de veau, un morceau de jambon que vous coupez en petits morceaux et que vous hachez ensuite avec persil, ciboules, fines épices, fines herbes, poivre, sel et jaunes d'œufs, en ayant bien soin que cette farce soit de fort bon goût; vous étendez ensuite les peaux de vos dindons sur lesquelles vous mettez d'abord un lit de farce, puis un filet du blanc du dindon, un filet de jambon, un filet de lard, un filet de pistaches, un filet de jaunes d'œufs durs, si vous servez de cette galantine pour entremets froids; ensuite un lit de farce par-dessus et vous continuez jusqu'à ce que les peaux de dindons soient remplies, vous faites rejoindre ces peaux et vous les cousez. Vous garnissez une marmite de bardes de lard et de tranches de veau. Vous y arrangez les dindons, les assaisonnez et achevez de les couvrir dessus comme dessous; mettez une demi-bouteille de bon vin blanc, quelques gousses d'ail, du bouillon, et faites cuire feu dessus et dessous, tout doucement; puis ôtez-les du feu, laissez-les refroidir dans leur braise afin qu'ils prennent du goût, et servez-les ensuite entiers ou coupés en tranches.

DINDON A LA PRINCESSE. Retroussez votre dindon, coupez-le en deux, mettez-le à la braise comme le chapon, retirez-le, panez-le, faites-le frire dans du saindoux jusqu'à belle couleur. Dressez-le ensuite et servez avec une rémoulade faite avec des anchois, du persil, des câpres hachés, un peu de ciboule, un jus de bœuf et autres bons assaisonnements.

DINDON MARINÉ. Vous le faites mariner pendant 8 heures avec verjus, jus de citron, sel, poivre, clous de girofle, ciboules et laurier; faites ensuite une pâte claire avec de la farine, du vin blanc, des jaunes d'œufs, vous trempez votre dindon dans cette pâte, vous le faites frire dans le saindoux et le servez garni de persil frit.

PATTES DE DINDON A LA SAINTE-MENEHOULD. Prenez 18 pattes de dindons dont vous ôtez la peau et que vous faites cuire dans une braise blanche ou dans une Sainte-Menehould. *(V. Sauces.)* Quand elles sont cuites et refroidies, mettez autour une farce fine, panez avec de la mie de pain après avoir uni avec de l'œuf battu; faites ensuite frire vos pattes dans la friture bien chaude et servez-les garnies de persil frit.

AILERONS DE DINDONS A LA D'ESTRÉES. Procurez-vous des peaux de poulets ou de poulardes et mettez-les sur des moules de cuivre faits en ailerons de dindons; remplissez ces peaux d'une bonne farce fine ou de filets de volaille mis dans une béchamel; faites cuire au four pendant un quart d'heure, ôtez-les des moules, en ayant soin de leur conserver la forme d'ailerons, et servez-les avec une sauce au vin de Champagne.

AILERONS A LA STANISLAS. Prenez des ailerons de dindons ou de poulardes bien échaudés, panez-les avec des truffes, champignons, ris de veau, un bouquet garni et du beurre en quantité suffisante; mouillez avec un peu de vin de Champagne, du bouillon, et deux cuillerées de coulis, faites cuire le ragoût à petit feu, dégraissez-le, assaisonnez-le de bon goût et dressez-le dans le plat sans la sauce; coupez ensuite des cornichons en long, faites-les blanchir, égouttez-les sur un tamis, faites-les chauffer dans la sauce, mettez-les autour du ragoût en cordon et servez la sauce par-dessus.

AILERONS DE DINDONS AU BLANC. Prenez dix ou douze ailerons, échaudez-les, faites-les blanchir, parez-les des bouts et mettez-les dans une casserole avec un morceau de beurre, une tranche de jambon, des champignons coupés en dés, un bouquet garni; passez-les, soignez-les, assaisonnez-les de bon goût et faites-les cuire. Dégraissez-les, liez-les de crème et de jaunes d'œufs et servez-les avec un jus de citron.

AILERONS DE DINDONS AUX PETITS POIS. Faites blanchir huit ailerons, parez-les, mettez-les dans une casserole avec une tranche de jambon, un bouquet de fines herbes, du bon bouillon; faites bouillir les ailerons et à moitié de leur cuisson mettez-y un litron de petits pois, un morceau de beurre, un peu de coulis et un peu de jus. Quand ils sont cuits, dégraissez le ragoût, assaisonnez-le avec un peu de sel et servez.

AILERONS OU QUENELLES DE DINDONS FRITS. Faites cuire des ailerons dans une bonne braise bien nourrie, qu'elle soit de haut goût, mettez-les refroidir, trempez-les dans des œufs battus, panez-les, faites-les cuire de belle couleur et servez-les garnis de persil frit.

AILERONS AU FOUR AUX PETITS OIGNONS. Foncez une casserole de tranches de veau blanchies, mettez dessus vos ailerons aussi blanchis, couvrez de bardes de lard, ajoutez un bouquet, mouillez de bouillon, assaisonnez de sel et gros poivre; à moitié de cuisson, mettez des petits oignons blanchis à l'eau bouillante; lorsque tout est cuit, retirez vos ailerons et les oignons, passez la sauce au tamis, liez-la sur le feu avec un blond de veau et des jaunes d'œufs; mettez-en une partie dans un plat, de la mie de pain, du parmesan râpé par-dessus; ensuite vos ailerons et les oignons; arrosez du reste de la sauce, panez de mie de pain et de parmesan, faites prendre couleur au four, égouttez la graisse et servez à courte sauce.

POTAGE DE DINDONNEAUX AUX ÉCREVISSES. Épluchez et videz des dindonneaux, troussez-les proprement et faites-les blanchir; mettez-les cuire dans une marmite avec de bon bouillon, prenez des écrevisses que vous faites cuire dans l'eau, et prenez-en ce qu'il vous faut pour faire un cordon du tour du plat de votre potage; ôtez-en les pattes, épluchez la queue, qu'elle se tienne au corps de l'écrevisse, mettez les queues à part et ne gardez que les coquilles; mettez douze amandes douces dans de l'eau tiède, pelez-les et pilez-les avec les coquilles d'écrevisses; garnissez ensuite le fond d'une casserole avec des rouelles de veau, un morceau de jambon coupé par tranches, oignons, carottes et panais; couvrez le tout et laissez suer sur le fourneau, mouillez-le d'un bon bouillon, mettez quelques croûtes de pain, du persil, de la ciboule, des fines herbes, des champignons, des truffes; faites mitonner le tout ensemble jusqu'à ce que les tranches de veau soient cuites, vous les retirez et vous délayez dans la casserole le coulis d'écrevisses qui est dans le mortier et le passez à l'étamine, puis videz-le dans une marmite, mettez-le sur des cendres chaudes pour le faire chauffer sans bouillir. Faites un ragoût avec les queues d'écrevisses que vous avez épluchées, quelques petits champignons et truffes coupés par tranches, passez-les dans une casserole avec du lard fondu, mouillez-les d'un jus de veau, ajoutez-y six fonds d'artichauts et faites mitonner le tout ensemble. Lorsque c'est cuit, vous liez le petit ragoût avec le coulis d'écrevisses, mitonnez des croûtes dans le plat où vous voulez servir le potage, garnissez le bord du plat des écrevisses que vous avez épluchées, mettant le côté de la queue en dedans du plat; tirez les dindonneaux de la marmite, déficelez-les, et servez-les proprement sur le potage en dressant autour les fonds d'artichauts de votre ragoût; jetez ensuite le ragoût et le coulis sur le potage et servez chaudement.

HACHIS DE DINDONS A LA BÉCHAMEL. Vous hachez fin les chairs d'un dindon rôti, vous faites bouillir une béchamel peu épaisse, vous y mettez le hachis avec sel, poivre, muscade, et vous servez avec des croûtons aux œufs pochés.

BLANQUETTE DE DINDON. Vous levez les blancs d'un dindon rôti et refroidi et vous les coupez par morceaux bien minces, puis vous faites réduire une béchamel avec champignons cuits dans un blanc, vous mettez vos morceaux de dindon dans votre béchamel, que vous lierez avec des jaunes d'œufs et que vous servez soit dans un vol-au-vent, soit dans une casserole de riz ou une timbale de nouilles.

CAPILOTADE DE DINDON. Préparez une sauce à l'italienne et mettez dedans un dindon cuit à la broche et refroidi que vous aurez dépecé; faites bouillir pendant quelques instants, dressez les morceaux de dindon, versez la sauce dessus et mettez autour des morceaux de pain frits dans du beurre.

HATELETS DE DINDON. Vous levez les chairs blanches d'un dindon rôti et refroidi, puis vous les coupez par morceaux carrés après en avoir ôté les peaux et les tendons; vous coupez, de la même manière, du petit lard cuit, des truffes et des champignons, vous embrochez ces diverses substances avec des hâtelets, et en alternant les morceaux; vous arrosez d'une sauce allemande réduite. Trempez vos hâtelets refroidis dans de la mie de pain, des œufs battus et une seconde mie de pain, enfin dans une friture chaude et servez avec jus de viande.

DINER

Action journalière et capitale qui ne peut être accomplie dignement que par des gens d'esprit : car il ne suffit pas, au dîner, de manger, il faut parler avec une gaieté discrète et sereine.

La conservation doit étinceler avec les rubis des vins d'entremets, elle doit prendre une suavité délicieuse avec les sucreries du dessert et acquérir une vraie profondeur au café.

DORADE

Poisson qui tire son nom du reflet doré de ses écailles. On trouve la dorade dans toutes les mers; elle remonte périodiquement les rivières; sa chair est blanche, ferme et d'un excellent goût. On la mange de préférence rôtie ou cuite au court-bouillon et accompagnée d'une sauce blanche aux câpres. On peut la servir aussi frite ou avec une purée de tomates.

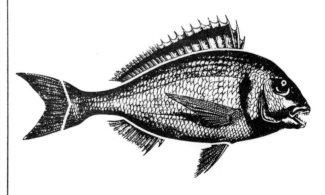

DORURE

On nomme ainsi, en pâtisserie, la composition qui est destinée à dorer les croûtes des pâtés, des vol-au-vent, ou de tout autre gâteau auquel on veut donner une couleur. On fait la dorure en battant, comme pour une omelette, des jaunes et des blancs d'œufs, puis on se sert d'un petit pinceau ou d'une plume pour faire la coloration.

A défaut d'œufs, on peut se servir de safran ou de fleur de souci dans laquelle on délaye un peu de sagou jaune, afin de donner plus de fermeté à cette composition.

DOUCETTE

On donne ce nom à une petite espèce de mâche. On la mange en salade comme celle-ci et ses propriétés alimentaires sont les mêmes.

DOUM

Arbre de la famille des palmiers. C'est un bel arbre d'Égypte, mais qui, comme tous les végétaux de ce pays, ne donne pas d'ombre. Ampère a dit : un arbre sans ombre est comme une fleur sans parfum. Mais, à défaut d'ombrage, le doum donne un fruit rafraîchissant dont j'ai pu juger par moi-même le goût de pain d'épices. Une dame du Caire, qui voulut jadis y fêter ma présence, me tendit, de ses fines mains rougies de henné, un frais sorbet de doum.

DRAGÉES

On donne ce nom à un des produits de l'art du confiseur; c'est une espèce de bonbon dont le noyau est formé tantôt de grands ou de petits fruits, tantôt de morceaux d'écorce ou de racines aromatiques, le plus communément d'amandes douces; ce noyau est recouvert d'une pâte sucrée ou de sucre cristallisé; on en fait aussi où l'on remplace le noyau par la liqueur qu'il vous plaît d'y mettre. On colore ces dragées soit en rose, soit en rouge ou en telle autre couleur. Comme cette friandise appartient plus principalement au confiseur et qu'il y a peu de maisons d'ailleurs où l'on en fasse pour sa consommation, préférant les acheter, nous ne nous occuperons pas de sa composition.

DUMPLING

Cuisine étrangère, entremets anglais.

DUMPLING AUX POMMES OU AUX PRUNES. Roulez votre pâte chaude et mince, superposez pommes pelées ou prunes de Damas, les bords de la pâte étant mouillés et fermés, faites bouillir le tout une heure dans un linge; versez du beurre chaud, poudrez de sucre et servez.

DUMPLING FERME. Pâte de farine et d'eau salée; roulez en boules grosses comme le poing, emplissez de raisins de Corinthe, farinez, enveloppez d'un linge, faites cuire à l'eau bouillante trente minutes, arrosez de Xérès, sucrez et servez.

DUMPLING DE NORFOLK. Ce mets, qui a l'honneur de devoir son nom au duc de Norfolk, lequel l'affectionnait beaucoup, se fait de la façon suivante :

Vous mettez dans une pâte un peu épaisse un grand verre de lait, deux œufs et un peu de sel, faites-la cuire deux ou trois minutes dans de l'eau bien bouillante, jetez, égouttez sur un tamis et servez avec du beurre frais un peu salé.

DURION

On donne ce nom au fruit d'un arbre fort élevé, remarquable par sa grosseur et ressemblant à nos melons. Cet arbre est originaire de l'Inde, et les Siamois aiment tellement le durion qu'ils le conservent toute l'année; avec de la crème fraîche, ils en font, par la cuisson, une marmelade qu'ils mettent et soignent dans des pots.

Le durion est enveloppé d'une peau plus dure que celle des marrons et couverte d'épines très-pointues, l'odeur en est désagréable, elle a le goût de l'oignon rôti, mais la pulpe a une saveur exquise. Dans cette pulpe se trouve un petit noyau contenant une amande qu'on fait griller pour la manger ensuite, elle a la saveur de nos châtaignes.

DUTROA

Plante américaine du genre datura. Ses graines macérées dans le vin constituent une liqueur spiritueuse qu'on estime en Portugal.

EAU

Les personnes habituées à l'eau deviennent aussi bons gourmets en eau que les buveurs de vin le deviennent en cette liqueur.

Pendant cinquante ou soixante ans de ma vie je n'ai bu que de l'eau, et jamais Grand-Laffîte ou Chambertin n'a fait éprouver à un amateur de vin les mêmes jouissances qu'à moi un verre d'eau de source fraîche, dont aucun sel terreux n'avait pu altérer la pureté.

L'eau très-froide, glacée même artificiellement, agit sur l'estomac comme excellent tonique, sans y exciter aucune irritation, calmant même celle qui pourrait y exister.

Mais il n'en est point ainsi des eaux de neige ou de glace, elles sont lourdes parce qu'elles ne contiennent pas d'air, agitez-les avant de les boire et elles perdront bientôt par l'agitation leurs qualités nuisibles.

Autrefois, Paris tout entier se désaltérait au fleuve qui le traverse; aujourd'hui, l'eau nous vient de Grenelle; des tuyaux la conduisent à la montagne Sainte-Geneviève, d'où elle se distribue dans tout Paris; depuis cinq ou six ans, l'eau de la Dhuys lui fait concurrence et descend du côté opposé, c'est-à-dire de Belleville, Montmartre, la butte Chaumont.

L'eau de Seine était tant calomniée depuis si longtemps, surtout par les provinciaux qui venaient passer quelques jours à Paris, qu'elle s'est lassée de désaltérer deux millions d'ingrats; mais quand l'eau de Seine était bien épurée, quand on la faisait prendre au-dessus du Jardin des plantes et au milieu du courant, aucune espèce d'eau n'était comparable à celle-là pour la limpidité, la légèreté, la sapidité; elle était surtout abondamment saturée d'oxygène, se repliant sur elle-même par des sinuosités multipliées qui, pendant près de deux cents lieues, la soumettaient à l'action de l'air atmosphérique; en outre, depuis sa source jusqu'à Paris, elle ne coule que sur un lit de sable, ce à quoi les gourmands attribuent la supériorité du poisson de Seine sur celui des autres rivières.

Tout le monde sait que les moines n'ont jamais beaucoup aimé l'eau, voici un fait qui vient encore prouver leur antipathie pour ce *fade liquide*.

Un cordelier fréquentait assez assidûment la cuisine d'un évêque qui avait recommandé à ses gens d'avoir soin du bon frère. Un jour que le prélat donnait un grand dîner, le moine se trouva justement à l'évêché; monseigneur parla du religieux et le recommanda à la compagnie.

Quelques dames s'écrièrent aussitôt :

« Monseigneur, il faut nous amuser et jouer un tour au moine. Faites-le venir, nous lui ferons boire un verre de belle eau claire que nous lui présenterons comme un verre d'excellent vin blanc.

— Mais vous n'y pensez pas, mesdames, dit l'évêque.

— Oh! cela nous divertira, laissez-nous faire, monseigneur. » Alors on fit venir un valet de chambre, et on lui fit apprêter sur le champ une bouteille d'eau, bien ficelée et bien cachetée. Puis on fait monter le quêteur.

« Frère, disent les dames, il faut boire à la santé de Sa Grandeur et à la nôtre. »

Le moine s'applaudit de sa bonne fortune et s'apprête à la bien recevoir; on débouche la bouteille, on lui verse rasade. Le malin moine qui s'aperçoit aussitôt de la supercherie ne perd point la tête et dit du ton le plus piteux et le plus humble à l'évêque.

« Monseigneur, je ne boirai pas que vous n'ayez donné votre sainte bénédiction sur ce nectar.

— Cela est fort inutile mon frère.

— Je vous en conjure, monseigneur, par tous les saints du Paradis. »

Les dames se mettent de la partie et conjurent le prélat d'avoir cette complaisance pour elles. L'évêque se prête enfin à leur volonté et bénit l'eau. Le cordelier appelle alors un laquais et lui dit en souriant :

« Champagne, portez cela dans l'église, un cordelier n'a jamais bu d'eau bénite. »

Il avait bien raison, n'est-ce pas?

La semaine sainte à Toulon. — L'eau bénite puisée aux fontaines, le Samedi saint.

EAU DE SELTZ

L'eau de seltz naturelle se trouve dans une source du duché de Nassau. C'est une eau légèrement gazeuse agréable et digestive. On en fait partout d'artificielle qui garde quelques-unes des excellentes propriétés de l'eau naturelle qui lui sert de type.

L'eau de seltz est bonne pour les phthisiques.

On connaît le petit poëme que lord Byron écrivit sous l'influence des fumées d'un vin du Midi, *lymphatus Mareotico*, dans lequel il s'éleva à des considérations sublimes et pathétiques touchant la destinée humaine et qu'il interrompit sans retour par ce cri : « *J'ai soif! apportez-moi de l'eau de seltz.* »

EAU-DE-VIE

 C'est le produit de la distillation du vin opérée à feu moins vif que pour la fabrication de l'alcool. Tandis que tous les trois-six poussés à leur plus haut degré de sublimation se ressemblent, les eaux-de-vie témoignent de goûts fort différents suivant le climat, le sol et le cépage. Les eaux-de-vie fines ont du bouquet et de la sève; les eaux-de-vie moyennes ont de la sève seulement; les eaux-de-vie communes ont du terroir ou de l'empyreume, mais toutes ont conservé des principes extractifs des vins dont elles émanent. Parmi les eaux-de-vie fines on doit placer en première ligne la grande champagne, obtenue d'un vin récolté sur une partie du territoire du département de la Charente. La petite champagne succède, les borderies viennent en troisième ligne, les fins bois suivent de près, les bons bois et les bois clôturent cet ordre de mérite des eaux-de-vie des deux Charentes. Celles de Surgères, d'Aigrefeuille et de la Rochelle ont leur valeur, mais elles sont inférieures en finesse et en qualité aux précédentes.

Ce n'est pas sans motif que nous avons établi entre les eaux-de-vie des Charentes une sorte de démarcation. En effet, le consommateur ne connaît, comme tout l'univers au reste, des eaux-de-vie à qualités si diverses de ce pays, que le vocable typique de *Cognac*.

Il n'est pas hors de propos de dire ici que cette petite ville a acquis, par les eaux-de-vie de son territoire, une renommée qui atteint, si même elle ne dépasse, celle des plus importantes capitales du monde.

Cependant, au terme *cognac*, employé comme désignation d'eau-de-vie excellente, ne répond pas l'idée d'un produit issu nativement du cru. *Cognac* est un mot générique usité depuis de longues années pour indiquer un type d'eau-de-vie composé des deux, trois, quatre, cinq et même six crus ci-dessus indiqués. C'est dans la proportion employée de ces divers crus, dans le bon choix des premières sortes, dans leur heureuse combinaison qu'il faut chercher le secret de la haute faveur dont jouissent certaines marques. La coloration bien maniée, le judicieux emploi du sirop, la limpidité sont des conditions qui rehaussent le mérite intrinsèque du cognac.

Donc *cognac* ne signifie pas eau-de-vie absolument naturelle, bien que préférée par certains amateurs aux fines et directes provenances des Charentes. A l'exposition du Havre, nous avons eu l'occasion, en suivant les travaux du jury, de faire cette différence entre le cru réel et les diverses hybridations. L'heureux et méritant lauréat de l'unique médaille d'or, à cette exposition, M. Léonin Arnaud, de Cognac, avait mis à notre disposition les Grands Champagnes et fins bois Borderies, qui venaient de lui valoir cette distinction. Il est véritablement impossible de n'être pas frappé de ce goût exquis, de ce parfum suave; tout cela franc, correct, tonique et réchauffant, sans cette âcre chaleur des spiritueux. Le meilleur cognac, goûté comparativement, paraissait édulcoré et dépourvu de cette essence originelle qui caractérise les produits immaculés de haute race.

Les eaux-de-vie d'Armagnac ont une réputation méritée; elles sont fines, plus déliées que celles des Charentes; leur bouquet est tout différent de celui de ces dernières, et, il faut bien le dire, il plaît généralement moins. Ces eaux-de-vie se fabriquent dans le département du Gers. Condom et Eauze sont les plus importants marchés de l'Armagnac.

Dans la Gironde et le Lot-et-Garonne, à Marmande principalement, on fabrique des eaux-de-vie un peu communes qui se vendent sous le nom d'eaux-de-vie de pays. Elles ont de la sève et en vieillissant elles acquièrent un certain degré de finesse.

Les eaux-de-vie de Montpellier, qu'on fabriquait sous le nom de preuve de Hollande, n'étaient pas dépourvues de mérite. On réduit plutôt les trois-six de vin de ce pays aujourd'hui, qu'on ne distille des eaux-de-vie de consommation à 52 degrés centigrades comme autrefois.

En Bourgogne, on fabrique, avec les résidus des cuves, des eaux-de-vie de marc, à goût plus ou moins prononcé d'empyreume, qui ont de très-zélés partisans.

Enfin un peu partout on prépare des eaux-de-vie avec des alcools d'industrie, réduits au degré potable et parfumés avec des bouquets factices.

ÉCHALOTES

En latin *ascalonia*, ce mot est l'indication de son origine, elle a passé de la Syrie en Europe avec les Croisés.

Comme l'oignon et l'ail elle est employée dans les sauces, mais elle y apporte une saveur tout à fait à elle, plus fine que les deux condiments que nous venons de nommer.

Ainsi l'échalote est excellente dans les sauces à l'huile et au vinaigre avec lesquelles, chauds ou froids on mange les artichauts; il est impossible de faire une bonne sauce piquante sans échalotes.

ÉCHAUDÉS

Sorte de gâteaux non sucrés que l'on fait bien plus pour les oiseaux et pour les enfants que pour les adultes.

Faites votre pâte sans levure. La pâte fermentera assez pendant le temps qu'elle mettra à se reposer. Tenez chaud trente minutes environ, soit 125 grammes de farine, 60 grammes de sel, 125 grammes d'œufs et 500 grammes de beurre; on mêle et l'on pétrit le tout en donnant trois tours; on y met le levain par petits morceaux, et l'on donne encore six tours de la même façon; on met la pâte dans une nappe ou dans une serviette jusqu'au lendemain; alors on taille les échaudés de la grosseur qu'on les veut pour les mettre dans de l'eau bouillante que l'on retire du feu et qui dès lors cesse de bouillir, on a soin d'égoutter l'eau et de les retirer dans l'eau fraîche à mesure qu'ils montent; il faut bien les égoutter : on les fait cuire au four.

ÉCREVISSE

Ce crustacé a la tête et l'estomac confondus en une seule pièce; il porte cinq paires de pieds, dont les premiers plus gros ont la forme de pinces et sont des pinces en effet. Les écrevisses sont aquatiques et deviennent rouges par la cuisson; leur carapace noire ou violette, noire tant qu'elles sont vivantes, a la propriété étant de carbonate calcaire de rougir au feu.

On a fait à notre ami Janin ce qu'on appelle en termes d'atelier une scie pour sa dénomination du homard qu'il aurait en plaisantant appelé le « Cardinal de la mer ».

Janin qui, ainsi que nous le disons dans la lettre que nous lui adressons a obtenu l'honneur d'être gravé dans les classiques de la table, avec M. de Talleyrand, Carle Vernet, le marquis de Cussy, Grimod de la Reynière, était un gastronome trop distingué pour faire de pareilles erreurs.

Il a en outre donné de trop bons moments de distraction à ses contemporains pour que ses contemporains permettent qu'aucune atteinte soit portée à cette douce et charmante physionomie épicurienne, qui complète l'illustre critique du lundi.

Nous avons vu manger Janin et nous nous sommes trouvé assez souvent à la même table que lui pour affirmer qu'il était non-seulement un charmant convive comme causeur, mais encore un savant élève, sinon professeur, dans le grand art des Brillat-Savarin et des Carême.

Ceci posé, revenons à nos écrevisses.

Les écrevisses des eaux courantes doivent être préférées; la plus simple manière de les apprêter est celle indiquée par le *Dictionnaire des aliments* de M. Aulagnier, auquel nous ne serons jamais assez reconnaissants des services qu'il nous a rendus; elle consiste à les mettre vivantes dans un chaudron dans lequel on a versé du vinaigre coupé d'eau, fortement assaisonné avec sel, poivre, thym, laurier.

Mais quoique cette recette donne des écrevisses excellentes, nous pourrions presque dire qu'elle ne dépasse pas l'enfance de l'art culinaire et nous allons en donner une autre qui nous a été communiquée par notre ami Vuillemot, propriétaire du restaurant de la *Tête noire*, à Saint-Cloud.

ÉCREVISSES (dites VUILLEMOT). Prenez des écrevisses de la Meuse, émincez un gros oignon en rouelle, une carotte bien mince, un bouquet garni, deux pointes d'ail, jetez le tout dans une casserole, ajoutez une demi-bouteille de vin de Chablis, un quart de verre d'eau-de-vie et autant de vinaigre. Laissez cuire la mirepoix, c'est-à-dire les légumes; jetez après les écrevisses bien lavées et dès qu'elles seront cuites, mettez-les dans une autre casserole en faisant réduire votre jus de moitié, ajoutez-y un peu de sauce tomate réduite et une noix de beurre; liez le tout ensemble, et jetez-le sur vos écrevisses; puis vous laissez macérer cette composition pendant une demi-heure en les faisant sauter souvent et lorsqu'elles sont bien cuites et la sauce bien faite, servez-les tièdes.

ÉCREVISSES BORDELAISES. (Recette de M. Verdier, de la Maison-d'Or.) Coupez en petits dés deux ou trois carottes et autant d'oignons, ajoutez laurier, thym, persil, maigre de jambon, le tout coupé très-fin. Mettez dans une casserole un fort morceau de beurre que vous faites passer un moment, vous y jetez votre mirepoix et faites cuire le tout ensemble sans prendre trop de couleur. Nettoyez et videz bien proprement vos écrevisses et mettez-les dans la mirepoix avec une demi-bouteille de vin de Sauternes, un morceau de glace de viande, quelques cuillerées de bon bouillon, sel, poivre, et un demi-verre de bon cognac; couvrez votre casserole et faites cuire à plein feu; arrivées aux trois quarts de leur cuisson, vous les retirez; vous liez la sauce avec un bon morceau

de beurre très-fin, et vous servez vos écrevisses avec la sauce par-dessus et après l'avoir passée au tamis.

ÉCREVISSES AU COURT-BOUILLON. Lavez vos écrevisses à plusieurs eaux, retournez-les avec une écumoire, si vous ne voulez pas qu'elles se vengent sur vos mains du sort que vous leur préparez; mettez-les dans une casserole avec du beurre frais, du vin blanc, du poivre, du sel, une feuille de laurier, un peu de thym, et un oignon coupé en tranches; quelques clous de girofle, un bon morceau de beurre frais, fin; posez vos écrevisses sur un fourneau un peu vif, ayant la précaution de les couvrir et de les sauter de temps en temps afin que celles qui sont dessous reviennent dessus; au bout de vingt minutes, retirez-les du feu et couvrez-les afin qu'elles achèvent de cuire ainsi. Si vous les aimez chaudes, servez-les tout de suite, ou, si l'heure du dîner n'est pas arrivée, faites-les réchauffer dans leur assaisonnement; si vous les aimez froides, dressez-les en buisson, et servez-les à l'heure du dîner.

ÉCREVISSES A LA POULETTE. Prenez vos écrevisses, faites-les cuire dans une légère eau de sel; leur cuisson faite, égouttez-les, supprimez-en les petites pattes et les coquilles de la queue, coupez-leur le bout du nez et le bout des grosses pattes; mettez dans une casserole du velouté réduit, un peu de persil haché et lavé, un peu d'échalotes hachées de même; faites bouillir, jetez vos écrevisses dans cette préparation, liez-les de deux jaunes d'œufs, mettez un pain de beurre coupé par petits morceaux, sautez vos écrevisses, exprimez-y un jus de citron, dressez-les, saucez-les et servez-les.

CANAPÉ D'ÉCREVISSES. Les canapés d'écrevisses sont de petites tartines de pain minces et rondes, enduites de beurre d'anchois, et sur lesquelles sont rangées, en rosace, des queues d'écrevisses tout épluchées. On remplit les interstices avec cerfeuil et estragon hachés menus.

ÉCREVISSES A L'ANGLAISE. Faites-les cuire dans une simple eau de sel, arrachez les petites pattes, en laissant les grosses terminées par des pinces, passez-les au beurre frais, champignons et fonds d'artichauts hachés, mouillez-les d'un peu de consommé, laissez mijoter à petit feu,

Buisson d'écrevisses

ÉLÉPHANT

Que ce titre n'effraye pas le lecteur, nous n'allons pas le condamner à manger tout entier ce monstrueux animal, mais nous l'engagerons, si toutefois il lui tombait une trompe ou des pieds d'éléphant sous la main, d'y goûter en les assaisonnant de la façon que nous allons indiquer plus loin, et à nous en dire après des nouvelles.

La Cochinchine est peut-être aujourd'hui la seule nation qui mange la chair de l'éléphant et la regarde comme un aliment très-délicat. Quand le roi en fait tuer un pour sa table, il en envoie des morceaux aux grands, ce qui est une très-grande marque de faveur; mais les morceaux les plus estimés sont toujours la trompe et les pieds.

Levaillant dit que c'est un mets exquis. « Les pieds grillés, ajoute-t-il, sont un manger de roi; je ne concevais pas qu'un animal aussi lourd, aussi matériel, pût fournir un mets aussi délicat; je dévorai sans pain le pied de mon éléphant. »

Nous allons donc indiquer, pour ceux de nos lecteurs qui voudraient faire comme Levaillant, une recette pour les pieds d'éléphant que nous devons encore à M. Duglerez de la maison Rothschild.

Prenez un ou plusieurs pieds de jeunes éléphants, enlevez la peau et les os après les avoir fait dégorger pendant quatre heures à l'eau tiède. Partagez-les ensuite en quatre morceaux dans la longueur et coupez-les en deux, faites-les blanchir dans de l'eau pendant un quart d'heure, passez-les ensuite à l'eau fraîche et égouttez-les dans une serviette.

Ayez ensuite une braisière qui ferme bien hermétiquement; placez au fond de cette braisière deux tranches de jambon de Bayonne, mettez dessus vos morceaux de pieds, puis quatre oignons, une tête d'ail, quelques aromates indiens, une demi-bouteille de madère et trois cuillerées de grand bouillon.

Couvrez bien ensuite votre braisière et faites cuire à petit feu pendant dix heures; faites passer la cuisson bien dégraissée à demi-glace en y ajoutant un verre de porto et 50 petits piments que vous aurez fait blanchir à grande eau et à grand feu pour les conserver très-verts.

Il est nécessaire que la sauce soit très-relevée et de bon goût; veillez surtout à ce dernier point.

---

liez avec deux jaunes d'œufs délayés avec de la crème douce et du persil haché; au moment de servir, jetez-y une cuillerée de catchup ou bien quelques gouttes de soya.

ÉCREVISSES EN MATELOTE. Prenez une trentaine de belles écrevisses, faites-les cuire au vin, comme pour en faire un buisson; épluchez-les comme il est dit pour les écrevisses à la poulette, ayez, préparés d'avance, des oignons coupés en tranches, des carottes coupées en lames, du persil en branches, quelques ciboules, deux gousses d'ail, une feuille de laurier, du thym, deux clous de girofle et une pincée d'épices fines, sel, poivre, deux bouteilles de vin blanc; jetez vos écrevisses dans cette sauce, laissez bouillir un quart d'heure, dressez vos écrevisses et saucez-les, mettez autour des croûtes de pain passées dans le beurre.

ÉCREVISSES A LA GASCONNE. Fendez vos écrevisses en deux dans le sens de la longueur, faites-les cuire avec persil, ciboules, champignons, gousses d'ail, oignons, clous de girofle, feuilles de laurier, deux verres d'un vieux vin rouge, un demi-verre d'huile d'olive, sel, poivre, tranches de citron, laissez réduire la sauce, et après en avoir retiré l'oignon, le laurier et le citron, servez en casserole, à l'entremets et pour extra.

Chasse à l'éléphant.

Les Indiens ne font pas tant de façons; il est vrai qu'ils sont moins versés que nous dans les mystères de la haute cuisine; aussi font-ils tout simplement cuire sous la cendre, après les avoir préalablement enveloppés dans des feuilles serrées avec des fibres de jonc.

Ce qui ne les empêche pas, du reste, de s'en régaler.

ÉMINCÉS

Lames de viandes rôties qu'on apprête en ragoût. Les émincés de mouton doivent être servis sur de la chicorée à la crème, et les émincés de chevreuil sur une purée de champignons; les émincés de filet de bœuf sur une sauce piquante; les émincés de bœuf bouilli s'appellent miroton.

ENTRÉES

Préparation chaude qui accompagne ou suit le potage.

ENTREMETS

Préparations servies avec le rôti, tels que légumes, crèmes cuites et quelques pâtisseries.

ÉPEAUTRE

Froment qui produit une farine très-légère, et d'un goût très-savoureux, il est particulièrement cultivé dans le Nord de l'Europe. Mme de Genlis dit que les melchpaes et les autres pâtisseries allemandes doivent leur suprême délicatesse à l'emploi de la farine des épeautres.

ÉPERLAN

L'éperlan est un des poissons les plus délicats que l'on puisse manger.

ÉPERLANS FRITS. Ayez une quantité suffisante d'éperlans; videz-les, écaillez-les, essuyez-les l'un après l'autre, enfilez-les par les yeux avec un hâtelet ou brochette, trempez-les dans du lait, farinez-les, faites-les frire, qu'ils soient d'une belle couleur, mettez une serviette sur votre plat, dressez-les dessus et servez.

ÉPERLANS A L'ANGLAISE. Mettez deux cuillerées d'huile dans une casserole, du sel et du poivre, la moitié

d'un citron coupé en tranches, dont vous aurez ôté la peau et les pépins; ajoutez-y deux verres de vin blanc, autant d'eau que de vin; faites bouillir cet assaisonnement environ un quart d'heure, mettez-y vos éperlans, après les avoir vidés, écaillés et bien essuyés; faites-les cuire, égouttez-les, saucez-les avec la sauce ci-après indiquée.

Faites blanchir une gousse d'ail, pilez-la avec le dos de votre couteau, mettez-la dans une casserole avec du persil et ciboules bien hachés, et deux verres de vin de Champagne, faites bouillir votre sauce cinq minutes, ajoutez-y un pain de beurre manié avec de la farine et un autre sans être manié, du sel et une pincée de gros poivre, faites lier votre sauce, et, sa cuisson faite, ajoutez-y un jus de citron, goûtez-la et servez.

Brochettes d'éperlans

ÉPINARDS

Plante potagère de la famille des arroches, et dont on ne mange les feuilles que cuites.

On a fait beaucoup de plaisanteries sur l'épinard, qui n'a, dit-on, aucune propriété alimentaire et qui a été qualifié de *balai de l'estomac;* c'est une erreur, et l'épinard est au contraire alimentaire et plaît beaucoup à l'estomac, dont il n'est le *balai,* si je puis me servir aussi de cette expression, qu'en ce sens qu'il convient tellement à cet organe que ce dernier le digère avec une facilité remarquable.

Il y a différentes façons d'apprêter les épinards; nous allons indiquer celles qui nous paraissent les meilleures.

ÉPINARDS A LA VIEILLE MODE. Vos épinards blanchis et hachés, vous les mettez dans une casserole avec beurre et muscade râpée; quand ils sont passés ajoutez beurre manié de farine, sucre et lait, puis vous les servez garnis de croûtons de pain passés au beurre.

ÉPINARDS A LA MAITRE D'HOTEL. Quand vos épinards sont bien blanchis à l'eau bouillante, vous les jetez dans l'eau froide, vous les égouttez bien et les hachez; mettez-les à sec dans une casserole, soumettez-les au bain-marie avec sel, poivre, muscade râpée, joignez-y un morceau de beurre quand ils sont chauds et remuez.

ÉPINARDS AU JUS. Quand vos épinards sont cuits et bien passés, vous y ajoutez soit deux cuillerées de blond de veau, soit de jus de fricandeau réduit en glace; puis, au moment de servir, un bon morceau de beurre frais que vous laisserez fondre, et servez avec des croûtons frits.

ÉPINARDS A L'ANGLAISE. Faites bouillir dans un chaudron de l'eau dans laquelle vous aurez jeté une poignée de gros sel, mettez-y vos épinards que vous aurez d'abord bien épluchés, bien lavés et fait blanchir; quand ils seront cuits dans l'eau salée, vous les hacherez et les mettrez dans une casserole avec du sel et du poivre, remuez-les bien et ajoutez, quand ils seront chauds, un bon morceau de beurre que vous mêlerez bien avec les épinards, et servez comme pour les épinards au jus.

ÉPINARDS AU SUCRE. Quand vos épinards sont cuits, vous les assaisonnez avec un peu de sel, un morceau de sucre, un peu d'écorce de citron et deux macarons pilés, et vous les servez entourés de quelques biscuits à la cuiller.

CRÈME D'ÉPINARDS. Mêlez une grande cuillerée d'épinards cuits, une douzaine d'amandes douces pilées, un peu de citron vert, trois ou quatre biscuits d'amandes amères, du sucre, deux verres de crème, un verre de lait et six jaunes d'œufs. Vous passez le tout à l'étamine, cuisez dessus et dessous, et servez chaud.

RISSOLES D'ÉPINARDS. Épluchez des épinards, lavez-les à plusieurs eaux et faites-les cuire dans une casserole avec un verre d'eau et égouttez après; laissez-les refroidir, ajoutez-y du beurre frais, de l'écorce de citron vert, deux biscuits d'amandes amères, du sucre et de la fleur d'oranger; vous pilez le tout dans un mortier. Vous faites ensuite une abaisse de pâte bien mince que vous coupez en petits morceaux; mettez au coin de chaque morceau un peu de la farce ci-dessus, mouillez vos rissoles ainsi préparées et couvrez-les de pâte, parez-les tout autour avec un couteau, faites-les frire dans une friture maigre; quand elles ont pris une belle couleur, mettez-les égoutter, dressez-les promptement sur un plat, saupoudrez-les de sucre, glacez-les à la pelle rouge et servez chaudement pour entremets. (Méthode de M. de Courchamps.)

VERT D'ÉPINARDS DE CUISINE. Faites blanchir une poignée d'épinards avec persil et ciboules; rafraîchissez, pressez, pilez, passez à l'étamine. Si le vert est trop épais mouillez avec du bouillon.

VERT D'ÉPINARDS D'OFFICE. Lavez, pilez au mortier, pressez au torchon vos feuilles, mettez-les dans une tourtière sur le feu, laissez jeter deux ou trois bouillons, égouttez.

TOURTE D'ÉPINARDS. Épluchez bien vos épinards, ôtez-en les queues, lavez-les à plusieurs eaux, mettez-les dans une casserole avec de l'eau, faites-les cuire, retirez-les, égouttez-les, laissez-les refroidir, pressez-les pour en exprimer tout le jus, pilez-les bien dans un mortier avec de l'écorce de citron vert confit, du sucre et un morceau de beurre frais avec un peu de sel ; foncez une tourtière d'une abaisse de pâte feuilletée, étendez dessus les épinards le plus également que vous pourrez, faites des façons de bandes de feuilletage et un cordon autour et mettez la tourte cuire. Quand elle est cuite, râpez du sucre dessus, glacez-la avec la pelle rouge, dressez-la sur un plat et servez chaudement.

POTAGE D'ÉPINARDS. Mettez dans un pot des épinards bien lavés, ajoutez-y de l'eau, du beurre, du sel, un petit bouquet de marjolaine, du thym, un oignon piqué de quelques clous de girofle ; faites bouillir le tout ensemble, et lorsque votre potage est à moitié cuit, mettez de sucre ce qu'il en faut, une poignée de raisins secs, des croûtons de pain séchés au four, achevez de le faire cuire et dressez-le sur des soupes de pain.

ESCARGOTS

Gros limaçon gris à coquille. La seule différence que les gourmands font entre les limaçons dépend des lieux où ils sont récoltés ; ceux de vigne sont les plus recherchés et les meilleurs. Les Romains en étaient si friands qu'ils les engraissaient dans des viviers construits pour cet usage. On les nourrissait avec du blé et du vin cuits, pour les rendre plus faciles à digérer. On les assaisonne vigoureusement ; en outre on fait avec les escargots des bouillons très-calmants pour les poitrinaires ; dans plusieurs villes de France, à Nancy particulièrement, on les fait cuire et on les mange comme les huîtres à Paris.

ESCARGOTS A LA PROVENÇALE. Prenez trois douzaines d'escargots, laissez-les tremper dans un vase rempli d'eau froide pour les brosser après cette immersion avec une brosse de chiendent ; pendant ce temps faites bouillir dans un chaudron assez d'eau pour qu'ils y blanchissent, faites un sachet d'une poignée de cendre tamisée, liez-le avec une ficelle ; jetez ce sachet dans l'eau et laissez bouillir la cendre pendant un quart d'heure. Ce temps écoulé, jetez dedans les escargots, laissez-les jusqu'à ce qu'ils puissent facilement se retirer de leurs coquilles ; douze ou quinze minutes après, remettez-les dans l'eau fraîche pour les retirer de leurs carapaces, pour les rejeter à mesure dans de l'eau tiède. Vous aurez dans une casserole deux cuillerées de bonne huile, persil, champignons, échalotes et la moitié d'une gousse d'ail râpée, sel et muscade râpée, enfin un peu de piment vert. Lorsque ces fines herbes seront bien passées, ajoutez une demi-cuillerée de farine et mouillez d'un verre de bon vin blanc. Aussitôt que cette sauce commencera à bouillonner,

jetez dedans vos escargots bien égouttés, et laissez-les achever leur cuisson en mijotant ; il faut que la sauce soit tenue serrée, en ce moment ajoutez-y deux, trois jaunes d'œufs crus, et emplissez les coquilles, masquez-les de mie de pain, arrosez-les d'huile et mettez-les pendant un quart d'heure au four, si vous n'avez pas de four celui de campagne suffira, avec feu dessous. Servez-les bouillants.

MATELOTE D'ESCARGOTS A LA BORDELAISE. Après avoir nettoyé les escargots avec une brosse, passez-les au beurre sans laisser roussir, ajoutez-y une cuillerée à bouche de farine, mouillez d'un verre de vin blanc de Bordeaux et de consommé, sel, poivre, muscade râpée, un bouquet garni de thym, laurier, basilic, une gousse d'ail, piquez un oignon d'un clou de girofle, et laissez cuire ainsi, afin que les escargots deviennent moelleux ; dégraissez la sauce, égouttez vos escargots, et placez-les dans une seconde casserole avec deux morceaux de champignons tournés et cuits auparavant ; réduisez la sauce, liez-la de trois jaunes d'œufs crus dans lesquels vous ajoutez gros comme une noix de beurre cassé en petits morceaux. Passez cette sauce à l'étamine sur les escargots que vous aurez tenus chaudement ; ajoutez une demi-cuillerée à bouche de persil, civettes hachées et blanchies, pressez un demi-jus de citron et servez.

ESCARGOTS A LA POLONAISE. Coupez vos escargots en gros dés après les avoir préparés comme je l'ai dit, vous aurez fait cuire d'avance dans du bouillon du raifort coupé comme une julienne, autant de racine de persil, un oignon en dés, du beurre, du sel, de la muscade râpée et de la mignonnette ; lorsque les racines seront cuites, jetez vos escargots dans cette préparation, laissez-les mijoter jusqu'à leur entière cuisson, que le fond soit réduit, et lorsqu'ils arriveront à ce point, versez-y une cuillerée d'allemande, pressez-y un jus de citron, emplissez aux trois quarts les coquilles, maniez d'avance du beurre bien frais avec du persil haché, du raifort râpé, mie de pain réduite en poussière ; finissez d'emplir les coquilles avec ce pain, et servez-les au bout d'un quart d'heure à vingt minutes tout au plus.

Nous empruntons à l'excellent livre de M. Plumeret, l'*Art de la cuisine française au XIX*e *siècle*, la recette du bouillon d'escargots, plus complète chez lui que dans aucun dispensaire.

Les anciens Romains faisaient leurs délices
De ces *Escargots* (ni *chairs*, ni *poissons*),
Qu'hommes de science appellent « hélices, »
Et qu'il ne faut pas croire *Limaçons*...

— Fi! l'horreur! dit-on, me trouvant trop brusque
A parfaire un *mets* « de rampants visqueux. »
Donc, séparant l'*un* de l'*autre* mollusque,
J'en fais un fin *plat*, — foi de Maître-Queux!

D'abord, l'*Escargot* point ne se désigne
A notre dégoût, durant les jours froids :
Clos dans sa coquille, au pied d'une vigne,
Il s'engraisse, loin d'humides endroits...

(— Qu'en poëte, ailleurs, j'en dirais merveille!
« Mystérieux, seul, il se reproduit;
« S'il s'accouple, il lance un trait à l'oreille
« Du semblable qui, clairvoyant, le suit. » —)

Mais qu'à l'*eau bouillante* il jette sa bave;
De son enveloppe extrait, on est sûr
Qu'avec *bain de sel*, l'*Escargot* se lave
De tout son limon; il est *ferme* et *pur*...

(Qu'au feu, sans apprêts, aux champs on le grille;)
L'*Escargot*, pour nous, n'est propre qu'ainsi :
Cuit, avec *jus*, *lard*; puis, mis en *coquille*,
D'*épices*, de *beurre* et d'*herbes farci*;

Ensuite, au four chaud, en une minute,
Qu'il *rôtisse*, et soit bien à point mangé!...
Quant au *Limaçon*, qu'ici j'exécute,
Il triomphe, hélas! du sot préjugé!

— Faible de poitrine! absorbe un reptile,
Qu'on mange, en Provence, avec l'*Aïllolis* :
Sauce, faite d'ail, de jaunes d'*œufs*. d'*huile*;
Le *Limaçon cru* vaut tous nos *coulis*!...

J. ROUYER.

ESPAGNOLE (sauce)

(Recette du *Cuisinier national* et non pas *économique*.)
« Mettez dans une casserole deux noix de veau, un faisan ou quatre perdrix, la moitié d'une noix de jambon, quatre ou cinq grosses carottes, cinq oignons dont un piqué de cinq clous de girofle; mouillez vos viandes avec une bouteille de vin de Madère sec, plein une cuiller à pot de gelée; mettez votre casserole sur un grand feu. Quand votre mouillement est réduit vous le mettez sur un feu doux; lorsque votre glace est plus que blonde, vous retirez votre casserole du feu et la laissez dix minutes dehors pour que la glace puisse bien se détacher, vous aurez fait suer des sons noirs, comme dans la grande sauce, et vous prendrez ce mouillement pour en mouiller votre espagnole; quand elle sera bien écumée, vous aurez un roux que vous delayerez avec le mouillement et vous le verserez sur votre viande; vous y mettrez des champignons, un bouquet de persil et ciboule,

---

BOUILLON RAFRAICHISSANT ET PECTORAL D'ESCARGOTS[1]. Il faut avoir une douzaine d'escargots que vous aurez fait dégorger la veille; le lendemain, cassez-en les coquilles, car il ne serait guère possible de les sortir, ou il faudrait les faire blanchir, ce qui leur ôterait toute la partie glutineuse; mettez-les dans une casserole avec un litre d'eau : ajoutez une laitue coupée en quatre parties, quelques feuilles de cerfeuil et d'oseille, deux dattes, quatre jujubes, très-peu de sel, seulement pour enlever la fadeur; écumez jusqu'à ce que l'ébullition se fasse. Alors passez la casserole sur l'angle du fourneau pour que le bouillon mijote pendant trois heures, et que, pendant sa cuisson, il réduise d'un tiers; vous aurez fait dissoudre une once de gomme dans la moitié d'un verre d'eau tiède; versez cette gomme dans le bouillon d'escargots, avant de le passer à la serviette dans une jatte de porcelaine ou de faïence pour le chauffer sans ébullition, à mesure que l'on vous en demandera une tasse. Quelques personnes ajoutent avec la gomme, pour se fondre, un morceau de sucre candi, mais on ne doit le mettre que lorsqu'on le demandera.

ESCARGOTS A LA BOURGUIGNONNE. Prenez des escargots de Bourgogne, terre rouge, ceux de la Franche-Comté sont plus délicats; passez-les à l'eau tiède pour les nettoyer extérieurement, puis faites-les cuire dans un demi-court-bouillon, ensuite les laisser égoutter sans les sortir de leur coquille.
Garnir ensuite l'escargot d'une couche de fromage suisse râpé et le couvrir de beurre bien frais qui aura été préalablement assaisonné de fines herbes et un soupçon d'ail, sel et poivre.
Les faire chauffer ensuite, soit sur un gril, dans la poêle ou sur la braise; ils sont meilleurs cuits sur le gril.

---

1. *L'Art de la cuisine française au XIXe siècle*, par Plumeret, 6e, 7e et dernière partie de l'ouvrage de Carême. (Se trouve chez Garnier frères, libraires-éditeurs, 6, rue des Saints-Pères et Palais-Royal, 215.)

cite

quelques échalotes, du thym et du laurier; quand votre sauce bouillira, vous la mettez sur le coin du fourneau pour qu'elle bouille tout doucement jusqu'à ce que vos viandes soient cuites. Cette sauce doit être d'une belle couleur, c'est-à-dire ni trop pâle ni trop brune; elle doit être bien liée et pas trop épaisse. »

Voici la note que M. Vuillemot pique en marge de cette recette :

« Je ne puis ni comprendre ni approuver ces *sons noirs* dans l'*espagnole*. »

ESPAGNOLE TRAVAILLÉE (d'après la même autorité culinaire). Mettez dans une casserole une égale quantité de consommé et de sauce espagnole, faites comme nous l'avons dit plus haut, ajoutez-y des champignons (une douzaine par litre de sauce) et faites bouillir le tout; écumez et dégraissez avec soin; laissez réduire jusqu'à ce qu'elle ait acquis assez d'épaisseur, passez-la alors à l'étamine, et lorsque vous en aurez besoin faites-la chauffer au bain-marie.

On peut aussi ajouter à cette sauce du vin blanc; dans ce cas, il faut non comme le dit le *Cuisinier national*, mettre autant de vin que de consommé, mais seulement un demi-verre de vin blanc pour deux litres de consommé.

ESSENCE DE GIBIER

Prenez 500 gr. de bœuf, deux perdrix, deux lapins de garenne et un quasi de veau; faites cuire à la marmite; mouillez avec un demi-litre de vin blanc et faites bouillir jusqu'à réduction; remplissez; ajoutez oignons, carottes, thym, basilic, serpolet, clous de girofle; écumez; faites bouillir; passez votre essence.

ESSENCE DE LÉGUMES. Mettez deux kilos de bœuf, une vieille poule et un jarret de veau dans une marmite avec deux ou trois douzaines de carottes, oignons, navets, deux ou trois laitues, cerfeuil, pieds de céleri, girofle; emplissez votre marmite de bouillon et agissez comme pour le consommé. Les viandes étant cuites, passez votre essence et faites réduire si besoin en est.

ESSENCE DE JAMBON. Battez des tranches de jambon cru, garnissez-en le fond d'une casserole, faites suer jusqu'à ce que les tranches commencent à s'attacher, ajoutez alors du beurre fondu et un peu de farine; remuez avec une cuiller et ajoutez ensuite du jus ou du bouillon; assaisonnez avec épices mêlées, pas de sel, un bouquet garni, un jus de citron, deux clous de girofle et une poignée de champignons hachés. Quand tout est cuit passez à l'étamine; liez avec croûtons mitonnés.

ESTRAGON

Plante aromatique, originaire de la Sibérie et qu'on cultive beaucoup dans les jardins, pour s'en servir comme assaisonnement dans les salades ou pour confire dans le vinaigre. On sait combien l'usage en est fréquent dans les sauces. J'ajouterai même qu'il n'y a pas de bon vinaigre sans estragon, et j'engage le lecteur à en mettre dans son vinaigre.

ESTURGEON

Un des plus grands poissons de rivière, j'en ai fait à propos du caviar une description assez complète; il a été très-rare et très-estimé en France, il pèse jusqu'à trois et quatre cents livres. J'ai donné, en 1833, un bal masqué, dont quelques contemporains se souviennent, on y servit un chevreuil rôti et un esturgeon cuit au court-bouillon; tout entier le chevreuil fut dévoré jusqu'aux os; mais, quoiqu'il y eût quatre cents personnes à souper, on ne put venir à bout de l'esturgeon.

Un jour, l'archichancelier Cambacérès qui se disputait avec Murat, Junot, M. de Cussy, M. de Talleyrand, la royauté de la table, reçut le même jour, jour de grand dîner, deux esturgeons monstrueux, l'un pesait 162 livres, l'autre 187.

Le maître d'hôtel crut devoir venir consulter Son Altesse sur ce cas remarquable, si on les servait tous les deux, l'un nuisait évidemment à l'autre, si l'on n'en servait qu'un, le second était perdu, on ne pouvait deux jours de suite donner deux poissons de la même espèce aux convives de Son Altesse.

Cambacérès s'enferma avec son maître d'hôtel, qui sortit radieux de son cabinet au bout d'un quart d'heure.

En effet, on avait trouvé un biais qui permettait sinon

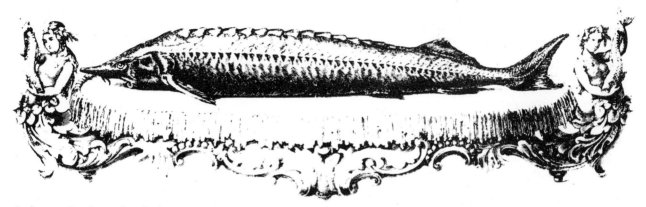

de les servir, du moins de les montrer tous les deux, et de sacrifier le premier en l'honneur du second, et de le sacrifier de façon à faire le plus grand honneur à la table de Son Altesse.

Voici ce qu'avaient imaginé monseigneur et son maître d'hôtel :

L'esturgeon devait être servi en relevé de potage.

On coucha le moins énorme sur un lit de feuillage et de fleurs ; un concerto de violons et de flûtes annonça son entrée.

Le flûtiste, en costume complet de chef, suivi des deux violons habillés comme lui, précédèrent l'esturgeon qui entra accompagné de quatre valets de pied portant des torches, de deux aides de cuisine le couteau au côté, le suisse en tête, sa hallebarde à la main.

L'esturgeon, placé sur une petite échelle de huit à dix pieds de long, reposait à ses deux extrémités sur les épaules des deux aides de cuisine.

Le cortège, au son des violons et de la flûte et au milieu des cris d'admiration des convives, commença de faire le tour de la table.

L'apparition était si inattendue que l'on oublia le respect que l'on devait à monseigneur et que chacun monta sur sa chaise pour voir le monstre.

Mais le tour de la table achevé, au moment où le poisson allait sortir pour se faire découper aux applaudissements de toute la société, un des porteurs fit un faux pas, tomba sur un genou, tandis que le poisson de son côté glissait de dessus son échelle et tombait sur le parquet.

Un long cri de désespoir sortit de tous les cœurs, ou plutôt de tous les estomacs ; il y eut un instant de trouble, pendant lequel chacun donna son avis, mais la voix de Cambacérès domina le tumulte, et, avec une simplicité digne d'un vieux romain :

« Servez l'autre, » dit-il.

Et l'on vit entrer un second convoi pareil au premier ; seulement il avait deux flûtes, quatre violons, quatre valets de pied ; alors les applaudissements succédèrent au cri de douleur, et l'on fit disparaître le premier poisson, qui pesait 25 livres de moins que l'autre.

ESTURGEON AU COURT-BOUILLON. Procurez-vous un esturgeon ; il est inutile qu'il soit de la taille des esturgeons de Mgr l'archichancelier, videz-le, enlevez ses ouïes, laissez-le s'égoutter, et couchez-le dans une poissonnière avec un court-bouillon bien nourri, soit de lard râpé si c'est au gras, soit de beurre si c'est au maigre ; assaisonnez-le plus que tout autre poisson, en vertu de son épaisseur, d'aromates et de sel ; faites-le cuire feu dessus, feu dessous ; arrosez-le souvent, égouttez-le et servez-le avec une sauce italienne grasse ou maigre que vous mettrez dans une saucière.

ESTURGEON A LA BROCHE. Préparez un tronçon d'esturgeon, *manchon* est le véritable terme dont on se sert, à cause de sa forme ; levez-en la peau et les plaques osseuses ; piquez-le comme vous piqueriez une noix de veau, si c'est en maigre avec de l'anguille et des filets d'anchois ; faites une marinade *(V. Marinade)* dans laquelle au lieu de vinaigre vous mettrez du vin blanc et beaucoup de beurre ; arrosez-le souvent, durant sa cuisson, avec cette marinade que vous aurez passée au travers d'un tamis de crin ; donnez-lui une belle couleur et servez-le avec une sauce poivrade.

ESTURGEON GRILLÉ AU GRAS. Coupez-le par tranches que vous mettez cuire dans du vin blanc, lard fondu, sel et poivre, une feuille de laurier et un peu de lait ; faites cuire doucement, et quand il est cuit panez vos tranches et les grillez ; après quoi vous les servez avec une sauce de la même manière que la queue de mouton à la Sainte-Menehould.

On les sert aussi à sec sur une serviette blanche.

COTELETTES D'ESTURGEON EN PAPILLOTES. Levez la peau de votre esturgeon et les plaques osseuses, coupez-le en côtelettes de l'épaisseur d'un doigt, mettez un morceau de beurre dans une casserole, faites-y revenir vos côtelettes; retournez-les quand elles commenceront à blanchir, et procédez pour ces côtelettes comme il est énoncé pour celles de veau (V. cet article), si c'est au gras, mettez-y des petites bardes de lard; si c'est au maigre n'en mettez point.

ESTURGEON EN FRICANDEAU. Prenez un morceau d'esturgeon, levez-en la peau et les plaques osseuses, battez-le légèrement avec le plat du couperet, piquez-le de petit lard, si c'est au gras, foncez une casserole de lames de jambon, de tranches de veau, de quelques carottes et d'oignons; procédez pour le tout comme il est indiqué pour les grenadins de veau. *(Voyez l'article Grenadins de veau)*. Si c'est au maigre, piquez votre esturgeon de filet d'anguille et de filet de brochet.

ESTURGEON AUX FINES HERBES. Prenez un gros esturgeon que vous coupez en tranches de l'épaisseur d'un doigt, mettez ces tranches dans une casserole avec du lard fondu, du poivre, du sel, des fines herbes, du persil, de la ciboule hachée et laissez cuire et prendre goût pendant une heure ou deux; remuez-le bien, panez-le ensuite de mie de pain bien fine; faites-le griller et servez-le sur une serviette avec une sauce hachée piquante ou une sauce rémoulade.

ESTURGEON AUX CROUTONS. Coupez-le par petites tranches, mettez-les dans une casserole avec beurre, persil, ciboules, échalotes hachées, sel, gros poivre; quand ils sont cuits d'un côté, retournez-les de l'autre, laissez-les cuire, ôtez-les. Mettez dans la casserole un morceau de beurre manié de farine, un verre de vin rouge, faites bouillir un instant, mettez une pincée de câpres hachées, faites chauffer sans bouillir et servez garni de croûtons frits dans le beurre.

ESTURGEON GLACÉ. Piquez d'un côté une belle tranche d'esturgeon avec du petit lard, mettez-la ensuite dans une casserole avec une demi-bouteille de vin blanc, un bouquet de persil, ciboules, thym, laurier, basilic, trois clous de girofle, une gousse d'ail, sel, poivre, deux tranches de citron, un peu de bouillon et faites-le cuire dans cette braise; quand il est cuit, mettez-le sur un plat. Ayez dans une casserole une glace faite avec tranches de veau et de jambon coupées en dés et mouillées de bon bouillon. Quand le veau est cuit, passez la sauce au tamis et faites-la réduire; quand elle est presque en caramel, mettez dedans la tranche d'esturgeon, faites-la glacer comme un fricandeau et dressez-la ensuite dans un plat; mettez un peu de coulis et une cuillerée de réduction dans la casserole, détachez tout ce qui reste au fond, passez cette sauce au tamis, pressez-y un jus de citron et servez sous l'esturgeon.

PATÉ D'ESTURGEON. Prenez deux tranches d'esturgeon de l'épaisseur de trois doigts et piquez-les d'anchois, dressez un pâté de pâte fine, garnissez-en le fond de beurre frais, avec sel, poivre, fines herbes, fines épices, mettez dessus vos tranches d'esturgeon et le même assaisonnement que dessous, couvrez-le de beurre frais, ensuite de son abaisse et faites cuire au four. Quand le pâté est cuit, dégraissez-le, mettez-y un coulis d'écrevisses qui soit un peu piquant et servez chaudement pour entrée.

POTAGE D'UNE HURE D'ESTURGEON. La hure d'esturgeon bien nettoyée, mettez-la dans une marmite, mouillez-la d'un bouillon de poisson, assaisonnez d'un bouquet de fines herbes et d'une tranche de citron; faites mitonner des croûtes dans une quantité égale de bouillon où a cuit l'esturgeon et de bouillon de poisson; dressez la hure d'esturgeon sur le potage et garnissez-le d'un cordon de ragoût de laitances fait comme il suit :
Faites blanchir vos laitances dans de l'eau, passez-les ensuite dans une casserole avec un peu de beurre, des petits champignons, truffes coupées par tranches et mousserons. Mouillez-les d'un peu de bouillon de poisson, mettez un bouquet de fines herbes et les laitances de carpes, laissez mitonner à petit feu. Quand le ragoût est cuit, dégraissez-le, liez-le d'un coulis d'écrevisses un peu amplement, afin de pouvoir mouiller le potage, tirez les laitances du ragoût, garnissez-en le potage; jetez le ragoût et le coulis par-dessus et servez chaudement. *(V. Caviar, pour les œufs d'esturgeon)*.

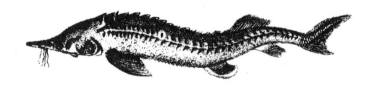

FAISAN

Genre d'oiseau de l'ordre des gallinacés.

Le roi Crésus, assis sur son trône tout incrusté de diamants et de pierres précieuses, orné de son diadème et couvert d'or et de pourpre, demandait à Solon s'il n'avait jamais vu quelque chose de plus beau?

« Oui, lui répondit le philosophe, j'ai vu les faisans et les paons. »

Le faisan a été découvert et rapporté par les Argonautes des bords du Phase, d'où il tire son nom; de la Grèce il a passé à Rome, et de Rome dans le reste de l'Europe.

La chair du faisan est peut-être la plus délicate et la plus sapide qui se puisse trouver; on le sert rôti, cuit à la braise, en filet sauté, en escalopes et en salmis; quand on l'apprête à la braise, on peut le servir sur une sauce aux truffes, à la Périgueux, sur un ragoût d'olives tournées ou sur une litière de choucroute. L'auteur de la *Henriade* a fait sur le faisan un poëme qui vaut mieux que son poëme sur le Béarnais.

Il n'a qu'un vers :

> L'oiseau du Phase est un mets pour les dieux.

Brillat-Savarin a fait sur ce magnifique oiseau une de ses meilleures méditations :

« Le faisan, dit-il, est une énigme dont le mot n'est révélé qu'aux adeptes; eux seuls peuvent le savourer dans toute sa bonté.

« Chaque substance a son apogée d'esculence, quelques-unes y sont déjà parvenues avant leur entier développement, comme les câpres, les asperges, les perdreaux gris, les pigeons à la cuiller, etc., les autres y parviennent au moment où elles ont toute la perfection d'existence qui leur est destinée, comme les melons, la plupart des fruits, le mouton, le bœuf, le chevreuil, les perdrix rouges; d'autres, enfin, quand elles commencent à se décomposer, telles que les nèfles, la bécasse, et surtout le faisan.

« Ce dernier oiseau, quand il est mangé dans les trois jours qui suivent sa mort, n'a rien qui le distingue; il n'est ni aussi délicat qu'une poularde, ni aussi parfumé qu'une caille.

« Prise à point, c'est une chair tendre, sublime et de haut goût; car elle tient à la fois de la volaille et de la venaison.

« Ce point si désirable est celui où le faisan commence à se décomposer; alors son arôme se développe et se joint à une huile qui, pour s'exalter, avait besoin d'un peu de fermentation, comme l'huile du café qu'on n'obtient que par la torréfaction.

« Ce moment se manifeste aux sens des profanes par une légère odeur, et par le changement de couleur du ventre de l'oiseau; mais les inspirés le devinent par une sorte d'instinct qui agit en plusieurs occasions, et qui fait, par exemple, qu'un rôtisseur habile décide, au premier coup d'œil, qu'il faut tirer une volaille de la broche ou lui laisser faire encore quelques tours.

« Quand le faisan est arrivé là, on le plume, et non plus tôt, et on le pique avec soin en choisissant le lard le plus frais et le plus ferme.

« Il n'est point indifférent de ne pas plumer le faisan trop tôt; des expériences très-bien faites ont appris que ceux qui sont conservés dans la plume sont bien plus parfumés que ceux qui sont restés longtemps nus, soit que le contact de l'air neutralise quelques portions de l'arôme, soit qu'une partie du suc destiné à nourrir les plumes soit résorbée et serve à relever la sapidité de la chair.

« L'oiseau ainsi préparé, il s'agit de l'*étoffer*, ce qui se fait de la manière suivante :

« Ayez deux bécasses, désossez-les et videz-les de manière à en faire deux lots : le premier, de la chair, le second, des entrailles et des foies.

« Vous prenez la chair et vous en faites une farce en la hachant avec de la moelle de bœuf cuite à la vapeur, un peu de lard râpé, poivre, sel, fines herbes, et la quantité de bonnes truffes suffisante pour remplir la capacité intérieure du faisan.

« Vous aurez soin de fixer cette farce de manière à ce qu'elle ne se répande pas en dehors, ce qui est quelquefois assez difficile quand l'oiseau est un peu avancé. Cependant on y parvient par divers moyens, et, entre autres, en taillant une croûte de pain, qu'on attache avec un ruban de fil, et qui fait l'office d'obturateur.

« Préparez une tranche de pain qui dépasse de deux pouces de chaque côté le faisan couché dans le sens de sa longueur; prenez alors les foies, les entrailles de bécasses et pilez-les avec deux grosses truffes, un anchois, un peu de lard râpé et un morceau convenable de bon beurre frais.

« Vous étendez avec égalité cette pâte sur la rôtie et vous la placez sous le faisan préparé comme dessus, de manière à être arrosée en entier de tout le jus qui en découle pendant qu'il rôtit.

« Quand le faisan est cuit, servez-le couché avec grâce sur sa rôtie; environnez-le d'oranges amères et soyez tranquille sur l'événement.

« Ce mets de haute saveur doit être arrosé, par préférence, de vin du cru de la haute Bourgogne; j'ai dégagé cette vérité d'une suite d'observations qui m'ont coûté plus de travail qu'une table de logarithmes.

« Un faisan ainsi préparé serait digne d'être servi à des anges, s'ils voyageaient encore sur la terre, comme du temps de Loth.

« Que dis-je! l'expérience a été faite. Un faisan *étoffé* a été exécuté, sous mes yeux, par le digne chef Picard, au château de la Grange, chez ma charmante amie Mme de Ville-Plaine, apporté sur la table par le majordome Louis, marchant à pas processionnels. On l'a examiné avec autant de soin qu'un chapeau de Mme Herbault; on l'a savouré avec attention, et pendant ce docte travail les yeux de ces dames brillaient comme des étoiles, leurs lèvres étaient vernissées de corail, et leur physionomie tournait à l'extase.

« J'ai fait plus : j'en ai présenté un pareil à un comité de magistrats à la cour suprême, qui savent qu'il faut quelquefois déposer la toge sénatoriale, et à qui j'ai démontré sans peine que la bonne chère est une compensation naturelle des ennuis du cabinet. Après un examen convenable, le doyen articula d'une voix grave le mot : *Excellent!* Toutes les têtes se baissèrent en signe d'acquiescement, et l'arrêt passa à l'unanimité.

« J'avais observé, pendant la délibération, que les nez de ces vénérables avaient été agités par des mouvements très-prononcés d'olfaction, que leurs fronts augustes étaient épanouis par une sérénité paisible, et que leur bouche véridique avait quelque chose de jubilant qui ressemblait à un demi-sourire.

« Au reste, ces effets merveilleux sont dans la nature des choses. Traité d'après la recette précédente, le faisan, déjà distingué par lui-même, est imbibé à l'extérieur de la graisse savoureuse du lard qui se carbonise; il s'imprègne, à l'inté-

rieur, des gaz odorants qui s'échappent de la bécasse et de la truffe. La rôtie, déjà si richement parée, reçoit encore les sucs à triple combinaison qui découlent de l'oiseau qui rôtit.

« Ainsi, de toutes les bonnes choses qui se trouvent rassemblées, pas un atome n'échappe à l'appréciation; et, attendu l'excellence de ce mets, je le crois digne des tables les plus augustes. »

F a i s a n   L u c u l l u s. (Recette de M. Vuillemot, de la *Tête noire*, à Saint-Cloud.) Ayez un beau coq-faisan, bien gras (en novembre surtout), qu'il n'ait pas été tué par le plomb, désossez-le, mettez de côté les os, faites une mirepoix avec des carottes, oignons émincés, bouquet garni, passez-les au beurre, mouillez avec une bouteille de champagne mousseux, une bouteille de sauterne, un demi-verre de madère et une cuillerée à pot de bon consommé, laissez le tout cuire quatre heures; faites ensuite une bonne farce fine avec du veau, du lard gras, des pellicules de truffes hachées, sel, poivre, quatre épices, coupez des lames de veau, de jambon, de lard gras; ne galantinez pas le coffre du faisan; ne mettez qu'un peu de farce dans l'intérieur; flanquez deux bécasses désossées que vous galantinez dans le coffre du faisan. Recousez le faisan et faites suer votre galantine dans votre mirepoix avant de mouiller. N'oubliez pas les truffes dans la galantine. Enveloppez le faisan dans une serviette beurrée en le serrant bien de chaque côté, puis préparez dans une braisière une forte mirepoix, faites suer le tout avec un demi-verre d'eau et mouillez avec une bouteille de champagne, une bouteille de sauterne, une bouteille de madère, faites revenir le tout à grande ébullition jusqu'à ce que ce soit réduit de moitié, ajoutez-y le fond de votre gibier, laissez cuire encore environ deux heures en sondant de temps en temps la galantine pour voir si elle est bien cuite.

Prenez alors douze ortolans que vous garnissez de la farce de votre faisan après les avoir désossés; nettoyez bien douze belles truffes du Périgord, faites-les cuire, sans les éplucher, dans la cuisson de votre faisan avec les ortolans. Passez ensuite le fond de la galantine à travers une serviette et faites-le réduire de moitié en y ajoutant un peu de mignonnette et un jus de citron.

Retirez le faisan du linge qui l'enveloppe et dressez-le sur un plat d'argent, puis coupez vos truffes comme vous le feriez pour des œufs à la coque, et posez chaque ortolan dessus, glacez le tout, faisans et ortolans, avec de la glace de viande. Piquez enfin sur le faisan deux hâtelets garnis de crêtes de coq, écrevisses et truffes, et servez chaudement en mettant le coulis dans un bol à côté de votre plat.

F a i s a n   a   l a   b r o c h e. Ayez un faisan jeune, tendre et gras, plumez-le par tout le corps, excepté à la queue et à la tête, en prenant garde de le déchirer; l'ayant vidé, flambé, épluché, bridez-le, bardez-le ou piquez-le, enveloppez-lui la tête et la queue de papier; retroussez-lui la queue le long des reins, embrochez-le, enveloppez-le entièrement de papier beurré, faites-le cuire, déballez-le ainsi que sa tête et sa queue et servez-le.

FAISAN A LA BRAISE. Plumez, videz et épluchez votre faisan, coupez-lui les pattes, mettez le bout des cuisses dans le corps et piquez-le de gros lard bien assaisonné; garnissez le fond d'une marmite de lard et de tranches de bœuf battu avec sel, poivre, fines épices, fines herbes, tranches d'oignons, panais et carottes; mettez votre faisan sur cette première couche avec le même assaisonnement dessus que dessous, couvrez-le de tranches de bœuf et bardes de lard, et faites cuire doucement feu dessus et dessous. Faites ensuite un ragoût de foies gras, ris de veau, champignons, truffes, fonds d'artichauts, pointes d'asperges; passez le tout avec lard fondu, mouillez de jus et laissez mitonner, dégraissez-le une fois cuit, liez-le d'un bon coulis de veau et de jambon, puis vous retirez le faisan de sa braise, vous l'égouttez, le dressez sur un plat, votre ragoût par-dessus, et servez chaudement.

FAISAN AUX TRUFFES OU A LA PÉRIGUEUX. Plumez un jeune faisan comme si vous vouliez le mettre à la broche, videz-le par la poche en lui cassant l'os du bréchet ou de la poitrine et sortez-lui les intestins en prenant garde de lui crever l'amer, flambez-le légèrement, épluchez-le; brossez et épluchez quelques belles truffes et mettez-les dans une casserole avec trois quarts de lard pilé, faites cuire sur un feu doux avec sel, poivre, épices fines; laissez-les ensuite refroidir et garnissez-en le corps de votre faisan; cousez-le, bardez-le, laissez-le se parfumer ainsi deux ou trois jours, puis enveloppez-le de papier, embrochez-le, faites-le cuire environ une heure et servez-le.

FAISAN A L'ESPAGNOLE. Votre volaille étant bien faisandée, vous la remplissez d'une farce faite avec son foie, persil, ciboules, champignons hachés, lard râpé, deux jaunes d'œufs; mettez-le ensuite à la broche, faites-le cuire et servez avec une sauce à l'espagnole que vous ferez en garnissant le fond d'une casserole de deux tranches de jambon et de quelques tranches de veau, deux racines et deux oignons coupés en tranches, faites suer sur le feu; quand tout est attaché, mouillez avec du bon bouillon, du coulis, une demi-bouteille de vin de Champagne, que vous aurez fait préalablement bouillir; ajoutez une poignée de coriandre, une gousse d'ail, un bouquet garni et deux cuillerées d'huile; faites bouillir cette sauce deux ou trois heures à petit feu, dégraissez-la, faites-la réduire, passez-la au tamis et servez avec votre faisan.

FAISAN BRAISÉ A L'ANGOUMOISE. Vous épluchez des truffes et vous les coupez en filets; vous lardez avec ces filets toutes les parties charnues d'un faisan; mettez dans une casserole cent vingt-cinq grammes de lard râpé et autant de beurre, passez-y des truffes coupées en morceaux et les parures de celles qui ont servi à larder le faisan après les avoir hachées et assaisonnées de sel et de poivre; laissez revenir le tout pendant quelques minutes, laissez refroidir et ajoutez vingt-cinq ou trente marrons grillés, remplissez de ce mélange le corps du faisan, enveloppez-le avec émincés de veau et de bœuf et bardes de lard. Ficelez et mettez dans une braisière foncée de bardes de lard; mouillez avec un verre de malaga ou de vin blanc et deux cuillerées de caramel, et faites cuire à petit feu. Cuit, déficelez-le, dégraissez la cuisson, ajoutez-y un peu de hachis de truffes, faites bouillir quelques instants, liez la sauce avec purée de marrons et superposez le faisan.

FAISAN A LA BROCHE AUX PISTACHES. Faites cuire à la broche un faisan enveloppé de bardes de lard et de papier beurré, et farci de son foie, avec lard râpé, persil, ciboules, champignons hachés, trois jaunes d'œufs. Lorsqu'il est bien cuit, vous l'égouttez et le servez avec un ragoût de pistaches que vous faites en échaudant un quarteron de pistaches et le mettant dans une bonne essence.

FAISAN AUX LAITANCES DE CARPES. Farcissez un faisan de son foie et faites-le cuire à la broche; faites blanchir des laitances de carpes, mettez-les dans une bonne essence avec un demi-setier de vin de Champagne bouilli d'écume, faites cuire vos laitances dedans, dégraissez et servez sur le faisan.

FAISANDEAU A LA SAUCE DE BROCHET A LA BROCHE. Faites une farce avec un ris de veau, une tétine de veau blanchie, un peu de jambon, champignons, persil, ciboules hachées, fines herbes, sel, poivre, fines épices, deux ou trois jaunes d'œufs crus et un peu de mie de pain trempée dans la crème; vous hachez bien le tout ensemble et vous farcissez le faisandeau; vous enveloppez des truffes d'une barde de lard et d'une feuille de papier, vous les passez à travers une brochette que vous attachez à la broche et vous faites cuire à petit feu.

Vous garnissez le fond d'une casserole avec des tranches de rouelle de veau et de jambon, un oignon, des panais et carottes coupés aussi par tranches, vous faites suer le tout à petit feu; quand c'est bien attaché, vous y ajoutez un peu de lard fondu et une pincée de farine, et vous remuez le tout ensemble en lui faisant donner sept ou huit tours sur le fourneau.

Videz, écaillez, lavez et coupez un brochet par morceaux, mettez-le dans la casserole où est le coulis, faites-lui faire trois ou quatre tours sur le fourneau, mouillez-le de jus et de bouillon en égale quantité, assaisonnez de sel, poivre, clous de girofle, basilic, thym, laurier, persil, ciboules

et couvrez-les d'un rond de papier; les cuisses de vos faisans cuites à la broche ou dans une casserole avec du beurre et refroidies, vous en supprimez les peaux et les nerfs, vous hachez ces chairs et les mettez dans une casserole que vous couvrez; vous aurez fait un fumet de vos carcasses comme il est indiqué au fumet de lapereaux (*Voyez cet article*), et sa cuisson faite, vous le passez au travers d'une serviette, vous le faites réduire et y ajoutez trois cuillerées à dégraisser d'espagnole travaillée, faites réduire le tout à consistance de demi-glace et réservez-en une partie pour glacer votre entrée; sautez vos filets, retournez-les, assurez-vous s'ils sont cuits, dressez-les en couronne, mettez votre hachis et vos truffes dans votre sauce avec un morceau d'excellent beurre, remuez le tout sans le laisser bouillir, versez-le dans le puits de vos filets, puis faites une deuxième couronne sur cette première, avec les petits filets que vous aurez fait sauter dans le beurre et glacés; glacez le tout avec ce que vous avez conservé de votre sauce et servez.

ESCALOPES DE FAISANS. Vous levez les ailes de trois faisans et vous leur enlevez la petite peau comme à l'article précédent, puis vous les coupez en filets d'égale grosseur dont vous formez des escalopes; vous faites fondre du beurre dans une sauteuse et vous y arrangez vos escalopes les unes après les autres; saupoudrez-les de sel et de poivre, arrosez-les de beurre fondu, faites un fumet du restant de vos chairs et de vos carcasses, ajoutez-y trois cuillerées à dégraisser d'espagnole, mettez le tout à demi-glace, faites sauter vos escalopes, égouttez-les et mettez-les avec leur jus dans votre réduction, sautez-les, finissez-les avec du beurre, goûtez si elles sont de bon goût, dressez-les et servez avec des truffes coupées en rondelles.

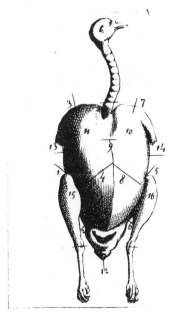

entières, champignons et truffes coupées; ajoutez-y la croûte d'un petit pain et deux verres de vin de Champagne que vous aurez auparavant fait bouillir; faites mitonner le tout ensemble, quand il est cuit et réduit à propos, passez-le dans une étamine; si la sauce n'est pas assez liée, mettez un peu de coulis et de jambon et tenez-la sur des cendres chaudes afin qu'elle cuise sans bouillir.
Vous tirez ensuite votre faisandeau de la broche, vous ôtez les bardes, le dressez sur un plat, votre brochet par-dessus, et servez pour entrée en hors-d'œuvre.

FILETS DE FAISAN A LA VOPALLIÈRE. Prenez trois jeunes faisans dont vous levez les filets, ôtez-en les mignons, levez la peau des gros en les posant sur la table et faisant couler votre couteau bien délicatement de façon à ne pas endommager les chairs, battez-les ensuite légèrement avec le manche de votre couteau et parez-les; faites fondre du beurre dans une sauteuse, vous y trempez vos filets et les rangez après de manière à ce qu'ils ne se touchent pas; saupoudrez-les de sel et de poivre et couvrez-les d'un rond de papier. Piquez trois de vos petits filets de même lard et décorez les trois autres de petites crêtes de truffes, mettez-les sur une tourtière avec un peu de beurre fondu et un grain de sel, donnez-leur la forme d'un demi-cercle

Fai

SALMIS DE FAISANS. Vous laissez refroidir deux faisans cuits à la broche, vous les dépecez et les parez proprement en supprimant les peaux; arrangez-les dans une casserole, mouillez-les avec du consommé et faites-les chauffer sur des cendres chaudes. Mettez dans une casserole un bon verre de vin rouge ou blanc, ajoutez-y trois ou quatre échalotes hachées, un zeste de bigarade, trois cuillerées à dégraisser d'espagnole réduite, gros comme une muscade de glace ou de réduction de veau; faites réduire le tout, pilez les peaux et les parures de vos faisans, mettez-les dans votre réduction, délayez-les sans les faire bouillir, passez-les à l'étamine comme une purée, mettez cette espèce de purée ou sauce de salmis dans une casserole et tenez-la chaudement au bain-marie; au moment de servir égouttez vos membres de faisans, dressez-les sur le plat en mettant les inférieurs les premiers, conséquemment vos ailes et vos cuisses autour; le tout entremêlé de croûtons en cœur, soit de mie ou de croûte de pain, passés dans du beurre; exprimez dans votre salmis le jus d'une ou deux bigarades, saucez et servez.

FAISAN A LA CHOUCROUTE. Ayez un beau faisan, plumez-le, videz-le, flambez-le, lardez-le de gros lardons assaisonnés de sel, poivre, fines épices, persil, ciboules, un peu d'aromates pilés; lavez et pressez de la choucroute en suffisante quantité pour en former un bon plat, mettez-la cuire avec un morceau de petit lard et un cervelas, nourrissez-la avec quelques fonds ou dessus de braises, faites-la cuire trois ou quatre heures sur un feu doux, mettez au milieu votre faisan, faites-le cuire environ une heure et lorsqu'il le sera, dressez-le sur le plat, prenez votre choucroute pour l'égoutter avec une cuiller percée, garnissez-en votre faisan, coupez le cervelas en tranches, ôtez-en la peau, faites-en une bordure autour de la choucroute en l'entremêlant de petit lard coupé en lames et de quelques saucisses et servez.

PATÉ DE FAISAN AUX TRUFFES. Votre faisan vidé et piqué de gros lard bien assaisonné, farcissez-en le corps avec une farce mouillée au vin blanc et au madère et composée de lard râpé, truffes vertes, persil et ciboules hachés, le tout bien mêlé ensemble; dressez votre pâté d'une pâte commune; mettez au fond lard râpé, sel, poivre, fines herbes, fines épices. Ayez soin de faire une cheminée à votre pâte. Mettez votre faisan dans le pâté avec même assaisonnement que dessous, couvrez-le de tranches de veau, de lard râpé, de beurre frais, de bardes de lard, fermez ensuite votre pâté et mettez-le au four; pendant qu'il cuit, prenez des truffes bien pelées et bien lavées, coupez-les par tranches, mettez-les dans une casserole et mouillez-les de jus, faites-les mitonner à petit feu, liez-les d'un coulis de veau ou de jambon bien clair. Vous ôtez alors, quand votre pâté est cuit, les bardes de lard et les tranches de veau, vous

le dégraissez, jetez votre ragoût de truffes dedans et servez chaud ou froid.

PATÉ DE FAISAN SANS TRUFFE. Troussez proprement le faisan et cassez-lui les os, piquez-le ensuite de gros lard et de jambon, assaisonnez-le de fines herbes, persil, ciboules et épices, dressez-le sur une abaisse de pâte ordinaire avec laurier, beurre frais, bardes de lard et lard pilé; assaisonnez de sel, poivre, fines herbes et fines épices, couvrez et façonnez proprement votre pâté et faites cuire deux ou trois heures.

Nota. – N'oubliez jamais d'ajouter le fumet ou l'essence du faisan dans votre pâté, par la cheminée, après qu'il est sorti du four. (*Vuillemot.*)

SOUFFLÉ DE FAISANS. On procède de la même façon que pour le soufflé de perdreaux. (*Voir cet article*).

FANCHONNETTES

Entremets de pâtisserie dont nous empruntons les principales formules à l'auteur des *Mémoires de la marquise de Créquy*, bien sûrs que nous ne trouverions point ailleurs un gourmet plus familier avec toutes les chatteries du dernier siècle et toutes les friandises de celui-ci.

FANCHONNETTES A LA VANILLE. Faites infuser une gousse de bonne vanille dans trois verres de lait, et laissez-la mijoter sur le coin d'un petit fourneau pendant un quart d'heure; passez ce lait dans le coin d'une serviette, mettez dans une casserole quatre jaunes d'œufs, une once de farine tamisée et un grain de sel; ce mélange étant bien délié, vous y joignez peu à peu l'infusion de vanille et faites cuire cette crème sur un feu modéré en la remuant continuellement avec une spatule pour qu'elle ne s'attache pas au fond de la casserole.

Vous faites ensuite un demi-litron de feuilletage et lui donnez douze tours, vous l'abaissez de deux petites lignes d'épaisseur; détaillez cette abaisse avec un coupe-pâte rond de deux pouces de diamètre; foncez avec une trentaine de moules à tartelettes comme les précédentes, ensuite garnissez légèrement les tartelettes de crème de vanille; mettez-les au four à un feu modéré, et lorsqu'elles seront bien ressuyées et que le feuilletage sera de belle couleur, vous les retirerez du feu et les laisserez refroidir.

Prenez trois blancs d'œufs bien fermes, mêlez-y quatre onces de sucre en poudre, remuez bien ce mélange afin d'amollir le blanc d'œuf et qu'il soit plus facile à travailler; garnissez le milieu des fanchonnettes avec le reste de la crème à la vanille et masquez légèrement cette crème de blancs d'œufs. Sur chaque fanchonnette vous placez en couronne sept meringues, que vous formez avec la pointe du petit couteau en prenant au fur et à mesure du blanc d'œuf que vous avez placé sur la lame du grand couteau : lorsque vous aurez cinq ou six fanchonnettes de perlées, vous les masquerez le plus élégamment possible avec du sucre en poudre passé au tamis de soie; puis, à mesure que vous perlez et glacez votre entremets, vous le mettez au four, à chaleur douce; lorsqu'il est d'un beau meringué rougeâtre, vous le servez.

FANCHONNETTES AU LAIT D'AMANDES. Pilez une demi-livre d'amandes douces émondées et une once d'amères; lorsque vous n'apercevrez plus aucun fragment d'amandes, vous les délayez dans trois verres de lait presque bouillant; pressez fortement ce mélange dans une serviette afin d'exprimer la quintessence du lait d'amandes. Le reste du procédé est de même que ci-dessus, avec cette différence cependant que vous employez le lait d'amandes en place de l'infusion de vanille.

FANCHONNETTES AU CAFÉ MOKA. Mettez dans un poêlon d'office quatre onces de vrai café moka, torréfiez-le sur un feu modéré, en le sautant continuellement afin qu'il prenne couleur égale; lorsqu'il est d'un rouge clair, vous le versez dans trois verres de lait en ébullition; couvrez parfaitement l'infusion afin que l'arôme du café ne s'évapore point; après un quart d'heure d'infusion vous passez ce liquide à la serviette, puis vous terminez l'opération de la manière accoutumée.

FANCHONNETTES AU CHOCOLAT. Vous faites l'appareil comme le premier de ce chapitre, en y joignant quatre onces de chocolat râpé à la vanille; vous supprimez deux onces de sucre seulement, voilà toute la différence.

FANCHONNETTES AU RAISIN DE CORINTHE. Vous préparez seulement la moitié de l'appareil ordinaire, puis vous y joignez trois onces de bon raisin de Corinthe bien lavé; faites cuire cette crème comme de coutume, et finissez l'opération à l'ordinaire.

Vos fanchonnettes étant perlées et prêtes à mettre au four, vous placez entre chaque petite perle un grain de raisin de Corinthe (vous en laverez quatre onces, dont trois dans l'appareil, et vous en aurez une once pour perler), ainsi qu'un grain sur chaque perle; mettez au four chaleur molle, afin que les meringues sèchent sans prendre couleur. Donnez des soins à cette cuisson pour que les perles conservent leur blancheur, ce qui distingue cet entremets d'une manière toute particulière.

FANCHONNETTES AUX PISTACHES. Après avoir émondé quatre onces de pistaches, vous en choisissez les plus vertes (une once à peu près), et pilez le reste avec une once de cédrat confit; lorsqu'il est parfaitement pilé, vous joignez ce mélange dans la moitié de la crème ordinaire et vous garnissez légèrement vos fanchonnettes avec le reste de la crème blanche, que vous aurez faite selon la première recette. Lorsque vos fanchonnettes sont cuites et froides,

vous les garnissez de nouveau avec la crème de pistaches, puis vous les meringuez comme de coutume. Après avoir été masquées de sucre en poudre, vous mettez entre chaque perle la moitié d'une pistache conservée, que vous coupez en travers.

Donnez-leur la même cuisson que ci-dessus, et servez-les chaudes ou froides.

On ne mettra pas la crème aux pistaches au four, afin de lui conserver la fine saveur des pistaches et surtout leur tendre couleur verdâtre; autrement cette crème, par l'action de la chaleur, perdrait bientôt ces deux avantages.

FANCHONNETTES AUX AVELINES. Après avoir pilé quatre onces d'avelines émondées, vous les mêlez dans la moitié de la crème décrite dans le premier paragraphe de cet article, et vous suivrez l'opération suivant les mêmes procédés.

FANCHONNETTES AUX ABRICOTS. Foncez vos fanchonnettes selon la règle et garnissez-les légèrement de marmelade d'abricots. Lorsqu'elles sont cuites et refroidies, vous les remplissez de la même marmelade; vous les finirez ensuite de la manière accoutumée.

On les fait également de marmelades de pommes, de poires, de pêches, de coings et d'ananas.

FAON

On appelle du même nom le petit de la daine et de la biche; il reçoit absolument la même préparation que le daim et le chevreuil; sa longe fait un fort beau rôti.

FARCE

Chair hachée dont on se sert pour farcir.

FARCE CUITE

Prenez la quantité de volaille dont vous croirez avoir besoin, ou du veau faute de volaille; vous le couperez en dés et vous le mettrez dans une casserole avec un morceau de beurre, un peu de fines herbes hachées, telles que champignons, persil, ciboules; levez-en les chairs, ôtez leurs nerfs et leur peau, hachez ces chairs et pilez-les bien; mettez autant de panade que de chair et même de la tétine, afin que le tout soit par tiers; ayant pilé le tout à part, repilez ces trois portions réunies; mettez-y des œufs entiers en raison du volume de votre farce, ayez soin qu'elle ne soit pas trop liquide, assaisonnez-la de sel, poivre, épices fines et fines herbes, passez au beurre, faites un essai; arrivé à son degré, finissez-la avec quelques blancs d'œufs fouettés et servez-vous-en au besoin.

Il arrive parfois aussi que l'on a besoin de farce maigre, c'est-à-dire de farcir le poisson; procédez alors selon la recette suivante.

FARCE DE POISSON. Habillez et désossez des brochets, des carpes, des anguilles et autres poissons que vous hacherez bien ensemble et bien menu, joignez à ce hachis une omelette baveuse, des champignons, des truffes, du persil, des ciboules. une poignée de mie de pain trempée dans du lait, un peu de beurre et des jaunes d'œufs; on hache cette adjonction aussi fine que la première partie, et l'on fait de toutes deux une farce qu'on assaisonne de sel, de poivre, d'épices; on la fait cuire pour la servir seule ou pour en farcir sur l'arête des carpes et des soles; on en fait aussi des andouillettes, on en farcit des choux, des croquettes et des rissolles.

FARINE

Poudre extraite des semences des graminées et particulièrement du froment. On fait un emploi fréquent de la farine de froment dans la sauce blanche, dans les roux, et enfin dans les préparations alimentaires; ayez la main légère quand vous vous servez de farine; la farine cuit difficilement et affadit et alourdit vos sauces; il faut donc se servir de la plus belle qualité et surtout de celle appelée gruau, pour faire la pâtisserie grosse et fine; pour les biscuits, servez-vous de la fécule de pomme de terre.

Si vous voulez éviter une partie des inconvénients de la farine, faites-la sécher à un four un peu chaud, jusqu'à ce qu'elle y ait pris un faible degré de coloration : elle sera excellente alors pour mélanger avec le beurre qu'on ajoute aux sauces trop claires pour les lier.

FARO

Petite bière en usage à Bruxelles.

FAUCON

Oiseau de proie qu'on dressait à la chasse avant l'invention des armes à feu.

J'ai mangé de la chair d'un faucon rôti. Elle est d'un goût assez fort mais pas mauvais.

FÉCULE

Substance qui est un principe végétal. Composée chimiquement d'hydrogène, d'oxygène et de carbone, elle est nourrissante et convient aux enfants et aux convalescents. La fécule sert à lier les sauces. La fécule de pommes de terre est d'un certain usage dans la pâtisserie.

Les pommes de terre contiennent de la fécule; elle est préférable à la farine de froment pour les sauces blanches; on peut en ajouter une certaine quantité dans les sauces qui refusent de prendre.

FENOUIL

Plante ombellifère très-aromatique, dont les graines ont une odeur anisée, surtout dans l'Italie méridionale. On mange le fenouil comme le céleri; il n'est pas rare de rencontrer les gens du peuple ayant leur botte de fenouil sous leur bras, et en faisant, avec du pain, leur déjeuner ou leur dîner.

L'odeur, qui en est agréable d'abord, devient désagréable par l'abus qu'en font les Napolitains, qui en mettent dans tout.

FENOUILLET

On appelle ainsi une poire qui se cueille en novembre et que l'on peut manger fraîche et crue jusqu'en février. Elle est bonne aussi en confiture.

FERMENT

On appelle ferment la substance qui a la propriété de faire fermenter : ainsi le levain est du ferment, et si l'on n'ajoutait pas du ferment à la pâte, on n'obtiendrait qu'un pain très-indigeste.

La levure de bière, le jus de groseilles, la bière qui commence à mousser sont aussi des ferments.

FÈVE

Les graines de la fève sont assez digestibles tant qu'elles sont jeunes; mais elles deviennent lourdes lorsqu'elles approchent de leur maturité et qu'on est obligé de les débarrasser de leur peau.

FÈVES A LA CRÈME. Prenez de petites fèves, ne les dérobez pas, c'est-à-dire ne leur ôtez pas leur peau; faites-les blanchir à l'eau bouillante, jetez-les dans l'eau froide, égouttez, passez au beurre à demi roux avec sel, poivre, persil haché fin et sariette; ajoutez du bouillon, un morceau de sucre et une pincée de farine maniée avec du beurre. Quelque temps avant de servir, versez dans vos fèves un verre de crème et faites jeter seulement un bouillon; liez avec des jaunes d'œufs.

PETITES FÈVES EN MACÉDOINE. Hachez et passez au beurre ciboules, persil, champignons, échalotes, avec farine, bouillon, vin blanc, bouquet garni; faites mijoter, ajoutez des fèves blanchies comme ci-dessus, des fonds d'artichauts blanchis et coupés en cubes, avec sel et poivre. Cuisez, puis ôtez le bouquet et servez réduit.

FIGUES

Malgré la réputation des figues d'Argenteuil, on ne mange de bonnes figues en France que dans le Midi; celles de Marseille ne le cèdent qu'aux figues de Capodimonte et de Sicile, qui ne le cèdent à aucunes.

Elles se mangent fraîches et séchées.

Les personnes qui ont voyagé en Italie savent que la plus grande injure que l'on puisse faire aux Milanais est de leur montrer le bout du pouce serré entre deux doigts, ce qui s'appelle *faire la figue;* cette aversion pour la figue vient d'un fait que Rabelais rapporte de la façon suivante :

« Les Milanais, s'étant révoltés contre Frédéric, avaient chassé de leur ville l'impératrice, son épouse, qu'ils avaient fait monter sur une vieille mule, le visage tourné vers la queue.

« Frédéric, vainqueur à son tour, après avoir fait les rebelles prisonniers, imagina de faire placer par le bourreau une figue sous la queue de cette même mule, et d'exiger que chacun des vaincus l'en tirât, la présentât au bourreau en disant : *Ecco il fico!* puis la remît en place; le tout sous peine d'être pendu.

« Plusieurs aimèrent mieux périr que de se soumettre à une semblable humiliation, mais la crainte de la mort y détermina le plus grand nombre. De là la fureur des Milanais quand on leur *fait la figue.* »

C'est aussi une figue qui décida le sénat romain à la destruction de Carthage. Toutes les fois que Caton donnait son avis dans le sénat, il terminait par ces mots :

« Il faut détruire Carthage! *(Delenda est Carthago!)* »

Dans une séance où l'on délibérait sur la guerre avec cette puissance, Caton montra à ses collègues une figue :

« Depuis quand, dit-il, croyez-vous que cette figue soit cueillie? A en juger par sa fraîcheur, il y a peu de temps. Eh bien! cette figue pendait à l'arbre il n'y a que trois jours, et elle vient de Carthage. Jugez combien l'ennemi est près de nous! »

La guerre fut à l'instant décidée.

Thouin, le pépiniériste du jardin des Plantes, avait chargé un domestique fort simple de porter à Buffon deux belles figues de primeur. En route, le domestique se laissa tenter et mangea un de ces fruits. Buffon, sachant qu'on devait lui en envoyer deux, demanda l'autre au valet, qui avoua sa faute.

« Comment donc as-tu fait? » s'écria Buffon.

Le domestique prit la figue qui restait et dit en l'avalant : « J'ai fait comme cela!... »

FIGUES D'INDE

Tout touriste ayant voyagé en Sicile ou en Calabre sera reconnaissant aux figues d'Inde des services qu'elles lui auront rendus.

La figue d'Inde est le fruit du cactus raquette. Elle est ou jaune ou rose, elle contient une pulpe glacée quoique exposée au soleil; il est vrai qu'elle est abritée par une peau épaisse, qu'il faut ouvrir avec précaution à cause des épines qu'elle contient. Une fois entrées dans la peau, ces épines se refusent obstinément à en sortir; du reste, quelque chaleur qu'il fasse, quelque quantité qu'on en mange, je n'ai jamais entendu dire dans le pays que l'on ait été indisposé d'une indigestion de figues de barbarie. C'est, avec le *cocomero,* le mets éminemment national des Napolitains.

Les Napolitains ont l'habitude de dire, en vantant leur pays, que pour un liard de cocomero ils mangent, ils boivent et se débarbouillent.

FILETS

Les filets, chez les quadrupèdes, sont les parties charnues qui longent l'épine dorsale; dans l'oie et le canard, ce sont les aiguillettes que l'on peut découper dans les muscles des ailes et sur les estomacs; dans les poissons, on nomme filet toute bande de chair dépourvue d'arêtes.

FLAN DE CRÈME A LA FRANGIPANE

Croûte en pâtes brisées. Garnissez de frangipane à la moelle, faites cuire au four et glacez-la avec sucre en poudre avant de servir.

FLAN DE FRUITS. Prenez un moule qui n'ait pas plus de cinq centimètres de hauteur, garnissez avec de la pâte à dresser, donnez à votre pâte la forme exacte du moule; mettez dans un vase des brugnons, des prunes, des abricots dont vous aurez ôté les noyaux; sautez-les dans du sucre en poudre, couchez-les dans la croûte que vous avez moulée; arrosez de sirop et faites cuire à four chaud.

FLAN SUISSE. Faites bouillir 125 grammes de beurre fin dans un demi-litre de crème; faites une pâte à choux à la confection de laquelle vous emploierez de la farine de fécule de pommes de terre; maniez cette pâte dans une terrine avec sel, gros poivre, 250 grammes de beurre fondu, gruyère râpé, parmesan, et neufchâtel; déliez avec des jaunes d'œufs crus; fouettez la moitié de vos blancs d'œufs et incorporez-les dans votre pâte; vous garnirez celle-ci d'un papier fort et beurré que vous ficellerez; vous mettrez cuire votre flan dans un four qui ne soit pas trop chaud, et quand il sera cuit vous le dresserez.

FLÈCHES DE LARD

Les rôtisseurs et les cuisiniers appellent flèches de lard les morceaux de graisse ou de panne que l'on enlève de dessus les côtes des porcs, depuis les épaules jusqu'aux cuisses. Ils composent beaucoup de ces flèches de lard pour barder leur viande.

FOIE

Il n'existe en réalité que trois bonnes manières d'apprêter le foie de veau : à la broche, à la bourgeoise et à l'italienne.

FOIE DE VEAU ROTI. Qu'il soit gros, gras, blond; piqué de gros lardons, assaisonné d'épices, de fines herbes, d'ail.
On peut faire rôtir un foie de veau dans un four de cuisine, ça se comprend, mais à la broche c'est bien différent; c'est la question de la livre de beurre à la broche. La grande difficulté, c'est de faire tenir le foie de veau qui n'a pas de corps sans qu'il tourne sur la broche.
Faites chauffer sans rougir le fer de la broche au milieu, votre foie de veau étant préparé avec bande de lard ficelé, poussez-le au milieu, la chaleur du fer le saisit et il se tient ferme jusqu'à cuisson. *(Vuillemot.)*
Faites rôtir à petit feu. Servez dans son jus dégraissé, en y ajoutant un jus d'orange amère ou filet de verjus muscat.

FOIE DE VEAU A LA BOURGEOISE. Piquez votre foie de veau de gros lard assaisonné; foncez une braisière de bardes de lard; mettez-y le foie avec des carottes, un bouquet garni, des oignons, dont un piqué de clous de girofle, de la muscade râpée, sel et gros poivre, couvrez avec des bardes de lard, mouillez avec du bouillon et deux verres de vin rouge; ajoutez des tranches de citron dont vous aurez enlevé le zeste et les pépins, ou, à défaut de tranches de citron, du verjus; et faites cuire en mijotant.
Lorsque le foie est cuit, dégraissez la cuisson, faites-la réduire et servez-vous-en pour mouiller un roux que vous exécuterez à part, mais pour Dieu ne mettez jamais de cornichons dans un ragoût de foie de veau.

FOIE DE VEAU A L'ITALIENNE. Coupez par tranches un foie de veau; ayez dans une casserole de l'huile fine, du lard fondu, du vin blanc, persil, ciboules, champignons,

sel, gros poivre; couchez sur ce fond vos tranches de foie, mettez une couche d'assaisonnement et continuez en alternant; faites cuire à petit feu, dégraissez la cuisson, faites-la réduire et servez vos tranches de foie dans leur sauce; vous pouvez substituer une sauce italienne. *(V. Sauce italienne.)*

GATEAU DE FOIES DE VOLAILLES. Hachez, pilez foies de volailles grasses avec 250 grammes de graisse de bœuf, autant de lard avec champignons, oignons coupés en cubes, passés au beurre, six œufs dont vous fouettez les blancs, un demi-verre d'eau-de-vie, sel, poivre, muscade; pilez le tout; garnissez le fond et les côtés d'une casserole avec des bardes de lard; mettez-y tout ce hachis avec des truffes coupées; couvrez avec des bardes de lard; posez la casserole sur un fourneau étouffé par la cendre, et recouvrez de braise allumée.
Nous avons recommandé une casserole de terre ou de fer parce que, pour qu'il ne se déforme pas, il faut que le gâteau refroidisse dans la casserole. Quand le gâteau est froid, on trempe un instant la casserole dans l'eau bouillante, ce qui détache le contenu du contenant; et on renverse ce contenu sur un plat.

FOIES DE LOTTES. On en fait des garnitures à la Chambord et à la Régence. Mets rare et délicat.
Lorsque je voyageais en Russie, je voyais toujours les pêcheurs jeter loin d'eux avec dédain une espèce d'anguille ou de lamproie marbrée de vert et de blanc, appétissante et grasse, ronde comme une grosse andouille, et qui me paraissait ressembler à un poisson d'eau douce que j'avais reconnu en France.
Des Russes l'appelaient *naïm;* enfin, après une foule de questions risquées, je demeurai convaincu que ce poisson si méprisé des Russes n'était autre que la lotte, que j'avais si souvent pêché avec une fourchette dans les ruisseaux de France. Je m'emparai d'un des premiers que je vis jeter, j'en demandai le prix : le pêcheur haussa les épaules.
Je fis cuire une lotte, après l'avoir limonée dans du vin blanc avec de l'oignon coupé en tranches, du persil, des ciboules, du basilic, sel, poivre, girofle et un morceau de beurre. Quand elle fut cuite, je la mangeai dans son court-bouillon réduit avec des tartines de beurre frais et des fines herbes crues.
Je ne m'étais pas trompé, c'était bien une lotte.

FOIE GRAS

On sait que le foie gras de Strasbourg est réputé fournir le roi des pâtés. L'opération par laquelle on obtient les foies gras consiste principalement à engraisser les oies de manière à produire chez eux une tuméfaction de cet organe. Le foie d'une oie soumise au traitement que leur font subir

Suprême de foie gras

Terrine de foie de canard

Timbale de foie gras aux truffes

les engraisseurs de Strasbourg arrive à être jusqu'à dix ou douze fois plus gros que nature.

Pour en arriver là, on soumet ces animaux à des tourments inouïs, qui n'ont pas même été déployés sur les premiers chrétiens : on leur cloue les pattes sur des planches pour que l'agitation ne nuise pas à l'obésité; on leur crève les yeux pour que la vue du monde extérieur ne vienne les distraire; on les bourre avec des noix sans jamais leur donner à boire, quels que soient les cris de souffrance que leur arrache la soif.

Aussi le comte de Courchamps, auteur des *Mémoires de Mme de Créquy*, et l'un des gourmands les plus érudits du commencement de ce siècle, faisant taire les appétences de son estomac sous les cris de sa conscience, présenta, au nom des oies de Strasbourg, une pétition à la chambre des pairs.

Voici textuellement cette pétition qui, si juste qu'elle pût être, ne fut, comme il en arrive d'habitude des pétitions justes, suivie d'aucun résultat :

« Nobles pairs,

« Au mépris des lois de la nature, adoptées par les deux chambres et garanties par le code de l'humanité, les Strasbourgeois s'appliquent à nous faire grossir monstrueusement un viscère composé de deux lobes inertes. C'est aux dépens du cœur, que nous avons sensible, de l'estomac, que l'injustice révolte, du poumon, qui nous est essentiel, de la rate, qui ne peut s'épanouir; enfin, c'est au détriment de l'honneur national que la cruauté compromet.

« Hélas! qu'avons-nous fait, malheureux oiseaux? On nous aveugle, on nous étouffe, on nous torture. Que diriez-vous, nobles pairs, si l'on vous mangeait, si l'on vous coupait ces ailes avec lesquelles vous vous envolez si haut, si l'on vous attachait sur les planches et qu'on vous y clouât les pattes; enfin si l'on vous arrachait les yeux pour s'attaquer ensuite à votre foie, comme le vautour de Prométhée?

« Ah Jupiter! diriez-vous alors, quelle injustice! Avons-nous donc, sans le savoir, dérobé le feu sacré? Et parce qu'on ne le trouve nulle part, est-ce vraisemblable que ce soit nous qui l'ayons pris? Nous sommes Françaises, nobles pairs, et nous vous conjurons de nous faire participer aux douceurs de l'orgueil national. Nous sommes la fable des oies britanniques, un sujet de risée pour les dindons de Lincoln; il n'y a pas jusqu'à la volaille irlandaise qui ne prenne des airs de nous mépriser, et la moindre cane des Trois-Royaumes est plus fière qu'un aigle impérial. Nous sommes libres, disent-ils avec emphase, et jamais les oies n'ont eu besoin de recourir chez nous à la chambre des lords.

« Ah! l'Angleterre! s'écrie la moindre volaille qui a l'honneur d'appartenir à cette grande puissance, voilà le vrai pays de la liberté et de l'égalité. On y prend des hommes qui passent dans la rue, et, sans leur demander si c'est leur goût ou celui de leur famille, on en fait des marins et des soldats. Quand ces soldats ou ces marins ont manqué à leur devoir, on leur donne des coups de fouet comme à des chiens. Quand un paysan est pris le fusil à la main sur les terres d'un grand seigneur, on l'envoie aux galères. Un homme qui vole un pain est pendu. Mais les bœufs, mais les cochons, mais les veaux, mais tout animal qui se mange enfin, ou plutôt qui est mangé, a droit à une mort uniforme, légale, constitutionnelle. Le parlement a prescrit, en 1796, comment il fallait tuer les bœufs et les cochons : avec douceur et célérité. Par un bill postérieur, il est ordonné de transporter les veaux au marché sur un filet suspendu. Il est interdit de mettre plusieurs de ces animaux sur la même charrette. Il est enjoint d'observer que leur position n'y soit pas contrainte et qu'ils ne soient pas obligés d'avoir la tête pendante, ainsi qu'on a trop souvent occasion de le remarquer sur le continent.

« Une cuisinière anglaise qui tuerait un canard, une poule ou même un poulet, se croirait un objet d'opprobre pour l'humanité. Aussi l'on vous montre, à la porte des châteaux et dans la ruelle la plus obscure des villages, une espèce de bourreau, qui fait l'horrible métier d'étouffer les pigeons et d'égorger les agneaux. C'est un être infâme, abhorré, semblable aux chirurgiens de l'ancienne Égypte.

« Voilà ce que les oies prennent la liberté d'affirmer à vos seigneuries.

« Nous vous supplions de proposer une loi qui défende aux Strasbourgeois de martyriser la volaille et de tourmenter les animaux, à qui, du reste, ils n'ont rien à reprocher. Qu'on leur prescrive de n'exercer leur industrie que sur la manière de plumer les pauvres oies, sans appliquer leur intelligence à déranger l'harmonie de leurs viscères. Qu'ils prennent exemple sur les fournisseurs et sur les usuriers, qui plument les poules sans les faire crier. Que si, par un abus de la force et par un texte mal interprété de la Genèse, ils nous ôtent la vie, ils ne puissent du moins nous ôter la vue, ce qui nous plonge dans une mélancolie funeste. Enfin, qu'ils nous plument et nous mangent, puisqu'ils sont pour nous des tyrans féodaux, des chefs saliques, et que dans les basses-cours il n'y a encore ni charte, ni constitution, ni lois d'*habeas corpus*. C'est un despotisme épouvantable; la plus libre de nous est à la merci du dernier roquet, et dans toute l'Alsace il n'existe pas une chambre qui soit seulement comparable à celle des députés.

« Puissiez-vous étendre ce bienfait jusqu'aux extrémités de l'empire et jusque sur les canards de Toulouse, nos malheureux cousins. »

Jusqu'à l'invention des plumes de fer par l'Anglais Parry ce furent les oies qui eurent le privilège de fournir le précieux canal par lequel le chef-d'œuvre de l'esprit humain passait du cerveau sur le papier. Beaucoup de nos grands hommes

d'aujourd'hui ont refusé de subir la plume de fer et persistent à employer la plume d'oie. Victor Hugo, par exemple, et Chateaubriand se sont toujours refusés à l'emploi des plumes de métal qui ôtent à l'écriture son ampleur et toute la fierté de son caractère, pour la transformer soit en pattes de mouches, soit en bâtons de maître d'école ou de jeune miss.

F O I E D E R A I E. Le foie de raie n'est pas précisément un plat, mais une simple sauce. Après l'avoir fait cuire en même temps et dans le même court-bouillon que la raie, on en fait avec ce court-bouillon une purée qui sert à masquer la raie, et qui porte le nom, dans les dispensaires, de sauce à la noisette; la raie sauce noisette est donc tout simplement la raie préparée avec son propre foie.

FONDUE

Pesez le nombre d'œufs que vous voudrez employer d'après le nombre présumé de vos convives.

Vous prendrez ensuite un morceau de bon fromage de Gruyère pesant le tiers, et un morceau de beurre pesant le sixième de ce poids.

Vous casserez et battrez bien les œufs dans une casserole; après quoi vous y mettrez le beurre et le fromage râpé ou émincé.

Posez la casserole sur un fourneau bien allumé, et tournez avec une spatule, jusqu'à ce que le mélange soit convenablement épaissi et mollet; mettez-y un peu ou point de sel, suivant que le fromage sera plus ou moins vieux, et une forte portion de poivre, qui est un des caractères positifs de ce mets antique. Servez sur un plat légèrement échauffé; faites apporter le meilleur vin, qu'on boira rondement, et on verra merveilles. *(Recette de la fondue, telle qu'elle a été extraite des papiers de M. Trollet, bailli de Mondon, au canton de Berne.)*

FOURNITURE

On désigne sous ce nom les fines herbes accompagnant les chicorées ou laitues faisant le corps de la salade. Ces fournitures sont : le cresson alénois, le cerfeuil, les ciboules, l'estragon, la perce-pierre, le baume, quand il est nouveau, la corne de cerf, la pimprenelle, les capucines fleuries, les fleurs de violette, de bouillon blanc, de bourrache et de buglosse.

FRAISES

Fraises des bois, ananas, capron, des quatre-saisons et de Calabre musquée.

FRAISE DE VEAU

Ayez une fraise de veau bien blanche et bien grasse; faites-la dégorger et blanchir en lui faisant jeter quelques bouillons. Rafraîchissez-la, faites-la cuire dans un blanc. (*V. Blanc.*) La cuisson faite, égouttez-la et servez-la avec la sauce au pauvre homme.

S AUCE AU PAUVRE HOMME. Prenez cinq ou six échalotes, ciselez-les et hachez-les, ajoutez une pincée de persil taillé bien fin, mettez le tout dans une casserole, soit avec un verre de bouillon, soit avec du jus ou de l'eau en moindre quantité et une cuillerée à dégraisser de bon vinaigre, du sel et une pincée de gros poivre; faites bouillir vos échalotes jusqu'à ce qu'elles soient cuites et servez.

Si vous ne voulez pas vous donner la peine de faire un blanc pour cuire votre fraise, contentez-vous de la passer à l'eau bouillante pendant dix minutes et ensuite à l'eau froide puis mettez dans une casserole une cuillerée de farine, un demi-verre de vinaigre, du sel, du poivre, deux oignons, dont un piqué de deux clous de girofle, et un bouquet garni.

F RAISE DE VEAU A LA BRISSAC. La cuisson achevée ainsi qu'il est dit ci-dessus, coupez-la par morceaux égaux, mettez ces morceaux dans une italienne bien réduite et bien corsée, et comme la fraise est fade par elle-même, relevez-la au moment de la servir d'un jus de citron, d'un peu d'huile et d'ail râpé.

FRAMBOISES

Il y en a de deux espèces, les rouges et les jaunes, les rouges sont plus communes; les amateurs de framboises trouvent aux jaunes, quoiqu'elles aient à peu près le même goût, un arôme plus fin.

FRANCOLIN

Oiseau sauvage, mais qui vit en bandes comme la perdrix. Je ne l'avais jamais rencontré en France, lorsqu'en arrivant sur les bords de la mer Caspienne je levai une bande d'oiseaux qui m'étaient inconnus; du premier coup que je tirai, deux tombèrent; un buisson me déroba le reste. J'ignorais le nom du gibier que j'avais tué, lorsque j'appris le soir de Mme de Tatare que c'était un couple de francolins.

Le francolin doit s'apprêter comme la perdrix, comme le faisan et comme la bartavelle.

FRANGIPANE

Espèce de crème, garniture fréquente de pâtisseries.

Ce nom lui vient de son inventeur, don César Frangipani, qui descendait de ces fameux Frangipani qui étaient toujours prêts à rompre le pain pour faire l'aumône : *frangere panem.*

Les restes de leur forteresse, qui était sur la Via Appia, sont encore visibles entre le tombeau de Cecilia Metella et le cirque de Maxence.

Fricandeau

FRICANDEAU

Rouelle ou tranches piquées et glacées; s'applique surtout à la viande de veau.

F RICANDEAU A L'ANCIENNE. Vieux principe qui vaut mieux que la manière de faire actuellement. La plupart des cuisiniers mouillent tout bonnement leur fricandeau avec du bouillon, et allez, ça n'a pas de saveur.

Ce qui faisait dire à Beaumarchais, en un couplet :

> Dans vos restaurants nouveaux,
> Tous vos plats sont suprêmes,
> Et pourtant les fricandeaux
> Sont toujours les mêmes.

Il y a fricandeau et fricandeau. La préparation suivante vous le démontrera.

Extraire la noix d'un cuisseau de veau bien blanc, la parer, la piquer; foncez votre casserole d'une bonne mirepoix, carottes, gros oignons en rouelles, un bouquet garni; beurrez le fond de la casserole, ajoutez votre noix de veau, faites-la suer afin que la partie aqueuse du veau s'évapore, mouillez ensuite avec un bol de consommé qui ne couvre pas le lard. Faites cuire doucement feu dessous et dessus, et glacez bien votre fricandeau en l'arrosant de temps en temps, passez le fond, réduisez pour glacer la noix de veau et le surplus pour corser soit l'oseille, soit la chicorée qui sert de garniture, et servez. (*Vuillemot.*)

F RICANDEAU D'ESTURGEON, DE BROCHET OU DE SAUMON. Coupez des tranches du poisson que vous voulez glacer de la grosseur de trois centimètres, dépouillez-les, piquez-les de lard, farinez-les, mettez-les dans une casserole le lard en dessous avec le lard fondu, colorez et enlevez-les du feu. Hachez des truffes, des champignons ou des mousserons; dressez sur eux vos fricandeaux dans un plat, arrosez-les du jus de jambon, couvrez-les d'un plat et laissez cuire à feu doux une heure durant.

FRIRE

Action de faire cuire de la viande, du poisson ou des légumes dans le beurre, de l'huile ou du saindoux.
On sait que la cuisson est beaucoup plus rapide dans les corps gras que dans l'eau; l'eau en effet ne monte qu'à la chaleur de cent degrés, la friture atteint le double. Cette effrayante chaleur aurait bientôt desséché les substances que l'on soumet au corps gras, si avant de les tremper dans la friture on ne les cuirassait pas habituellement d'une pâte qui les soustrait en partie à l'action du calorique.

FRITURE

Brillat-Savarin pouvait dire du friturier ce qu'il a dit du rôtisseur : « On devient cuisinier, mais on naît rôtisseur. » Son friturier recevait de lui des instructions à part. Il raconte lui-même, avec son esprit habituel, l'interrogatoire qu'il fit subir un jour à maître Laplanche, son cuisinier. Le professeur était assis dans son grand fauteuil à méditation, quand il fit appeler devant lui celui à qui il avait à donner des conseils, s'il n'avait pas à lui faire des reproches.
Le juge gastronome met dans son récit toute la solennité qu'il mérite. Sa jambe droite était verticalement appuyée sur le parquet, la gauche en s'étendant formait une irréprochable diagonale; il avait les reins convenablement adossés, et ses mains étaient posées sur les têtes de lions qui terminent les sous-bras du meuble vénérable sur lequel il donne ses audiences.
Son front élevé indiquait l'amour des études sévères, et sa bouche le goût des distractions aimables. Son air était recueilli et sa pose sculpturale et bien équilibrée.
Ainsi établi, le professeur fit appeler son préparateur en chef et bientôt le serviteur arriva, prêt à recevoir des conseils, des leçons ou des ordres :

ALLOCUTION. « Maître Laplanche, dit le professeur avec cet accent grave qui pénètre jusqu'au fond des cœurs, tous ceux qui s'asseyent à ma table vous proclament potagiste de première classe, ce qui est fort bien, car le potage est la première consolation de l'estomac besogneux; mais je vois avec peine que vous n'êtes encore qu'un friturier incertain.
« Je vous entendis hier gémir sur cette sole triomphale que vous nous servîtes pâle, mollasse et décolorée. Mon ami Récamier jeta sur vous un regard désapprobateur; M. Richerand porta à l'ouest son nez gnomonique, et le président Séguier déplora cet accident à l'égal d'une calamité publique.
« Ce malheur nous arriva pour avoir négligé la théorie dont vous ne sentez pas toute l'importance. Vous êtes un peu opiniâtre, maître Laplanche, et j'ai de la peine à vous faire concevoir que les phénomènes qui se passent dans votre laboratoire ne sont autre chose que l'exécution des lois de la nature, et que certaines choses que vous faites, sans attention et seulement parce que vous les avez vu faire à d'autres, n'en dérivent pas moins des plus hautes abstractions de la science. Écoutez donc avec attention, et instruisez-vous pour n'avoir plus désormais à rougir de vos œuvres. »

CHIMIE. « Les liquides que vous exposez à l'action du feu ne peuvent pas tous se charger d'une égale quantité de chaleur, la nature les y a disposés inégalement; c'est un ordre de choses dont elle s'est réservé le secret et que nous appelons capacité du calorique.
« Ainsi, vous pourriez tremper impunément votre doigt dans l'esprit-de-vin bouillant, vous le retireriez bien vite de l'eau-de-vie, plus vite encore si c'était de l'eau, et une immersion, si rapide qu'elle soit, dans l'huile bouillante, vous ferait une blessure cruelle, car l'huile peut s'échauffer au moins trois fois plus que l'eau. C'est par une suite de cette disposition que les liquides chauds agissent d'une manière différente sur les corps sapides

qui y sont plongés. Ceux qui sont traités à l'eau se ramollissent, se dissolvent et se réduisent en bouillie; il en provient du bouillon ou des extraits. Ceux au contraire qui sont traités à l'huile se resserrent, se colorent d'une manière plus ou moins foncée et finissent par se charbonner. Dans le premier cas, l'eau dissout et entraîne les sucs intérieurs des aliments qui y sont plongés; dans le second, ces sucs sont conservés parce que l'huile ne peut pas les dissoudre, et si ces corps se dessèchent, c'est que la continuation de la chaleur finit par en vaporiser les parties humides.

« Les deux méthodes ont aussi des noms différents; on appelle frire l'action de faire bouillir dans l'huile ou la graisse des corps destinés à être mangés. Je crois déjà vous avoir dit que sous le rapport officinal huile ou graisse sont à peu près synonymes, la graisse n'étant qu'une huile concrète, ou l'huile une graisse liquide. »

APPLICATION. « Les choses frites sont bien reçues dans les festins, elles y introduisent une variation piquante, elles sont agréables à la vue, conservent leur goût primitif et peuvent se manger à la main, ce qui plaît toujours aux dames.

« La friture fournit encore aux cuisiniers bien des moyens pour masquer ce qui a paru la veille et leur donne, au besoin, des secours pour les cas imprévus, car il ne faut pas plus de temps pour frire une carpe de quatre livres que pour cuire un œuf à la coque.

« Tout le mérite d'une bonne friture provient de la surprise; c'est ainsi qu'on appelle l'invasion du liquide bouillant qui carbonise ou roussit, à l'instant même de l'immersion, la surface extérieure du corps qui lui est soumis.

« Au moyen de la surprise, il se forme une espèce de voûte qui contient l'objet, empêche la graisse de le pénétrer et concentre les sucs, qui subissent ainsi une coction intérieure qui donne à l'aliment tout le goût dont il est susceptible.

« Pour que la surprise ait lieu, il faut que le liquide bouillant ait acquis assez de chaleur pour que son action soit brusque et instantanée; mais il n'arrive à ce point qu'après avoir été exposé assez longtemps à un feu vif et flamboyant.

« On connaît par le moyen suivant que la friture est chaude au degré désiré : vous couperez un morceau de pain en forme de mouillette, et vous le tremperez dans la poêle pendant cinq à six secondes; si vous le retirez ferme et coloré, opérez immédiatement l'immersion; sinon il faut pousser le feu et recommencer l'essai.

« La surprise une fois opérée, modérez le feu afin que la coction ne soit pas trop précipitée et que les sucs que vous avez renfermés subissent, au moyen d'une chaleur prolongée, le changement qui les unit et en rehausse le goût.

« Vous avez sans doute observé que la surface des objets bien frits ne peut plus dissoudre ni le sel, ni le sucre, dont ils ont cependant besoin suivant leur nature diverse. Ainsi vous ne manquerez pas de réduire ces deux substances en poudre très-fine, afin qu'elles contractent une grande facilité d'adhérence, et qu'au moyen du saupoudroir la friture puisse s'en assaisonner par juxtaposition.

« Je ne vous parle pas du choix des huiles et des graisses; les dispensaires divers dont j'ai composé votre bibliothèque vous ont donné là-dessus des lumières suffisantes.

« Cependant n'oubliez pas, quand il vous arrivera quelques-unes de ces truites qui dépassent à peine un quart de livre, et qui proviennent des ruisseaux d'eau vive qui murmurent loin de la capitale, n'oubliez pas, dis-je, de les frire avec ce que vous aurez de plus fin en huile d'olive. Ce mets si simple, dûment saupoudré et rehaussé de tranches de citron, est digne d'être offert à une éminence.

« Traitez de même les éperlans, dont les adeptes font tant de cas. L'éperlan est le bec-figue des eaux : même petitesse, même parfum, même supériorité.

« Ces deux prescriptions sont encore fondées sur la nature des choses. L'expérience a appris qu'on ne doit se servir de l'huile d'olive que pour les opérations qui peuvent s'achever en peu de temps et qui n'exigent pas une grande chaleur, parce que l'ébullition prolongée y développe un goût empyreumatique et désagréable qui provient de quelques parties de parenchyme dont il est très-difficile de les débarrasser et qui se charbonnent.

« Vous avez essayé mon enfer, et, le premier, vous avez eu la gloire d'offrir à l'univers étonné un immense turbot frit. Il y eut ce jour-là grande jubilation parmi les élus.

« Allez! continuez à soigner tout ce que vous faites, et n'oubliez jamais que, du moment où les convives ont mis le pied dans mon salon, c'est nous qui demeurons chargés du soin de leur bonheur. »

FROMAGE

Le fromage n'est autre chose que le caillé du lait séparé du sérum et endurci par une chaleur lente; c'est la partie du lait la plus grossière et la plus compacte, d'où il est aisé de conclure qu'il produit un aliment solide, mais difficile à digérer quand on en mange avec excès.

Ce furent les Romains qui apportèrent dans les Gaules l'art de préparer le fromage; depuis, il a fait son chemin, car il y a peu de cantons en France qui n'ait son fromage particulier, et il y a peu de bonnes tables où on n'en serve sous quelque forme ou de quelque façon qu'il se présente.

On peut faire le fromage ou avec du lait dont on a auparavant séparé la partie butireuse, ou avec le lait encore chargé de cette partie. Dans ce dernier cas, le fromage a un bien meilleur goût à cause de sa partie crémeuse qui

est la portion du lait la plus exaltée et la plus remplie de principe huileux et de sel volatil. On fait le fromage avec le lait de plusieurs animaux, mais celui dont on se sert le plus ordinairement est le lait de vache, il est d'un goût agréable, nourrit beaucoup, mais se digère difficilement.

Le fromage, pour être mangé, ne doit être ni trop nouveau, ni trop vieux; trop nouveau, il est lourd, pèse sur l'estomac et cause souvent des vents et des diarrhées; trop vieux, il échauffe par sa grande âcreté, produit un mauvais suc, a une odeur désagréable et rend le ventre paresseux, parce que la fermentation considérable qu'il a souffert l'a privé des humidités qu'il contenait et qui a fait perdre à ses principes tout leur premier arrangement.

Il existe une quantité considérable de fromages : les plus estimés sont : le Brie, le Hollande, le Gruyère, le Livarot, le Marolles, le Camembert, le Roquefort, le Parmesan; enfin ces délicieux petits fromages suisses qui sont de véritables crèmes et au goût et à la vue, et que les gourmands trouvent si délectables.

Nous n'indiquerons pas ici toutes les manières de faire les différents fromages qu'il est du reste plus commode, plus facile et moins dispendieux de se procurer chez les marchands de fromages. Nous donnerons seulement les recettes de ceux qui se font journellement à la campagne et dont la préparation est la plus simple.

Pour faire de bons fromages généralement, il faut avoir du bon lait et de la bonne présure.

Prenez du lait fraîchement trait, coulez-le, mettez-y de la présure en remuant le lait avec une grande cuiller, laissez-le reposer jusqu'à ce qu'il se coagule; une fois réduit en caillé, vous le tirez du pot et le mettez dans des formes, vous laissez égoutter le petit lait et vous le dressez proprement sur une assiette.

FROMAGES COMMUNS. On appelle ainsi ceux qu'on met en présure après avoir été écrémés; ces fromages se coagulent plus promptement que les autres, parce qu'ils ne sont pas si gras. Vous les achevez de même que les précédents.

FROMAGE DE GARDE. Vous prenez du lait chaud et fraîchement tiré, jetez-y de la présure délayée, et quand il est pris, dressez-le dans ses formes, égouttez-le, salez-le par-dessus et laissez-le reposer jusqu'au lendemain afin qu'il s'affermisse. Retournez-le pour le saler de l'autre côté, mettez-le dans l'éclisse, laissez-le s'affermir, et mettez-le sécher à l'air jusqu'à ce qu'on veuille l'affiner.

FROMAGE AFFINÉ. Le fromage étant assez sec, on le trempe dans l'eau salée, on l'enveloppe dans des feuilles d'ormes ou d'orties, puis on le met dans quelque vaisseau

La marchande de fromage

A la crèm' fromag' à la crèm'

avec d'autres afin qu'ils se communiquent leur humidité. Les fromages s'affinent très-bien ainsi.

FROMENT

Voici ce que M. Aulagnier dit de cette plante, la plus commune et la meilleure qui existe :

« Le froment, dont l'origine se perd presque dans celle du monde, est la plus précieuse de toutes les plantes. Les Égyptiens mirent au rang des dieux Osiris pour leur avoir enseigné l'agriculture, qui a produit les mêmes résultats dans toutes les contrées de la terre. En Orient c'est dans la Babylonie que le blé croissait naturellement, c'est aussi là qu'on croit devoir placer le berceau de la civilisation. Aujourd'hui peu de nations se nourrissent uniquement de fruits, eu égard au grand nombre de celles qui cultivent les céréales. Les dattes et les figues servent bien encore à la nourriture des Égyptiens, des Persans, mais c'est seulement chez les pauvres, car le froment forme l'aliment principal. Sa racine est composée de fibres déliées, sa tige s'élève à la hauteur de quatre ou cinq pieds et forme des tuyaux plus ou moins gros, garnis d'espace en espace de nœuds qui lui donnent de la force et qui soutiennent à leur extrémité des épis longs où naissent des fleurs composées d'étamines auxquelles succèdent des grains ovales, mous des deux bouts, convexes d'un côté, sillonnés de l'autre, de couleur jaune lorsqu'il sont mûrs, remplis d'une matière blanche et farineuse composée de gluten et d'amidon, et qui sert à faire le *pain*. »

La France est très-fertile en froment de toutes espèces; la Beauce, la Brie, l'Ille-et-Vilaine, le Vexin, en produisent surtout de très-beaux sujets.

Les anciens honoraient l'agriculture par des fêtes, mais aucune n'est comparable à celle qui, depuis un temps immémorial, se pratique en Chine tous les ans. L'empereur, entouré des princes et des grands de sa cour, ainsi que des laboureurs les plus recommandables, ouvre et laboure lui-même la terre, et sème les cinq espèces de grains les plus nécessaires à la vie qui sont : le froment, le riz, les fèves et deux sortes de millet. Cette fête est célébrée chaque année à Pékin, au retour du printemps, ainsi que dans tout l'empire; là, la profession de laboureur est plus honorable que celle de marchand.

FRUITS

Les fruits forment une grande partie de la nourriture de l'homme, depuis les temps les plus reculés où il ne vivait que de racines et de fruits, jusqu'aujourd'hui où les fruits paraissent encore sur toutes les tables.

On les mange frais et crus, cuits et séchés. Lorsqu'ils sont bien mûrs, on peut les manger avec sécurité, pourvu qu'on n'en fasse pas excès et qu'on ne craigne pas qu'ils s'aigrissent dans l'estomac, disposition qu'on peut affaiblir à un certain degré par l'addition du sucre et d'aromates toniques. La cuisson les rend de plus facile digestion sans altérer leurs propriétés laxatives; par la dessication, ils deviennent de moins facile digestion, mais plus sucrés et plus nourrissants; aussi les figues desséchées faisaient-elles autrefois en grande partie l'alimentation des athlètes. Les fruits sont alimentaires à différents degrés, suivant la nature et le nombre des éléments qui les constituent. En général ceux qui forment la base de l'alimentation chez tous les peuples civilisés sont les *fruits féculents*, qui contiennent en proportions variées du gluten, du sucre, de la fécule, de l'albumine, du mucilage, de la résine et du sel; on peut classer comme les principaux, le blé, le seigle, l'orge, l'avoine, le riz, le maïs, les haricots, les pois, les fèves, les lentilles, les châtaignes, etc., il faut pour les rendre alimentaires les soumettre à différentes préparations qui sont toutes du ressort de la cuisine et que nous indiquerons aux articles concernant ces fruits ou graines.

Puis viennent les fruits *mucoso-sucrés*, la prune, l'abricot, le raisin, la figue, la cerise, etc., qui sont beaucoup moins alimentaires que les premiers et qui seuls ne pourraient pas suffire à la nourriture quotidienne de l'homme; on en fait ordinairement des marmelades, des gelées, des conserves; on les mange aussi crus, mais il faut qu'ils soient bien frais afin de ne causer aucun dérangement dans le système organique.

Nous avons encore les amandes, les noix, le fruit du cocotier, les noisettes, etc., que l'on appelle fruits *oléagino-féculeux*, qui sont d'une digestion difficile à cause de l'huile qu'ils contiennent et qui ne peuvent être mangés qu'en petite quantité.

Enfin, les fruits *acides-mucilagineux*, les moins nourrissants de tous sont encore une grande ressource pendant les grandes chaleurs de l'été où ils servent à faire des boissons très-rafraîchissantes, ainsi que des confitures, des conserves, etc.; les principaux sont l'orange, le citron, la groseille.

Les fruits figuraient toujours en grande quantité sur les tables des anciens; on rapporte que l'empereur Claudius Albinus les aimait tellement qu'il mangea un jour à son déjeuner cinq cents figues, cent pêches, dix melons, et quantité considérable de raisins.

De tous les fruits précoces, la fraise des bois est celui qui paraît le premier; tout le monde sait que c'est la meilleure et la plus naturelle, et elle fait longtemps l'ornement utile et agréable des tables. Puis viennent les cerises, dont les plus estimées sont celles dites de Montmorency, plus tardives que les autres; les groseilles à grappes, les framboises qui succèdent aux fraises et qui passent aussi vite pour faire place aux abricots, aux prunes, aux amandes vertes, aux melons, aux poires, aux figues, à la pêche de Montreuil, ce fruit si savoureux et si délectable, que tout gourmand veut manger, et aux raisins de table de Fontainebleau, les meilleurs qu'il existe. Puis, enfin, les fruits d'hiver, la poire, la pomme; les fruits à coquille, les noix, les noisettes, les marrons, etc.

Maintenant que nous avons rendu aux fruits toute la justice qui leur est due, nous prions nos lecteurs de se reporter, pour les diverses préparations auxquelles on les soumet, aux articles qui les concernent.

FUMET DE PERDRIX

Prenez une bouteille de vieux vin blanc, deux lapins de garenne et deux vieilles perdrix coupés en quartiers, joignez-y des oignons, des carottes, panais, un pied de céleri, des champignons, bouquet garni des quatre épices; mettez en casserole, faites cuire le tout ensemble, écumez, ajoutez un demi-litre de consommé déjà réduit, laissez mijoter pendant deux heures, tamisez, dégraissez, remettez-la sur le feu et faites réduire en glace; ajoutez-y alors un peu d'espagnole, tenez en réserve et servez-vous-en au besoin pour l'assaisonnement de certains plats, surtout pour accompagnement d'œufs pochés ou brouillés.

FUMIGATION

La fumigation peut être considérée comme un moyen de conservation des viandes, mais des viandes fermes seulement.

Pour bien fumer une viande, il faut une fumée graduée; si elle était trop forte en commençant, elle sécherait la viande à l'extérieur et la rendrait coriace à l'intérieur, aussi faut-il l'employer faible d'abord et la forcer progressivement afin de bien saisir le morceau que vous voulez fumer.

Il faut saler la viande d'abord, la faire sécher ensuite, puis vous la pendez à la cheminée, assez loin du feu pour qu'il ne puisse l'atteindre et cependant assez près de la fumée pour qu'elle y pénètre bien; vous la laissez plus ou moins longtemps suivant la force de la fumée, le degré de température et la nature de la viande.

La fumée épaisse et aromatique est celle qu'il faut préférer; le bois de charme et les branches de chêne garnies de leurs feuilles sont excellents pour la fumigation, tandis que le pin, le sapin et tous les arbrisseaux de cette nature communiquent à la viande un goût résineux fort désagréable; le genièvre aussi produit une fumée subtile et odoriférante, aussi l'emploie-t-on presque toujours.

Vous pouvez terminer la fumigation en brûlant des aromates tels que le laurier, le romarin, les fèves de café, les clous de girofle, le bois de réglisse, etc.; cela donne à la viande une saveur particulière et un goût fort agréable.

Voici la manière la plus simple de soumettre diverses substances à la fumigation.

Bœuf. Les côtes et la poitrine sont les morceaux qu'il faut choisir de préférence; vous plongez le morceau que vous avez choisi dans l'eau bouillante, à plusieurs reprises, et vous le retirez promptement, puis vous le frottez avec un mélange de sel et d'un peu de salpêtre, vous le laissez sécher et l'exposez pendant un mois ou six semaines à la fumée d'un feu étouffé.

Porc. Vous exposez les jambons que vous voulez fumer huit jours à l'air, vous les laissez une dizaine de jours dans la saumure et vous les plongez dans une infusion de genièvre pilé dans l'eau-de-vie, et vous les fumez avec des branches de genièvre. Ayez soin de suspendre alternativement les jambons et les saucisses que vous fumez par chaque bout, afin que les sucs qu'ils contiennent ne s'écoulent pas et se maintiennent en équilibre.

Poissons. On les sale, on les embroche et on les expose à la fumée du genièvre ou des feuilles de chêne, on tient les gros entrouverts au moyen de petites traverses, et on entoure de papier ou de toile ceux qui ont la chair délicate. On fume les harengs vingt-quatre heures, les saumons trois semaines; les brochets et les anguilles quatre jours au plus.

« Encore! Encore! » *Lithographie de Numa.*

GALANTINE

La galantine est un composé de plusieurs viandes fines réunies par tranches ou par couches et cuites ensemble.

GALANTINE DE POULARDE OU DE CHAPON. Prenez deux poulardes, désossez-les, ôtez-en proprement les peaux sans les décharner, faites une farce avec la chair, un peu de lard, une tétine de veau, quelques champignons et truffes, un peu de mie de pain trempée dans la crème, et trois ou quatre jaunes d'œufs crus avec fines herbes, fines épices, un peu de persil et de ciboule, poivre et sel, le tout haché et pilé dans un mortier.
Étendez ensuite la peau de vos poulardes et arrangez la farce dessus, sur cette farce, vous étendez une première couche de lardons bien blancs, et bien assaisonnés, puis sur cette couche une autre de jambon cru, ensuite un autre rang de lardons, puis un rang de pistaches bien vertes, encore un rang de lardons et continuez ainsi jusqu'à la fin. Enveloppez le tout dans les peaux en les roulant, pliez-les dans un linge et ficelez-les. Garnissez ensuite le fond d'une marmite de bardes de lard et de tranches de bœuf battu avec fines herbes, fines épices, sel, poivre, oignons, panais et carottes, mettez-y vos deux poulardes, assaisonnez et garnissez dessus comme dessous et faites cuire à petit feu dessus et dessous.
Quand tout est cuit, égouttez-le bien, ôtez la ficelle et le linge qui les enveloppe, coupez-les par tranches, garnissez-en le fond d'un plat et jetez par-dessus un ragoût de truffes vertes de façon que les truffes se trouvent seulement dans les intervalles et qu'elles ne couvrent pas la galantine, et servez chaudement.

GALANTINE D'UNE TÊTE DE VEAU. Échaudez bien la tête de veau, levez-en la peau, remplissez-la d'une farce de poularde et garnissez-la de lardons, de lard, de jambon et de pistaches comme les poulardes en galantine, c'est-à-dire en alternant toujours les couches; faites-la cuire à la braise roulée, ficelée et pliée dans un linge

comme il est dit plus haut, puis vous la coupez par tranches et la servez avec le même ragoût que les poulardes.

GALANTINE DE DINDE. Vous coupez les pattes et le cou de la dinde, vous lui rentrez les cuisses en dedans, et lui désossez les ailes sans les détacher, vous fendez aussi votre dinde par le dos pour la désosser sans endommager sa peau, vous enlevez les chairs de l'estomac et les gros morceaux des cuisses, vous les piquez de lard fin, et assaisonnez de sel, poivre et épices. Vous faites une farce avec un morceau de maigre de veau et autant de gras de lard hachés bien fin, assaisonnez fortement de sel, poivre et épices; vous étendez sur la peau de votre dinde une première couche de cette farce, puis une seconde avec des lardons, continuez alternativement et finissez comme il est indiqué à l'article *Galantine de dindon (V. Dindon)*.

GALANTINE DE POULETS. La galantine de poulets se fait de la même façon que celle ci-dessus.

GALETTE

Espèce de gâteau plat cuit au four, illustrée par Paul de Kock qui en fait manger aux grisettes parisiennes dans tous ses romans. On en fait de différentes manières.

GALETTE COMMUNE. Pétrissez deux litrons de belle farine avec trois quarterons de beurre frais et quantité suffisante d'eau et de sel, pétrissez-la ferme et ajoutez de l'eau en la pétrissant toujours jusqu'à ce qu'elle soit mollasse, mettez-la alors en boucle, aplatissez-la avec le rouleau, en ayant soin de la poudrer de farine afin qu'elle ne s'attache pas, dorez et mettez cuire au four.

GALETTE FEUILLETÉE. Si vous voulez que votre galette soit feuilletée, après avoir fait la pâte comme la précédente, et bien maniée en l'aplatissant avec le rouleau, vous la pliez en quatre, l'aplatissez encore et la pliez de la même façon, faites cela trois ou quatre fois, formez votre galette et mettez-la au four.

GALETTE AUX ŒUFS. Après avoir préparé votre pâte comme il est indiqué ci-dessus, et ajouté le beurre et le sel, vous y cassez des œufs en quantité suffisante, vous détrempez et battez bien le tout ensemble, et votre galette étant achevée vous la finissez comme les autres en la mettant au four.

GALETTE GALEUSE. Préparez la pâte comme pour les précédentes; toutefois, avant de la pétrir, vous y ajoutez de l'eau, du beurre et du fromage de Gruyère bien affiné et coupé par petits morceaux. Cette pâte étant faite, vous l'étendez sur la table en la saupoudrant de farine pour qu'elle ne s'y attache pas, vous formez votre galette, vous la garnissez par-dessus de morceaux de fromage éparpillés et la faites cuire pendant trois quarts d'heure.

GALIMAFRÉ

On donne ce nom à un ragoût composé de restes de viandes dépecées par morceaux que l'on fait cuire dans une casserole avec eau, sel, poivre quand c'est de la viande blanche; et si c'est de la viande noire, on y ajoute un filet de vinaigre ou un peu de vin et une pointe d'échalote, de rocambole ou d'ail, suivant le goût.

GARBURE

On donne ce nom à un potage gascon à fond gratiné.

GARBURE AUX OIGNONS. Vous couperez en deux une quarantaine d'oignons et vous couperez chaque moitié en cinq ou six parties que vous mettrez en forme de demi-cercle, puis vous prendrez 250 grammes de beurre et vous ferez frire vos oignons dedans jusqu'à ce qu'ils soient bien blonds, alors vous faites un lit de tranches de pain coupées très-minces, puis un lit d'oignons, vous mettez sur chaque lit un peu de gros poivre jusqu'à ce que votre plat soit complètement plein, vous arrosez le tout avec du bon bouillon et faites mijoter jusqu'à ce que ça forme gratin sans brûler, puis vous verserez votre garbure avec une jatte pleine de bouillon à côté.

GARBURE A LA BÉARNAISE. Prenez quatre choux de moyenne grosseur et douze laitues pommées; émincez-les, ciselez un morceau de petit lard jusqu'à la couenne, sans couper celle-ci, et mettez-le, ainsi que les choux et les laitues, dans une braisière, avec un saucisson sans ail, deux cuisses d'oie marinées et un combien de jambon dessalé. Faites cuire et mouillez le tout avec du bon bouillon non salé, ajoutez oignons, clous de girofle, racines, persil. Après la cuisson, égouttez vos légumes et vos viandes, tamisez le fond, dégraissez-le, clarifiez-le; coupez en tranches la mie d'un pain de seigle, dressez en couronne vos choux, vos laitues, le petit lard et la mie de pain de seigle que vous aurez trempée dans votre dégraissis, sur un plat creux qui puisse aller sur le feu, mettez dans le puits de votre garbure une purée de pois verts, mettez autour du plat votre saucisson coupé par tranches, au milieu votre combien de jambon avec vos cuisses d'oie, gratinez sur un fourneau doux et servez avec votre fond clarifié et bouillant.

GARBURE AU HAMEAU DE CHANTILLY. (Recette du *Vieux Cuisinier royal.*) Vous mettrez dans une moyenne marmite trois livres de tranches, un jarret de veau entier, deux perdrix et deux pigeons de volière; vous aurez grand soin que vos viandes soient bien ficelées pour qu'elles restent bien entières, vous remplirez votre marmite de bon bouillon ou consommé, vous ferez écumer votre marmite, ensuite vous la garnirez de légumes, comme carottes, navets, oignons, poireaux, deux pieds de céleri, deux clous de girofle. Quand vos viandes seront bien cuites, au moment de servir, vous les dresserez sur un grand plat creux, vous mettrez à l'entour de vos viandes des carottes, des navets, des oignons, des poireaux par compartiments, c'est-à-dire que vos légumes ne soient pas pêle-mêle; les carottes ensemble, les navets de même et ainsi des autres; vous tournerez 40 ou 50 carottes en ronds de deux pouces de long, un peu grosses et toutes de la même longueur et de la même grosseur, autant d'oignons, de navets, de poireaux moyens, de même grosseur et bien épluchés, c'est-à-dire que, quand ils seront cuits, ils puissent se conserver bien entiers; vous les faites cuire après dans un bouillon qui n'est pas celui de votre marmite, vous ajoutez dedans carottes, navets, oignons et à chacune des cuissons un pétit morceau de sucre pour en tempérer l'âcreté; vos légumes cuits, vous les mettez à l'entour de vos viandes; à côté, vous servirez une jatte de bouillon que vous aurez passé à travers une serviette fine ou un tamis de soie afin que votre bouillon soit bien clair. Avec ce potage, il ne faut pas de pain et on ne sert pas le morceau de bœuf.

GARBURE A LA VILLEROY. Coupez et concassez vingt carottes, vingt navets, douze oignons, six pieds de céleri, douze poireaux, six laitues, une poignée de cerfeuil, puis passez vos carottes dans du beurre; joignez-y vos poireaux, vos oignons, faites revenir et mettez-y aussi vos herbes, que vous remuez avec tous ces légumes; quand elles sont fondues, vous mouillez le tout avec du bouillon, et vous laissez bouillir vos légumes jusqu'à ce qu'ils soient cuits, vous y ajoutez un peu de sucre, puis vous faites une couche de pain, une couche de légumes; sur chacun vous mettez un peu de gros poivre jusqu'à ce que votre plat soit plein, vous le mouillez avec le bouillon de vos racines sans le dégraisser et vous laissez mijoter jusqu'à ce qu'il soit gratiné.

GARBURE A LA POLIGNAC. Prenez trente ou quarante marrons, ôtez l'écorce et mettez-les dans l'eau, retirez-les pour voir si la peau se lève, épluchez-les de manière qu'il ne reste aucune peau, mettez au fond d'une casserole des bardes de lard, des tranches de veau, du laurier, des clous de girofle, des carottes, des oignons, un bouquet de feuilles vertes de céleri, puis les marrons; assaisonnez de gros poivre, recouvrez le tout de bardes de lard, mouillez avec du bouillon, laissez mijoter une heure environ, jusqu'à ce qu'ils soient cuits; égouttez-les, coupez-les en deux, mettez dans votre plat un lit de marrons, un lit de pain, jusqu'à ce que votre plat soit comblé; vous formez des cordons de marrons sur votre garbure, passez le bouillon qui a servi à la cuisson; arrosez-en la garbure et laissez-la bouillir jusqu'à ce qu'elle soit gratinée.

GARBURE AUX LAITUES. Faites blanchir une trentaine de laitues entières; laissez refroidir, pressez, ficelez; mettez dans une casserole tranches de veau, bardes de lard, puis vos laitues, recouvertes de lard avec oignons, carottes, clous de girofle; mouillez de bouillon, laissez mijoter une heure et demie, égouttez, coupez en tranches; mettez une couche de pain émincé dans votre plat, une couche de laitues, jusqu'à ce qu'il soit rempli, jetez dessus du bouillon de vos laitues sans le dégraisser, mais après l'avoir tamisé; mettez votre plat sur le feu et laissez mijoter jusqu'à couleur de gratin blond et servez en ajoutant un peu de gros poivre.

GARDE-MANGER

Espèce de cage à claires-voies ou en toile, où l'on conserve les viandes fraîches et les dessertes exposées à un courant d'air; c'est l'appendice indispensable de toute maison éloignée de la ville, ou même située dans une ville où l'on ne peut pas s'approvisionner tous les jours. Il doit être exposé au nord ou à l'est, et pendant huit mois de l'année où les gelées ne sont pas à craindre, mieux vaut pour le garde-manger être fermé par une toile métallique assez serrée pour que les mouches ne puissent le traverser, que par toute autre cloison. Pendant les quatre autres mois, grâce à la rigidité du temps, les provisions se conserveront fraîches.

Garde-manger à appartement.

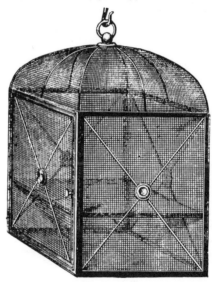

Le beurre est la substance qui s'altère le plus facilement au contact de l'air; il faut le déposer dans un vase de grès à large ouverture, dans des feuilles de poirée ou de betteraves, ne pas se servir de feuilles de choux surtout, le chou communiquant son odeur.

Il ne faut pas, l'été, introduire des poissons de mer dans le garde-manger; la précaution, si on y en mettait, serait de le faire cuire aux trois quarts et de n'achever la cuisson qu'au moment de servir; dans tous les cas, recommandez pour le transport de les envelopper de feuilles d'orties.

GARDON

Petit poisson d'eau douce qu'on met au rang des poissons blancs; il se pêche comme le goujon, et s'apprête en cuisine comme la carpe. (*V. Carpe.*)

Les chasseurs parisiens. Dessins de Cham.

GARENNE

On entend par garenne un petit bois taillis jeté au milieu d'une plaine ou sur le penchant d'une montagne où se réfugient les lapins à demeure fixe, ou les perdreaux à titre de refuge momentané.

Les lapins de garenne sont ordinairement les meilleurs, surtout si la garenne est exposée au levant ou au midi, parce que le lapin, qui aime la chaleur et le soleil, hésite à se terrer au nord; si la garenne appartient à un amateur de chasse, il doit la planter de pruniers sauvages, de fraisiers, de mûriers, de genêts, de groseilliers, de romarins et surtout de genévriers, les perdreaux et les grives étant très-friands des fruits de ces arbrisseaux; il ne faut s'occuper pour le lapin ni d'eau ni de logement, le lapin fait sa maison lui-même, exècre l'eau; on peuple une garenne en y mettant une douzaine de femelles pleines, au bout de la première année il y aura cinq cents lapins, au bout de la deuxième quatre ou cinq mille.

Je me rappellerai toujours, sous ce rapport, une garenne modèle où j'ai fait mes premières armes avec un des meilleurs hommes et des plus originaux chasseurs que j'aie jamais vus.

Il se nommait l'abbé Fortier, était vicaire et instituteur au village de Béthisy, près Compiègne; je l'appelais mon oncle, je ne sais pourquoi; souvent le dimanche ou plutôt le samedi il me disait :

« Lève-toi demain de bonne heure, nous irons déjeuner chez M. de Cambronne. »

Je savais ce que cela voulait dire, et à sept heures du matin je me tenais prêt à accompagner l'abbé Fortier; à huit heures nous étions arrivés.

Alors l'abbé Fortier laissait retomber sa soutane, déposait son fusil dans la sacristie, y enfermait Finot et venait dire la messe devant les illustres propriétaires du château de la Croix.

C'était moi qui avais l'honneur de servir cette messe.

Or l'église était appuyée à la colline sur laquelle s'étendait la garenne, que nous pouvions appeler notre garde-manger, l'abbé Fortier n'en sortant jamais que la carnassière pleine. Un matin que l'abbé disait la messe, il s'interrompit tout à coup, des aboiements furieux venaient du côté de la garenne.

« Est-ce que ce n'est pas la voix de Finot que j'entends? me demanda l'abbé.

— Si fait, mon oncle.

— Eh bien! comment s'est-il sauvé de la sacristie?

— Quelqu'un y sera entré et aura laissé la porte ouverte.

— Les imbéciles, dit-il, c'est un lapin qu'il chasse.

— Oui, mon oncle.

— Eh bien, si j'ai un conseil à lui donner, c'est de se taire et bien vite, ou sans cela il est... flambé. »

Mon oncle se servit d'un mot plus expressif qui lui fut sans doute pardonné à cause de son intimité grande avec les puissances célestes.

Mais c'était le jour d'ouverture qu'il fallait entendre l'abbé Fortier; dès la veille, à la messe basse, il avait adressé ce petit discours à ses paroissiens :

« Mes bons amis, vous savez que ma seule distraction au milieu de vous autres imbéciles, c'est la chasse; or si demain je vous disais vos deux messes à l'heure ordinaire, c'est-à-dire la première à huit heures du matin et la seconde à dix, quand je me mettrais en chasse vers onze heures et demie ou midi, je trouverais le terroir complètement brûlé, attendu que vous êtes tous des braconniers et des vagabonds; je vous dirai donc votre première messe à six heures du matin, et je vous invite tous à y assister; je reconnaîtrai ceux qui n'y seront pas et ils auront affaire à moi, donc à demain six heures du matin. »

A cinq heures et demie l'abbé Fortier faisait sonner sa messe, et la messe était à moitié dite quand à six heures les paroissiens arrivaient; à six heures un quart, la basse messe était dite.

Les paroissiens faisaient un mouvement pour s'en aller.

« Ta, ta, ta, disait l'abbé Fortier, je vous vois venir, ou plutôt je vous vois en aller; puisque je vous tiens, c'est pas la peine de vous faire revenir à dix heures, je vais vous dire ma grand'messe tout de suite. »

Et l'abbé disait sa grand'messe en trois quarts d'heure.

La grand'messe dite, chacun s'apprêtait à partir.

« Ah çà! disait l'abbé, n'allez pas vous figurer que je vais quitter la chasse au plus beau moment, c'est-à-dire à deux heures de l'après-midi, pas si bête, nous allons en finir avec vêpres comme nous en avons fini avec la messe basse et la grand'messe; c'est l'affaire d'un quart d'heure; soyez tranquilles. »

Et l'abbé disait en effet ses vêpres, de sorte qu'à sept heures et demie, heure excellente pour se mettre en chasse, il avait dit sa messe basse, sa grand'messe et ses vêpres.

Pauvre abbé, Dieu fasse paix à son âme, jamais créature humaine n'a été meilleur homme et plus mauvais prêtre. Il mourut à quatre-vingt-dix ans, et nul dans le village n'a oublié son dernier sermon.

« Je vais vous quitter, mes enfants, dit-il; bêtes le bon Dieu vous a donnés à moi, bêtes je vous rendrai à lui; il n'aura pas de reproches à me faire. »

Ce furent ses dernières paroles à ses ouailles.

GARNITURE

Cela se dit de toute substance accompagnant et garnissant un plat.

GARNITURE DE BOUILLI A LA BOURGEOISE. Faites blanchir et cuire des choux comme pour le potage, faites blanchir une dizaine de carottes, après les avoir tournées; mettez-les dans une casserole avec cinq ou six cuillerées de sauce brune, avec autant de consommé; faites cuire à petit feu, ajoutez quelques navets que vous aurez tournés comme vos carottes; après avoir fait blanchir du petit lard, vous le mettrez cuire avec les choux; saucez votre pièce de bœuf avec la sauce dans laquelle vous avez fait cuire vos légumes; versez-la dessus si elle n'est pas en glace; vous pouvez ajouter des oignons glacés, si vous les aimez.

GARNITURE DE TOMATES. Coupez-en deux, à l'endroit de leur plus grande rotondité, pressez-en le jus, les pépins et les morceaux du côté de la fleur, en faisant attention de ne pas les écraser; on les place couchées à côté l'une de l'autre, on les garnit de champignons hachés, d'échalotes, de persil, d'ail, de chair de jambon; on fait cuire le tout en y ajoutant une couche de mie de pain, de jaunes d'œufs, sel et muscade, un peu de beurre de piments et d'anchois, pilez le tout ensemble en y versant peu à peu de l'huile; passez la farce à travers un tamis à quenelles et garnissez-en les tomates, passez-les avec de la mie de pain et un peu de parmesan, arrosez-les avec de l'huile, et faites cuire à four chaud.

GARNITURE DE RAIFORT. Ayez du raifort, enlevez-en la peau, râpez après l'avoir lavée à plusieurs eaux, et placez-la autour des bouillis ou des rôtis.

GARNITURE A LA FLAMANDE. Tournez une trentaine de carottes et de navets, faites-les cuire et blanchir dans un consommé avec une cuillerée à soupe de sucre, ayez trente laitues braisées, ainsi que trois cœurs de gros choux; égouttez, pressez, tranchez et dressez-les autour de votre plat en couronne, en mettant un navet et une carotte entre chaque laitue; au milieu du plat resté libre, posez la viande que vous aurez préparée, rangez trente oignons glacés sur le rebord des carottes et des laitues, quand votre relevé ou entrée est dressé, masquez-le avec une sauce bien réduite à la glace, allongez d'espagnole.

GATEAU

Sorte de pâtisserie, presque toujours de forme ronde, faite ordinairement avec de la farine, des œufs et du beurre; on en fait aussi avec du riz. Leur nom leur vient sans doute de la prodigalité avec laquelle on gâte les enfants en leur distribuant des gâteaux comme récompense ou encouragement gastronomique.

Le plus renommé de tous les gâteaux est le *gâteau des Rois*, espèce de galette dans laquelle on met une fève; cette ancienne et patriarcale coutume est devenue universelle, et il y a peu de familles qui ne choisissent le jour de l'Épiphanie pour se réunir et tirer les Rois.

Dans certaines provinces, on fait toujours, outre les parts destinées aux personnes présentes, la *part du bon Dieu* qui appartient au premier mendiant qui passe, et qui par conséquent devient la part de l'indigence.

On sait que c'est toujours la personne la plus jeune de la société qui est chargée de tirer et de distribuer les parts du gâteau; ce fut pour Barjac, valet de chambre du cardinal de Fleury, l'occasion d'une spirituelle flatterie.

Galette des Rois.

Un jour des Rois, il trouva moyen de réunir à la table de son maître douze convives d'un âge si avancé que son Éminence, qui cependant était âgée de plus de quatre-vingt-dix ans, se trouvant la personne la plus jeune, dut remplir les fonctions ordinairement attribuées à l'enfance, ce qui la surprit fort agréablement.

Voici maintenant quelques recettes :

GATEAU DE CAROTTES. Prenez douze carottes bien rouges, ratissez-les, lavez-les, faites les cuire dans une marmite avec de l'eau et du sel, supprimez-en les cœurs, égouttez-les, passez-les à l'étamine, mettez-les dans une casserole et faites-les dessécher sur le feu, comme une pâte royale; faites une crème pâtissière de la valeur d'un demi-setier de lait, forcez-la un peu en farine, et, la cuisson faite, incorporez-y votre purée de carottes, une pincée de fleur d'oranger pralinée et hachée, trois quarterons de sucre en poudre, quatre œufs entiers que vous mettez l'un après l'autre, six jaunes d'œufs dont vous réservez les blancs et un quarteron de beurre fondu; mêlez bien le tout, fouettez vos blancs, mettez-les dans la composition, préparez une casserole en la beurrant et la mettant sens dessus dessous, afin de bien l'égoutter, saupoudrez-la

de mie de pain, versez-y votre gâteau, mettez-le cuire au four, dressez-le et servez chaud ou froid.

GATEAU AU RIZ. Vous faites cuire 150 grammes de riz comme pour faire un potage au blanc; quand il est cuit et bien épais, mettez-le dans une pâte brisée faite avec un litron de farine, trois quarterons de beurre, quatre blancs d'œufs, un peu de sel, ce qu'il en faut pour un gâteau ordinaire; mettez la pâte et le riz dans un mortier, pilez le tout ensemble, dressez ensuite votre gâteau à l'ordinaire, dorez-le, faites-le cuire au four sur une feuille de papier beurré et servez chaud.

Le gâteau de vermicelle se fait la même chose.

GATEAU DE PISTACHES. Pilez ensemble 180 grammes de pistaches, 60 grammes d'amandes douces pelées, une côte de citron vert confit, ajoutez-y deux blancs d'œufs, passez cette composition au tamis, mettez autant de sucre en poudre que de pâte, mêlez bien le tout ensemble; fouettez ensuite huit autres blancs que vous délayerez bien avec quatre jaunes; mêlez bien le tout, passez à travers un tamis, et mettez la pâte dans un moule en papier beurré, faites cuire deux heures au four avec plus de chaleur dessous que dessus, retirez-le du four, ôtez le papier et servez-le glacé pour entremets.

GATEAU DE MILLE FEUILLES. Faites un feuilletage brisé, coupez-le en cinq parties dont une plus forte du double que les autres, abaissez les quatre autres à l'épaisseur d'une pièce de cinq francs, faites-en le corps du gâteau et servez-vous de la cinquième pour en former le dessus, dorez-les et faites cuire au four, glacez le couvercle si vous voulez, puis mettez sur chaque plaque la confiture qu'il vous plaira, mettez les unes sur les autres après les avoir couvertes avec la confiture qui doit être différente sur chaque plaque, posez sur la dernière plaque le couvercle et coupez-le sur le modèle des huit pans de dessous, dorez et faites des dessins avec des confitures différentes et servez sur une serviette comme grosse pièce d'entremets.

Gâteau polonais.

GATEAU A LA MADELEINE. Cassez dix œufs dont vous séparez les blancs et les jaunes; battez les jaunes avec trois quarterons de sucre en poudre, une pincée de citron vert haché et un peu de sel fin, ajoutez-y une demi-livre de farine fine et mêlez bien le tout; incorporez dans cette composition un bon morceau de beurre fin clarifié; ajoutez-y six blancs d'œufs bien fouettés et finissez votre pâte; beurrez ensuite de petits moules à la Madeleine, remplissez-les de cette pâte et faites-les cuire à un four doux et servez.

Vous pouvez remplacer les moules par une grande caisse de papier beurré, dans laquelle vous mettez la pâte; vous faites cuire et coupez ensuite le gâteau en losanges ou comme il vous plaira.

GATEAU A LA REINE. Émondez et pilez une livre d'amandes douces, ajoutez-y une livre de sucre et quatre blancs d'œufs que vous mêlez au fur et à mesure, vous faites vos gâteaux avec cette composition bien préparée, et vous les décorez de plusieurs manières; vous les posez sur un plafond et les faites cuire à un four doux, masquez-les comme des génoises et servez.

GATEAU D'AMANDES. Faites une pâte à l'ordinaire avec du beurre et deux ou trois jaunes d'œufs, et de la farine, bien entendu; ajoutez du sucre, 125 grammes d'amandes pilées bien menu, une bonne pincée de sel et un peu d'eau de fleur d'oranger. Maniez et mêlez bien le tout ensemble, faites-en une pâte consistante, étendez-la avec un rouleau sur un papier beurré, dorez-le et mettez cuire au four.

GATEAU DE PITHIVIERS. Préparez vos amandes comme pour le gâteau ci-dessus, ajoutez-y 250 grammes de sucre en poudre, un peu de zeste de citron haché et une demi-livre de bon beurre fin; mêlez-y au fur et à mesure six œufs, et finissez comme le gâteau d'amandes.

PETITS GATEAUX POLONAIS. Prenez du feuilletage suivant la quantité de petits gâteaux que vous voulez faire et donnez-lui un tour ou deux de plus, abaissez-le à environ trois lignes d'épaisseur, coupez cette abaisse par petits carrés, mouillez-les dessus légèrement et ramenez-en les quatre coins au centre, posez-les sur une plaque, dorez-les et mettez-les au four; leur cuisson presque faite, saupoudrez-les de sucre fin, glacez-les au four afin qu'ils soient de belle couleur. Mettez au milieu de chacun d'eux une cerise ou un grain de verjus, dressez et servez comme petits entremets ou en gros buisson.

GATEAUX DE PUITS D'AMOUR. Faites un feuilletage que vous étendez de l'épaisseur de deux lignes, couvrez-le d'un plat de la grandeur que vous voulez donner à votre gâteau, coupez la pâte tout autour, mettez cette abaisse sur un plafond; prenez un autre plat plus petit, refaites une autre abaisse, coupez-la dans le milieu, et enlevez-en une pièce de six pouces en rondeur, mettez le collier sur la première abaisse, faites avec le même feuilletage quatre autres parties dont vous enlevez toujours le milieu et dont vous mettez les colliers sur la première abaisse, de façon à former un puits; vous dorez ce puits, et vous le mettez au·four. Sa cuisson presque faite, vous le saupoudrez de sucre fin, vous le glacez, vous en videz l'intérieur par la partie carrée qui forme trou; vous remplissez cet intérieur de confitures, et vous servez en entourant, si vous voulez, votre gâteau d'un cordon de choux à la crème, attachés ensemble de façon à former la chaîne.

GATEAUX EN LOSANGE. Abaissez du feuilletage et coupez-le par bandes dont vous faites ensuite des losanges. Vous les posez sur un plafond ou une feuille d'office, vous les dorez et les mettez au four; leur cuisson faite, glacez-les et servez.

GATEAU AU LARD. Faites une pâte brisée très-fine, dressez un gâteau à l'ordinaire, mettez par rangées et fort près des lardons de petit lard de la hauteur du gâteau, égalisez bien le tout, mettez-le cuire au four et servez-le froid.

Il ne faut pas trop saler la pâte à cause du lard qui entre dans la composition du gâteau.

GATEAU DE COMPIÈGNE. Passez 125 grammes de belle farine au tamis, faites deux fontaines comme à la pâte à brioche, prenez un peu plus que le quart de votre farine pour faire un levain, mettez-y un plus de levure, et tenez votre levain moins ferme que pour la brioche, faites-la revenir et mettez dans votre grande fontaine une once de sel, un bon verre d'eau, une bonne poignée de sucre fin, le zeste de deux citrons bien hachés, du cédrat confit et coupé en petits dés. Faites votre pâte comme il est indiqué à l'article *Pâte à brioches*, tenez-la plus molle; beurrez un moule, mettez-y votre pâte, laissez-la revenir selon la fraîcheur de la levure pas plus de une heure à deux heures, mettez votre gâteau cuire pendant deux heures à un four bien atteint, renversez-le du moule et servez-le froid pour grosse pièce.

GATEAU AU FROMAGE DE BRIE. Prenez du fromage de Brie bien affiné, pétrissez-le avec un litre de farine, 90 grammes de beurre, peu de sel, ajoutez cinq ou six œufs et délayez bien votre pâte que vous tournez avec la paume de la main, laissez-la ensuite reposer une demi-heure, abaissez-la avec un rouleau, formez votre gâteau comme à l'ordinaire, dorez-le, mettez-le cuire au four et servez.

GATEAU FOURRÉ. Vous formez avec de la pâte à feuilletage deux gâteaux égaux, de la même épaisseur chacun, vous étendez sur le premier une couche de confiture, en laissant un bord de la largeur d'un doigt, vous mettez le second gâteau sur le premier et les collez bien ensemble en les maniant avec les doigts tout autour, vous dorez ensuite votre gâteau et le mettez cuire au four.

Quand il est bien cuit, vous passez dessus un doroir trempé dans du beurre et vous semez partout de la petite nonpareille ou du sucre fin que vous glacez à la pelle rouge.

GATEAU A L'ANGLAISE. Vous délayez de la farine avec du lait et de la crème, vous y ajoutez une demi-livre de raisins secs hachés avec autant de graisse de bœuf, de la coriandre, de la muscade râpée, de l'eau de fleur d'oranger et de l'eau-de-vie; vous mêlez bien le tout ensemble, puis vous beurrez le fond d'une casserole, vous mettez dedans votre gâteau que vous faites cuire au four et que vous glacez avec du sucre au moment de servir.

GATEAU ROYAL. Coupez une noix de veau de la largeur d'une assiette que vous piquerez de menu lard, coupez-en une autre de la même largeur sans la piquer pour la couvrir, garnissez une petite casserole de bardes de lard, renversez la noix piquée dedans, le lard en dessous, faites une petite abaisse de farce liée au fond sur la noix de veau, faites un petit bord tout autour avec la même farce et mettez-y un ragoût de foies gras, truffes vertes, couvrez ce ragoût d'une couche de farce fort mince et ensuite de l'autre noix de veau, dorez le gâteau, couvre-le de deux ou trois bardes de lard, mettez-le cuire au four, et servez-le avec une essence de jambon et jus de citron pour entrée.

GATEAU FRASCATI. Vous faites cuire un biscuit fin à l'orange dans un moule à timbale rond; en le sortant du four, vous le renversez sur un plafond pour le parer droit en dessus et le diviser transversalement en tranches d'un centimètre d'épaisseur, vous divisez ensuite ces tranches chacune en quatre parties pour les ranger sur le centre d'un plat les unes sur les autres et reformer le gâteau, mais en ayant soin d'arroser à mesure chaque tranche avec quelques cuillerées à bouche de crème anglaise parfumée à l'orange, et en les saupoudrant chacune avec une pincée d'écorce d'orange confite et coupée en dés très-fins. Quand le gâteau est monté, vous l'entourez à sa base avec des moitiés de pommes en hérisson, c'est-à-dire cuites au beurre,

bien entières, un peu fermes et glacées avec de la marmelade d'abricots, puis piquées avec des amandes en filets et sèches saupoudrées avec du sucre et glacées au four. Poser aussi une demi-pomme sur le haut et servir le gâteau en même temps qu'une saucière de crème anglaise. (*Recette Urbain Dubois, cuisinier de tous les pays.*)

GATEAU SAVARIN. Délayez ensemble un peu de levure de bière et de crème, ajoutez trois œufs, un quart de sucre en poudre, trois quarts de beurre frais fondu, un litron de farine et très-peu de sel, vous pétrissez le tout ensemble avec assez de crème pour rendre votre pâte molle. Vous beurrez en dedans un moule fait en couronne et vous en parsemez le fond (qui deviendra le dessus du gâteau) d'amandes émondées et hachées; vous le remplissez aux trois quarts de votre pâte et vous l'exposez à une chaleur douce afin de le faire gonfler, puis vous le faites cuire comme la brioche, vous le démoulez et vous versez dessus doucement, afin de bien en imprégner le gâteau, un sirop fait avec du kirsch, du sirop de sucre cuit à la grande plume, une pincée de vanille en poudre et un peu de lait d'avelines, cela lui donne un goût exquis, et vous le servez froid ou chaud.

GAUFRES

Menue pièce de pâtisserie qui se fait beaucoup dans certaines provinces, mais qui se mange fort peu à Paris. Voici quelques recettes :

GAUFRES AU SUCRE. Ayez huit œufs, 250 grammes de sucre, autant de beurre fondu, deux mesures de crème; mêlez bien le tout ensemble en le battant, ajoutez-y trois quarterons de farine et délayez-la peu à peu avec les œufs et le sucre jusqu'à ce que la pâte ait acquis un peu de consistance, goûtez-la pour voir si elle est assez fine, sinon ajoutez-y du beurre et du sucre.

La pâte étant en bon état, vous prenez les fers à gaufre que vous faites chauffer comme il faut, vous les frottez avec une plume de beurre fondu et vous versez la pâte dedans; une bonne cuillerée à bouche suffit pour chaque gaufre; vous mettez les fers sur un feu clair, vous les retournez pour faire cuire les gaufres des deux côtés, puis vous les retirez et les saupoudrez de sucre.

GAUFRES AUX PISTACHES. Vous mouillez 125 grammes de pâte à brioches avec un verre de vin de Madère, vous y incorporez trois onces de sucre en poudre et deux onces de raisins de Corinthe, vous étendez cette composition sur les fers en lui donnant l'épaisseur d'un demi-pouce, vous faites cuire environ un quart d'heure à four vif, vous formez vos gaufres, les glacez au sucre, au café, les masquez légèrement avec des pistaches hachées et les servez au naturel.

GAUFRES A LA FLAMANDE. Vous délayez dans une terrine 30 grammes de levure de bière nouvelle avec un quart de litre de bon lait, vous y ajoutez un demi-litre de farine pour faire une pâte coulante et vous la mettez dans un lieu chaud pour fermenter; joignez-y ensuite du sel, du sucre en poudre, un peu de râpure d'écorce d'orange, deux œufs entiers et quatre jaunes, ajoutez-y une demi-livre de beurre tiède et mêlez le tout ensemble; vous y amalgamez quatre blancs d'œufs battus en neige et deux cuillerées de crème fouettée; quand elle aura atteint, par le gonflement, le double de son volume, vous ferez chauffer des deux côtés le gaufrier, verserez votre pâte dedans et ferez cuire comme les précédentes.

GELÉE

On fait les gelées avec le suc des fruits mûrs, cuits avec du sucre à une consistance convenable.

Les gelées de fruits sont rafraîchissantes et possèdent des avantages certains qui les recommandent soit aux malades ou aux personnes valides; elles sont d'une très-grande ressource dans la convalescence des malades et figurent très-convenablement dans tous les desserts.

Nous renvoyons pour les gelées de fruits à l'article *Confitures* où nous nous sommes expliqué tout au long à ce sujet et nous n'allons nous occuper ici que des gelées de viande.

GELÉE DE VIANDE. Les gelées de viande ont pour base la gélatine et surtout celle fournie par la colle de poisson ou la corne de cerf râpée. La solution de ces corps gélatineux procure un liquide qui se prend aisément en gelée transparente; les pieds de veau sont communément employés pour l'obtenir. On les fait bouillir plus ou moins de temps avec des viandes blanches, telles que veau ou poulet, et quelquefois même du poisson; on clarifie le bouillon qui en résulte avec un blanc d'œuf : bientôt il tourne en gelée et prend la forme du vase dans lequel on le verse. La gelée de viande est d'un fréquent usage dans les convalescences à cause de la quantité considérable de matière alibile qu'elle contient, produite par les sucs de viande ajoutés à la gélatine; on l'emploie aussi dans diverses maladies chroniques, surtout dans les affections des intestins et la diarrhée chronique.

FAÇON DE LA FAIRE. Prenez des pieds de veau selon la quantité de gelée que vous voulez faire et un bon coq. Après avoir bien lavé et épluché le tout, vous le mettez dans une marmite avec de l'eau en proportion, vous faites cuire ces viandes et les écumez avec soin. Quand vous vous apercevez que votre gelée est assez faite, vous prenez une casserole et vous la mettez dedans après l'avoir passée à travers un linge et l'avoir bien dégraissée; vous y mettez du sucre en proportion, de la cannelle en bâton, deux ou trois clous de girofle et l'écorce de deux ou trois citrons dont vous conservez le jus. Vous faites cuire votre gelée avec tous ces ingrédients et vous y ajoutez quatre ou cinq blancs d'œufs battus en neige et le jus du citron; vous remuez de temps en temps la cuisson, puis vous la laissez reposer jusqu'à ce que le bouillon s'élève au-dessus de la casserole, videz alors la gelée dans une chausse, passez-la deux ou trois fois afin qu'elle soit bien claire et servez-la. La gelée est susceptible de plusieurs couleurs, on la mange dans sa couleur naturelle, on la blanchit avec des amandes pilées, on la jaunit avec des jaunes d'œuf, etc.; voyez du reste, pour les différentes couleurs à donner, à l'article *Dorure*.

GELINOTTE

Cet oiseau est un peu plus gros que la perdrix rouge et ressemble tellement à la poule qu'on l'appelle vulgairement *poule sauvage* ou *poule des bois;* on la trouve partout où il y a des bois et des buissons épineux.

Varron dit qu'elle était si rare à Rome qu'on l'apportait dans des cages où on la nourrissait de fruits sauvages, de chatons de bouleau et de baies de genévrier.

Il n'y a qu'une opinion sur le goût exquis et la délicatesse de sa chair, surtout en automne et même en hiver; c'est peut-être le gibier dont on fait le plus de cas et qui est le plus recherché. Les Hongrois l'appellent *oiseau de*

César pour dire morceau de roi, et en Allemagne la gelinotte est le seul gibier qu'il soit permis de servir deux fois de suite sur la table des princes.

Voyez pour son apprêt à l'article *Canard sauvage*.

GENIÈVRE

Nom que l'on donne aux baies du genévrier qui est un **arbrisseau** fort commun, dont le bois est dur, approchant de la couleur rougeâtre, revêtu d'une écorce rude; il pousse quantité de branches, ses feuilles sont étroites, toujours vertes et garnies d'épines; ses fleurs forment de petits chatons qui ne laissent aucun fruit; ses baies sont rondes, semblables à celles du lierre, vertes d'abord, et noires quand elles mûrissent; elles renferment trois ou quatre graines oblongues, et c'est ce que l'on appelle genièvre.

On attribue beaucoup de propriétés à la graine de genièvre. Elle conserve le cerveau, réconforte la vue, nettoie la poitrine, chasse les vents et facilite la digestion; aussi l'emploie-t-on assez souvent en médecine.

SIROP DE GENIÈVRE. Vous faites infuser chaudement pendant neuf jours des baies de genièvre fraîchement cueillies et bien mûres; vous les faites bouillir pendant peu de temps, vous les écrasez et les refaites bouillir encore un peu, puis vous passez la liqueur avec une forte expression. Vous la remettez sur le feu avec une quantité suffisante de sucre, et faites cuire le tout ensemble jusqu'à consistance de sirop, laissez refroidir et mettez en bouteille.

RATAFIA DE GENIÈVRE. Vous faites infuser dans l'eau-de-vie des baies de genièvre bien grosses et bien mûres, vous y ajoutez du sucre en proportion et vous mettez en bouteille.

Le ratafia ainsi que le sirop de genièvre sont cordiaux et bons pour faciliter la digestion.

GÉNOISES

Sorte de pâtisserie fort agréable au goût, et qui se fait généralement avec des amandes.

GÉNOISES GLACÉES A L'ITALIENNE. Mettez dans un poêlon d'office 150 grammes de sucre en poudre et cinq œufs entiers, mêlez-les comme pour un biscuit; joignez-y ensuite un quarteron de farine et autant d'amandes douces pilées, beurrez un plafond, mettez votre appareil dessus, étendez-le et donnez-lui l'épaisseur d'une pièce de cinq francs, faites cuire à un four vif jusqu'à belle couleur, puis coupez-le et formez-en vos génoises soit en croissants, en ronds ou en losanges; mettez le fond du vase dans l'eau, puis fouettez cinq blancs d'œufs, mêlez-y du sucre clarifié et formez une glace dont vous couvrirez vos génoises; mettez-les sécher un quart d'heure et servez-les.

PETITES GÉNOISES. Prenez de la pâte d'amandes, abaissez-la et saupoudrez-la de sucre, puis coupez des petits ronds comme pour des petits pâtés ordinaires de la grandeur d'une pièce de deux francs à peu près, faites ensuite avec cette même pâte, une abaisse de la grandeur du plat que vous voulez servir, ajoutez-y un rebord de la grandeur de vos petites génoises et faites autant de cette génoise que votre abaisse peut en contenir; mettez-les sécher et cuire en les mettant à l'entrée d'un four doux et quand vous serez pour les servir, remplissez-les de confitures de couleurs différentes en en formant un quadrille ou tout autre dessin.

On peut servir les génoises comme dessert ou comme petit entremets, à la volonté des personnes.

GÉNOISES A L'ORANGE. Émondez 120 grammes d'amandes douces, pilez-les, et mouillez-les avec la moitié d'un blanc d'œuf; quand elles sont pulvérisées, vous les mettez dans une terrine avec 180 grammes de farine, 130 grammes de sucre, dont 75 grammes saturés de zestes d'orange, 6 jaunes d'œufs, 2 œufs entiers, une cuillerée d'eau-de-vie et un peu de sel, mélangez bien le tout ensemble, battez ensuite 180 grammes de beurre que vous aurez mis ramollir devant la bouche du four et vous le mêlerez d'abord avec un peu d'appareil, puis vous l'amalgamerez avec le reste. Vos génoises étant terminées, vous beurrez un plafond à rebord, ou bien vous faites deux caisses de papier dans lesquelles vous versez vos génoises après les avoir terminées en y ajoutant pour les glacer 120 grammes de sucre très-fin, du blanc d'œuf et un peu de marasquin et vous faites cuire à four et à feu modérés.

GÉNOISES AUX PISTACHES. Vous émondez des pistaches, la quantité qu'il vous plaît et vous les pilez avec un peu de blanc d'œuf, puis vous y joignez une cuillerée d'essence de vert d'épinards passé au tamis de soie. Quand vos génoises sont à point vous les couvrez d'un glacé fait avec 120 gr. de sucre travaillé dans un blanc d'œuf, et la moitié d'un suc de citron afin qu'il soit d'une blancheur parfaite, ce qui fera très-bien sur vos génoises qui doivent être d'un vert tendre.

GÉNOISES AUX AVELINES. Vous pilez parfaitement 180 gr. d'avelines, vous en retirez un tiers et vous mêlez le reste à votre composition que vous faites comme ci-dessus. Vos génoises cuites, vous les coupez en petits croissants sans les faire sécher comme d'habitude. Puis vous mêlez le tiers d'avelines conservées avec 120 grammes de sucre très-fin et le quart d'un blanc d'œuf, vous en marquez vos génoises en leur donnant une teinte dorée. *(V. Couleur.)*

GÉNOISES PERLÉES AU RAISIN DE CORINTHE. Vous procédez de la même façon que ci-dessus, vous placez entre chaque perle un grain de raisin de Corinthe bien lavé et en mettez un plus petit sur chaque perle. Vous faites vos génoises de toutes formes possibles, en carrés, en losanges ou en ronds.

GÉSIER

Le gésier est l'estomac des oiseaux, la chair en est dure, et complètement dépourvue de saveur.

GIBELOTTE

Préparation faite sur des morceaux d'oignon ou de lapin. *(V. Lapin.)*

GIBIER

Le mot gibier s'applique à tout ce qu'on a pris en chassant, et qui sert à l'alimentation du chasseur. Les sangliers, les cerfs, les daims, les chevreuils, et autres animaux semblables sont ce qu'on appelle le *gros gibier*, le *menu* se compose des animaux plus petits tels que lièvres, lapins, perdrix, etc.

Le gibier, le poisson et la volaille se conservent parfaitement au moyen d'un linge fin avec lequel on les enveloppe. On le place dans un charbonnier et on le couvre de charbon fin; ou bien on vide le corps du gibier que l'on veut conserver et on le remplit de froment, on coud la pièce et on la place dans un tas de blé de façon à la recouvrir entièrement.

GIGOT
(V. Agneau, Chevreuil et Mouton.)

GIMBLETTES

Pâtisseries dites de menu service ou de petit four. *(V. Croquignole et Croquembouche.)*

GLACE

L'usage de la glace dans les pays méridionaux remonte à la plus haute antiquité; Sénèque reproche aux Romains les soins qu'ils prenaient pour avoir des boissons glacées, et Hippocrate parle de ses inconvénients ainsi que de ceux de la neige. Les habitants des pays chauds, du reste, ont de tous temps recherché les boissons fraîches et l'eau à la glace fait les délices des Orientaux, des Italiens et des Espagnols qui se servent de cruches en terre poreuse et non vernies qu'ils appellent *alcarazas* pour s'en procurer. Au XVIᵉ siècle, on ne connaissait pas encore en France l'usage de la glace, et lorsque François Iᵉʳ eut à Nice des conférences avec le pape Paul III et l'empereur Charles-Quint, son médecin fut très-étonné de voir qu'on glaçait le vin avec de la glace tirée des montagnes qui avoisinent cette ville.

Mais les glaces proprement dites ne furent connues en France que vers 1660, où un Florentin nommé Procope fit goûter le premier aux sujets de Louis XIV les attrayantes douceurs de ces friandises. Le café qu'il fonda rue de l'Ancienne-Comédie existe encore aujourd'hui.

Aujourd'hui les glaces sont très-répandues, et on en voit l'été sur toutes les bonnes tables.

On appelle aussi *glace*, en termes de confiserie, le suc épaissi d'un fruit qu'on vient de confire et qu'on emploie comme gelée translucide pour glacer ce fruit. *(V. Conserves.)*

En terme d'office, la glace est la condensation d'un liquide sucré au moyen de la congélation.

GLACE DE VEAU. Vous coupez un cuisseau de veau en quatre parties, vous le mettez dans la casserole et vous y ajoutez trois poules, une bonne quantité de légumes entiers, écumez-le de temps en temps, ajoutez dans la cuisson quelques couennes de lard dessalées à l'avance : la gélatine du porc aide beaucoup à la clarification et à la consistance de la gelée, et remplissez la casserole de consommé; vous faites mijoter trois ou quatre heures sur un feu doux et vous passez votre glace à travers une serviette afin de la rendre bien claire.

GLACE DE CUISSON. Tamisez le mouillement d'un ragoût, faites-le réduire jusqu'à la glace et ajoutez au moment de servir un peu de beurre frais.

Les glaces de fruits ou glaces sucrées se font dans une sorbetière ou glacière; c'est un cylindre d'environ huit à dix pouces de hauteur que l'on met dans un seau en bois, on garnit l'intervalle qui existe entre les parois du seau et le cylindre de glace pilée et de sel de salpétrier plus pur et plus actif que celui dont on se sert pour assaisonner les aliments; vous mettez dans la sorbetière, c'est-à-dire dans le cylindre, le liquide à glacer, vous le couvrez et vous le faites tourner tantôt dans un sens, tantôt dans un autre au moyen de la poignée qui doit se trouver sur le couvercle; vous découvrez de temps en temps pour remuer le liquide glacé en partie et ramener au centre ce qui se trouve près des parois du cylindre, puis votre glace bien ferme, vous la servez.

Au restaurant (illustration de Bertall)

GLACE DE CERISES. Vous mettez dans un poêlon, et après les avoir dépouillées de leurs queues et de leurs noyaux, 1 kilogramme de cerises et 120 grammes de sucre, vous faites jeter un bouillon. Vous faites infuser une poignée de noyaux broyés avec du jus de citron et un peu d'eau, vous ajoutez cette infusion et 500 grammes de sirop clarifié à ce qui est passé des cerises, vous mêlez bien le tout et le versez dans la sorbetière où vous procédez comme il est dit ci-dessus.

Les glaces de fraises, de framboises, de groseilles se font de la même manière, en remplaçant les cerises par celui de ces fruits que l'on veut mêler à la glace.

GLACE A L'ABRICOT. (Méthode de M. Cohier de Lompier, ancien chef d'office de la maison de *Mesdames de France*.) Prenez des abricots de plein vent bien mûrs, pulpez-les sur un tamis; ajoutez pour chaque livre de sucre une livre de sirop cuit au lissé. Pulvérisez une douzaine d'amandes des noyaux, mettez-les infuser avec un peu d'eau et le jus de deux citrons, passez cette infusion et ajoutez-la à la pulpe, et procédez pour le reste comme à l'ordinaire.

La glace aux pêches se fait de la même manière.

GLACE A L'ANANAS. Coupez un ananas par tranches, couvrez-les de sucre en poudre et laissez macérer pendant deux heures; versez alors sur le tout deux litres d'eau bouillante et le jus de deux citrons, laissez infuser pendant deux heures, passez au tamis et terminez comme ci-dessus.

GLACE A LA VANILLE. Vous faites bouillir un litre de crème et vous la versez toute bouillante sur la vanille; vous laissez infuser le tout pendant deux heures environ et vous tamisez.

Vous délayez huit jaunes d'œufs dans cette crème et vous mettez le tout sur le feu au bain-marie, en ayant soin de toujours remuer jusqu'à ce que la crème ait pris une bonne consistance; vous laissez refroidir et la terminez comme les autres glaces.

GLACE A LA FLEUR DE CÉDRAT. (Formule du château de Bellevue.)

Prenez crème, 1 pinte; œufs, 8 jaunes; sucre, 3 quarterons; fleurs de cédrat mises en poudre, 2 onces.

Mêlez le tout ensemble et faites cuire au bain-marie. Passez et laissez refroidir.

On peut aussi employer toute autre fleur en procédant comme il est prescrit.

GLACE DE CRÈME AUX PISTACHES. Vous pilez le plus fin possible 250 grammes de pistaches et vous mêlez avec un peu de crème et de zeste d'un citron.

Votre pâte étant bien faite, vous la mêlez dans un poêlon avec huit jaunes d'œufs et du sucre en poudre, vous y

Bibliothèque d'un Gourmand

du XIX. Siècle.

ajoutez petit à petit un litre de crème et vous faites cuire à l'étamine, puis vous passez, vous laissez refroidir, vous ajoutez trois cuillerées de suc d'épinards pour la colorer et vous versez dans la sorbetière.

GLACE AU CHOCOLAT A LA CRÈME. Vous faites cuire au bain-marie une composition faite avec huit jaunes d'œufs, un litre de crème et 250 grammes de sucre en poudre que vous aurez délayés, puis, vous mêlez à cette crème 250 grammes de chocolat fondu, vous passez à l'étamine et glacez comme à l'ordinaire.

GLACE AU CAFÉ. Vous avez fait avec du café un peu brûlé une forte infusion de café, vous le mêlez avec huit jaunes d'œufs et un litre de crème, vous délayez le tout et vous faites cuire au bain-marie.

FROMAGE GLACÉ. Après avoir confectionné une quantité de glace quelconque, vous en remplissez un moule que vous plongez dans un mélange de glace et de sel.

Puis au moment de servir, vous plongez vivement le moule dans de l'eau chaude afin que la glace s'en détache facilement.

Vous pouvez former ce fromage de glaces de différentes natures distinguées par leurs couleurs.

Pour diversifier les glaces, on n'a qu'à changer la substance qu'on mêle à la crème. Voici les substances le plus avantageusement employées.

Glace à la crème à la fraise des bois.
Glace à la crème aux framboises blanches.
Glace à la crème à l'abricot et aux merises.
Glace à la crème aux pêches mignonnes.
Glace à la crème au ratafia de noyaux.
Glace à la crème au vin de Chypre.
Glace à la crème à la malvoisie d'Alicante.
Glace à la crème au melon sucrin.

Glace à la crème aux poires de rousselet.
Glace à la crème aux liqueurs des îles.
Glace à la crème à l'esprit d'angélique.
Glace à la crème à l'essence de menthe.
Glace à la crème aux jaunes d'œufs de pinson.
Glace à la crème cuite et au pain de seigle.
Glace à la crème crue et au beurre frais.

On peut panacher ces différentes crèmes en les disposant par couches alternées, soit en hauteur ou en largeur. Voici les meilleures combinaisons de panachure, telles que les donne le *Préceptoral des menus royaux* pour l'année 1822.

Nº 716. — On pourra panacher à volonté les glaces de crème blanche avec toutes celles au suc des fruits, à la réserve de celles au citron, à la bigarade et au verjus, non plus qu'avec les glaces à l'épine-vinette qu'on servira toujours sans mélange ou voisinage adhérents.

Nº 717. — On devra, pour opérer les panachures, avoir égard autant que possible au formulaire inscrit sur le tableau suivant, et s'il arrivait par accident qu'on ne puisse pas s'y conformer, on servira pour ce jour-là les fromages glacés en sorbetière et sans panachures. Cette règle est également pour les quatre premières tables et pour les trois secondes tables en cour de France

Nº 718. — Tableau des glaces à la crème avec leurs adjonctions ou panachures les plus satisfaisantes.

Crème blanche et abricot.
Crème blanche et orange.
Crème crue et fraises.
Lait d'amandes et verjus muscat.
Lait de chèvre et jus de mûres.
Crème pistache et suc de pêches.

Crème à la cannelle et melon cantaloup.
Crème d'œufs et vin de Schiraz.
Crème mousseuse et vin de Sétubal.
Crème d'avelines et liqueur de menthe.

Crème vanille et framboises.

Crème d'œufs et poires de rousse-
selet.

Crème au thé vert et jus de
cédrat.

Crème chocolat et ratafia de
cassis.

Ananas et noix fraîches.

Crème de noisettes vertes et
Rossolis.

Crème de viry et mirobolan.

Crème de Sotteville et eau de
rhum.

Crème double et purée de merises.

Crème de pain bis et beurre frais.

Pour faire des biscuits glacés, vous leur faites absorber à chacun trois cuillerées de crème mêlées avec un peu de ratafia de noyaux; glacez-les légèrement afin de ne pas les déformer, mettez-les entre deux grands plats se joignant bien, et entourez ces plats de glace et de salpêtre, ainsi qu'il est indiqué pour la préparation des autres glaces. Dès que vous les trouverez assez bien glacés, couvrez-les d'une légère couche de gelée de framboises ou de glace aux fruits rouges.

Les tranches de melon et les pastèques se glacent de la même façon que les biscuits entre deux plats, on les fait seulement macérer dans le vin de Madère, on les sucre à blanc et on les fait congeler comme ci-dessus :

SORBET AU CITRON. Vous préparez le suc du fruit comme il est indiqué plus haut, et vous le faites prendre dans une sorbetière sans attendre qu'il soit pris en masse; vous détachez avec une houlette ce qui tient aux parois du cylindre et brouillez le tout jusqu'à ce que vous obteniez un mélange de glace solide qui doit être flottant dans un breuvage de glace fondue.

Les sorbets à la fraise, à la merise, à la pêche, à l'ananas, aux quatre fruits rouges, au melon verreux et à l'épine-vinette, sont généralement les plus estimés.

On peut également en faire avec des aromates exotiques et des fleurs indigènes dont on aura distillé les eaux; les plus distingués sont ceux à l'eau d'héliotrope, à l'eau de violette et à l'eau de jasmin.

SORBET AU MARASQUIN. Faites une préparation de glace au jus de citron en en supprimant les zestes, glacez-la un peu plus ferme qu'à l'ordinaire et brouillez-la bien en y ajoutant un demi-verre de marasquin.

On peut employer à la confection de ce même sorbet d'autres liqueurs étrangères ou françaises, ainsi que les vins sucrés et liquoreux de Frontignan, de Lunel et de Rivesaltes.

SORBET AU RHUM. Vous faites un sorbet au citron et vous y ajoutez un bon verre de sirop de rhum en le glaçant plus fortement qu'à l'ordinaire.

BOISSONS FROIDES SANS ÊTRE GLACÉES. Préparez les divers sucs de fruits comme pour faire des glaces, passez-les à travers une étamine serrée, clarifiez-les au blanc d'œuf et mettez-les dans des carafes que vous ferez refroidir dans de l'eau de puits en les entourant de glace et sans leur laisser le temps de se trouver *frappées*, ce qui veut dire congelées aux parois, en terme d'office et de limonadier.

Emprunté à l'excellent livre de M. de Courchamps. (*Dictionnaire de la cuisine française.*)

GODIVEAU

On donne ce nom à un hachis de viande dont on forme des espèces de boulettes avec lesquelles on garnit les tourtes et les vol-au-vent.

GODIVEAU A LA BOURGEOISE. Vous retranchez les tendons et les cartilages d'une noix de veau ou d'une rouelle et vous la hachez avec 500 grammes de graisse de bœuf, vous les mêlez ensemble en ajoutant du persil, ciboules hachées, sel et épices mêlés, et vous pilez le tout ensemble en y joignant successivement des œufs entiers jusqu'à ce que la pâte soit bien liée; vous mettez un peu d'eau pour l'amollir et vous formez avec cette composition des boulettes dont vous garnissez des pâtés chauds et autres plats d'entrée.

GODIVEAU A LA RICHELIEU (venant du cuisinier de M. le maréchal de Richelieu). Parez une livre de noix de veau et une livre huit onces de graisse de bœuf bien farineuse; le veau étant bien haché, vous y mêlez la graisse et après avoir tout haché bien fin vous y joignez une once de sel épicé, une pointe de muscade et quatre œufs; hachez encore pendant quelques minutes; ensuite pilez ce godiveau jusqu'à ce qu'aucun fragment de graisse ni de veau ne puisse être aperçu; alors vous le relevez du mortier pour le placer, une couple d'heures, à la glace ou dans un lieu frais, vous le pilez en deux parties, le mouillez peu à peu avec des morceaux de glace lavés et gros comme des œufs, ce qui rend le godiveau lisse et très-lié, mais vous devez faire attention de le mouiller très-convenablement afin qu'il soit de la consistance des farces à quenelles, ensuite vous le relevez dans une grande terrine, et pilez le reste de la même manière; vous mettez ensuite le tout dans la terrine avec deux cuillerées de velouté et une de ciboulette hachée très-fin, puis vous l'employez de même que la farce à quenelle. « Quand je dis de piler de la glace avec la viande, observe le cuisinier du maréchal de Richelieu, c'est parce que la glace aide singulièrement à donner ce corps liant au godiveau qui lui donne ce moelleux parfait et si désirable; car lorsqu'il est tourné, il perd en partie sa qualité, et cela arrive quelquefois en été, parce que les grandes chaleurs empêchent que la graisse de bœuf puisse se lier intimement avec le veau, attendu que celui-ci est un corps humide, et l'autre un corps gras. C'est par cette raison qu'il est de rigueur de le mouiller à la glace pendant les chaleurs de l'été, tandis que dans l'hiver c'est inutile. »

GODIVEAU DE BLANC DE VOLAILLE AUX TRUFFES. Vous procédez absolument de la même manière que pour le godiveau de veau, en employant seulement à sa place une livre de filet de poulardes ou d'autres volailles et en y mêlant quatre cuillerées de truffes hachées très-fin à la place de ciboulette.

GODIVEAU DE GIBIER AUX CHAMPIGNONS. Vous procédez comme ci-dessus en faisant votre godiveau avec une livre de chair de perdreaux gris ou de lapereaux de garenne et quatre cuillerées de champignons bien blancs hachés et passés dans du beurre à l'ail.

GODIVEAU MAIGRE. Vous procédez de la manière accoutumée avec une livre de chair de carpe de Seine pilée et passée au tamis et quatre onces de panade, puis quatre cuillerées de fines herbes assaisonnées d'une pointe d'échalotes, persil, champignons et truffes.
On en fait aussi avec de la chair de brochet, de turbot et d'anguille, toujours en y incorporant de la panade.

GOGUETTE

Ancien mets populaire, complètement perdu et ignoré de nos jours.

GOUJON

Il y en a de deux espèces; le goujon de mer qui est blanc et vert et ressemble un peu au maquereau, et le goujon de Seine, beaucoup plus estimé que le précédent.

GOUJONS FRITS. Vous écaillez, videz et essuyez des goujons sans les laver, les trempez dans du lait, les saupoudrez de farine, puis vous les embrochez dans des hâtelets d'argent et les mettez dans la friture bien chaude, retirez-les et servez-les avec du persil et un jus de citron.

GOUJONS A L'ÉTUVÉE. Vous préparez ces goujons comme les premiers, puis vous mettez au fond du plat dans lequel vous devez les servir, du beurre, du persil, ciboules, champignons, des échalotes, du thym, basilic, le tout haché très-fin, sel et poivre; vous arrangez dessus les goujons et les assaisonnez dessus comme dessous, vous les mouillez d'un verre de vin blanc, vous couvrez le plat et faites bouillir jusqu'à réduction presque complète de la sauce.

GRAS-DOUBLE
(V. Bœuf.)

GRENADE

On appelle ainsi le fruit du grenadier, ce fruit est peu recherché hors du pays où on le recueille et ne sert qu'à garnir les corbeilles de dessert où il est d'un fort bel effet. Voici ce qu'en dit M. Cohier de Lompier :

« Il n'y a point de belles corbeilles de dessert sans grenades, non plus que sans oranges; la grenade ouverte, ainsi qu'un riche trésor de rubis ou de grenats brillants, est un des plus beaux joyaux de nos grandes corbeilles. Quand on n'aperçoit pas quelques-unes de ces grenades entrouvertes aux flancs d'une pyramide de fruits, elles n'y sauraient être remplacées par aucun autre, et bien qu'on y voie éclater le vermillon des plus belles pommes et l'émail varié de nos grosses poires, avec l'or de l'orange et la suprême beauté de l'ananas, on dirait qu'il manque quelque chose dans cette corbeille offerte par le dieu Vertumne à la cour de Pomone. Mais aussi bien nous faut-il avouer qu'à l'exception de ce beau rôle pour la décoration des tables ou buffets, la grenade est un fruit qui n'équivaut seulement pas à la groseille, elle ne vaut pas mieux que l'épine-vinette, et c'est convenir qu'elle n'est presque bonne à rien dans les pays tempérés où les quatre fruits rouges sont abondants et par *excellence.* »
On fait avec la grenade un sirop appelé *grenadine*, qui est très-bon pour la toux sèche ou l'irritation, il se fait avec les grenades dites d'*épine vineuse.*
Une des plus belles villes, sinon la plus belle ville de l'Andalousie, a tiré son nom de sa ressemblance avec une grenade entrouverte. Chateaubriand a mis cette comparaison dans la bouche de son dernier Abencérage.

GRENOUILLE

Il y a beaucoup d'espèces de grenouilles qui diffèrent par leur grandeur, leur couleur et le lieu qu'elles habitent. Les grenouilles de mer sont monstrueuses et on ne s'en sert pas comme aliment, non plus que des grenouilles de terre; les grenouilles aquatiques seules sont bonnes à manger, elles doivent avoir été prises dans une eau bien claire, et choisies bien nourries, grasses, charnues, vertes et ayant le corps marqué de petites taches noires. Bien des médecins du Moyen Age se sont opposés à ce qu'on mangeât cette viande qui cependant est blanche et délicate et contient un principe gélatineux plus fluide et moins nourrissant que celui des autres viandes. Bernard Palissy, dans son *Traité des pierres* de 1580, s'exprime ainsi : « Et de mon temps, j'ai veu qu'il se fust trousvé bien peu d'hommes qui eussent voulu manger ni tortues ni grenouilles. »

Au seizième siècle pourtant, les grenouilles étaient servies sur les meilleures tables, et Champier se plaignit de ce goût qu'il regarda comme bizarre, et il y a un siècle à peu près qu'un Auvergnat, nommé Simon, fit une fortune considérable avec les grenouilles qu'on lui envoyait de son pays, qu'il engraissait et qu'il vendait ensuite aux premières maisons de Paris où cet aliment était fort à la mode.

En Italie et en Allemagne on fait une grande consommation de ces batraciens et les marchés en sont couverts, et les Anglais qui en ont horreur et qui, pour cela sans doute, faisaient il y a environ soixante ans des caricatures représentant des Français mangeant des grenouilles, n'ont qu'à lire ce passage de l'histoire de l'île de Saint-Domingue par un Anglais nommé Atwood : « Il y a, dit-il, à la Martinique beaucoup de crapauds que l'on mange, les Anglais et les Français les préfèrent aux poules. On les fricasse et on en fait des soupes. »

Les grenouilles se mangent apprêtées de plusieurs façons différentes, on en fait surtout des potages qui sont fort sains et dont même quelques dames usent pour entretenir la fraîcheur de leur teint.

POTAGE DE GRENOUILLES. Prenez la quantité de grenouilles qu'il vous faut, lavez-les bien, ôtez les os des cuisses et réservez les plus grosses pour frire en les faisant mariner avec verjus, sel, poivre et fines herbes; passez-les ensuite dans une pâte à friture et faites-les frire de belle couleur dans du beurre fondu bien chaud, elles vous serviront pour faire un cordon autour de votre potage.

Avec les autres vous faites un ragoût avec laitances, champignons et autres garnitures, le tout au blanc pour masquer votre potage; vous le mouillez de bon bouillon et en couvrez votre potage que vous servez garni des grenouilles frites.

GRENOUILLES EN FRICASSÉE DE POULET. Écorchez vos grenouilles, ne leur laissez que les deux cuisses et l'arête du dos, et apprêtez-les ensuite en fricassée de poulet. (*V. Fricassée de poulet.*)

GRIBLETTE

En terme de cuisine, c'est une tranche de porc frais ou de mouton rôtie sur le gril; on les sert comme les côtelettes, avec ou sans accompagnement.

GRILLADE

On appelle grillades des tranches de viande bien minces que l'on fait rôtir sur le gril. Quand on a quelque dindon ou autre pièce pour en faire une entrée on peut prendre les ailes, les cuisses et le croupion, les griller avec du sel et du poivre, passer de la farine à la poêle avec du lard fondu, y mettre des anchois, un filet de vinaigre, un peu de bouillon, sel, poivre, faire mitonner le tout et servir chaudement.

On peut aussi les servir grillées avec une essence de jambon, ou un coulis clair par-dessus, ou encore avec une sauce Robert.

GRIOTTES

Espèce de cerise à courte queue, grosse, noirâtre et plus acide que les autres. On prépare avec ce fruit de très-bon ratafia, on en faisait aussi autrefois du vin en Hollande, mais ce vin étant trop fort et trop chargé, on préféra avec raison par la suite les raisins étrangers.

GRIVES ET MERLES

Les grives, les merles et beaucoup d'autres oiseaux ne doivent être mangés qu'à la fin de novembre; engraissés d'abord dans les champs et dans les vignes, ils vont ensuite parfumer leur chair au bord des bois avec des graines de genièvre. Si vous êtes trop pressé de jouir, si vous les tuez avant le temps, vous ne leur trouverez pas ce fumet, cet arôme incisif qui est tant recherché des vrais friands. Horace, Martial et même Gallien connaissent toute la valeur des grives.

« *Nil melius turdo* », dit Horace.

Le favori d'Auguste et de Mécène en mangeait tant qu'il voulait, non pas qu'il fût assez riche pour en acheter tous les jours, sa médiocrité dorée n'allait pas jusque-là, mais il était fêté partout.

Le pauvre Martial au contraire faisait souvent maigre chère et lorsqu'une invitation à dîner venait le surprendre, la joie éclatait en ses yeux et il se disait :

« – Il y aura probablement des grives. »

Lucius Apicius et tous les grands gourmands de Rome en faisaient le plus grand cas. Ils les engraissaient dans d'immenses volières de compte à demi avec les merles. Chacune de ces volières en contenaient trois ou quatre mille; dans ces volières, les grives étaient privées de la vue des bois et des champs afin que rien ne pût les distraire de l'envie d'engraisser.

Varron cite une maison de campagne où l'on avait engraissé cinq mille grives dans une année. On les servait sur les tables les plus somptueuses et on les donnait aux convalescents pour réparer leurs forces.

Pompée tomba malade et, étant entré en convalescence, son médecin lui ordonna de manger des grives, mais Pompée n'avait pas de volière.

« Allez en demander à Lucullus, il ne vous en refusera pas, lui dit son médecin.

– Eh quoi! s'écria-t-il, c'est donc à dire que Pompée ne pourrait pas vivre, si Lucullus n'était pas un gourmand! »

En France, il y a un proverbe qui dit :

« Quand il n'y a pas de grives on mange des merles.

Les Corses ont retourné ce proverbe et disent :

« Quand il n'y a pas de merles, on mange des grives. »

C'est que les merles de Corse et de Provence sont très-renommés parce qu'ils se nourrissent de graines de myrtes et de genièvre.

L'oncle de Napoléon, le cardinal Fesch, archevêque de Lyon, en faisait venir tout l'hiver de la Corse. On allait dîner chez son Eminence pour ses nobles manières, pour son gracieux accueil et surtout pour ses merles.

La saison des vendanges est la meilleure époque pour prendre et manger des grives, car elles se sont nourries de raisin et leur chair en est plus tendre et plus savoureuse.

GRIVES ROTIES. Vous plumez vos grives et les faites refaire sans les vider, puis vous les faites cuire à la broche et les servez comme les mauviettes avec des rôties dessous.

GRIVES EN RAGOUT. Accommodez proprement les grives, passez-les à la casserole avec lard fondu, un peu de farine pour bien lier la sauce, un verre de vin blanc, sel, poivre, bouquet garni, laissez mitonner un peu le tout et servez avec un peu de citron.

GRIVES A L'EAU-DE-VIE. Épluchez bien vos grives, écrasez-les un peu sur l'estomac, mettez-les dans une casserole avec du lard fondu, deux petits oignons, champignons, truffes, quelques morceaux de ris de veau, faites-leur faire quelques tours, mouillez-les de deux verres d'eau-de-vie, faites-les cuire à grand feu, allumez l'eau-de-vie que vous avez versée sur vos grives, quand il est éteint, ajoutez-y un peu de réduction et de coulis, achevez de les faire cuire doucement, dégraissez-les et servez.

ENTRÉE DE GRIVES AU GENIÈVRE. Vos grives étant plumées, épluchées et retroussées, vous les couvrez de bardes de lard et de papier beurré, puis vous les attachez sur une broche et les faites cuire.

Mettez dans une casserole un peu de jus et de coulis, un verre de vin blanc, faites bouillir, ajoutez un jus de citron et une douzaine de grains de genièvre que vous aurez fait blanchir.

Vos grives étant cuites, vous ôtez les bardes de lard et le papier et les mettez mitonner dans le coulis, puis vous les dressez sur un plat, les dégraissez et servez chaudement pour entrée.

GRIVES A LA POLONAISE. Épluchez vos grives, aplatissez-les sur l'estomac, passez-les quelques tours dans une casserole avec lard fondu, truffes, champignons, cinq ou six petits oignons, bouquet garni, un ris de veau blanchi, une tranche de jambon, puis vous les mouillez d'un verre de vin de Champagne et d'un peu de réduction et de coulis, ajoutez sel et poivre, faites cuire à petit feu, dégraissez le ragoût. Quand elles sont cuites, mettez-y un jus de citron, ôtez le bouquet et la tranche de jambon, et servez à courte sauce.

PATÉ CHAUD DE GRIVES. Videz vos grives, gardez-en le foie, retroussez-les et battez-les sur l'estomac avec un rouleau, piquez-les ensuite de gros lard et de jambon, assaisonnez de sel, poivre, fines herbes et fines épices, et fendez-les par le dos. Pilez ensuite les foies avec du lard râpé, champignons, truffes, ciboules, persil, sel et poivre, fines herbes et fines épices le tout bien pilé et farcissez-en le corps de vos grives.

Hachez encore et pilez du lard, faites une pâte composée d'un œuf, de bon beurre, de farine avec un peu de sel; formez deux abaisses, jetez-en une sur du papier beurré, prenez du lard pilé dans le mortier, étendez-le sur l'abaisse et rangez les grives dessus, ajoutez quelques truffes, des champignons, une feuille de laurier, le tout couvert de bardes de lard, couvrez avec votre seconde abaisse, formez-en les bords, dorez votre pâté et mettez-le au four. Quand il est cuit, retirez-le, ôtez le papier, ayez un bon coulis, quelques ris de veau, champignons et truffes, levez le couvercle du pâté, ôtez les bardes de lard qui sont dessus, et avant de servir mettez-y votre ragoût en y pressant un jus de citron, et servez chaudement pour entrée.

GRIVES A L'ANGLAISE. Épluchez et retournez vos grives sans les vider, embrochez-les avec un hâtelet, posez ce hâtelet sur une broche et fixez-la des deux bouts, enveloppez vos grives de papier, faites-les cuire à moitié, ôtez le papier, mettez un morceau de lard au bout d'un hâtelet, faites prendre le feu à votre lard et durant qu'il brûle, faites-le dégoutter sur vos grives, saupoudrez-les d'un peu de sel fin et de mie de pain, donnez-leur une belle couleur, dressez-les et servez à côté une sauce au pauvre homme liée avec un morceau de beurre.

GROSEILLE

Il y a deux espèces de groseille, la groseille verte, vulgairement appelée groseille à maquereau parce qu'on l'emploie comme verjus dans le temps des maquereaux frais, et la groseille rouge qui sert plus particulièrement à faire les confitures, les gelées, les compotes, etc.

Le sel acide dont les groseilles abondent est la cause des principaux effets qu'elles produisent, elles excitent l'appétit parce que ce sel picote légèrement les petites fibres de l'estomac, elles rafraîchissent et conviennent à ceux qui ont la fièvre parce que ce sel donne plus de consistance aux humeurs et en arrête le mouvement trop violent et trop impétueux.

Tout le monde connaît l'usage et les diverses préparations de la groseille, le suc en est rafraîchissant et mêlé à l'eau avec du sucre ou du miel, il forme une boisson acidulée qui convient à tout le monde et qui, dans le Nord, remplace la limonade, on pourrait aussi en retirer de l'eau-de-vie par la distillation.

Les roses ou blanches sont moins acides et plus agréables que les rouges.

Nous avons indiqué à l'article *Confitures* les différentes manières d'employer la groseille, en conserves, en gelée, en compote, en sirop, nous y renvoyons le lecteur. (*V. Confitures.*)

GRUE

Appelé *oiseau de Palamède* par les poëtes qui ont prétendu que, pendant la guerre de Troie, Palamède avait appris des grues les quatre lettres grecques ψ. ξ. χ. ω., l'ordre de bataille et le mot du guet.

La grue est de la famille des échassiers, elle est de la grosseur du dindon, son cou et ses jambes sont très-longs; comme la cigogne, elle est très-grand destructeur des reptiles, des vers, des insectes, dont elle se nourrit, ainsi que de grenouilles et de petits poissons. Cet oiseau est regardé par les Kalmoucks de Koulaguena comme un des plus purs qui existent, et ils n'en tuent jamais.

Les grues se trouvent principalement dans les climats tempérés; de là leurs migrations régulières dès que le froid ou la chaleur commence à se faire sentir d'une manière excessive dans les régions du Nord ou de l'Orient qu'elles fréquentent; elles se réunissent alors par troupes pour entreprendre les courses les plus lointaines et les plus hardies et choisissent un chef pour les conduire dont le cri les avertit de la route qu'elles doivent suivre; pour fendre l'air plus aisément, elles se forment en triangle, et même en rond si le vent est trop violent. A terre, elles ont des sentinelles qui veillent à la sûreté de la troupe pendant son sommeil, et qui, pour éviter d'y succomber elles-mêmes, tiennent en l'air une patte dans laquelle est une pierre dont le choc les réveillerait si la fatigue venait à les endormir et à la leur faire lâcher. C'est ce que nous appelons *faire le pied de grue* pour indiquer une longue attente sur les jambes.

Varron rapporte que les Romains élevaient et nourrissaient avec soin des grues dans des volières, pour les manger ensuite à cause de la délicatesse de leur chair; aujourd'hui encore, dans certaines parties orientales de l'Europe où ces oiseaux sont communs, leur chair est servie sur les tables. Arnaud de Villeneuve trouvait un grand plaisir à la manger, et les Indiens s'en nourrissent, mais je crois qu'il ne peut être question ici que des jeunes grues ou gruaux, car la chair des vieilles est dure, coriace, insipide et de difficile digestion.

GUIGNE

Espèce de cerise noire et très-sucrée.

GUIGNARD

Espèce de pluvier que l'on trouve surtout dans le Loiret et dans la Beauce. Il est de la grosseur du merle, le sommet de sa tête est cendré noirâtre, le dessus de son corps teint de vert avec des cercles rougeâtres, sa chair est très-estimée et préférable à celle du pluvier; on en fait des pâtés très-recherchés. Ceux qu'on préparait pour le célèbre Philippe de Chartres étaient faits avec des guignards, que Collin d'Harleville immortalisa dans une charmante épître, son premier ouvrage, lequel engagea l'auteur à suivre la carrière des Lettres; d'où il résulte que c'est aux guignards que l'on doit l'*Inconstant* et *les Châteaux en Espagne*.

HACHIS

Lorsqu'il vous reste, du dîner de la veille, du veau, du bœuf, du poulet, du gibier, des débris de viande enfin, vous n'avez qu'à hacher proprement ces restes, et il existe des instruments pour cela, jusqu'à ce que le tout opère un mélange complet; vous achetez alors de la chair à saucisses, un cinquième par exemple relativement à ce que vous avez d'autre viande, et vous la poussez à part jusqu'à une demi-cuisson; puis, dans la même casserole, vous versez le reste de votre hachis, vous mettez un morceau de beurre frais, vous tournez le tout sur le feu, non-seulement jusqu'à ce qu'il y ait mélange, mais assimilation des viandes; salez et poivrez; au fur et à mesure que le hachis épaissira par trop, ajoutez une cuillerée ou deux de consommé, joignez-y une pincée de poivre de Cayenne, goûtez-y et jugez le degré de saveur auquel vous devez cesser de tremper votre mélange de bouillon.

HARENG

Tout le monde connaît le hareng; je dirai même qu'il y a peu de personnes qui ne l'aiment pas; vivant, il est vert sur le dos, blanc sur les côtés et le ventre; mort, le vert du dos se change en bleu; c'est le fils du pôle; depuis le lieu de sa naissance jusqu'au quarante-cinquième degré de latitude, on le trouve dans toutes les mers, formant, à partir du vingt-cinq juin où l'on commence à apercevoir en Hollande ce qu'on appelle l'*éclair du hareng*, des bancs longs et larges de plusieurs lieues, si épais que les poissons qui les forment s'étouffent les uns les autres par milliers sur les bas-fonds; parfois les filets qu'ils remplissent, trop faibles pour soulever un tel poids, se déchirent et laissent retomber la proie déjà moitié prise; comme la colonne de feu et de fumée des Hébreux, on peut suivre le jour et la nuit leur émigration : la nuit par l'éclat phosphorescent qu'ils répandent, le jour par les bandes d'oiseaux ichthyophages qui les suivent, plon-

geant de temps en temps et remontant avec un éclair d'argent au bec; des baleines, des requins, des marsouins, des bonites, des dorades les suivent, mordent à même du banc, et en font une immense consommation.

Bloch a assuré, dit Victor Meunier, que dans une seule localité de la Suède on en pêche annuellement plus de sept millions; mais la fécondité de ce poisson compense toutes les causes de destruction qui s'attachent à lui; on a compté dans une seule femelle soixante-six mille six cent six œufs. Ajoutons que l'on compte sept femelles pour deux mâles.

La pêche du hareng est la plus importante de toutes, tandis que la pêche de la morue baisse; et que le Havre, qui a envoyé jusqu'à quarante bateaux à la pêche de la morue, n'en avait envoyé cette année qu'un seul; on compte huit cent mille personnes que cette branche d'industrie fait vivre; elle rapporte à l'Europe près de quatre millions de francs.

C'est un nommé Bruckalz qui a inventé l'art de fumer les harengs.

La plus belle et la meilleure espèce de harengs frais qu'on mange à Paris est celle qui nous arrive des côtes de Normandie; nous dirons plus loin de quelle manière on peut les apprêter.

Le hareng pec et nouvellement salé doit toujours venir de Rotterdam, de Leawarde ou d'Enkhuisen, en Hollande; on le coupe par rouelles et on le mange tout cru, sans lui faire subir aucun autre apprêt que celui d'une salade.

Les plus beaux harengs *saurs*, les plus grands, les plus charnus, les plus dorés, les mieux fumés au genièvre sont les saurets de Germuth, en Irlande.

Presque jamais les harengs salés ne paraissent sur la table des maîtres; mais ils sont, dans les pays où ils abondent, d'une grande utilité pour les ouvriers et les pauvres. On en fait alors dans certaines provinces une fricassée très-appétissante et confortable, en les faisant frire, en petits morceaux, sans être dessalés, dans du saindoux avec un amas de poireaux crus et hachés, que l'on mélange avec des pommes de terre de la grosse espèce farineuse que l'on a fait cuire à l'eau bien salée, avec quelques tiges de romarin.

Le hareng frais est un excellent poisson dont on ferait le plus grand cas, s'il était cher et s'il était rare; il faut le choisir avec des ouïes rouges, des écailles brillantes, rebondi du côté du ventre, car alors il est plein, mais ce n'est guère qu'à la fin d'août ou à la mi-septembre qu'on le mange dans toute sa saveur.

Il subsistait encore au XVIe siècle un usage assez bizarre parmi les chanoines de la cathédrale de Reims. Le mercredi saint, après les ténèbres, ils allaient processionnellement à l'église de Saint-Rémi, rangés sur deux files, chacun d'eux traînant derrière soi un hareng attaché à une corde. Chaque chanoine était occupé à marcher sur le hareng de celui qui le précédait et à sauver le sien des surprises du suivant. Cet usage extravagant ne put être supprimé qu'avec la procession.

La pêche du hareng est, comme on le sait, une des branches de commerce les plus productives pour l'Angleterre qui en exporte surtout beaucoup en Italie pour la semaine sainte. Dans le temps que le pape Pie VII fut obligé de quitter Rome conquise par les Français en révolution, le comité de la chambre des communes, à Londres, s'occupant de la pêche des harengs, un membre fit observer que le pape étant chassé de Rome, l'Italie allait vraisemblablement se faire protestante: – « Dieu nous en préserve! s'écria un autre membre. – Comment, reprit le premier, seriez-vous fâché de voir s'accroître le nombre des bons protestants? – Non, répondit l'autre, ce n'est pas cela, mais s'il n'y a plus de catholiques, que ferons-nous de nos harengs?... »

Un gascon disait que, s'il était gouverneur d'une ville ou d'une place assiégée, il tiendrait bon malgré la plus cruelle famine. – « Je ne suis plus surpris, monsieur, lui dit son valet, si vous tenez si longtemps table quand vous n'avez à manger qu'un hareng saur. »

HARENGS FRAIS (SAUCE A LA MOUTARDE). Prenez douze harengs, videz-les par les ouïes, écaillez-les, essuyez-les, mettez-les sur un plat de faïence ou de terre, versez un peu d'huile dessus, saupoudrez-les de sel fin, ajoutez quelques branches de persil, et retournez-les dans cet assaisonnement; un quart d'heure avant de servir, mettez-les griller, retournez-les; leur cuisson faite, dressez-les sur votre plat, et saucez-les d'une sauce blanche au beurre, sauce dans laquelle vous aurez mis et délayé une grande cuillerée à bouche de moutarde non bouillie; vous pouvez servir vos harengs avec une sauce grasse, et si vous les servez froids, saucez-les avec une sauce à l'huile de telle nature que vous jugerez convenable.

HARENGS FRAIS AU FENOUIL. Fendez vos harengs par le dos, frottez-les de beurre tiède et de sel, avec une plume ou un pinceau; enveloppez-les de fenouil, faites-les griller, puis servez-les avec une sauce rousse où vous ajouterez une poignée de fines tiges, et de feuilles de fenouil que vous aurez fait blanchir au vin blanc, et hachées fin.

CAISSE DE LAITANCES DE HARENGS. Prenez les laitances d'une trentaine de harengs, faites-les blanchir, et égouttez-les; mettez un morceau de beurre dans une casserole, avec champignons, persil, échalotes et ciboules hachés très-fin; sel, poivre et fines épices; passez ces fines herbes légèrement sur le feu, ajoutez-y vos laitances; faites-les mijoter un instant dans cet assaisonnement;

vous aurez fait une caisse ronde ou carrée, dans laquelle vous aurez étendu au fond un gratin, soit gras, soit maigre, de l'épaisseur d'un demi-travers de doigt; huilez le dessus de votre caisse et le dehors, mettez-la sur le gril, posez ce gril sur une cendre chaude; faites cuire ainsi ce gratin; un instant avant de servir mettez vos laitances dans cette caisse, dégraissez-la, dressez-la, saucez-la d'une espagnole réduite, dans laquelle vous aurez exprimé le jus d'un citron et servez.

HARENGS FRAIS EN MATELOTE. Mettez vos harengs dans une casserole avec un morceau de beurre, persil, champignons, ciboules, une pointe d'ail avec deux bons verres de vin de Bourgogne ou de Bordeaux, sel, poivre, poussez-les à grand feu, servez-les à courte sauce, et garnissez de croûtons frits.

HARENGS PECS POUR HORS-D'ŒUVRE. Lavez une douzaine de harengs, coupez-leur la tête, la queue et les nageoires, dépouillez-les, mettez-les dessaler dans mi-lait et mi-eau; lorsqu'ils seront à leur point, égouttez-les, mettez-les sur une assiette avec des tranches d'oignons et de pommes de reinette crues; servez-les enfin avec une marinade ou une vinaigrette bien battue, et mêlez de cresson alénois.

HARENGS SAURS. Prenez cinq ou six de ces harengs, essuyez-les; coupez-leur la tête et le bout de la queue, fendez-leur les vertèbres de la tête à la queue, ouvrez-leur le dos; mettez-les sur un plat de faïence, arrosez-les d'huile, laissez-les y mariner un instant; mettez-les sur le gril, retournez-les, laissez-les cinq minutes à peine sur le feu, dressez-les sur une assiette et servez-les.

HARENGS SAURS A LA SAINTE-MENEHOULD. Dessalez-les dans la crème, faites-les cuire vingt minutes dans une sainte-menehould que vous aurez composée ainsi : mettez dans une casserole 30 grammes de beurre manié de farine et de lait, du persil, de la ciboule, de l'ail, du thym, du laurier, du basilic, un peu de poivre; faites bouillir et tournez toujours; mettez-y les harengs, faites-les cuire, trempez-les dans du beurre fondu, passez-les et faites-leur prendre couleur sous un four de campagne, dressez-les sur une rémoulade à l'huile verte.

PRÉPARATION DU HARENG SAUR, POUR EN FAIRE PLUS TARD BON EMPLOI. Faites dessaler dans du lait, et faites ensuite griller de beaux harengs saurs d'Irlande; laissez-les refroidir, et levez-en les filets dont vous vous servirez plus tard pour en faire des sandwiches ou tartines au beurre frais, pour en garnir des bateaux de hors-d'œuvre en les assaisonnant avec de l'huile fine et du jus de bigarade, pour en couvrir des litières de nouilles ou de lazagnes au beurre ainsi que des purées de pommes de terre, de marrons, de patates d'Espagne, de haricots blancs à la crème; pour en faire un gros hachis dont vous assaisonnerez des omelettes à l'huile ou des œufs brouillés en y mêlant des olives picholines tournées, de la crème de Sotteville à demi-sel, et un peu de brou de noix; il en résulte un plat d'entrée qui n'est dépourvu ni de sapidité ni de distinction.

Recette de l'auteur des *Mémoires de la marquise de Créquy*.

HARICOT DE MOUTON

On ignore le temps auquel remonte ce ragoût plébéien dont les deux éléments doivent être des morceaux de poitrine de mouton et des haricots rouges, ce qui nous est prouvé par une comédie de Jodelle et par un passage de Cyrano de Bergerac; depuis, l'un des deux ingrédients a été détrôné par les navets.

Les navets ont fait leur quatre-vingt-treize et les haricots rouges ont eu leur vingt et un janvier. Quoi qu'il en soit, voici comment se confectionne aujourd'hui ce plat révolutionnaire :

Coupez le mouton par morceaux, faites-le roussir avec très-peu de farine, faites revenir dans une autre casserole navets, pommes de terre, oignons; versez du bouillon de manière que le tout baigne; faites cuire à très-petit feu; et mettez-y de l'ail plus ou moins, selon votre goût. (Recette de Madame la comtesse Dash.)

HARICOT DE MOUTON VUILLEMOT. Il se fait à l'eau; laissez suer le mouton avec deux verres d'eau; laissez réduire; singez avec de la farine et assaisonnez : sel, poivre, un bouquet de persil, deux pointes d'ail, thym, laurier; mouillez à l'eau; laissez cuire; passez à la poêle, navets, oignons; faites blondiner le tout avec un peu de sucre et sel fin dans de la bonne graisse; ajoutez ces légumes à ce ragoût; joignez-y vos pommes de terre; tournez aussitôt la cuisson faite; dégraissez et servez bien chaud.

HARICOTS

On mange les haricots de trois manières, et à trois époques de leur développement. Avant leur maturité, on les mange avec la gousse, on les appelle alors haricots verts; un peu avant la maturité on en mange les graines encore tendres, on les nomme alors flageolets; enfin on fait une grande consommation de leurs graines desséchées, et qui, de quelque part qu'elles viennent, prennent impudemment le nom de haricots de Soissons. Comme je suis du département de l'Aisne, c'est à moi de faire valoir mes compatriotes; et en effet, jusqu'à mon dernier voyage en Asie, j'avais déclaré que les haricots de Soissons étaient les premiers haricots du monde; mais j'ai été forcé de reconnaître que les haricots de Trébizonde leur étaient supérieurs.

Mais de Trébizonde ou de Soissons, les haricots ont un grave inconvénient; il y a des eaux dans lesquelles ils s'obstinent à ne pas cuire; il faut alors que la science lutte avec la nature; faites en ce cas un petit nouet de cendre de bois neuf dans l'eau de leur cuisson, ou, mieux, un peu de carbonate de soude; le haricot le plus réfractaire se reconnaîtra vaincu.

HARICOTS VERTS A LA CRÈME. Passez vos haricots au beurre dans la casserole ou avec du lard; quand ils ont un peu bouilli, assaisonnez-les de sel, mettez un paquet de ciboules et de persil; étant presque cuits, mettez-y de la crème fraîche, ou du lait délayé avec des jaunes d'œufs, servez-les ensuite pour hors-d'œuvre d'entremets; on peut y ajouter du sucre.

HARICOTS A LA BONNE FERMIÈRE. Prenez des haricots fort tendres, rompez-en les petits bouts et jetez-les, lavez les cosses, et faites-les cuire dans de l'eau; quand ils sont cuits, mettez dans la casserole un morceau de beurre, de persil et de ciboule hachés; quand le beurre est fondu, mettez-y les haricots après leur avoir fait faire deux ou trois tours sur le feu; ajoutez-y une pincée de farine, de bon bouillon et du sel; faites-les bouillir jusqu'à ce qu'ils aient absorbé presque toute leur sauce; quand on est prêt à les servir, mettez-y une liaison de trois jaunes d'œufs délayés avec du lait, et ensuite un filet de verjus ou de vinaigre; quand la liaison est prise, servez-les comme entremets.

HARICOTS VERTS AU BLANC. Otez-en les filets; s'ils sont trop gros, coupez-les en deux, dans leur longueur, faites-les cuire avec de l'eau, du sel, du beurre; quand ils sont cuits, égouttez-les; les passez avec du beurre, persil, ciboules hachées; saupoudrez-les, et les mouillez de mitonnage, quand ils sont cuits, liez-les avec de la crème et des jaunes d'œufs, un jus de citron et servez.

HARICOTS VERTS AU ROUX. Après les avoir fait cuire dans l'eau, mettez suer une tranche de jambon; quand elle a sué, mettez dans la même casserole un morceau de beurre, persil, ciboules hachées et les haricots; passez le tout ensemble, mouillez de bouillon et de coulis, assaisonnez de sel et poivre; faites cuire le tout une bonne

Illustration de Bertall pour Paris à table *de Brissault.*

heure; il faut que la sauce ne soit pas trop claire, servez-les comme entremets ou pour garnir quelques entrées.

HARICOTS TOUT A FAIT A L'ANGLAISE. Blanchissez, faites cuire vos haricots qui devront conserver un ton vert clair, passez-les, dressez vos haricots dans le plat sur du beurre, garnissez de persil et servez le plat chaud.

HARICOTS VERTS A LA BRETONNE. Mettez vos haricots à la casserole avec des oignons coupés en petits carrés et un morceau de beurre. Faites roussir vos oignons au fourneau, mouillez-les avec du consommé, puis avec du bouillon quand ils seront roux. Salez, poivrez, faites cuire et réduire; mettez-y vos haricots et laissez mijoter un peu moins d'une demi-heure.

HARICOTS VERTS A LA LYONNAISE. Coupez des oignons en croissant, mettez-les dans une poêle avec de l'huile; joignez vos haricots à votre oignon roussi. Faites frire avec, saupoudrez de persil et de ciboule; salez, poivrez, et après deux tours de poêle dressez avec un filet de vinaigre.

HARICOTS VERTS EN SALADE. Faites blanchir, cuire, et égoutter vos haricots; mettez-les dans un saladier; garnissez-les de quelques filets d'anchois, de quelques oignons cuits dans la cendre, des betteraves, des fournitures hachées; en outre, assaisonnez-les de sel, gros poivre, huile et vinaigre, et servez-les.

HARICOTS VERTS ET BLANCS A LA MAITRE-D'HOTEL. Faites-les cuire à l'eau de sel, égouttez-les; et arrosez d'un morceau de beurre manié de fines herbes, salez, poivrez, etc., et servez.

HARICOTS VERTS ET BLANCS A LA PROVENÇALE. Faites d'abord, dans une casserole, une préparation se composant de quelques cuillerées d'huile avec des câpres, des filets d'anchois, une pointe d'ail et des rocamboles pilés; versez-y des haricots cuits à l'eau de sel, assaisonnez avec persil et ciboules, sel et gros poivre, sautez-les pendant quelques instants, versez-les dans leur plat, et arrosez d'un filet de vinaigre qui aura bouilli dans la casserole des haricots.

HARICOTS BLANCS NOUVEAUX. Lavez et mettez dans une marmite avec de l'eau et du beurre vos haricots fraîchement écossés; écumez, laissez mijoter et, à moitié de leur cuisson, versez un verre d'eau fraîche; laissez achever de cuire et, leur cuisson terminée, mettez dans une casserole 400 grammes de beurre avec persil et ciboules, sel et poivre; faites égoutter vos haricots et jetez-les dans leur assaisonnement; sautez-les, faites qu'ils se lient, et finissez-les avec un filet de verjus, ou le jus d'un citron.

HARICOTS AU LARD A LA VILLAGEOISE. Il est à savoir que MM. Descars de Livry, de Cussy, d'Aigrefeuille, de la Reynière et autres hommes d'expérience ont toujours dit à l'unisson que c'était la meilleure manière de manger les haricots.

Commencez par avoir un bon estomac, et munissez-vous d'un bon appétit. Quand on n'est pas malade, on n'en manque jamais que par le défaut de continence alimentaire, ou le défaut d'exercice. Levez-vous de bonne heure et sortez à jeun par un beau temps : promenez-vous à cheval ou trottez à pied; mais on doit penser que vous vous portez assez bien, puisque vous lisez des livres de cuisine; ainsi donc faites cuire environ deux litrons de gros haricots blancs avec un kilo de bon petit lard; coupez ce lard en tranches, et que tous les morceaux en soient également entrelardés; n'y mettez que la quantité d'eau nécessaire, afin de ne rien devoir ajouter ni retrancher

pendant leur cuisson. Tout l'aqueux et tout l'onctueux de ce mouillement doivent se trouver absorbés par ces farineux, de manière à ce qu'ils soient infiniment cuits et parfaitement bien liés sans être en bouillie; c'est là toute l'affaire. *A buon corriere forte minestra*, dit Jean de Milan. *(Dictionnaire général de la cuisine française.)*

HARICOTS DE SOISSONS A LA MOELLE. Faites cuire vos haricots à l'eau de pluie filtrée, sautez-les avant de les laisser refroidir avec cinq ou six onces de moelle fraîche et nouvellement fondue; poivrez d'une forte pincée de mignonnette; et mêlez-y, quelques moments avant de servir, des grains de verjus épépinés et blanchis à l'eau salée.

HARICOTS ROUGES A LA BOURGUIGNONNE. Prenez des haricots rouges de l'espèce cardinale, faites-les cuire dans un bouillon de racines avec un morceau de beurre frais, un bouquet aromatique, oignons et girofle, qu'on retirera après vingt minutes d'ébullition. Ajoutez un quart de litre de vin rouge avec une pincée de poivre; garnissez de petits oignons glacés et servez. Ou bien encore garnissez votre plat avec des queues d'écrevisses ou des rissoles de poissons, des laitances de carpes ou de harengs, des huîtres marinées, ou des moules frites.

HARICOTS GRAINS DE RIZ A LA CRÈME. Faites cuire vos haricots à l'eau de sel, avec un peu de beurre, et assaisonnez-les de muscade; lorsqu'ils seront à peu près cuits, ajoutez-y de la crème double pour les étancher; saupoudrez de croquants, de céleris frits et égouttés et servez.

Déplorable effet des farineux.

HARICOTS DE SOISSONS AU BEURRE DE PIMENT. Cuits, et s'il est possible avec de l'eau de pluie filtrée, vous les faites sauter avec un morceau du meilleur beurre que vous pouvez vous procurer; du moment où ils sont sautés, ils ne doivent plus bouillir, attendu qu'en bouillant le beurre perdrait les trois quarts de son bon goût de crème fraîche; vous y joindrez quelques grains de poivre de Cayenne en poudre.

HARICOTS GRAINS DE RIZ A L'INTENDANCE. Faites-les crever à l'eau de sel, mettez-y de la moelle, avec un peu de sel et de muscade; au lieu de crème versez-y un verre de vin de Madère, garnissez avec des croûtons grillés qu'on a trempés dans le même vin légèrement salé et épicez de muscade râpée.

PURÉE DE HARICOTS BLANCS. Foncez et garnissez avec cette purée, assaisonnée au fumet, les entrées ou les hors-d'œuvre chauds.

La purée de haricots blancs pour entremets se prépare à la crème; on l'assaisonne de muscade, on y mêle, à l'instant de servir, de petits filets de persil bien frits et bien croustillants.

PURÉE DE HARICOTS ROUGES. Mêlée aux bisques et au coulis d'écrevisses et garnissant des potages, on la prépare au bouillon gras.

HERBES

Les vingt-huit herbes qui servent pour la cuisine sont divisées en herbes potagères, en herbes d'assaisonnement et en herbes de fourniture à salade.

Les herbes potagères sont au nombre de six.

C'est à savoir : l'oseille, la laitue, la poirée, l'arroche, l'épinard et le pourpier vert.

Les herbes d'assaisonnement sont au nombre de dix : le persil, l'estragon, la cive, la ciboule, la sarriette, le fenouil, le thym, le basilic, et la tanaisie.

Les herbes de fourniture à salade ou fines herbes sont au nombre de douze : le cresson alénois, celui de fontaine, le cerfeuil, l'estragon, la pimprenelle, la perce-pierre, la corne de cerf, le petit basilic, le pourpier, les cordioles de fenouil, le thym, le jeune baume et la ciboulette.

HOCCO

Oiseau de la grosseur d'un petit dindon et qui vit à l'état sauvage dans les bois de l'Amérique du Sud. Les hoccos sont d'une nature très-douce; ils se réunissent en troupes nombreuses dans de vastes forêts, où ils se nourrissent de fruits et de jeunes bourgeons; cet oiseau est monogame; quand les femelles ne sont pas appariées, elles recherchent les caresses du premier mâle qu'elles rencontrent, et elles pondent leurs œufs au premier endroit venu et sans avoir même préparé un nid; le plus souvent le soir, quand elles

sont perchées. Celles au contraire qui sont en puissance d'un mâle pondent toujours dans un nid, qu'en galant époux et en père prévoyant, ce dernier a préparé à l'avance. Je dois ajouter, dit M. Pomme, dans une lettre adressée à M. Geoffroy Saint-Hilaire, qu'il est rare, en France du moins, que les femelles se livrent à l'incubation; sur toutes celles que j'ai pu obtenir, une seule à voulu couver. Cinq seulement ont donné des œufs. La sixième s'est accouplée pendant plusieurs années; elle recherchait le mâle, mais jamais elle n'a donné d'œufs. Les femelles qui arrivent restent froides et insensibles pendant la première année de leur importation. A la seconde année, elles s'accouplent, mais pondent rarement, ou bien elles donnent des œufs sans coquille. A la troisième, la coquille existe, mais fragile et imparfaite. Ce n'est guère qu'à la quatrième que cette imperfection disparaît complétement. Chaque femelle fait trois pontes par an lorsqu'elle ne couve pas; si elle couve, elle n'en fait qu'une vers la fin du mois d'avril ou au commencement de mai. L'incubation dure de trente et un à trente-deux jours; les pontes ont été chez moi de deux œufs quelquefois, mais rarement de trois.

Le hocco s'apprivoise facilement; on en trouve dans les rues de Cayenne qui, avec leur bec, heurtent aux portes pour entrer; ils tirent par l'habit, suivent leur maître, et si on les empêche, ils l'attendent et lui expriment de la joie en le revoyant; leur démarche est fière et grave, leur vol bruyant et lourd; ils font entendre un cri aigu et produisent aussi quand ils marchent sans inquiétude une espèce de bourdonnement sourd et concentré, une sorte de ventriloquie qui consiste sans doute dans la solidité des anneaux de la trachée artère et dans le repli qu'elle fait sur elle-même avant d'entrer dans la poitrine.

Le général La Fayette fit venir deux de ces gallinacés, qui s'acclimatèrent parfaitement aux environs de Paris. On les déposa dans un grand poulailler fermé, en compagnie de poules nombreuses, et ils prirent en peu de temps les habitudes de la localité. On les voyait accourir aux heures où le repas était offert aux canards, aux dindes, aux poules et aux pintades; ils se mêlaient à ces nombreux commensaux, prenaient leur part de la pâture, distribuaient des coups de bec aux plus proches voisins, ou étaient bourrés eux-mêmes par quelque coq jaloux de maintenir les priviléges anciens de ses odalisques et furieux de voir ces intrus non-seulement pénétrer dans son sérail, mais encore venir partager sa nourriture. Ce qui n'empêcha pas les jeunes hoccos de grandir et de se développer à merveille sous l'influence des beaux jours de la saison d'été.

La chair des hoccos est blanche, tendre et savoureuse. Quand le sujet est jeune et s'il a été bien nourri, s'il est bien apprêté, nos fins gourmets le préfèrent au dindonneau, au jeune paon, à la pintade; on le fait rôtir comme cette dernière, après l'avoir vidé et bridé; on le pique avec du lard et on le fait cuire à la broche pendant une heure environ, en l'arrosant de temps en temps avec du beurre ou du saindoux, puis on le sert avec le fond de la lèchefrite, mêlé avec un peu de glace fondue et passée au tamis.

HOCHEPOT

Prenez une queue de bœuf, coupez-la en morceaux de deux pouces de long sur autant de large; faites-les dégorger et blanchir; garnissez une braisière, avec des tranches de bœuf; mettez-y ensuite les morceaux de queue que vous venez de couper avec des carottes, des panais, des salsifis, quelques navets, des scorsonères, des topinambours, trois pieds de céleri, et douze pommes de terre violettes; ajoutez un morceau de jambon, un cervelas et enfin une douzaine d'oignons; mouillez le tout avec du bouillon, après l'avoir couvert avec des tranches de bœuf; faites feu dessus, feu dessous; votre appareil étant cuit, levez a viande et les légumes, passez le bouillon, et s'il est trop long, faites-le réduire; faites dans une autre casserole un roux peu chargé de farine, ne le laissez pas brunir, mouillez-le avec votre fond de cuisson dégraissé et bien assaisonné; ajoutez-y des quatre épices avec une bonne

pincée de persil haché; versez-le sur le hochepot; tenez le tout chaudement, au moment de servir, dressez les morceaux de viande avec tous ces légumes dans un grand plat creux et s'il peut se faire dans un vieux vase d'ancienne faïence ou de porcelaine orientale.

HOMARD

(Article où l'on traite en outre du carrelet sauce normande, du poulet à la ficelle, etc.).

O mer, le seul amour auquel je fus fidèle.

Ce vers de Byron peut devenir ma devise, et j'aime la mer comme une chose nécessaire au plaisir et même au bonheur de notre existence; quand il y a quelque temps que je n'ai vu la mer, je suis tourmenté d'un désir irrésistible, et, sous un prétexte quelconque, je prends le chemin de fer et j'arrive soit à Trouville, soit à Dieppe, soit au Havre. Ce jour-là, je m'étais dirigé vers Fécamp.

A peine y fus-je arrivé que l'on vint me proposer une partie de pêche pour le lendemain.

Je connais ces parties de pêche, où on ne pêche rien, mais où on achète le poisson qui fait le fond du dîner qui succède à la pêche.

Cette fois, cependant, contre toutes les habitudes, nous prîmes deux maquereaux et une pieuvre, mais nous achetâmes un homard, un carrelet et une centaine de crevettes. Une marchande de moules que nous rencontrâmes sur notre chemin y joignit une centaine de ces bivalves.

On avait longtemps discuté pour savoir chez qui l'on rentrerait et chez qui par conséquent se ferait le dîner.

Enfin le choix s'était fixé sur un grand marchand de vins de Fécamp qui avait mis sa cave tout entière à notre disposition.

Il nous assurait en route que sa cuisinière avait mis le pot-au-feu et que nous trouverions chez lui matière à deux ou trois plats dont sa cuisinière avait dû réunir les éléments pour son dîner.

Mais sa cuisinière, tout cordon bleu qu'il la prétendît, avait été destituée à l'unanimité, et j'avais été élu à sa place. Libre à elle de conserver le titre de vice-cuisinière, mais à la condition qu'elle ne se permettrait aucune opposition contre le cuisinier en chef.

Maintenant, que les maîtresses de maison veuillent bien entrer avec moi dans la cuisine admirablement montée comme batterie et ne plus perdre aucun détail de ce qui va se passer, si elles veulent ajouter deux ou trois plats inconnus à leur liste culinaire.

Comme on nous l'avait promis, nous trouvâmes un pot-au-feu mijotant depuis dix heures du matin, ce qui lui faisait près de huit heures de cuisson.

Avec huit heures de cuisson, un pot-au-feu atteint à sa majorité.

La France, je l'ai déjà dit, est le seul pays qui sache faire un pot-au-feu, et encore est-il probable que ma portière, qui n'a rien à faire qu'à soigner le sien et à tirer le cordon, mange de meilleure soupe que M. de Rothschild.

Pour en revenir à notre cuisinière, elle avait donc son pot-au-feu qui mijotait, deux poulets tout plumés qui attendaient la broche, un rognon de bœuf ignorant encore à quelle sauce il serait mis, une botte d'asperges commençant à monter en graines, puis au fond d'un panier, des tomates et des oignons blancs.

Je me fis étaler le tout sur la table de cuisine, je demandai une plume et de l'encre, et je présentai à l'approbation de mes convives la carte suivante :

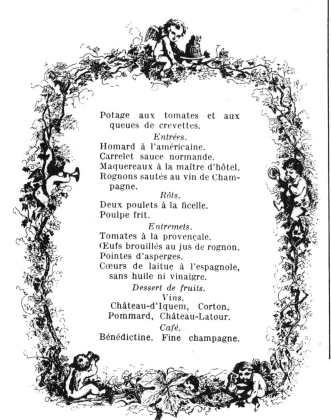

Potage aux tomates et aux queues de crevettes.
Entrées.
Homard à l'américaine.
Carrelet sauce normande.
Maquereaux à la maître d'hôtel.
Rognons sautés au vin de Champagne.
Rôts.
Deux poulets à la ficelle.
Poulpe frit.
Entremets.
Tomates à la provençale.
Œufs brouillés au jus de rognon.
Pointes d'asperges.
Cœurs de laitue à l'espagnole, sans huile ni vinaigre.
Dessert de fruits.
Vins.
Château-d'Iquem, Corton, Pommard, Château-Latour.
Café.
Bénédictine. Fine champagne.

Je présentai, comme je l'ai dit, ce menu qui fut accueilli avec un hurrah d'enthousiasme; seulement on me demanda combien il faudrait de temps pour un pareil dîner.

Je demandai une heure et demie qui me fut accordée avec étonnement. On avait cru qu'il me faudrait trois heures.

Le grand talent du cuisinier qui veut arriver à l'heure, est de faire préparer d'avance et d'avoir sous la main tous les accessoires de ses plats.

Ceci, c'est l'affaire d'un quart d'heure.

Maintenant, comme il est impossible de faire marcher avec la plume un potage, quatre entrées, deux rôtis, deux entremets et une salade, on me permettra de prendre et d'expliquer mon service plat à plat.

POTAGE AUX TOMATES ET AUX QUEUES DE CRE-VETTES. Allumez en même temps deux fourneaux, mettez sur le premier : eau salée pour vos crevettes, bouquet assorti, deux tranches de citron; faites bouillir et jetez vos crevettes dans l'eau bouillante.

Mettez sur le second douze tomates dont vous avez exprimé l'eau, quatre gros oignons blancs coupés en rouelles, un morceau de beurre, une gousse d'ail, un bouquet assorti. Vos crevettes cuites, retirez-les, passez-les dans un tamis, gardez leur eau, faites éplucher vos crevettes et mettez les queues à part.

Vos tomates et vos oignons cuits, passez-les à une fine passoire, remettez-les sur le feu avec un morceau de glace de viande, une pincée de poivre rouge et laissez épaissir en purée.

Puis adjoignez le bouillon en portion égale, un demi-verre de l'eau dans laquelle vous avez fait cuire les crevettes; laissez le tout se mélanger en bouillant; au troisième ou quatrième bouillon, jetez-y vos queues de crevettes et votre potage est fait.

Inutile de dire que, quoique je donne la recette de chaque chose à part, il faut que le tout marche en même temps.

HOMARD A L'AMÉRICAINE. Parmi les différentes méthodes de préparer le homard à l'américaine, nous choisissons la méthode Vuillemot.

Nous réclamons toute l'attention de nos lecteurs et surtout de nos lectrices, le plat étant très-compliqué.

1º Préparez dans une casserole deux gros oignons coupés en quatre, un bouquet assorti, deux pointes d'ail, mouillez le tout avec une bouteille de bon vin blanc, un demi-verre de cognac ordinaire, une cuillerée à pot de bon consommé, sel, mignonnette et quelques grains de bon piment d'Espagne. Jetez votre homard dedans, une demi-heure de cuisson suffit.

Attendez! le plus difficile reste à faire.

2º Laissez refroidir votre crustacé dans sa cuisson, si l'on n'est pas pressé; moins on se pressera, mieux ça vaudra. Enlevez la chair de votre homard et coupez-la en filets

avec le charnu des pattes ; mettez le tout dans un plat à sauce, mouillez avec un peu de bouillon dans lequel a cuit votre homard, couvrez-le d'une feuille de papier beurré dessus, et placez au chaud à l'étuvé. Attendez pour servir.

3º Prenez huit belles tomates, coupez-les en deux, exprimez-en la partie aqueuse, que vous jetez ; beurrez une casserole et couchez vos tomates dessus, assaisonnez avec sel, mignonnette, un peu de piment et beurre frais ; mettez au four ; après cuisson, laissez le tout au chaud.

4º Prenez deux gros oignons, coupez-les en dés, pressez-les dans un torchon afin d'en extraire le gluten ; faites sauter dans une casserole avec un peu de beurre, laissez-les *blondiner*, ajoutez une cuillerée à bouche de farine ; mouillez avec la moitié de votre cuisson de homard, laissez épurer votre sauce sur l'angle de votre fourneau, réduisez cette sauce de moitié en y ajoutant deux fortes cuillerées de tomates en purée ; réduisez encore d'un tiers avec de la glace de viande, ensuite passez votre sauce, ajoutez un peu de jus de citron, une noix de beurre frais et attendez.

5º Prenez enfin le corail du homard, les œufs s'il en a ; pilez le tout avec un peu de beurre, passez au tamis, ajoutez un grain de piment, prenez un plat à légumes ; dressez en couronne vos filets de homard, vos tomates par-dessus, versez dans le puits, formé par vos filets, votre beurre de homard, glacez avec du jus de viande et servez.

Ce mets étant un peu compliqué ne peut être essayé par des praticiens novices ; il faut des cuisiniers et des cuisinières d'une certaine force pour l'attaquer.

Le tour du carrelet est arrivé.

Le carrelet est un poisson à chair très-blanche, très-courte, qui tient un milieu estimable entre la sole et la limande ; mais qui s'efforce vainement d'atteindre la saveur de la première et la réputation de la seconde.

CARRELET A LA SAUCE NORMANDE. Mettez votre carrelet sur un plat d'argent, beurrez le plat, assaisonnez le poisson avec sel, poivre, un verre de vin blanc et mettez au four.

Mettez un morceau de beurre dans une casserole, tournez-le jusqu'à ce qu'il blondine ; un peu de farine. Mouillez-le avec le beurre et le vin blanc de votre carrelet à qui vous n'en laissez que juste ce qu'il faut pour qu'il ne dessèche pas ; réduisez de moitié.

Faites cuire une trentaine de moules, dix ou douze champignons. Jetez le jus des moules dans votre sauce ; réduisez le tout de moitié, liez avec quatre jaunes d'œufs et un demi-verre de crème fraîche, rangez autour de votre carrelet les moules et les champignons ; versez votre sauce dessus.

Quelques petits morceaux de beurre très-frais çà et là, reposez le poisson deux minutes au four et servez.

Quant aux maquereaux à la maître d'hôtel et aux rognons sautés au vin de Bourgogne, je n'ai rien à apprendre à personne sur l'exécution de ces deux plats.

C'est l'A B C de la cuisine.

Seulement faites la sauce de vos rognons un peu longue et mettez-en un demi-verre à part, au moment de servir, afin que la sauce soit aussi complète que possible.

Vous allez voir pourquoi tout à l'heure.

POULETS A LA FICELLE. Jusqu'à l'exécution de mes poulets à la ficelle, j'avais subi les observations de ma vice-cuisinière ; mais arrivé à ce moment décisif, l'observation se tourna en opposition.

Comme je n'avais pas de temps à perdre, je menaçai ma vice-cuisinière d'un coup d'État qui tendrait à lui faire payer ses gages et à la faire mettre immédiatement à la porte.

Cette menace eut son effet, elle obéit passivement et cinq minutes après, mes deux poulets tournaient côte à côte, comme deux fuseaux.

Mais comme j'ai du temps aujourd'hui pour vous dire mes raisons et pour vous expliquer la supériorité du poulet à la ficelle sur le poulet à la broche, écoutez-moi.

Tout animal a deux orifices : l'orifice supérieur et l'orifice inférieur ; et le poulet, sous ce rapport, est l'égal de l'homme.

Diogène l'a dit deux mille quatre cents ans avant moi, le jour où il jeta un coq plumé sur l'Agora d'Athènes en criant :

Hom

- Voilà l'homme de Platon !

Eh bien, il faut d'abord boucher un de ces orifices, le supérieur.

Cet orifice se bouche à la manière belge, en fourrant la tête de la volaille dans son estomac et en cousant la peau par-dessus.

Passons au second orifice, bien plus important que le premier, à l'orifice inférieur.

Vous en avez tiré, quand je dis vous en avez tiré, je veux dire votre cuisinière en a tiré les intestins et le foie, elle a jeté les intestins, haché le foie avec des fines herbes, ciboules et persil, elle a manié le tout avec un morceau de beurre et à la place d'intestins, désormais non-seulement inutiles, mais nuisibles, elle lui a restitué ce hachis destiné à le parfumer.

Maintenant quel doit être le but du cuisinier? De conserver à l'animal qu'il fait cuire la plus grande quantité de jus possible. Or si vous lui passez une broche en long et pour le maintenir une brochette en large, au lieu de boucher un des deux trous que la nature lui a faits, vous lui en imposez deux autres par lesquels tout son jus va s'échapper.

Mais si au contraire vous lui liez les pattes avec une ficelle, que vous le suspendiez verticalement avec cette ficelle, l'orifice inférieur en l'air et l'orifice supérieur bouché; si avec d'excellent beurre frais, manié de sel et de poivre, vous arrosez votre poulet, en ayant soin de verser à l'orifice inférieur avec la cuiller à arroser, alors vous avez rempli toutes les conditions logiques pour avoir un poulet excellent; il ne vous reste plus qu'à surveiller sa cuisson et à couper la ficelle qui le soutient quand il se fait dans la peau de petites ouvertures, d'où se dégage un jet de fumée. Déposez-le alors dans son plat et versez sur lui le jus de la lèchefrite.

Que jamais surtout une goutte de bouillon ne se mêle au beurre qui doit arroser votre poulet; toute cuisinière, je crois déjà l'avoir dit quelque part, toute cuisinière, dis-je, qui met du bouillon dans sa lèchefrite, mérite d'être mise à la porte ignominieusement et sans miséricorde.

Quant à la pieuvre frite, c'est simple comme le premier poisson venu, merlan ou sole.

Pieuvre frite. Coupez par morceaux, roulez dans la farine; glissez dans la friture bouillante, tirez à point, et vous aurez quelque chose de pareil à de l'oreille de veau frite, avec un léger goût de musc.

Quant aux œufs brouillés, au jus de rognons et aux pointes d'asperges et aux tomates farcies à la provençale, c'est l'enfance de l'art.

Vous cassez douze œufs dans une soupière en laissant six blancs seulement pour les douze œufs.

Vous y mettez, après les avoir battus, un morceau de beurre, des fines herbes, un demi-verre de bouillon (de poulet si vous en avez) consommé, votre demi-verre de jus de rognons que vous avez conservé et vous abandonnerez le tout aux soins de la cuisinière qui n'a plus qu'à verser dans une casserole, mettre la casserole sur le feu et tourner.

Recommandation essentielle : servir mollets les œufs brouillés continuant de cuire dans le plat. Quant aux tomates, vous les coupez en deux, vous en faites couler l'eau et tomber les graines, vous les posez côte à côte dans un four de campagne, vous placez au centre de chacune une pyramide se composant d'un hachis de poulet, de veau, de gibier de la veille si vous en avez, et de champignons.

Vous versez sur le tout un verre d'huile d'olive, la meilleure que vous pourrez trouver; puis vous parsemez le tout de sel, de poivre, de persil et d'ail hachés ensemble; vous ajoutez une pointe de piment; vous faites cuire entre deux feux, en arrosant trois ou quatre fois vos pyramides de viande avec l'huile dans laquelle cuisent vos tomates. Quant à notre salade de cœurs de laitues, sans huile ni vinaigre, c'est un souvenir de notre voyage en Espagne.

En Espagne, le vinaigre ne sent rien, mais en échange l'huile infecte.

Impossible, par conséquent, de manger de la salade quand la chaleur du ciel et la sécheresse de l'air vous donnent les appétences les plus violentes vers l'herbe fraîche.

Eh bien, nous avions remédié à cela en remplaçant l'huile par des jaunes d'œufs et le vinaigre par du citron.

Ce mélange, suffisamment soutenu de sel et de poivre, nous donnait une salade exquise dont nous avions fini par préférer la saveur à nos salades de France.

Au bout d'une heure et demie, le dîner était sur la nappe; seulement, quatre heures après nous étions encore à table!

Aussi quelle réputation ai-je laissée à Fécamp, et comme j'y fus reçu lorsque j'y arrivai la dernière fois que j'y allai.

Permettez-moi d'ajouter encore une recette qui pourrait parfaitement venir après celles ci-dessus sans y être déplacée : celle des œufs brouillés aux queues de crevettes.

Prenez douze œufs que vous cassez et dont vous mettez dans un saladier tous les jaunes et huit blancs seulement, les blancs trop nombreux ôtant de la délicatesse au plat.

Faites bouillir dans une casserole à part les corps de vos crevettes en y versant un verre de vin de Chablis.

Faites prendre deux ou trois bouillons et versez ensuite le tout dans un mortier pour en faire une purée que vous passez à travers un tamis fin pour en enlever le moindre morceau de carapace.

Délayez cette espèce de bouillie dans vos œufs salés et poivrés d'avance et légèrement guillochés de ciboules et de persil hachés très-fin.

Grand socle au buisson de homards
(selon Urbain Dubois).

Joignez-y ensuite les queues de vos crevettes que vous battez avec les œufs et versez le tout dans une poêle beurrée de bon beurre frais, faites cuire et versez ensuite sur un plat bien adroitement.

Voici un article qui, je crois, contient beaucoup de cuisine, mais ne parle pas beaucoup du homard; revenons donc à cet intéressant animal.

HOMARD. Le homard est un crustacé fort employé dans la cuisine. La langouste, moins savoureuse que le homard, est moins prisée que lui. On en fait des mayonnaises dans lesquelles on hache sa chair, et qui font d'excellentes sauces blanches pour manger avec le bar et le turbot.

Il faut autant que possible, à Paris, n'acheter que des homards vivants; choisissez d'ailleurs le plus lourd que vous pourrez trouver, et mettez-le cuire dans une chaudière ou casserole avec de l'eau salée, un gros morceau de beurre frais, une botte de persil en branches, un piment rouge et deux ou trois tiges de poireau blanc; au bout d'un quart d'heure de cuisson, vous ajouterez un gobelet de vin de Madère ou de Marsala, et laissez refroidir votre poisson dans son court-bouillon; il faut alors dans toute sa longueur trancher les écailles de sa queue, et par avance faire confectionner une sauce dont voici la meilleure formule.

Enlevez en un seul morceau tout l'intérieur du homard qu'on appelle tourteau, détachez-en toutes les chairs blanches avec le bec d'une plume taillée, prenez-en la farce ou la crème de laitance, qui se trouve adhérente à la grande coquille, joignez-y les œufs du poisson s'il est femelle, et mêlez tout ce produit avec de l'huile verte, une pleine cuillerée de bonne moutarde, dix ou douze gouttes de soya de la Chine, plein le creux de la main de fines herbes hachées, deux échalotes écrasées, une assez bonne quantité de mignonnette; et finalement un verre de liqueur d'anisette de Bordeaux, ou simplement de ratafia d'anis; vous battrez le tout avec une fourchette comme on bat une omelette, et, selon la grosseur de votre homard, vous mettrez dans cette sauce deux ou trois citrons.

HOMARD A LA BROCHE. Prenez un gros homard, ou une langouste bien vivante, attachez-les sur un hâtelet solide que vous ficellerez lui-même sur une broche; soumettez le tout d'abord à un feu vif, en commençant par l'arroser avec du vin de Champagne, du beurre fondu, du sel et du poivre; la coquille du poisson deviendra très-vite friable, c'est-à-dire que pareille à de la chaux, elle s'écrasera entre les doigts; quand elle se détachera du corps, c'est qu'il sera suffisamment cuit; il faut l'arroser avec le jus de sa lèchefrite, que vous dégraisserez convenablement, et auquel vous ajouterez le jus d'une bigarade, et une pincée de quatre épices.

C'est un ragoût particulier en Normandie, qui ne manque jamais de faire son effet en paraissant sur la table.

HORS-D'ŒUVRE

On appelle hors-d'œuvre tous les plats qui, sans être suffisants pour constituer un repas substantiel, et qui cependant servis à part et dans des assiettes d'une forme particulière, complètent l'élégance d'un repas.

HOUBLON

Plante grimpante à grandes feuilles dont les fleurs et les fruits concourent à la composition de la bière; en Belgique, où le houblon est très-commun, où la boisson ordinaire est de la bière, on mange au printemps les jeunes pousses du houblon, dont la saveur se rapproche énormément de celle des asperges; on les apprête de la même manière, et leur effet est le même.

HUILE

On fait de l'huile principalement avec les olives, mais encore avec une foule de graines, comme le colza, comme les noix, comme la faîne, comme la navette.

La faîne, les noix, la navette donnent une huile très supportable dans sa fraîcheur, mais qui rancit en vieillissant.

La faîne, qui est le fruit du hêtre, donne la meilleure huile après l'olive.

Parmi les huiles d'olive, il y a un choix à faire; à mon avis, la plus fraîche, la plus claire, celle qui se conserve le mieux, est l'huile de Lucques; puis vient l'huile vierge, l'huile verte et l'huile fine d'Aix, de Grasse et de Nice. Quoique l'Italie et l'Espagne soient couvertes d'oliviers, c'est de ces deux pays que viennent les plus mauvaises huiles; les propriétaires, pour faire double récolte, laissent rancir leurs olives, et cet état avancé fait contracter à l'huile qu'on en retire une odeur de pourriture insupportable; il en est de même de l'huile que l'on récolte en Grèce, en Syrie et en Égypte.

HUITRES

L'huître est un des mollusques les plus déshérités de la nature.

Étant acéphale, c'est-à-dire n'ayant pas de tête, elle n'a ni l'organe de la vue, ni l'organe de l'ouïe, ni l'organe de l'odorat; son sang est incolore; son corps adhère aux deux valves de sa coquille par un muscle puissant, à l'aide duquel elle l'ouvre et la ferme.

Elle n'a pas non plus d'organe de locomotion; son seul exercice est de dormir, et son seul plaisir est de manger; comme l'huître ne peut aller chercher sa nourriture, sa nourriture vient elle-même la trouver, ou lui est apportée par le mouvement des eaux; elle se compose de matières animales en suspension dans l'eau. En 1816, M. Bedan a prouvé qu'on pouvait amener graduellement les huîtres à vivre dans l'eau des fleuves.

Les Grecs recherchaient celles de Sestos; j'en ai mangé en traversant le Bosphore et ne leur ai rien trouvé de particulier.

On a dit : les dieux s'en vont, et l'on a admiré cette éloquente exclamation. Mais voilà que dernièrement un cri s'est fait entendre : Les huîtres s'en vont! Il n'y a certes aucun rapport entre le mollusque hermaphrodite qui vit au fond de la mer, dans son écaille, attaché pour l'éternité à son rocher, et les habitants de l'Olympe vénérable. Eh bien, le fameux cri de Bossuet, ce fameux cri d'éloquence : Madame se meurt! Madame est morte! n'a pas produit une impression si terrible que cette voix gastronomique en détresse, qui s'est écriée : Les huîtres s'en vont! Et de 60 centimes la douzaine, le premier effet de ce cri a été de les faire monter à 1 franc 30 centimes.

La sensation a été profonde; l'huître, ce trésor des gourmands, a été sur le point de leur échapper; l'huître qui, dit le docteur Reveillé-Paris, est la seule substance alimentaire qui ne donne pas d'indigestion.

« Je m'ennuie de l'entendre appeler le Juste », disait un prud'homme athénien; et Aristide fut proscrit à la majorité des huîtres, chaque écaille portant une sentence et représentant un bulletin de vote.

Les Grecs les faisaient venir de l'Hellespont; on les pêchait à la hauteur de Sestos, endroit où Léandre se jetait à la mer pour aller faire sa visite nocturne à Héro.

L'endroit s'appelle aujourd'hui *Boralli-Calessi*.

Les Romains, bien autrement gourmands que les Grecs, rendirent presque des honneurs divins à l'huître. Il n'y avait pas de bon dîner sans huîtres crues frappées de glace, ou sans huîtres cuites assaisonnées au *garum*, espèce de saumure dont Pline nous a conservé la recette.

Les huîtres avaient chez les Romains leurs numéros d'excellence. Les premières étaient celles du lac Lucrin, ensuite celles de Tarente, ensuite celles de Circeï.

Plus tard, ils préférèrent les huîtres des côtes de la Grande-Bretagne.

Apicius, ce gourmand célèbre, qui se coupa le cou parce

Le restaurant du Parc aux huîtres, *à Cancale.*

Aussi l'huître est-elle un mets de tous les temps et cherche-t-on inutilement l'époque à laquelle il a été introduit sur la table des Indous, ces aïeux, et des Égyptiens, ces grands-pères de la civilisation. Nous n'en trouvons trace que chez les Grecs et la première fois, je crois, à propos de la proscription d'Aristide.

qu'il ne lui restait plus que six à huit millions de sesterces, c'est-à-dire quinze cent mille francs ou deux millions de notre monnaie, avait trouvé un moyen de conserver les huîtres. De nos jours, il eût pris un brevet et eût vécu de son brevet.

L'huître se pêche chez nous à la drague, et les pêcheurs

Les mangeurs d'huîtres *(lithographie de Boilly)*.

avaient l'habitude, afin de ne pas épuiser les bancs, de les diviser en plusieurs zones qui étaient livrées successivement à la pêche. Pendant que l'une de ces zones était en exploitation, l'autre, c'est-à-dire la partie réservée, se multipliait et atteignait la taille marchande.

Pendant les mois de mai, juin, juillet et août, la pêche était interdite; les gourmands disent qu'il ne faut pas manger d'huîtres dans les mois où il n'y a pas d'R.

Comme compensation, ce sont les mois où les moules sont parfaites.

Les huîtres ne se mangent point en sortant de la mer.

Du moins un disciple de Lucullus et un apôtre de Brillat-Savarin ne commettraient pas une pareille hérésie. Il faut d'abord qu'elles soient parquées à un mètre de profondeur sur du sable ou des galets.

Ce fut un Romain, nommé Sergius Orata, lequel vivait deux cent cinquante ans avant Jésus-Christ, qui eut le premier l'idée de mettre, pour les engraisser, les huîtres dans le lac Lucrin. Il fit un commerce de ce mollusque perfectionné par ses soins et s'enrichit.

Ce Sergius Orata était le grand-père de Sergius Catilina.

L'huître que nous mangeons est l'huître idule. L'huître d'Ostende, l'huître verte, l'huître de Marennes, ne sont que des variétés.

Nous avions des parcs aux huîtres à Marennes, à Tréport, à Étretat, à Fécamp, à Dunkerque, au Havre et à Dieppe.

Nous arriverons tout à l'heure à celui de Régneville.

L'oncle de Mirabeau a dit en parlant de la mer :

« Cette plaine qui se laboure toute seule. »

Mais il n'a pas dit :

« La mer, cette plaine qui s'ensemence toute seule. »

On a cru longtemps la mer inépuisable, mais à commencer par la baleine on s'aperçoit qu'elle se dépeuple. Voici les baleines qui disparaissent; voici les maquereaux qui faiblissent; voici les huîtres qui manquent.

Eugène Noël a dit :

« On peut faire de l'Océan une fabrique immense de vivres, un laboratoire de subsistances plus productif que la terre; fertiliser tout, mers, fleuves, rivières, étangs; on ne cultivait que la terre, voici l'art de cultiver les eaux; entendez-vous, nations? »

Et en effet, le poisson, celui qu'on mange surtout, est entre tous les êtres susceptibles de prendre avec très-peu de nourriture le plus grand accroissement.

De temps immémorial, la pisciculture est pratiquée en Chine. Là, où il faut que vive une agglomération de quatre cents millions d'hommes, on ne pouvait pas se fier à la terre visitée par un hôte plein de caprices, le vent; par un hôte plein de colère, la tempête; la moisson de la mer, au contraire, grandit sous le vent, multiplie sous la tempête.

Aussi au mois de mai, se tient sur le grand fleuve le marché du frai. On vient, de tous les coins de la Chine, acheter du frai en gros pour le revendre en détail. Chacun a son poisson dans son vivier, on y jette les débris du ménage et tout ce peuple sous-marin vit et engraisse.

Les Romains étaient, sous ce rapport, les maîtres des Chinois eux-mêmes; ils faisaient éclore dans l'eau douce des poissons de mer.

C'est Jacobi, en Allemagne, qui a trouvé la fécondation artificielle pratiquée en Angleterre, puis en France, par un pêcheur de la Bresse, nommé Rémy.

Coste et Pouchet en ont fait une science.

Ce furent toutes ces expériences, ce fut cette première science mise à la portée de tout le monde, qui déterminèrent M. de Chaillé et Mme Sarah-Félix à faire leur établissement d'ostréiculture de Régneville.

Ils demandèrent et obtinrent dix hectares de côtes.

Dix hectares de côtes, c'est beaucoup à Paris sur la place de la Concorde ou dans la rue Richelieu; en face de l'Océan, c'est un point dans l'immensité.

Les deux concessionnaires commencèrent par fermer de trois côtés leur concession par une digue insubmersible. Le quatrième côté fut la plage; une grande vanne y introduisit l'eau de la mer, puis on y jeta des milliers d'huîtres, et on y déposa doucement des tuiles afin que les huîtres s'y attachassent.

Il s'agissait de soustraire le frai de l'huître aux divers accidents qui en pleine mer le détruisent.

Pour que l'on comprenne l'entreprise de M. de Chaillé et de Mme Sarah-Félix, il est nécessaire de savoir comment l'huître se reproduit.

L'huître, nous l'avons dit, est hermaphrodite. Ses deux sexes s'épanouissent comme des fleurs au moment des amours. C'est alors qu'elle se remplit d'une eau blanche qui fait dire que les huîtres ne sont pas bonnes à manger parce qu'elles sont laiteuses.

Cette eau blanche est le frai.

M. Davaine a trouvé jusqu'à 1, 200,000 œufs dans une huître pied de cheval; et, comme elles font deux et même trois pontes, on peut, en moyenne, évaluer à deux millions la quantité d'œufs que chaque huître livre aux caprices de la mer.

Ces œufs sont invisibles ou à peu près. Leuwenhoeck a calculé qu'il en faudrait environ un million pour former le volume d'une bille d'enfant. Les petites huîtres, lorsqu'elles sortent de la coquille de la mère, ont la faculté de se mouvoir. Cette faculté est donnée par la nature à toutes les larves d'animaux fixes et leur permet de se fixer où ils veulent; seulement, qu'ils choisissent bien leur gîte : une fois fixés, ils en ont pour toute la vie.

Dans le parc de Régneville, ils eurent d'abord des tuiles ordinaires et des fagots de bois; le choix entre le fond de la mer et la suspension entre deux eaux.

Nos pisciculteurs s'aperçurent bien vite qu'ils avaient fait une double erreur ; les branches du fagot s'enduisaient d'un mucus qui ne permettait plus à la petite huître de se fixer. Quant à la tuile, elle permettait au contraire à l'huître de s'y fixer trop solidement ; l'huître trouvait commode de faire de la tuile une de ses coquilles, et quand on l'enlevait de sa tuile bien-aimée, ou sa coquille était trouée, ou elle restait sur sa tuile. Sa devise devenait celle du lierre : « Je meurs où je m'attache. »

Nos ostréiculteurs collèrent sur leurs tuiles de vieux journaux adhérant à la tuile par les seules extrémités ; l'huître est collée au papier, c'est vrai, mais le papier n'est collé à rien.

Maintenant, tous les journaux, à notre avis, ne sont pas bons à cet emploi, j'en connais qui pourraient donner à ces innocents mollusques les qualités toxicologiques que contractent les huîtres de Venise en s'attachant aux cuivres des vaisseaux.

Quelle est la durée de la vie des huîtres ?

C'est encore un mystère ! D'abord peu d'huîtres meurent de vieillesse.

Et celles-là meurent inconnues.

Dans un excellent livre de M. Victor Meunier, intitulé : *les Grandes Pêches*, je vois que les huîtres vivent une dizaine d'années. C'est bien assez pour un animal qui n'a ni yeux, ni nez, ni oreilles ; quant à leur développement, les pêcheurs disent qu'elles ont au bout de trois jours trois lignes de diamètre, à trois mois la circonférence d'une pièce de trente sous, à six mois la dimension d'un écu de trois livres, à un an celle d'un écu de six.

L'huître se mange habituellement de la façon la plus simple du monde ; elle s'ouvre, on la détache, on exprime sur elle quelques gouttes de citron et on la gobe.

Des gourmands les plus raffinés préparent une espèce de sauce avec du vinaigre, du poivre et de l'échalote ; on les détache, on les trempe dans cette sauce et on les avale ; d'autres, et ce sont les vrais amateurs, n'ajoutent rien à l'huître et la mangent crue sans vinaigre, sans citron, sans poivre.

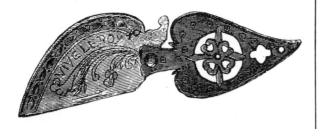

Couteau à ouvrir les huîtres (XVIIe siècle).

Maintenant accordons la lyre d'un cuisinier-poëte, et chantons sur le monde ionien.

Fêtons ces « truffes de la mer, »
Qu'en son siècle exaltait Horace,
Par d'immortels vers pleins de grâce. –
L'huître, à Rome, est un mets si cher,
Qu'au dire de Pline et Macrobe,
Aux seuls pontifes on en sert...
– (Notre bouche aussi bien les gobe,
Ces huîtres qu'un moderne en *us*,
Nommait « Oreilles de Vénus, »
Pour leurs qualités excitantes...) –
On sait qu'un des Apicius
Eut, par ses notions savantes,
L'art d'en envoyer de vivantes
A Trajan, vainqueur belliqueux
Des Parthes... – Aux huîtres, chef-queux,
Me dit-on, offre-nous des fraîches.
C'est là le secret de leurs pêches :
L'huître est un hasard, un éclair
Qui passe avec les mois en R.

HUITRES A LA POULETTE. Ouvrez des huîtres, faites-les blanchir dans leur eau sans les laisser bouillir, puis passez-les dans du beurre, avec du persil, des échalotes et des champignons hachés ; une cuillerée d'huile, poivre et muscade râpée ; panez-les de mie huilée, faites prendre couleur avec une pelle rouge ; au moment de servir exprimez dessus le jus d'un citron.

HUITRES EN HACHIS. Faites-les blanchir sans les laisser bouillir, mettez-les dans l'eau fraîche et égouttez-les, séparez le milieu des bords, hachez ceux-ci finement avec de la chair de carpe ou de tout autre poisson cuit à l'eau ou au court-bouillon ; mêlez le tout ensemble, assaisonnez de poivre et de muscade râpée.

Mettez dans une casserole un bon morceau de beurre avec persil, ciboules, champignons hachés ; passez sur le feu ; mouillez avec moitié vin blanc, moitié bouillon gras ou maigre, ajoutez le hachis, faites-le chauffer sans bouillir, quand le hachis a bu presque toute la sauce, et liez avec des œufs.

HUITRES FRITES POUR HORS-D'ŒUVRE. Ouvrez les huîtres, mettez-les égoutter sur un tamis ; mettez-les ensuite dans un plat, avec du vinaigre, persil, ciboules, deux feuilles de laurier, un peu de basilic, un oignon coupé par tranches, une demi-douzaine de clous de girofle, et le jus de deux citrons ; saucez-les de temps en temps dans cette marinade, faites une pâte à frire légère, essuyez et trempez-y les huîtres ; faites-les frire, et servez-les avec du persil frit.

POTAGE D'HUITRES. Passez vos huîtres à la casserole avec du bon beurre, mettez en même temps des champignons coupés par morceaux et un peu de farine, faites cuire le tout avec purée claire, sel et poivre ; faites mitonner le

Bigorneau perceur (murex) perforant une huître.

pain avec du bon bouillon de poisson, versez dessus vos huîtres et vos champignons avec un jus de champignons.

HUITRES FARCIES. Vous faites une farce avec un morceau d'anguille et une douzaine d'huîtres blanchies, un peu de persil, ciboules, quelques champignons; assaisonnez de sel, poivre, fines herbes, fines épices et bon beurre frais avec un peu de mie de pain trempée dans la crème et deux jaunes d'œufs crus, le tout haché et pilé ensemble dans un mortier. Vous garnissez le fond de vos coquilles avec cette farce et y mettez une huître en ragoût; couvrez votre coquille de la même farce, frottez-la d'un œuf battu, jetez dessus un peu de beurre fondu, panez de mie de pain bien fine et mettez-les cuire au four jusqu'à belle couleur blonde et servez chaudement pour entremets ou garniture d'entrée.

HUITRES AU PARMESAN. Mettez égoutter vos huîtres sur un tamis, frottez le fond d'un plat avec du beurre frais, arrangez les huîtres dessus, poudrez-les de gros poivre et de persil haché, arrosez-les d'un demi-verre de vin de Champagne, couvrez-les avec du parmesan râpé, mettez le plat dans le four ou sous un couvercle de tourtière; quand elles sont de belle couleur et bien glacées, retirez-les, dégraissez-les, nettoyez le bord du plat, et servez chaudement.

HUITRES A LA DAUBE. Ouvrez des huîtres, assaisonnez-les de fines herbes hachées fort menu avec persil, ciboules, basilic, sel et poivre; mettez-en très-peu dans chaque huître, arrosez de vin blanc, recouvrez-les de leur couvercle et mettez-les cuire sur le gril, passez de temps en temps la pelle rouge dessus, dressez-les quand elles sont cuites, et servez-les découvertes.

HUITRES EN HATELETS. Blanchissez les huîtres dans deux eaux sans les faire bouillir, lavez-les bien et faites égoutter; mettez dans une casserole, persil, ciboules, champignons hachés, une pointe d'ail avec un quarteron de beurre, ajoutez-y vos huîtres et faites-leur prendre deux ou trois tours sans bouillir, liez avec des jaunes d'œufs, enfilez-les dans des hâtelets, panez-les, faites-les griller, et servez à sec.

HUITRES A LA MINUTE. Mettez dans une casserole une cuillerée de coulis, un verre de vin de Champagne, un bouquet garni et faites bouillir; faites ouvrir en même temps des huîtres que vous faites égoutter sur un tamis et dont vous ajoutez l'eau à votre sauce, faites-la réduire, mettez-y vos huîtres pour leur faire prendre quelques tours, et servez avec des croûtons frits pour garniture.

HYDROMEL

Pline dit qu'on attribue son invention à Aristée, de Cyrène, fils du Soleil. L'hydromel simple est le mélange d'une petite partie de miel avec beaucoup d'eau, il est bon contre la toux et lorsque les crachats sont difficiles à expulser, mais il n'est pas du goût de tout le monde.

L'hydromel vineux est composé d'une partie de miel et de trois parties d'eau, il ne faut que très-peu de chaleur pour que la fermentation s'établisse, il devient aussi fort que le vin d'Espagne et peut se conserver longtemps. Les anciens Égyptiens l'estimaient beaucoup.

Il est, du reste, d'un goût fort agréable et fortifie l'estomac à la dose d'un petit verre.

Cette liqueur paraît avoir été généralement répandue chez les peuples anciens, les Celtibères, les Taulentiens, peuples de l'Illyrie; la Grèce, l'antique Égypte buvaient largement le divin breuvage, et le douzième livre de Columelle, l'agronome, est en grande partie consacré à l'exposition des procédés dont les Romains faisaient usage dans la préparation de cette boisson favorite; aujourd'hui encore l'usage de l'hydromel est généralement répandu en Russie et en Pologne, et les Abyssiniens en font une très-grande consommation.

HYPOCRAS

Breuvage célèbre au Moyen Age; c'était un mélange de vin et d'ingrédients doux et recherchés, et voici une recette que Taillerent, le maître queux de Charles VII, nous en a laissée.

« Pour une pinte, dit-il, prenez trois tréseaux (trois gros) de Cinnamome fine et pure, un tréseau de mesche ou deux qui veult, demi tréseau de girofle et de sucre fin six onces, et mettez en pouldre, et la fault tout mettre en ung coulouoir avec le vin et le pot, dessoulez et le passez tant qu'il soit coulé et tant plus est passé et tant mieux vault, mais qu'il ne soit esventé. » On se servait pour le clarifier d'un filtre qu'on appelait *chausse d'hypocras*.

Du temps de Louis XIV, ce breuvage était encore en faveur, on le servait sur la table des grands, et la ville de Paris devait en fournir chaque année un certain nombre pour la table royale. Aujourd'hui ce breuvage est tout à fait perdu et ignoré.

« *Le cordon bleu d'une bonne petite maison.* »
Frontispice des Causeries de gourmets et de chasseurs d'Elzéar Blaze - 1845.

IMPÉRIALE

Prune qui ne mûrit qu'au mois d'août, elle est longue et violette; il y en a trois autres variétés, qui sont : l'impériale blanche, la verte hâtive et la jeune tardive.

IRIS

Sa racine est employée dans la pâtisserie de petits fours, ainsi que dans plusieurs autres compositions d'office. Réduit à l'état de fleur de farine on en fait des biscuits très-délicats, ainsi que d'excellentes frangipanes aux essences de fleurs; la meilleure espèce d'iris est incomparablement celle de la *santissima trinita* de Florence. On la distingue aisément à la grosseur et à la blancheur de ses racines, qui émanent une excellente odeur de violette.

ISSUE

Abatis d'agneau et volailles.

ITALIENNE SAUCE HACHÉE

Vous mettez dans une casserole une cuillerée de persil, la moitié d'une cuillerée d'échalotes, la moitié de champignons bien fins, une demi-bouteille de vin blanc, 30 grammes de beurre; vous faites bouillir le tout jusqu'à parfaite réduction, puis vous versez dans la casserole deux cuillerées de blond de veau, une pincée d'épices, vous faites bouillir sur un feu doux, vous écumez et dégraissez, vous retirez du feu et vous tenez chaud au bain-marie.

JAMBON

Cuisse ou épaule de porc ou de sanglier. *(V. Cochon.)*

JARRET DE VEAU

Cette partie abonde en ligaments, tendons et membranes qui, par une ébullition prolongée, se résolvent en gélatine; c'est cette propriété qui fait qu'on l'ajoute souvent aux

La foire aux jambons sur le boulevard Bourdon.

braises pour y faire de la gelée, et c'est, du reste, à peu près son seul usage.

JASMIN

Le jasmin n'est guère employé dans la cuisine que pour la fabrication des sorbets et dragées. (*V. ces deux articles.*)

JULIENNE

On donne ce nom à un potage fait avec plusieurs sortes d'herbes et de légumes, notamment de carottes coupées menues. On est parvenu à conserver ces légumes hachés au moyen de la dessiccation, ce qui permet de faire de la julienne en tout temps.

On voit dans les recettes de Marc Heliot, que la julienne d'autrefois ne se composait pas exclusivement de légumes; en effet, elle avait pour éléments une éclanche de mouton qu'on faisait à moitié rôtir et qu'on empotait dans une marmite avec une tranche de bœuf, une rouelle de veau, un chapon et quatre pigeons fuyards; on faisait cuire le tout cinq ou six heures afin que le bouillon fût bien nourri; on y voit aussi qu'on coupait en morceaux trois carottes, six navets, deux panais, trois oignons, deux racines de persil, deux pieds de céleri, trois bottes d'asperges vertes, quatre poignées d'oseille, quatre laitues blanches, une forte pincée de cerfeuil et, si la saison le permettait, un litron de petits pois verts que l'on faisait cuire à part de la viande et dans le bouillon de la grande marmite où l'on faisait aussi mitonner les croûtes de pain dont cet ancien potage était composé.

JUS

On donne le nom de *jus de viande* à une décoction concentrée de jus de veau, de mouton, de bœuf, etc., formant les fonds de cuisine dans les grandes maisons. Ces jus de viande, éminemment chauds et réparateurs, conviennent aux tempéraments et aux estomacs fatigués qui ont besoin d'être restaurés. Autrefois on servait toujours à sec les viandes blanches rôties, aujourd'hui tous les plats de rôti sont généralement passés avec un certain jus de bœuf que les cuisiniers actuels appliquent à toutes les viandes possibles, sans distinction. C'est un usage révolutionnaire qui semble avoir prévalu sur la bonne coutume d'autrefois.

Voir pour les différents jus les articles *Bœuf, Veau, Mouton, etc.*

KANGUROO

Les kanguroos sont originaires de la Nouvelle-Hollande et des îles environnantes; essentiellement frugivores à l'état sauvage, ils deviennent, lorsqu'ils sont acclimatés, très-faciles à nourrir, se décident à manger tout ce qu'on leur présente et boivent même, dit-on, le vin et l'eau-de-vie qu'on leur donne.

Parmi les mammifères, le kanguroo est, sans contredit, un des animaux qu'il serait le plus utile en même temps que le plus facile de multiplier en Europe, soit à l'état libre, soit à l'état domestique. En effet, l'acclimatation du kanguroo, ainsi que plusieurs expériences l'ont déjà prouvé, ne demande presque aucun soin, surtout à l'égard des plus grandes espèces qui habitent les parties méridionales de la Nouvelle-Hollande et de l'île de Van Diemen; le climat de ces provinces, quoiqu'en général tempéré, est souvent très-froid et le poil abondant et chaud dont le kanguroo est revêtu lui permettrait de supporter, sans trop en souffrir, les hivers les plus rigoureux de la France.

La chair du kanguroo est excellente, surtout lorsqu'il a été élevé à l'état sauvage, et la croissance rapide de ces animaux, jointe à leur taille élevée, produit en peu de temps une quantité considérable de viande; de plus, la conformation singulière de ces animaux, en donnant à leurs membres postérieurs un volume beaucoup plus considérable qu'aux membres antérieurs, est éminemment favorable à la production d'une viande de bonne qualité, bien préférable à celle de la vache et du mouton en ce qu'elle est plus tendre que celle de la première et plus abondante et nutritive que celle du second.

Les parties les plus estimées dans le kanguroo, comme chez tous les autres mammifères, sont ce que l'on appelle les filets qui sont chez lui bien plus volumineux et plus puissants que dans aucune autre espèce de gibier où le développement du muscle psoas ne dépasse pas la région lombaire, tandis qu'il s'étend chez le kanguroo jusqu'à la moitié de la région dorsale de la colonne vertébrale, ce qui augmente de beaucoup cette partie si recherchée des consommateurs.

Cet animal est timide, doux, et pas le moins du monde destructeur comme l'ont prétendu plusieurs auteurs; on peut, sous ce rapport, le comparer au lièvre; il est très-facile à nourrir et dans le Retiro de Madrid où on en élève une certaine quantité, on leur donne à manger l'hiver de l'orge, de l'avoine et du foin sec, et ils paissent l'herbe verte dans les saisons où elle existe. C'est la même nourriture que celle des chèvres nourricières. La durée de sa vie est de 10 à 12 ans. Dans la dernière période de son existence, très-souvent, il devient aveugle à cause des cataractes qui se développent, alors ces malheureux, ne pouvant plus voir leur chemin, vont parfois se précipiter et se mettre en pièces contre les murs de leur enclos.

On fait avec la queue du kanguroo, très-musculeuse et très-forte, une soupe qui l'emporte sur toute autre par sa saveur et sa bonté.

La chair de kanguroo s'apprête comme celle du lapin de garenne avec laquelle elle a beaucoup de rapport, mais elle est plus aromatique, ce qui dépend sans doute de la nature des plantes dont il fait sa nourriture et qui sont presque toutes odorantes.

FILETS DE KANGUROO SAUTÉS. Levez les deux filets d'un kanguroo, parez-les, assaisonnez et rangez-les dans une casserole plate avec du beurre fondu. Préparez un peu de jus avec les os et les débris de l'animal, passez-le, dégraissez-le, versez-le dans une casserole avec quatre cuillerées de vinaigre; ajoutez un bouquet garni, faites réduire en demi-glace de façon à obtenir une sauce légère, faites-la cuire pendant quelques minutes à feu vif, mêlez-y deux cuillerées à bouche de gelée de groseilles et un morceau de zeste de citron, ajoutez-y, dix minutes après, une poignée de petits raisins de Corinthe ramollis à l'eau chaude, laissez cuire le tout ensemble environ une heure, puis pochez les filets au moment de servir, égouttez-les, dressez-les et masquez-les avec la sauce.

Et vous aurez un plat rare et excellent.

KARI

Sorte de préparation dont l'usage nous vient des Indes. On l'emploie le plus souvent avec des tendrons de veau, des poulets dépecés, des membres de lapins de garenne et des tronçons d'anguille; et il faut avoir bien soin de servir à proximité de ces plats du riz cuit à l'indienne, c'est-à-dire à la vapeur.

On trouve de la poudre de kari toute préparée chez les marchands de comestibles, mais pour le cas où on voudrait la confectionner soi-même, en voici la recette empruntée à l'*Indian's Cook:*

La poudre de kari doit être composée de quatre onces de piment enragé (c'est une espèce qui est moins grosse qu'une olive et qui croît sous les tropiques, il est beaucoup plus fort que le piment de Cayenne et que le poivre rouge de nos climats), trois onces de curcuma ou *terra merita* des Indes, une demi-once de poivre noir, un gros de muscade et un scrupule de gingembre. On réduit lesdites substances en poudre très-fine en les broyant au mortier de marbre et sous pilon de métal.

On l'emploie en l'immisçant dans un ragoût composé de champignons, de fonds d'artichauts, de truffes coupées, de quenelles, de jaunes d'œufs cuits durs, de tranches de ris de veau, de crêtes et de rognons de coq, ainsi que de cervelles et de ris d'agneau, si la saison le permet, comme pour l'emploi des truffes.

KARI INDIEN. Prenez un beau poulet, coupez-le comme pour une fricassée; mettez-en les débris dans une casserole avec tout ce que vous aurez de débris de viande, un bouquet garni et de bon bouillon, si vous en avez. Faites cuire une demi-heure et passez (il en faut *au moins* une grande tasse). Prenez 125 grammes de saindoux, faites-y jaunir trois oignons émincés, ôtez les oignons et mettez-les à part dans un peu de bouillon pour vous en servir plus tard. Faites sauter vos morceaux de poulet dans votre saindoux, laissez-les bien jaunir, ajoutez deux bonnes cuillerées de farine, faites revenir pour ôter l'âcreté de la farine; mettez alors votre tasse de bouillon et votre bouillon d'oignons (en ôtant les oignons). Retournez votre casserole jusqu'à ce que cela cuise, ajoutez deux cuillerées de poudre de kari (ou une bonne cuillerée à café de poudre de safran de l'Inde et une toute petite pincée de poudre de piment), retournez votre casserole et surveillez-la.

Le kari se mange avec le riz à la créole.

RIZ A LA CRÉOLE. Mettez une demi-livre de riz bien lavé dans une casserole, couvrez-le d'eau salée (deux doigts plus ou moins), faites cuire et retirez quand il s'allonge. Mettez-le dans une passoire et versez de l'eau fraîche dessus, égouttez-le. Au moment de servir, mettez votre riz dans une sauteuse sur un feu vif, tournez-le toujours jusqu'à ce qu'il soit un peu desséché sans être brûlé. Servez-le dans un plat, et le kari avec sa sauce dans un autre plat. Quelques personnes mettent le kari au milieu d'un grand plat, et le riz autour.

KAVIAR
œufs d'esturgeon salés
(V. Caviar)

Ajoutons seulement ici que le kaviar ou caviar, par sa propriété de disposer l'estomac à recevoir les aliments, remplace le potage pour les amateurs. C'était du moins l'avis de l'illustre Meyerbeer.

Une charge déplacée, lithographie de Daumier.

LAIE
sanglier femelle

Je pourrais presque dire, comme Hippolyte, que c'est avec les sangliers que j'ai fait mon apprentissage de chasseur; à douze ans, je savais relever une trace, et pouvais dire si c'était celle d'une laie, si elle était pleine, et de combien de mois elle l'était. J'ai raconté plusieurs histoires assez dramatiques de cette première partie de ma vie.

Il faut apprêter la laie comme son fils, le marcassin, quand elle est jeune, ou comme son mâle, le sanglier, lorsqu'une fois elle a mis bas.

Les andouillettes à la tétine de laie sont très-dignes d'estime; on les sert presque toujours sur un hachis de truffes au jus, ou sur une purée de marrons à la crème et au vin blanc.

LAIT

Substance animale blanche, liquide, douce, sucrée, qui se forme dans les mamelles des femelles des animaux, et qui est la première nourriture de l'homme.

Le seul lait dont nous fassions usage est celui de la vache, de la chèvre et de la brebis; et, comme remède dans certains cas de phthisie, celui de l'ânesse.

J'ai eu occasion de boire du lait de chamelle et du lait de jument, et ne l'ai trouvé en rien inférieur à celui de la chèvre et à celui de la vache.

LAIT DE CHÈVRE. Le lait de chèvre est pourvu d'une densité plus grande que celui de la vache, il est moins gras que le lait de brebis; il conserve même, en beurre ainsi qu'en fromage, une saveur bouquetine se rapprochant de l'odeur de l'animal de qui on le tire.

Les chèvres blanches et les chèvres sans cornes fournissent un lait moins odorant.

PETIT-LAIT. C'est le nom que l'on donne à la partie aqueuse du lait.

LAITANCES

La laitance est la semence des poissons. Les laitances des carpes, des harengs et des maquereaux contiennent beaucoup de phosphore et sont un manger fort délicat, mais très-échauffant. Nous avons dit presque toutes les préparations auxquelles peut être soumis cet aliment; mais, le plus souvent, on l'apprête en friture, en caisse, en papillotes farcies, au gratin maigre, en garniture de ragoût, et, pour foncer les tourtes, au vin blanc.

Les poissons laités sont plus estimés que les femelles œuvées.

LAITUE

Plante potagère, ainsi nommée, selon Tournefort, parce qu'on lui attribuait la faculté d'augmenter le lait des nourrices, et *eunuchinus*, selon Pythagore, parce que ses qualités réfrigérantes équivalent à la castration.

Il y a en plusieurs espèces : la pommée, la cabuse, la laitue crépue, la romaine à feuilles droites, la romaine frisée, la laitue à feuilles de chêne, les laitues panachées et les chicons blancs. Les deux meilleures espèces de laitue sont la laitue impériale et la laitue de Silésie; elles peuvent fournir des salades pendant toute l'année; en outre, on les sert en ragoûts, farcies, braisées, à la crème, en marinade, frites, et pour garniture de toutes les grosses pièces de relevé.

LAITUES FARCIES. Épluchez, nettoyez et faites blanchir vos laitues; égouttez, ôtez le cœur, remplacez-le par une boule de godiveau ou de farce à quenelle; ficelez vos laitues, faites-les cuire à la braise avec des tranches de rouelle de veau, des bardes de lard, des racines, un bouquet garni et un setier de bon consommé.

Autrement : ôtez-les de la braisière et faites-les mitonner avec un coulis; liez avec des jaunes d'œufs; servez au blanc.

LAITUES FARCIES A LA DAME SIMONNE. Faites blanchir des laitues pommées en leur faisant seulement sentir la chaleur de l'eau; faites-les ensuite égoutter; prenez de la chair de poulets ou des blancs de chapon cuits, hachez-les avec quelques morceaux de jambon cuit et quelques champignons, un peu de persil et de ciboule, une tétine de veau et un peu de lard blanchi et de mie de pain trempée dans de la crème, quatre ou cinq jaunes d'œufs crus, avec sel, poivre, fines herbes et fines épices; le tout bien haché, pilez-le dans un mortier; prenez ensuite vos laitues, pressez-les bien une à une, prenez la laitue du côté du pied, étendez feuille par feuille sans les casser jusqu'au petit cœur, que vous ôtez; mettez à la place un morceau de farce et relevez les feuilles par-dessus jusqu'à la fin et ficelez-la bien : continuez de les farcir toutes de même.

Coupez par tranches deux livres de rouelle de veau; garnissez-en le fond d'une casserole avec des bardes de lard, quelques tranches d'oignon, et faites suer sur un fourneau. Mettez-y un peu de farine quand cela commence à s'attacher et remuez avec une cuiller sur le fourneau, afin que cela roussisse un peu; mouillez de moitié jus et moitié bouillon, assaisonnez de sel, poivre, clous de girofle, feuilles de laurier, basilic, persil et ciboule entière.

Arrangez vos laitues farcies au fond d'une marmite; mettez-y cette braise, mouillez et faites cuire; quand elles sont cuites, et si vous voulez les servir au blanc tirez-les de la marmite, ôtez la ficelle, égouttez-les bien, et mettez-les dans une casserole avec un coulis blanc aussi épais que pour potage; faites mitonner vos laitues dans le coulis, dressez-les proprement dans un plat, et servez chaudement pour hors-d'œuvre.

LAITUES FARCIES FRITES. Nettoyez, épluchez et faites blanchir vos laitues, égouttez-les, battez quelques œufs en omelette, enlevez le petit cœur, mettez à sa place une boule de godiveau ou une farce à quenelle; trempez vos laitues une à une dans vos œufs préparés en omelette, passez-les, faites frire au saindoux, et quand elles auront pris une belle couleur, servez sur une serviette garnie de persil frit.

LAITUES HACHÉES. Lavez-les, faites-les blanchir dans une eau de sel, et comme vous n'aurez conservé que les parties les plus tendres, mettez-les dans l'eau chaude, dans l'eau froide quand elles seront refroidies, exprimez-en l'eau, hachez-les et mettez-les dans une casserole avec

125 grammes de beurre, du sel et du poivre; quand elles seront un peu frites, vous y ajouterez une quantité de farine proportionnée à celle de vos laitues; mêlez, arrosez de bouillon; après un quart d'heure d'ébullition, dressez avec croûtons.

LAITUES A L'ESPAGNOLE. Blanchissez dans l'eau salée, faites bouillir vingt minutes; au bout de ce temps, rafraîchissez vos laitues; mettez dans les cœurs un peu de sel et du gros poivre; après les avoir ficelées, mettez-les dans une casserole sur un lit de bardes de lard, avec quelques tranches de veau, des carottes coupées par tranches, trois oignons, deux clous de girofle, une feuille de laurier; couvrez-les de lard, mouillez-les avec du bouillon; faites mijoter pendant une heure; vos laitues une fois frites, égouttez-les, pressez-les, glacez, garnissez de croûtons.

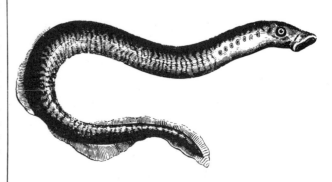

LAMPROIE

Poisson qui ressemble à l'anguille; il se trouve dans les hautes mers, s'aventure dans les rivières au printemps; il y en a qui pèsent jusqu'à sept livres; sa forme est celle de la couleuvre, sa couleur d'un jaune verdâtre marquetée de taches dorées et de points noirs; sa peau moins foncée sur le ventre.

Le duc de Bourgogne, Philippe le Hardi, avait pour confesseur un dominicain qu'il régalait chaque année d'une lamproie, et lorsqu'on ne pouvait s'en procurer une, il faisait payer quarante-cinq sous d'argent.

En Angleterre, lorsque ce poisson est rare, on le paye jusqu'à une guinée. La ville de Gloucester présente chaque année, la veille de Noël, un pâté de lamproie au roi ou à la reine.

Platine reproche aux papes et aux seigneurs romains de régaler leurs convives de lamproies, qu'ils payent jusqu'à vingt pièces d'or, et qu'ils font mourir en les plongeant dans du vin de Chypre avec une muscade dans la bouche, et un grain de girofle dans chaque ouverture des branchies; après cette préparation, elles étaient mises dans une casserole où on les faisait cuire avec des amandes pilées et toutes sortes d'épices; ses petits, nommés lamprillons, sont un mets recherché; et son frai, qu'on appelle sept-œil, est un hors-d'œuvre d'une délicatesse extrême; on le reçoit principalement de Rouen et de Barfleur, d'où l'on expédie la sept-œil toute préparée dans des pichets, avec un mélange de beurre frais, de purée d'oseille et de fines herbes.

C'est à tort qu'on a accusé les anciens Romains de nourrir leurs lamproies avec des esclaves.

Auguste ayant fait prévenir Pollion qu'il irait dîner chez lui, un esclave cassa un vase de verre dont il comptait se faire honneur devant l'empereur.

Védius Pollion ordonna qu'il fût aussitôt jeté aux lamproies, mais ce malheureux courut à Auguste et lui demanda la vie; non-seulement Auguste la lui accorda, mais encore il fit casser tous les vases de verre qui se trouvaient chez son hôte et combler tous les viviers.

Les grosses lamproies reçoivent encore aujourd'hui les mêmes préparations qu'au xvıᵉ siècle; on appelle la manière de les préparer *à l'angevine.*

L A M P R O I E   A   L A   S A U C E   D O U C E. Saignez-la par la gorge et gardez son sang; limonez-la dans l'eau bouillante et passez-la dans un roux; après l'avoir coupée par tronçons, vous la mouillerez aussi avec du vin de Bourgogne rouge, en y ajoutant de la cannelle, un bouquet de fines herbes où vous ajouterez une branche de sauge, ainsi qu'une écorce de citron vert, vous établirez dans le fond du plat un large croûton de pain de seigle ainsi qu'il est indiqué pour les matelotes à l'anguille.

L A M P R O I E   A   L A   M A T E L O T E   B O U R G U I G N O N N E
(V. Matelote bourguignonne.)

L A M P R O I E   A   L A   T A R T A R E. Suivez exactement les mêmes procédés pour ce poisson que pour l'anguille à la tartare, excepté qu'il faut échauder les lamproies pour les limoner au lieu de les écorcher.

L A M P R O I E   A U X   C H A M P I G N O N S. Cuisez à la casserole des tronçons de lamproie avec moelle de bœuf, champignons, fines herbes, macis, piment de Cayenne et vin blanc; faites réduire le mouillement et garnissez votre plat d'entrée avec des ceps ou des oranges.

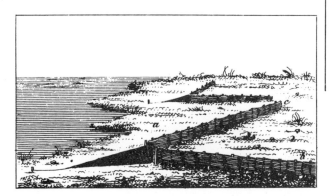

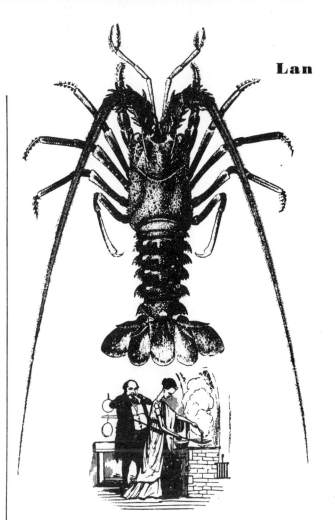

LANGOUSTE

Crustacé qui diffère du homard en ce qu'il est d'une saveur moins fine, et qu'il est dépourvu des grosses pattes que les pêcheurs appellent des mordants; la langouste se fait cuire au court-bouillon et se mange avec une rémoulade aux câpres ou une mayonnaise au citron et à l'huile d'olive.

LANGUE

Presque tous les praticiens qui ont écrit sur la cuisine ont avancé que la langue était la partie de l'animal qui dépassait les autres pour son goût excellent; ils font exception pour la langue de bœuf, et cependant elle était tellement estimée sous Louis XII, qu'il existait un droit féodal dans certaines parties de la France par lequel toutes les langues de bœufs tués appartenaient au seigneur du lieu.

L A N G U E   F U M É E. Ayez autant de langues de bœuf que vous le jugerez à propos, supprimez-en le gosier et faites-les tremper trois heures dans l'eau; grattez-les, mettez-les égoutter; frottez-les avec du sel fin et environ deux onces de salpêtre; ayez un pot de grès, mettez-y vos langues, et à mesure que vous les arrangerez, joignez-y quelques feuilles de laurier, du thym, du basilic, du genièvre, du persil, de la ciboule, quelques gousses d'ail, des échalotes et des clous de girofle; ayez soin que vos langues soient bien serrées les unes contre les autres, afin qu'il n'y ait nul vide entre elles : les ayant salées convenablement, couvrez votre pot de manière qu'elles ne prennent pas l'évent; laissez-les au sel huit jours; après retirez-les, attachez-les par le petit bout à un grand bâton et mettez-les fumer dans la cheminée jusqu'à ce qu'elles soient sèches; quand vous voudrez les employer, lavez-les, ratissez-les et faites-les cuire dans un bon assaisonnement. Vous pouvez faire du petit salé avec la saumure assaisonnée de vos langues.

LANGUE DE BŒUF FOURRÉE. Vous ferez dégorger des langues et nettoyer des boyaux de bœuf; ayant fait tremper quelques heures dans de l'eau et des herbes aromatiques ces boyaux, mettez vos langues dedans et liez-en les extrémités; ayez une saumure assez considérable, mettez-y du salpêtre en petite quantité, macis, clous de girofle, gingembre, poivre long, laurier, thym, basilic, genièvre et coriandre; faites bouillir cette saumure une demi-heure, à petit feu; passez-la au tamis; laissez-la reposer; tirez-la au clair; mettez-y tremper ces langues pendant douze jours; après, retirez-les, faites-les sécher à la cheminée; pendant qu'elles sèchent, brûlez dessous, si vous le voulez, des herbes de senteur et faites cuire ces langues dans une braise, telles que les langues fumées.

LANGUE DE BŒUF A LA BRAISE. Ayez une langue de bœuf, coupez-en le cornet; mettez-la dégorger deux ou trois heures et plus; retirez-la de l'eau; ratissez-la bien avec votre couteau pour en ôter la malpropreté; faites-la blanchir dans un chaudron ou dans une grande marmite avec oignons et carottes; mouillez-la avec du bon bouillon et un verre de vin blanc; joignez-y quelques parures de viande de boucherie, de volaille ou de gibier, afin de lui donner du goût; faites-la partir; après, mettez-la sur un feu modéré, couvrez-la d'un papier et d'un couvercle avec feu dessus; laissez-la mijoter quatre heures et demie; dressez-la sur un plat; arrangez autour des légumes avec lesquels vous l'avez fait cuire; passez son fond à travers un tamis de soie; saucez votre langue avec ce fond, dans lequel vous ajouterez une ou deux cuillerées d'espagnole, et servez.

LANGUE DE BŒUF EN PAPILLOTES. Faites cuire cette langue comme la précédente, sans la larder : quand elle sera cuite, laissez-la refroidir dans son assaisonnement; après, coupez-la par lames de l'épaisseur d'un demi-pouce; ayez soin de la couper en bec de sifflet, pour qu'elle représente à peu près la largeur d'une côtelette de veau; parez tous les morceaux avec propreté; faites qu'ils soient de même grandeur, et mettez-les en papillotes de la manière suivante : hachez autant de persil que de ciboules et deux fois plus de champignons; en hachant ces derniers, exprimez dessus un jus de citron pour les maintenir blancs, mettez-les dans le coin d'un torchon et pressez-les; supprimez le jus; ensuite, jetez le tout dans une casserole avec un morceau de beurre; mettez-y sel, gros poivre et un peu de muscade râpée; faites cuire le tout à petit feu; selon la quantité de vos fines herbes, versez-y une cuillerée ou deux d'espagnole réduite ou de velouté; faites réduire le tout de nouveau, en sorte que l'humidité ne fasse pas crever vos papillotes : taillez votre papier en forme de cœur, en coupant un peu la pointe; étendez votre papier; huilez-le légèrement avec le doigt à l'endroit où vous devez poser votre morceau de langue et vos fines herbes; ensuite mettez une petite barde de lard sur le papier, et sur ce lard la valeur d'une cuillerée à bouche des mêmes herbes; ensuite posez votre morceau de langue, et, dessus, faites la même opération que dessous : vous aurez soin de rogner votre papier avec des ciseaux, au cas où il serait trop grand pour la côtelette : ployez-le de manière à ce que les bords se trouvent égaux; videz la papillote tout autour le plus serré que possible, en sorte que la partie coupée de ce papier se trouve rentrée en dedans du bord : pour y parvenir, vous pincerez votre papier avec le pouce et l'index et le rentrerez en dedans, comme si vous vouliez faire une corde : à l'égard de la pointe du haut, vous la tordez comme une papillote; cela fait, huilez vos papillotes en dehors, soit avec la main, soit avec un doroir; mettez-les sur un gril, avec feu doux, environ dix minutes; avant de servir, retournez-les, cinq minutes après les avoir posées sur le feu; que le papier soit d'une belle couleur; lorsque vous les verrez gonfler, c'est une preuve qu'elles sont atteintes; servez-les tout de suite.

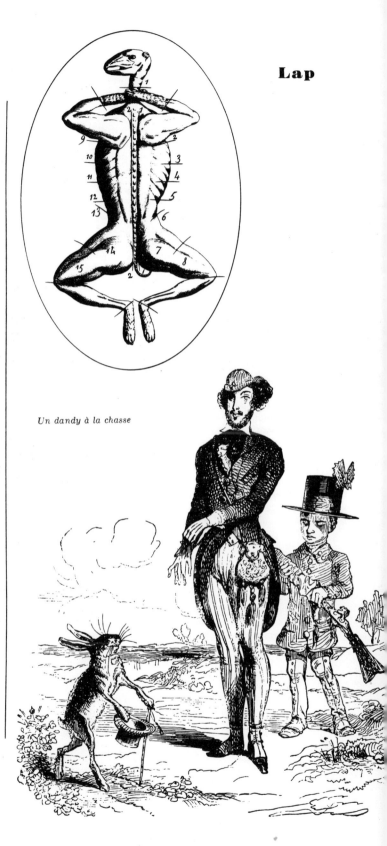

LANGUE DE BŒUF A L'ITALIENNE OU AU PARMESAN. Faites cuire cette langue dans une braise, comme la précédente; laissez-la refroidir de même; coupez-la par lames très-minces; mettez du parmesan dans le fond d'un plat creux; couvrez votre parmesan de vos tranches de langue, ainsi de suite; faites trois ou quatre lits de langue et de fromage; arrosez chaque lit d'un peu du fond dans lequel aura cuit la langue dont il s'agit, et finissez par un lit de fromage que vous arroserez d'un peu de beurre fondu; mettez le plat au four ordinaire ou de campagne; donnez à votre parmesan une belle couleur, et servez.

LAPIN

Les lapins sont originaires d'Afrique, d'où ils passèrent en Espagne, puis en France. Pline et Varron racontent qu'à Tarragone, ville d'Espagne, le nombre considérable de lapins qui avaient creusé leurs terriers sous les maisons de cette ville causèrent l'éboulement de vingt-cinq ou trente de ces maisons. Bazilazzo, l'une des îles Lipari, fut privée de toutes ses récoltes et réduite à la famine par le grand nombre de ces animaux. Ils étaient si abondants dans les provinces méridionales de la France, que Beaujeu raconte qu'en 1551 un gentilhomme provençal étant allé à la chasse aux lapins avec quelques-uns de ses vassaux et trois chiens, il en rapporta le soir six cents. Dans les îles qui sont auprès d'Arles, dit-il, il y en a tant que, quand un chasseur n'en tue pas cent dans la journée, il revient mécontent. Le lapin était regardé comme un emblème de la fécondité; elle est si prodigieuse que l'on a calculé que dix hases pouvaient produire dans une année jusqu'à huit ou neuf cents lapins. Elles portent trente ou trente et un jours, et fournissent annuellement au commerce de la chapellerie pour quinze à vingt millions de peaux. L'hiver est le meilleur temps pour le manger, et, pour le manger bon, il faut qu'il ne soit ni trop jeune ni trop vieux; pour distinguer le lapin du lapereau, on tâte en dehors des pattes de devant en dessus de la jointure, et si l'on sent dans cette partie une saillie grosse comme une lentille, c'est une preuve que l'animal est complètement jeune. On reconnaît les lapins de garenne à ce qu'ils ont le poil des pieds et celui qui est sous la queue de couleur rousse; on imite cette couleur dans les lapins de clapier en faisant roussir le poil de ces parties au feu; on reconnaît facilement cette fraude à l'odeur, ou bien en lavant ces parties si elles ont été teintes; la chair du lapereau vient immédiatement, sous le rapport de la digestibilité, après celle des volailles qui ne sont pas trop grasses et avant celle des volailles qui le sont trop.

Un dandy à la chasse

Lap

LAPEREAUX ROTIS ET SERVIS EN ACCOLADE. Dépouillez deux lapereaux, videz-les en leur laissant le foie, faites-les *refaire* sur la braise, ensuite piquez-les de menu lard sur le dos et les cuisses, enfin, mettez-les à la broche. On ajoute beaucoup au fumet des lapins en leur mettant dans le ventre quelques feuilles du prunier de Sainte-Lucie ou un bouquet de mélilot, plante très-commune dans les prairies sèches.

GIBELOTTE DE LAPIN A L'ANCIENNE MODE. Coupez un lapin par morceaux et une moyenne anguille en tronçons, faites un roux, et passez-y votre lapin et vos tronçons d'anguille, quand il sera d'une belle couleur café au lait; faites-y revenir alors des champignons et des petits oignons; quand le tout sera bien revenu, mouillez avec un tiers de vin blanc, deux tiers de bouillon; assaisonnez de sel, de poivre, de persil, de ciboules et de thym; ôtez les tronçons d'anguille et les oignons, faites cuire à grand feu; lorsque le mouillement sera réduit à un tiers, remettez les tronçons d'anguille et les oignons, finissez à feu doux, dégraissez et servez.

SAUTÉ, OU ESCALOPES DE LAPEREAUX. Prenez deux lapereaux, dépouillez-les, levez-en les filets, prenez la chair et les cuisses, ôtez les filets mignons et les rognons, supprimez les nerfs et les peaux de ces chairs, coupez-les en petits morceaux d'égale grosseur, aplatissez-les avec le manche de votre couteau, que vous tremperez dans de l'eau, parez-les; faites fondre du beurre dans une sauteuse, arrangez-y vos escalopes les unes après les autres, saupoudrez-les légèrement d'un peu de sel et de gros poivre; mettez dessus un peu de beurre fondu, couvrez-les d'un rond de papier et laissez-les ainsi jusqu'au moment de servir; coupez vos carcasses de lapereaux par morceaux, mettez-les dans une petite marmite, avec une carotte, deux oignons, dont un piqué d'un clou de girofle, un bouquet de persil et ciboules, une feuille de laurier, une lame de jambon et quelques débris de veau; mouillez tout cela avec du consommé, faites-le bouillir, écumez-le et laissez-le cuire environ une heure; dégraissez ce consommé et passez au tamis; faites-le réduire aux trois quarts; ajoutez-y deux cuillerées à dégraisser d'espagnole réduite; faites revenir de nouveau votre sauce en la travaillant, à consistance d'une demi-glace; au moment de servir, sautez vos escalopes, faites-les roidir des deux côtés, égouttez-en le beurre en conservant leur jus, mettez-les dans votre sauce, sautez-les, dressez-les dans un plat, et servez.
Vous pouvez, dans la saison, couper des truffes en liards, les passer dans du beurre, les égoutter, et au moment de servir, les sauter avec vos escalopes.

LAPEREAUX AUX PETITS POIS. Faites un petit roux; coupez vos lapereaux par membres; votre roux étant bien blond, passez-les dedans, ajoutez-y quelques dés de jambon et mouillez le tout avec du bouillon, faites que votre roux soit bien délayé, mettez-y un bouquet de persil et ciboules garni d'un clou de girofle, d'une feuille de laurier et d'une demi-gousse d'ail; lorsque votre lapin sera en train de bouillir, mettez-y un litre de petits pois et faites cuire le tout que vous assaisonnerez de sel en suffisante quantité; quand votre ragoût sera bien réduit, supprimez-en le bouquet et servez.

LAPEREAUX ROULÉS AUX PISTACHES. Habillez deux lapereaux dont vous garderez les foies, désossez-les sans couper la peau, étendez dessus une farce faite avec les foies, blanc de poularde, graisse, lard blanchi, persil, ciboules, champignons, une pointe d'ail, sel, poivre, muscade, jaunes d'œufs pour liaison, le tout bien mêlé et pilé ensemble et de bon goût, mettez également de cette farce partout, unissez avec un couteau trempé dans de l'œuf battu, roulez les lapereaux, enveloppez-les de bardes de lard et d'une étamine, ficelez-les et faites-les cuire à la braise, puis développez-les, dégraissez-les et servez-les avec une bonne essence de pistaches.

FILETS DE LAPEREAUX PIQUÉS ET GLACÉS. Ayez six lapereaux dont vous levez les filets, parez-les, supprimez-en la peau et les nerfs, piquez-en six des plus gros de menu lard, et faites des incisions de distance en distance aux six autres; prenez des truffes, arrondissez-les, cannelez-les, c'est-à-dire donnez-leur la forme d'une petite crête, coupez-les de l'épaisseur d'une pièce de deux francs, arrangez-les dans toutes les incisions de vos filets; rangez ces filets dans une sauteuse dans laquelle vous aurez fait fondre un peu de beurre; donnez-leur la forme que vous jugerez à propos, saupoudrez-les de sel, arrosez-les de beurre fondu et au moment de servir faites cuire avec feu dessus et dessous, tâtez s'ils sont cuits, saucez-les avec un fumet réduit et servez.

LAPINS EN CASSEROLE. Coupez vos lapins en quatre, gardez-en les foies, piquez les morceaux de gros lard assaisonné et de lardons de jambon, garnissez le fond d'une casserole de bardes de lard et de tranches de veau avec sel, poivre, fines herbes, fines épices, oignons, ciboules, persil, carottes et panais, arrangez les membres de lapin dans la casserole, assaisonnez-les dessus et dessous et faites cuire au four feu dessus et dessous.
Faites un coulis avec un morceau de veau et de jambon que vous coupez par tranches, battez-les, garnissez-en le fond d'une casserole, mettez-y un oignon, un morceau de carotte et des panais coupés par tranches, couvrez votre casserole, mettez suer à petit feu et ajoutez-y quand cela commence à s'attacher un peu de lard fondu et de farine, remuez le

tout ensemble, mouillez de jus et de bouillon, moitié l'un, moitié l'autre, assaisonnez de champignons, truffes, ciboules entières, persil, trois ou quatre clous de girofle, ajoutez quelques croûtes de pain et faites mitonner le tout ensemble.

Prenez vos foies de lapin, pilez-les dans le mortier, délayez-les avec un peu de jus de votre coulis, videz-les ensuite dans la casserole où est ce coulis, faites-les un peu chauffer, passez ce coulis à l'étamine et mettez-le dans une autre casserole.

Puis vos lapins étant cuits, vous les retirez et les mettez dans votre coulis; laissez mitonner un peu avant de servir, dressez-les dans un plat, jetez votre coulis par-dessus et servez chaudement pour entrée.

HACHIS DE LAPEREAUX A LA PORTUGAISE. Ayez trois lapereaux, faites-les cuire à la broche et levez-en les chairs, ôtez les peaux et les nerfs, hachez ces chairs, mettez-les dans un vase jusqu'au moment de vous en servir, prenez vos carcasses de lapereaux, concassez-les, mettez-les dans une casserole avec cinq cuillerées à dégraisser d'espagnole, deux de consommé et un verre de vin blanc de Champagne; faites cuire le tout, passez cette farce à l'étamine, faites-la réduire jusqu'à consistance de demi-glace, mettez-y vos chairs avec un peu de gros poivre et un pain de beurre, liez bien le tout sans le laisser bouillir et dressez votre hachis sur un plat auquel vous aurez fait une bordure avec des petits croûtons de pain frits; mettez sur votre hachis huit ou neuf œufs pochés et glacés. Ce hachis doit se trouver entre les œufs avec un peu de votre essence que vous aurez réservée à ce sujet. Vous pouvez aussi mettre des filets mignons entre vos œufs en sautoirs, décorés de truffes et piqués.

LAPEREAUX A LA SAINGARAC. Piquez proprement vos lapereaux et faites-les rôtir, ayez des tranches de jambon battues, passez-les avec un peu de lard et de farine, mettez-y un bouquet de fines herbes, du bon jus qui ne soit pas salé, faites cuire le tout ensemble et mettez-y un filet de vinaigre, liez cette sauce avec un peu de coulis et de pain; coupez les lapereaux en quatre, dressez-les sur un plat, jetez la sauce dessus avec les tranches de jambon, dégraissez-la et servez chaudement.

LAPINS AUX TRUFFES. Faites cuire des lapins en casserole, comme il est dit plus haut, passez les truffes avec un peu de beurre fondu, mouillez-les de moitié jus de veau, moitié essence de jambon, laissez-les mitonner pendant un quart d'heure, dégraissez-les et liez d'un coulis, retirez ensuite vos lapins, égouttez-les, mettez-les dans le ragoût de truffes, dressez-les, jetez le ragoût par-dessus et servez pour entrée.

LAPINS EN BREZOLES. Habillez deux gros lapereaux, coupez-les en quatre, dressez-les, levez-en la chair que vous mettrez à part et conservez-en la peau, faites une farce avec cette chair, les foies, de la graisse de bœuf, de veau, de lard blanchi, assaisonnez de sel, poivre, fines herbes, fines épices, câpres hachées, pilez le tout dans un mortier, ajoutez-y deux ou trois jaunes d'œufs pour lier le tout; étendez les peaux de vos lapins sur la table, étendez de la farce dessus, roulez-les, ficelez-les, puis garnissez une casserole de tranches de bœuf et de bardes de lard, avec sel, poivre, fines herbes, fines épices; arrangez les brezoles dessus, assaisonnez comme dessous, ajoutez-y un bouquet garni, carottes, panais, oignons, laurier, coriandre; mouillez de deux cuillerées de bouillon, couvrez la casserole et faites cuire à petit feu. Vos brezoles étant cuites, égouttez-les dans une autre casserole, mettez dedans une essence jambon, des mousserons hachés et mitonnés, passez les brezoles de la casserole où elles ont cuit dans celle où est l'essence, sans trop les remuer, laissez attacher le jus de votre braise, mouillez encore de jus, dressez-les dans un plat, et servez avec une échalote et jus de citron pour entrée.

LAPEREAUX EN FRICASSÉE DE POULET. Ayez deux lapereaux bien tendres, coupez-les en morceaux, essuyez-en le sang; mettez-les dans une casserole avec de l'eau, quelques tranches d'oignon, une feuille de laurier, du persil en branche, quelques ciboules et un peu de sel; faites-leur jeter un bouillon, égouttez-les, essuyez-les et parez-les de nouveau; mettez-les dans une autre casserole avec un morceau de beurre, sautez-les, saupoudrez-les légèrement de farine, mouillez-les avec l'eau dans laquelle ils ont blanchi, en ayant soin de les remuer pour que la farine ne fasse point de grumeaux; faites-les bouillir, mettez des champignons, des mousserons et des morilles, laissez cuire, faites réduire la sauce convenablement : votre ragoût cuit, liez-le avec quatre jaunes d'œufs délayés, soit avec un peu de lait, soit avec de la crème ou un peu de la sauce refroidie, et finissez-les en y mettant un jus de citron, un filet de verjus, ou bien encore un filet de vinaigre blanc, et servez.

LAPEREAU AU GRATIN. Habillez et coupez par membres un lapereau; foncez une casserole de tranches de veau, bardes de lard, cinq ou six tranches de jambon coupées bien égales; mettez vos morceaux de lapereau dessus, presque pas de sel, couvrez de bardes de lard et mettez cuire à la braise en y mettant un bouquet garni avec clous de girofle, basilic et laurier.

Hachez le foie, avec persil, ciboules, champignons, liez avec deux jaunes d'œufs, ajoutez lard râpé, sel et poivre, mettez de cette farce sur un plat et laissez-la gratiner sur un très-petit feu, retirez-la ensuite et égouttez-la. Puis le lapereau étant cuit, vous le tirez avec le jambon, vous

Lap

La chasse aux lapins sous les bourrées. Lithographie extraite du Journal des chasseurs.

dégraissez la sauce, la mouillez d'un peu de coulis et de jus, vous faites prendre un bouillon; dégraissez et passez au tamis, dressez les morceaux de lapereau sur la farce, une tranche de jambon entre chaque morceau, vous échauffez le plat sur un fourneau, la sauce par-dessus, et servez chaudement.

TIMBALE DE LAPEREAUX. Ayez deux lapereaux que vous coupez par membres, passez-les dans une casserole avec sel, poivre, fines herbes hachées, ciboules, champignons et truffes, épices fines et laurier; mêlez le tout et mouillez avec un verre de vin blanc et deux cuillerées à dégraisser d'espagnole, faites mijoter, et quand vos lapereaux seront cuits, laissez-les refroidir, ôtez la feuille de laurier, puis beurrez une casserole de grandeur convenable, foncez-la de petites bandes de pâte roulées en commençant par le milieu du fond de cette casserole et tournant la pâte en forme de limaçon jusqu'à ce que vous arriviez au rebord de la casserole; moulez ensuite un morceau de pâte, qui vous servira à faire un double fond, abaissez-la, donnez-lui l'épaisseur d'une pièce de 5 francs, pliez-la en quatre, puis mouillez un peu les bandes avec un doroir, posez dessus votre double fond en appuyant légèrement afin qu'il ne reste aucun vide entre les bandes et l'abaisse, roulez du godiveau avec un peu de farine, formez-en de petites quenelles, garnissez-en le fond de votre timbale, mettez-en tout autour, presque jusqu'au bord, remplissez-en le vide des membres de vos lapereaux, joignez-y quelques champignons tournés et passez dans du beurre. Faites une seconde abaisse pour couvrir votre timbale, mouillez-en les bords, posez dessus votre couvercle de pâte, soudez-le et videz-le; mettez-la au four environ une heure et demie; lorsqu'elle sera cuite de belle couleur et que vous serez prêt à servir, renversez-la sur le plat, levez-en un couvercle de la grandeur que vous voulez, mettez dans votre timbale une bonne espagnole réduite, et servez.

Si vous n'avez pas le temps de faire ces bandes, beurrez

votre casserole, saupoudrez-la de vermicelle, mettez votre abaisse dessus, et procédez pour le reste comme il est indiqué ci-dessus.

Lapereau piqué aux navets. Habillez un lapereau et coupez-le par membres; piquez-le de petit lard, mettez-le ensuite dans une casserole avec une tranche de jambon, un bouquet, du bouillon, faites-le cuire et glacez-le; tournez des navets en amandes, faites-les blanchir et cuire avec du bouillon, du jus et un peu de sel. Quand ils sont cuits, vous les mettez dans une bonne essence; mettez un peu de bouillon dans la casserole où vous avez glacé le lapereau, détachez tout ce qui reste, passez-le au tamis et mettez-le dans l'essence; puis vous dressez votre lapereau avec le ragoût de navets autour.

Lapereaux en papillotes. Prenez des lapereaux, videz-les, coupez-les en morceaux, désossez-les, passez-les dans de fines herbes hachées, faites-les cuire une demi-heure, et préparez-les, du reste, comme les côtelettes de veau. (*Voir Côtelettes de veau en papillotes.*)

Marinade de lapereaux. Ayez deux lapereaux cuits à la broche, laissez-les refroidir, coupez-les par membres, faites-les mariner; lorsqu'ils le seront suffisamment, égouttez-les, mettez-les dans une pâte à frire, faites-les frire de belle couleur, et servez.

Salade de lapereaux. Faites cuire un ou deux lapereaux à la broche, coupez-les par membres, parez-les, dressez-les sur un plat, décorez-les avec des filets d'anchois, des œufs durs coupés par quartiers, des betteraves – si c'est la saison –, des cœurs de laitue, des câpres, de petits oignons cuits, de la fourniture hachée, et servez avec un huilier.

Cuisses de lapereaux a la Mailly. Prenez les cuisses de deux forts lapereaux, élargissez le dedans le plus que vous pourrez sans percer, prenez ensuite les filets du reste des lapereaux, que vous coupez en dés, et que vous maniez avec du persil, ciboules, champignons, sel, gros poivre; remplissez de cette farce l'intérieur des cuisses de vos lapereaux, cousez-les bien; mettez dans une casserole des tranches de veau et des bardes de lard, arrangez dessus les cuisses de vos lapereaux et couvrez-les de bardes de lard; ajoutez-y du sel, gros poivre, bouquet garni et les os de lapereaux; mouillez avec du bouillon et un verre de vin de Champagne, et faites cuire à petit feu.

Quand les cuisses sont cuites à propos, dressez-les sur un plat, passez la cuisson au tamis, dégraissez la sauce, mettez-y une cuillerée de coulis, et servez avec les cuisses des lapereaux.

Lapin cuit dans sa peau. (Recette de M. Vuillemot.) Prenez un lapin de garenne qui ait été pris au furet afin que la peau ne soit pas perforée; faites-lui une petite incision au bas-ventre et une semblable à la peau; écartez la peau, enlevez avec le doigt, aussi légèrement que possible, les intestins et le foie, sans les crever, jusqu'à la couronne; préparez ensuite une farce fine de truffes et champignons, introduisez cette farce à la place des intestins, écartez légèrement la peau afin de donner de l'air entre cuir et chair; recousez cette chair, coulez entre cuir et chair une cuillerée à bouche d'huile d'olive et recousez également la peau. Tout ceci fait, vous suspendez le lapin pendant six heures par les pattes et autant de temps par la tête, puis vous l'embrochez bien soigneusement et le faites cuire à grand feu de broche sans l'arroser, en nettoyant de temps en temps sa peau avec une petite brosse de chiendent; puis, vous le débrochez, vous faites une incision à la queue de votre lapin, et vous ôtez la peau, qui doit se détacher très-facilement en soufflant dessus. Vous dressez sur un plat et servez avec une bonne sauce à la Périgueux.

Ayez bien soin que les pattes de devant soient jointes aux épaules.

Lapereaux en caisse. Ayez deux ou trois jeunes lapereaux : préparez-les, refaites-les, posez-les à un feu nu pour les roidir; faites une caisse de la grandeur de vos lapereaux, frottez-la d'huile, posez-la sur le gril et rangez-y les lapereaux; passez dans du beurre des fines herbes hachées, telles que persil, ciboules, champignons, que vous mettrez dans un linge blanc et que vous tordrez pour en supprimer le jus, qui pourrait ramollir votre caisse; assaisonnez ces fines herbes de sel, poivre, fines épices et versez-les dans la caisse; mettez-la sur un feu doux, ayez soin d'y tourner les lapereaux, et, leur cuisson faite, servez-les.

Mayonnaise de lapereaux. Faites cuire deux lapereaux à la broche, laissez-les refroidir, coupez-les par membres, parez-les proprement, mettez-les et sautez-les dans une mayonnaise, et servez.

LARD

La chair de cochon est généralement lourde et indigeste, surtout pour les personnes qui ne font pas beaucoup d'exercice; mais lorsque le sel l'a endurcie et qu'elle a séché à la fumée, elle est encore plus malfaisante. Tel est le lard.

La graisse de lard, d'ailleurs, devenant ordinairement rance et acrimonieuse, ne peut produire que de mauvais effets sur l'estomac, et quelquefois excorier la bouche et le gosier.

On appelle lard un morceau de cochon où il y a un peu de chair qui tient à la couenne et qu'on met au pot. Le lard des cochons nourris de glands est plus ferme que le lard de ceux qui ne mangent que du son, et par conséquent meilleur.

Nous avons dit à l'article du Cochon tout ce qu'il y a à dire du lard et la manière de le faire.

LARDER

Terme de cuisine qui exprime l'action de passer des lardons à travers une viande avec une lardoire. Pour larder proprement une viande, il faut que les lardons soient gros comme la moitié du petit doigt et bien assaisonnés de sel et de poivre; pour larder à la surface seulement, on n'emploie que de très-fins filets de lard, qui, dans ce cas, sont disposés avec symétrie, et quelquefois figurent des dessins.

Étui à lardoires.

LARDONS

Petits morceaux de lard dont on se sert pour larder.

LAURIER

On ne se sert à la cuisine que du *laurier franc*, ou d'*Apollon*, dont on fait un fréquent usage. On en met dans tous les bouquets garnis, assaisonnement obligé de tous les ragoûts; mais on doit l'employer avec modération, et sec de préférence, afin que la saveur en soit moins forte et qu'il ait moins d'âcreté.

LÈCHEFRITE

Ustensile de cuisine long et plat, possédant à chacune de ses extrémités un bec, ou espèce de petite gouttière afin de recueillir plus facilement le jus qu'elle contient. La lèchefrite est destinée à recevoir la graisse et le jus des viandes rôties, et il est indispensable de la tenir toujours dans un état de propreté parfaite, ce qui ne peut s'obtenir que par un écurage au sable, dont on se dispense trop souvent dans les cuisines.

LÉGUMES

On entend par légumes les grains qui viennent en gousse et qu'on cueille avec la main. On a donné à tort ce nom à une foule de végétaux qui servent à la nourriture de l'homme et des animaux; on ne l'a pas seulement appliqué aux fruits, mais à toutes les parties du végétal, racines, tiges, feuilles, etc.

Ce nom cependant ne doit s'appliquer qu'aux seules plantes de la famille des légumineuses; telles que les pois, les lentilles, les fèves, les haricots, etc.; mais parmi ces légumes, qui tous servent à la nourriture de l'homme, les uns sont sains et d'une digestion facile; les autres, au contraire, d'une digestion laborieuse; on ne doit donc pas en faire sa nourriture exclusive, car cet aliment est lourd et indigeste et ne convient guère qu'aux estomacs les plus vigoureux, aux ouvriers et aux gens de la campagne, accoutumés à une vie laborieuse et pénible.

Nous indiquons à chaque article particulier la façon d'apprêter et de manger les différents légumes.

LENTILLES

Les lentilles sont de deux sortes : il y a la grosse et la fine; celle-ci se nomme lentille à la reine, c'est la plus estimée. Les lentilles s'apprêtent comme les haricots; mais il faut avoir bien soin de les choisir d'un blond clair et cuisant bien, car il y en a qui ne peuvent cuire aisément, même dans les eaux les plus pures.

On en fait des purées pour garnir des potages ou masquer des viandes cuites à l'étuvée.

LÉPORIDE

Il y a quelque chose comme six mille ans que l'on reproche aux savants de lutter contre Dieu sans être parvenus à inventer le plus petit animal.

Fatigués, ils se sont mis à l'œuvre, et, en l'an de grâce 1866, ils ont répondu en inventant le *léporide*.

Cette fois, non-seulement ils faisaient une niche à Dieu, mais encore à M. de Buffon.

M. de Buffon avait dit, en voyant l'antipathie qui existe entre les lièvres et les lapins, malgré la ressemblance qu'il y a dans les deux espèces :

« Jamais les individus ne se rapprocheront. »

M. de Buffon se trompait.

L'antipathie qui existe entre le lièvre et le lapin n'était point une antipathie de race, mais une simple antipathie de caractère. Si rien ne se ressemble plus physiquement qu'un lièvre et qu'un lapin, moralement rien ne se ressemble moins. Le lièvre est rêveur, ou plutôt songeur; il a fixé sa demeure à la surface de la terre : il ne quitte son gîte qu'avec les plus grandes précautions, après avoir tourné dans tous les sens l'entonnoir mobile de ses oreilles. C'est le jour plus particulièrement qu'il fait ses expéditions, ne revenant plus à son gîte quand il en a été chassé deux ou trois fois.

Le lapin, au contraire, va chercher le repos dans un long souterrain creusé par lui, et dont lui seul connaît les détours. Il en sort imprudemment, ne s'inquiétant pas du bruit qu'il fait en en sortant, et c'est presque toujours à la tombée de la nuit qu'il risque ses imprudentes sorties.

Puis, comme il est très-friand de trèfle, de blé vert, d'odorant serpolet, il va chercher dans la plaine ces hors-d'œuvre élégants qui lui manquent dans la forêt : c'est là que le chasseur l'attend à l'affût et lui fait payer son imprudence. On a dit que l'antipathie des lapins et des lièvres était telle, qu'une garenne envahie par des lapins était aussitôt abandonnée par les lièvres, et *vice versa*. C'est parfaitement vrai ; mais cela tient à ce que le lapin, libertin et tapageur, dort le jour et veille la nuit, tandis que le lièvre dort la nuit et veille le jour. Il est évident qu'une pareille différence entre les habitudes doit rendre impossible une même habitation par des êtres si différents l'un de l'autre dans leur manière de vivre.

C'est, au contraire, là-dessus que les savants ont compté. Ils ont réuni une portée de lapins et une portée de lièvres, avant que les uns ni les autres eussent les yeux ouverts, et ils les ont nourris du lait d'un animal, de la vache, qui, n'ayant aucun rapport avec eux, ne pouvait leur inculquer, par la nourriture première, des haines préconçues.

Ils mirent ces deux portées dans une pièce sombre où, lorsque les yeux de leurs nourrissons s'ouvrirent, ils ne purent remarquer la légère différence qui existait entre leurs deux espèces.

Les animaux se crurent tous de la même famille, et, bien nourris, n'ayant aucun motif de querelle, vécurent dans une amitié toute fraternelle jusqu'au moment où les premiers besoins de l'amour se firent sentir chez eux, et se substituèrent aux tendresses fraternelles.

Les savants, qui se relayaient pour ne rien perdre du rapprochement jugé impossible par M. de Buffon, virent un jour avec grand plaisir une hase de lapin et un bouquin de lièvre se rapprocher dans des tendresses plus que fraternelles, puis la petite colonie promit bientôt de s'augmenter dans des proportions qui ne laisseraient plus aucun doute sur le croisement de ces deux races qui ne devaient jamais se rapprocher.

Une vingtaine de petits furent le résultat de ce travail mystérieux de la science ; seulement la nature tint bon : les lapins femelles mirent toujours bas huit ou dix petits, tandis que les femelles de lièvre ne mirent au jour que deux levrauts.

Il s'agissait de continuer l'expérience et de donner un démenti complet à M. de Buffon.

M. de Buffon avait dit : « Si, par suite d'une erreur, d'une faiblesse ou d'une violence, il y avait rapprochement entre les deux races, il en naîtrait des métis impuissants à se reproduire. »

On isola de tous autres êtres de leur espèce cette portée anormale, et, à la grande satisfaction des savants, les enfants suivirent l'exemple des pères et se croisèrent entre eux.

Il s'agissait de donner un nom à cette espèce nouvelle : on l'appela *léporide ;* et on veilla à ce que le croisement se continuât.

Aujourd'hui, nous avons des animaux complètement nouveaux, qui font la joie des savants leurs créateurs, qui leur ont donné le nom de *léporides*. Ils tiennent à la fois du lièvre et du lapin ; seulement, ils sont plus gros que leurs générateurs et pèsent jusqu'à treize ou quatorze livres. Leur chair est plus blanche que celle du lièvre et moins blanche que celle du lapin ; on les met indifféremment à toutes les sauces où l'on met les deux quadrupèdes qui ont pris part à leur création, et l'on ne doute pas que, d'ici à deux ou trois ans, ils ne deviennent assez communs pour prendre une place honorable dans nos forêts et sur nos marchés. On m'a même assuré que déjà plusieurs avaient été vus sur les marchés du Mans et de l'Anjou.

Un de ces animaux m'a été envoyé par la Société d'acclimatation, à la condition expresse que je le mangerais. Je puis affirmer que, soit qu'il fût le fils d'un lapin et d'une hase, ou d'une lapine et d'un bouquin, il n'avait dégénéré ni de son père ni de sa mère.

LEVAIN, LEVURE

Le levain est un morceau de pâte aigrie ou imbibée de quelque acide qui fait lever, enfler et fermenter l'autre pâte avec laquelle on le mêle. Le pain ordinaire doit sa légèreté au levain.

La *levure* est l'écume que forme la bière lorsqu'elle commence à fermenter ; on égoutte cette écume, on la presse, on la réduit en pâte, et elle se conserve très-long-temps. On l'emploie très-souvent dans la pâtisserie.

LEVRAUT

Jeune lièvre. *(V. Lièvre.)*

LIAISON

Se dit en cuisine des sauces épaisses ou liées par le moyen de la farine frite, des jaunes d'œufs ou des coulis.

LIÈVRE

Quadrupède trop connu pour que nous ayons besoin de faire sa description matérielle ; j'ajouterai seulement quelques observations sur son intelligence, qui met parfois en défaut celle des chasseurs et même des chiens.

Lev

Le lièvre se chasse au chien d'arrêt, mais surtout au chien courant; si on le chasse au chien d'arrêt, il part devant vous : c'est au chasseur, selon son adresse ou sa maladresse, de le tuer ou de le manquer.

Si on le chasse au chien courant, il fait deux tours dans la plaine ou dans la forêt, un qui dure vingt-cinq minutes à une demi-heure, l'autre qui dure trois quarts d'heure à une heure et demie : c'est ce que l'on appelle son petit et son grand parti.

Par quelle fatalité le lièvre revient-il toujours à son lancer, soit après son premier, soit après son second parti, ce qui fait que c'est presque toujours près de l'endroit où il a pris chasse qu'il revient se faire tuer?

Il fait assez franchement et sans ruser sa première *randonnée ;* mais à la seconde il ruse, et, quoique son répertoire ne soit pas aussi complet que celui du renard, il arrive parfois à dérouter les chiens et à désappointer le chasseur. Une de ses premières ruses est, arrivé à un endroit où de grandes herbes ou des ronces lui offrent un refuge, qu'il trace aussi exactement qu'avec un compas un cercle de vingt-cinq ou trente pas de diamètre; fait trois ou quatre tours sur le premier tracé de son cercle; puis, réunissant toutes ses forces, fait un bond de côté et se *rase.*

Les chiens, arrivés au point où il a quitté la ligne droite pour prendre la ligne courbe, en font autant que lui et suivent sa trace en tournant en rond; mais là, toute piste leur échappe. Le bond prodigieux qu'a fait l'animal a interrompu la voie; les chiens, déroutés, continuent de hurler, mais comme des animaux qui appellent le chasseur à leur aide. Le chasseur arrive, en effet; mais aussitôt que le lièvre l'entend, il repart, reposé et tout prêt à une course plus longue qu'aucune de celles qu'il vient de faire.

J'ai vu un lièvre employer les mêmes ressources; mais, au lieu de sauter à terre et de chercher un refuge dans les ronces, sauter sur un arbre courbé et aller se dérober dans une touffe de feuilles.

Ce fut mon chien d'arrêt, qui le dénicha et qui, par la fixité de son regard, me le dénonça.

Je tuai donc un lièvre branché, comme j'aurais fait d'un faisan ou d'une gelinotte.

Levraut a l'anglaise. Dépouillez un levraut jeune et tendre sans lui couper les pattes, et, pour qu'il reste en son entier, échaudez-lui les oreilles comme celles d'un cochon de lait; retirez-lui, par une petite ouverture, les poumons et le sang; prenez le foie, ôtez-en l'amer, hachez-le très-menu, faites une panade un peu desséchée avec de la crème, pilez-la avec le foie, mettez autant de beurre qu'il y a de panade, quatre jaunes d'œufs crus, sel, poivre et fines épices; coupez un gros oignon en petits dés, faites-le cuire à blanc et joignez-le à votre farce, avec une pincée de petite sauge que vous aurez passée au tamis;

« *Il ne faut pas courir deux lièvres à la fois.* »

Lièvre à la broche.

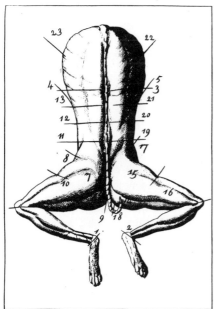

mêlez le tout et incorporez-y le sang du levraut; goûtez cette farce si elle est de bon goût, remplissez-en le corps de votre levraut, cousez-le, cassez-lui les os des cuisses et fixez-lui les pattes de derrière sous le ventre; donnez une attitude à la tête et aux pattes de devant, comme s'il était au gîte; mettez-le à la broche en lui conservant cette position; lardez-le, enveloppez-le de papier, faites-le cuire environ cinq quarts d'heure; avant de le retirer du feu, ôtez-lui le papier, supprimez-en le lard, et servez-le avec une saucière remplie de gelée de groseilles fondue au bain-marie.

LIÈVRES ET LEVRAUTS ROTIS. Dépouillez et éventrez votre gibier, frottez-le de son sang et faites-le refaire sur la braise; piquez-le ensuite de menu lard et mettez-le à la broche, faites cuire et servez chaudement avec une sauce douce faite avec du sucre et de la cannelle, ou une sauce au vinaigre avec sel, poivre et oignons piqués de clous de girofle.

LIÈVRE A LA BOURGEOISE. Prenez un lièvre dont vous coupez les membres; mettez le sang à part, lardez la viande avec du gros lard, faites-le cuire avec du bouillon, une chopine de vin blanc, un bouquet de persil, ciboules, ail, clous de girofle, muscade, thym, laurier, basilic, sel et gros poivre; faites cuire le tout à petit feu. Pilez très-fin le foie du lièvre, passez-le au tamis avec une goutte de bouillon et mêlez le sang avec. Quand ce ragoût est cuit à propos et la sauce tout à fait réduite, mettez-y le sang et le foie passés, faites lier la sauce sans qu'elle bouille, ajoutez-y un peu de câpres entières, et servez.

LEVRAUTS A LA SUISSE. Coupez-les par quartiers, lardez-les de gros lard, faites-les cuire avec du bouillon, un verre de vin blanc, sel, poivre et bouquet de fines herbes. Quand la sauce sera assez liée, ôtez-les du feu et servez-les avec un jus d'orange, après les avoir assaisonnés d'un ragoût fait avec le foie, le sang et un peu de farine mêlés, avec un peu de vinaigre, quelques olives, et un peu de câpres entières.

CIVET DE LIÈVRE. Dépouillez et videz un lièvre, coupez-le par morceaux, en ayant soin de conserver le sang dans un endroit frais. Faites un roux avec un peu de farine et de beurre, faites revenir dans ce roux quelques morceaux de petit salé ou de lard, mettez-y votre lièvre et mouillez-le quand il sera chaud, avec moitié bouillon, moitié vin rouge; ajoutez-y du sel, poivre, bouquet garni, une gousse d'ail, un oignon piqué de deux clous de girofle et un peu de muscade râpée. Quand le lièvre sera à moitié cuit, vous y joindrez le foie et le poumon. Faites cuire à grand feu jusqu'à réduction des trois quarts. Ayez alors deux douzaines de petits oignons que vous glacez dans une casserole avec un peu de beurre, un demi-verre de vin blanc, jusqu'à belle couleur blonde; ajoutez aussi des champignons et des fonds d'artichauts coupés en morceaux; faites aussi, en même temps, frire à l'huile de petits croûtons de mie de pain.

Toutes ces garnitures préparées, vous liez votre civet avec le sang que vous aviez en réserve; dressez alors votre lièvre sur le plat, couronnez-le avec les petits oignons glacés, versez la sauce dessus, ajoutez les champignons, les fonds d'artichauts, le petit salé; garnissez le tout avec vos petits croûtons frits, et servez chaudement.

LEVRAUT A LA BROCHE. Prenez un levraut bien jeune et bien tendre, coupez les deux pattes de devant près de la jointure. Dépouillez-le, videz-le, passez votre doigt entre ses quasis pour le mieux nettoyer, crevez les diaphragmes, retirez les poumons et le foie et mettez-les avec son sang dans un vase; coupez à moitié les pattes de derrière, passez-en une dans le jarret de l'autre, rompez les cuisses vers le milieu, refaites votre lièvre sur le feu, essuyez-le, frottez-le entièrement de son sang avec votre main, piquez-le ou lardez-le, mettez-le à la broche, faites-le cuire environ trois quarts d'heure, retirez-le et servez-le avec une sauce poivrade que vous lierez avec son sang, en ayant soin de ne pas la laisser bouillir.

LEVRAUT AU SANG. Prenez cinq pigeons en vie, tuez-les, mettez le sang sur une assiette, avec un jus de citron pour empêcher qu'il ne tourne, échaudez les pigeons et troussez-les, les pattes en dedans, faites-les blanchir et passez-les avec du beurre, joignez-y un bouquet garni, une tranche de jambon, un ris de veau blanchi, des champignons, truffes. Mouillez avec un peu de réduction et de bouillon, faites cuire et assaisonnez de bon goût, puis liez-le avec le sang, en le remuant sur le feu pour l'empêcher de tourner et sans le laisser bouillir. Laissez refroidir, prenez ensuite un levraut que vous dépouillez et videz en mettant son sang avec celui des pigeons avant que le ragoût soit lié; levez la chair du levraut par filets, hachez-la avec un peu de jambon cru, du persil, ciboules, champignons, ail, liez cette sauce avec cinq jaunes d'œufs et mêlez cette farce avec autant de petit lard coupé en morceaux et haché; foncez ensuite une poupetonnière de bardes de lard, mettez-y la farce, faites un trou dans le milieu pour y mettre le ragoût de pigeons, l'estomac en dessous, recouvrez-le de la même farce et de bardes de lard, mettez un couvercle sur la poupetonnière et faites cuire au four; égouttez-le de sa graisse, dressez-le dans le plat que vous devez servir, en prenant garde de le rompre, et saucez avec un coulis au vin de Champagne.

LEVRAUT SAUTÉ A LA MINUTE. Dépouillez, videz et coupez par morceaux un jeune levraut, mettez-le dans une casserole avec beurre, sel, poivre, épices, faites cuire à un feu vif en remuant tous les morceaux l'un après l'autre afin qu'ils cuisent également. Lorsqu'ils sont fermes et qu'ils résistent sous la pression des doigts, ajoutez d'abord fines herbes, échalotes et persil hachés, quelques champignons, puis une cuillerée à bouche de farine, un verre de vin blanc et un peu de bouillon. Retirez votre ragoût quand il est sur le point de bouillir, et servez.

TERRINE DE LIÈVRE OU DE LEVRAUT. Dépouillez un lièvre, ôtez-en la peau et levez-en les filets, piquez-les d'un moyen lard bien assaisonné, mettez deux ou trois bardes de lard au fond d'une terrine, et quelques tranches de jambon, assaisonnez de sel, poivre, fines épices, arrangez les filets de lièvre dans la terrine et assaisonnez dessus comme dessous, ajoutez des truffes vertes et quelques champignons, couvrez ces filets de tranches de bœuf bien battues avec des bardes de lard, couvrez la terrine de son couvercle, mettez de la pâte autour et faites cuire feu dessus et dessous, sans que le feu soit trop vif. Le tout étant cuit, vous découvrez la terrine, vous ôtez les tranches de bœuf et de lard, dégraissez la sauce, voyez si elle est d'un bon goût, jetez dedans une essence de jambon, et servez chaudement.

PATÉ DE LIÈVRE. Désossez un lièvre par morceaux, piquez les chairs avec des lardons assaisonnés de sel, poivre, épices, échalotes et persil hachés, faites cuire à moitié avec du beurre; hachez le foie avec une livre de lard gras, ajoutez un oignon, une échalote, le quart d'une gousse d'ail, persil, thym et laurier hachés à part, épices, poivre, sel, un petit verre d'eau-de-vie; faites une masse compacte d'un lit de farce d'abord, puis de jambon et autres viandes, de volailles, faites cuire deux heures ou mettez-le en terrine à votre choix.

PATÉ DE LEVRAUT EN FUSÉE. Désossez votre levraut et levez-en tous les filets, hachez-les très-fin, ajoutez persil, ciboules, champignons, une pointe d'ail, une livre de lard râpé, dix jaunes d'œufs; faites une farce avec trois quarterons de lard coupé en petits dés, du jambon coupé de même, une chopine de crème, sel, fines épices mêlées, maniez le tout ensemble, dégraissez votre pâté, mettez au fond des bardes de lard, la viande dessus, couvrez de bardes de lard et d'une abaisse de même pâte et faites cuire environ deux heures.

COTELETTES DE LIÈVRE A LA MELVILLE. (Recette empruntée à M. Legogué, ancien chef des cuisines de lord Melville, ministre de la marine anglaise.) « Si je donne la recette de ce mets, dit cet excellent cuisinier, ce n'est point parce que j'en suis l'inventeur, et que ces côtelettes portent le nom de l'honorable seigneur à qui j'ai eu l'honneur de les servir plusieurs fois; amour-propre d'autrui à part, les côtelettes de lièvre, telles que je vais les décrire, méritent de paraître sur une bonne table et c'est à ce titre qu'elles trouvent naturellement leur place dans ce livre. Et qu'on ne s'imagine pas que la confection de ce mets va exiger le sacrifice de cinq ou six lièvres, comme je lis par exemple dans un livre de haute cuisine que, pour une blanquette de lapereaux, il faut lever les filets de dix lapereaux ; non, il ne nous faudra que deux moitiés de lièvre : il est vrai que ces deux moitiés sont les parties de devant et qu'il est absolument nécessaire de se procurer deux lièvres, mais les deux autres moitiés, les parties de derrière ne seront point perdues, comme nous le dirons tout à l'heure. » Revenons maintenant à nos côtelettes.

Dépouillez et videz deux lièvres dont vous conservez le sang. Enfoncez le couteau le long de l'épine du dos jusqu'à la cuisse et alors, glissant les doigts entre les os et le filet, détachez le filet sans cependant séparer de la cuisse la partie, c'est-à-dire le gros bout qui y tient ; passez la pointe du couteau sous cette partie, en appuyant le pouce sur la peau nerveuse, et faites comme si vous tiriez à vous le filet, la peau nerveuse reste et le filet se trouve aussi détaché et paré tout à la fois. Lorsque vous avez levé de cette manière les quatre filets, vous les étendez sur une table et vous les partagez chacun en trois morceaux ; vous les coupez en biais, de telle sorte qu'ils aient un gros bout et un bout plus fin et plus allongé ; vous les aplatissez bien légèrement et vous les parez en leur donnant la forme de côtelettes, ce qui est facile, puisqu'ils sont coupés en biais.

Prenez alors le petit os qui se trouve dans l'aileron des poulets, taillez-le en pointe par un bout et faites-le entrer dans la côtelette. Faute d'os de poulet, servez-vous des petits os qui sont sur les côtes du lièvre et qui imitent assez bien les véritables os des côtelettes de mouton ou d'agneau.

Les côtelettes de lièvre étant ainsi préparées, assaisonnez-les de poivre et de sel, passez légèrement sur chacune d'elles un pinceau de plumes trempé dans un jaune d'œuf battu, panez-les de mie très-fine. Ayez du beurre fondu bien chaud ; trempez-y les côtelettes, panez-les une seconde fois, passez légèrement dessus la lame d'un couteau pour les lisser ; mettez du beurre fondu dans un plat à sauter ; placez-y les côtelettes de lièvre et faites-les sauter comme des côtelettes ordinaires.

La sauce qui convient à ces côtelettes ainsi préparées se fait de la manière suivante : foncez une casserole avec des tranches d'oignons et des lames de carottes ; prenez les débris sur lesquels vous avez levé les filets, divisez avec le couperet les morceaux qui seraient trop gros, et mettez-les dans la casserole. Mouillez d'un verre de vin blanc et ajoutez une gousse d'ail, deux clous de girofle et un bouquet garni ; faites suer le tout, quand il ne reste plus de mouillement, vous y versez une cuillerée à pot de bouillon pour obtenir l'essence qui s'est formée et que vous passez à travers un tamis après une demi-heure de

cuisson, si vous avez de l'espagnole vous la travaillez avec cette essence ; si vous n'en avez pas, vous mouillez un peu plus les débris et vous faites un petit roux. Au moment de servir, vous liez l'une ou l'autre sauce avec le sang que vous avez mis en réserve.

Quant aux quatre cuisses qui nous restent de nos deux lièvres, elles ne seront pas perdues comme nous l'avons dit ; nous en ferons un civet ou nous les apprêterons de toute autre manière, et vous voyez que notre plat de douze côtelettes à la Melville peut se confectionner sans une dépense bien considérable. Or, ce que nous voulons dans notre cuisine, c'est que tout y soit aussi bon que

Le lièvre pris au gîte. *Illustration de Grandville.*

possible avec les moyens les plus simples et les moins dispendieux.

FILETS DE LIÈVRE PIQUÉS. (Recette du même.) Après avoir levé les filets comme il est dit ci-dessus, vous les piquez entièrement, vous leur donnez une forme arrondie ou en serpenteau, et vous les couchez dans une casserole sur des bardes de lard minces. Vous les garnissez de lames de carottes et de tranches d'oignons et les assaisonnez d'un peu de thym, d'une feuille de laurier, de deux clous de girofle, de poivre et de sel. Mouillez-les avec du bouillon, couvrez-les d'une feuille de papier beurré et faites-les cuire doucement, feu dessus et dessous, pendant trois quarts d'heure. Glacez-les, si c'est nécessaire, et servez dessous soit une sauce poivrade ou piquante, soit une litière quelconque, champignons ou chicorée.

FILETS DE LIÈVRE MARINÉS ET SAUTÉS. Les filets étant piqués, mettez-les, pendant huit jours, dans une marinade faite de la manière suivante : sel, poivre, deux feuilles de laurier, thym, persil en branche, oignons coupés en tranches, quatre clous de girofle, un verre de vin blanc sec et un demi-verre de vinaigre à l'estragon. Quand vous voulez employer ces filets, égouttez-les sur un linge blanc de manière à les sécher, et faites-les sauter comme les côtelettes sautées.

LIMANDE

Poisson plat, plus petit que la sole et le carrelet et facile à reconnaître à sa couleur jaunâtre dessus et blanche dessous. Sa chair est blanche et fort agréable, moins délicate cependant que celle du carrelet.

La limande se prépare comme la sole et le carrelet. *(V. Carrelet.)*

LIMON

Genre de citron avec lequel on fait le plus souvent la limonade et dont nous avons indiqué l'emploi à l'article *Citron.*

SUC DE LIMON. Prenez un demi-cent de limons, coupez-les en deux, pilez-les, retirez-en avec soin tous les pépins et écrasez-en la chair dans un vase quelconque; vous laissez fermenter pendant vingt-quatre heures et vous exprimez le jus que vous épurez en le passant à travers du papier brouillard; vous le versez dans des bouteilles avec un peu d'huile d'olive à l'orifice et vous le mettez à la cave où il peut se conserver très-longtemps, et vous vous en servez au besoin en ayant bien soin d'extraire jusqu'à la moindre goutte d'huile qui pourrait encore se trouver dans le goulot.

LIQUEUR

On comprend en général sous cette dénomination les boissons artificiellement extraites de certains végétaux ou de leurs produits, tels que le raisin, la cerise, etc., ou que l'on compose en combinant l'alcool avec d'autres substances sucrées et plus ou moins aromatiques.

Ce furent les Arabes qui, les premiers, retirèrent par la distillation des liqueurs fermentées, une substance inflammable à laquelle ils donnèrent le nom d'arrak, parce qu'ils commencèrent à la retirer du riz, et que nous appelâmes alcool, qui désigne le produit inflammable de toutes sortes de substances en fermentation.

On a prétendu que les liqueurs ne dataient que de la vieillesse de Louis XIV, et que Fagon, son premier médecin et en même temps chimiste fort distingué, les avait inventées pour reconforter et rajeunir le vieux monarque;

il est avéré cependant qu'on fabriquait, sous le règne de Louis XII, d'excellents ratafias et que les élixirs étaient déjà connus du temps de Charles VII.

On consomme plus ou moins de liqueurs suivant le climat ou la température du pays que l'on habite; dans le Midi, par exemple, où une sensibilité extrême et une chaleur excessive repoussent toute liqueur ou boisson brûlante, on n'en consomme que de douces; dans le Nord, au contraire, les habitants cherchent dans les liqueurs fortes et très-spiritueuses un moyen de se réveiller de l'engourdissement dans lequel les plonge la température froide de leur climat, où elles paraissent souvent faibles et impuissantes à amener la chaleur intérieure du corps, c'est ce qui fit dire à Montesquieu qu'il faut écorcher un Moscovite pour exciter sa sensibilité. Cet abus, presque nul dans la zone torride, augmente à mesure qu'on s'en éloigne, et en Irlande et en Écosse on consomme beaucoup de liqueurs.

Il était même d'usage dans ce dernier pays de donner tous les ans, le jour de la Sainte-Cécile, un grand concert où l'on invitait par billet les plus belles dames de la ville. Après le concert, les souscripteurs se réunissaient dans une taverne et soupaient ensemble; on plaçait ensuite sur la table une boîte qu'on appelait l'enfer et dans laquelle on jetait l'un après l'autre les billets remis aux dames en proclamant leur nom; les billets de celles qui ne trouvaient aucun champion prêt à boire étaient jetés dans la boîte, et celui qui buvait le plus (pourvu qu'il pût terminer cet exploit en avalant d'un seul coup un grand verre qui portait le nom de sainte Cécile et qui à l'ordinaire renversait ivre-mort le buveur) était proclamé vainqueur et autorisé à aller, le lendemain, chez celle dont il avait pris le parti, lui présenter son billet en se glorifiant d'avoir eu l'honneur de s'enivrer pour elle. J'ai connu, dit Odier, des dames en l'honneur desquelles un de ces braves avait bu jusqu'à dix-sept ou dix-huit bouteilles de punch servant à cette débauche, et elles en étaient toutes fières. Il résulte des observations faites par les savants que ceux qui boivent avec excès des liqueurs meurent très-jeunes, ou arrivent à un degré d'abrutissement, d'abattement, d'inquiétude et même de folie encore plus à redouter que la mort.

Bien que la confection des liqueurs concerne plus particulièrement la distillation et la pharmacie, nous avons donné, à leur ordre alphabétique, des recettes de toutes celles que des particuliers peuvent faire.

LOCHE

Petit poisson de rivière de la taille d'un éperlan, et qui s'apprête de même.

LONGE

On appelle ainsi la partie du veau à laquelle le rognon adhère. (Voir à l'article *Veau*.)

LOTTE

Excellent poisson d'eau douce tenant de l'anguille et de la lamproie. On l'apprête dans les cuisines comme l'anguille, et plusieurs personnes les confondent avec les barbotes qui ne le valent point.

LOTTES A LA BONNE FEMME. Limonez des lottes et faites-les cuire avec du vin blanc, de l'oignon coupé en tranches, persil, ciboules, basilic et poivre, girofle et beurre. Cuites, dressez et les servez dans leur courtbouillon.

LOTTES A LA VILLEROI. Limonez des lottes et videz-les sans ôter les foies, foncez une casserole de tranches de veau et de jambon, et faites-les suer trente minutes. A moitié cuites, mettez-y vos lottes, avec sel, poivre, persil, ciboules, champignons, gousse d'ail, citron, laurier, beurre; faites cuire à petit feu. Vous trempez les lottes dans leur sauce, les passez et leur faites prendre couleur au four; passez ensuite la sauce au tamis, dégraissez-la, mettez-y une cuillerée de coulis, faites-la réduire, dressez les ottes dans un plat, la sauce dessus, et servez.

LOTTES AU VIN DE CHAMPAGNE ET AUX CRÊTES. Prenez dix ou douze lottes, échaudez-les, limonez-les, videz-les et gardez-en les foies, piquez-les d'un côté et faites-les cuire dans une bonne braise avec du vin de Champagne; faites une glace avec de la rouelle de veau et du bouillon, glacez-en vos lottes; ayez ensuite une bonne essence dans laquelle vous aurez mis un verre de vin de Champagne, mêlez-y des crêtes cuites dans un blanc, faites-leur prendre quelques bouillons avec les foies de lottes, dressez-les sur un plat en les entremêlant avec les crêtes, et servez chaudement avec un jus de citron.

LOTTES AU LARD GLACÉES. Limonez les lottes, laissez-leur les foies dans le corps, piquez-les d'un côté avec du petit lard, coupez en petits dés une livre de rouelle de veau que vous faites suer dans une casserole, mouillez-la de bouillon, faites-la cuire et passez ce bouillon au tamis; ajoutez-y les lottes, un bouquet garni, une tranche de jambon, faites cuire le tout ensemble, glacez les lottes comme un fricandeau, finissez-les de même, et servez avec un jus de citron.

LOUISE-BONNE

Belle poire d'automne qu'on grille qu'on met en compote ou qu'on mange crue.

Extrait du « *Rôti cochon* »
(Bibliothèque de l'Arsenal).

MACARON

Pâtisserie de menu service et de petit four faite de sucre, de farine et d'amandes douces pilées, taillées en petit pain plat et de figure ronde ou ovale.

MACARONS AUX NOISETTES AVELINES. (Suivant la formule de la maison de Madame, épouse de Monsieur, frère du roi.) Mettez dans un grand poêlon d'office quatre onces d'amandes d'avelines, qu'elles sortent de la coquille, et torréfiez-les sur un feu modéré en les remuant continuellement avec une grande cuiller d'argent; aussitôt que les avelines commencent à se colorer, que la pellicule se détache, vous les retirez du feu pour parer aussitôt les amandes; cette opération faite, vous recommencerez trois fois encore la dose d'avelines afin d'en avoir une livre.

Vous commencez par piler le quart d'avelines qui a été préparé le premier, elles doivent se trouver froides, sans cela, il faudrait attendre qu'elles le fussent; vous aurez soin de les mouiller par intervalle avec un peu de blanc d'œuf pour les empêcher de tourner à l'huile, et lorsqu'aucun fragment n'est plus aperçu, vous retirez les amandes du mortier et vous les remplacez par un autre quart pilé de la même manière et avec les mêmes attentions que les premières. Vous recommencez la même opération jusqu'à ce que la livre d'avelines soit entièrement et parfaitement pilée; vous la réunissez dans le mortier et la pilez avec une livre de sucre et deux blancs d'œufs, pendant dix minutes, ensuite vous y joignez deux livres de sucre passé au tamis de soie que vous aurez travaillé pendant dix minutes avec six blancs d'œufs. Amalgamez parfaitement le tout avec une spatule et après avoir remué cinq à six minutes, l'appareil doit se trouver mollet; pourtant les macarons ne doivent pas s'élargir lorsque vous les couchez; s'ils se trouvent trop fermes, vous y mêlez le blanc d'œuf nécessaire pour qu'ils s'attachent au doigt en y touchant.

Ensuite, vous mettez au four six macarons d'épreuves et après leur cuisson, vous mouillez l'intérieur de vos mains, dans lesquelles vous roulez une cuillerée d'appareil. Couchez les macarons de la grosseur d'une noix muscade et continuez ainsi à former vos macarons, après quoi, vous trempez vos mains dans de l'eau et les posez légèrement sur les macarons, afin de les rendre luisants à leur surface; vous les mettez au four que vous fermez hermétiquement pendant trois quarts d'heure. Vous devez les retirer de belle couleur et de bonne mine.

On doit avoir l'attention de coucher les macarons à un pouce de distance entre eux et de les former aussi ronds que possible. On couche également ces macarons en forme de grosses olives, sur lesquelles on sème de gros sucre et quelquefois mêlé de pistaches hachées. On les garnit encore en forme de hérisson, en piquant à leur surface des filets de pistaches.

MACARONS D'AMANDES AMÈRES. Prenez 500 grammes d'amandes amères que vous moudrez et ferez sécher à l'étuve, puis vous les pilerez avec trois blancs d'œufs, afin qu'elles ne tournent pas à l'huile, vous les mettez dans une terrine avec 1 kilo 500 gr. de sucre en poudre; dressez vos macarons comme il est indiqué ci-dessus et mettez-les au four à un feu très-modéré.

MACARONS D'AMANDES DOUCES. Vous émondez et faites sécher 500 gr. d'amandes douces, comme il est indiqué précédemment, vous les pilez de même et suivez exactement les mêmes procédés, en y ajoutant seulement une râpure de citron que vous mêlez avec le sucre et l'amande, vous dressez et faites cuire de même.

MACARONS SOUFFLÉS AUX NOIX VERTES. Vous épluchez et coupez par filets 500 gr. de noix vertes que vous mêlez avec 75 gr. de sucre et un peu de blanc d'œuf que vous faites sécher au four.

Laissez-les refroidir; préparez la glace avec deux blancs

d'œufs et 1 kilo de sucre très-fin; joignez-y les noix vertes et terminez l'opération comme de coutume.

TOURONS D'AMANDES. Émondez une quantité quelconque d'amandes douces en y ajoutant des pistaches et quelques avelines émondées de même, vous pralinez le tout dans 250 gr. de sucre. Refroidies, ajoutez-y trois blancs d'œufs, une pincée de fleur d'oranger et du sucre en poudre; remuez jusqu'à liaison complète. Dressez comme les macarons et cuisez à four modéré.

MASSEPAINS DE TURIN. Faites une pâte maniable et ferme avec douze cuillerées de fleur de farine, six de sucre en poudre, deux œufs, la râpure d'un citron et environ 25 gr. de beurre bien frais; mêlez le tout ensemble, et dans le cas où deux œufs ne suffiraient pas, ajoutez-en un troisième. Votre pâte étant bien faite, ni trop liquide, ni trop épaisse, vous l'étendez sur une table et la maniez jusqu'à ce que vous puissiez la rouler facilement avec la main; vous en formez alors de petits dessins ou de petits pains très-minces que vous arrangez à mesure sur une feuille de papier beurré; vous dorez les massepains avec deux jaunes d'œufs et vous les mettez à un four assez vif.

MACARONI

Le macaroni a été apporté en France par les Florentins, probablement à l'époque où Catherine de Médicis vint épouser Henri II. Mais la mode n'en fit pas fureur, tout le monde connaît ces longs tuyaux de pâte semblables à de gros vermicelles creux et dont le nom indique assez l'origine.

L'Italie, Naples surtout est la patrie du macaroni, où là, comme chez nous les pommes de terre, préparé de mille manières différentes, en potage, au gratin, toujours accompagné de parmesan râpé, il figure sur toutes les tables, celles des riches comme celles des pauvres : les lazzaroni napolitains ne vivent guère que de macaroni, de figues, d'ail et d'eau glacée. Toutes les espèces de farine avec lesquelles on fait le pain, peuvent servir également à faire le macaroni; mais on emploie de préférence le blé à petits grains serrés qui vient d'Odessa, réduit en semoule; cette semoule convertie en pâte, pilée et écrasée, est mise dans un cylindre métallique enveloppé d'un réchaud, au fond duquel se trouve un crible percé de petites fentes de la largeur qu'on veut donner aux lamelles du macaroni; au moyen d'une pression la pâte est chassée de ce moule, et sort en lanières dont on rapproche ensuite les bords qui se collent et forment ainsi les tubes livrés à la consommation. Les véritables gourmands introduisent dans ces tubes, à l'aide d'une petite seringue, un jus de poisson ou de viande.

Maintenant, passons à la manière dont se préparent ces tubes de pâtes.

Il ne faut pas choisir ces tubes trop gros, mais de la grosseur d'un gros fétu de paille, on les met dans l'eau et le sel ou plutôt dans le bouillon, on les fait cuire aux trois quarts, de manière à ce qu'ils grossissent dans le corps, *ché cresca in corpo.* Vous avez fait d'avance râper trois quarts de fromage de parmesan qui attendent le jus de bœuf dont ils doivent être arrosés.

Voici comment se prépare ce jus de bœuf :

Vous mettez trois livres de pointe de culotte dans une grande casserole avec six tomates et six oignons blancs d'Espagne, vous mouillez votre bœuf, vos oignons et vos tomates avec un consommé fait de la veille; vous laissez bouillir trois heures, vous passez votre bouillon à travers une passoire; vous faites au fond d'une soupière un fond de macaroni, sur ce fond de macaroni vous étendez en le semant avec la main un fond de fromage de parmesan, sur ce fond de parmesan vous étendez avec une cuiller à pot une couche de bouillon mêlé de tomates et d'oignons blancs, dans lequel vous aurez mis sel, poivre, gousse d'ail, et un peu de piment rouge; vous recommencez à étendre une couche de macaroni, sur la couche de macaroni une couche de parmesan râpé, enfin une couche de bouillon aux tomates, au jus de bœuf et aux oignons; vous continuez jusqu'à ce que votre soupière soit pleine, et vous versez le reste de votre casserole sur le haut de votre potage. N'oubliez pas surtout de foncer la casserole de jambon de Mayence qui, cuit et réduit lui-même en bouillie, passera pressé avec un tampon à travers les trous de votre passoire, servira à lier votre bouillon de bœuf de tomates et d'oignons.

Servez en guise de potage, avec un verre d'eau glacée par-dessus.

A Naples, le verre d'eau glacée est de rigueur. (Recette de Mme Ristori.)

Que l'on ne se figure pas que les lazzaroni se donnent toute cette peine pour faire leur macaroni, ils se contentent de faire bouillir leurs pommes d'or avec de l'eau, du sel, du poivre et un peu de piment, s'ils en ont.

MACARONI A LA MÉNAGÈRE. Vous faites bouillir pendant trois quarts d'heure dans l'eau une livre de macaroni avec un morceau de beurre, du sel et un oignon piqué de girofle; vous le faites ensuite bien égoutter et vous le mettez dans une casserole avec un peu de beurre, un quart de fromage de gruyère râpé et autant de parmesan, également râpé, un peu de muscade, de gros poivre, quelques cuillerées de crème, et vous faites sauter le tout ensemble; quand votre macaroni filera, dressez-le et servez.

MACARONI AU GRATIN. Votre macaroni étant préparé comme il est dit ci-dessus, vous le saupoudrez de mie de pain et de fromage râpé, et vous le faites gratiner sous un four de campagne.

TIMBALE DE MACARONI. Vous faites une abaisse un peu mince avec de la pâte brisée, et vous la coupez par petites bandes que vous roulez de manière à en faire de petites cordes; vous beurrez ces cordes l'une après l'autre et les déposez dans un moule en le garnissant entièrement; vous remplissez ce moule de macaroni, sur lequel vous semez moitié parmesan râpé et moitié mie de pain, et vous mettez votre timbale à un four chaud; vous la laissez cuire trois quarts d'heure, et vous la servez.

MACARONI A LA NAPOLITAINE. Cuisez dans l'eau de sel, dressez-le dans la soupière, en alternant les couches de macaroni et de parmesan, arrosez avec du jus et versez sur la dernière couche du beurre fondu dans la proportion d'une demi-livre de beurre pour deux livres de macaroni, et faites cuire le tout ensemble.
Les timbales de lazagnes, de nouilles et de macaroni se préparent comme le macaroni à la napolitaine, seulement on y ajoute une garniture composée de truffes, champignons, crêtes de coq, carrés de jambon maigre et tranches de langue à l'écarlate; le tout marié avec de bon beurre frais, on garnit la timbale de pâte, comme il est dit ci-dessus, et on la met cuire au four de campagne.

MACÉDOINE

On donne ce nom à un mélange de comestibles dont nous avons déjà parlé à l'article *Chartreuse*.

MACÉDOINE DE LÉGUMES PRINTANIERS. Il faut toujours choisir des légumes de première qualité : carottes, navets, pointes d'asperges vertes, haricots verts, petits pois, petits haricots blancs commençant à grossir; on peut y joindre aussi quelques petites fèves de marais, des fonds d'artichauts et des concombres; vous tournez les carottes et les navets et leur donnez des formes variées et gracieuses, vous coupez les haricots verts en losanges et les asperges vertes en petits bâtonnets; vous faites blanchir tous ces légumes, puis vous les égouttez; faites fondre dans une casserole un bon morceau de beurre frais, et, quand il sera fondu, jetez-y vos légumes, en y ajoutant un peu de sucre en poudre; remuez doucement sur le feu; finissez la macédoine

avec quelques cuillerées de béchamel et dressez-la en pyramide sur le plat.
Cet entremets de légumes printaniers forme un des mets les plus agréables et des plus excellents à manger.

MACÉDOINE DE FRUITS TRANSPARENTE. (*V. articles Fruits* et *Glace.*)

MACHE

Herbe potagère que l'on mange en salade en l'associant avec la betterave, le céleri, la chicorée blanche et les endives de conserve. Cette salade, très-tendre et très-savoureuse, est la première du printemps.

MACIS

C'est l'enveloppe intérieure membraneuse du brou de la muscade. On l'emploie fréquemment comme aromate dans la bonne cuisine; on s'en sert aussi quelquefois dans les compositions de l'office.

MACREUSE

On peut appeler cet oiseau *gibier de carême*, car tout le monde sait qù'il est classé parmi les aliments maigres, comme la sarcelle et le bécharut.
La macreuse participe du poisson; elle a l'apparence du canard et demeure presque toujours sur la mer, où elle plonge jusqu'au fond de l'eau pour aller chercher dans le sable les petits coquillages dont elle se nourrit; elle vit aussi d'insectes, de plantes marines et de petits poissons, ce qui contribue beaucoup à donner à sa chair la saveur et le parfum qu'elle possède : la meilleure est la macreuse noire; la grise, qui est la femelle et que les mariniers appellent *bizette*, est pourvue d'un certain goût sauvage et marin qu'aucun assaisonnement ne saurait dominer. Le savoir des plus habiles cuisiniers n'a jamais pu triompher dans

cette entreprise, et la *macreuse au chocolat*, qui est le chef-d'œuvre de l'art, a trouvé peu d'appréciateurs.

MACREUSE ROTIE. Après avoir plumé, vidé et fait revenir votre macreuse, vous la mettez à la broche et l'arrosez en cuisant avec du beurre, du poivre, du sel et du vinaigre, puis servez-la, quand elle est cuite, avec une sauce Robert, ou bien un ragoût fait avec le foie haché bien menu, des champignons ou des mousserons, sel, poivre et muscade; faites cuire le tout ensemble, ajoutez-y un jus d'orange, et servez chaudement.

MACREUSE EN RAGOUT AU CHOCOLAT. Ayant plumé, vidé, lavé votre macreuse, vous la faites blanchir, puis vous l'empotez, avec sel, poivre, laurier, un bouquet de fines herbes; jetez dedans un peu de chocolat que vous aurez préparé comme si c'était pour boire. Préparez en même temps un ragoût avec des foies, champignons, morilles, truffes, mousserons, marrons, ou tel autre ragoût que vous voudrez, et lorsque votre macreuse est cuite, vous la dressez dans un plat, le ragoût par-dessus, et vous servez avec telle garniture que vous jugerez à propos.

MACREUSE A L'ANGUILLE. Plumez et videz votre macreuse, troussez-la comme un canard, faites-la refaire, lardez-la de gros lardons d'anguille, assaisonnez de sel, poivre, persil, ciboules, champignons, ail, le tout haché bien menu; mettez deux noix dans le corps de votre macreuse ainsi lardée, ficelez-la et faites-la cuire dans une bonne braise avec un morceau de beurre, une demi-bouteille de vin blanc, oignons, un bouquet de persil, ciboules, ail, thym, laurier, basilic, sel, gros poivre; quand elle est cuite, à petit feu, retirez-la de la braise, essuyez-la avec un linge, et servez avec une sauce piquante assaisonnée de bon goût.

TERRINES DE MACREUSES EN MAIGRE. Vos macreuses plumées et épluchées, videz-les; gardez-en les foies, détachez la chair de l'estomac sans l'abîmer; ôtez-en l'estomac; faites une farce avec les foies, champignons, truffes, sel, poivre, un peu de fines épices, un morceau de beurre frais, deux ou trois jaunes d'œufs et un peu de farine; remplissez de cette farce le corps de vos macreuses, cousez-les par les deux bouts, mettez un peu de beurre affiné dans une casserole sur le feu; quand il est chaud, farinez vos macreuses et mettez-les dedans; retournez-les, retirez-les ensuite et arrangez-les dans une marmite.

Mettez un petit morceau de bon beurre dans une casserole; quand il est fondu, mettez-y de la farine; étant roux, mouillez-le de bouillon de poisson et videz-le dans la marmite avec un demi-setier de vin blanc, sel, poivre, un oignon piqué de clous, un peu de basilic et persil haché, couvrez la marmite et faites cuire à petit feu. Quand elles

*La chasse
aux macreuses.*

sont cuites, faites-les égoutter, dressez-les dans la terrine, jetez-les dans un ragoût de laitances, de queues d'écrevisses, de truffes, champignons et mousserons, et servez chaudement.

POTAGE DE MACREUSES AUX NAVETS. Faites cuire les macreuses à moitié, à la broche, et ensuite dans une casserole avec un bon morceau de beurre; ratissez des navets, coupez-les en dés ou en ronds, farinez-les et faites-les frire dans du beurre affiné. Lorsqu'ils ont une belle couleur, retirez-les, égouttez-les, mettez-les cuire dans une marmite avec du bouillon de poisson; mitonnez des croûtes de bouillon de poisson, tirez les macreuses, égouttez-les. Garnissez le potage d'un cordon de navets, dressez dessus les macreuses, arrosez-les avec le bouillon de navets, et servez chaudement.

POTAGE DE MACREUSES. Faites bouillir les macreuses dans du bouillon de poisson; quand elles sont cuites, faites mitonner votre potage du même bouillon; mettez ensuite un bon hachis de poisson sur vos macreuses quand vous les aurez rangées sur votre soupe et qu'elle sera suffisamment mitonnée, et servez avec une bonne garniture d'écrevisses.

MADELEINE

Nom d'une sorte de poire estivale.

On donne aussi ce nom à une excellente espèce de pêche autrement nommée *paysanne* et *double de Troyes*. Deux particularités la distinguent, elle est sujette à devenir jumelle, et les fourmis en sont très-friandes.

MADELEINE. Quant à l'excellent gâteau qu'on appelle aussi *madeleine* et qui mérite bien la grande réputation dont il jouit, il est arrivé à un de nos amis une petite aventure que nous allons raconter.

Il y a quelques années, un de nos amis se rendait à Strasbourg, et comme il voyageait en touriste, il s'arrêtait volontiers dans les villes et les villages qu'il traversait pour s'y reposer d'abord, ensuite pour observer les différentes mœurs et coutumes des habitants.

Un jour il s'était remis en route un peu tard, croyant gagner avant la nuit la prochaine ville où il devait se reposer, mais il avait beau se hâter, il n'apercevait aucune trace indiquant une habitation quelconque; enfin, vers onze heures, il aperçut au clair de la lune la flèche sombre et élancée d'une église.

Tout était noir et silencieux, aucune lumière ne brillait plus, et notre voyageur était assez embarrassé de savoir où il trouverait une bonne table pour réconforter son estomac et un bon lit pour reposer ses membres engourdis par la fatigue.

Tout à coup il aperçut dans la nuit une lueur qui semblait sortir du sol, il s'approcha de ce rayon de lumière, le seul qu'il vît, qui représentait pour lui le salut. Il frappa à une porte qui se trouvait à côté de lui et sous laquelle glissait cette lueur qui lui avait fait battre le cœur; un grognement lui répondit d'abord.

Il frappa une seconde fois, mais plus fort, et entendit alors une voix étrange et qui semblait souterraine demander.

— Qui est là et que voulez-vous?

— Je suis un voyageur harassé de fatigue et mourant de faim, répondit le voyageur, ouvrez-moi au nom de Dieu, vous ne vous en repentirez pas.

Puis il entendit des pas s'approcher de la porte, on tira une énorme barre de fer, la porte s'ouvrit et il vit apparaître un homme à figure farouche et toute barbouillée de farine et dont les cheveux et la barbe hérissés contribuaient encore à rendre l'aspect effrayant; cet homme était nu jusqu'à la ceinture.

— Allons, entrez et dépêchez-vous, dit-il au voyageur de sa même voix caverneuse.

Mad

Notre ami ne se sentait pas du tout rassuré, et un moment il eut l'envie de retourner en arrière et d'aller frapper à une autre porte, mais l'homme avait remis la barre de fer, il n'y avait pas moyen de reculer, il en prit donc bravement son parti et entra dans une grande chambre où se trouvait un immense four allumé qui suffisait à l'éclairer tout entière.

— Pardon, monsieur, dit le voyageur très-poliment, je viens de faire seize ou dix-huit lieues, à peu près sans manger, pouvez-vous me procurer, moyennant de l'argent bien entendu, de quoi apaiser ma faim et reposer mon corps?

— Je n'ai que mon lit, répondit l'homme de sa voix rude; quant à manger, nous n'en manquons pas ici, reste à savoir si ça vous plaira.

— Tout me plaira pourvu que je mange; voyons, qu'avez-vous à me donner?

L'homme alla vers une armoire, l'ouvrit et en tira une petite corbeille où se trouvait environ une douzaine de gâteaux de forme ovale et d'une belle couleur dorée.

— Tenez, dit-il au voyageur, goûtez-moi ça et vous m'en direz des nouvelles.

Il mit la corbeille sur une table près du voyageur, et posant ses mains sur ses hanches il le regarda.

Notre ami prit un gâteau et mordit à pleines dents; en une seconde il l'eut avalé tout entier; il en prit un deuxième, puis un troisième, puis un quatrième et à chaque gâteau qu'il avalait ainsi, l'homme qui le regardait toujours souriait avec satisfaction.

Enfin, quand il n'en resta plus dans la corbeille, il lui dit:

— Eh bien, que dites-vous de mes *madeleines?*

— A boire d'abord, fit le voyageur d'une voix étranglée.

L'homme se dirigea de nouveau vers son armoire et en tira une bouteille couverte d'une vénérable couche de poussière, il la déboucha, puis, prenant deux verres, il les remplit, en tendit un à l'étranger.

— Buvez, lui dit-il, je ne voudrais pas vous voir étrangler par *mes amours* de gâteaux.

L'étranger but d'un seul trait, c'était de l'excellent vin de Bordeaux, puis tendant une seconde fois son verre:

— A votre santé, mon brave vous venez de me faire faire un des plus délicieux repas que j'aie faits de ma vie. Mais, dites-moi, comment appelez-vous ces succulents gâteaux?

— Comment, vous ne connaissez pas les madeleines de Commercy?

— Je suis donc à Commercy?

— Oui, et vous venez, sans vous en douter, de manger les meilleurs gâteaux du monde.

Sans partager entièrement l'enthousiasme du brave homme pour ses gâteaux, le voyageur fut forcé d'avouer qu'ils étaient excellents, et que, le besoin aidant, il avait fort bien soupé.

L'homme lui offrit alors son propre lit en disant que lui se contenterait d'un matelas; le voyageur fit bien quelques difficultés, mais enfin il accepta; il alla donc se coucher, dormit d'une seule traite, et fit le lendemain en se réveillant un déjeuner plus solide que son souper de la veille, ce qui ne l'empêcha pas de se munir en partant d'une certaine quantité de madeleines que le bonhomme le força d'accepter en souvenir de la peur qu'il lui avait d'abord faite et de la mauvaise nuit qu'il avait passée.

Les madeleines de Commercy ont en effet une grande renommée. On croit que leur réputation fut faite par le roi Stanislas Leczinski lorsqu'il vint en France.

Voici maintenant une recette qui vient de *Madeleine Paumier, pensionnaire et ancienne cuisinière de Mme Perrotin de Barmond.*

Râpez sur un morceau de sucre le zeste de deux petits cédrats (ou de deux citrons ou bigarades), écrasez ce sucre très-fin, mêlez-le avec du sucre en poudre, pesez-en neuf onces que vous mettez dans une casserole, avec huit onces de farine tamisée, quatre jaunes et six œufs entiers; deux cuillerées d'eau-de-vie d'Andaye et un peu de sel; remuez ce mélange avec une spatule. Lorsque la pâte est liée, vous la travaillez encore une minute seulement. Cette observation est de rigueur, si l'on veut avoir de belles madeleines; autrement, le mélange étant plus travaillé, il fait beaucoup trop d'effet à la cuisson, et cela dispose les madeleines à être compactes, à s'attacher aux moules, à être pelucheuses ou à se ratatiner, ce qui rendrait cet entremets de bien pauvre mine.

Faites ensuite clarifier dans une petite casserole dix onces de beurre d'Isigny; au fur et à mesure que le lait monte dessus, vous avez le soin de l'écumer; lorsqu'il ne pétille plus, cela indique qu'il est clarifié; alors vous le tirez à clair dans une autre casserole, lorsqu'il est un peu refroidi, vous en remplissez un moule à madeleines; vous verserez ce beurre dans un autre moule et ainsi de suite jusqu'au nombre de huit; après quoi vous reverserez le beurre dans la casserole; vous garnissez ensuite de nouveau un moule de beurre chaud et le versez tour à tour dans huit autres moules; enfin vous recommencerez deux fois cette opération, ce qui vous donnera trente-deux moules beurrés.

Il ne faut pas renverser les moules après les avoir beurrés, attendu qu'ils doivent conserver le peu de beurre qui s'égoutte au fond de chacun d'eux.

Après vous mêlez le reste du beurre dans le mélange et puis vous les placez sur un fourneau très-doux, vous remuez légèrement ce mélange afin qu'il ne s'attache pas à la casserole, et aussitôt qu'il commence à devenir liquide, vous la retirez de dessus le feu pour qu'elle n'ait pas le temps de tiédir, ensuite vous garnissez les moules avec une cuillerée de cet appareil et vous les mettez au four, à une chaleur modérée.

MAIGRE

On a donné le nom d'aliments maigres à ceux dont il est permis d'user pendant les jours de jeûne, en opposition des aliments gras dont l'usage est interdit pendant cette période.

Plusieurs personnes ont prétendu que l'abstinence de la viande était incompatible avec la santé; c'est une erreur, et il a été prouvé que ce régime n'avait rien de contraire à la nature de nos corps, pourvu toutefois qu'on apporte quelque attention dans le choix des aliments que l'on désire manger et qu'on n'en pervertisse point la qualité par l'abus des assaisonnements, qui très-souvent est la cause de la mauvaise influence des aliments maigres sur l'organisme humain.

C'est une erreur aussi de prétendre que l'usage des aliments maigres est plus salutaire que celui de la viande, parce qu'ils se digèrent mieux et sont plus nourrissants, qu'ils engraissent et fortifient davantage; qu'ils produisent un sang plus gras, plus laiteux, plus abondant, et donnent par conséquent plus d'embonpoint; mais tout cela dépend du plus ou moins de fermeté ou de faiblesse des estomacs. A ce point de vue, l'aliment le plus parfait sera celui dont les parties auront plus de disposition à se tourner en notre substance : non en cette substance superflue qui ne tend souvent qu'à grossir inutilement le volume du corps, et qui, loin d'augmenter ou d'entretenir les forces, ne sert qu'à les accabler, mais en cette humeur balsamique qui fait le soutien de la vie et d'où les sucs qui nous composent tirent toute leur vertu.

Un aliment, pour être propre à réparer en nous le baume de la vie, ne doit être ni trop solide ni trop aqueux : s'il est trop solide, il ne saurait fournir aux dissolvants de notre corps des parties assez souples pour pouvoir être mises en œuvre; s'il est trop aqueux, il n'en saurait donner qui aient assez de consistance pour recevoir les impressions nécessaires.

Il ne doit pas non plus avoir des principes trop actifs, autrement il agit lui-même sur les principes qui le doivent changer; il ne passe en notre nature qu'après l'avoir considérablement altérée.

Quoi qu'il en soit, il ne peut exister aucun rapport entre le régime maigre et la maigreur du corps, et la preuve, c'est que l'on voit des hommes très-décharnés dévorer beaucoup de viande sans acquérir de l'embonpoint, tandis que les femmes molles et langoureuses subsistent grasses malgré la nourriture végétale la plus légère, ce qui vient à l'appui de ce que nous disions plus haut, que les aliments maigres amènent presque toujours, quand les effets n'en sont pas combattus par une vie agitée et affairée, une obésité précoce et gênante.

On ne nie point cependant que la plupart des aliments maigres, et surtout le poisson, ne soient de bons aliments, mais il ne s'ensuit pas de là qu'ils soient meilleurs que la viande et qu'ils nourrissent davantage : le savant Nonnius, qui a fait un traité exprès pour justifier le poisson, convient pourtant que la viande est l'aliment le plus sain et celui qui produit le meilleur sang, parce que, dit-il, elle a plus de rapports avec les principes de notre corps, et que les principes qui la composent sont plus analogues aux nôtres; les hommes, ajoute-t-il, n'ont abandonné les herbes et les fruits, que parce qu'ils ont trouvé par expérience que la chair des animaux les soutenait davantage.

Quant aux aliments dont il est permis d'user aux repas de collation les jours de jeûne, il y en a tant et ils changent tellement, suivant les climats et les habitudes, que nous ne saurions les indiquer tous ici, et l'Église accorde si facilement des dispenses, que nous y renvoyons nos lecteurs gourmands.

Dans le département de la Seine, l'usage du beurre, du laitage et de ses produits était généralement interdit :

« – Vous ne laisserez servir devant moi, disait Louis XVIII, en 1815, vous ne laisserez servir, pour les collations et les déjeuners de carême, au château, ni chairs, ni poissons, ni résidus de chair ou de poisson, ni œufs, ni lait, ni beurre, ni fromage mou, cuit ou fondu, monsieur le contrôleur, et du reste on nous fera manger tout ce qu'on voudra. »

Mais aujourd'hui, l'archevêque de Paris a bien voulu autoriser l'usage du laitage et des œufs pour les repas de carême, et c'est devenu une très-grande ressource pour les pauvres gens, qui n'ayant pas les moyens de s'offrir du poisson très-cher pendant tout le carême, se voyaient forcés de manger gras, et par cela même se trouvaient menacés de la colère du ciel.

Il est une autre décision qui s'applique à l'abstinence ou continence des breuvages. On nous l'a donnée comme provenant de la Grande-Pénitencerie romaine; nous la reproduisons ici :

« Pour ce qui tient à l'abstinence de boire, afin de ne point rompre son jeûne, on n'y saurait être obligé que pour le jeûne sacramentel en bonne santé, pourvu néanmoins que le malaise enduré par suite de l'altération puisse occasionner une préoccupation qui gêne consécutivement durant plus de dix minutes. C'est à cette règle d'hygiène à déterminer cette relâche pénitentielle. Il n'est permis d'user alors que de boissons purement désaltérantes et nullement nourrissantes, à raison de ce qu'il ne s'agit que de se préserver d'une inflammation d'intérieur. L'emploi du sucre ou du miel est tolérable pour cet effet, mais non celui du vin ou du lait, de la cervoise ou bière, et autres boissons fermentées, sinon dans tous les cas d'incommodités sérieuses, où nulle abstinence n'est de précepte, ainsi qu'il est assez connu. »

LA TABLE D'HOTE

Femme à épaulettes; en vieux françois : épaules-lestes.

L'âne de Buridan entre deux beautés.

...Écoute, mais n'est pas frappée.

N'est pas venu pour l'eau salée.

Possède le moyen de parvenir.

Oublie qu'elle a une nièce.

Connaît le langage des fleurs et celui des yeux.

Agent russe.. cherche à rallier l'Autriche.

A été défait ainsi à Solferino.

Elle est venue pour maigrir.

Les chroniqueuses de la table.

One clergyman... Ce n'est pas maigre...

Le Portor. — Et quand on songe que c'est ce cirage-la qui leur donne ce teint de lys et de roses !...

Qui n'est pas un personnage muet.

L'air de la mère.

Est venue pour engraisser.

Est venue pour se présenter.

Ne lui a pas été humain.

L'ami du genre humain.

Donnerait deux louis pour être à côté de mylord.

Illustration extraite de La Vie Parisienne, 1853.

MAÏS

Sorte de grain, autrement appelé blé de Turquie; il contient beaucoup d'huile et de sel essentiels; on en fait du pain, qui se digère difficilement, qui pèse sur l'estomac, et qui ne convient qu'aux personnes d'un tempérament fort et robuste.

On fait avec de la farine de maïs, du sucre et du lait, une bouillie qu'on appelle *gaudes*. Cet aliment est très-populaire en Bresse et en Franche-Comté. Lorsque les gaudes sont refroidies, il est bon de les couper en tranches, que l'on fait griller et que l'on saupoudre avec du sucre. On peut introduire dans cette bouillie de la moelle de bœuf ou du beurre frais, ce qui la rend plus savoureuse, et quand on y joint des raisins de Corinthe, ou de l'écorce de cédrats confits, on en fait un entremets assez agréable à manger.

QUICHES AU MAÏS POUR GARNITURES. Vous faites cuire de la farine de maïs avec du lait, du sel, du beurre et de la muscade râpée; cette bouillie une fois cuite, vous y ajouterez quelques jaunes d'œufs, que vous ferez lier sans bouillir. Dressez alors de ce mélange à l'épaisseur d'un travers de doigt, étendez-le sur une abaisse de feuilletage et faites cuire le tout sous un four de campagne; vous retirerez ensuite ledit appareil afin de le couper en morceaux carrés de la même grandeur que la moitié d'une carte, et vous vous en servez pour garnir différents plats, tels qu'aloyaux rôtis, civets de lièvre et sautés de chevreuil, matelotes d'anguilles, etc.

MAITRE-D'HOTEL
(Sauce à la)

(V. Sauce et Abatis.)

MALVOISIE

Ce nom est applicable à plusieurs sortes de vins sucrés; on prise surtout la malvoisie de Chypre et de Candie. *(V. Vins étrangers.)*

MANIOC

Plante des tropiques. Son suc est laiteux et très-vénéneux. Mais de la racine, ratissée, lavée et râpée, on retire une fécule nourrissante. Le tapioca se retire de la fécule décantée.

MAQUEREAU

Un des plus beaux et un des plus courageux poissons qui existent. Lorsqu'il passe vivant de la ligne à la barque, il semble fait d'azur, d'argent et d'or.

Souvent le maquereau s'attaque à des poissons beaucoup plus forts que lui et même à l'homme.

Un historien de la Norwége raconte qu'un matelot qui se baignait disparut tout à coup, et, lorsqu'on le repêcha, dix minutes après, il était déjà dévoré en grande partie par des maquereaux.

Ces poissons se rassemblent annuellement pour faire de grands voyages; vers le printemps, ils côtoient l'Islande, le Hittland, l'Écosse et l'Irlande, et se jettent dans l'océan Atlantique, où une colonne, en passant par devant le Portugal et l'Espagne, va se rendre dans la Méditerranée, pendant qu'une autre colonne entre dans la Manche, en avril et en mai, et passe de là, en juin, devant la Hollande et la Frise. On les trouve dans toutes les mers en quantités innombrables; ils passent l'hiver dans la mer Glaciale, la tête enfoncée dans la vase et les fucus; voilà ce qu'on croyait autrefois du moins; mais Bloch, Noël, Lacépède et d'autres pensent qu'il en est de l'émigration des maquereaux comme de celle des thons et des harengs, et que ceux-là comme ceux-ci se retirent simplement dans la profondeur des eaux, à la surface desquelles on les voit reparaître au printemps.

MAQUEREAUX A LA MAITRE-D'HOTEL. Que vos maquereaux soient bien frais; choisissez-les d'égale grosseur, afin que les uns ne soient pas plus cuits que les autres; coupez-leur le bout du bec et le bout de la queue; mettez-les sur un plat de faïence ou de terre, saupoudrez-les d'un peu de sel fin, arrosez-les d'huile, avec du persil, des ciboules, et retournez-les dans cette marinade une bonne demi-heure avant de servir, ou davantage s'ils sont très-gros, et de crainte que leur ventre ne vienne à s'ouvrir, couvrez-les d'une feuille de romaine; cette précaution est pour éviter qu'ils ne perdent leur laite; retournez-les; pour achever leur cuisson, posez-les sur le dos; leur cuisson achevée, dressez-les avec une cuiller de bois, mettez-leur une maître-d'hôtel froide dans le dos, forcée de citron, et saucez-les d'une maître-d'hôtel liée, et servez. *(Voir les articles de ces deux sauces.)*

MAQUEREAUX A L'ANGLAISE. Prenez trois ou quatre maquereaux de la plus grande fraîcheur, videz-les par l'ouïe, tirez-leur le boyau, ficelez-leur la tête, coupez le petit bout de la queue, et ne leur fendez point le dos. Mettez une bonne poignée de fenouil vert dans une poissonnière qui ait sa feuille, et vos maquereaux dessus; mouillez-les d'une légère eau de sel, faites-les cuire à petit feu. Leur cuisson faite, tirez votre feuille, égouttez-les, dressez-les sur votre plat, saucez-les d'une sauce de fenouil, ou de celle dite à groseilles à maquereau. *(Voyez les articles de ces sauces.)*

MAQUEREAUX A LA FLAMANDE. Préparez vos maquereaux comme ceux à l'anglaise, sans leur fendre le dos; maniez un morceau de beurre, avec échalotes, persil et ciboules hachées, du sel et un jus de citron; remplissez-en le centre de ces maquereaux, roulez-les chacun dans une feuille de papier d'office beurrée, liez-la par les deux bouts avec de la ficelle; mettez griller vos maquereaux sur un feu doux et égal, environ trois quarts d'heure. Leur cuisson faite, ôtez-les du papier, dressez-les sur votre plat, et servez.

MAQUEREAUX A L'ITALIENNE. Préparez et faites cuire trois ou quatre maquereaux, comme les vives à l'italienne; leur cuisson achevée, saucez-les d'une italienne blanche, dans laquelle vous incorporerez un morceau de bon beurre. (Voyez l'article *Italienne blanche.)*

FILETS DE MAQUEREAUX A LA MAITRE-D'HOTEL. Levez les filets de trois maquereaux; coupez ces filets en deux, parez-les; faites fondre du beurre dans une sauteuse, et posez-y vos filets du côté de la peau; saupoudrez-les d'un peu de sel, recouvrez-les légèrement de beurre fondu, couvrez-les d'un rond de papier, mettez-les au frais, jusqu'à l'instant de vous en servir, et préparez la sauce suivante :
Mettez deux cuillerées de velouté réduit dans une casserole, persil et échalotes hachés et lavés; faites bouillir votre sauce, ajoutez-y la valeur de trois petits pains d'excellent beurre et un fort jus de citron; prenez vos laitances, faites-les dégorger, blanchir et cuire avec un grain de sel; au moment de servir, mettez vos filets sur le feu, faites-les roidir, retournez-les. Leur cuisson faite, égouttez-les, en épanchant une partie du beurre; dressez vos filets en couronne sur un plat auquel vous aurez fait une bordure de petits croûtons frits dans du beurre ou de l'huile; passez votre sauce, et servez.

MAQUEREAUX AU BEURRE NOIR. Préparez ces maquereaux comme ceux à la maître-d'hôtel; faites-les cuire de même. Leur cuisson faite, saucez-les d'un beurre noir où vous aurez mis sel, vinaigre et persil frit.

MARCASSIN

Jeune sanglier connu en vénerie sous le nom de bête rousse. Le marcassin est excellent à toutes les sauces où l'on met le sanglier, c'est-à-dire à la broche, sur le gril aux oignons; les anciens ne les mangeaient point, mais les châtraient et les lâchaient ensuite dans la forêt; ainsi perfectionnés, c'est le nom que l'on donne aux chanteurs de la chapelle Sixtine, ils deviennent plus gros, plus délicats et moins sauvages.

HURE DE MARCASSIN, SAUCE BERLINOISE. C'est à l'âge de quinze ou dix-huit mois qu'il faut manger les jeunes sangliers, qui jusqu'à cet âge peuvent être considérés comme des marcassins; comme ce sont généralement les chairs musculeuses du cou qui sont recherchées par les amateurs, il faut faire couper la hure avec le cou, un peu long et arrivant jusqu'à la hauteur des épaules. Il est vrai qu'il reste celle des bajoues, peu volumineuse, mais cependant très-délicate.

Flambez la hure, pour en gratter les soies.

Quand la hure est flambée, la faire dégorger pendant une heure, l'égoutter ensuite, fendre la peau du crâne depuis le haut du front jusqu'à la hauteur des yeux, et juste sur le milieu; afin de prévenir le déchirement de la peau, dégager les chairs du bout du museau; scier transversalement sur celui-ci un morceau d'os de trois à quatre centimètres de long, et emballer la hure dans un linge, en la ficelant, mais en ayant soin de ficeler les oreilles en relief, afin de les maintenir droites; masquez le fond d'une casserole longue avec des carottes, des oignons et des racines de céleri grossièrement émincés; passez la hure sur cette couche, la mouiller à hauteur avec moitié eau, moitié vinaigre, ajouter du sel, des grosses épices, thym, laurier, marjolaine, coriandre et genièvre; faire bouillir le liquide, et cuire la hure à feu modéré pendant trois heures, si l'animal est jeune; dans tous les cas, faisons observer que la hure doit être bien cuite, car, en refroidissant, les chairs musculeuses tendent à se raffermir.

Aussitôt que la hure est atteinte au point voulu, la laisser refroidir hors du feu, et dans sa cuisson, la déballer ensuite, parer droit les chairs du cou, vernir la peau sur toutes les surfaces, avec du saindoux coloré à l'aide de caramel bien noir; poser la hure sur un plat long, masquer la déchirure du crâne avec une plaque de beurre, et décorer avec des truffes, du blanc d'œuf cuit et de la gelée; de chaque côté du museau, imiter une défense en beurre; poser alors la hure sur un *pain vert*, de forme ovale, et masquer de graisse blanche, l'entourer à sa base avec une couronne de feuilles de chêne ou d'oranger, et garnir le tout avec des croûtons de gelée.

Cette pièce est dressée pour figurer sur la table; pour la servir, il faut couper les chairs du cou en tranches minces, les garnir de la gelée et faire présenter aux convives la sauce suivante :
Avec trois jaunes d'œufs et la valeur de deux verres d'huile, préparer une sauce mayonnaise froide, en procédant selon la méthode ordinaire, la finir avec deux ou trois cuillerées à bouche de moutarde anglaise et du bon vinaigre; lui incorporer ensuite un peu plus que son volume de gelée de groseilles très-ferme et coupée en petits dés; mêler la gelée sans l'écraser et verser la sauce dans une saucière. Cette sauce n'est pas belle à la vue; mais, pour un amateur, elle a certainement un grand prix.

QUARTIER DE MARCASSIN, SAUCE AUX CERISES. Choisir un quartier de marcassin tendre, frais et sans couenne, enlever l'os du quasi et couper droit le bout du

Rébus extrait du Journal des Chasseurs *de 1844.*

Solution :

La chasse, la pêche et l'agri-culture sont les nourrices de la société.

manche, saler le quartier, le mettre dans une terrine, l'arroser avec la valeur d'un litre de marinade cuite et à moitié refroidie, le faire macérer pendant deux ou trois jours, l'égoutter, l'éponger sur un linge et le placer dans un plafond creux avec du saindoux, le couvrir avec du papier graissé et le faire cuire pendant trois quarts d'heure, en l'arrosant souvent avec la graisse; lui additionner alors quelques cuillerées de sa marinade, et le faire cuire encore pendant une demi-heure, en l'arrosant toujours avec son fond. Quand il est bien atteint, retirer le plafond du four, égoutter le quartier et en masquer la surface avec une couche épaisse de mie de pain noir râpée, séchée, pilée, passée et mêlée avec un peu de sucre et de la cannelle, puis humectée avec du bon vin rouge, mais seulement ce qui est nécessaire pour la lier; saupoudrer cette couche avec de la mie de pain non humectée, l'arroser avec la graisse du plafond et remettre le quartier dans celui-ci, pour le tenir à la bouche du four pendant une demi-heure. Au moment de servir, le sortir, papilloter le manche, le dresser sur un plat, et envoyez à part la sauce suivante :

Sauce aux cerises. Faire ramollir deux poignées de cerises noires et sèches, comme on en vend communément en Allemagne, c'est-à-dire avec les noyaux, les faire ramollir, les piler au mortier, les délayer avec un verre de vin rouge, et verser l'appareil dans un poêlon non étamé, ajouter un morceau de cannelle, deux clous de girofle, un grain de sel et un morceau de zeste de citron; faire bouillir le liquide pendant deux minutes et le lier avec un peu de fécule délayée; retirer la casserole sur le côté du feu, la couvrir, la tenir ainsi pendant un quart d'heure, la passer ensuite au tamis.

Recette de M. Urbain Dubois, cuisinier de Leurs Majestés Royales de Prusse.

MASTIC

Le mastic est à la fois, en Grèce, une liqueur et une confiture; c'est une des productions les plus importantes et les plus précieuses de l'île de Chio. Il est donné par le lentisque, à qui on fait, pour l'obtenir, de légères mais nombreuses incisions au tronc et aux principales branches.

Cette opération se fait depuis le 15 jusqu'au 20 juillet. Pendant ces cinq jours, il découle de ces incisions un suc liquide qui s'épaissit insensiblement, et qui se forme et se recueille en larmes. Vingt et un villages, situés au midi de la ville, donnent cette résine; la plus belle qualité est envoyée à Constantinople, pour le Grand Seigneur; la seconde au Caire, pour le pacha d'Égypte.

Le mastic se ramollit dans la bouche, parfume l'haleine, raffermit les gencives, contribue à conserver la blancheur des dents, donne du ton à l'estomac et porte à la poitrine des émanations balsamiques qui suffisent à vaincre la phthisie pulmonaire prête à se déclarer.

La liqueur du mastic, qui se boit comme toutes les liqueurs, est très-agréable au goût et très-digestive.

MELON

Plante annuelle et rampante, de la famille des concombres. Selon les espèces, le fruit est gros comme une pomme ou comme un potiron. Celui de Honfleur pèse parfois jusqu'à vingt-quatre livres; on dit qu'il croît spontanément chez les Kalmoucks : j'y suis resté pendant les mois d'octobre et de novembre, et n'ai jamais vu un seul melon, quoiqu'à cinquante lieues de là on les récoltât au bord de la mer Caspienne par milliers, et que les plus gros et les meilleurs coûtassent quatre sous.

Il est probable qu'il est originaire d'Afrique; il est sûr qu'il est né dans les pays chauds et qu'il n'est bon que caressé par les rayons du soleil. Le meilleur melon est le cantalou, rapporté de l'Arménie par les Romains; il fut ainsi nommé du village de Cantaloupo, où on le cultiva. Dans tout le midi de la France, nous avons le melon d'eau ou le melon vert, qui, pour quelques gastronomes, égale le cantalou. Naples a son melon national, que l'on appelle *cocméro*, et qui est la nourriture presque exclusive, avec le macaroni, du lazzarone. Sa chair est rouge, avec des amandes noires; mais, en réalité, elle n'a aucune consistance, et c'est de l'eau figée.

Pour rendre le melon digestible, il faut, disent quelques gastronomes, le manger avec du poivre et du sel, et boire par-dessus un demi-verre de madère, ou plutôt de Marsala, puisque le Madère a disparu.

Il n'y a pas d'autre manière de le manger que de le couper par tranches et de le servir entre le potage et le bœuf ou entre le fromage et le dessert.

MERISIER

C'est le prunier des oiseaux; sans être greffé, il porte un petit fruit noir appelé merise. On greffe sur lui la cerise, la guigne, le bigaro; c'est avec le fruit du merisier qu'on fait le kirschenwasser, alcool marquant jusqu'à vingt-six degrés, aussi transparent que l'eau la plus limpide. C'est

surtout en Alsace, en Franche-Comté, en Suisse et en Souabe que l'on distille le meilleur kirsch.

MERLAN

On ignore l'étymologie de ce nom, tandis qu'on s'explique facilement pourquoi, dans le dernier siècle, on appelait les perruquiers des merlans; c'est qu'ils étaient constamment couverts de poudre, comme sont couverts de farine les merlans qu'on va faire frire. Il appartient à la famille des morues, il se pêche en décembre, janvier et février. Il est alors gras et ferme, et commence à avoir des œufs et de la laite vers la fin d'octobre. Il n'y a pas de chair plus saine que celle du merlan; elle est friable, tendre et légère. On la prescrit même aux convalescents. Le meilleur se pêche dans la Méditerranée.

MERLANS FRITS. Ayez plusieurs merlans, écaillez-les, ou plutôt essuyez-les en les pressant légèrement avec la serviette; les écailles viendront toutes seules; coupez le bout de la queue et les nageoires, videz-les, lavez-les, remettez-leur les foies dans le corps, ciselez-les des deux côtés, farinez-les, faites-les frire jusqu'à ce qu'ils soient fermes et d'une belle couleur; égouttez-les, saupoudrez-les d'un peu de sel fin, mettez une serviette sur le plat qui doit les recevoir, dressez-les dessus, et servez.

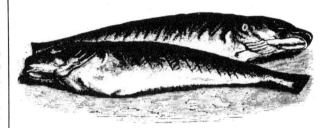

MERLANS A LA HOLLANDAISE, A LA FLAMANDE OU SUR LE PLAT. (*Voyez les* Soles *sous la même désignation.*)

MERLANS GRILLÉS. Préparez vos merlans comme il est dit aux merlans frits, ciselez-les, farinez-les, mettez-les sur le gril, faites-les cuire sur un feu doux, et retournez-les; à cet effet, servez-vous d'un couvercle de casserole que vous poserez sur vos merlans et alors vous renverserez votre gril sens dessus dessous; achevez de les faire cuire; servez-vous encore du couvercle, comme il est dit plus haut, pour les ôter du gril sans les casser; coulez-les sur votre plat et servez dessus une sauce blanche au beurre avec câpres.

MERLANS AUX FINES HERBES. Écaillez vos merlans comme il est indiqué aux merlans frits; appropriez-les de même, mettez-les dans un vase creux dans lequel vous aurez étendu du beurre avec persil, ciboules, sel, muscade; arrangez-les tête-bêche; arrosez-les de beurre fondu; mouillez-les avec vin blanc et bouillon. Cuits des deux côtés, versez leur mouillement dans une casserole, sans les ôter de leur plat; ajoutez-y un peu de beurre manié avec de la farine, faites cuire et liez votre sauce dans laquelle vous exprimerez un jus de citron; mettez une pincée de gros poivre, saucez vos merlans et servez-les.

FILETS DE MERLANS EN TURBAN. Ayez quinze ou dix-huit merlans, levez-en les filets; prenez les douze inférieurs, levez-en les peaux, pilez-en les chairs, faites-en une farce à quenelle (V. l'art. *Farce à quenelle de merlans*); votre farce achevée, faites un fort bouchon de pain, posez le bout le plus étroit sur votre plat; entourez ce bouchon de bardes de lard et dressez autour votre farce en talus; posez-y vos filets, donnez-leur la forme d'une bande de mousseline qui enveloppe un turban : si c'est la saison, garnissez le haut de petites truffes que vous aurez tournées de la forme de grosses perles; humectez vos filets avec un peu de beurre fondu; couvrez le tout de bardes de lard très-minces et par-dessus un papier beurré; faites cuire votre turban au four, avec une légère paillasse dessous; sa cuisson faite, supprimez le bouchon de pain et toutes les bardes de lard; égouttez le beurre de ce turban; versez dans son puits une bonne italienne, et servez. On peut y mettre un ragoût.

FILETS DE MERLANS AU GRATIN. Levez des filets de merlans, étendez-les sur la table les uns après les autres; garnissez-les d'une farce cuite et roulez-les; foncez votre plat d'une assise de votre farce, mettez-y vos filets, couvrez-les de cette farce sur toutes les faces, unissez le tout avec la lame de votre couteau trempée dans de l'eau tiède; donnez à votre gratin une forme régulière, panez-le, arrosez-le avec un pinceau trempé dans du beurre fondu, mettez-le au four, ou sous un four de campagne, avec feu dessus, feu dessous; laissez-les se colorer et arrosez d'une italienne rousse.

MERLANS A LA SYLVIO-PELLICO. (Recette de Ferdinando Grandi.) Prenez un gros merlan, préparez-le pour le farcir en laissant la tête attachée aux filets; mettez-le mariner dans du vin blanc pendant six heures, et farcissez-le ensuite avec une farce de poisson que vous mettrez dans une terrine après l'avoir passé et lui avoir donné le meilleur goût possible; ajoutez-y un oignon moyen que vous aurez lavé et passé au beurre à blanc, donnez un léger goût d'ail et mettez une bonne quantité de fines herbes blanchies; reformez votre merlan sur une grille à poissonnière, faites-lui sur le dos une raie de queue d'écrevisse épluchée et finissez de le garnir sur les côtés en travers

d'un rang d'écrevisses et d'un rang d'huîtres, et ainsi de suite de la tête à la queue. Vous enfoncerez bien cette garniture dans la farce pour qu'elle ne se détache pas; faites cuire le merlan dans la poissonnière avec le liquide de son marinage que vous aurez passé, et vous ajouterez un morceau de beurre frais et un bouquet garni; quand vous l'aurez dressé sur le plat, vous l'entourerez de petites timbales faites avec la même farce dans des moules à darioles dont vous aurez décoré le fond avec des truffes et de la langue en forme de grillage. Ensuite vous garnirez le moule, au fond et à l'entrée de ladite farce que vous remplissez avec des truffes et des champignons masqués avec une sauce. Ceci terminé, recouvrez le moule avec de la farce que vous ferez pocher un quart d'heure avant de servir; vous mettrez dans chaque timbale une belle écrevisse, vous servirez une sauce veloutée où vous mettrez une printanière de légumes que vous aurez passée au beurre et fini de cuire avec du bouillon de volaille; servez le plat avec une demi-glace très-claire, garnissez la tête d'un hâtelet avec trois quenelles que vous ferez blanche, verte et rouge.

MERLANS FRITS A LA PROVENÇALE. (Recette de M. Urbain Dubois, chef de cuisine de S. M. le roi de Prusse.) C'est un mets très-populaire en Provence et qu'on sert surtout la veille de Noël. Verser quatre à cinq cuillerées à bouche de bonne huile dans une poêle pour la chauffer, lui mêler deux cuillerées de farine, cuire celle-ci tout doucement en la tournant à la cuiller jusqu'à ce qu'elle soit de couleur légèrement foncée; lui mêler alors deux cuillerées à bouche d'oignon haché, cuire celui-ci pendant quelques secondes, retirer la poêle du feu et mouiller le roux peu à peu avec de l'eau chaude et du vin; tourner la sauce jusqu'à l'ébullition, la tenir légère et la cuire pendant dix minutes sur le côté du feu, lui additionner un bouquet de persil et une feuille de laurier, l'assaisonner et la faire réduire en la tournant jusqu'à ce qu'elle soit liée à point; en dernier lieu, la finir avec deux cuillerées à bouche de Madère et la passer au tamis dans une casserole plate.

D'autre part, couper cinq à six tranches de merlan frais, les saler, les fariner et les faire frire à l'huile. Quand elles sont de belle couleur, les égoutter et les mettre dans la sauce pour les faire mijoter à feu très doux pendant dix minutes. En dernier lieu, saupoudrer le ragoût avec une pincée de persil haché et deux cuillerées à bouche de câpres entières.

Dresser les tranches de merlan sur un plat chaud et les masquer avec la sauce.

QUEUE DE MERLAN A LA MODE DE CHERBOURG. (Recette du même.) Prendre la queue d'un gros merlan, c'est-à-dire la moitié du poisson, l'écailler, lui couper les nageoires, le laver vivement, l'éponger avec un linge et le distribuer en tranches épaisses. Beurrer grassement le fond d'une casserole plate, saupoudrer le beurre avec deux poignées de parures de champignons, sur celles-ci ranger les tranches de merlan en les serrant l'une contre l'autre, les saler légèrement, leur adjoindre un bouquet de persil garni, les mouiller juste à couvert avec du vin blanc, le jus de deux citrons et la cuisson de trois douzaines de grosses huîtres; couvrir la casserole, la poser sur feu vif et cuire le poisson pendant huit à dix minutes; quand il est à point, le fond doit être réduit de moitié; dresser alors les tranches de merlan sur un plat, retirer le bouquet et faire réduire le fond; s'il était trop long, le lier avec un morceau de beurre manié de farine, donner quelques bouillons à la sauce, la passer à l'étamine et la finir en lui incorporant 100 grammes de beurre fin divisé en petites parties; lui mêler alors les huîtres et avec elles masquer le poisson.

MERLE

Dans toute la France il y a un proverbe qui dit : « Faute de grives, on mange des merles »; la Corse seule, après avoir lutté inutilement pour sa nationalité politique, a lutté avec plus de bonheur pour sa nationalité culinaire, et parmi nos départements, il est le seul qui continue de dire : « Quand on n'a pas de merles, on mange des grives. »

C'est que les merles de Corse ont une saveur toute particulière qu'ils doivent aux baies de genévrier, de lierre, de myrte, de nerprun, aux graines de gui, aux fruits de l'alisier, de l'églantier. Aussi la Corse ne se contente-t-elle pas de manger ses merles, elle en envoie de pleines terrines dans toutes les parties du monde; il suffit, pour les conserver, de verser dans un vase de grès du saindoux fondu et de jeter dans ce saindoux des merles plumés dont on a enlevé les gésiers; le saindoux se prend sur eux, les enveloppe d'une couche de graisse que l'air essaye inutilement de percer, et qui les conserve pendant des années.

M. le cardinal Fesch donnait de fort bons dîners dont les merles de Corse faisaient le principal attrait gastronomique.

Il est bon de tirer de cette graisse autant de merles qu'on en veut manger, de les passer à l'eau chaude pour leur enlever leur enduit huileux, après quoi on les assaisonne comme les ortolans, comme les bec-figues, et enfin comme tous les petits pieds.

Quant aux merles frais, ils subissent tous les modes de cuisson qui s'appliquent aux grives.

MIEL

C'est la substance sirupeuse et sucrée que les abeilles récoltent sur les fleurs, qu'elles élaborent, et déposent ensuite dans les alvéoles de leurs ruches pour s'en nourrir pendant l'hiver. Le miel se trouve dans presque toutes les contrées de l'Europe, car presque partout il y a des fleurs et des abeilles; dans l'Antiquité, c'était sur le mont Hymette que l'on recueillait le plus estimé; aujourd'hui c'est à Narbonne que l'on récolte le meilleur.

Pythagore, suivant le rapport de Laërce, ne vivait que de pain et de miel; il vécut jusqu'à l'âge de quatre-vingt-dix ans et mourut en invitant ceux qui voudraient vivre longtemps à se nourrir des mêmes aliments que lui. Le miel a tenu lieu de sucre pendant très-longtemps aux Gaulois nos ancêtres, et aux Français nos aïeux. Le sucre n'était connu, à cette époque, que sous le nom de miel de roseau : il n'était alors d'usage qu'en médecine.

Le miel a pris sa place chez les apothicaires, et le sucre a remplacé le miel sur nos tables.

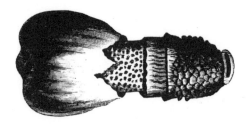

MORILLES

C'est une espèce de champignon printanier, qui ne diffère du champignon ordinaire qu'en ce qu'elle est percée de plusieurs trous, au lieu que le champignon est feuilleté; nous ne sachons pas qu'il soit jamais arrivé d'accidents pour avoir mangé des morilles. Elles excitent l'appétit, fortifient et restaurent l'estomac, et sont d'un grand usage dans les sauces. Les morilles ont précédé de beaucoup les champignons chez les chrétiens, que l'exemple de Claude avait épouvantés.

Une certaine anecdote, dont nous ne garantissons pas l'authenticité, quoique nous la lisions dans la vie de saint Pardoux, vient à l'appui de notre assertion et raconte qu'un jour, un certain paysan, ayant trouvé des morilles, voulait,

Pêcherie à Terre-Neuve.

par respect pour le saint, lui en faire présent. Dans sa route, il fut rencontré par un grand seigneur nommé Raynacaire, qui les lui arracha, et se les fit servir à dîner; mais, par une punition divine, dit le légendaire, elles lui donnèrent des coliques affreuses dont il ne fut guéri qu'avec de l'huile qu'on lui fit avaler et que saint Pardoux avait bénie.

MORUE

Nous avons déjà dit, en parlant du cabillaud, à peu près tout ce que nous avions à dire sur la morue. Cependant il nous reste quelques détails à donner sur elle et sur la manière dont elle s'apprête.

Je ne saurais, dit Anderson, m'empêcher de remarquer ici en passant que ce poisson insatiable a reçu de la nature un avantage singulier, que beaucoup de nos gourmands souhaiteraient pouvoir partager avec lui. C'est que, toutes les fois que son avidité lui a fait avaler un morceau de bois ou quelque autre chose indigeste, il vomit son estomac, le retourne devant sa bouche, et, après l'avoir vidé et bien rincé à l'eau de la mer, il le retire à sa place et se remet à manger.

Parmi les choses que nous avons cru devoir omettre à l'article Cabillaud, voici une brandade de morue que nous extrayons de la cuisine de tous les pays par Urbain Dubois.

BRANDADE DE MORUE A LA MODE DE MONTPELLIER. Prendre la moitié d'une morue salée, épaisse et ramollie à point, la diviser en carrés, mettre ceux-ci dans une casserole avec de l'eau froide, poser la casserole sur le feu et amener le liquide à l'ébullition; au premier bouillon, le retirer. Un quart d'heure après, égoutter la morue sur un tamis, en supprimer aussitôt toutes les arêtes, déposer les chairs et la peau dans une terrine en les brisant.

Faire revenir à l'huile deux cuillerées à bouche d'oignon haché et une gousse d'ail; quand l'oignon est de couleur blonde, retirer la gousse d'ail et mêler la morue à l'oignon dans la casserole, pour la chauffer; la verser aussitôt dans un mortier pour la piler; quand elle est convertie en pâte, la remettre dans la casserole et la travailler fortement avec une cuiller, en lui incorporant peu à peu une demi-bouteille d'huile d'olive; quand cette huile est absorbée, travailler l'appareil encore quelques minutes, lui mêler le jus d'un citron et lui incorporer également la valeur d'un verre d'huile peu à peu. A ce point, l'appareil doit être bien lié et crémeux. S'il était trop léger, lui mêler deux cuillerées à bouche de béchamel un peu serré; dans le cas contraire, quelques cuillerées de bonne crème crue suffisent. Assaisonner l'appareil avec du poivre et muscade, un peu de sel, si c'est nécessaire, une pincée de persil haché; le travailler encore pendant deux minutes et le finir avec le jus d'un citron : il doit alors se trouver consistant, mais délicat, lisse et de bon goût. Le chauffer très-légèrement, sans cesser de le travailler, et le dresser en dôme sur le centre d'un plat long, entre deux croustades en pain taillées à trois quarts de rondeur et collées aux deux bouts du plat. Saupoudrer l'appareil avec quelques lames de truffes, poser sur le haut deux écrevisses entières et une truffe ronde entre les deux; emplir les croustades avec des huîtres frites, piquer deux hâtelets sur ces croustades, les entourer à leur base avec des escalopes de poisson et de truffes, en les alternant, remplir le vide du centre avec un buisson de petites bouchées aux huîtres. Ce mets peut être servi comme relevé de poisson dans un dîner.

Mou

MOUTON

Il existe dans les montagnes de la Grèce, dans les îles de Chypre, de Sardaigne, de Corse, une race de moutons devenue excessivement rare sous le plomb des chasseurs, et que l'on croit être la race primitive de l'espèce actuelle; elle est de la grandeur du daim, et porte des cornes immenses; les moutons du Cap de Bonne-Espérance, ceux de la mer Caspienne, ceux d'Astrakan ont la queue si grosse qu'elle pèse jusqu'à vingt livres, quelques-uns traînent après eux une petite brouette sur laquelle leur queue repose pour que la laine ne soit pas gâtée en traînant à terre.

Ce fut à Don Pèdre, roi de Castille, que l'Espagne fut redevable de l'introduction dans ce pays des moutons de Barbarie, qui ont donné tant de renommée aux laines de Castille; les profits que rapportèrent ces précieux animaux engagèrent les nobles espagnols, à l'instar de leur roi, de visiter et d'élever leurs troupeaux; les jours de la tonte étaient célébrés par des fêtes. Ce fut pour cette cause que les moutons, qui rapportaient à l'Espagne trente millions de rente, étaient appelés les joyaux de la couronne; un bélier de première race n'avait point de prix, et on en vit payer jusqu'à 500 piastres.

Au XVe siècle, Édouard IV, roi d'Angleterre, obtint de la munificence du roi d'Espagne trois mille animaux de cette belle race de moutons, seulement le changement de climat rendit la laine beaucoup plus longue et moins fine; mais le soin extrême que les Anglais ont de leurs troupeaux, et l'extermination entière des loups, leur permirent de les tenir constamment en plein air. Les laines anglaises furent dès lors généralement recherchées; c'est afin de rappeler sans cesse à la nation de quelle importance est ce commerce pour elle, que dans la chambre des lords un sac de laine servait autrefois, et je crois sert encore aujourd'hui, de siège à leur chancelier.

Ce fut encore l'Espagne qui fournit à la France l'espèce nommée mérinos, qui se propagea de plus en plus chez nous, concurremment avec la grande espèce dite des moutons flandrins.

M. Moorcoft dit avoir trouvé, en 1822, en pénétrant dans la Tartarie par les possessions anglaises de l'Inde, une espèce de mouton qui doit être enviée par l'Europe. C'est un animal domestique comme le chien, vivant dans la cour ou sous les toits de son maître, se nourrissant de tout, et partout s'engraissant des restes de la cuisine, mangeant jusqu'aux os qu'on lui jette; il est de petite taille, mais ses particularités, la bonté de sa chair, la finesse, le poids de sa toison, le mettent de niveau avec les races supérieures. Il donne deux agneaux et

autant de tontes, qui rapportent trois livres de laine. En France, les moutons dont la chair est la plus estimée, sont ceux des Ardennes, de Langres, de La Crau et de pré-salé; jeune, le mouton se nomme agneau; sa chair est très-tendre, mais moins succulente; plus tard, s'il n'a pas subi la castration, sa chair est moins estimée que celle de la brebis.

Le mouton est une grande ressource dans tous les pays, mais particulièrement dans ceux où on ne trouve ni auberges, ni cuisines; je veux parler de l'Espagne, des bords du Nil et de l'Arabie. Lorsque l'on traverse des parties de désert, avec quatre ou six Arabes, on convient d'avance, et cela influe sur le prix, ou qu'on les nourrira, ou qu'ils se nourriront eux-mêmes.

Quand on convient qu'on les nourrira, ils ont toujours faim, et il est impossible de les rassasier; quand on convient qu'on ne les nourrira pas, ils déjeunent avec une datte, dînent avec deux, serrent leur ceinture d'un cran après chaque repas, et tout est dit.

En 1833 j'allais de Tunis à un amphithéâtre romain enfoncé de douze à quinze lieues dans le désert; je fis marché avec quatre Arabes pour qu'ils me conduisissent à Djem-Djem; c'est le nom de cette ruine. Les Arabes s'étaient chargés de me fournir ma monture, c'est-à-dire un chameau et de se nourrir eux-mêmes; j'avais emporté dans une espèce de valise en fer-blanc un morceau de viande rôtie, des dattes, du vin, de l'eau et de l'eau-de-vie. Arrivés à la première halte où nous devions coucher, nous nous installâmes pour dîner, et à mon grand étonnement, je vis mes Arabes dîner avec quelques dattes et une banane; j'eus honte de faire relativement à eux un si somptueux dîner quand ils avaient mangé à peine; je leur donnai les trois quarts de mon pain, toute ma viande rôtie, la moitié de mon fruit, et ne gardai que mon vin et mon eau; je leur annonçai alors que le lendemain nous déjeunerions tous ensemble avec un mouton, qu'ils eussent donc à s'en procurer un, ce qui me paraissait chose facile, ayant vu paître, cinq par cinq ou six par six, des bandes de moutons dans tous les endroits où il y avait de l'herbe. On se tromperait en croyant que le désert commence au rivage de la mer; ce n'est que douze ou quinze lieues plus loin que l'on trouve la solitude, la famine et la soif.

Le lendemain, je fus réveillé par le bêlement d'un mouton; un de mes hommes s'était détaché pendant la nuit et, moyennant cinq francs, avait fait l'acquisition d'un bel agneau d'une cinquantaine de livres; deux heures après, nous étions à Djem-Djem, où il était convenu que l'on déjeunerait.

J'avais beaucoup entendu parler de la façon de préparer le mouton au désert, je ne voulus donc rien perdre de ces préparatifs; comme il ne devait être cuit que deux heures après, qu'il ne fallait pas plus de deux heures pour visiter l'amphithéâtre, j'assistai à tous les détails de la cuisson. Les Arabes commencèrent par égorger l'agneau avec tous les détails religieux recommandés par le Koran, puis ils lui ouvrirent le ventre, jetèrent les intestins, conservèrent le cœur, le foie et le poumon, puis ils fouillèrent dans le sac aux provisions, lui remplirent le ventre avec des dattes, des figues, du raisin sec, du miel, du sel et du poivre; après quoi le ventre fut recousu avec le plus grand soin; pendant ce temps, les deux Arabes qui n'étaient pas occupés après l'agneau creusaient avec leur sabre une fosse de deux pieds de profondeur, l'emplissaient de bois sec, auquel ils mettaient le feu, après avoir préparé une autre brassée de bois sec près de celui qui se réduisait en braise; puis ils couchèrent sur ce lit de charbon ardent le mouton avec sa peau, le recouvrant de la brassée de bois qu'ils avaient préparée d'avance et qui prit feu aussitôt; lorsque cette brassée de bois fut brûlée, le mouton se trouva enterré comme une châtaigne sous les cendres; les Arabes alors rejetèrent sur lui une partie de la terre qu'on avait tirée de la fosse où il cuisait; puis ils me dirent d'aller voir l'amphithéâtre tout à mon aise et que, dans une heure et demie, le mouton serait cuit; au bout d'une heure et demie je revins, car j'avais grand'faim et surtout grande envie de goûter à la cuisine de mes guides; sans doute en avaient-ils aussi grande envie que moi, car à peine me virent-ils avec celui des Arabes qui parlait un peu l'italien et que j'avais emmené avec moi, qu'ils se mirent à fouiller leur feu souterrain, et qu'ils en tirèrent le mouton.

Il était rôti comme une pomme de terre dont la peau est brûlée; en le grattant avec un poignard, sa peau prit la belle couleur dorée d'un rôti rissolé dont la cuisson est arrivée à son point; la laine brûlée disparaissait tout à fait, et l'on devinait derrière cette peau, dont pas une gerçure n'avait laissé échapper la graisse, une chair succulente et pleine de sapidité. Je ne savais comment dépecer ce mouton, et je fis signe au chef de notre escorte de l'attaquer le premier.

Celui-ci ne se fit pas prier; il réunit le pouce et l'index, et, de même qu'un vautour eût donné un coup de bec, il lança sa main en avant, il pinça et arracha un ruban de chair; les autres en firent immédiatement autant, et comme je vis que si je ne me pressais pas le mouton serait disparu quand j'en demanderais ma part, je fis signe que je désirais qu'on me laissât faire à mon tour.

Alors je détachai avec mon poignard une épaule de devant, et, peu jaloux de prendre ma part de cette curée à pleines mains, je déposai mon éclanche sur un des plats de mon nécessaire, et comme un enfant en pénitence, je fis mon repas à part; mon Arabe m'avait tenu parole et m'avait rendu mon bidon plein d'eau fraîche.

Je dois dire que j'ai mangé du mouton dans quelques-unes des cuisines les plus renommées d'Europe, mais jamais je n'ai mangé de viande plus savoureuse que celle de mon mouton cuit sous les cendres, que je recommande à tous les voyageurs en Orient.

ROSBIF DE MOUTON A LA BROCHE. Coupez l'arrière-train d'un mouton, brisez les os des cuisses; battez les deux gigots avec le couperet; faites entrer les jarrets l'un dans l'autre, rompez les côtes du côté du flanchet, roulez les deux flancs et passez un hâtelet dans chaque; dégraissez peu les rognons, enfoncez un petit hâtelet dans la moelle allongée; couchez votre rosbif sur fer; attachez bien le petit hâtelet d'un bout et les deux jarrets de l'autre; passez un hâtelet dans les deux noix des gigots, mettez un autre grand hâtelet qui se croise sur celui qui est passé entre les deux noix, attachez-le fortement, enveloppez-le de papier huilé; faites-le cuire une heure et demie ou deux heures, puis servez-le avec du jus dessous ou des haricots à la bretonne.

GIGOT DE MOUTON A LA BROCHE. Battez un gigot mortifié, passez la broche dans le jarret sans toucher la noix, faites-le cuire une heure et demie; puis coupez l'extrémité du jarret, faites au bout de l'os un manche en papier et servez votre gigot avec du jus ou son propre jus.

GIGOT A LA BRAISE. Désossez un gigot d'une chair noire et d'une graisse blanche, mais respectez le manche; lardez-le de gros lardons, avec fines épices, sel, basilic, poivre, persil, ciboules, ficelez-le et donnez-lui sa première forme; cela fait, foncez une braisière avec quelques parures de viande de boucherie, cinq ou six oignons et carottes; superposez votre gigot, arrosez-le de consommé et d'un peu d'eau-de-vie, avec feuilles de laurier, clous de girofle, gousse d'ail et thym; faites-le partir; couvrez-le d'un papier; faites-le aller doucement avec feu dessous et dessus; laissez-le cuire quatre à cinq heures, égouttez-le, glacez-le, et servez-le sur de la chicorée, ou avec son jus, ou tous autres ragoûts qu'il vous plaira.

GIGOT DE MOUTON A L'ANGLAISE. Ayez un gigot comme le précédent; coupez-en le bout du jarret et le nerf du genou; battez-le; couvrez-en la superficie de farine; enveloppez-le dans un linge noué aux quatre bouts; ayez une marmite ou une braisière pleine d'eau, faites bouillir cette eau, et mettez-y votre gigot avec du sel et une botte de navets coupés en tranches; maintenez l'ébullition, retournez le gigot, faites cuire pendant une heure et demie; pendant la cuisson, retirez les navets et faites-en une purée, desséchée et beurrée, salée, poivrée, etc.; mouillez-les peu à peu avec de la crème, ou du lait que vous aurez fait réduire; il faut leur donner assez de consistance pour les dresser comme en pyramide; dressez-les; égouttez votre gigot, posez-le sur le plat, masquez-le avec une sauce au beurre, sur laquelle vous sèmerez des câpres, et servez-le. Joignez votre plat de navets et une saucière, où vous aurez mis une sauce aux câpres blanche. *(Recette Vuillemot.)*

GIGOT A L'EAU. Ayez un gigot comme ci-dessus; mettez-le dans une braisière d'eau bouillante, assaisonnez-le de carottes, oignons, persil et ciboules, deux clous de girofle, laurier, thym, basilic, deux gousses d'ail; faites-le cuire deux heures; égouttez-le, glacez-le, et servez-le avec une sauce espagnole.

GIGOT A LA GASCONNE. Ayez un gigot comme le précédent, lardez-le d'une douzaine de gousses d'ail et d'une douzaine d'anchois en filets, mettez-le à la broche; sa cuisson faite, servez-le avec de l'ail blanchi, cuit, jeté dans l'eau fraîche, égoutté, dégraissé avec de l'espagnole réduite et jus de bœuf.

SELLE DE MOUTON A LA BROCHE. Coupez votre selle de mouton au défaut des hanches, des gigots, et à la deuxième ou troisième côte; braisez les côtes, roulez-en les flancs et maintenez avec des hâtelets; couchez sur fer, comme il est indiqué au rosbif. Faites cuire environ une heure et demie et servez avec un jus clair.

GIGOT EN CHEVREUIL. Battez un gigot mortifié, levez la première peau, piquez-le comme une noix de veau; mettez-le dans un vase de terre avec une poignée de graines de genièvre et une pincée de mélilot; versez dessus une forte marinade dans laquelle vous aurez mis du vinaigre rouge en assez grande quantité; laissez mariner votre gigot cinq ou six jours, égouttez-le, mettez-le à la broche et servez-le à la poivrade.

SELLE DE MOUTON A LA SAINTE-MENEHOULD. Prenez et faites cuire cette selle comme la selle à l'anglaise que vous verrez plus bas; après en avoir levé les peaux, étendez dessus une sainte-menehould, ensuite passez-la avec mie de pain et parmesan râpé, couvrez de beurre, égouttez, mettez au four. Faites prendre couleur, et servez avec un jus clair.

SELLE DE MOUTON PANÉE A L'ANGLAISE. Ayez une selle de mouton et apprêtez-la comme la selle de mouton à la broche : désossez les grandes côtes, roulez les flancs, garnissez-les de quelques parures de mouton sans os, retenez-les avec des brochettes de bois au lieu de hâtelets, ficelez votre selle, foncez une braisière de quelques parures de viande de boucherie, cinq ou six carottes, autant d'oignons, deux ou trois clous de girofle, deux feuilles de laurier, deux gousses d'ail, un peu de basilic et de thym, posez sur ce fond votre selle, mouillez-la avec du bon bouillon, faites-la partir, laissez-la cuire feu dessous et dessus environ trois heures, égouttez-la, mettez-la sur un plafond, ôtez les brochettes de bois, prenez quatre ou cinq jaunes d'œufs, faites fondre une demi-livre de beurre et délayez-la avec vos jaunes d'œufs. Mettez-y un peu de sel, levez la peau de votre selle dans son entier, dorez-la avec votre anglaise et passez-la bien également; faites fondre de nouveau un peu de beurre, arrosez-la, faites-lui prendre belle couleur au four, dressez-la après avoir enlevé le plafond avec deux couvercles de casserole, posez-la sur votre plat, mettez dessous un jus clair et servez. *(Recette de M. de Courchamps.)*

PETITES SELLES DE MOUTONS EN CARBONNADES. Coupez trois carrés de mouton, depuis la hanche jusqu'aux côtes (ce qu'on appelle le filet), de ces trois parties faites six morceaux égaux, donnez-leur la forme d'un cœur allongé, ce qui se nomme queue de paon, ôtez les nerfs et les peaux de vos filets, piquez-les, marquez-les comme la selle de mouton à la sainte-menehould et faites cuire; égouttez-les ensuite, séchez-les en passant au-dessus une pelle rouge, glacez-les et servez-les sous un ragoût de petites racines ou sur de la chicorée, de la purée d'oseille ou une sauce tomate.

ROUCHIS DE MOUTON. Prenez le quartier de devant d'un mouton et dressez-le; levez les côtes du côté de la poitrine; désossez-les jusqu'à l'échine que vous supprimez ainsi que le collet, en épargnant les os de l'épaule; soutenez avec des hâtelets dans le filet, embrochez comme une épaule de mouton; faites cuire environ une heure et servez sur un ragoût à la bretonne.

ÉPAULE DE MOUTON EN BALLON. Désossez une épaule de mouton, coupez de grands lardons, assaisonnez de sel, poivre, fines épices, persil et ciboules hachés et aromates passés au tamis, roulez vos lardons dans cet assaisonnement; lardez les chairs de votre épaule sans en percer la peau; passez avec une aiguille à brider une ficelle tout autour de la peau de l'épaule, donnez-lui la forme d'un ballon, foncez une casserole avec des carottes, des oignons, une feuille de laurier, du thym, du basilic et les os cassés de l'épaule, posez-la sur ce fond du côté de la ficelle, mouillez-la de bouillon, couvrez-la de bardes de lard et d'un rond de papier, faites-la partir; mettez-la cuire deux ou trois heures sur la paillasse avec feu

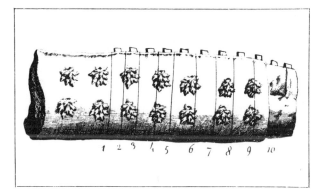

Carré de mouton.

dessus et dessous; égouttez-la, glacez-la; dressez-la sur une purée d'oseille ou de chicorée blanchie, ou bien encore un ragoût de petites racines, et servez.

Côtelettes de mouton au naturel. Vous coupez dans un carré de mouton des côtelettes d'égale grosseur, de deux côtes en deux côtes; si ce carré est trop fort, vous en supprimez une; ôtez l'os de l'échine, posez votre côtelette et levez la peau qui la couvre du côté du filet; aplatissez-la légèrement, parez-la, grattez le dedans de la côte; coupez le bout de l'os de la longueur de trois pouces, suivant la grosseur du mouton; supprimez les chairs de la pointe de l'os, ratissez-le; faites fondre du beurre, trempez-y vos côtelettes, mettez-les sur le gril, faites-les cuire en ne les retournant qu'une fois, sans quoi vous perdez votre jus de viande, et servez-les avec un jus clair.

Côtelettes de mouton panées. Comme les précédentes, et panez avant la cuisson.

Côtelettes de mouton a la Soubise. Coupez vos côtelettes un peu grosses, parez-les, aplatissez-les légèrement, lardez-les de lard et de jambon, autant de l'un que de l'autre, foncez une casserole avec les parures de ces côtelettes, ajoutez-y trois ou quatre oignons, deux carottes, un bouquet de persil et ciboules, bien assaisonnés, rangez vos côtelettes dessus, mouillez-les largement avec du consommé, couvrez-les de bardes de lard et d'un fort papier beurré, faites-les partir, couvrez votre casserole, mettez-la sur la paillasse avec feu dessus et dessous, égouttez-les quand elles sont cuites, laissez-les refroidir, parez-les de nouveau en égalisant la superficie des chairs et supprimant ce qui dépasse des lardons, passez le fond de la cuisson au travers d'un tamis de soie et faites-le réduire jusqu'à consistance de glace; remettez vos côtelettes dans ce fond, retournez-les afin de les glacer des deux côtés; dressez-les, versez dans le rond formé par elles une bonne purée d'oignons au blanc, et faites autour de vos côtelettes une garniture de petits oignons égarés, blanchis et cuits dans du consommé, posez-les de manière à pouvoir planter dans la queue de ces oignons une petite branche de persil, et servez.

Côtelettes de mouton a la minute. Coupez et parez douze côtelettes comme il est dit ci-dessus, mettez-les dans une sauteuse avec du beurre fondu et mettez cette sauteuse sur le fourneau; faites cuire vos côtelettes en les retournant souvent, égouttez le beurre qui se trouve dans la sauteuse et remplacez-le par un peu de glace ou réduction de veau, une cuillerée à dégraisser de bouillon, mettez-y vos côtelettes, en les remuant, afin qu'elles s'imprègnent bien de cette réduction; quand elles sont parfaitement glacées, vous les dressez en cordon autour du plat et vous les arrosez avec la glace que vous aurez liée avec une seconde cuillerée de consommé et un peu d'excellent beurre.

COTELETTES DE MOUTON A LA JARDINIÈRE. Après avoir préparé vos côtelettes et les avoir dressées comme il est indiqué ci-dessus, vous faites un ragoût de toutes sortes de légumes tournés, tels que petites carottes, petits navets, champignons, haricots, petits pois verts cuits dans du consommé et que vous mettez dans une casserole avec trois ou quatre cuillerées à dégraisser d'espagnole; vous faites mijoter et réduire en ragoût, le dégraissez et le finissez avec un petit morceau de beurre et une pincée de sucre en poudre, puis vous jetez ce ragoût dans le fond formé par les côtelettes et arrangez dessus une tête de chou-fleur.

COTELETTES DE MOUTON A LA CHICORÉE. Préparez une côtelette et dressez-la de même que celles à la minute, puis mettez dans le rond une bonne chicorée réduite, soit au blanc, soit au roux.

CARRÉS DE MOUTON A LA SERVANTE. Supprimez l'échine de deux carrés de mouton, piquez-les comme les *carbonnades*, un de lard et l'autre de persil vert en branche, passez un hâtelet au travers, posez-les sur la broche et faites-les cuire trois quarts d'heure en ayant soin de les arroser, puis vous servez sur un plat, les filets en dehors, avec un jus clair.

CARRÉ DE MOUTON EN FRICANDEAU. Parez et piquez de lard fin un carré de mouton, comme celui *à la servante ;* foncez une casserole des débris de votre carré et de quelques parures de viande de boucherie, posez votre carré dessus et joignez-y deux carottes, deux oignons et un bouquet assaisonné; mouillez-le d'une cuillerée à pot de bouillon, couvrez-le d'un papier beurré et faites cuire comme les grenadins de veau; sa cuisson faite, égouttez-le, levez la peau qui couvre les côtés, glacez le filet ou la totalité du carré, servez-le sur une bonne purée d'oseille ou un ragoût de chicorée.

ÉMINCÉ DE FILETS DE MOUTON AUX CONCOMBRES. Otez les peaux et la graisse de la noix d'un gigot froid rôti, coupez-la par filets, que vous émincerez et mêlerez sans ébullition avec éminceé de concombres réduits et bouillants ou avec de la chicorée.

FILETS MIGNONS DE MOUTON. Levez les filets mignons de douze carrés de mouton, parez-les, piquez-les, marquez-les tels que les carbonnades; leur cuisson faite, glacez-les et dressez-les sur un ragoût de concombres au jus, et servez.

HACHIS DE MOUTON A LA PORTUGAISE. Levez la noix et la sous-noix d'un gigot rôti de desserte; supprimez nerfs, graisse et peaux; hachez menu; mettez de l'espagnole réduite dans une casserole et faites-la réduire à demi-glace; mettez-y vos chairs hachées, remuez-les sur le feu sans les laisser bouillir, mettez-y un pain de beurre et un peu de gros poivre, et, dans le cas où votre hachis ne serait pas assez corsé, ajoutez-y un peu de glace de viande, dressez-le sur un plat auquel vous aurez fait une bordure, arrosez légèrement avec une espagnole réduite, posez dessus six ou huit œufs pochés, et servez.

HARICOT DE MOUTON. *(V. Haricot.)*

POITRINE DE MOUTON. Parez deux poitrines de mouton et coupez-en le bout du flanchet et l'os rouge de la poitrine, ficelez-les et faites-les cuire dans une grande marmite après les avoir assaisonnées de bon goût; quand elles sont cuites, vous en levez la première peau, les parez de nouveau, les arrondissez du côté du flanchet, les passez en les saupoudrant avec de la mie de pain, assaisonnez de sel et de poivre, faites-les griller ensuite, et servez avec une sauce au pauvre homme.

COLLETS DE MOUTON A LA SAINTE-MENEHOULD. Parez les bouts saigneux de deux collets de mouton, blanchissez-les, ficelez-les et marquez-les dans une braise faite avec des parures de viande, des bardes de lard, trois carottes, autant d'oignons, dont un piqué de deux clous de girofle, deux feuilles de laurier, du thym, du basilic, deux gousses d'ail, un bouquet de persil et ciboules et du sel; mouillez ces collets avec du bouillon ou avec de l'eau, couvrez-les d'un papier, faites-les partir et cuire ensuite deux ou trois heures feu dessus et dessous; égouttez-les, posez-les sur un plafond, parez-les, couvrez-les d'une sainte-menehould, panez-les avec de la mie de pain mêlée de parmesan, arrosez-les de nouveau, faites-leur prendre couleur dans un four ordinaire, dressez-les et saucez-les avec une bonne italienne rousse.

COLLETS DE MOUTON GRILLÉS. Ayez trois collets de mouton, ôtez-en les bouts saigneux, faites blanchir et cuire ces collets dans la marmite, panez-les ensuite, faites-les griller de belle couleur, et servez-les avec une sauce poivrade ou une sauce au pauvre homme.

QUEUES DE MOUTON GLACÉES A LA CHICORÉE. Mettez dans l'eau tiède cinq grasses queues de mouton; blanchissez; faites cuire comme ci-dessus; une fois cuites, égouttez, essuyez, ciselez, séchez avec une pelle rouge, puis glacez, et servez sur chicorée, purée d'oseille ou tout autre ragoût.

QUEUES DE MOUTON EN HOCHE-POT. Faites blanchir six queues de mouton et mettez-les cuire dans

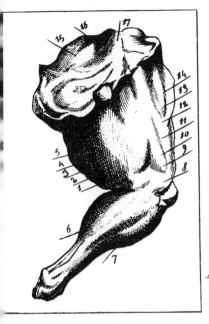

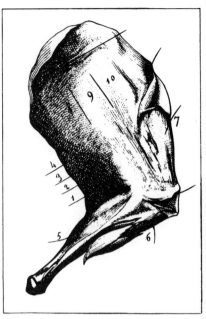

L'Éclanche
plus communément
appelée
le Gigot de Mouton.

L'Épaule
de Mouton.

une braise avec 250 grammes de lard coupé en gros dés, auxquels vous aurez laissé la couenne; faites blanchir quelques carottes, navets, racines de céleri, oignons, et faites-les cuire à part dans du consommé jusqu'à ce que le mouillement soit tombé à glace; jetez ensuite ces légumes dans une casserole où vous aurez mis une quantité suffisante d'espagnole réduite, joignez-y votre petit lard retiré de la braisière et faites cuire le tout ensemble avec une demi-bouteille de vin blanc; dégraissez vos légumes, faites réduire à courte sauce, égouttez les queues, glacez-les comme il est indiqué plus haut, puis dressez vos légumes dans le plat, arrangez les queues dessus, masquez-les avec le ragoût et servez.

QUEUES DE MOUTONS AU SOLEIL. Vos queues de moutons cuites dans une braise, vous faites une sauce aux hâtelets (*V. cette sauce*), laissez refroidir le tout et en garnissez vos queues en ayant soin de leur conserver leur forme; roulez-les dans la mie de pain, faites une petite omelette assaisonnée de sel, trempez-y vos queues, panez-les, faites-les frire, dressez-les sur du persil frit, la pointe en haut, et servez.

TERRINE DE QUEUES DE MOUTONS. Braisez six queues de moutons, joignez-y 500 grammes de petit lard de poitrine, ayez six ou huit ailerons de dindons, échaudez-les, désossez-les à moitié; flambez-les, épluchez-les et poêlez-les. (*V. Poêle.*) Prenez un cent de marrons pelés, mettez-les dans une casserole avec un peu de beurre, sautez-les sur le feu jusqu'à ce qu'ils aient quitté leur seconde peau, faites-les cuire dans une casserole avec du consommé, puis prenez tous ceux qui sont défectueux; vos queues de moutons étant cuites, passez au tamis de soie une partie de leur braise dont vous vous servirez pour mouiller votre purée de marrons en la passant à l'étamine, puis faites-la réduire en y ajoutant une bonne cuillerée d'espagnole, dégraissez-la, égouttez vos queues ainsi que vos ailerons, dressez-les dans la terrine avec votre petit lard coupé en gros dés, ainsi que vos marrons entiers, finissez votre purée avec un pain de beurre, goûtez si elle est de bon goût, versez-la dans votre terrine et servez.

Vous pouvez employer, au lieu de marrons, selon la saison, des lentilles ou des pois.

ROGNONS DE MOUTONS A LA BROCHETTE. Fendez douze rognons de moutons pelés, passez-les dans une brochette de bois, faites-les griller en les retournant de temps en temps, puis retirez-les des brochettes; dressez-les sur un plat, mettez dans chaque un peu de maître d'hôtel froide, faites chauffer le plat et servez après avoir exprimé dessus le jus d'un citron.

ROGNONS DE MOUTONS AU VIN DE CHAMPAGNE OU A L'ITALIENNE. Pelez quinze rognons, émincez-les, faites cuire à la casserole avec du beurre, faites aller à grand feu, égouttez, mettez dans une italienne arrosée d'un verre de champagne et réduite à glace, achevez de les faire cuire en les remuant dans cette sauce sans ébullition, et servez avec jus de citron.

ANIMELLES DE MOUTONS. Ayez deux paires d'animelles dont vous supprimez les peaux, puis vous les coupez en filets de la largeur du petit doigt en ne leur donnant que la moitié de l'épaisseur; marinez-les dans du citron, sel, poivre, quelques branches de persil et quelques ciboules, égouttez-les quand vous aurez à vous en servir, farinez-les, faites-les frire de façon à ce qu'elles soient croquantes et servez-les.

AMOURETTES DE MOUTONS. Comme celles de veaux.

CERVELLES DE MOUTONS. Elles s'apprêtent de même que celles de veaux, mais elles sont moins délicates.

LANGUES DE MOUTONS EN PAPILLOTES. Nettoyez douze de ces langues, faites-les dégorger, blanchissez d'un quart d'heure, rafraîchissez, égouttez, pelez, marquez dans une casserole avec bardes de lard, oignons, carottes, bouquet de persil, ciboules, ail, feuille de laurier; mouillez avec du bouillon, faites partir et cuire trois heures, laissez refroidir, retirez sur un plat et faites autant de cornets de papier que vous avez de langues; hachez des parures de champignons, du persil et des ciboules, mettez le tout dans une casserole avec 250 grammes de beurre, sel, poivre, épices fines, 75 grammes de lard râpé, passez ces fines herbes, faites-les aller à petit feu, remuez-les, ajoutez-y à la fin de la cuisson deux cuillerées à dégraisser d'espagnole ou de velouté, faites mijoter le tout, liez-le avec trois jaunes d'œufs et versez cette sauce sur vos langues, laissez-les refroidir, mettez-en une dans chaque cornet que vous avez préparé en ayant soin de huiler le dehors, remplissez ces cornets de fines herbes, fermez-les et mettez-les griller sur un feu doux; faites prendre couleur et servez.

LANGUES DE MOUTONS AU GRATIN. Prenez et faites cuire dans une braise, comme ci-dessus, des langues de moutons, laissez-les refroidir aussi pour qu'elles prennent du goût, prenez de la farce cuite, garnissez de gratin le fond d'un plat, ouvrez les langues en deux sans les séparer afin qu'elles forment chacune un cœur et posez-les sur ce plat garni; couvrez-les de la même farce en leur laissant leur forme; garnissez-les de gratin tout autour, unissez-les, passez-les, arrosez-les légèrement de beurre fondu; ayez des bouchons de pain que vous tremperez dans ce beurre et dont vous ferez une zone au bord du plat, afin que le gratin conserve sa forme; mettez-le cuire dans un grand four feu dessus et dessous, pour bien le faire gratiner, ayez bien soin qu'il ne brûle pas et qu'il prenne une belle couleur; au moment de servir, ôtez les bouchons de pain et mettez-en

d'autres passés dans du beurre et qui soient d'une belle couleur, saucez d'une belle italienne rousse et servez.

LANGUES DE MOUTONS AU PARMESAN. Faites cuire vos langues dans une braise, peu salée, laissez-les refroidir dans cette braise, fendez-les en deux, mettez dans le fond d'un plat de l'espagnole ou du velouté, saupoudrez le dessus de parmesan râpé; arrangez les langues sur ce parmesan, arrosez-les de votre espagnole, couvrez-les de parmesan, joint à de la mie de pain à peu près la quantité saupoudrée sur le fond du plat dont il est parlé plus haut, arrosez-les d'un peu de beurre, mettez-les au four avec feu dessus et dessous, faites prendre belle couleur et servez.

PIEDS DE MOUTONS A LA POULETTE. Ayez une ou deux bottes de pieds de moutons suivant la quantité que vous voulez faire; prenez-les l'un après l'autre, supprimez-en le bout des ergots, fendez le pied jusqu'à la jointure de l'os, ôtez-en l'entre-fourchon, où il se trouve une petite pelote de laine appelée vulgairement le ver; parez le haut du pied, flambez-le, épluchez-le, supprimez-en le gros os, ensuite faites blanchir ces pieds, essuyez-les avec un linge, mettez-les dans une braisière, mouillez-les avec un blanc, laissez-les cuire cinq ou six heures, égouttez-les, mettez-les dans une casserole avec une cuiller à pot de velouté, faites-les mijoter, assaisonnez de sel, gros poivre, persil blanchi; au moment de les servir, liez-les avec trois jaunes d'œufs environ; finissez-les avec un filet de verjus, de vinaigre ou d'un jus de citron, et servez.
Dans le cas où vous n'auriez pas de velouté, faites un petit roux blanc.

PIEDS DE MOUTONS A LA SAUCE ROBERT. Préparez ces pieds comme ceux à la poulette, et leur cuisson achevée, mettez-les dans une sauce Robert, faites-les mijoter, assaisonnez-les, finissez-les avec un peu de moutarde, qu'ils soient de bon goût, et servez.

PIEDS DE MOUTONS A LA RAVIGOTE. Préparez ces pieds de moutons comme ci-dessus, faites-les cuire dans un blanc, sautez-les dans une ravigote froide, dressez-les et servez.

HACHIS DE MOUTON A LA MOUSQUETAIRE. Hachez la viande; faites sauter dans le beurre des champignons, également hachés, jusqu'à ce que le beurre soit tourné en huile; on y ajoute alors quelques cuillerées de consommé, autant de sauce espagnole, et on fait réduire le tout à moitié; on verse cette sauce sur le hachis, on mêle le tout, et on le dresse avec des croûtons à l'entour. A défaut de sauce espagnole, on jette un peu de farine sur les champignons; ajoutez bouillon, sel, poivre, laurier, et on fait réduire.

MULET

Petit poisson qui se trouve dans les étangs et dans les rivières. (*Voir pour sa préparation l'article :* Surmulet.)

MURE

Fruit du mûrier.

Il y a deux espèces de mûriers : le *mûrier blanc*, dont les fruits sont utilisés pour la nourriture des oiseaux de basse-cour, qui les mangent avec plaisir, et dont nous n'avons pas à nous occuper ici, et le *mûrier noir*, qui porte de gros fruits suaves appelés mûres, dont le parfum et la saveur sucrée charment les gourmets. On le croit originaire de la Perse ou de la Chine; mais depuis longtemps il s'était propagé en Orient, d'où il passa sans doute en Italie.

Les poëtes anciens ont chanté ce végétal, dont le feuillage les aura séduits : Ovide, dans la fable de *Pyrame et Thisbé*, fait périr ces deux infortunés sous un de ces arbres, et la fiction dit que leur sang, en arrosant ses racines, communiqua une teinte pourpre noire aux fruits, qui précédemment étaient blancs, et qu'à la prière de Thisbé, les dieux leur conservèrent cette couleur sinistre pour rappeler la catastrophe des deux amants. Virgile s'est plu à peindre dans une de ses églogues une naïade barbouillant la face de Silène avec le suc empourpré des mûres. Horace, dans ses vers, donne pour précepte de manger des mûres à la fin du repas, afin de se bien porter pendant les jours brûlants de l'été. Pline, au contraire, les dit malsaines à ce moment du repas, et rapporte que le mûrier est appelé le plus sage des arbres, parce qu'il ne végète que quand le froid est passé, et qu'alors son expansion a lieu avec bruit et s'exécute dans l'espace d'une nuit.

Les fruits du mûrier sont alimentaires, rafraîchissants, laxatifs. Les Romains en faisaient un médicament qui s'administrait pour tous les maux. Aujourd'hui, on en fait le sirop de mûres, que les médecins conseillent en général dans les maladies inflammatoires, et dont nous allons donner la recette.

Sirop de mures. Prenez un panier de mûres pour en retirer à peu près un litre de jus; mettez-les sur le feu dans un poêlon avec un litre d'eau environ, et faites-leur prendre plusieurs bouillons jusqu'à ce que les trois demi-setiers soient réduits à une chopine; égouttez les mûres sur un tamis; clarifiez trois livres de sucre que vous ferez cuire au boulet; jetez-y votre jus de mûres, faites-lui donner un bouillon et écumez-le; vous prendrez la cuisson qui est la même que pour les autres sirops, au petit perlé, en y ajoutant un peu d'eau si elle était trop forte, afin qu'elle se trouve au degré qu'elle doit avoir, videz ensuite votre sirop dans une terrine, laissez-le refroidir et mettez-le en bouteilles.

MUSCADE

On appelle *noix muscade*, ou simplement *muscade*, le noyau ou partie centrale du fruit du muscadier aromatique.

On obtient de la noix muscade deux huiles : une huile concrète, que l'on appelle beurre de muscade, et que l'on retire des muscades en les faisant bouillir dans l'eau, et une huile volatile, quelquefois prescrite dans certains médicaments.

On emploie de préférence dans les compositions sucrées de la cuisine le macis, espèce de brou qui enveloppe la noix muscade, dont la saveur est plus délicate.

MUSCAT

Espèce de raisin dont le suc et la pellicule ont un arôme violent. Les meilleures espèces de muscat sont ceux de la Provence et du Languedoc, c'est-à-dire de Frontignan, de Rivesaltes, de Lunel et de la Ciotat. Il en existe plusieurs variétés qui croissent dans les jardins et dans les vignes.

On donne aussi ce nom à plusieurs espèces de poires.

Compote de raisin muscat. Otez les pépins et les peaux, et faites prendre deux bouillons dans un sirop cuit à la grande plume.

Vous colorez la compote suivant la couleur du fruit que vous avez employé; si c'est du muscat rouge ou violet, vous mettez dans votre sirop une demi-cuillerée de teinture de cochenille; si c'est du muscat vert, vous employez du suc d'épinards cuit et blanchi, afin de donner à votre composition une belle couleur vert tendre.

Muscat confit au liquide. Vous prenez du muscat encore un peu vert, vous en ôtez les peaux et les pépins, et vous le mettez reverdir dans un peu d'eau sur de la cendre chaude; au bout d'une heure, vous le passez au sucre cuit à la plume, et vous faites bouillir à grand feu pendant sept à huit minutes, puis vous le laissez refroidir et le versez dans les tasses où vous devez le conserver.

Muscat confit au sec en grappes. Vous faites cuire du sucre à la grande plume et vous y rangez le fruit; faites-lui prendre quelques bouillons couverts, écumez-le bien, et, votre sucre étant venu au perlé, tirez le fruit, égouttez-le, dressez-le sur des feuilles d'office et laissez-le sécher à l'étuvée.

Muscat confit a l'eau-de-vie. Vous faites tremper huit jours dans l'eau-de-vie du raisin sec de Damas; vous mettez trois quarts de cette eau-de-vie sur un quart de sirop ordinaire, passez ce mélange à la chausse, et le versez sur votre raisin.

Mus

RATAFIA DE MUSCAT. Écrasez de ce raisin bien mûr, pressez-en le jus dans un linge fort et bien net, passez-le à la chausse, mettez-y fondre du sucre, ajoutez autant d'eau-de-vie que de jus de fruit, et, pour l'assaisonner, un peu d'esprit de macis et de muscade distillé; laissez infuser ce mélange avant de le clarifier, et joignez-y, pour le parfumer, un grain d'ambre.

GELÉE DE RAISIN MUSCAT. Exprimez-en le jus, tamisez-le, coulez-le dans du sucre cuit ou cassé, faites-lui prendre quelques bouillons, et votre gelée sera faite quand vous la verrez tomber en nappes de l'écumoire.

CONSERVE DE MUSCAT. Écrasez le raisin, passez-en le jus au tamis, faites-le dessécher, et délayez-le avec du sucre cuit à la grande plume. Il faut une livre de sucre pour une livre de fruits.

GLACE AU RAISIN MUSCAT. (V. Glaces et Sorbets.)

NAVETS

Les légumes eux-mêmes ont leur aristocratie et leurs privilèges : il est reconnu que les trois meilleures espèces de navets qu'on peut cultiver sont ceux de Cressy, de Belle-Isle-en-Mer et de Meaux; mais, soit intrigues, soit adresse, ce sont les navets de Freneuse et de Vaugirard qui fournissent aujourd'hui à la consommation de Paris. La première recette qui nous tombe sous la main est celle des *navets à la d'Esclignac*. Qui a pu valoir à M. d'Esclignac l'honneur de donner son nom à un plat de navets? Il n'y a rien de plus curieux à étudier, sous ce rapport, que les livres des cuisiniers et les étranges fantaisies qu'il leur prend de saucer, de mettre sur le gril et de faire rôtir nos grands hommes.

Voilà ce que nous trouvons dans un seul, à l'article Potage :

Potage à la Demidoff.
— à la John Russell.
— à l'Abd-el-Kader.
— à la ville de Berlin.
— à la Cialdini.
— au 15 septembre 1864.
— au héros de Palestro.
— à la Lucullus.
— à la Guillaume Tell.

Potage au mont Blanc.
— à la Magenta et à la Solferino.
— aux Dardanelles.
— à la Dumas.
— à la Thérésa.
— à la mère l'Oie.
— à la Rothschild.

Si nous passons du potage aux hors-d'œuvre, nous trouvons, sans nous rendre compte du motif :

FRITURES SIBÉRIENNES

Petits soufflés au Caire.
Petits pâtés à la Turbigo.
Petits pâtés Inkermann.
Filets de merlans à la Durando.
Petites timbales à la Garibaldi.
Friture au prince impérial.
— à la Louisiane.
— à la Capodimonte.
— à l'Africaine.

Friture au nouveau monde.
— à la fleuriste florentine.
Petites timbales à la Titus.
Soufflés à la Marc Aurèle.
Pâtés Omer-Pacha.
Petites bouchées aux vrais amis.
Bâtons à la Palmerston.
Petits soufflés à la Cellini.
Petits soufflés au désir.

RELEVÉS

Turbot à la lord Byron.
Esturgeon à l'Arioste.
Truite à l'union universelle.

Pièce de bœuf à la Napoléon III.
Gigot de mouton à la Jean-Jacques Rousseau.

Matelote à la botanique.
Filet de turbot au prince Humbert.
Esturgeon aux flottes réunies.
Culotte de bœuf à la Dante Alighieri.
— à la Napoléon Iᵉʳ.
Filet de bœuf à la Jules César.
Poulet aux cinq journées de Milan.
Bécasse au quadrilatère vénitien.
Pyramide à la rentrée des armées.
Poularde aux Florentins du 27 septembre 1859.

ENTRÉES CHAUDES

Suprême de volaille à la Lucullus.
Poularde à la Scipion l'Africain.
Caille à l'aigle romaine.
Ortolan à l'indépendance.
Poularde au prince Albert.
Bécasse au prince de Galles.
Lièvre à la Dante de Castiglione.
Perdrix rouge à la maréchal Ney.

Croustade de gibier aux Trois mousquetaires.
Mauviettes aux frères Bandiera.
Saumon à la don Juan.
Poularde au premier soldat de l'indépendance italienne.
Perdreau à la Cimarosa.
Côtelette de veau au doge de Venise.

FROIDES

Galantine de dindonneau au roi de Perse.
Pain de caneton à la Michel-Ange.
Pâté de gibier au grand Frédéric.
Cochon de lait de Gemma [1].
Chaud-froid de caille à la Charles-Albert.
Timbale d'huîtres à la Raphaël.
Filet de turbot à la lettore Fieramosca.

Mayonnaise de homard à la Nicolo dei Lapi.
Mayonnaise de thon à la Vespucci.
Chaud-froid de ris d'agneau à la Brunellesco.
Homard à la Borgia.
Mayonnaise de poisson aux quatre ports de mer.
Galantine de chapon à la Persano [2].
Hure de sanglier à la Machiavel.

ROTS

Oie à la Nelson.
Dindonneau à la Tibère.

Ortolan à la sultane
Poulet au roi de Rome.

Poularde à la Dame aux camélias.
Dindonneau à la paix européenne.
Oie à la don Carlos.
Cochon de lait à la Washington.
Jambon à la reine Victoria.
Filets de volaille au grand poëte.
Tortue à la Saïd-Pacha.
Poulet nouveau à la Nélaton.
Tête de veau à la Girardin.
Filets de faisan à l'impératrice Eugénie.
Rognons de chapon à l'amitié.
Filets mignons de dindonneau au souvenir.

1. Gemma de Vergy, à qui son mari jaloux fit manger le cœur de son amant.
2. L'amiral Persano est celui qui fut battu à la bataille de Lyssa.

Nous pourrions pousser plus loin la liste de ce cuisinier historique, qui est en même temps un excellent cuisinier, auquel nous ne nous priverons pas, en le citant, bien entendu, d'emprunter quelques-unes de ses étranges recettes.

Revenons à nos navets.

NAVETS GLACÉS AU JUS. Choisissez des navets égaux de taille et propres à être taillés en poires, faites-les blanchir, égouttez-les, et beurrez le fond d'une casserole qui puisse les contenir les uns à côté des autres; arrangez-y ces navets, faites-les blondiner au beurre et au sucre, mouillez-les d'excellent bouillon, saupoudrez-les de sucre écrasé, mettez-y un grain de sel et un peu de cannelle en bois, faites-les partir, couvrez-les d'un fond de papier beurré, posez-les sur le bord du fourneau avec du feu dessous, mettez sur votre casserole son couvercle avec du feu sur le couvercle, et, la cuisson de vos navets achevée, découvrez-les, faites-les tomber à glace, dressez-les sur votre plat, versez un peu de bon bouillon dans votre casserole pour en détacher la glace; retirez-en la cannelle et saucez vos navets de cette glace, comme si c'était une compote.

Je m'aperçois que j'ai eu l'injustice de sauter par-dessus les navets à la d'Esclignac, qui ont été la cause de la longue parenthèse à laquelle nous nous sommes livrés, mais je m'empresse de réparer cette injustice.

NAVETS A LA D'ESCLIGNAC. Ayez des navets longs de quatre ou cinq pouces, coupez-en les deux bouts, fendez-les en deux et tournez chaque moitié pour lui donner la forme d'une corde, taillez avec le bout du couteau deux petites rainures telles qu'il en est à ces dernières, faites-les blanchir, mettez-les dans une casserole comme les précédentes, assaisonnez-les et faites-les cuire de la même manière; seulement, n'y mettez pas de cannelle. Leur cuisson terminée, mettez un peu d'espagnole dans votre casserole pour en détacher la glace, joignez-y un peu de beurre et saucez vos navets.

NAVETS A LA PICARDE. Tournez des navets dans la forme que vous voudrez, mettez-les dans une casserole avec des oignons, du sel et un morceau de beurre, faites-les cuire, égouttez-les, confectionnez une bonne sauce blanche, liez-la de farine de manioc ou de tapioca, mettez-y une pincée de muscade râpée, ainsi qu'une demi-cuillerée de fine moutarde, et faites prendre sauce à vos navets.

RAGOUTS DE NAVETS POUR LITIÈRE OU GARNITURE. Après avoir coupé régulièrement et proprement des navets, faites-leur faire un bouillon dans de l'eau, mettez-les cuire ensuite avec du bouillon ou du coulis et un bouquet de fines herbes; quand ils sont cuits, assaisonnez de bon goût et dégraissez votre ragoût.

On sert assez souvent des navets avec des viandes cuites à la braise; mais une façon plus simple est celle-ci : quand la viande est à moitié cuite, on y met des navets pour faire cuire le tout ensemble, et quand on a bien assaisonné le ragoût, on le dégraisse avant de le servir.

NAVETS EN RAGOUT VIERGE. Tournez trente ou quarante navets en boules de la même grosseur, faites-les blanchir dans l'eau bouillante et légèrement salée; après les avoir rafraîchis, vous les ferez cuire dans un consommé de volaille avec de la moelle et du sucre, après quoi vous ajouterez un morceau de beurre bien frais, et vous achèverez ce ragoût en le liant avec des jaunes d'œufs au bain-marie.

PURÉE DE NAVETS POUR GARNIR LES POTAGES. Mettez un quart de bœuf dans une casserole, avec une douzaine de gros navets coupés par morceaux; placez votre appareil sur un feu très-vif, en ayant soin de le manipuler fréquemment; lorsque les navets commencent à fondre, vous y mettrez du blond de veau, vous ferez réduire le tout à consistance de purée, vous passerez à l'étamine et vous vous en servirez d'après l'indication.

BOUILLON PECTORAL AUX NAVETS. Faites bouillir 1 kilogramme de jarret, avec 1 kilo 500 grammes de mou de veau, dans quatre setiers d'eau de pluie bien filtrée, joignez-y une demi-once d'amandes douces concassées; laissez réduire à moitié. Pendant ce temps-là, vous aurez fait cuire vingt-quatre navets dans les cendres rouges, après les avoir enveloppés dans une triple feuille de papier d'office, et lorsque les navets auront formé leur sirop, vous les tirerez de leur enveloppe, afin de les mettre dans le bouillon, où vous les laisserez se consommer jusqu'à réduction d'un quart. Joignez-y 2 gros de sucre candi, 3 gros de gomme arabique en poudre; mélangez le tout jusqu'à solution parfaite, et maintenez ce bouillon tiède au bain-marie pour être administré par tasse ou bien par cuillerée, suivant le cas. (M. de Courchamps.)

NÈFLE

Fruit du néflier; la meilleure espèce de nèfle est celle qu'on appelle la nèfle de Saint-Lucas, parce qu'on doit la cueillir à la Saint-Luc. C'est un fruit que l'on ne saurait manger que lorsqu'il a bletti sur la paille; on en fait des compotes, et voici la manière de procéder à cette ancienne préparation :

Otez la couronne et les ailes des nèfles; faites fondre du beurre frais, et lorsqu'il est roux, mettez-y vos nèfles, et laissez-les bouillir. Cuites, arrosez d'un quart de litre de vin rouge, et faites consommer le tout en sirop; retirez les nèfles, dressez dans un compotier, saupoudrez de sucre blanc et servez.

NÉROLI

Huile des fleurs de l'oranger; on l'emploie dans la fabrication des dragées et dans la préparation des liqueurs fines; le meilleur néroli est celui qui se fabrique à Rome.

NITRE et SALPÊTRE

Deux noms qu'on applique à la même substance; cependant par nitre on entend plus particulièrement le sel purifié, tandis que le salpêtre est toujours mélangé de sel marin; le nitre rougit les viandes qu'il sale; et c'est pour cela qu'on l'emploie dans la salaison des noix de bœuf, des langues et des jambons.

NIVERNAISE

Sorte de ragoût qui consiste à faire cuire dans du consommé des morceaux de carottes tournés en forme d'olive, jusqu'à ce que ce mouillement soit épaissi.

NIVETTE

Nom d'une espèce de pêche qui succède immédiatement à la pêche Admirable; la chair en est molle, mais savoureuse. Elle cuit mal.

NOISETTE

Fruit du coudrier que l'on cueille en automne et dont il existe trois variétés dont la meilleure est l'aveline rouge.

NOIX

Lorsque les semences du noyer sont desséchées, elles ne peuvent être employées pour la cuisine; cependant on leur rend une certaine fraîcheur en les faisant tremper dans du lait tiède où on les laisse refroidir. (Pour les noix vertes, *V. Cerneaux*.)

Les mangeurs de noix. *Lithographie de Boilly.*

NONPAREILLES

On nomme nonpareilles de petites dragées de la grosseur d'une tête d'épingle, dont on couvre certaines pièces de pâtisserie fine; ces dragées ne sont pas sans quelque danger, il faut s'informer des substances qui ont servi à les teindre, surtout les vertes.

NOUGAT

Le nougat blanc, dit de Marseille, est un composé de filets d'amandes douces et de pistaches mondées que l'on fait cuire avec du miel de Narbonne; le nougat blanc se sert et se mange au dessert. Le nougat brun avec lequel on bâtit des temples, des dômes, des portiques, se compose de la manière suivante : vous mondez, vous lavez, vous faites égoutter sur un linge blanc 500 grammes d'amandes douces. Coupez chacune de ces amandes en filets, que vous ferez jaunir à un four très-doux; faites fondre sur un fourneau, dans un poêlon, 75 grammes de sucre pulvé-risé; quand il sera bien fondu, jetez-y vos amandes chaudes, et mêlez bien le tout; après avoir retiré votre poêlon du feu, mettez vos amandes dans un moule essuyé et huilé; montez-les autour du moule à l'aide d'un citron que vous appuierez sur vos amandes, elles resteraient collées à vos doigts si vous vous en serviez; montez-le le plus mince possible, démoulez-le, dressez-le, et servez.

NOUILLES

Pâte d'origine allemande. Espèce de vermicelle extrême-ment délié dont on garnit quelquefois les vol-au-vent. Lorsque vous voudrez faire des nouilles au lieu de les acheter toutes faites, vous prendrez un demi-litre de farine, vous y ajouterez quatre ou cinq jaunes d'œufs, un peu de sel et un peu d'eau; vous ferez du tout une pâte bien mêlée et un peu ferme, vous l'étendrez avec un rouleau jusqu'à l'épaisseur de cinq millimètres; cou-pez-la alors en filets que vous saupoudrez de farine, pour que vos nouilles ne s'attachent pas les unes aux autres; jetez cette pâte dans du bouillon bouillant, vous laisserez cuire pendant un quart d'heure et vous colorerez avec une cuillerée de jus ou un peu de caramel; si vous craignez que la pâte ne se dissolve en cuisant, employez les œufs entiers au lieu de ne procéder qu'avec les jaunes. Ajoutez un peu de safran infusé dans la pâte.

POTAGE AUX NOUILLES A L'ALLEMANDE. Délayez un demi-litre de farine avec trois jaunes d'œufs et deux œufs entiers; ajoutez du sel et versez assez de bouillon pour que la pâte liquide passe à travers une écumoire creuse comme une cuiller à pot, assaisonnez avec muscade et gros poivre; passez dans du bouillon brûlant, surtout que le feu soit vif.

Pour apprêter des nouilles à la maître d'hôtel, au par-mesan, au coulis de jambon, au jus maigre, faites-les cuire comme nous venons de l'indiquer.

NOYAU

Graine solide de certains fruits renfermée dans une partie charnue solide et aromatique; on fait différentes liqueurs et ratafias avec les différents noyaux.

La Mosquée Turque. Grande pièce montée selon U. Dubois.

ŒUFS

Corps organique que pondent les femelles des oiseaux et qui renferme les développements d'un germe.

Ce sont les œufs de poule qui s'emploient le plus souvent pour la nourriture de l'homme.

« Il est évident, dit M. Payen, que cette substance alimentaire contient tous les principes indispensables à la formation des tissus des animaux, puisqu'elle suffit, sans autre aliment externe, à l'évolution du germe, qui par degré se transforme en un petit animal composé de muscles, de tendons, d'os, de peau, etc. »

On trouve, en effet, dans l'œuf des substances azotées, des matières grasses et sucrées, du soufre, du phosphore et des sels minéraux.

Le blanc est formé d'albumine.

Les œufs sont un des aliments qu'on a le plus de peine à se procurer frais l'hiver; or tout le monde sait qu'il n'y a pas de goût plus désagréable que celui d'un œuf qui n'est pas frais. Presque tous les livres de cuisine vous conseilleront de faire votre provision d'œufs entre les deux Notre-Dame, c'est-à-dire entre le 15 août et la mi-septembre. La meilleure manière de les conserver alors est de les enterrer dans des cendres de bois neuf auxquelles on a mêlé des branches de genévrier, de laurier et d'autres bois aromatiques; il est bon de mélanger avec cette cendre du sable très-sec et très-fin.

Au reste, il y a une façon très-simple de savoir si l'œuf est encore bon : posez-le dans une tasse pleine d'eau, s'il se soulève d'un des côtés et tend à se tenir debout, c'est que l'œuf est au tiers vide, et par conséquent n'est pas mangeable; s'il pose d'aplomb sur son milieu, c'est qu'il est frais.

Quand l'œuf est frais, nous ne dirons pas que la seule manière de le manger, mais que la meilleure manière de le manger est à la coque; il ne perd rien alors de sa finesse; son jaune est savoureux, son blanc est en lait, et si l'on a eu le sybaritisme de le faire cuire dans du bouillon, qu'il ne soit ni trop ni pas assez cuit, vous mangerez votre œuf dans la perfection.

Il y a des personnes pour lesquelles un œuf est un œuf; c'est une erreur; deux œufs pondus à la même heure, l'un d'une poule qui court par les jardins, l'autre d'une poule qui mange de la paille dans une basse-cour, peuvent présenter une grande différence dans le goût et dans la sapidité.

Je suis de ceux qui veulent que l'œuf soit mis dans l'eau froide et cuise dans l'eau, échauffé peu à peu; de cette façon, tout dans l'œuf est cuit au même point. Tout au contraire, si vous laissez tomber votre œuf dans de l'eau bouillante, il est rare qu'il ne se casse pas, puis il pourrait arriver que le blanc soit dur et que le jaune ne fût pas cuit.

Lorsque les œufs sont frais, on éprouve une grande difficulté à les écailler, il faut alors les fendre en deux avec un couteau et les enlever avec le dos d'une fourchette; souvent il arrive qu'on vous apporte des œufs à la coque trop cuits, employez ce moyen : broyez vos œufs dans votre assiette avec du sel et du poivre, un morceau de beurre, saupoudrez-les de quelques-unes de ces ciboulettes qu'on appelle appétits, et si vous n'avez pas le temps de faire cuire d'autres œufs, vous n'aurez pas trop perdu au change.

ŒUFS POCHÉS. Voici la recette du *Cuisinier impérial de 1808*, et du *Cuisinier royal de 1839*. Libre à vous de l'adopter :

Ayez quinze œufs pochés, tirés de l'eau et attendant sur un plat, vous avez douze canards à la broche; lorsqu'ils seront cuits verts, c'est-à-dire presque cuits, vous les retirerez de la broche; vous ciselerez jusqu'aux os, vous prendrez le jus, l'assaisonnerez de sel et de gros poivre et, sans le faire bouillir, vous le verserez sur vos quinze œufs pochés.

Douze canards pour quinze œufs!

Qu'en dites-vous?

Œuf

ŒUFS POCHÉS SANS JUS DE CANARD. Faites bouillir de l'eau salée et vinaigrée, évitez l'évaporation trop grande; cassez les œufs sur la casserole et versez-les doucement sans rompre le jaune; quand ils seront cuits et qu'ils vous paraîtront assez consistants, parez-les en enlevant la portion de blanc qui peut s'être étalée; il n'y a que les œufs très-frais qui puissent se pocher facilement. On sert les œufs pochés avec du jus au fond de leur plat.

ŒUFS BROUILLÉS. Faites fondre du beurre dans une casserole, cassez-y des œufs, et assaisonnez-les avec sel, poivre, muscade râpée; remuez; au moment de servir, ajoutez un peu de verjus, ou de jus de citron.
Les œufs brouillés aux pointes d'asperges se font de la même façon; on ajoute des pointes d'asperges cuites, lorsque les œufs sont déjà mêlés avec le beurre.
Pour les œufs brouillés au jus, ajoutez jus ou bouillon.
Si, par hasard, vous aviez fait pour le même dîner ou le même déjeuner des rognons sautés au vin de Champagne, les rognons cuits, enlevez quatre ou cinq cuillerées de leur sauce, et mêlez-les à vos œufs brouillés.
Si vous avez, par hasard, du bouillon de poulet, mêlez à vos œufs moitié de cette sauce au vin de Champagne et de bouillon de poulet; vous aurez alors des œufs qui atteindront tout à la fois le degré de délicatesse et de sapidité auquel ils peuvent arriver.

ŒUFS FRITS. On emploie, pour faire frire les œufs, le beurre, le saindoux ou l'huile; préférez le beurre : l'huile frite a toujours un goût désagréable.
Faites frire du beurre jusqu'à ce qu'il roussisse, cassez vos cinq, six ou huit œufs, tous ensemble dans un plat; quand vous verrez que votre beurre pétille, versez dans la poêle, en prenant garde de briser les jaunes, vos œufs; salez et poivrez, avec quelques petits appétits; laissez-les frire, jusqu'à ce qu'ils soient d'une belle couleur, versez-les de la poêle dans leur plat, faites frire du vinaigre à l'estragon; jetez-y une poignée de persil, et versez votre vinaigre et votre persil sur vos œufs.

ŒUFS AU GRATIN. Mêlez de la mie de pain, du beurre, un anchois haché, persil, ciboules, échalotes, trois jaunes d'œufs, sel, gros poivre et muscade; mettez dans un plat qui aille au feu une couche de muscade au fond; faites attacher sur un petit feu, cassez sur le gratin la quantité d'œufs que vous voulez servir; faites cuire doucement, promenez au-dessus du plat une pelle rouge, pour faire prendre les blancs; lorsqu'ils sont cuits, saupoudrez-les de sel, poivre et muscade.

ŒUFS A LA TRIPE. Passez au beurre des oignons coupés en tranches; ne faites pas roussir, mêlez une demi-cuillerée de farine avec les oignons, et ajoutez un grand

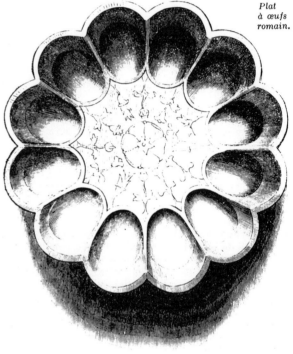

Plat à œufs romain.

verre de crème, sel, poivre et muscade; quand le tout est un peu réduit, mettez-y des œufs durs coupés en tranches et faites chauffer sans ébullition.

ŒUFS AU BEURRE NOIR. Cassez sur un plat douze œufs, salez, poivrez, et mettez dans une poêle à courte queue 75 grammes de beurre; faites-le noircir sans brûler, écumez-le et tirez-le au clair dans un autre vase; remettez le beurre dans la poêle et faites-le chauffer de nouveau; arrosez-en vos œufs, coulez-les dans la poêle, mettez-les sur de la cendre rouge, et servez-vous d'une pelle ardente pour les faire prendre par-dessus; leur cuisson achevée, coulez-les sur votre plat, faites chauffer dans la poêle un peu de vinaigre; lorsqu'il sera bouillant, versez-le sur vos œufs, et servez sans donner le temps de refroidir.

ŒUFS SUR LE PLAT DITS AU MIROIR. Étendez de beurre avec sel votre plat, cassez vos œufs et posez-les sur ce plat à côté l'un de l'autre, de manière à n'en pas crever les jaunes. Arrosez-les de quatre ou cinq cuillerées de crème, mettez-y çà et là quelques petits morceaux de beurre, saupoudrez-les d'un peu de sel fin, de gros poivre, de muscade râpée; posez votre plat sur une cendre chaude, faites-les prendre à la pelle rouge, afin que les jaunes ne durcissent pas.

ŒUFS A L'AURORE. Faites durcir et refroidir douze œufs, enlevez-les de leur coquille, par la méthode que j'ai indiquée, séparez-en les jaunes des blancs, mettez les jaunes dans un mortier; ajoutez-y 75 grammes de beurre fin, sel, muscade, fines épices, jaunes d'œufs crus, pilez le tout, émincez vos blancs, mettez-les dans une béchamel réduite et chaude, soit grasse ou maigre, peu importe; sautez-y vos œufs sans les laisser bouillir; faites qu'ils aient une certaine consistance, dressez sur le plat que vous devez servir, retirez vos jaunes du mortier, mettez-les sur le fond d'un grand tamis, posez ce tamis au-dessus de votre plat, faites-les passer également sur l'appareil, qui est dressé sur ce plat; servez-vous d'une cuiller de bois, garnissez le bord de votre plat avec des bouchons de pain, trempés dans une omelette battue, mettez vos œufs sous un four de campagne, et faites-leur prendre une belle couleur.

ŒUFS A LA POLONAISE. (Recette de M. de la Reynière.) Faites durcir un quarteron d'œufs, fendez-les en deux, séparez les jaunes des blancs, pilez les jaunes dans un mortier; ajoutez-y gros comme deux œufs de beurre, du sel, de fines épices, un peu de muscade râpée et cinq à six jaunes d'œufs crus. Lorsque votre farce sera bien mêlée sans grumelots, saupoudrez-la de persil haché très-fin, mêlez-y deux ou trois blancs d'œufs fouettés; prenez votre plat, garnissez-en le fond de votre farce à peu près de l'épaisseur de trois ou quatre lignes, remplissez vos moitiés

d'œufs de cette préparation, en leur donnant la forme d'un œuf entier; dressez-les, dorez-les, mettez-les sous un four de campagne, avec feu dessus, feu dessous. Faites qu'ils aient une belle couleur, nettoyez le bord de votre plat, et servez.

ŒUFS A LA PROVENÇALE. Versez un verre d'huile dans une petite poêle, vous la mettez au feu; quand l'huile est bien chaude, cassez un œuf dans un vase à part, mettez-y du sel, du poivre, versez-le dans l'huile, affaissez avec une cuiller votre blanc qui bouillonne; vous le retournez, et, lorsqu'il a une belle couleur des deux côtés, vous l'égouttez avec un tamis de crin, vous répétez la même opération autant de fois que vous avez d'œufs; vous les parez, vous les dressez en couronne, vous mettez un croûton glacé entre deux œufs, vous versez dessous une espagnole réduite dans laquelle vous mettez un zeste de citron.

ŒUFS EN FILETS. Délayez sur un plat huit jaunes d'œufs, avec une cuillerée d'eau-de-vie, ajoutez un peu de sel; étant cuit et froid, coupez-le en filets pour tremper dans une pâte à frire légère; faites frire et servez avec du persil frit.

ŒUFS FARCIS. Vous faites durcir dix ou douze œufs, fendez-les par le milieu de la longueur, enlevez les jaunes et mettez-les à part dans un mortier pour les piler; vous les passez ensuite au tamis à quenelle, laissez tremper une mie de pain dans du lait, vous la presserez bien pour en extraire le lait jusqu'à la dernière goutte; vous la pilerez et vous la passerez au tamis, ainsi que les œufs, vous ferez piler autant de beurre que vous aurez de jaunes pilés; vous mettrez portion égale de mie, de beurre et de jaunes d'œufs; vous broierez le tout ensemble, et quand votre farce sera bien pilée et confondue, vous y mettrez un peu de ciboules et de persil haché bien fin et lavé; vous y ajouterez du sel, du gros poivre, de la muscade râpée; vous pilerez de nouveau votre farce, vous y ajouterez trois jaunes d'œufs entiers, vous conserverez la farce maniable en y mettant de l'œuf à mesure; lorsqu'elle sera finie, vous la mettrez dans un vase; vous ajouterez, épais d'un doigt dans le fond du plat, vous farcirez vos moitié d'œufs, vous tremperez la lame d'un couteau dans du blanc d'œuf pour unir le dessus, vous mettrez les œufs avec ordre sur la farce qui est dans le plat, vous poserez le plat sur a cendre rouge avec un four de campagne par-dessus. Vous la servirez ayant de la couleur, arrosée de jus de veau mêlé de crème double.

ŒUFS A LA BÉCHAMEL. Mettez dans une casserole quatre ou cinq cuillerées de béchamel grasse ou maigre, coupez quinze œufs durs comme il est dit ci-dessus, mettez-les dans votre béchamel très-chaude, sans les laisser bouillir; finissez avec du beurre et de la muscade; dressez-les et entourez-les de croûtons.

ŒUFS A LA SAUCE ROBERT. Épluchez six gros oignons, enlevez-en les cœurs, coupez-les en rouelles, mettez-les dans une casserole avec un morceau de beurre, posez votre casserole sur un feu vif, faites roussir vos oignons, mouillez-les avec du bouillon gras ou maigre, salez, poivrez, laissez cuire et liez votre sauce; au moment de servir, coupez en rouelles douze œufs durs, mêlez-les bien avec elle; ajoutez-y, pour les achever, une cuillerée à bouche de moutarde.

ŒUFS A LA PAUVRE FEMME. Cassez douze œufs sur du beurre tiède, et vous les mettrez sous la cendre chaude; coupez alors de la mie de pain en petits dés, vous la passerez au beurre quand elle est bien chaude, bien blonde; vous l'égoutterez et vous la sèmerez sur vos œufs; mettez un four de campagne chaud par-dessus; lorsque les œufs seront cuits, versez sur eux une sauce espagnole réduite. Ajoutez aux œufs du jambon bien tendre ou du rognon.

ŒUFS AU BLANC DE PERDRIX. Prenez une perdrix qui ait du fumet, videz, bardez et faites cuire à la broche; étant cuite, pilez-la dans un mortier, mettez dans une casserole une demi-cuillerée à pot de coulis clair, de veau et de jambon, et une autre demi-cuillerée de veau, avec un peu de sel, de poivre, et de muscade; faites chauffer un peu, délayez-y un peu la perdrix pilée, six jaunes d'œufs frais; passez le tout à l'étamine; mettez un plat sur les cendres chaudes, videz les œufs dedans, couvrez-les d'un couvercle, qu'il y ait du feu sur le couvercle; lorsqu'ils sont pris, servez-les chaudement.

ŒUFS AU BLANC DE POULARDE ET AU BLANC DE FAISAN. Faites ces œufs de la même manière que ceux au blanc; le fond change, mais la façon reste la même.

ŒUFS AUX AMANDES OU A LA DEMOISELLE. Prenez des biscuits d'amandes, des macarons, un peu de citron confit; pilez le tout ensemble, arrosez le tout avec un peu d'eau de fleur d'oranger, mettez-y un morceau de sucre; quand tout est pilé, mettez-y une petite pincée de farine, quatre œufs frais, une mesure de crème, passez le tout à l'étamine et faites cuire au bain-marie.

ŒUFS AU BASILIC. Faites durcir douze œufs, fendez-les en deux, ôtez-en les jaunes, pilez-les avec persil, ciboules, champignons, une pointe d'ail, un peu de basilic, le tout haché avec de la mie de pain desséchée dans de la crème; un bon morceau de beurre assaisonné de sel, poivre et lié avec six jaunes d'œufs crus; mettez de cette farce au fond du plat que vous devez servir, remplissez de farce tous les blancs d'œufs cuits, emplissez-les comme s'ils étaient entiers; arrangez-les sur la farce et passez par-dessus avec de la mie de pain; mettez-les cuire au four ou sous un couvercle de tourtière; qu'ils soient de belle couleur; quand ils seront cuits, égouttez-les de leur beurre, essuyez le bord du plat et servez.

ŒUFS BROUILLÉS A LA CHICORÉE. Faites blanchir de la chicorée, pressez-la et la coupez en quatre; passez-la avec un morceau de beurre, deux oignons coupés en petits dés; singez cette chicorée et la mouillez; assaisonnez-la de bon goût, et la laissez cuire jusqu'à ce qu'il ne reste plus de sauce; quand elle est cuite prenez dix œufs, cassez-les dans une casserole et les assaisonnez de bon goût; mettez la chicorée dedans avec un morceau de beurre, brouillez-les sur le feu et les servez garnis de mie de pain autour.

ŒUFS A LA CHICORÉE EN GRAS. Pochez à l'eau des œufs frais, servez dessous un ragoût de chicorée; prenez quatre ou cinq pieds de chicorée, suivant qu'ils sont gros, faites-les blanchir et mettez-les cuire dans une braise; quand ils sont cuits, égouttez-les de leur graisse, coupez-les en trois, mettez-les faire un bouillon dans une essence; quand vous êtes près de servir, mettez l'échalote hachée dans le ragoût, et servez dessous les œufs.

ŒUFS AUX CHAMPIGNONS. Pochez huit œufs frais à l'eau; prenez des champignons, ce qu'il en faut pour faire un ragoût; épluchez, lavez, coupez en dés et les mettez cuire avec de l'eau, un bouquet, un morceau de beurre manié de farine, un peu de sel; quand ils seront cuits et toute la sauce réduite, liez-les de quatre jaunes d'œufs et avec de la crème; mettez-y un jus de citron et servez autour des œufs. On peut faire de même des œufs aux mousserons et aux morilles.

ŒUFS AU CÉLERI. Prenez trois ou quatre pieds de céleri; faites-les cuire dans une eau blanche, qui se fait avec de l'eau, de la farine, du beurre et du sel; étant cuits, retirez-les et les mettez égoutter; coupez-les par morceaux, mettez-les dans une casserole avec un peu de coulis clair de poisson, faites mitonner pendant une demi-heure; achevez de le lier avec un coulis d'écrevisses et un petit morceau de beurre gros comme une noix, en le remuant toujours sur le feu.
Si cette préparation est de bon goût, mettez-y un peu de vinaigre, dressez dans un plat, et mettez-y les œufs pochés par-dessus, et les servez chaudement pour entrée ou hors-d'œuvre. Lorsqu'on ne veut pas se servir d'œufs pochés, on peut se servir d'œufs durs, qu'on coupe par moitié; en ce cas, servez le ragoût de légumes au fond du plat, et garnissez le tour du plat de vos œufs durs coupés par moitié.

ŒUFS AUX ÉCREVISSES. Faites un ragoût de queues d'écrevisses, avec des truffes, des champignons, quelques fonds d'artichauts coupés par morceaux; passez-les dans une casserole avec un peu de beurre et le mouillez d'un peu de bouillon de poisson; assaisonnez de poivre et de sel, d'un bouquet de fines herbes; étant cuit, dégraissez-le bien et liez d'un coulis d'écrevisses; pochez des œufs frais à l'eau bouillante et les parez bien; dressez-les dans un plat proprement, et si votre ragoût est de bon sel, jetez-le sur les œufs, et servez-le chaudement pour entrée.

ŒUFS AU PAIN D'ÉCREVISSES. Prenez un demi-cent d'écrevisses, faites-les blanchir, ou plutôt rougir; épluchez-les, gardez-en les queues, pilez toutes les coquilles, tirez une essence avec du veau et du jambon, mouillez-la, moitié jus, moitié bouillon; quand elle est faite, délayez-la avec des écrevisses bien pilées et les passez à l'étamine, comme un autre coulis d'écrevisses; vous aurez un petit pain rond d'une demi-livre; qu'il soit chapelé; ôtez la mie de dedans sans rompre la croûte, passez sur le feu, avec du beurre, dans une casserole; égouttez-le et le remplissez d'un ragoût de ris de veau, de champignons, et le liez de coulis à l'ordinaire; pochez huit œufs frais à l'eau, faites chauffer le pain rempli de ragoût, avec du jus et un peu de coulis d'écrevisses; quand il est chaud, dressez-le sur un plat rond, les œufs autour, les queues d'écrevisses entre les œufs et au-dessus du pain; versez le reste de votre coulis d'écrevisses, le tout assaisonné de bon goût.

ŒUFS AUX TRUFFES. Faites un ragoût de truffes vertes de cette façon :

Pelez les truffes, coupez-les par tranches, passez-les dans une casserole avec un peu de beurre; mouillez-les d'un peu de bouillon de poisson, laissez-les mitonner un quart d'heure à petit feu, dégraissez-les et les liez d'un coulis de poisson; les œufs étant pochés au beurre roux, nettoyez-les proprement tout autour; dressez-les dans un plat, jetez votre ragoût de truffes par-dessus, et servez chaudement vos œufs aux truffes pour entrées ou hors-d'œuvre.

Soupière en faïence pour œufs à la coque.

ŒUFS A L'ESTRAGON. Faites blanchir de l'estragon, hachez-le très-fin, cassez les œufs dans une casserole, mettez de l'estragon blanchi, sel et poivre; battez les œufs, mêlez-y un verre de crème; faites trois petites omelettes, que vous roulerez et dressez-les dans le plat où vous devez les servir; s'il n'y a point de coulis maigre, faites un petit roux de farine avec du beurre, mouillez avec de bon bouillon, un verre de vin; dégraissez la sauce, faites-la cuire à petit feu; quand elle est cuite et assaisonnée de bon goût, passez-la au tamis et servez vos œufs dessus.

ŒUFS AU LARD A LA COIGNY. Prenez huit œufs frais et les pochez un à un dans du saindoux; qu'ils soient de belle couleur; faites autant de petits croûtons de la grandeur d'un écu; prenez du petit lard que vous couperez en dés; quand les œufs seront frits, faites aussi frire des croûtons de pain et le petit lard; prenez le plat que vous devez servir, mettez les croûtons de pain dessus, les œufs sur les croûtons et le petit lard sur les œufs; ayez une essence ou simplement un filet de vinaigre, et servez chaud.

ŒUFS AU PARMESAN. Mettez ce que vous voudrez d'œufs dans une casserole, avec du parmesan, un peu de poivre, point de sel; battez vos œufs avec un fouet comme une omelette; faites-en cinq petites omelettes; à mesure qu'elles sont faites, étendez-les sur un couvercle, saupoudrez-les ensuite de parmesan râpé; roulez l'omelette et la mettez dans le plat que vous voulez servir; arrangez ces cinq omelettes, et jetez par-dessus un peu de parmesan, essuyez le plat, et le mettez au four ou sous un couvercle; il ne faut qu'un bon quart d'heure pour glacer et cuire le parmesan; mais surtout il faut le servir chaudement.

ŒUFS FRITS A LA SAUCE ROBERT. Prenez une friture; pochez-y des œufs un à un sur un fourneau; servez dessous une sauce Robert, prenez des oignons coupés en dés, passez au beurre, mettez-y la moitié de la cuisson, une pincée de farine, faites-la roussir en tournant toujours, mouillez de bouillon et d'un verre de vin blanc; si on a de la sauce à l'étuvée, on doit en mettre un peu; faites cuire la sauce, et quand tout est prêt à servir, mettez-y de la moutarde et servez dessous les œufs.

ŒUFS EN TIMBALES. Prenez huit œufs, ôtez les blancs de quatre, passez-les à l'étamine avec un peu de jus et de coulis; assaisonnez-les de sel et de poivre, beurrez les timbales avec du beurre affiné; mettez les œufs dedans jusqu'à moitié des timbales et mettez les timbales dans une casserole avec de l'eau, qu'il n'y en ait que jusqu'à moitié des timbales; faites ainsi cuire au bain-marie; quand ils sont cuits, retirez-les sans les rompre, dressez-les et servez avec un peu de jus dessous.

Œuf

ŒUFS A LA PHILIPPSBOURG. Si c'est en maigre, prenez de la farce maigre qui soit faite d'un poisson cuit; mettez-en dans le fond du plat que vous voulez servir, cassez des œufs dessus cette farce comme si vous vouliez faire des œufs au miroir; il n'y faut point de sel; ayez du parmesan râpé, mettez-en dessus les œufs. Pendant que les œufs cuisent sur un fourneau, passez une pelle rouge dessus le parmesan pour le glacer; prenez garde que les œufs ne durcissent.

Si c'est en gras, prenez une farce grasse, que la viande en soit cuite, et les faites de même.

ŒUFS A LA DUCHESSE. Mettez dans une casserole un quarteron de sucre, un demi-setier d'eau, des zestes de citron, un morceau de cannelle; faites bouillir le tout ensemble jusqu'à ce que le sucre soit réduit en sirop; retirez les zestes de citron et la cannelle, mettez-y un peu d'eau de fleur d'oranger; prenez douze ou quinze jaunes d'œufs, passez-les au tamis avec une chopine de crème, mettez les œufs et la crème dans la casserole au sirop avec un peu de sel; faites cuire ces œufs en les tournant toujours. Quand ils sont pris comme une crème, mettez-y un peu de jus de citron et servez.

ŒUFS A LA ROBERT. Prenez deux ou trois gros oignons, coupez-les en dés, et passez sur le feu avec un morceau de beurre, mettez-y une pincée de farine et mouillez avec du jus, un verre de vin de Champagne, faites-les cuire à petit feu. Quand ils seront cuits, faites durcir une douzaine d'œufs, pelez-les et les coupez en quatre comme pour des œufs à la tripe; faites-leur faire quelques bouillons avec des oignons, assaisonnez le tout de sel et de poivre, et, quand on est prêt à servir, mettez-y de la moutarde.

ŒUFS EN FILETS. Prenez deux champignons, deux oignons; coupez-les en filets, passez-les avec un morceau de beurre, mettez-y une pincée de farine, mouillez avec un verre de vin de Champagne, du bouillon et du coulis; faites cuire à petit feu, prenez ensuite une douzaine d'œufs durcis, séparez les blancs d'avec les jaunes, laissez les jaunes entiers, coupez les blancs en filets, mettez-les faire quelques bouillons avec le ragoût, assaisonnez avec sel, gros poivre. Quand vous êtes prêt à servir, mettez les jaunes entiers dans le ragoût pour les faire chauffer, et servez à courte sauce.

ŒUFS AU PÈRE DOUILLET. Cassez dans une casserole sept œufs frais, mêlez-les avec une cuillerée de coulis, une de réduction, autant de jus de veau, sel et poivre, passez ces œufs dans une étamine un quart d'heure avant de servir; prenez le plat que vous devez servir, mettez-le sur un feu modéré; quand il est chaud, mettez les œufs, passez par-dessus une pelle rouge à mesure qu'ils cuisent, servez-les cuits et encore tremblants.

ŒUFS A LA BONNE FEMME. Coupez quatre gros oignons en dés, passez-les sur le feu jusqu'à ce qu'ils soient cuits avec un morceau de beurre; faites-les cuire à petit feu et les remuez souvent pour qu'ils ne se colorent point. Quand ils sont cuits, mettez-y une bonne pincée de farine, mouillez avec de la crème double; assaisonnez de sel, gros poivre et muscade; tenez le ragoût bien lié.

Prenez ensuite deux œufs, fouettez-en les blancs, mettez les jaunes avec le ragoût, mêlez les blancs avec tout le reste, battez bien le tout ensemble; mettez dans le fond d'une petite casserole deux morceaux de papier blanc, frottez partout de beurre, versez les œufs dedans et les faites cuire au four; quand ils sont cuits, versez-les sens dessus dessous dans le plat, ôtez le papier, mettez dessus ces œufs une bonne essence claire, et servez.

ŒUFS A LA CARPE, SAUCE A LA PERSILLADE. Écaillez et videz une petite carpe, levez-en la peau, hachez la chair très-fin, mettez-la dans une casserole avec un morceau de beurre, persil, ciboules, champignons, une pointe d'ail; le tout haché très-fin, passez la carpe et les fines herbes sur le feu, mettez-y une pincée de farine, mouillez avec deux verres de vin de Champagne, un peu de bouillon; assaisonnez de sel, poivre; faites cuire le hachis; quand il est cuit et la sauce réduite, mettez-y quelques jaunes d'œufs pour le bien lier; mettez dans une casserole quinze œufs, sel, fines épices, une cuillerée de crème; battez bien les œufs, prenez-en la moitié pour faire une omelette, étendez-la sur un plat, mettez-y la moitié du hachis, roulez-la et la coupez en trois; faites-en autant de l'autre moitié, arrosez les six morceaux avec du beurre, panez-les moitié mie de pain et moitié parmesan, mettez-les sur une tourtière pour leur faire prendre couleur au four, ou sous un couvercle de tourtière; mettez-les dans le plat que vous devez servir et mettez dessous une sauce à la persillade. (V. Sauce à la persillade.)

ŒUFS EN SURTOUT. Prenez quatre œufs, mettez les blancs à part, hachez une pincée de câpres, deux anchois, persil, ciboules; le tout haché très-fin, mêlez-les avec les jaunes d'œufs; mettez dans le plat que vous devez servir du beurre bien étendu, cassez dessus dix œufs; fouettez les quatre blancs d'œufs que vous avez mis à part, mettez-y les jaunes d'œufs délayés avec les câpres et les anchois, fouettez bien le tout ensemble, mettez-y un peu de sel, gros poivre et muscade; mettez ces œufs sur les autres qui sont dans le plat, faites-les cuire feu dessus et dessous; ces œufs ne doivent pas durcir il ne faut qu'un moment pour leur cuisson.

ŒUFS A LA MONIME. Cassez quinze œufs dans une casserole, mettez-y une cuillerée de crème, persil, ciboules, sel, fines épices; battez bien les œufs pour en faire des omelettes. Prenez de la viande cuite à la broche et refroidie,

soit volaille ou gibier; faites un hachis de cette viande. Quand le hachis est fini et assaisonné de bon goût, mettez-y quelques jaunes d'œufs, pourvu que le hachis soit bien lié; prenez ensuite la moitié des œufs battus, faites-en une omelette; étant cuite, étendez-la sur un plat; mettez par-dessus la moitié du hachis. Roulez l'omelette et la coupez en trois, en figure de paupiette; arrosez le dessus avec du beurre et panez de mie de pain; faites-en autant de ce qui reste d'œufs et de hachis. Mettez ces six morceaux d'œufs sur une tourtière, faites-les cuire au four sous un couvercle de tourtière pour leur faire prendre couleur; ayez une bonne sauce à la Monime, mettez-la dans le fond du plat que vous devez servir, dressez les morceaux d'œufs dessus. *(V. Sauce à la Monime.)*

ŒUFS A MA COMMÈRE. Cassez dix œufs dans une casserole, mettez un peu de sel fin, du sucre en poudre, quelques pistaches en filets, deux biscuits d'amandes amères écrasées, de la fleur d'oranger grillée, hachée, du citron confit haché, un peu de cannelle en poudre, du beurre frais fondu; battez bien le tout ensemble. Prenez le plat que vous devez servir, mettez-le sur un feu modéré, versez vos œufs dedans, couvrez-les avec un couvercle de tourtière et du feu dessous. Quand ils sont cuits à moitié, glacez-les avec du sucre et la pelle, et les servez un peu tremblants.

ŒUFS A LA PAYSANNE. Mettez dans un plat un demi-setier de crème double; quand elle a bouilli, cassez-y huit œufs frais; assaisonnez-les de sel, gros poivre; à mesure qu'ils cuisent, passez la pelle rouge par-dessus. Prenez garde que les jaunes ne durcissent et servez-les dans le moment.

ŒUFS AU SANG. Mettez tout chaud le sang de dix pigeons dans une casserole avec le jus d'un citron. De crainte qu'il ne tourne, passez le sang au travers d'un tamis, mettez-le avec douze œufs, les blancs fouettés, sel, poivre, une cuillerée de crème, des petits morceaux de beurre. Battez bien vos œufs; mettez un quarteron de bon beurre dans une poêle, faites-en une omelette; quand elle est cuite, roulez-la dans le plat que vous devez servir.

ŒUFS AU FOIE. Otez l'amer de tel foie que vous voudrez, volaille ou gibier; lavez et hachez ces foies; passez-les sur le feu avec un morceau de beurre, persil, ciboules, champignons, pointe d'ail, le tout haché très-fin; quand les foies sont passés et refroidis, cassez-y une douzaine d'œufs assaisonnés avec sel, fines épices, une cuillerée de crème, battez bien le tout ensemble; mettez un quarteron de bon beurre dans une poêle; faites une omelette avec les œufs, et servez.

ŒUFS A LA PÉRIGORD. Pelez trois truffes, coupez-les en petits dés et du jambon par tranches; passez l'un et l'autre avec un peu de beurre, mouillez avec un verre de vin de Champagne, deux cuillerées de coulis; mettez-y un bouquet de fines herbes, du gros poivre, dégraissez le ragoût; faites-le cuire à petit feu; quand il est cuit et bien lié, prenez sept œufs frais, faites-les frire un à un dans du saindoux, prenez garde que les œufs ne durcissent. Mettez-les égoutter de leur graisse, piquez-les par-dessous avec la pointe du couteau pour en faire sortir le jaune, remplissez le dedans des œufs avec le ragoût de truffes et de jambon; dressez-les dans le plat que vous devez servir, de façon qu'ils paraissent dans leur naturel. Faites-les chauffer entre deux plats sur la cendre chaude; quand on est prêt à servir, mettez par-dessus une sauce de vin de Champagne.

ŒUFS A LA MOELLE. Échaudez des amandes douces, pilez-les et les arrosez de temps en temps avec de la moelle de bœuf, du citron confit haché, de la fleur d'oranger grillée et hachée, deux abricots confits ou secs; pilez le tout ensemble, mettez-y un peu de sel et de sucre. Prenez douze jaunes d'œufs, mettez-les aussi dans un mortier avec un demi-setier de crème. Quand le tout est bien mêlé, fouettez les douze blancs à la neige, et les mettez avec tout le reste. Frottez une poupetonnière de beurre, mettez-y dedans les œufs, faites-les cuire au four. Quand ils sont cuits, renversez-les dans le plat que vous devez servir, glacez avec du sucre et la pelle rouge, et servez.

ŒUFS A LA SICILIENNE. Pochez les œufs frais à l'eau bouillante, un peu plus fermes que pour les manger au jus; les ayant mis dans l'eau fraîche, coupez-les proprement tout au tour et en long par le milieu, de manière qu'il y ait un côté plus profond que l'autre, ôtez-en le jaune et lavez les blancs dans de l'eau tiède; remplissez-les ensuite d'une crème de pistaches cuites, trempez légèrement dans l'œuf battu la moindre moitié et la collez sur l'autre; arrangez-les dans le plat où ils doivent être servis, le petit côté en dessous, et les tenez chaudement. Faites un sirop avec du vin de Champagne, sucre et cannelle.
Quand le sirop est fait, versez-le sur les œufs et y jetez ensuite de la nonpareille, et servez pour entremets.
Quand ces œufs sont remplis de crème, on peut les mettre sur une tranche de biscuit, faire cuire du sucre au caramel,

et avec une fourchette trempée dedans, faire sur les œufs de petits filets de caramel en secouant la fourchette dessus. On y poudre ensuite de la nonpareille, on les dresse dans un plat, et on sert à sec pour entremets.

ŒUFS A LA RÉGENCE. Coupez en petits dés gros comme deux doigts de petit lard; à défaut de petit lard faites suer du jambon dans une casserole, mettez-y de petits carrés d'oignons et de champignons de la grosseur du petit lard coupé; mouillez cela d'une cuillerée de bon jus pour les faire cuire; étant cuits, liez cette sauce avec une essence de jambon; cassez huit œufs frais dans le plat sur le fourneau avec un peu de feu dessous. Faites chauffer d'autre lard fondu bien chaud, que vous jetterez sur les œufs, réitérez plusieurs fois jusqu'à ce que les œufs soient cuits dessus et dessous; étant cuits, égouttez tout le lard fondu, essuyez proprement le plat, jetez la sauce dessus. Mettez un filet de vinaigre qui pique, servez pour entremets.

TOURTE D'ŒUFS. Faites durcir une douzaine d'œufs; étant durs, pelez-les et les mettez dans de l'eau fraîche, retirez-les et les mettez essuyer entre deux linges. Coupez-les par la moitié et en ôtez les jaunes. Prenez les blancs et les mettez sur une table avec un peu de persil, hachez-les bien ensemble. Foncez une tourtière d'une baisse de pâte feuilletée. Mettez au fond un peu de beurre frais, arrangez-y les jaunes d'œufs et y mettez de l'écorce de citron vert confite hachée entre deux. Mettez-y par-dessus les blancs d'œufs hachés; assaisonnez d'un peu de sel, mettez du sucre en poudre dessus à proportion de ce qu'il en faut, et du beurre frais. Couvrez la tourte d'une abaisse de feuilletage. Faites un bord autour, dorez-la d'un œuf battu et la mettez cuire; dressez-la dans un plat, et la servez chaudement.

ŒUFS EN ROCHER. Faites un sirop de sucre et de vin blanc; mettez-y des jaunes d'œufs autant que vous souhaiterez en accommoder ainsi; laissez-les cuire jusqu'à ce qu'ils quittent le poêlon. Étant cuits, mettez-y un peu d'eau de fleur d'oranger, un jus de citron; passez-les à l'étamine sur un plat, et les servez en rocher, avec des morceaux d'écorce de citron confite.

ŒUFS EN TOUTE SAISON. Ayez quelques ris de veau blanchis, des foies gras, des truffes vertes, des crêtes à moitié cuites, des petits champignons, un demi-quarteron de pistaches des plus belles; passez le tout ensemble dans une casserole avec lard fondu; étant passé, mouillez-le de jus de veau et le laissez mitonner trois quarts d'heure; étant cuit, liez-le dans une essence de jambon pour faire de petits œufs; faites durcir une douzaine d'œufs frais; quand ils sont durs, pressez les jaunes et les pilez dans un mortier, et les assaisonnez de sel, poivre, muscade et blanc

de ciboules hachés, un peu de lait et de crème douce, de la mie de pain bien blanche; pilez bien le tout ensemble, formez vos petits œufs, en les roulant dans la main, de différentes grosseurs, et les mettez cuire dans un bon assaisonnement ou dans de l'eau bouillante. Lorsqu'ils sont cuits, mettez-les égoutter dans une passoire ou sur un tamis, vous les rangerez dans un plat et jeterez votre ragoût dessus.

ŒUFS A L'HUILE AU VERT. Pochez des œufs à l'huile les uns après les autres. Étant frits, dressez-les dans leur plat; ayez une sauce verte au persil, jetez dessus et servez. On en fait de verts qu'on poche dans une eau verte faite exprès, et une sauce blanche à la crème dessous, et l'on sert.

ŒUFS AU SOLEIL. Faites frire huit œufs au saindoux, faites ensuite une pâte à beignets, mettez-y du petit lard coupé en dés à demi-passés; trempez les œufs dans cette pâte; prenez du lard avec les œufs et les faites frire de belle couleur, et servez avec persil frit.

ŒUFS AU FROMAGE FONDU. Mettez un plat sur un fourneau de feu modéré, où il y aura une demi-livre de fromage de Gruyère râpé, un demi-verre de vin de Champagne, persil, ciboule, gros poivre, un peu de muscade, du bon beurre; remuez le tout ensemble sur le feu. Quand le fromage est fondu, mettez-y trois œufs; quand les œufs sont cuits, faites un cordon de mouillettes de pain; passez au beurre et servez.

ŒUFS EN PANADE. Prenez des mies de pain, arrondissez-les de la grandeur d'un liard; faites-en une trentaine, passez-les sur le feu avec du bon beurre, mettez dans une casserole quinze œufs, les croûtons de pain, persil, ciboules, deux cuillerées de bonne crème, des petits morceaux de beurre, sel, gros poivre. Battez vos œufs, faites-en une omelette avec de bon beurre; quand elle est cuite, roulez-la dans le plat et la servez.

OIE

Les oies furent longtemps sacrées à Rome, parce que, pendant que les chiens dormaient, une oie, qui était restée éveillée, l'histoire ne dit pas pourquoi, entendit le bruit que faisaient les Gaulois en escaladant le Capitole. Elle réveilla ses amies, qui, tout effarées, se mirent à crier si haut et si bien, qu'à leur tour elles éveillèrent Manlius. Lafosse, qui a fait une tragédie du Capitole sauvé, a eu l'ingratitude de ne pas dire un mot des oies dans les deux mille alexandrins qui composent cette tragédie.

Qui n'a pas vu et entendu Talma dire ces deux vers :

> C'est moi qui, détruisant leur attente frivole,
> Renversai les Gaulois du haut du Capitole,

n'a point idée des hauteurs où peut tonner la parole d'un tragédien.

Mais au moment où Jules César eut conquis les Gaules, on commença de manger des oies dans l'armée romaine, à l'exemple des Gaulois, qui n'avaient aucune raison de respecter les alliés de Manlius, cause de leur défaite.

Bientôt le bruit se répandit, même à Rome, que les oies de Picardie étaient un délicieux manger, et l'on vit dès lors le Picard, né naturellement commerçant, conduire pédestrement à Rome des troupeaux d'oies qui dévoraient tout sur leur route.

Les anciens Égyptiens regardaient l'oie comme un mets des plus délicats. Le roi de Lycie, Rhadamante, leur portait tant d'estime, qu'il ordonna que partout, dans ses États, on cessât de jurer par les dieux, pour jurer par les oies. C'était aussi le serment habituel en Angleterre, lorsque Jules César en fit la conquête.

C'est un consul romain, nommé Metellus Scipion, qui inventa, selon Pline, l'art d'engraisser les oies et de rendre leur foie délicat.

Le médecin Jules César Scaliger, célèbre érudit, a pour les oies une tendresse toute particulière : il les admire non-seulement au physique, mais encore au moral.

Nous ne pouvons mieux faire que de copier ce qu'il dit de l'oie :

« L'oie, dit-il, est le plus bel emblème de la prudence; les oies baissent la tête pour passer sous un pont, si élevées que soient ses arches; elles sont pudiques et raisonnables à ce point, qu'elles se purgent elles-mêmes sans médecin lorsqu'elles sont malades.

« Elles sont si prévoyantes que, lorsqu'elles passent sur le mont Taurus, qui est rempli d'aigles, elles ont soin, connaissant leur humeur bavarde, de prendre chacune une pierre dans leur bec, pour éviter, en se gênant ainsi, de former des sons qui les feraient découvrir de leurs ennemis. »

Les oies sont susceptibles d'une certaine éducation. Le chimiste Mémery a vu une oie tournant une broche où

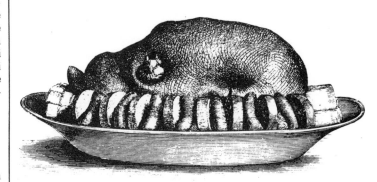

Oie à la choucroute.

L'oie sauvage

Oie

rôtissait un dindon. Elle tenait l'extrémité de la broche par le bec, et son cou, en s'allongeant et en se rétrécissant, faisait l'effet d'un bras. De temps en temps seulement on avait soin de lui donner à boire.

OIE A LA CHIPOLATA. Prenez un bel oison d'une graisse bien blanche, videz-le, retournez-lui les pattes en dedans, flambez-le légèrement, épluchez-le, bridez-le, bardez et ficelez-le; foncez une braisière de bardes de lard, mettez dans le fond une mirepoix et quelques débris de viande de boucherie, deux lames de jambon, les abatis de votre oison, un bouquet de persil et ciboules, trois carottes tournées, deux ou trois oignons, dont un piqué de clous de girofle; une gousse d'ail, du thym, du laurier, un peu de basilic et du sel. Posez votre oie sur ce fond, mouillez-la avec un bon verre de vin de Madère, une bouteille de vin blanc, cognac, une cuillerée à pot de bon consommé de volaille; mettez-la sur le fourneau, faites suer la braise de votre oie, faites-la cuire environ une heure, égouttez-la, dressez-la et masquez-la avec une chipolata, et servez. *(V. Chipolata.)*

OIE ROTIE (de la Saint-Martin). Désossez et farcissez une belle oie grasse de Normandie avec une purée d'oignons cuits à la graisse de lèchefrite, ajoutez à cette farce d'oignons le foie de votre volaille haché, douze chipolates et quarante ou cinquante marrons grillés ou rôtis, bien épluchés et assaisonnés de sel et de quatre épices; servez-la sur une longue et large rôtie, bien imbibée de son rôtissage et légèrement assaisonnée de gros poivre et de citron.

OISON A LA BROCHE. Ayez un oison dont la graisse soit bien blanche et la chair bien tendre, supprimez-en les ailes, épluchez-le, flambez-le, refaites-lui les pattes et coupez-lui les ongles, essuyez-les avec un linge blanc, bridez votre oison, laissez-lui les pattes en long, mettez-le à la broche; faites-le cuire vert, de façon à ce que le jus en sorte en le piquant; citronnez autour et servez. (Avec le canard, jamais de cresson.)

OIE A L'ANGLAISE. Préparez un oison comme ci-dessus, hachez-en le foie, épluchez trois gros oignons, coupez-les en petits dés, faites-les cuire à blond dans du beurre, ajoutez-y une pincée de sauge hachée, ainsi que le foie de l'oison, du sel et du poivre fin. Mêlez bien le tout et emplissez-en l'oie; cousez-la, embrochez-la et faites-la cuire comme ci-dessus et servez-la avec un jus de viande.
M. Vuillemot fait judicieusement observer que les viandes creuses doivent être citronnées sortant de la broche.

OIE A LA CHOUCROUTE. Vous faites cuire une oie à la broche, vous lavez la quantité de choucroute nécessaire, que vous faites cuire dans une casserole avec des tranches de petit lard, du cervelas et des saucisses, mouillez avec du bouillon et la graisse de l'oie; faites cuire à petit feu pendant deux heures, dressez la choucroute bien égouttée autour

de l'oie avec les saucisses et le cervelas dépouillé de sa peau et coupé par lames, et glacez avec une glace de viande.

AILES ET CUISSES D'OIE A LA FAÇON DE BAYONNE. Levez les ailes et les cuisses de plusieurs oies, désossez ces cuisses, frottez-les, ainsi que les ailes, de sel mêlé avec 15 grammes de salpêtre pilé. Rangez toutes vos ailes et vos cuisses dans une terrine. Interposez laurier, thym, basilic, couvrez-les d'un linge blanc, macérez-les vingt-quatre heures dans leur assaisonnement, retirez-les, laissez-les égoutter, dégraissez entièrement, faites-les cuire à un feu modéré. Lorsque vos membres sont cuits, vous les égouttez, les laissez refroidir et les arrangez aussi serrés que possible dans des pots; vous y coulez votre saindoux aux trois quarts refroidi, et, au bout d'un jour, vous couvrez hermétiquement les pots avec du papier ou du parchemin; vous les mettez dans un endroit frais, mais non humide, et vous vous en servez au besoin.

CUISSES OU QUARTIERS D'OIE A LA LYONNAISE. Faites chauffer et un peu frire, dans leur saindoux, quatre quartiers d'oie, coupez six gros oignons en anneaux, faites-les frire dans une partie du saindoux, dans lequel auront chauffé ces cuisses; quand ils sont cuits et de belle couleur, égouttez-les, ainsi que les quartiers d'oie, dressez-les, mettez vos oignons frits par-dessus et servez avec une sauce quelconque.

CUISSES D'OIE A LA PURÉE. C'est une entrée. Vous préparez et faites chauffer ces cuisses comme les précédentes, puis vous les dressez et les masquez d'une purée de pois verts ou de marrons que vous aurez finie avec un pain de beurre.

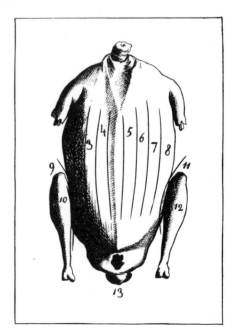

OIE SAUVAGE. Les oies sauvages s'accommodent de la même manière que les albrans, les canardeaux et les canards sauvages. On peut aussi en faire des boudins, des civets à l'ancienne mode et des escalopes au sang.

Leur passage dure environ deux mois, à moins que l'hiver ne soit très-doux, et dans ce cas elles prolongent leur séjour jusqu'à trois mois.

AIGUILLETTES D'OIE SAUVAGE. Vous faites cuire trois oies à la broche. Au moment de servir, vous levez en filets, vous faites réduire de l'espagnole jusqu'à ce qu'elle soit très-épaisse, et vous y versez le jus des oies; ajoutez un peu de zeste de citron ou d'orange, et un peu de gros poivre sur la sauce chaude, non en ébullition.

PETITE OIE. Faites cuire en hoche-pot.

FOIE GRAS. Nous avons parlé des pâtés de foie gras à l'article *Foie*. Nous y renvoyons nos lecteurs.

OIGNON

Si pour bien parler d'un sujet, il faut avoir ce sujet sous les yeux, c'est providentiellement que j'ai été conduit à Roscoff au moment où le mot oignon allait se présenter sous ma plume.

En effet, plus que l'ancienne Égypte, cette pointe de l'Armorique donne à croire que, lors de la guerre des dieux contre Jupiter, les vaincus, poursuivis jusqu'au bout du continent, voyant que la terre leur manquait pour aller plus loin, se sont changés en oignons pour fuir la colère de Jupiter; dans aucune localité de la France, ce bulbe, si vanté de l'Antiquité, que les poëtes ont chanté, et auquel les Égyptiens ont rendu les honneurs divins, ne se trouve réuni en pareille quantité.

Il y a des années où Roscoff envoie jusqu'à trente ou quarante vaisseaux chargés d'oignons en Angleterre.

Ce fut un homme du pays qui eut le premier l'idée de faire cette spéculation; mais, pour acclimater du premier coup l'oignon français en Angleterre et affirmer sa supériorité sur le bulbe britannique, il fallait un coup d'audace qui eut du retentissement.

Ce Roscovite vint un jour trouver M. Corbière, auteur de plusieurs romans maritimes et officier au long cours, demeurant à Roscoff, et lui demanda comment on disait en anglais : *L'oignon anglais n'est pas bon.*

Celui à qui l'on venait de demander ce renseignement répondit : *The English onion is not good.*

— Soyez assez bon pour me mettre cela sur un papier, monsieur, demanda le Roscovite.

M. Corbière prit une plume et écrivit la phrase réclamée. Le Roscovite remercia.

Trois jours après on le vit partir pour Londres avec un sloop chargé d'oignons.

Arrivé dans la capitale de l'Angleterre, il alla droit au marché le plus fréquenté, déploya une pancarte sur laquelle était écrite en grosses lettres la maxime suivante : *The English onion is not good.* Et puis, au-dessous de sa pancarte, il amena une petite charrette pleine d'oignons français.

On connaît les Anglais; ils n'étaient point hommes à supporter un pareil affront. L'un d'eux s'approcha et adressa la parole au marchand étranger; celui-ci, qui ne savait pas un mot d'anglais, se contenta de répondre : *The English onion is not good.*

Cette réponse exaspéra l'Anglais; il s'approcha du Roscovite en étendant vers lui ses deux poings.

Le Roscovite ne savait pas ce que l'Anglais voulait dire, mais voyait bien qu'il était menacé. Il prit l'Anglais par le coude, et, lui imprimant le mouvement d'une toupie, lui fit faire trois tours sur lui-même; au bout du troisième tour, l'Anglais tomba; il se releva furieux, et revint sur son adversaire, toujours en garde.

Le Roscovite avait près de six pieds; il était vigoureux comme son dieu Teutatès; il le prit à bras le corps, l'enleva entre ses bras, et le jeta à plat ventre.

C'était contre toutes les règles de la lutte; il faut que les épaules touchent la terre pour que l'un des combattants soit déclaré vaincu.

Aussi le Roscovite reconnut-il qu'il avait eu tort.

— C'est vrai, c'est vrai, dit-il, en faisant signe de la tête qu'il s'était trompé; et il se remit en garde, à peu près comme avait fait l'Anglais.

L'Anglais revint sur lui, et, cette fois, le marchand d'oignons le prit par le col de sa chemise et par la peau du ventre, le coucha doucement à terre, de manière à ce que non-seulement une épaule, mais les deux épaules, touchassent bien carrément le sol; il répéta plusieurs fois le mouvement, en redoublant de violence chaque fois, jusqu'à ce que l'Anglais eût crié :

Assez! assez!

Alors les cris, les hourras, les bravos éclatèrent; les Anglais sont, sous le rapport de la force, les plus justes appréciateurs du mérite qu'il y ait au monde; ils voulurent porter le marchand d'oignons en triomphe.

– Non pas! non pas! s'écria celui-ci en se mettant en défense, pendant que vous me porteriez en triomphe, vous me voleriez mes oignons.

Il y avait du vrai dans ce que disait le pauvre diable; aussi lui acheta-t-on le même jour tous ses oignons, et le soir fut-il tout entier employé à le porter en triomphe.

A partir de ce moment, les oignons français eurent conquis leur droit de bourgeoisie en Angleterre.

RAGOUT D'OIGNONS. Faites cuire des oignons sous la braise, dans des cendres chaudes; quand ils sont cuits, pelez-les proprement, mettez-les dans une casserole et les mouillez d'un coulis clair de veau et de jambon, laissez mitonner; quand ils sont mitonnés, liez-les d'un peu de coulis. Vous pouvez y mettre un peu de moutarde, si vous voulez; servez-vous de ce ragoût pour toutes sortes d'entrées aux oignons.

POTAGE A L'OIGNON VUILLEMOT. Prenez quatre oignons blancs, pelez-les, coupez la queue et la tête de l'oignon; coupez en deux parties l'oignon, en rouelles; séparez les filaments de l'oignon, faites fondre, bien chaud, du beurre dans une casserole, faites revenir vos filaments, que vous faites blondiner dans votre beurre; singez légèrement de farine vos oignons et rissolez le tout; mouillez au bouillon de haricots blancs, de consommé ou d'eau, à défaut des deux autres objets, assaisonnez de sel et de poivre fin, faites partir votre potage sur le feu, en ayant soin que lorsqu'il blanchira vous n'ayez, *sans le faire bouillir*, qu'à verser le bouillon dans une soupière sur le pain destiné à cet effet, sur lequel doivent être couchées de petites lames de beurre. Râpez du fromage de Gruyère, et servez-le à part, dans une soucoupe, pour les amateurs.

SOUPE A L'OIGNON A LA STANISLAS. Dans un de ses voyages de Lunéville à Versailles, où il allait tous les ans visiter la reine sa fille, l'ex-roi de Pologne, Stanislas, s'arrêta dans une auberge de Châlons où on lui servit une soupe à l'oignon si délicate et si soignée, qu'il ne voulut pas continuer sa route sans avoir appris à en préparer une semblable.

Enveloppé de sa robe de chambre, Sa Majesté descendit à la cuisine et voulut absolument que le chef opérât sous ses yeux. Ni la fumée ni l'odeur de l'oignon, qui lui arrachait de grosses larmes, ne purent le distraire de son attention. Il observa tout, en prit note et ne remonta en voiture qu'après être certain de posséder l'art de faire une excellente soupe à l'oignon.

Voici la recette de la soupe à l'oignon à la Stanislas :

On enlève la croûte du dessus d'un pain, on la casse en morceaux que l'on présente au feu des deux côtés; quand ces croûtes sont chaudes, on les frotte de beurre frais et on les présente de nouveau au feu jusqu'à ce qu'elles soient un peu grillées. On les pose alors sur une assiette tandis qu'on fait frire les oignons dans le beurre frais. On en met ordinairement 10 grammes, trois gros, coupés en petits dés, on les laisse ensuite sur le feu jusqu'à ce qu'ils soient devenus d'un beau blond un peu foncé, teinte qu'on n'obtient qu'en les remuant presque continuellement; on y ajoute ensuite les croûtes en remuant toujours jusqu'à ce que l'oignon brunisse. Quand il a suffisamment pris de la couleur, pour détacher de la casserole, on mouille avec de l'eau bouillante, on met l'assaisonnement nécessaire, puis on laisse mitonner au moins un quart d'heure avant de servir.

C'est à tort que l'on croirait rendre cette soupe meilleure en la mouillant avec du bouillon; cette addition, au contraire, en la rendant trop nutritive, altérerait sa délicatesse.

POTAGE DE SANTÉ AUX OIGNONS. Prenez chapon ou poularde, poulet ou jarret de veau, lavez-le dans cinq ou six eaux tièdes, laissez-le tremper et faites-le blanchir; retirez-le et le mettez dans de l'eau froide; essuyez-le entre deux linges, pliez-le dans une barde de lard, ficelez-le et le mettez cuire dans une marmite avec de bon bouillon.

Pelez des oignons blancs, la quantité qu'il en faut pour faire le cordon de votre potage, faites-les blanchir et retirez-les; mettez-les cuire dans une petite marmite avec de bon bouillon. Mitonnez des croûtes de bon bouillon dans un plat, tirez votre chapon, ôtez la ficelle et la barde, dressez-le sur le potage; garnissez d'une bordure d'oignons dont vous ôterez la première peau, afin qu'ils soient plus blancs; passez un peu de bouillon d'oignons dans un tamis et le jetez par-dessus avec un jus de veau, et servez chaudement.

PURÉE D'OIGNONS AUX TANCHES. Coupez en tronçons deux tanches de moyenne grosseur, mettez-les dans une casserole avec quelques légumes émincés, un bouquet de persil, un peu de sel, une demi-bouteille de vin blanc et 3 litres d'eau; cuisez le poisson pendant dix à douze minutes, égouttez-le ensuite et passez le bouillon au tamis;

émincez quatre à cinq gros oignons, faites-les blanchir, mettez-les dans une casserole avec 200 grammes de beurre, un peu de sel et une pincée de sucre; faites-les revenir en les tournant jusqu'à ce qu'ils soient de couleur blonde, saupoudrez-les avec une petite poignée de farine et les mouillez avec le bouillon du poisson préparé; amenez le liquide à l'ébullition, retirez-le sur le côté du feu, faites-le bouillir pendant une demi-heure, passez-le, faites-le encore bouillir; liez avec trois jaunes d'œufs et lui mêlez les filets de tanches sans peaux ni arêtes.

POTAGE D'OIGNONS AU BLANC, EN MAIGRE. Pelez deux ou trois douzaines d'oignons d'une moyenne grosseur, faites-les blanchir dans l'eau bouillante; tirez-les ensuite, et après les avoir égouttés, mettez-les cuire dans une petite marmite avec du bouillon de santé. Faites un coulis blanc, prenez deux onces d'amandes douces, pelez-les et pilez-les dans un mortier en les arrosant de temps en temps avec du lait; ajoutez-y trois ou quatre jaunes d'œufs durs, un peu de mie de pain trempée dans le bouillon; pilez bien le tout, passez-le à l'étamine avec deux ou trois cuillerées de bouillon de santé et conservez ce coulis chaud dans une petite marmite.

Mitonnez des croûtes du bouillon où ont cuit les oignons, garnissez le plat d'un cordon d'oignons; mettez un petit pain dans le milieu, jetez le coulis blanc par-dessus et servez chaudement.

AUTRE POTAGE D'OIGNONS, AU GRAS. Rangez au fond d'une marmite deux ou trois tranches de bœuf un peu épaisses, mettez-les suer sur un fourneau, quand elles sont attachées, mouillez-les de bouillon de mitonnage; retirez ensuite les tranches de bœuf, liez-les en paquet, remettez-les dans la marmite avec champignons entiers, deux navets, un paquet de carottes et des panais et un bouquet. Faites cuire tout cela ensemble.

Pelez de petits oignons blancs d'égale grosseur, faites-les blanchir à l'eau bouillante; faites-les cuire ensuite à part dans une petite marmite avec du bouillon de mitonnage et un bouquet où il y ait un peu de basilic.

Quand ils sont cuits, mitonnez les croûtes du bouillon ci-dessus et les arrosez d'un peu de bouillon d'oignons; faites ensuite un cordon d'oignons autour du plat et servez chaudement.

POTAGE AU MAIGRE A L'OIGNON. Pelez, coupez par tranches une douzaine d'oignons, passez-les dans une casserole avec un morceau de beurre; quand ils sont roux, poudrez-les d'un peu de farine et les mouillez d'une purée claire ou bien d'eau; assaisonnez de sel et d'un peu de poivre. Laissez bouillir le tout ensemble pendant une demi-heure. Quand les oignons sont cuits, mettez-y une pointe de vinaigre.

Mitonnez des croûtes ou des tranches de pain du même bouillon; jetez du bouillon par-dessus avec les oignons, et servez chaudement.

POTAGE A L'OIGNON, AU LAIT. Remarquons d'abord que l'important est d'ajouter de la crème au potage bouillant. Hachez menu douze ou quinze gros oignons, faites-les revenir pour leur ôter leur amertume première dans de l'eau bouillante, puis au bout de quelques minutes, mettez-les dans la poêle avec un gros morceau de beurre frais; faites colorer d'un beau roux; si l'oignon restait seul avec le beurre, il roussirait, noircirait, mais ne cuirait pas; si vous êtes sûr de votre lait et que vous ne craigniez point qu'il tourne, vous pouvez le verser au fur et à mesure que l'oignon roussit; laissez bouillir l'oignon dans le lait pendant un quart d'heure et le versez dans un tamis de crin, à travers lequel il passera en l'aidant avec le dos d'une cuiller à pot. Lorsqu'il est passé, laissez bouillir un quart d'heure pour donner à l'oignon le temps de s'épaissir; goûtez-le, salez et poivrez; bien sucré, si vous ne mangez pas votre potage au sel et au poivre, et versez-le sur des croûtons de pain que vous aurez fait rôtir et mis au fond de leur soupière.

Si vous craignez que votre lait ne tourne, ce qui empêcherait votre soupe à l'oignon de réussir, vous mettriez assez d'eau dans les oignons et le beurre pour que les oignons cuisent; puis, lorsqu'ils sont cuits, vous versez sur eux dans la passoire ou sur le tamis votre lait bouillant; mieux vaut cependant, s'il est possible, que vos oignons cuisent dans le lait, la soupe en est plus onctueuse et le bouillon plus sapide.

OILLE (*olla podrida*)

Potage ou ragoût d'origine espagnole. On distingue trois sortes d'oilles, ou plutôt trois variétés dans la préparation de ce grand mets.

1º L'ancien potage à la française, qui se trouve appelé *grand ouille*, par les cuisiniers du temps de Louis XIII, et qui est *l'oille au pot* des lettres de Mme de Maintenon.

2º La véritable *olla podrida*, suivant sa formule étrangère. C'est un mets tellement compliqué, que les cuisiniers français ne mettent aucun empressement à le proposer sur leurs menus, et c'est un plat assez dispendieux pour qu'on ne le serve jamais indifféremment ni fréquemment. Il est à savoir que, chez les ambassadeurs d'Espagne, ce ragoût fait partie de la représentation diplomatique et du cérémonial officiel. Il paraît que c'est un protocole obligé pour le dîner d'un grand d'Espagne ou d'un titulado de Castille.

3º L'*oille moderne à la française*. Excellent plat de relevé, mais dont la somptuosité n'a rien d'effrayant ni d'inaccessible.

OILLE EN POTAGE A L'ANCIENNE MODE. Ayez une poularde et deux beaux pigeons, parez-les, videz-les et remplissez-les d'une farce composée de mie de pain trempée dans du bouillon réduit où vous aurez délayé huit jaunes d'œufs, et puis d'un oignon blanc cuit sous la cendre et de trois fonds d'artichauts hachés; assaisonnez cette farce de quelques feuilles de cerfeuil et d'une pincée de muscade en poudre; cousez le ventre des volailles afin qu'elles ne se vident pas de la farce dont elles sont remplies, ficelez les membres et placez-les dans une marmite de terre au fond de laquelle vous aurez mis sept ou huit livres de grand bœuf. Coupez par tranches un peu minces un jarret de veau de Pontoise en quatre morceaux, trois oignons, un panais, deux carottes et autant de navets, deux poireaux blancs ficelés avec des tiges de pourpier, d'arroche et de belle poirée; faites d'abord chauffer le dessous sur un grand feu de charbon, puis mettez la marmite devant un feu plus modéré et laissez-la se consommer doucement. Au bout de cinq heures de cuisson, vous coupez des croûtes du dessus d'un pain très-tendre; vous les arrangez dans un *pot à oille* ou autre plat d'argent, vous les mouillez dudit bouillon et faites mitonner jusqu'à ce que le fond s'attache au plat; vous dressez sur le pain gratiné la poularde escortée des deux pigeons seulement, vous les déficelez, en retirez les fils de couture, tamisez le surplus du bouillon pour le dégraisser et le versez sur votre *oille*.

OLLA PODRIDA. Vous vous procurez des *chirozos* et des *garbansos* [1], vous prenez ensuite dix livres de pointe de culotte de bœuf; vous parez et ficelez proprement cette grosse pièce; après l'avoir coupée carrément, vous l'empotez dans une marmite avec six pintes de bon bouillon, et vous y joignez un carré de mouton entier, trois livres de tendrons de veau, une forte rouelle de jambon dessalé d'avance, un poulet normand, deux pigeons, un canard, deux vieilles perdrix, deux cailles, une livre de petit lard, huit chirozos et deux livres de garbansos que vous aurez fait tremper vingt-quatre heures dans l'eau chaude, en la

renouvelant, afin d'attendrir ces farineux; vous mettez et ficelez dans un petit linge fin trois piments, six clous de girofle, une pincée de brou et macis et un morceau de muscade, et vous mettez ce linge dans votre appareil et laissez cuire, ou laissez *podrir l'olla*, pour vous occuper de la préparation de vos légumes.

Ayez quatre laitues pommées, vingt carottes, autant de navets, que vous couperez et tournerez aussi également que possible, faites-les blanchir et mouillez-les avec le dégraissis de votre olla, laissez bouillir le tout et préparez d'un autre côté douze fonds d'artichauts bien nettoyés et faites cuire avec vingt-quatre petits oignons, bien pelés dans un autre vase, en ajoutant un demi-setier de votre bouillon de l'olla et un peu de sucre. Prenez ensuite un demi-litre de haricots verts coupés en losanges, de petites fèves de marais, de filets de concombres, de pointes d'asperges et de petits pois verts, que vous ferez étuver avec le bouillon de l'olla, et vous ferez cuire chaque légume en particulier dans une petite casserole.

Le tout cuit à point et soigneusement préparé, vous égouttez vos viandes et vos légumes, en ayant soin de les couvrir pour les tenir chaudement; passez le bouillon de votre marmite; dégraissez-le, clarifiez-le avec des blancs d'œufs, passez-le à la serviette fine et tenez-le bouillant sur un coin du fourneau.

Vous placez alors vos choux et vos laitues sur un grand plat dans l'ordre suivant : un quartier de chou, une carotte, une laitue, un navet, et ainsi de suite, toujours en alternant jusqu'à ce que vous ayez formé une espèce de couronne autour de votre plat, et c'est dans le puits du milieu que vous mettrez alors les garbansos. Dressez vos viandes au-dessus et faites avec les fonds d'artichauts et les oignons un second cordon qui devra couvrir le premier. Glacez tout, viandes et légumes, avec un coulis fait de votre bouillon réduit, et servez le consommé de l'olla dans un vaste bol de porcelaine, à proximité de votre plat.

OILLE A LA FRANÇAISE. Vous faites cuire, ainsi qu'il est indiqué ci-dessus, un chapon, deux filets de moutons de pré-salé, deux perdrix et deux cervelas; ajoutez en fait de légumes un chou de Milan coupé par moitié, deux pieds de céleri, six petits oignons, deux carottes coupées et deux panais; faites cuire une heure et ajoutez-y un litre et demi de garbansos; finissez l'olla en y mêlant une forte pincée de quatre épices délayée dans une demi-bouteille de vin de Xérès ou de Pacaret, avec un peu de piment de Cayenne et de poudre de Kari; vous dressez les viandes en dôme au milieu des légumes, et vous servez également le consommé de l'oille à proximité du plat.

---

1. On en trouve toujours à l'Hôtel des Américains ou chez Corcelet, au Palais-Royal, qui les fait venir des frontières d'Espagne.

OILLE GRATINÉE A LA NAVARRAISE. Vous mettez dans un poêlon une éclanche de mouton, deux pigeons, trois cervelas, un kilo de petit lard et deux quartiers d'oies confits à la graisse; ajoutez comme légumes un chou coupé en quatre, une botte de poireaux, une gousse d'ail, un piment rouge et deux litres de garbansos; faites cuire le tout dans une forte quantité d'eau que vous laissez réduire d'un tiers, vous en mouillez des tranches de pain bien minces et vous les faites gratiner sur des cendres rouges, puis vous l'arrosez avec le bouillon suffisamment réduit.

Utilisez à votre gré le surplus de l'oille.

OISEAUX
(Petits)

Nous avons indiqué à leur article particulier les différents genres de petits oiseaux et les diverses manières de les apprêter et de les manger. Nous rappellerons seulement ici qu'on les enveloppe généralement, après les avoir bien nettoyés, avec des lames de tétine ou des bardes de lard, et qu'on les enfile au nombre de huit ou dix dans des petits hâtelets; on les fait cuire à la broche et on en garnit les plats de gibier rôti, soit en les défilant pour en former une ceinture autour du plat, soit en piquant ces hâtelets dans la grosse pièce en forme de hérisson.

On peut aussi les griller en caisse sur un gratin de farce à quenelles ou les sauter dans de la moelle avec des fines herbes, du jus de bigarade et de la chapelure de pain bis.

OLIVES

Telles qu'on les cueille sur l'arbre, les olives sont d'une âcreté et d'un goût désagréable, même à l'époque de leur maturité complète; il est donc nécessaire de les conserver dans l'huile et la saumure pour leur faire perdre cette amertume naturelle et les faire devenir un aliment agréable, en ne leur conservant qu'une légère âcreté adoucie par le mélange naturel de leur huile et par l'effet de la saumure. Les Grecs, qui attribuaient à l'olivier une origine divine, le vénéraient tellement que pendant longtemps ils n'employèrent que des femmes vierges et des hommes purs pour la culture de cet arbrisseau; ils exigeaient aussi un serment de chasteté de ceux qui étaient chargés de faire la récolte.

Les olives ajoutées à des ragoûts et qui, par cela même

Frontispice de l'Aviceptologie française de Kresz (1830).

ont subi une cuisson plus ou moins avancée, sont toujours meilleures et plus digestibles que crues.

RAGOUT D'OLIVES. Vous passez un peu de persil et de ciboule hachés dans du beurre, vous y ajoutez deux cuillerées de jus ou de cuisson d'une braise, ou bien encore de bouillon réduit à moitié et un verre de vin blanc, des câpres, un anchois et des olives tournées; joignez-y encore un peu d'huile d'olive, un bouquet de fines herbes; faites jeter un bouillon et liez la sauce avec purée de marrons.

Le ragoût d'olives ne s'appliquant qu'aux viandes crues telles que le canard, vous n'avez qu'à tourner quelques olives, les blanchir à l'eau, les jeter dans une espagnole réduite avec le fond du canard; liez le tout avec une cuiller à bouche d'une bonne huile d'olive, un jus de citron, et servez. Cette simplicité, croyez-en mon expérience, vaut mieux que tous les condiments que la fausse science peut donner. *(Vuillemot).*

RAGOUT D'OLIVES A LA MAILLEBOIS. Vous mettez à la place du noyau des belles olives d'Espagne ou de Provence que vous avez tournées, une petite quenelle de farce maigre. Vous faites cuire cette composition dans un jus de racines où vous ajouterez du coulis de poisson avec un demi-verre de vin de Madère et deux cuillerées de fine huile verte au moment de servir; ce ragoût peut servir de garniture à certaines gibelottes de viandes noires ou pour foncer des plats qui doivent contenir des oiseaux maigres en entrée de broche.

OMELETTE

OMELETTE AUX FINES HERBES. Cassez des œufs dans un saladier, battez-les avec un fouet d'osier, mettez-y du persil, de l'estragon, des appétits; battez-les jusqu'à ce que blanc et jaune soient parfaitement mêlés; versez dans le mélange un demi-verre de crème et rebattez de nouveau; puis quand votre beurre commence à pétiller dans la poêle, versez-les dans le beurre; les œufs s'étendront en moussant dans toute la circonférence de la poêle; alors, avec une fourchette, vous ramènerez sans cesse la circonférence au centre, en ayant soin que l'omelette reste liquide et que la chair ne s'en épaississe point. Vous aurez un plat beurré de beurre aussi frais que possible, sur lequel vous aurez semé des fines herbes nouvelles et fraîches; versez votre omelette dans ce plat et servez-la baveuse.

Excusez le mot, mais chaque art a sa langue qu'il faut parler pour se faire comprendre des adeptes.

OMELETTE AU SUCRE. Fouettez des œufs, mettez-y de l'écorce de citron hachée menu, un peu de crème, du lait et du sel; le tout bien battu, faites l'omelette avec de bon beurre frais; avant de la verser sur le plat, sucrez-la; quand vous l'avez mise sur l'assiette, ayez un fer rouge, saupoudrez de sucre votre omelette, glacez-la, et servez-la chaudement.

OMELETTE DE CHAMPIGNONS A LA CRÈME. Faites un ragoût de champignons coupés en dés; battez ensuite des œufs avec du persil et sel; brouillez des champignons avec les œufs, puis faites l'omelette à l'ordinaire; liez le ragoût de champignons avec trois jaunes d'œufs et de la crème, et servez sur l'omelette.

On peut faire de semblables omelettes aux mousserons et morilles à la crème, aux petits pois à la crème, aux pointes d'asperges à la crème, aux fonds d'artichauts, apprêtés de même.

On fait encore des omelettes aux truffes blanches, à la crème, aux truffes noires, aux épinards et à l'oseille.

Omelette soufflée.

OMELETTE AU THON DE BRILLAT-SAVARIN. Prenez, pour six personnes, deux laitances de carpe bien lavées que vous ferez blanchir en les plongeant pendant cinq minutes dans l'eau déjà bouillante et légèrement salée.

Ayez pareillement gros comme un œuf de poule de thon nouveau, auquel vous joindrez une petite échalote déjà coupée en atômes.

Hachez ensemble des laitances et le thon, de manière à les bien mêler, et jetez le tout dans une casserole avec un morceau suffisant de très-bon beurre, pour l'y sauter jusqu'à ce que le beurre soit fondu.

C'est là ce qui constitue la spécialité de l'omelette.

Prenez encore un second morceau de beurre à discrétion, mariez-le avec du persil et de la ciboulette, mettez-le dans un plat pisciforme destiné à recevoir l'omelette; arrosez-le d'un jus de citron et posez-le sur la cendre chaude.

Battez ensuite douze œufs (les plus frais sont les meilleurs); le sauté de laitance et de thon y sera versé et agité de manière que le mélange soit bien fait.

Confectionnez ensuite l'omelette à la manière ordinaire

et tâchez qu'elle soit allongée, épaisse et mollette. Étalez-la avec adresse sur le plat que vous avez préparé pour la recevoir, et servez pour être mangée de suite.

Ce mets doit être réservé pour les déjeuners fins, pour les réunions d'amateurs où l'on sait ce que l'on fait et où l'on mange posément; qu'on l'arrose surtout de bon vin vieux, et on verra merveilles.

OMELETTE ARABE. J'ai dit que ma première préoccupation, en écrivant ce livre, était de faire la cuisine des peuples qui n'en avaient point. Voici par exemple une recette que m'a bien voulu donner le cuisinier du Bey. Les œufs d'autruches et de flamants pleins et à l'état de fraîcheur se trouvent maintenant à peu près partout, grâce aux sociétés d'acclimatation qui se sont fondées même dans les villes secondaires. Ainsi l'œuf d'autruche se vend aujourd'hui 1 franc, et contient à peu près la valeur de dix œufs de poule.

Voici comment se fait l'omelette *arabe*.

Émincer un oignon frais, le mettre dans une poêle avec un demi-verre d'huile d'olive, le faire revenir sans le colorer, mais lui adjoindre les chairs de deux gros poivrons doux, après les avoir fait griller quelques minutes pour en retirer la peau, ajoutez deux bonnes tomates pelées, égrenées et coupées en petits morceaux; assaisonnez ce premier appareil avec un peu de sel, une pointe de cayenne, faire réduire l'humidité des tomates, retirer la poêle du feu et adjoindre à ce qu'elle contient les filets de quatre anchois.

D'autre part, frottez le fond d'une terrine avec une gousse d'ail, percez un œuf d'autruche ou de flamand par les deux bouts, afin d'en faire sortir, en soufflant, le jaune et le blanc, en les faisant tomber dans la terrine; les assaisonner et les battre avec un fouet; verser le quart d'un verre d'huile dans une poêle à omelette; quand elle est bien chaude, verser les œufs dans la poêle; lier l'omelette et lui adjoindre l'appareil préparé; la retourner en la laissant plate, l'arroser encore avec un peu d'huile, et deux secondes après la glisser sur un plat rond.

OMELETTE AUX TOMATES A LA PROVENÇALE. Procurez-vous trois ou quatre bonnes tomates bien mûres et à chair ferme; coupez-les en carrés; mettez dans une casserole mince deux cuillerées d'oignons hachés fins, faites-les revenir avec de l'huile et du beurre, et quand ils sont de couleur blonde, adjoignez les tomates; faites cuire celles-ci à un feu vif, de façon à en réduire l'humidité; assaisonnez-les, et, en dernier lieu, mêlez-leur une cuillerée à bouche de persil haché avec une pointe d'ail; cassez huit ou dix œufs dans une terrine, assaisonnez-les et fouettez-les.

Faites chauffer de l'huile dans une petite poêle à omelette, versez les œufs battus dans cette poêle, tournez-les avec une cuiller, assemblez la masse en la ramenant sur le côté de la poêle opposé au manche de celle-ci, étalez alors les tomates cuites sur le centre de l'omelette, et roulez celle-ci en porte-manteau en fermant les issues avec soin; renversez-la sur un petit plat long.

On mêle parfois les tomates cuites avec les œufs, mais il arrive souvent que leur âcreté fait tourner ou grener les œufs à la cuisson; il est donc plus prudent de ne les mêler qu'après.

OMELETTE AU KIRSCH. Battez dix œufs dans une terrine; mêlez-leur un grain de sel, trois cuillerées à bouche de sucre, une cuillerée de kirsch; faites chauffer dans une poêle 125 grammes de beurre, lui mêler les œufs, les lier en les tournant; aussitôt que l'omelette se dégage de la poêle, la rouler en porte-manteau et la dresser sur un petit plat long; saupoudrez-la avec du sucre en poudre et la glacez en appuyant sur sa surface une brochette en fer rougie au feu pour former un décor quelconque; faire chauffer le quart d'un verre de kirsch, le lier avec trois cuillerées de marmelade d'abricots, et la verser dans le fond du plat; cette omelette sucrée est excellente.

OMELETTE AU RHUM. Identiquement la même chose, seulement mettez du rhum au lieu de kirsch.

OMELETTE AUX FRAISES. Choisir de grosses fraises ananas bien fraîches et bien parfumées; en retirer une vingtaine des plus belles pour les couper en quatre et les mettre dans un bol avec du sucre, un peu de zeste d'orange et deux cuillerées à bouche de rhum; passez le reste des fraises au tamis fin; faites-en une purée de la valeur d'un verre, sucrez-la à point, ajoutez un peu de sucre à l'orange et faites-la refroidir sur la glace.

Cassez dix œufs dans une terrine; mêlez-leur deux cuillerées à bouche de sucre fin et deux cuillerées de bonne crème; battez le tout pendant quelques secondes avec un fouet.

Faites fondre dans une poêle 150 grammes de beurre fin; quand il est chaud, adjoignez-y les œufs et liez l'omelette à l'aide d'une cuiller; ramenez-la ensuite en avant de la poêle, mettez les fraises coupées sur le milieu de l'omelette; pliez celle-ci des deux côtés en lui donnant une jolie forme; saupoudrez-la légèrement avec du sucre vanillé, et faites de votre omelette une île au milieu de votre purée de fraises.

OMELETTE A LA NOAILLES. Mettez dans une casserole une cuillerée de farine de riz; délayez avec une goutte de lait, mettez-y deux jaunes d'œufs frais, délayez bien avec une chopine de lait; ajoutez-y un demi-setier de crème douce, un morceau de cannelle en bâton, du sucre à proportion, faites-les cuire sur un fourneau, en remuant toujours. Quand cela commence à bouillir,

retirez-le et mettez-le refroidir; hachez-y de l'écorce de citron vert confite avec des biscuits d'amandes amères et d'autres biscuits, un peu de fleur d'oranger; mêlez le tout avec de la crème, ôtez le bâton de cannelle; prenez des œufs frais, fouettez les blancs; remettez les jaunes en les fouettant toujours et y videz la crème qui est préparée; mêlez le tout ensemble; frottez partout de beurre une poupetonnière ou une casserole, videz-y l'omelette et la mettez au four; lorsqu'elle est cuite, renversez-la dans un plat et la servez chaudement pour entremets. On peut, si l'on veut, la glacer avec du sucre et la pelle rouge.

O M E L E T T E   A   L A   M O E L L E. Pelez un quarteron d'amandes douces, et une demi-douzaine d'amandes amères; pilez-les en les arrosant d'un peu de lait et d'eau de fleur d'orange; étant pilées, ajoutez-y de l'écorce de citron vert hachée, quelques confitures sèches, telles que abricots, pommes, et autres; mettez-y gros comme le poing de moelle de bœuf, repilez le tout ensemble, délayez avec un demi-litre de crème, prenez des œufs, fouettez-en les blancs, mettez les jaunes avec la pâte d'amande et de moelle de bœuf pilée, mêlez le tout ensemble et y mettez un peu de sel, frottez une poupetonnière, ou une casserole de beurre, videz-y l'omelette, et la faites cuire au four; étant cuite, dressez-la en la renversant sur un plat, glacez-la avec du sucre en poudre et la pelle rouge, et la servez chaudement pour entremets.

O M E L E T T E   A U X   H U I T R E S. Faites blanchir des huîtres dans leur eau, nettoyez-les proprement une à une, passez les deux tiers de ces huîtres dans une casserole avec du beurre, mouillez-les d'un peu de leur eau et d'un peu de coulis, mettez-y du poivre; il ne faut pas que ces huîtres cuisent trop, ce ragoût doit être de bon goût. Cassez des œufs, assaisonnez-les de sel et persil haché, ayez des croûtons de pain de la grandeur d'une petite pièce, donnez trois, quatre coups de couteau dans le tiers des huîtres qui restent; mettez-les dans les œufs avec un peu de crème, battez le tout ensemble, faites fondre du beurre dans une poêle, étant fondu versez les œufs;

l'omelette étant faite, rendez-la de la grandeur du fond du plat, et la renversez sur une assiette. Le ragoût étant prêt, faites un cordon autour de l'omelette, versez dessus le jus, et servez chaudement pour entremets.

O M E L E T T E   A U X   É C R E V I S S E S. Faites un ragoût de queues d'écrevisses, de champignons et de truffes vertes; ce ragoût étant fait, hachez le tiers des écrevisses, cassez des œufs, mettez-y un peu de crème et de persil haché, battez le tout ensemble, mettez du beurre dans une poêle, faites l'omelette; étant cuite, repliez-la et dressez dans le plat que vous devez servir; veillez à ce que le ragoût soit de bon sel, jetez-le sur l'omelette, et servez chaudement pour entremets.

O M E L E T T E   A U   S A N G. (Voir les œufs au sang.)

O M E L E T T E   F A R C I E. Prenez du blanc de chapon ou d'autre volaille rôtie, hachez-le menu, mêlez-y des foies gras, des truffes et autre garniture, une fois le tout passé en ragoût et cuit, faites l'omelette; avant de la dresser sur un plat, mettez une mie de pain tout contre, ou de la croûte, versez ensuite dans la même poêle le ragoût, et dressez l'omelette sur son plat avec adresse. En servant cette omelette, on l'arrose d'un peu de jus, et l'on veille à ce qu'elle ne refroidisse pas.

O M E L E T T E   A U X   P O M M E S. (Recommandée aux amateurs d'entremets simples, par M. Urbain Dubois, cuisinier de Sa Majesté le roi de Prusse.) Déposez dans une terrine deux cuillerées à bouche de farine, mêlez-y un grain de sel, une cuillerée à bouche de sucre, deux œufs, deux jaunes, et 100 grammes de beurre fondu, délayez cet appareil avec trois quarts de verre de bon lait tiède, et le passez au tamis. D'autre part, pelez et émincez cinq ou six pommes de reinette, mettez-les dans une poêle avec 150 grammes de beurre, chauffez en les sautant; aussitôt qu'elles sont bien chaudes, versez l'appareil dessus, en l'étalant sur toute la surface du fond de la poêle, et à mesure qu'il prend de la consistance; traversez l'épaisseur de l'omelette avec la pointe d'un couteau, afin que les parties liquides du dessus descendent au fond, dès qu'en agitant fortement la poêle sur elle-même l'omelette peut se détacher, coulez un peu de beurre dans le fond de la poêle, et saupoudrez la surface de l'omelette avec de la bonne cassonnade, puis la renversez à l'aide d'un plat de même dimension que la poêle; placez de nouveau celle-ci sur le feu, et chauffez l'omelette à feu assez vif, pour que le sucre du fond se glace; c'est un point qu'il importe de bien saisir, renversez l'omelette à l'aide d'un plat, sa surface supérieure doit alors se trouver d'un beau glacé; si cela n'était pas, c'est-à-dire si l'opération n'avait pas bien réussi, il conviendrait de glacer le dessus de l'omelette avec la pelle rougie au feu, puis de la glisser sur un plat, au centre duquel sera disposée une assiette renversée; de cette façon, l'omelette est plus apparente.

O M E L E T T E   A U   F O U R ,   A U   B L O N D   D E   V E A U . Battez bien vos œufs, avec persil, ciboules, sel, gros poivre, faites-en trois omelettes que vous étendrez chacune sur trois couvercles de casserole; quand elles seront à demi froides, mettez dessus une farce de volaille cuite, roulez vos omelettes et les mettez sur un plat, passez dessus un doroir trempé dans de bon beurre, pannez de mie de pain, faites cuire de belle couleur au four, ôtez-en la graisse, servez avec une sauce un peu claire et bien finie de blond de veau, pour entremets.

ORANGE

Le fruit de l'oranger est globuleux, un peu déprimé, d'un beau jaune doré, à écorce d'épaisseur variable, dans laquelle la couche blanche inférieure n'est pas charnue comme celle du citron, mais presque dépourvue de saveur et en quelque sorte cotonneuse. Les gourmands de l'ancienne Rome avaient en exécration l'odeur et la saveur des oranges.

La meilleure est sans contredit celle dite *Mandarine*, qui nous vient de la Chine; elle est moins grosse que nos billes de billard, il y a des mandarines de la grosseur d'une noix, leur couleur est d'un jaune tirant sur le rouge, leur écorce est fine et possède un arôme approchant de celui du citron; leur chair est très-sucrée et contient peu de jus.

On fait avec l'orange une boisson très-rafraîchissante qu'on appelle *Orangeade*. On mélange pour cela le jus de l'orange avec celui du citron.

O R A N G E   M U S Q U É E . On donne ce nom à une poire qui mûrit au commencement d'août. Elle est abondamment pourvue d'une eau très-sucrée et d'un parfum tout particulier. Elle est classée parmi les meilleurs et les plus beaux fruits à la main.

Peu de personnes connaissent ce fait de courtisanerie du chevalier Paul. Ce gentilhomme possédait, près de Toulon, un fort beau jardin, rempli d'orangers en plein vent. Ayant été informé que le roi Louis XIV devait venir les visiter, il imagina de confire sur les arbres une partie des oranges. Le roi et toute sa cour, qui ne s'attendaient pas à cette galanterie, en furent agréablement surpris.

Ces oranges confites, mêlées confusément avec d'autres qui ne l'étaient pas, firent croire à plusieurs dames de la cour qu'en Provence les oranges venaient toutes confites sur les arbres.

On sait comment la comtesse Dubarry pronostiquait la disgrâce de MM. de Choiseul et Praslin, qu'elle méditait depuis longtemps. Elle prenait deux oranges dans la main et les faisait sauter alternativement en l'air en les retenant avec adresse, comme eût fait le plus habile jongleur, et en disant : « Saute Choiseul! saute Praslin!... »

ORGE

L'orge fut, au dire de Fleuri, la première céréale cultivée pour la nourriture de l'homme; la farine qui provient de ce grain ne contient presque pas de gluten, mais beaucoup de fécule unie à une substance mucilagineuse, ce qui fait qu'elle ne peut produire qu'un pain fort indigeste et très-peu savoureux.

L'orge, dépouillé de sa pellicule, peut être employé à la place du riz. On s'en sert beaucoup en Allemagne pour garnir des potages et composer des entremets.

P O T A G E   A   L ' O R G E   P E R L É . Il faut faire tremper l'orge dès la veille dans l'eau froide, égouttez-le et faites-le crever dans ce bouillon; prolongez l'ébullition pour que le bouillon se charge de tout ce qui est soluble. Passez avec expression et vous aurez un potage qui nourrit légèrement et qui rafraîchit; il convient beaucoup aux convalescents. Pour la crème d'orge à l'eau ou au lait, on procède de la même manière; on passe avec expression et on ajoute du sucre ou du sirop de capillaire.

ORONGE

Champignon qui partage, avec le cèpe, les hommages des gourmands de tous les pays; ces cryptogames ne sont pas toujours vénéneux, mais doivent toujours être suspectés.

ORONGES FRANCHES OU JAUNE D'ŒUF. Champignon remarquable par sa couleur jaune d'œuf et par sa taille de sept à huit pouces. Ayant un grand chapiteau, la couleur s'éclaircit peu à peu; elle devient d'or dans sa maturité, le chapiteau se fend et s'entrouvre; l'intérieur n'en est pas blanc, comme celui des autres champignons. La pulpe en est fine, assez ferme, délicate, serrée et semblable à celle de l'abricot. Il croît dans le Midi et les lieux tempérés. On peut confondre la fausse oronge avec ce champignon, ce qui arriva à la princesse de Conti, qui courut risque d'en mourir. L'oronge a la chair et les feuillets jaunes, la fausse oronge les a blancs. La fausse, en naissant, est couleur de feu; sa tige est cylindrique et droite. Apicius a laissé une recette pour manger l'oronge : il la faisait cuire dans du vin avec de la coriandre, du miel, de l'huile et des jaunes d'œufs; l'huile d'olive est sa meilleure préparation.

ORONGES AU GRATIN. Choisir deux douzaines d'oronges bien fraîches, en supprimer la queue, les nettoyer, les mettre dans une grande poêle avec de l'huile et une gousse d'ail, les assaisonner et les sauter sur le feu jusqu'à ce qu'elles soient sèches; les prendre alors avec une fourchette, les dresser par couche dans un plat à gratin, saupoudrer chaque couche avec les queues des oronges hachées, mêlées avec du persil haché et de la mie de pain; les arroser avec un peu d'huile, les cuire au four modéré pendant vingt minutes. En les sortant, les arroser avec un peu de bon jus lié, surtout ajouter des piments en poudre.

OREILLES
(Recette d'Urbain Dubois,
chef de Leurs Majestés Royales de Prusse)

Nom d'un grand nombre de champignons du genre *agaricus*, *boletus*, *tremella* et *peziza*, à cause de leur ressemblance avec cet organe; telles sont l'oreille d'âne et d'ours, *la brune ou coquillière*, *l'oreille de chardon*, enfin, que les Provençaux et les Languedociens mangent après les avoir apprêtées avec de l'huile, du sel, du poivre, du persil et de l'ail.

OREILLES. *(V. Agneau, Porc, Bœuf, etc.)*

ORTOLAN

Un jour ce dialogue s'échangeait entre Antoni Deschamps, grand poëte et philosophe pythagoricien, et Elzéar Blaze, chasseur comme Nemrod et spirituel comme Méry :

— Croyez-vous, demandait Antoni Deschamps à Blaze, qu'il soit permis à l'homme de tuer une perdrix, un bec-figue, un ortolan, un des ces charmants oiseaux enfin qui ne font de mal à personne et dont la vue et le chant nous réjouissent l'œil et l'oreille?

— Certainement, répondit Blaze, quand l'homme est muni d'un port d'armes, que la chasse est ouverte et qu'il chasse sur des terres qui sont à lui, ou sur lesquelles il a permission de chasser.

— Vous ne comprenez pas. Je vous demande si vous pensez que l'homme, réunissant d'ailleurs les conditions indiquées, ait le droit de tuer une perdrix, un bec-figue, un ortolan, créatures inoffensives, faites, comme lui, de la main du Seigneur?

— Oui, sans doute, mais à la condition qu'il les mangera.

— On peut donc manger les perdrix, les bec-figues et les ortolans?

— Avec délices, s'ils sont cuits à point.

— Mais l'abbé de Saint-Pierre... mais Pythagore...

— Disent le contraire, je le sais. Tant pis pour eux, nous devons les plaindre. Écoutez-moi, je pose ce dilemme : ou nous devons manger les animaux, ou les animaux doivent nous manger.

— Vous avez peur que les perdrix ne vous mangent?

— Écoutez. Les perdrix font par an, l'une dans l'autre, vingt ou vingt-cinq petits. Restez dix ans sans en tuer, et leur nombre égalera celui des guêpes et des moucherons : alors, plus de blé, plus d'avoine, plus de raisin. Mangeons donc des perdrix, puisqu'il nous faut des chevaux; mangeons des perdrix, puisque nous aimons le vin de Bourgogne, et par la seule raison que nous ne pouvons nous passer de pain, mangeons des perdrix. Ce droit de manger des perdrix nous vient de Dieu lui-même, qui, lors de la création, dit à Adam, notre aïeul à tous, et après le déluge à Noé, notre grand-père : « Vous serez maître de tous les animaux, » *Manui vestræ traditi sunt.* C'est-à-dire je les livre à votre main. Pourquoi faire? pour que notre main les porte à notre bouche, bien entendu. Ainsi, mangez tout ce qui vous paraîtra bon. L'homme n'est pas fait pour brouter l'herbe; ses dents vous le prouvent. Pythagore, l'abbé de Saint-Pierre étaient de forts honnêtes gens; mais ils n'entendaient rien à la cuisine. Laissez-les dire et mangez toujours. D'ailleurs, il est positif que si l'on écoutait tout le monde, on ne mangerait personne.

Je ne sais pas si Antoni fut bien convaincu par la logique de Blaze; mais ce que je sais, c'est qu'il continua de manger, et qu'à une table où il était, il faisait très-bien sa partie, quoiqu'il eût affaire à un plat d'ortolans. Il est vrai que c'étaient des ortolans à la toulousaine, et que les Toulousains ont une manière à eux de savoir les engraisser mieux que personne, et quand ils veulent les manger, de les asphyxier en leur plongeant la tête dans du vinaigre très-fort, mort violente qui tourne à l'avantage de la chair.

ORTOLANS A LA TOULOUSAINE. Plumez vos ortolans, supprimez-en la poche, flambez-les légèrement, frottez-les avec un demi-citron; enfilez-les à une petite brochette de fer, enveloppez-les d'une couche de beurre manié d'un peu de jus de citron; saupoudrez-les sur toutes les surfaces avec de la mie de pain et faites-les rôtir à feu vif pendant sept ou huit minutes, arrosez-les avec le beurre

qui coule dans la lèchefrite. Au dernier moment, salez-les, débrochez-les, dressez-les sur un plat bien chaud, recouvrez-les avec la graisse de la lèchefrite et envoyez-les aussitôt à table avec des citrons coupés. Mais ajoutez quelques croûtes de pain.

ORTOLANS EN CAISSES. Préparez et flambez douze ortolans, ayez douze petites caisses, que vous huilerez et passerez au four. Mettez dans le fond de chaque caisse une cuillerée de sauce Périgueux très-réduite; posez les ortolans dans les caisses, faites-les cuire et resaucez d'une sauce Périgueux.

ORTOLANS A LA PROVENÇALE. Prenez autant de grosses truffes que vous en pourrez trouver; prenez autant d'ortolans que vous aurez de truffes, coupez vos truffes en deux, creusez-y une place pour votre ortolan, placez-le, enveloppé d'une double barde très-mince de jambon cru, légèrement humectée d'un coulis d'anchois; garnissez vos truffes d'une farce composée de foies gras et de moelle de bœuf : liez-les de façon à ce que vos ortolans n'en puissent sortir. Rangez vos truffes garnies d'ortolans dans une casserole à glacer; mouillez avec une demi-bouteille de vin de Madère et même quantité de mirepoix; faites cuire pendant vingt minutes à casserole couverte; égouttez les truffes, passez le fond à travers le tamis de soie, dégraissez et faites réduire de moitié; ajoutez de l'espagnole et faites réduire jusqu'à ce que la sauce masque la cuiller, passez-les à l'étamine, dressez vos truffes en buisson, et servez la sauce à part.
Nous avons dit ailleurs comment se mangeaient les ortolans, les bec-figues, et généralement tous les petits pieds dont le croupion est le meilleur morceau.

TERRINES D'ORTOLANS. Hachez en portions égales la chair d'un ou deux perdreaux et de la panne de porc; ne vous contentez pas de hacher, mais assaisonnez et pilez, jusqu'à ce que la pâte soit bien lisse, coupez les cous et les pattes des ortolans, étendez une couche de farce dans la terrine, semez dessus de la truffe.
Rangez sur votre farce un lit d'ortolans que vous assaisonnez de sel épicé; mettez une seconde couche de farce sur laquelle vous semez de nouveau des truffes; couchez une autre rangée d'ortolans que vous assaisonnez comme la première. Finissez par une couche de farce et de truffes, couvrez de bardes de lard, mettez une feuille de laurier dessus, couvrez la terrine et faites cuire.

ORTOLANS SOUS LA CENDRE (recette Vuillemot). Prenez douze ortolans, videz-les, flambez-les; garnissez l'intérieur de quatre foies de volaille pilés et pilez du foie dans un mortier; assaisonnez le foie de sel, poivre, muscade et fines herbes; farcissez l'intérieur des ortolans, enveloppez-les d'une bande de lard, prenez du papier à beurre que vous beurrez, enveloppez chaque ortolan de ce papier, mettez-les cuire sous la cendre rouge. Vingt-cinq minutes suffisent pour la cuisson. Servez chaudement.

OSEILLE

Plante potagère qui doit sa saveur à la présence de l'acide oxalique, et qui est utile aux cuisiniers et aux médecins. On s'en sert pour faire des potages et des purées.

PURÉE D'OSEILLE AU MAIGRE. Vous hachez ensemble de l'oseille, de la poirée, de la laitue et un peu de cerfeuil; mettez à sec dans une casserole, en remuant toujours, jusqu'à ce que les herbes soient bien fondues. Ajoutez un bon morceau de beurre et tournez jusqu'à ce que l'oseille soit bien passée; assaisonnez de sel et gros poivre; versez dans l'oseille une liaison avec trois jaunes d'œufs et de la crème.

PURÉE D'OSEILLE AU GRAS. Vous faites fondre l'oseille comme il est indiqué ci-dessus; puis, quand elle est bien fondue, vous ajoutez du beurre et tournez jusqu'à ce qu'il commence à frémir; mouillez avec du jus un fond de cuisson, du jus de rôti ou du bouillon réduit, et servez-vous de cette farce en guise de litière.

OS

Les os contiennent une très-forte partie de gélatine et un peu de phosphate de chaux. Les os qu'on fait bouillir ne perdent leur gélatine que par leur surface et jusqu'à une petite profondeur; il faut donc multiplier les surfaces pour en extraire davantage, et on le fait en brisant les os. Cette gélatine n'est pas mélangée d'osmazôme, mais elle est bonne dans le bouillon, où la présence de viande contenant toujours une quantité suffisante d'osmazôme donne à ce bouillon une grande propriété nutritive.

Dans les viandes rôties, les propriétés de l'osmazôme sont, paraît-il, exaltées par le feu, ou peut-être s'en forme-t-il de nouvelles aux dépens de quelques autres principes; ce qu'il y a de certain, c'est que lorsqu'on ajoute au *pot-au-feu* quelques débris de viandes rôties, le bouillon est beaucoup plus sapide que par l'emploi des viandes crues.

OSMAZOME

On donne ce nom au résidu qu'on obtient en faisant bouillir des substances animales, et particulièrement la viande, dans l'eau, qu'on précipite par l'alcool, la gélatine provenant de la décoction, et dont on soumet le précipité à l'évaporation. L'osmazôme est d'un brun jaunâtre; chauffée, sa saveur et son odeur rappellent celles du bouillon. C'est elle, du reste, qui donne le parfum au bouillon, qui en contient ordinairement une partie pour sept de gélatine.

OURS

Il y a peu d'hommes de notre génération qui ne se rappellent l'effet que produisirent les premières *Impressions de Voyage*, quand on y lut (dans la *Revue des Deux Mondes* ou la *Revue de Paris*) l'article intitulé : *Le Beefsteack d'ours*. Ce fut un cri universel contre le hardi narrateur qui osait raconter qu'il y avait des endroits dans l'Europe civilisée où l'on mangeait de l'ours.

Il eût été plus simple d'aller chez Chevet, et de lui demander s'il avait des jambons d'ours.

Il eût demandé sans étonnement aucun : Est-ce un gigot du Canada, est-ce un gigot de Transylvanie, que vous désirez? Et il eût donné celui des deux gigots qu'on lui eût demandé.

J'aurais pu, à cette époque, donner aux lecteurs le conseil que je leur donne aujourd'hui, mais je m'en gardai bien; il se faisait du bruit autour du livre, et c'était, à cette époque où j'entrais dans la carrière littéraire, tout ce que je demandais.

Mais, à mon grand étonnement, celui qui eût dû être le plus satisfait de ce bruit, l'aubergiste de Martigny, en fut furieux; il m'écrivit pour me faire des reproches, et il écrivit aux journaux afin qu'ils eussent à déclarer en son nom qu'il n'avait jamais servi d'ours à ses voyageurs; mais sa fureur alla toujours augmentant, chaque voyageur qui arrivait chez lui lui demandant pour première question : « Avez-vous de l'ours? »

Si l'imbécile eût eu l'idée de répondre oui, et de faire manger de l'âne, du cheval ou du mulet au lieu d'ours, il eût fait sa fortune.

Depuis, nous nous sommes fort civilisés; le jambon d'ours est devenu un mets qu'on ne rencontre pas chez tous les marchands de salaisons, mais qu'on peut se procurer sans trop de peine.

L'ours brun se trouve communément dans les Alpes; l'ours gris, le plus implacable de tous, qui force à la course le cheval d'abord, le cavalier ensuite, se trouve en Amérique. Il y a dans le Canada et en Savoie des ours rougeâtres, qui ne mangent pas de chair, mais qui sont si friands de miel et de lait, qu'ils se feraient plutôt tuer que de lâcher prise quand ils tiennent un gâteau de miel ou une cruche de lait. Les noirs n'habitent guère que les pays froids. Les forêts et les campagnes du Kamtschatka sont pleines d'ours qui n'attaquent qu'autant qu'ils sont eux-mêmes attaqués; et, chose singulière, ils ne font jamais de

*La chasse
à l'ours
en
Lituanie.*

mal aux femmes, qu'ils suivent cependant pour leur dérober les fruits qu'elles ramassent.

Lorsque les Jacoutes, peuples de la Sibérie, rencontrent un ours, ils ôtent leur bonnet, le saluent, l'appellent chef, vieillard ou grand-papa, et lui promettent de ne pas l'attaquer ni de ne jamais dire du mal de lui. Mais s'il fait mine de vouloir se jeter sur eux, ils tirent sur lui, et, s'ils le tuent, ils le coupent en morceaux, le font rôtir et s'en régalent, en répétant sans cesse : Ce sont les Russes qui te mangent et non pas nous [1].

La chair de l'ours est mangée aujourd'hui par tous les peuples de l'Europe. Dès l'Antiquité, on regardait les pieds de devant comme la partie la plus délicate de l'animal; les Chinois les estiment beaucoup, et en Allemagne, où la chair de l'ourson est très estimée, les pieds de devant font les délices des gens riches.

1. A-F. Aulagnier, *Dictionnaire des Aliments et des Boissons.*

Voici, d'après M. Urbain Dubois, cuisinier de Leurs Majestés prussiennes, comment ces pieds se servent à Moscou, à Saint-Pétersbourg et par toute la Russie : les pattes s'y vendent tout écorchées; on commence par les laver, les saler les déposer dans une terrine, les couvrir avec une marinade cuite au vinaigre, les faire macérer pendant deux ou trois jours; foncer une casserole avec les débris de lard et de jambon ainsi que des légumes émincés; puis on range les pattes d'ours sur les légumes; on les mouille à couvert avec leur marinade et du bouillon; on les couvre avec des bardes de lard; on les fait cuire pendant sept à huit heures à un feu très doux en allongeant le mouillement à mesure qu'il réduit; quand les pattes sont cuites, on les laisse à peu près refroidir dans leur cuisson; on les égoutte, on les éponge, on les divise chacune en quatre parties en leur longueur; on les saupoudre avec du cayenne, on les roule dans du saindoux fondu, on les panne et on les fait griller une demi-heure à feu très-doux, puis on les dresse sur un plat au fond duquel on a versé une sauce piquante réduite et finie avec deux cuillerées de gelée de groseille. Laissons parler Vuillemot :

« J'en ai arrangé souvent en mon restaurant de la Madeleine et que l'on trouvait bons. Ce mets me rappelle que M. le baron d'Offémont, un de mes clients, me fit cadeau de la cuisse d'un ours qu'il avait tué, disait-il, dans les Pyrénées. Tout naturellement, je mets en montre le quartier d'ours avec une étiquette portant : « Tué à telle époque dans les Pyrénées par M. le baron d'Offémont. » Plusieurs de ses amis le plaisantèrent sur cette chasse qui était fictive : cette partie d'ours avait été donnée au baron auprès de qui je tombai en disgrâce à cause de ma divulgation malencontreuse. Je reconquis plus tard sa faveur et nous parlâmes souvent de l'hypothétique chasse à l'ours. »

Une chasse à l'ours dans les Pyrénées.

OURSIN

Coquillage rond, appelé aussi *châtaigne de mer*, son aspect étant absolument celui de la châtaigne dans sa coque encore garnie de ses piquants. Ses piquants lui servent de pieds, et quand ils sont usés, l'animal roule comme une bille. A l'ouverture de ce crustacé, se trouve un petit animal rouge, de saveur salée, c'est le propriétaire de la maison; ses œufs, d'un jaune foncé, sont attachés aux parois intérieures de la coquille; sa saveur est à peu près celle des écrevisses; ceux que cette espèce de purée vivante ne dégoûte pas, le mangent comme un œuf à la mouillette. Les meilleurs oursins sont ceux de la Méditerranée; ils prévoient les tempêtes et y résistent en s'attachant aux plantes marines les plus vigoureuses; ils font le vide au moyen des ventouses qui sortent de leurs piquants, et dont on a compté plus de douze mille.

OUTARDE

L'outarde est le plus grand oiseau de nos climats; ses ailes, quoique peu proportionnées au poids de son corps, peuvent cependant l'élever et le soutenir quelque temps en l'air; mais cet oiseau ne peut prendre sa volée qu'avec beaucoup de peine et après avoir parcouru un certain espace les ailes étendues. Ils passent régulièrement en France au printemps et à l'automne. On en apporte aux marchés de Paris, venant de la Picardie et de la Champagne. Sa chair, celle des jeunes surtout, est excellente : les cuisses sont préférées par les gourmets.

OUTARDE A LA DAUBE. Laissez mortifier l'outarde plusieurs jours; plumez-la, videz-la, coupez les ailes rondes comme les pattes; détachez les cuisses de la carcasse et celle-ci de l'estomac; lardez les chairs des cuisses, de l'estomac, avec de gros filets de jambon cru; assaisonnez ces viandes, déposez-les dans une terrine, arrosez-les avec deux verres de vinaigre et faites-les macérer pendant vingt-quatre heures; masquez une marmite en fer au fond et autour avec des bardes de lard; rangez au fond quelques petits oignons avec des aromates, deux pieds de veau dessous et blanchis avec grande pointe et clous de girofle; sur ces viandes, placez les carcasses, les cuisses et l'estomac de l'outarde, après les avoir égouttés à la marinade; mouillez ces viandes à moitié de hauteur avec du vin blanc; masquez-les avec du lard et faites réduire le liquide pendant quelques minutes; couvrez hermétiquement la marmite avec un papier ordinaire, entourez le vase jusqu'à moitié de hauteur avec des cendres chaudes et du feu; cuisez les viandes pendant six ou sept heures, selon leur tendreté; enlevez-les avec soin pour les dresser sur un grand plat avec des pieds de veau et des légumes; dégraissez ce fond de cuisson, et versez-le sur les viandes en le passant.

PAIN

Dans la plupart des pays civilisés, la nourriture de l'homme se compose en grande partie de pain que l'on prépare suivant les productions du pays, soit avec du froment, ou avec du seigle, du maïs, etc.

Pour que la farine puisse fournir un pain convenable, il faut qu'elle contienne une assez grande proportion de gluten, et plus elle en contiendra, plus le pain sera supérieur. Lorsque la pâte de farine, convenablement préparée, est abandonnée à elle-même dans des circonstances convenables, il s'y développe une fermentation alcoolique qui donne lieu au dégagement d'une quantité de gaz acide carbonique; le gluten que renferme cette pâte formant un réseau extensible, retient en grande partie le gaz carbonique qui soulève ainsi la masse et la rend légère et poreuse; quand ensuite la cuisson la solidifie, cette pâte reste avec les mêmes caractères et fournit un bon pain. Le gluten, réparti dans la farine, s'imbibe d'eau et forme une espèce de membrane qui donne à la pâte du froment l'élasticité qui la caractérise; c'est elle également qui retient le gaz que produit la fermentation.

On dit communément que le pain, pour être bon à manger, doit avoir un jour; que la farine, pour faire la pâte, doit avoir un mois; et que le grain doit avoir un an avant de le faire moudre; mais pour tout le monde, le pain est généralement bon lorsqu'il est tendre et tout à fait refroidi. Il n'y a guère que le pain de millet qui soit bon chaud.

Quoique la panification systématique ne soit pas du ressort de la cuisine, nous croyons devoir donner quelques notions précises et succinctes sur la théorie du boulanger. On trouve partout du blé, de la levure et de la farine de froment; mais il y a des pays où le pain fabriqué par les nationaux n'est pas mangeable, et un de nos amis, M. Drouet, sculpteur, qui a beaucoup voyagé dans quelques-uns de ces pays, nous disait un jour qu'il avait été obligé pendant

La distribution du pain aux pauvres.

très-longtemps de manger des pommes de terre au lieu de pain, ce dernier étant détestable.

La qualité du pain, comme nous l'avons déjà dit plus haut, dépend de sa levure et de sa cuisson, mais principalement de sa levure; c'est à elle qu'on doit toujours attribuer son plus ou moins de bonté. L'opération de la levure consiste à garder un peu de pâte jusqu'à ce que par une sorte de fermentation spiritueuse qui lui est particulière, elle se soit gonflée, raréfiée et ait acquis une odeur et une saveur qui ont quelque chose de vif, de piquant et de spiritueux mêlé d'aigre. On pétrit exactement cette pâte fermentée avec la pâte nouvelle, et ce mélange détermine promptement cette dernière pâte à éprouver elle-même une pareille fermentation, mais moins avancée et moins complète que celle de la première. L'effet de cette fermentation est de diviser, d'atténuer la pâte nouvelle, d'y développer beaucoup de gaz qui, ne pouvant se dégager entièrement à cause de la ténacité et de la consistance de la pâte, y forment de petites cavités, la soulèvent, la dilatent et la gonflent, ce qui s'appelle la faire lever, et c'est par cette raison qu'on a donné le nom de levain à la pâte ancienne qui détermine tous ces effets.

Lorsque la pâte est ainsi levée, elle est en état d'être mise au four où, en se cuisant, elle se dilate davantage par la raréfaction des gaz; et puis elle forme un pain léger, complètement différent de ces masses lourdes, compactes, visqueuses et indigestes que donnent la cuisson de la pâte qui n'est pas bien levée.

L'invention d'appliquer à la fermentation de la pâte la levure de bière ou le résidu des vins de grains, a procuré encore une nouvelle matière très-propre à améliorer le pain; c'est l'écume qui se forme à la surface de ces liqueurs pendant la fermentation dont on use en guise de levain; cette écume introduite et délayée dans la pâte de farine la fait lever encore mieux et plus promptement que le levain ordinaire; elle se nomme levure de bière ou simplement levure, et nous en avons parlé à son article. C'est par son moyen qu'on fait le pain le plus délicat qui se nomme *pain mollet*. Il arrive souvent que le gros pain qui a été fait avec du levain de pâte a une saveur tirant sur l'aigre, ce qui est très-désagréable; cela peut tenir à ce que l'on a mis dans le pain une trop grande quantité de levain ou de ce que la fermentation du même levain était trop avancée. On ne remarque jamais cet inconvénient dans le pain fait avec la levure, ce qui vient apparemment de ce que la fermentation de la levure est moins avancée que celle du levain, ou qu'on met plus de sollicitude à la fabrication du pain mollet qu'à celui du pain de ménage. Le pain bien levé et cuit à propos diffère donc absolument d'un pain mal fabriqué, non-seulement parce qu'il est beaucoup moins compact et d'une saveur plus agréable, mais encore parce qu'il se trempe aisément et qu'il ne fait

pas, quand on l'imbibe, une colle visqueuse, ce qui est d'un avantage infini pour la digestion.

Quant au sel que l'on ajoute à la pâte, il ne sert pas seulement à donner du goût au pain, mais il exerce encore une action en déterminant une plus grande absorption d'eau par la farine, et quelques autres sels offrent cette action à un plus haut degré, mais dans de très-petites proportions seulement; au delà de certaines limites, ces sels empêchent la pâte de lever aussi bien.

Le levain et le sel offrent donc de grands avantages dans la panification; ces deux ingrédients consomment tout ce qu'il y a d'impur, donnent à la farine une espèce de cuisson anticipée et à la masse une consistance plus ferme.

Le peuple français est, comme on le sait, celui qui consomme le plus de pain, et c'est sans doute pour cela qu'il y règne moins de maladies; avantage que plus d'un médecin attribue à l'usage que nous avons de manger beaucoup de pain à nos repas.

Il n'en est pas de même chez les Anglais et les Allemands, dont la principale nourriture est la viande ou les pommes de terre; cela ne veut pas dire que ce régime alimentaire est constamment mauvais, mais il est souvent la cause de maladies putrides.

Un Parisien se trouvant un jour dans une ville d'Allemagne se trouva invité à dîner par un de ses amis.

A six heures, il était chez son ami; il vit une table somptueusement servie pour une douzaine de personnes à peu près, mais ce qui le frappa le plus, ce fut la petitesse des morceaux de pain qui se trouvaient sous chaque serviette.

Au bout d'un quart d'heure d'attente, ne voyant arriver aucun convive et sentant la faim le presser vivement, il se dit:

— Ma foi, je suis chez un ami, je n'ai pas beaucoup à me gêner avec lui, je vais manger ce petit morceau de pain, cela me permettra d'attendre les convives, qui ne peuvent tarder à arriver.

Il prit donc un morceau de pain et le mangea.

Un autre quart d'heure se passa, il fit la même réflexion que la première fois, et mangea deux morceaux de pain, n'ayant rien autre chose à manger.

Enfin, son ami et ses invités n'arrivant encore pas, il finit par manger, toujours en attendant, tout le pain qui se trouvait sur la table, de sorte que lorsque les convives arrivèrent, ils n'en trouvèrent plus; et le Parisien leur ayant raconté que c'était lui qui avait tout mangé, ils rirent beaucoup et lui demandèrent comment il avait pu faire pour en avaler autant.

Quant à eux, ils s'en passèrent parfaitement, cela ne les gênant pas, et les douze morceaux de pain avalés par lui n'empêchèrent pas non plus notre compatriote de faire honneur au dîner de son ami.

L'arrivée tardive des convives fut expliquée alors; on

soupe en Allemagne à huit heures, et le Parisien, ayant l'habitude de dîner à six, était venu à son heure habituelle sans s'inquiéter si c'était bien l'heure du repas.

MOYEN DE FAIRE LA LEVURE AVEC DES POMMES DE TERRE. Faites cuire des pommes de terre farineuses jusqu'à ce qu'elles soient bien molles; pressez, écrasez-les et versez-y assez d'eau chaude pour leur donner la consistance de la levure de bière ordinaire, ajoutez pour une livre de pommes de terre deux onces de mélasse, et quand le tout est chaud, ajoutez-y pour chaque livre de pommes de terre deux grandes cuillerées à soupe de bière. Gardez le tout chaudement jusqu'à ce qu'il ait cessé de fermenter; et en vingt-quatre heures il sera prêt à être mis en usage. Une livre de pommes de terre produit environ une pinte de levure, et elle se conserve trois mois. Cette levure remplit si bien le but qu'on ne peut distinguer le pain qui en contient de celui qui est fait avec de la levure de bière (Edlin).

« Je crois rendre service à mon état, dit M. Carême, en donnant la méthode de faire le pain d'après les procédés de M. Edlin.

« Les hommes de bouche qui voyagent avec des maîtres amateurs de bonne chère pourront désormais, à l'aide de cette méthode, se procurer du pain frais tous les jours. Cependant nous pourrons en user ainsi toutes les fois que notre service de cuisine n'en souffrira en aucune manière. Or, quand nous habiterons une campagne éloignée ou que les boulangers de province nous donneront du pain de mauvaise manipulation, c'est alors que nous serons heureux de pouvoir offrir à ceux que nous sommes spécialement chargés de bien faire vivre, du pain qui ne le céderait en rien à celui de nos boulangers de Paris. Cela serait fort aimable pour les maîtres, j'en conviens, mais peut-être fort déplaisant pour nous, car le même homme ne peut être à la fois cuisinier et boulanger, mais il doit en charger son aide et le surveiller dans l'opération, à moins que ce ne soit un aide-pâtissier; alors celui-là doit être l'homme de la chose. »

Comme il y a encore dans les campagnes beaucoup de paysans qui font leur pain eux-mêmes, nous allons donner la méthode la plus simple de le faire.

MÉTHODE POUR FAIRE LE PAIN. Vous mettez la quantité de farine que vous voulez, suivant ce qu'il vous faut de pain; faites une fontaine au milieu, et vous mettez dans cette fontaine un demi-quarteron ou plus de levure, faites votre détrempe à l'eau tiède, et de sorte qu'elle soit de la consistance de la pâte à brioche, travaillez bien votre pâte en y joignant deux onces de sel fin délayé dans un peu d'eau tiède, couvrez-la et mettez-la chaudement afin qu'elle puisse fermenter et lever; la bonté du pain, on ne saurait trop le répéter, dépend des soins donnés à cette partie

de l'opération; après avoir laissé la pâte en cet état une heure ou deux, selon la saison, on la pétrit de nouveau, on la recouvre et on la laisse encore reposer deux heures dans cet état; puis chauffez le four, et lorsqu'il est bien nettoyé vous divisez la pâte en autant de parties que vous voulez et formez des pains de la forme qu'il vous plaira. Vous placerez ces pains dans le four le plus promptement possible, puis, lorsqu'ils sont cuits, vous frottez la croûte avec un peu de beurre, afin de lui donner une belle couleur jaune.

PAIN FRANÇAIS EN ROULEAU. Vous prenez de la farine tamisée suivant ce que vous voulez faire de pâte et vous la délayez avec du lait, du beurre tiède, environ une demi-livre de levure et du sel. Vous mêlez bien le tout et vous le pétrissez avec une suffisante quantité d'eau chaude; travaillez bien la pâte, couvrez-la et laissez-la deux heures pour l'épreuve. Moulez-la ensuite en rouleau que vous placez sur des plaques ou plafonds étamés et laissez-les sur le four ou dans une étuve à chaleur molle, afin qu'ils puissent s'apprêter, placez-les une heure après dans un four très-chaud pendant vingt minutes. Râpez-en le dessus lorsqu'ils sont cuits. Vous pouvez les mettre de préférence sur du papier beurré, ils n'en font que plus d'effet en cuisant et cela les rend infiniment plus légers.

PAIN D'ÉPICE

Depuis les temps les plus reculés, le meilleur pain d'épice s'est fabriqué à Reims. A la fin du xvᵉ siècle, sous Louis XII, il jouissait d'une grande réputation, et celui qu'on fabriquait à Paris n'était qu'au second rang.

Vers la fin du règne de Louis XIV et au commencement du règne de Louis XV, il était d'usage de faire présent de croquets et de nonettes de Reims; il n'y a plus guère aujourd'hui que les enfants qui en consomment, mais il ne s'en fait pas moins un commerce considérable.

Nous avons entendu raconter, dit M. de Courchamps, que le dernier maréchal de Mouchy venant de perdre un de ses beaux-frères, contre lequel il avait plaidé pendant de longues années, était solennellement assis dans le salon de son appartement au château de Versailles, où il écoutait des compliments de condoléance avec beaucoup de gravité.

Comme il était là depuis son retour de la messe du roi, et que le dîner approchait, le contrôleur du maréchal, car il avait accordé le titre de contrôleur à son maître d'hôtel, cet officier, disons-nous, osa prendre sur lui d'interrompre la cérémonie des compliments pour venir lui demander ses ordres :

– Hé! mon Dieu, lui dit le maréchal avec un ton mêlé d'impatience et d'affliction, comment pouvez-vous et comment osez-vous me faire une question pareille? Qu'est-ce que vous pourriez me présenter convenablement, sinon les deux plats d'ancienne étiquette? Apprenez donc, monsieur, qu'un jour comme aujourd'hui, vous ne pouvez servir devant moi que des pigeons au gros sel et du pain d'épice. Comment se fait-il que mon contrôleur ne sache pas cela?

On fait le pain d'épice avec la fleur de farine de seigle, de l'écume de sucre ou du miel jaune et des épiceries; on fait cuire le tout, que l'on divise en pains de la forme que l'on veut. Il excite l'appétit, relève et soutient les forces digestives; mais on ne doit en manger que modérément. Les marins se trouvent bien d'en faire usage.

Son invention remonte à une date fort ancienne; il n'y a pas de doute qu'elle n'ait suivi immédiatement celle du pain. Encouragés par le succès de l'opération qui avait procuré le pain, les hommes essayèrent de combiner la farine des différents grains avec toutes les substances qui pouvaient en rendre la saveur plus agréable, tels que le beurre, les œufs, le lait, le miel, afin de voir ce qu'il en résulterait. Ce furent sans doute ces expériences qui donnèrent naissance à toutes les pâtisseries dont se régalaient les anciens, et dont nos pères, au temps des Croisades, rapportèrent les recettes d'Égypte et d'Asie, ce qui a servi à former l'art du pâtissier et du confiseur.

Les Romains avaient leur pain d'épice; c'était l'offrande que le pauvre faisait aux dieux immortels. *Far cum melle.* Les Grecs le mangeaient au dessert. Nos ancêtres l'esti-maient fort et en faisaient même des présents. Dans les repas de cour, il figurait au premier rang. Agnès Sorel, la jolie maîtresse de Charles VII, appelée Dame de Beauté à cause du château de Beauté qu'elle possédait sur les bords de la Marne, et qui était un cadeau de son royal amant, ne pouvait se lasser de cette friandise, et plusieurs auteurs du dernier siècle ont prétendu même qu'elle avait été empoisonnée avec du pain d'épice par le dauphin, depuis Louis XI, qui ne l'aimait point parce que son père l'aimait trop; mais c'est une conjecture qui ne repose que sur le caractère cruel et vindicatif de ce prince. Marguerite de Valois, sœur de François Iᵉʳ, en faisait aussi ses délices. Mais sous Henri II, on s'en dégoûta tout à coup, parce que le bruit courut que les Italiens y mettaient du poison, et il ne revint en faveur qu'à la fin du règne de Louis XIV, comme nous l'avons dit plus haut.

La farine de seigle rend ce pain un peu pesant; cependant, quand il est bien confectionné et bien cuit, les aromates qu'on y emploie le rendent plus digestif. Le bon pain d'épice, fait avec du bon miel de choix, peu aromatisé, est laxatif, calme la soif et favorise l'expectoration. Pour qu'il puisse se garder sans se ramollir par l'humidité et s'altérer en vieillissant, il faut lui donner un degré de cuisson convenable et l'exposer de temps en temps à la chaleur du feu ou du soleil.

PALAIS
de bœuf en filets marinés, au gratin, à l'allemande, en coquilles, en crépinettes, etc.
(V. Bœuf.)

PALOMBE

Oiseau de passage, de l'espèce du pigeon ramier, vivant principalement près des Pyrénées. Sa chair est aussi estimée que celle des autres pigeons sauvages. Ses propriétés alimentaires sont les mêmes, et il se prépare de la même façon.

PANADE

Espèce de potage composé de mie de pain qu'on fait mitonner avec de l'eau, du beurre et du sel, et dans lequel on ajoute, au moment de servir, une liaison composée de jaunes d'œufs et de crème fraîche.

Nota. – Avoir soin de ne mettre le beurre frais que dans les jaunes d'œufs, et non pas de suite dans le pain, l'eau et le sel qui se mitonnent; le beurre, en bouillant dans le potage, perdrait de sa saveur. (*V. Potages.*)

Panade portugaise, nommée de la Sourde. Mettez de l'huile dans une casserole (deux cuillerées), faites-y revenir de l'ail que vous retirez quand il est revenu. Ajoutez du pain rassis en tranches, du sel, du poivre; mouillez d'un peu d'eau. Retournez et écrasez bien, en ajoutant une cuillerée ou deux d'huile, suivant la quantité que l'on veut faire.

Cette panade se mange, à Lisbonne, comme potage et à la fourchette.

PANAIS

Plante de la même famille que la carotte. Sa racine est blanche, sa tige haute, droite, grosse, ferme, cannelée, vide et rameuse; les fleurs sont amples, la saveur est douce et sucrée.

Il y a deux espèces de panais, le long et le rond. On met cette racine dans les bouillons, on la frit aussi au beurre. Le goût de ce légume ne plaît pas généralement. Ray dit que les Anglais croient que, lorsque le panais est trop vieux, il produit le délire et même la folie; ils le nomment alors panais fou. Cette plante passait pour être aphrodisiaque; il ne faut pas la confondre avec la ciguë, dont les feuilles ont des taches rouges au bas des tiges. En Thuringe, on extrait des panais un sirop qui remplace le sucre. Cette plante a une composition analogue à celle de la betterave et de la carotte; le sucre y entre comme partie constituante. Drappies dit en avoir retiré douze pour cent.

On cultive et l'on mange souvent en Allemagne une espèce de petit panais farineux et sucré dont on fait un hoche-pot avec des carrés de porc frais et de filets de biche.

PANCALIER

Sorte de chou printanier qui tire son nom de la ville de Pancaglieri, en Piémont, d'où il a été apporté par le célèbre La Quintinie, premier jardinier-potagiste de Louis XIV.

PANER

C'est l'action de couvrir de chapelure ou de mie de pain les viandes que l'on veut faire frire ou griller.

PANNE

On donne le nom de panne à la graisse dont la peau du cochon et de quelques autres animaux se trouve garnie à l'intérieur, et plus particulièrement au ventre.

PANNEQUETS
(Recette de M. de Courchamps)

Mettez dans une terrine deux cuillerées à bouche de farine, trois jaunes d'œufs et deux œufs entiers, un peu de sel et quelques gouttes de fleur d'oranger; délayer bien le tout et achevez de le délayer avec du lait, afin que l'appareil soit bien clair; prenez une petite poêle ronde et creuse, chauffez-la, essuyez-la, mettez un peu de beurre dans plusieurs épaisseurs de papier en forme de petit sachet, frottez-en votre poêle partout, mettez dans cette poêle une cuillerée à dégraisser pleine de votre pâte, tournez-la sur tous les sens, afin de bien étendre le pannequet, lequel doit être bien mince et bien égal partout. Lorsqu'il sera cuit, renversez-le sur le plat où vous devez le servir; étendez votre pannequet, saupoudrez-le de sucre et continuez ainsi pour les autres, jusqu'à ce que vous ayez employé la totalité de votre appareil.

On recouvre quelquefois ces pannequets avec un enduit de confiture, mais ceci masque leur goût, et c'est une recherche que nous ne saurions approuver.

Ainsi parle M. de Courchamps, mais du moment que vous n'ajoutez pas une confiture quelconque en chausson dans votre appareil, ce ne sont plus des pannequets, c'est tout bonnement des crêpes fines.

La groseille ou l'abricot sont nécessaires pour constituer les pannequets.

PANTHÈRE

Nous mettons ici la panthère, parce qu'il y a des peuples dans l'Inde qui mangent la chair de cet animal.

On dompte la panthère plutôt qu'on ne l'apprivoise; elle ne perd jamais en entier son caractère féroce. Ceux qui s'en servent pour la chasse ont besoin d'employer les plus grands moyens pour la dresser, la conduire et l'exercer. Cet animal habite plus particulièrement la partie de l'Afrique qui s'étend le long de la Méditerranée et de l'Asie. C'est aux Indes qu'on le dresse pour la chasse; on l'y conduit les yeux bandés, dans de petits chariots, jusqu'à la vue du gibier. Là, on lui rend la liberté et la vue; il s'élance, saisit sa proie, et, après s'être repu de son sang, il se laisse reprendre et attacher de nouveau. Les Indiens et les nègres qui mangent sa chair la trouvent bonne; Gallien dit qu'elle ne vaut cependant pas celle de l'ours et prétend que son foie est d'une saveur détestable et devient même un poison.

PAON

Excepté dans quelques pays, l'habitude est perdue de servir les paons comme un rôti ordinaire.

Je n'ai mangé du paon qu'une fois dans ma vie; mais comme il était très-jeune et qu'il pouvait correspondre à ce qu'on appelle le poulet de grain, il me parut excellent. J'allais aux fêtes données à Saint-Tropez à propos de l'inauguration de la statue du bailli de Suffren. Nous avions été obligés d'abandonner le chemin de fer et de prendre une voiture particulière. A trois ou quatre lieues de Saint-Tropez, la voiture relayait dans un charmant village dont j'ai oublié le nom, et qui était situé au sommet d'une colline de châtaigniers. Pendant ce temps d'arrêt, je passai la tête par la portière, attiré par une partie de cochonnet que quelques jeunes gens jouaient avec la même passion que je l'ai vu faire à Paris, avant que ce noble jeu, qui ne le cède en rien comme antiquité au jeu de l'oie, ne fût exilé des Champs-Élysées. Les jeunes gens levèrent la tête vers la voiture, pour voir quels étaient les étrangers qui s'intéressaient ainsi à leur jeu, et me reconnurent.

A peine mon nom fut-il prononcé, que la voiture fut entourée, qu'il nous fallut descendre, et qu'entraînés vers un café, force nous fut de prendre un grog avec les indigènes du pays.

Au bout de dix minutes, nous étions devenus tellement amis avec nos nouvelles connaissances que celles-ci ne voulaient plus nous laisser partir, et s'obstinaient à nous retenir à dîner.

Nous n'obtînmes un sursis qu'à la condition que nous reviendrions dîner le mercredi suivant, c'est-à-dire trois jours après. Nous étions au dimanche.

Moyennant notre parole d'honneur donnée, une foule de poignées de main échangées, on consentit à notre départ, en nous annonçant qu'on nous attendrait, le mercredi suivant, jusqu'à huit heures pour dîner, et, s'il le fallait, jusqu'à dix heures pour souper.

Nous assistâmes aux fêtes de Saint-Tropez, et, à deux heures, malgré l'insistance de nos nouvelles connaissances, nous montâmes en voiture, pour tenir nos promesses envers les anciennes.

Une fois en route, ce fut à nous que vint la crainte que notre invitation ne fût oubliée par nos inviteurs et, dans ce cas, notre résolution était prise, pour leur faire honte, de nous arrêter à l'auberge et d'y dîner portes et fenêtres ouvertes.

Mais cette crainte ne nous tint pas longtemps. Cent pas en avant du village, nous vîmes une sentinelle qui faisait des signaux télégraphiques ayant une signification d'autant plus claire, qu'ils furent terminés par un coup de fusil.

A peine ce coup de fusil fut-il tiré, que la cloche sonna et que nous vîmes le village en masse venir au-devant de nous.

Il n'y avait pas moyen de rester en voiture. Le maire prit le bras de ma fille; le notaire, ce joueur de cochonnet qui m'avait reconnu, et qui, infidèle à une des plus grandes passions qui existât, avait quitté son jeu pour boire un grog avec nous, me donna le bras, et, entourés de toutes les femmes, de tous les enfants réunis à la ronde, nous fîmes notre entrée triomphale dans le village.

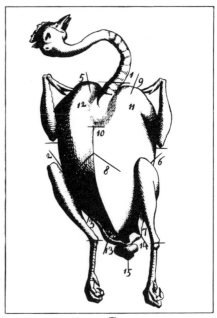

Le Paon

Notre étonnement fut grand. Comme dans les beaux jours de Sparte, notre table était dressée sur la place publique. Mais la première chose qui nous réjouit fut de voir qu'au lieu du brouet lacédémonien, la table était chargée de plats du meilleur air, et probablement du meilleur goût, au milieu desquels un paon rôti à qui on avait conservé toutes ses plumes étalait sa queue en éventail et dressait son cou de saphir.

La table était de trente ou quarante couverts; on avait douté du temps, et voilà pourquoi les convives n'étaient pas plus nombreux. Puis, il faut que je l'avoue, peut-être avait-on aussi douté de mon retour. Mais lorsqu'on vit que le temps s'était mis au beau fixe, lorsqu'on fut certain que j'étais arrivé, chacun sortit avec sa table toute servie, et la mit soit devant sa porte, soit à la suite des autres, et un quart d'heure après, trois cents convives gesticulaient de leur mieux pour célébrer mon arrivée, qui fut inaugurée par de chaleureux vivats.

A l'époque où la chose arriva, je voulus la raconter, mais pas un journal ne trouva le récit digne de ses colonnes et ne daigna me les ouvrir.

Les journaux ont parfois de ces bienveillances-là, entre eux.

On comprend que ce souvenir du goût de la chair de paon se perdit au milieu de la bruyante réception qui m'était faite. Il me sembla seulement que, dans ce dîner excellent, chaque mets avait atteint toute sa distinction et toute sa sapidité.

PAON ROTI A LA CRÈME AIGRE. Videz et bridez un jeune paon, mettez-le à la broche en l'arrosant de beurre salé et poivré; puis, lorsqu'il commence à cuire, prenez la valeur de deux verres de crème aigre et l'arrosez avec cette crème; débridez-le ensuite et le dressez sur un plat, en prenant la même attention de sa toilette que l'on prend de celle du faisan, c'est-à-dire en lui rendant sa queue, sa tête et ses ailes.

PARMESAN

Malgré la dénomination sous laquelle il est généralement connu, ce fromage ne se fabrique point à Parme, mais à Lodi et dans ses environs. Aussi son véritable nom est-il *formaggio lodigiano*, ou encore *formaggio di Grana*. On élève beaucoup de bétail aux environs de Lodi, et on y nourrit plus de trente mille vaches pour la préparation de ce fromage.

Quant à l'emploi culinaire du parmesan, voyez *Macaroni, Lasagnes, Ramequins et Fondues.*

PASSOIRE

Ustensile de cuisine qui sert à filtrer grossièrement les liquides épais. Il y en a aussi dont les trous sont très-fins, et on s'en sert pour passer le bouillon et les sauces liées.

PASTÈQUE

Espèce de melon d'eau cultivé dans les pays méridionaux. Les pépins sont disséminés dans la chair, qui est rouge et sucrée comme celle du melon. Le fruit étanche la soif, rafraîchit beaucoup, mais il pèse sur l'estomac si on l'en surcharge.

PATATE

Cette plante est originaire de l'Inde. On en trouve en Afrique, en Asie, même en Irlande et en Angleterre. Sa saveur est celle des bons marrons. On fait cuire les patates sous la cendre, et, après les avoir pelées, on les arrose de jus d'orange et d'un peu de sucre. Elles servent, en grande partie, de nourriture aux nègres des Antilles, et leur fane, qui est fort recherchée des bestiaux, surtout des vaches, augmente et bonifie le lait de celles-ci.

PATATES AU BEURRE. Faites cuire des patates à la vapeur, ôtez la peau qui les enveloppe et coupez-les en rouelles; mettez-les dans une casserole avec du beurre et du sel, et sautez-les.

PATATES EN BEIGNETS. Lavez, ratissez et coupez des patates, faites-les mariner trente-cinq minutes dans l'eau-de-vie, avec une écorce de citron, égouttez-les, trempez-les dans une pâte légère et faites-les frire; égouttez-les, dressez-les et saupoudrez-les de sucre.

PATE A DRESSER

Prenez 75 grammes de gruau, mettez-le sur un tour à pâte, formez un trou au milieu de cette farine assez grand pour contenir l'eau; maniez 500 grammes de beurre, mettez-le au milieu de ce trou, dit fontaine; ajoutez-y 30 grammes de sel fin, versez de l'eau, prenez peu à peu la farine, maniez bien votre beurre, pétrissez bien votre pâte : lorsqu'elle sera en masse et bien ferme, tourez-la deux ou trois fois, c'est-à-dire écrasez-la avec les paumes des mains; cela fait, ramassez votre pâte en un seul morceau, moulez-la. A cet effet, saupoudrez votre tour d'un peu de farine; ensuite, mettez-y votre pâte, dans un linge un peu humide, laissez-la reposer ainsi une demi-heure avant de l'employer. Vous pouvez la faire à 3 kilos par litre; celle à 2 kilos sert ordinairement pour les gros pâtés froids et les timbales froides; celle à 3 kilos par litre, en y ajoutant un œuf par litre, sert pour les pâtés chauds, les timbales de macaroni et autres.

PATES A NOUILLES. *(V. Nouilles.)*

PATÉS ET TOURTES

PETITS PATÉS AU NATUREL. Abaissez d'un centimètre d'épaisseur des rognures de feuilletage ou un morceau de pâte brisée; prenez un coupe-pâte de la grandeur que vous voudrez avoir ces petits pâtés, coupez-en les abaisses; mettez-les sur un plafond. Posez au milieu de ces abaisses gros comme le pouce de chair à petits pâtés. (Voyez, article *Farces*, celle *à la ciboulette ou de Godiveau.*) Si vous voulez les faire en maigre, servez-vous de la farce de carpes; refaites des abaisses de feuilletage de l'épais-

Pât

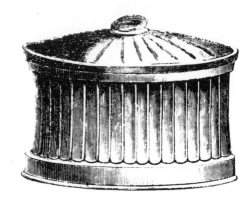

seur de trois lignes, couvrez vos chairs de petits pâtés,
que les fonds ne débordent pas les couvercles; appuyez
légèrement sur vos petits pâtés, dorez-les. Un quart d'heure
avant de servir, faites-les cuire, et servez-les sortant du
four.

PETITS PATÉS AU JUS. Faites une abaisse de pâte
brisée; foncez-en des petits moules à darioles (voyez
l'article *Darioles*), remplissez-les de chair à la ciboulette
ou de godiveau, ou d'une farce de carpes, et saucez d'un
coulis maigre; couvrez-les de vos couvercles de feuilletage. Pour cela, servez-vous d'un coupe-pâte goudronné
de la grandeur de vos moules, dorez vos couvercles,
mettez cuire vos petits pâtés : leur cuisson faite, ôtez-en
les couvercles, ciselez la farce, retirez vos petits pâtés de
leurs moules, dressez-les, saucez-les d'une bonne espagnole
réduite, et servez.

PETITS PATÉS A LA BÉCHAMEL. Faites une abaisse
de feuilletage de quatre lignes d'épaisseur, et à laquelle
vous aurez donné cinq tours; ayez un coupe-pâte d'un
pouce et demi de diamètre, coupez vos petites abaisses,
mettez-les sur un plafond, ayant soin de les retourner;
dorez-les, cernez-les à quelques lignes du bord, pour leur
former un couvercle; faites-les cuire, et, leur cuisson
faite, ôtez-en la mie; vous aurez coupé des blancs de
volaille en petits dés ou en émincées; au moment de servir,
ayez une béchamel réduite et bien corsée (voyez *Béchamel*,
article *Sauce*), mettez-y vos blancs de volaille, faites chauffer le tout sans le faire bouillir, remplissez-en vos petits
pâtés, et servez.
Vous pouvez faire de même des petits pâtés, soit de foie
gras, soit en salpicon, ou de laitances de carpes, etc.

PETITS PATÉS BOUCHÉES A LA REINE. Faites
des abaisses plus minces que les précédentes; coupez-les
de la grosseur d'une bouchée, mettez-les sur un plafond,
dorez-les, cernez-les, faites-les cuire, et, leur cuisson
achevée, levez-en les couvercles, ôtez-en la mie, remplissez-les du ragoût ci-après indiqué.
Hachez des blancs de volaille très-menu, mettez-les dans
une bonne béchamel bouillante; mêlez bien le tout, remplissez-en vos petits pâtés, et servez.

PETITS PATÉS AU SALPICON. Procédez, pour ces
petits pâtés, comme il est énoncé pour ceux au jus. Lorsqu'ils seront cuits, ôtez-en les chairs, coupez-les en dés,
ajoutez-y des champignons cuits, des truffes, quelques
foies de volaille, des fonds d'artichauts, tous coupés
d'égale grosseur. Mettez tous ces ingrédients dans de
l'espagnole réduite, faites-leur jeter un bouillon; dégraissez, assurez-vous si c'est d'un bon goût, remplissez-en
vos pâtés et servez.

Le marchand de pâtés de chat.

378

TOURTE D'ENTRÉE DE GODIVEAU. Moulez un morceau de pâte, abaissez-le de la grandeur d'un plat d'entrée; mettez cette abaisse sur une tourtière de la même grandeur, étendez un peu de godiveau au milieu de votre abaisse, posez dessus une bonne pincée de champignons, passez et égouttez. Mettez quelques fonds d'artichauts coupés en quatre ou six, ayez de la farce de godiveau, roulez-en des andouillettes de la grosseur que vous le jugerez convenable, mettez-en au-dessus de vos garnitures et tout autour, en sorte que le tout forme un dôme un peu aplati; faites une seconde abaisse un peu plus grande que la première, mouillez le bord de la première, posez la seconde dessus, pour en former le couvercle; soudez les deux ensemble, videz les bords, dorez votre tourte et la mettez cuire sous un four de campagne. Sa cuisson faite, levez-en le couvercle, dressez-la, saucez-la d'une bonne espagnole réduite et servez-la. Autrement, vous pouvez vider votre tourte dans une casserole pour faire jeter un bouillon à sa garniture dans l'espagnole, que vous avez soin de dégraissez; pressez votre tourte, remplissez-la de sa garniture, et servez. (Courchamps.)

PATÉ A LA CIBOULETTE. Prenez de la pâte à dresser, moulez-la, formez-en un pâté que vous remplirez de farce à la ciboulette.

Voici comment s'exécute cette farce :

Prenez 75 grammes de rouelle de veau, autant de tranche de bœuf, autrement dit de noix de bœuf, et une livre de graisse de rognons de bœuf; hachez le veau et le bœuf ensemble le plus menu possible. Servez-vous, pour cela, de couteau à hacher. Hachez de même votre graisse de bœuf, mêlez le tout ensemble et continuez de le hacher; assaisonnez-le de sel, de poivre et d'épices fines. Quand le tout sera bien mêlé, mettez-y deux œufs, l'un après l'autre, et continuez de hacher. Lorsque vos œufs seront bien mêlés, mouillez votre chair avec une goutte d'eau, et continuez de la mouiller peu à peu jusqu'à ce qu'elle soit à consistance d'une farce. Ayez toujours soin de la relever avec le couteau, afin que la graisse se mêle parfaitement. Finissez-la avec du persil et de la ciboule hachés très-fin; mêlez bien le tout, relevez-la, remplissez-en votre pâte, faites une seconde abaisse, formez-en un couvercle, soudez-le, rognez le bord de la pâte, pincez votre pâté, recouvrez-le d'un faux couvercle de feuilletage que vous échiqueterez et goudronnerez; dorez-le, mettez-le au four, et, sa cuisson faite, levez-en le couvercle, dégraissez votre pâté, coupez-en la farce en losanges sans la retirer, saucez-le d'une bonne espagnole réduite, ajoutez, si vous voulez, un jus de citron, recouvrez-le de son couvercle, et servez chaud.

PATÉ A LA FINANCIÈRE. Dressez un pâté, remplissez-en la croûte de farine ou de viande de sauce. Lorsque

votre viande sera cuite et de belle couleur, ôtez les viandes ou la farine, ainsi que la mie de votre caisse, et remplissez-la d'une bonne financière.

Votre financière se compose, vous le savez, de crêtes cuites dans un blanc avec des rognons de coq; égouttez-les au moment de vous en servir, ainsi que les rognons. Mettez dans une casserole la quantité convenable de velouté réduit, si vous voulez votre ragoût au blanc. Si vous le voulez au roux, employez de l'espagnole réduite, en y ajoutant un peu de consommé. Au cas où votre sauce se trouverait trop liée, faites mijoter vos crêtes un quart d'heure; joignez-y, un instant avant de servir, vos rognons, quelques champignons tournés que vous aurez fait cuire, des fonds d'artichauts et des truffes, selon votre volonté. Si votre ragoût est trop blanc, liez-le comme il est indiqué à l'article *Ris de veau*, et, s'il est au roux, suivez le même procédé que celui indiqué au même article.

PATÉ DE GIBLETTES PIAIÉ A L'ANGLAISE. Ce pâté se fait comme le précédent, sinon qu'au lieu de pigeons on emploie des abatis d'oies, de dindons, ou tous autres.

PATÉ FROID DE VEAU. Ayez une ou deux noix de veau, battez-les, ôtez-en les nerfs et les peaux, lardez-les de gros lardons, assaisonnés de poivre, fines épices, persil et ciboules hachés, un peu d'aromates pilés et passés au tamis; faites une farce avec sous-noix de veau et une égale quantité de lard haché bien menu, assaisonnez cette farce de sel, poivre, fines épices, d'aromates, et, si vous le voulez, d'une petite pointe d'ail; pilez cette farce dans le mortier, ajoutez-y quelques œufs entiers, les uns après les autres, et une goutte d'eau de temps en temps, de manière cependant qu'il y ait plus d'eau que d'œufs. Cela fait, garnissez une casserole de bardes de lard, posez dedans un peu de cette farce. Lorsque vous aurez assaisonné votre veau de sel, poivre et fines épices, rangez-le dans une casserole sur votre farce, et garnissez-le, tant au bord de cette casserole que dans les vides qu'il peut laisser; foulez-le un peu, afin qu'il reste moins de ces vides. Ensuite, couvrez ces chairs avec un couvercle et mettez-les revenir une heure dans le four. Retirez-les, laissez-les refroidir. Quand elles le seront, prenez de la pâte à dresser (voyez l'article *Pâte à dresser*), mouillez-la, abaissez-la de l'épaisseur d'un travers de doigt; faites en sorte qu'elle soit ronde. Posez-la sur une ou deux feuilles de fort papier beurrées et collées ensemble; garnissez-la d'un peu de farce que vous avez dû conserver à cet effet; étendez cette farce de la grandeur de la casserole, où vous aurez fait revenir votre viande; faites chauffer légèrement cette casserole pour en détacher les chairs, renversez-les sur un couvercle et glissez-les sur le milieu de votre abaisse; maniez du beurre, saupoudrez votre tour de farine, roulez dessus votre beurre, donnez-lui l'épaisseur du petit doigt; formez-en une couronne sur le haut de votre pâté, et mettez-en dessus quelques morceaux, ainsi que deux ou trois demi-feuilles de laurier. Ensuite, faites une seconde abaisse, moins épaisse de moitié que la première : il faut qu'elle soit assez grande pour envelopper vos chairs et retomber sur l'autre abaisse. Mouillez votre pâte au bord des chairs, mettez votre seconde abaisse dessus, soudez-la avec la première, ôtez la pâte qu'il pourrait y avoir de trop au pied du pâté, humectez avec un doroir le tour de vos abaisses et montez votre pâté en relevant celle de dessous jusqu'au haut; donnez du pied à votre pâté, faites une troisième abaisse pour former un couvercle, humectez le dessus de votre pâté; soudez, avec son bord, votre troisième abaisse, rognez-les également; pincez votre pâté tout autour, ou faites-lui le dessin qu'il vous plaira, faites un faux couvercle de feuilletage (voyez l'article *Feuilletage*); couvrez votre pâté et faites-lui au milieu un trou appelé cheminée, dorez-le, mettez-le cuire dans un four bien atteint, que vous aurez laissé un peu tomber, et faites-lui prendre une belle couleur. Si, durant sa cuisson, il était dans le cas d'en prendre trop, couvrez-le d'un peu de papier, laissez-le cuire trois ou quatre heures, retirez-le, sondez-le, avec une lardière en bois. Si elle entre facilement, c'est qu'il est cuit, dans ce cas, mettez-y un poisson d'eau-de-vie, remuez-le et finissez de le remplir avec un peu de consommé. Lorsqu'il sera presque froid, bouchez la cheminée, retournez sens dessus dessous, sur un linge blanc, votre pâte, afin que la nourriture s'y trouve bien répandue. Quand vous voudrez le servir, ôtez-en le papier, grattez le dessous du pâté, s'il a pris trop de couleur; posez une serviette sur le plat, dressez-le dessus et servez-le comme grosse pièce. (Courchamps.)

Paté de jambon. Parez, désossez un jambon de Westphalie ou de Bayonne, supprimez-en le combien; mettez-le dessaler huit ou dix heures, enveloppez-le dans un linge, mettez-le cuire dans la marmite avec 1 kilo 500 grammes de bœuf, 500 grammes de saindoux, du lard râpé et 750 grammes de beurre; assaisonnez-le de carottes, un bouquet de persil et ciboules, oignons piqués de trois clous de girofle, du laurier, du thym, du basilic et une gousse d'ail; faites-le cuire aux trois quarts, retirez-le, levez-en la couenne, laissez-le refroidir, parez-le de nouveau; prenez sa parure et le bœuf qui a cuit avec, hachez-le menu avec 500 grammes de lard, pilez le tout, ajoutez-y deux ou trois œufs entiers et des fines herbes hachées, prenez de la pâte à dresser, moulez-la, abaissez-la de l'épaisseur d'un bon travers de doigt, posez-la sur deux feuilles de papier beurré, marquez au milieu la place de votre jambon, diminuez-en l'épaisseur presque de moitié en l'appuyant avec le poing. Cela fait, relevez les bords

et dressez votre pâté en rentrant la pâte sur elle-même; faites en sorte qu'il n'y ait aucun pli, donnez du pied à votre pâté, en y passant une des mains et en appuyant de l'autre votre pâte en dehors. Observez de ne faire cette pâte qu'à 2 kilogrammes de beurre par boisseau; garnissez le fond de votre pâté d'une partie de votre farce, posez-y votre jambon, remplissez les vides avec le reste de la farce, couvrez votre pâté d'une abaisse bien soudée; ajoutez-y un faux couvercle de feuilletage ou de pâte beurrée, faites une cheminée au milieu, mettez-le cuire à un four bien atteint, qu'il prenne une belle couleur. Sa cuisson presque faite, tamisez, sans le dégraissez, l'assaisonnement; remplissez-en votre pâté, ayant soin de le remuer; remettez-le au four mijoter environ une demi-heure, retirez-le, remplissez-le de nouveau, laissez-le refroidir, bouchez-le, retournez-le sens dessus dessous, laissez-le dans cette position jusqu'au lendemain, ôtez-en le papier, ratissez le dessous de votre pâté, et servez.

Paté de poulardes et de toute autre volaille, comme dindon, poulet, etc. (*V. Poularde.*)
Ceux de bécasses, bécasseaux, pluviers et autres petits oiseaux, se font de même. On y ajoute plus ou moins de farce, cela dépend de celui qui les fait.

PATISSERIE

Le caractère de la pâtisserie varie selon les goûts et les mœurs des peuples. Chaque peuple, chaque province, chaque localité a fourni à cet art des moyens de succès et a contribué à son immense éclat par des inventions plus ou moins originales et dont chacune a son caractère propre. Dans l'état de civilisation où nous sommes parvenus, la France marche à la tête de la pâtisserie, et après elle viennent l'Italie et la Suisse. La position même du pâtissier a changé parmi nous. Cet artiste, autrefois de bas étage, jouit maintenant d'une grande considération. On disait proverbialement jadis, d'une personne effrontée, qu'elle *avait passé par devant l'huis du pâtissier.* Cela vient de ce qu'autrefois les pâtissiers tenaient cabaret; et parce qu'il était honteux de les fréquenter, les gens prudes n'y entraient que par la porte de derrière, et c'était une effronterie d'y entrer par la boutique ou la porte de devant. Aujourd'hui, ce serait faire injure à nos pâtissiers que d'assimiler à des cabarets leurs jolis et élégants établissements. Les hommes du meilleur ton, les femmes de la meilleure société ne rougissent plus d'entrer chez un pâtissier, de goûter ouvertement les produits de son industrie, de déguster les excellents vins et les liqueurs choisies dont il les accompagne, et de sortir de chez lui sans honte comme sans affectation.
Qui se douterait que la pâtisserie, cette si bonne et si

Grandes pièces de pâtisserie (Selon U. Dubois).

excellente chose, a été l'objet d'une quasi-persécution de la part d'un sévère magistrat au XVIe siècle? Les petits pâtés se criaient alors dans toutes les rues de Paris, et il s'en faisait une très-grande consommation. Le chancelier de l'Hôpital les ayant regardés comme un luxe qu'il fallait réprimer, ils furent, non pas précisément défendus, mais une ordonnance interdit de les crier.

Nos souverains n'avaient pas le même dédain pour ces productions si agréables; ils avaient à leur cour un officier appelé pâtissier-bouche, qui faisait la pâtisserie pour leur table, et il y avait dans la cuisine-bouche quatre pâtissiers-bouche servant par quartier. Quand le roi sortait, le pâtissier-bouche fournissait au coureur du vin pour la collation du roi, deux grands biscuits, huit prunes de perdrigon, six abricots à oreille et deux lames d'écorce de citron. Le pâtissier-bouche donnait au conducteur de la haquenée, quand le roi s'en servait, vingt grands biscuits, six douzaines de petits choux. Les jours maigres, le pâtissier-bouche augmentait d'un pâté de poires de bon-chrétien, un pâté d'œufs brouillés, deux grandes tourtes de fromage à la crème, vingt-quatre talmouses, vingt-quatre brioches. L'Église n'eut pas non plus horreur de la pâtisserie, et c'est elle qui, pour ne pas en priver ses prélats et ses fidèles dévots, aux jours de salutaire abstinence, insinua aux pâtissiers l'adroite et succulente invention des pâtés maigres et des pâtés au poisson.

Nous prions nos lecteurs de se reporter, pour les diverses préparations de la pâtisserie, aux articles ci-dessous, où nous en avons spécialement parlé.

Biscotin, Biscuit, Bouchées, Brioches, Choux-pâtissiers, Conglof, Conkes, Croquantes, Croquembouche, Croquignoles, Darioles, Diablotins, Échaudés, Fanchonnettes, Flan, Flaniche, Frangipane, Gâteaux, Gaufres, Génoises, Gimblettes, Macarons, Massepains, Madeleines, Meringues, Mince-pies, Mirlitons, Mousseline, Pâtés, Pâtés froids, Pâtés chauds, Piskiniofs, Profiteroles, Rissoles, Tarte aux fruits, Tartelettes, Timbale, Tourons, Tourtes, Vol-au-vent.

PAUPIETTES

Tranches de viande recouverte d'une tranche de lard, et sur lesquelles on a étendu une couche de farce; on les roule ensuite et on les embroche, puis on les fait rôtir enveloppées de papier. Quand elles sont cuites, on ôte le papier, on les pane, on leur fait prendre couleur et on les sert avec une sauce piquante.

PÊCHE

Le pêcher est originaire de la Perse. Son fruit est agréable à la vue, au toucher, à l'odorat et au goût; son enveloppe est fine et délicate, revêtue d'un léger duvet velouté qui la préserve des attaques des insectes. Elle est, dans certaines variétés, d'un jaune verdâtre plus ou moins clair; dans d'autres, d'un jaune rougeâtre plus ou moins orangé, et teinte toujours, du côté du soleil, d'un rouge violet plus ou moins foncé et plus ou moins pourpré. Le noyau est ovale, crevassé intérieurement et si solide, qu'il faut de grands efforts pour le casser. Il contient ordinairement une amande, rarement deux.

La pêche est célèbre en Chine depuis les temps les plus reculés; les poëtes la représentent comme pouvant donner tantôt l'immortalité, tantôt la mort. Comme signe de bienveillance et d'amitié, on s'offre réciproquement une pêche naturelle ou imitée en porcelaine, et les artistes chinois la font entrer dans toutes leurs décorations d'appartement. On a cru pendant plusieurs siècles, en Perse, que la pêche était mortelle; aussi se gardait-on d'en manger et même d'y toucher. Mais on les importa en Égypte, où le climat les adoucit et les rendit meilleures. Depuis ce temps, les Persans en consomment beaucoup.

Les meilleures pêches se trouvent aux environs de Paris. Montreuil surtout est justement renommé pour la beauté, la quantité prodigieuse et la bonté de ses pêches; puis viennent le Dauphiné, l'Angoumois et la Touraine, etc. La première qualité d'une pêche est d'avoir la chair ferme, fine et sucrée, ce qui se voit aussitôt qu'on a enlevé sa peau, qui doit se détacher aisément; la seconde qualité est que son parenchyme se dissolve aussitôt qu'il est mis dans la bouche; la troisième, enfin, est qu'il faut que le

goût du fruit soit piquant, vineux et quelquefois un peu musqué. Il faut aussi que le noyau soit fort petit, et que les pêches qui ne sont pas lisses, ainsi que les pavies et les brugnons, ne soient que médiocrement velues, car l'épaisseur du velours est toujours un signe du peu de bonté dans la pêche. Ce poil, au contraire, tombe de celles qui sont de qualité supérieure, et principalement de celles qui sont venues en plein air.

Nous renvoyons le lecteur, pour les diverses préparations de ce fruit, aux articles *Compote, Confitures, Conserves, Glaces, Mousses, Flan, Tartes et Ratafia.*

PÊCHE DE MONTREUIL. La pêche de Montreuil doit son origine à un nommé Girardot, ancien mousquetaire, chevalier de Saint-Louis, et finalement jardinier.

Ce Girardot, après avoir reçu plusieurs blessures graves, fut contraint de quitter le corps des mousquetaires, se retira dans son petit domaine de Malassis, situé entre les villages de Montreuil et de Bagnolet, et s'y adonna à la culture des arbres fruitiers, aidé par les conseils de La Quintinie, directeur des jardins du roi à Versailles, dont il allait souvent visiter les espaliers.

Ayant une grâce à demander à Louis XIV et ne sachant comment s'y prendre, son ami La Quintinie lui annonça un jour que, le roi devant aller à Chantilly chasser avec le prince de Condé, qui était malade, il tâcherait que la chasse soit dirigée du côté de Montreuil, et invita Girardot à se préparer à cette auguste visite.

Le lendemain, une corbeille contenant douze magnifiques pêches fut déposée par un inconnu à l'office, avec cette inscription : *Pour le dessert du roi.* Ces pêches firent l'admiration de tout le monde, et, quelques jours après, suivant la promesse qu'il lui avait faite, Girardot vit arriver La Quintinie précédant le roi, qui venait voir les espaliers qui fournissaient de si belles pêches et remercier en même temps le jardinier qui les soignait. L'ancien mousquetaire, encore revêtu de son uniforme, exposa sa demande au roi, qui l'accueillit fort bien, et lui accorda en outre une pension et la faveur de présenter chaque année, pour le *dessert du roi,* une corbeille remplie de ses plus belles pêches, en souvenir de celles qu'il avait fournies à Chantilly.

Cette coutume fut continuée par ses descendants et les habitants de Montreuil, qu'il avait enrichis, jusqu'en 1789.

PÉLICAN

Espèce de héron tout blanc et à fort belles ailes. Cet oiseau est palmipède, se plaît dans les fleuves, dans les étangs et dans la mer. Il est à peu près du volume d'un cygne; mais ses ailes ont plus d'envergure et il vole beaucoup mieux, tantôt s'élevant dans les airs à perte de vue, tantôt rasant l'eau avec une rapidité et une grâce remarquables. Il ne se nourrit que de poisson, qu'il pêche avec une habileté surprenante; s'il est seul, il se précipite avec une extrême violence dans l'eau, qu'il fait ainsi tournoyer, bouillonner, ce qui étourdit le poisson dont il veut se rendre maître, et il recommence cet exercice jusqu'à ce que la poche qu'il a sous le cou se trouve remplie. Quand ils sont en nombre, les pélicans manœuvrent, pour s'emparer du poisson qu'ils convoitent, avec une adresse qui ferait honneur à des pêcheurs de profession. Ils se forment en cercle, et, avançant peu à peu, ils resserrent ce cercle, au centre duquel se trouve le poisson étourdi et refoulé, ce qui leur permet de remplir ainsi leur poche en très-peu de temps. On pourrait en France, en prenant des pélicans très-jeunes, les faire servir au même usage que les Chinois emploient les cormorans dont ils font des pêcheurs domestiques et faire à l'aide de cet animal des pêches merveilleuses.

La poche dans laquelle le pélican renferme le poisson qu'il a pêché peut contenir environ 18 litres d'eau, elle est formée de deux peaux ou membranes, dont l'interne est contiguë à la membrane œsophagienne, l'externe est un prolongement de la peau du cou. Lorsqu'il veut extraire le poisson qui s'y trouve, il presse cette poche contre sa poitrine ce qui a fait croire aux anciens qu'il se déchirait le sein pour nourrir ses petits; cette idée absurde existe encore en Espagne et dans un des cloîtres de Barcelone on entretenait, il y a peu d'années, quelques-uns de ces oiseaux que le peuple visitait le dimanche en épiant le moment où ils se déchiraient soi-disant pour donner leur sang à leurs petits.

La chair du pélican, comme celles de tous les oiseaux qui ne vivent que de poisson, est d'un assez mauvais goût et son odeur désagréable; elle est en outre dure et coriace, aussi ne s'en sert-on que pour faire de l'huile.

PERCHE

Excellent poisson de rivière dont la chair est aussi légère qu'elle est nutritive. On l'a nommé ainsi du mot latin *perca*, parce qu'il est marqueté de taches noires. Les perches de Seine sont particulièrement estimées, les gourmands du XVIe siècle donnaient à ce poisson le nom de perdrix d'eau douce; il est très-vorace et, mis dans le vivier il en tue et mange presque tous les poissons. Les œufs aussi sont très savoureux et ils se mangent ordinairement grillés en caisse après avoir été sautés dans du beurre frais sans autre assaisonnement que du sel et quelques

feuilles de persil. On peut encore les accommoder au vin de Champagne, à la pluche verte, en matelote, au coulis d'écrevisses, à la sainte-menehould et même les faire frire, mais la meilleure manière de les apprêter est à la *Watter-Fisch*, ou court-bouillon hollandais dont voici la recette :

Arrachez six grosses touffes de grand persil avec leurs racines, ratissez celles-ci sans les séparer de leurs tiges vertes et faites-les bouillir pendant trois heures dans une eau de sel avec une tige de poireau blanc, un panais tranché par quartiers et un moyen piment de la Jamaïque ou de Cayenne; lorsque la *Watter-Fisch* est suffisamment réduite et bien assaisonnée par ces ingrédients, vous en retirez le piment et les panais, ainsi que le poireau pour n'y laisser que les racines de persil. Vous faites cuire alors vos poissons préparés convenablement, vous les servez dans un plat creux que vous remplissez de court-bouillon avec le persil cuit et vous servez à proximité de ce plat une pâte de tartines beurrées au pain de seigle.

PERDRIGON

Genre de prunes avec lesquelles on fait de bonne compote; les prunes de perdrigon qui ont eu l'honneur d'être célébrées par Molière, ont aussi le privilège de ne jamais être attaquées par les vers.

PERDRIX, PERDREAUX

Outre plusieurs variétés de perdrix, il y en a quatre fort estimées que l'on sert sur les tables à cause de leur délicatesse et de leur bon goût; ce sont la perdrix grise, la rouge, la bartavelle et celle de roche. Au rapport de Vincent Leblanc, au Bengale toutes les perdrix sont blanches et plus grosses que les nôtres.

Cet oiseau n'était pas connu en France avant l'an 1440. Ce fut René, roi de Naples, qui en apporta de l'île de Chio en Provence.

La chasse de la perdrix se fait ordinairement à l'aide de chiens couchants ou d'arrêt; ces chiens suivent leur piste, tombent à l'arrêt quand ils sont arrivés près d'elle et le chasseur, en forçant l'arrêt, fait lever et partir les perdrix, sur lesquelles il décharge son arme. Les chasseurs émérites assurent que les heures les plus convenables pour la chasse des perdrix sont de dix heures à midi et de deux heures à quatre, celles-ci étant toujours en mouvement aux autres heures pour chercher leur manger et ne tenant pas.

On prend les perdrix au collet, on les prend aussi dans des filets à l'usage des braconniers et appelés *traînasses* et *pantières*. C'est surtout la nuit que l'on emploie ces engins, dans lesquels les perdrix, chassées par des batteurs, effrayées par la lumière, vont s'engager d'elles-mêmes.

La traînasse détruit chaque année un nombre prodigieux de ces volatiles.

On attire aussi les perdrix mâles à l'aide de femelles privées, élevées dans des cages que l'on porte dans les cantons où il y a beaucoup de coqs; ces perdrix s'appellent chanterelles. On attire également le coq de la perdrix en imitant le cri de la femelle.

On distingue les perdreaux des perdrix par la dernière des grandes plumes de l'aile; la pointe de cette plume est aiguë par le bout dans les perdreaux, tandis qu'elle est arrondie dans les perdrix adultes.

Les épicuriens du siècle dernier ont souverainement décidé que le perdreau gris est préférable au perdreau rouge, tandis que la perdrix rouge est supérieure à la grise.

Cette dernière espèce est toujours plus estimée dans les pays où les perdrix rouges sont les plus communes et c'est précisément le contraire dans les pays où il n'y a que des grises. Les deux espèces sont presque également bonnes, mais les rouges sont toujours plus grosses.

La chair de la perdrix jeune est légèrement excitante, tendre, savoureuse et facilement digestible. Celle des vieilles perdrix a besoin d'une cuisson prolongée, mais comme elle est plus imprégnée d'osmazôme, elle est plus sapide que celle des perdreaux. Une vieille perdrix bouillie avec d'autres viandes donne une excellente saveur au bouillon et le rend plus tonique.

PERDREAUX ROTIS. Flambez légèrement vos perdreaux, troussez les pattes sur les cuisses; enveloppez-les par devant avec une feuille de vigne couverte d'une barde de lard, faites rôtir à feu modéré et servez avec une bigarade à sec.

PERDREAUX ROUGES OU GRIS A LA PARISIENNE. Videz, flambez-les, faites-les revenir dans une casserole sur un feu doux avec du beurre et sans leur donner de couleur, mouillez-les d'un verre de vin blanc, deux cuillerées à dégraisser de consommé et une demi-glace espagnole réduite; laissez-les cuire et mijoter à peu près trois quarts d'heure, retirez la majeure partie de la sauce, faites-la réduire, dégraissez-la; au moment de servir dressez vos perdreaux sur le plat, mettez un pain de beurre dans votre sauce, passez-la et vannez-la; saucez-en vos perdreaux et servez.

Per

PERDREAUX ROUGES A LA PÉRIGUEUX. Le per-dreau rouge ayant moins de saveur que le perdreau gris, se braise avec une bonne mirepoix; faites un suage du tout; mouillez avec deux verres de Madère; un verre de vin blanc, une petite cuiller à pot de consommé de volaille; une feuille de papier beurré sur les perdreaux, couvrez hermétique-ment la casserole, laissez mijoter le tout pendant une demi-heure; passez ensuite votre fond, dégraissez-le; faites-le réduire de moitié dans deux cuillers à bouche d'espagnole demi-glace; coupez quatre truffes en petits dés, jetez-les dans votre sauce avec un peu de fonds des truffes. Ondulez votre sauce d'un peu de beurre bien frais, un jus de citron et un peu de piment en poudre; dressez vos perdreaux sur un plat en triangle; séparez par trois croûtons panés, masquez le dessus de vos perdreaux avec votre sauce Périgueux, et servez chaud.

PERDREAUX A L'ANGLAISE. Vous farcissez les per-dreaux avec une farce faite avec leurs foies, du beurre, du gros poivre et du sel, enveloppez-les de papier, mettez-les à la broche sans les barder et laissez-les cuire aux trois quarts; levez-leur les membres sans les séparer du corps, mettez-les dans une casserole et placez entre chaque membre un peu de beurre manié avec de la mie de pain, de l'échalote, du persil, de la ciboule hachée, du sel, du gros poivre et un peu de muscade; puis mouillez vos per-dreaux avec un bon verre de vin de Champagne et deux cuillerées à dégraisser de consommé; faites bouillir douce-ment sans les couvrir jusqu'à parfaite cuisson, afin que la sauce se réduise; finissez avec jus et zeste de bigarade.

PERDREAUX A LA CRAPAUDINE. Plumez, videz, flambez, épluchez deux perdreaux, retroussez les pattes en dedans, effilez l'estomac des deux perdreaux; aplatissez avec une batte, assaisonnez de sel et poivre; faites fondre un peu de beurre, passez-les au beurre, panez-les, faites-les griller à feu ardent, belle couleur; hachez quatre échalotes, enlevez la partie aqueuse de l'échalote, mettez-les dans une casserole avec un peu de beurre bien frais, ajoutez un filet de vinaigre, un peu de glace de viande; hachez deux corni-chons, en ayant soin de hacher les foies des perdreaux, ajoutez-les à la sauce, pimentez et servez.

PERDREAUX EN ENTRÉE DE BROCHE. Videz, flambez sans roidir, bridez et embrochez quatre perdreaux sur un hâtelet, couvrez-leur l'estomac de tranches de citron. Couvrez-les de bardes de lard, enveloppez-les de papier, dont vous fixerez les bouts avec de la ficelle sur la broche afin de faire tenir le hâtelet dans lequel vos perdreaux sont embrochés; faites-les cuire trois quarts d'heure, déballez-les, égouttez-les, dressez-les en chevrette sur votre plat, saucez-les avec un jus clair, poivrez et ajoutez jus de bigarade.

386

La perdrix rouge

Feu de peloton sur une perdrix, par J.-J Grandville.

La perdrix grise

SALMIS DE PERDREAUX. Vous préparez trois perdreaux que vous bardez et que vous faites très-peu cuire à la broche; laissez refroidir, levez-en les membres, ôtez-en la peau, parez-les, rangez-les dans une casserole avec un peu de consommé, posez-les sur une cendre chaude de manière à ce qu'ils ne bouillent pas de suite; coupez six échalotes, ajoutez un zeste de citron, mettez le tout dans une casserole avec un peu de vin de Champagne et faites-le bouillir; concassez vos carcasses de perdreau et mettez-les dans la même casserole, ajoutez-y quatre cuillerées à dégraisser de blond de veau ou d'espagnole réduite, faites réduire le tout à moitié, passez cette sauce à l'étamine, égouttez les membres de perdreau, dressez-les; mettez entre ces membres des croûtons de pain passés dans du beurre et versez la sauce citronnée sur les perdreaux.

PERDREAUX A LA BOURGUIGNONNE. Rôtissez et dépecez trois perdreaux à la broche et coupez-les par membres, puis faites-les sauter dans une casserole où vous aurez mis trois cuillerées à bouche d'huile, un peu de vin rouge, du sel, du poivre, le jus d'un citron et un peu de son zeste; dressez, saucez et servez.

PERDRIX AUX CHOUX A LA MÉNAGÈRE. Posez deux perdrix braisées sur un plat, pressez vos choux, étuvés au gras, dans un linge, coupez-les et dressez-les debout autour de vos perdrix; garnissez-les de cervelas coupés en rond, de petit lard en tranches et de saucisses à la chipolata; saucez-les avec la réduction de votre braise et servez.

PERDREAUX A LA CUSSY. Désossez trois perdreaux rouges non faisandés, laissez l'os de la cuisse et les pattes, étendez-les sur un linge blanc, couvrez les chairs d'une légère couche cuite, faite avec les chairs des perdreaux. Vous aurez fait et laissé refroidir un salpicon (*V. Salpicon*) composé de gorges de ris de veau, de truffes, de champignons et de crêtes de coq, le tout coupé en petits dés et par parties égales, c'est-à-dire ayant employé autant de l'un que de l'autre; remplissez le corps de vos perdreaux de ce salpicon pour les rendre bien dodus; cousez-les, donnez-leur la première forme, bridez les pattes en dehors, mettez-les dans une casserole pour en faire roidir l'estomac dans un peu de beurre; laissez refroidir, concassez leurs débris et mettez-les dans une autre casserole avec une lame de jambon, deux petits oignons, une carotte coupée en quatre, un bouquet de persil et ciboules, assaisonné d'une demi-feuille de laurier et un peu de macis, joignez-y un demi-verre de vin blanc, un peu de consommé et un peu de lard râpé; posez vos perdreaux dans une casserole et couvrez-les d'un double rond de papier beurré; une demi-heure avant de servir, faites-les cuire feu dessus et dessous, en ayant soin que leurs estomacs se colorent; égouttez, glacez et dressez sur un fumet de gibier.

Faute de fumet, tamisez le fond et faites réduire avec espagnole.

PERDRIX AUX CHOUX EN CHARTREUSE. Prenez deux perdreaux, plumez, flambez, troussez-les en entrée de broche; piquez-les de gros lard et jambon, faites blanchir deux choux de Milan, une demi-livre de lard fumé, un peu

Perdrix aux choux.

de saucisson, rafraîchissez le tout; foncez une casserole d'une bonne mirepoix; ajoutez vos deux perdrix dans l'intérieur avec le lard et le saucisson; hachez les choux bien menu et remplissez les interstices; garnissez de quatre navets, quatre carottes et deux clous de girofle, un bouquet garni, une pointe d'ail, couvrez le tout d'une feuille de papier beurré, mouillé avec une cuiller à pot de consommé, et faites partir sur le feu; faites braiser pendant une heure et ôtez les perdreaux, afin qu'ils ne soient pas trop cuits; laissez cuire le reste un peu plus longtemps; ajoutez douze saucisses chipolata; prenez un moule à charlotte, beurrez-le; feuillez de papier beurré dans le fond; coupez vos carottes et vos navets en liards; faites un dessin de tout cela dans le fond du moule; garnissez le tout de vos deux perdreaux, de vos choux bien serrés, de votre petit lard, et mettez une feuille de papier beurré par-dessus; mettez au bain-marie jusqu'au moment de servir; égouttez bien votre chartreuse avant de la dresser sur votre plat, saucez d'une demi-glace et servez chaud.

PERDREAUX A LA MONTGLAS OU SALPICON EN CUVETTE. Troussez, bardez, rôtissez trois perdreaux en poule. Laissez-les refroidir, levez-en les estomacs de manière à en former une cuvette, coupez-en les chairs en petits dés, faites chauffer ces perdreaux dans un peu de consommé et tenez-les chauds jusqu'au moment de servir; mettez dans une casserole un morceau de beurre, coupez six ou huit truffes crues avec autant de champignons, passez-les dans ce beurre en y joignant un peu de persil, de ciboules et d'échalotes hachés, mouillez le tout d'un bon verre de vin de Champagne et de six cuillerées à dégraisser d'espagnole travaillée; faites cuire et réduire votre sauce en ayant soin de la bien dégraisser, hachez deux ou trois foies gras ainsi que les chairs de perdreaux; mettez-les dans votre sauce salée et poivrée; après deux ébullitions, dressez les perdreaux farcis de salpicon et saucez le tout d'un fumet de gibier.

SAUTÉ DE FILETS DE PERDREAUX. Levez les filets de quatre perdreaux, supprimez-en les peaux et les tendons; faites fondre 75 grammes de beurre clarifié dans un sautoir; trempez-y vos filets et disposez-les dans ce vase; salez-les, couvrez-les d'un rond de papier; faites un fumet avec les sot-l'y-laisse et ajoutez à ce fumet quatre cuillerées à dégraisser d'espagnole, faites-le réduire, dégraissez-le au moment de servir; sautez vos filets, retournez-les, égouttez-les, dressez-les en couronne autour de votre plat en entremêlant avec un croûton de pain en cœur passé dans du beurre et glacé; finissez votre sauce avec un pain de beurre, un jus de citron et une cuiller à bouche d'huile d'olive pour lier la sauce; masquez vos filets avec cette sauce. Ajoutez, s'il vous plaît, des lames de truffes dans le puits de votre ragoût, et servez.

PERDRIX A LA PURÉE EN TERRINE. Lardez trois perdrix avec sel, poivre, épices fines, aromates pilés et tamisés, persil et ciboules hachés. Faites-les cuire dans ce même assaisonnement et servez avec pois, lentilles ou marrons, etc.; garnissez-les de saucisses et de petit lard coupé par tranches ainsi que de croûtons.

SOUFFLÉ DE PERDREAUX. Levez les chairs de deux perdreaux rôtis, ôtez-en les peaux et les tendons, hachez ces chairs et pilez-les en y joignant les chairs que vous aurez fait blanchir et desquelles vous aurez ôté l'amer; retirez le tout du mortier, mettez dans une casserole avec quatre cuillerées à dégraisser de consommé réduit ou d'espagnole, chauffez le tout sans le faire bouillir, passez-le à l'étamine à force de bras, ramassez avec le dos de votre couteau ce qui peut être resté en dehors, déposez-le dans un vase; mettez dans une casserole quatre cuillerées à dégraisser d'espagnole ou de consommé réduit, concassez vos carcasses, joignez-les à votre mouillement, faites-les réduire et mettez-y gros comme le pouce de glace ou de réduction de veau, faites-les réduire de nouveau plus qu'à demi-glace, retirez votre casserole du feu, mettez-y la purée et mélangez le tout, ajoutez gros comme un œuf d'excellent beurre, un peu de muscade râpée, incorporez-y quatre jaunes d'œufs frais desquels vous aurez mis les blancs à part; fouettez ces blancs, incorporez-les peu à peu dans votre purée, quoique chaude, mêlez bien le tout, et versez-le dans une casserole d'argent ou dans une caisse de papier ronde ou carrée, mettez-la au four avec un feu doux dessus

et dessous; quand votre soufflé est bien cuit, servez-le de suite afin qu'il ne tombe pas.

SAUTÉ DE PERDREAUX AUX TRUFFES. Levez les filets de quatre perdreaux, parez-les, mettez-les dans du beurre fondu; faites-les roidir des deux côtés, égouttez-les, posez-les sur la table et coupez-les par petits morceaux d'égale grandeur en leur donnant une forme ronde; faites un fumet de carcasse, passez-le, ajoutez trois cuillerées d'espagnole travaillée, faites réduire jusqu'à demi-glace, mettez-y vos filets sans les laisser bouillir, joignez-y 250 grammes de truffes coupées de la même forme que vos filets que vous aurez fait cuire dans le beurre où vos filets auront été sautés, mêlez bien le tout, finissez-le avec un petit pain de beurre, dressez votre ragoût en rocher, et garnissez avec des croûtons sautés.

PERDREAUX A LA D'ARTOIS. Vous levez les membres, parez et supprimez les peaux de deux ou trois perdreaux cuits à la broche sans avoir été piqués; vous arrangez ces membres dans une casserole avec un peu de consommé sans les faire bouillir; pilez les reins et les parures de ces perdreaux; mettez dans une casserole un bon verre de vin de Madère, trois échalotes coupées, trois branches de persil et un peu de zeste de bigarade, faites jeter un bouillon, ajoutez-y cinq cuillerées à dégraisser d'espagnole réduite ou de blond de veau; faites bouillir sur un bon feu; mêlez alors à votre sauce les carcasses pilées, délayez-les, passez-les à l'étamine; faites chauffer cette purée dans une casserole au bain-marie; puis égouttez les membres de perdreaux, dressez-les sur un plat, entremêlez de quelques croûtons passés au beurre, garnissez les bords du plat de petits croûtons passés à l'huile, retirez la sauce du bain-marie, ajoutez-y le jus d'une ou deux bigarades, un peu de mignonnette, la moitié d'un pain de beurre, passez bien le tout, et versez-le sur vos perdreaux.

*Perdrix rouges
rôties,
aux
truffes.*

PERDREAUX A LA SINGARAT. Faites fondre du beurre dans un sautoir, mettez dedans les filets de trois perdreaux que vous aurez parés, retournez-les dans ce beurre, couvrez-les d'un rond de papier, coupez une langue de veau que vous aurez fait cuire à l'écarlate en morceaux de même forme et de même grandeur que vos filets; mettez-les chauffer dans une casserole avec un peu de consommé, hachez bien fin les parures et le tendre de cette langue, faites une sauce comme pour les sautés de perdreaux aux truffes, sautez les filets dedans, dressez-les en couronne, en entremêlant avec un morceau de langue, saucez-les avec une partie de votre mouillement, mettez le hachis dans le reste de cette sauce, mêlez bien le tout, et placez-le ensuite dans le rond formé par la couronne de filets.

PERDREAUX A L'ITALIENNE. Flambez légèrement trois ou quatre perdreaux après les avoir appropriés; videz-les par la poche, maniez du beurre avec un peu de sel fin et remplissez-en le corps des perdreaux, laissez-leur les pattes en dehors, bridez-les, embrochez-les avec un hâtelet entre l'aile et la cuisse, enveloppez-les de bardes de lard et de deux feuilles de papier; attachez des deux bouts ce hâtelet sur une broche; faites cuire ces perdreaux pendant une demi-heure à peu près, faites-les égoutter et saucez-les d'une bonne italienne rousse et réduite. (*V. Sauce italienne.*)

PERDREAUX OU PERDRIX A LA CENDRE. Après avoir retroussé en poule vos perdreaux épluchés et vidés, passez-les sur le feu dans une casserole avec un morceau de beurre, du persil, de la ciboule et des champignons hachés bien menu; quand vos perdreaux ont pris le fumet de la marinade, bordez-les et enveloppez-les de papier, cuisez-les sous la cendre rouge, et servez avec un coulis et du jus de citron.

HACHIS DE PERDREAUX. Vous levez les chairs de deux ou trois perdreaux cuits à la broche, vous supprimez les peaux et les nerfs, vous hachez ces chairs très-fin, puis vous concassez tous les débris des perdreaux et les mettez dans une casserole avec quatre cuillerées à dégraisser d'espagnole et deux de consommé; vous faites cuire ce fumet, passez la sauce à l'étamine, la faites réduire, la dégraissez, la faites réduire de nouveau jusqu'à consistance

de demi-glace, puis vous mettez un peu de cette sauce à part afin de glacer le hachis au moment de servir; vous mettez les chairs hachées dans la casserole avec le restant de la sauce, vous ajoutez une pincée de mignonnette, un peu de muscade râpée et deux petits pains de beurre, vous mêlez bien le hachis, le dressez sur un plat, le garnissez de croûtons passés dans du beurre et mettez par-dessus des œufs pochés.

PERSIL

Le persil est le condiment obligé de toutes les sauces. « Le persil, dit le savant auteur du *Traité des plantes usuelles*, rend les mets plus sains, plus agréables, il excite l'appétit et favorise la digestion. » L'opinion de Bosc sur cette plante est encore plus positive : « Oter le persil au cuisinier, dit-il, c'est presque le mettre dans l'impossibilité d'exercer son art. »

Le persil, nous le répétons, doit entrer dans tous les ragoûts et dans toutes les sauces, mais il y a deux assaisonnements culinaires dont il est le principal ingrédient, la *Watter-Fisch* et la sauce au persil à la hollandaise. (*V. Carrelet, Perche* et *Sauces.*)

PIEDS

Les pieds des animaux abondent surtout en gélatine, ce qui les rend très-alimentaires. (*V. Pieds d'agneau, de cochon, de mouton et de veau.*)

PIGEON

Le pigeon est après l'hirondelle l'oiseau dont le vol est le plus rapide, il fait seize lieues à l'heure; tous les ans notre ami Vuillemot était chargé de lâcher de son hôtel de la Cloche, à Compiègne, les pigeons expédiés par les messageries royales pour le concours qui avait lieu à Lille, il y a une vingtaine d'années; j'ai assisté plusieurs fois au départ de ces voyageurs mâles, qui hâtaient leurs courses vers la femelle désirée et qui, ô puissance de l'instinct! faisaient en quatre heures le trajet de Compiègne à Lille. Le pigeon sauvage s'appelle ramier, la façon dont il abonde dans tous les parcs royaux ou impériaux prouve qu'il devient très-facilement un pigeon privé. Il diffère des pigeons domes-

Le pigeon grosse gorge

Le pigeon nonain

tiques, non-seulement par sa chair et par son plumage, mais encore parce qu'il se perche sur des arbres.

Les plus jeunes se nomment des ramereaux; on les mange généralement à la broche, néanmoins on peut les employer en entrées.

PIGEONS AUX PETITS POIS.

Mettons aux petits pois l'oiseau cher à Cypris.

Plumez trois ou quatre pigeons, et épluchez-les, videz-les, et remettez-leur le foie dans le corps; retroussez-leur les pattes en dedans, laissez-leur les ailerons, flambez-les et épluchez-les, mettez un morceau de beurre dans une casserole, faites-les revenir et retirez-les; vous aurez coupé du petit lard en gros dés, et fait dessaler près d'une demi-heure; passez-le dans votre beurre, faites-lui prendre une belle couleur; égouttez-le, mettez une bonne cuillerée à bouche de farine dans votre beurre, faites un petit roux, qu'il soit bien blond, remettez-y votre petit lard et vos pigeons; retournez-les dans votre roux, mouillez-les petit à petit avec du bouillon, et mettez le tout à consistance de sauce; assaisonnez-le de persil et de ciboules, avec une demi-feuille de laurier, la moitié d'une gousse d'ail et un clou de girofle. Retirez votre casserole sur le bord du fourneau pour que vos pigeons mijotent; au milieu de leur cuisson mettez un litre de pois fins, laissez-les cuire, ayant soin de les remuer souvent, leur cuisson achevée goûtez-les, et ajoutez du sel, s'il en est besoin; dégraissez-les, retirez-les pour faire réduire leur sauce, si elle est trop longue; la réduction faite, dressez vos pigeons, masquez-les de leur ragoût de pois et de petit lard, et servez.

PIGEONS EN ENTRÉE DE BROCHE A LA NIMOISE. Videz et troussez vos pigeons par la poche, en fendant la fourchette avec la lame d'un couteau; prenez garde, en enlevant le gésier et le foie, de ne pas crever le fiel, pelez les pattes, coupez les ongles et bridez vos pigeons en entrée de broche, en faisant une incision sous le bout de la cuisse, et en relevant les pattes que vous trousserez sur les côtés tout le long des cuisses, et que vous fixerez au moyen d'une aiguille à brider; vous passerez une ficelle aux deux extrémités, et vous la nouerez par derrière; après cuisson, ôtez la ficelle, dressez-les sur le plat, versez-y une *rémolade*.

Hachez du persil, deux échalotes, un peu d'oignon, pressez-les ensuite dans un linge pour en extraire les parties aqueuses. Hachez aussi des cornichons, des câpres et un anchois, après quoi vous pilerez parfaitement le tout dans un mortier, avec quatre jaunes d'œufs durcis, un peu de persil blanchi d'abord, jamais d'ail, et lorsque ces objets seront bien pilés, vous y mettez un jaune d'œuf cru, vous verserez presque goutte à goutte dans le mortier la valeur d'un verre d'huile; vous assaisonnerez votre rémolade avec du sel, du poivre, de la moutarde, une bonne cuillerée de vinaigre à l'estragon, et un jus de citron ; vous mêlerez bien le tout ensemble.

PIGEONS A LA CRAPAUDINE. Videz trois pigeons de volière ; retroussez-leur les pattes dans le corps ; flambez-les, épluchez-les ; levez une partie de l'estomac en commençant du côté des cuisses, et venant jusqu'à la jointure des ailes, sans attaquer le coffre du pigeon ; renversez cet estomac et aplatissez le corps avec le manche de votre couteau ; prenez une casserole assez grande pour les contenir, sans qu'ils soient gênés, faites-y fondre un morceau de beurre, mettez-y sel et gros poivre en suffisante quantité ; posez-y vos pigeons du côté de l'estomac ; faites-les revenir en les retournant aux trois quarts cuits ; retirez-les, passez-les, mettez-les sur le gril, faites-les griller à un feu doux ; donnez-leur une belle couleur ; dressez-les et servez dessous une sauce au pauvre homme. *(Voir cette sauce.)* N'oubliez pas de les passer à la mie de pain blanche. *(V.)*

PIGEONS A LA GAUTIER. Ayez six ou sept de ces, petits pigeons bien égaux, lesquels ne doivent avoir que sept ou huit jours ; flambez-les très-légèrement ; prenez garde d'en roidir la peau ; épluchez-les, coupez-leur les ongles ; faites fondre, ou plutôt tiédir, trois quarterons de beurre fin, ajoutez-y le jus de deux ou trois citrons et un peu de sel fin, mettez vos pigeons dans ce beurre, faites-les revenir légèrement sans passer votre casserole sur le charbon, afin de ne point roidir leur peau ; retirez du feu votre casserole, foncez-en une autre en totalité de bardes de lard, rangez-y vos pigeons de manière que les pattes soient au centre de la casserole, arrosez-les de la totalité de votre beurre, mouillez-les, mettez un verre de vin blanc, une cuillerée à pot de consommé, un quarteron de lard râpé et un bouquet assaisonné ; couvrez vos pigeons de bardes de lard et d'un rond de papier ; un quart d'heure avant de servir, faites-les partir ; mettez-les cuire sur une paillasse avec un peu de feu dessous et de la cendre chaude dessus ; leur cuisson faite, égouttez, dressez-les, mettez entre chacun d'eux une belle écrevisse et une belle truffe au milieu ; saucez-les, soit avec une sauce verte, soit avec un beurre d'écrevisses, ou bien un aspic.

PIGEONS A LA TOULOUSAINE. On fait une farce avec le foie, du lard et des fines herbes, un petit morceau de veau, un jaune d'œuf et des truffes, le tout bien haché ; on farcit les pigeons, que l'on met à la broche, et sur lesquels on verse ensuite une sauce à l'estragon ou une rémolade.

PIGEONS AU SANG. Mettez dans un petit plat un peu de jus de citron, ou un filet de vinaigre, et quand vous tuerez vos pigeons, faites-y tomber le sang ; disposez-les comme pour l'apprêt ci-dessus, et servez-vous pour liaison du sang auquel vous aurez ajouté deux ou trois jaunes

d'œufs et deux ou trois cuillerées à bouche de lait, le tout passé au tamis.

PIGEONS AU BASILIC. Si vous avez des pigeons à la Gautier (il y a quatre espèces de pigeons, les romains, les cochois, les bizets et les pigeons à la Gautier), si vous avez, disons-nous, des pigeons à la Gautier de desserte, assez pour faire une entrée, exécutez une farce cuite de volaille dans laquelle vous mettrez une pincée de basilic haché, s'il est vert (s'il est sec vous le pilerez et le passerez au tamis) ; supprimez les pattes de vos pigeons, enveloppez-les de farce cuite, en sorte qu'on ne puisse distinguer si ce sont des pigeons ; trempez-les dans une omelette bien battue et dans laquelle vous aurez mis une mie de pain et un grain de sel ; roulez-les dans la mie de pain, c'est-à-dire panez-les ; un quart d'heure avant de servir, mettez-les dans de la friture moyennement chaude, afin qu'ils puissent être atteints ; faites en sorte qu'ils aient une belle couleur ; dressez-les, et servez.

PIGEONS A LA BROCHE. Prenez cinq pigeons de volière, plumez-les, videz-les, refaites-les légèrement, épluchez-les, bridez-les, laissez-leur les pattes en long, bardez-les ; si c'est en été, mettez une feuille de vigne entre le pigeon et la barde et posez-la de manière à ce qu'elle ne déborde pas le lard. Passez vos pigeons dans un hâtelet, attachez-le sur la broche ; faites cuire ces pigeons, et observez qu'ils demandent à être cuits verts.

PIGEONS EN ORTOLANS POUR ROT. Prenez six pigeons à la Gautier, préparez-les, flambez-les légèrement, bardez-les en caille, de manière qu'on leur voie à peine les pattes ; passez-les dans un hâtelet, couchez-les sur la broche, faites-les cuire à un feu clair (il leur faut très-peu de cuisson) et servez.

PIGEONS AU BLANC. Prenez la même quantité de pigeons, c'est-à-dire cinq ou six, et préparez-les de même ; faites-les dégorger une demi-heure et blanchir ; égouttez-les, essuyez-les avec un linge blanc ; mettez-les dans une casserole avec un morceau de beurre, faites-les revenir sur un feu doux sans que le beurre roussisse, singez-les, mouillez-les avec du bouillon et vin blanc, assaisonnez-les d'un bouquet garni de sel et de poivre, faites-les mijoter un quart d'heure, ajoutez-y deux poignées de champignons tournés, une vingtaine de petits oignons d'égale grosseur ; faites cuire le tout et dégraissez-le ; si votre sauce se trouvait trop longue, transvasez-la, faites-la réduire, remettez-la sur vos pigeons ; faites une liaison de trois jaunes d'œufs délayés avec de la crème ou du lait et un peu de muscade râpée, liez votre ragoût sans le faire bouillir ; ajoutez-y, si vous le voulez, un peu de persil haché et blanchi, goûtez s'il est d'un bon goût, dressez vos pigeons sur votre plat et masquez-les de votre ragoût.

Pig

COTELETTES DE PIGEONS. Prenez six pigeons, préparez-les, flambez-les légèrement, levez-en les filets, posez-les sur la table et levez-en la petite peau, battez légèrement ces filets avec le manche de votre couteau, parez-les, prenez des os de l'aile ou du bréchet, nettoyez-les, mettez-les dans la pointe de chacun de vos filets pour en former comme une côtelette; trempez-les dans une anglaise (c'est-à-dire deux jaunes d'œufs délayés avec du beurre), panez-les, mettez-les sur le gril, faites-les griller, ayant soin de les retourner, donnez-leur une belle couleur et, leur cuisson achevée, dressez-les en couronne sur votre plat, saucez-les d'un jus de bœuf, ou d'un blond de veau bien corsé, dans lequel vous mettrez une pincée de gros poivre, le jus d'un ou deux citrons, et servez. Vous pouvez faire, avec les culottes de vos pigeons, une entrée, telle qu'une timbale, un pâté chaud ou des papillotes.

Il faut, pour cette dernière entrée, couper vos culottes en deux.

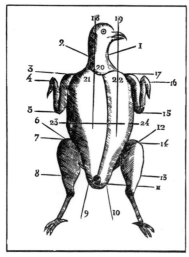

Illustration extraite de l'Écuyer tranchant.

PIGNÉSIE

Espèce de nougat blanc fait avec l'amande de la pomme de pin et le miel de Narbonne.

PILAU

Nom d'un mets dont l'usage est extrêmement répandu en Orient. Il consiste en riz qu'on a fait cuire dans de l'eau ou du bouillon, mais de telle façon que les grains en sont demeurés entiers et un peu durs, et sur lequel on verse du beurre fondu. Du reste, il existe autant de façons différentes d'accommoder le pilau qu'il y a de provinces.

PILAU TURC. Lavez le riz à l'eau tiède, mettez-le avec trois fois son volume de bouillon dans un vase fermé hermétiquement, sur un feu bien ardent. Quand il commence à bouillir, délayez dans une soucoupe ou dans une tasse un peu de safran ou gâtinais et versez-le dans le vase. Faites ensuite bouillir à gros bouillon en tenant toujours le vase exactement clos; le riz crevé se durcit et prend consistance; vous le dépotez alors et le servez en pyramide sur un plat. Cette opération doit durer environ une heure et demie.

Le pilau se prépare aussi au maigre, c'est-à-dire au beurre.

PIMENT

Le piment, appelé aussi *corail des jardins*, à cause de la couleur rouge de ses fruits à l'état de maturité, possède une multitude de variétés de forme et de volume que distinguent les noms de *poivre long, poivre de Guinée, poivre de Cayenne.* Le gros et long piment que l'on cultive dans les jardins en Europe se confit ordinairement au sel et au vinaigre, comme les olives et les câpres. Dans les Antilles et autres contrées chaudes, il croît naturellement des piments, beaucoup moins volumineux, mais d'une force extrême; une de ces variétés, connue sous le nom de *piment enragé,* et qui a à peu près la forme d'un clou de girofle, n'est pas soutenable sur la langue. Cependant les grives et autres oiseaux en sont très-friands et s'en chargent le jabot : on l'appelle aussi pour cette raison *piment des oiseaux.* Les bois et les forêts en offrent en abondance.

Une autre espèce de piment, le *piment de la Jamaïque,* est le fruit d'une myrtacée connue assez généralement aux Antilles, où elle croît en abondance sous le nom impropre de *bois d'Inde.*

Cet arbre se couvre de nombreuses fleurs remplacées par des baies violettes dans leur maturité, succulentes, sucrées et très-parfumées, mais qui échauffent énormément les personnes qui en mangent.

Les ramiers, les grives, les merles et d'autres oiseaux qui en sont très-avides acquièrent par cette nourriture un fumet très-délicat et s'engraissent beaucoup. Ce sont ces baies cueillies avant leur maturité, desséchées au soleil ou à l'étuve et pulvérisées, qui constituent la *toute épice* des boutiques. C'est l'objet d'une récolte assez lucrative aux Antilles et principalement dans l'île de la Jamaïque.

Le nom de *toute épice* indique que ces baies participent à la fois de la saveur des quatre principales épices du commerce : la cannelle, le poivre, le girofle et la muscade.

PIMPRENELLE

Herbe légèrement aromatique dont les jeunes feuilles sont employées comme assaisonnement.

Cette plante, autrefois très-estimée comme astringente, vulnéraire, diurétique, jouissait aussi, disait-on, de la propriété d'augmenter la sécrétion du lait, et depuis quelques années on a commencé de la cultiver en prairies artificielles. Cette culture offre des avantages, quoique le foin que l'on récolte ne soit réellement bon que pour les moutons.

PINTADE

Genre d'oiseaux de l'ordre des gallinacés. Ces oiseaux, originaires de l'Orient, ont été nommés pintades, *oiseaux peints*, à cause des taches blanches, arrondies, semées sur le fond gris bleuâtre de leur plumage et placées avec assez de régularité pour qu'elles paraissent tracée par le pinceau d'un peintre, surtout chez la pintade ordinaire *(Meleagris numida)*. Le nom latin des pintades, *meleagris*, vient de ce que les Grecs dans leur mythologie les supposaient le produit de la métamorphose des sœurs de Méléagre; les taches de leur plumage étaient des traces de larmes, enfin, le mot *numida* est dû au nom de *poules de Numidie*, qu'elles avaient reçu des Romains.
Les pintades ont la tête nue comme les dindons, des barbillons charnus, prenant naissance de la mandibule supérieure, une crête calleuse au-dessus de la tête; leurs pieds sont sans éperons, leurs plumes croissent de longueur du haut du cou à sa base, plus fournies au croupion, elles leur donnent une forme convexe et comme bombée, leur queue courte et pendante, arrondit encore la forme de leur corps.
De la grosseur de la plus forte poule, la pintade ordinaire a l'aspect de la perdrix; d'un naturel criard et querelleur, elle se rend tellement incommode dans les basses-cours que les cultivateurs renoncent à l'élever, malgré la bonté de sa chair et l'abondance de ses pontes : « C'est, dit Buffon, un oiseau vif, inquiet et turbulent, qui n'aime point à se tenir en place, qui sait se rendre maître dans la basse-cour;

il se fait craindre des dindons mêmes et, quoique beaucoup plus petit, il leur impose par sa pétulance. La femelle couve de trois à quatre semaines et, quoi qu'on ait pu dire, elle prend soin de sa famille et l'amène à bien toutes les fois qu'elle est dans des circonstances qui lui permettent de se maintenir en bonne santé et qu'elle n'est pas importunée par des visites trop fréquentes autour du lieu de l'incubation; mais ses petits sont beaucoup plus difficiles à élever que les poulets dans nos climats tempérés; ils se nourrissent d'abord de menus grains et d'insectes; la viande hachée, crue ou cuite, les œufs de fourmi, un mélange de mie de pain, de persil et d'œufs durs leur conviennent surtout; plus tard ils s'arrangent du millet. »
Lorsque la pintade est élevée en liberté dans un parc, sa chair égale en délicatesse celle du faisan. On l'apprête absolument de la même manière. *(Voir Faisan.)*

PISKINIOFF

Gâteau polonais que les cuisiniers français appellent improprement *biscuit de Niauffes*.
En voici la recette empruntée au livre de M. de Courchamps :
« Faites un demi-litron de feuilletage, donnez-lui un tour ou deux de plus que d'habitude, formez-en deux abaisses carrées de l'épaisseur de 3 lignes, couvrez une plaque d'office d'une de ces abaisses, étalez dessus de la crème patissière, à l'épaisseur de 8 à 10 lignes, dans laquelle crème vous aurez mis une bonne poignée de pistaches pilées, deux amandes amères, jointes à une poignée d'amandes douces émondées et un peu d'épinards blanchis, passés au beurre; pilez et passez au travers d'un tamis de crin, ajoutez six fortes cuillerées de sucre en poudre, de l'eau de fleur d'orange et un ou deux œufs entiers, que vous aurez bien incorporés dans cette crème; étendez-la également sur votre première abaisse, couvrez-la de la seconde, dorez-la avec du lait, piquez-la, rayez-la en formant des carrés de 3 pouces de longueur sur 2 de largeur; dorez une seconde fois cette abaisse avec du lait, saupoudrez-la de sucre passé au tamis de crin, de fleur d'orange pralinée et bien hachée, laissez fondre un peu votre sucre; faites fondre ce piskinioff à un four un peu plus chaud que pour les biscuits ordinaires dans lequel vous aurez allumé un éclat pour le faire *griller;* sa cuisson achevée, retirez-le, divisez-le par carrés que vous dresserez et servirez pour entremets. »

Pis

PISTACHE

On donne ce nom aux amandes des fruits du pistachier franc. C'est une petite noix oblongue, assez difficile à casser, parce qu'elle est élastique; jaunâtre, ponctuée de blanc vers l'époque de sa maturité, teinte de rouge du côté du soleil, elle renferme une semence huileuse dont la chair est d'un vert tendre et dont le goût est plus agréable que celui de l'aveline.

On substitue avec avantage la pistache aux amandes et aux avelines pour toutes les préparations de haute cuisine et d'office ainsi que dans la fabrication des dragées et pralines, mais la plupart des prétendues pistaches recouvertes de sucre que l'on trouve chez les confiseurs sont des semences extraites des fruits coniques d'une espèce de pin. (Voir les articles *Crèmes, Dragées et Glaces.*)

PLIE

Poisson de la famille naturelle des achantures et qui se prépare de la même façon que la limande et le carrelet. *(Voir Limande, Carrelet.)*

PLONGEON

Oiseau aquatique dont on distingue plusieurs espèces. Le plongeon de Seine est surtout renommé pour la saveur et la finesse de sa viande; il est classé parmi les aliments maigres et s'apprête de la même façon que les rouges de rivière et les albrans. *(Voir ces deux articles.)*

Le plongeon imbrim.

PLUM-PUDDING

Mets farineux sans lequel il n'y a pas de bon repas en Angleterre et dont l'usage s'est aussi fort étendu en France pendant ces dernières années, dans la composition duquel figurent en première ligne, comme parties essentielles et constitutives, la farine, les œufs et le beurre, dont on relève le goût par différents ingrédients. Il y a le pudding aux cerises, pudding au sagou, le pudding au citron, le pudding aux choux-fleurs, le pudding mousseux etc.

PLUM-PUDDING. (Recette traduite de l'anglais par feu M. de Cussy.) Ayez 2 livres de moelle de bœuf ou, à défaut de moelle, 2 livres de graisse de rognon de bœuf, ôtez-en la peau et les nerfs, hachez-la bien menu et mettez-la dans un grand vase, épépinez une demi-livre de raisins de Corinthe, et mêlez ces raisins avec votre graisse ou moelle, ajoutez à cela 3 livres de mie de pain passée au tambour ou dans une passoire, un bon verre de vin de Malaga, deux petits verres d'eau-de-vie de Cognac, le zeste de la moitié d'un citron, haché bien fin, une poignée de cédrat confit, coupé en petits dés, une bonne poignée de farine de seigle, du sel fin en suffisante quantité et huit œufs entiers; mouillez le tout avec du lait, maniez avec les mains de façon à ce que le tout soit bien mêlé, formez-en une pâte un peu liquide, faites bouillir de l'eau dans une marmite, capable de contenir le plum-pudding; votre eau bouillant, formez une serviette et posez-la dans une passoire (laquelle sert de moule pour former votre plum-pudding), et mettez-y votre appareil, rassemblez les coins de cette serviette, liez-les fortement sans trop serrer votre pâte, mettez le tout dans la marmite qui doit bien bouillir, retirez-la alors au fond du fourneau et conduisez-la comme un pot-au-feu; observez qu'il ne faut la couvrir qu'à moitié; qu'il ne faut pas qu'elle cesse de bouillir, que pour l'entretenir, il faut toujours avoir de l'eau bouillante, et que, sans tout cela, l'eau pénétrerait dans le pudding. Laissez-le cuire six ou sept heures, retournez-le d'heure en heure durant sa cuisson, faites la sauce indiquée ci-après : mettez dans une casserole un quarteron de beurre fin, une pincée de farine, une pincée de zeste de citron, une écorce de cédrat hachée, de même une petite pincée de sel et une cuillerée à bouche de sucre fin. Mouillez le tout avec du vin de Malaga, faites cuire comme une sauce ordinaire, au moment de servir, égouttez votre plum-pudding un instant, déliez et ouvrez-en la serviette, posez un plat dessus, retournez-le, ôtez-en la serviette; saucez et glacez-le avec la sauce énoncée ci-dessus, et servez-le tout de suite.

Observez que vous pouvez également faire cuire votre plum-pudding au four, en le mettant dans une casserole beurrée.

PLUNK-FINE

Ragoût de bœuf à l'écossaise. *(Voir Bœuf.)*

PLUVIER

Il y a deux espèces de pluviers, le *pluvier doré*, dont le plumage est jaune, et le *pluvier gris*, dont le plumage est cendré; plusieurs auteurs ont confondu le pluvier avec le vanneau parce que ces deux oiseaux habitent les mêmes lieux, vivent des mêmes aliments et ont une chair assez semblable par le goût et les effets qu'elle produit. Toutefois celle du pluvier est plus délicate.

Les pluviers sont des oiseaux sociables, migrateurs, se nourrissant principalement de vers de terre; on prétend que pour faire sortir ceux-ci de leurs retraites, ils frappent constamment la terre avec le pied; ils mangent aussi des insectes coléoptères et quelques mollusques. En général ils ne construisent pas de nid; la femelle choisit sur la terre ou dans le sable un petit enfoncement et y pond de trois à six œufs, dont la couleur varie selon les espèces. Le pluvier excite l'appétit et se digère facilement, mais comme il procure une alimentation peu solide, les personnes accoutumées à un grand exercice de corps ne s'accommoderaient pas de cette nourriture.

« *Et disoyent ils a Gargantua, que le pleuvier est de la viande a gents saoulx et desja reputs de chair non creuse.* »

Les pluviers se mangent de plusieurs manières. Nous allons donner quelques recettes :

PLUVIERS AUX TRUFFES. Flambez, videz, épluchez trois ou quatre pluviers, mettez-les dans une casserole avec une douzaine de belles truffes, dont vous ôterez la pellicule, un bouquet assaisonné; un peu de basilic, sel, poivre, faites revenir le tout dans du beurre et mouillez avec un verre de vin de Champagne, six cuillerées d'espagnole réduite, et faites cuire ainsi vos pluviers; puis dégraissez-les, mettez-les dans une autre casserole avec les truffes, passez la sauce à l'étamine, dressez vos pluviers sur un plat, mettez dessus les truffes en rocher, versez du jus de citron sur la sauce réduite, et servez.

PLUVIERS EN ENTRÉE DE BROCHE. Otez les intestins de quatre pluviers dorés, faites une farce avec ces intestins, du lard râpé, poivre, sel, persil, échalotes, garnissez de cette farce l'intérieur des pluviers et embrochez-les avec un hâtelet; couvrez-les de bardes de lard, enveloppez-les de papier; couchez les pluviers sur broche et faites-les cuire; ôtez ensuite le papier et le lard, dressez les pluviers et arrosez d'un ragoût truffé.

PLUVIERS BRAISÉS. Comme les pigeons.

Le pluvier doré

Le pluvier à collier

POÊLE A FRIRE

Ustensile de cuisine ordinairement en fer battu dans lequel on fait fondre de la graisse ou du lard, ou dans lequel on met de l'huile, et qui sert à faire des fritures, des omelettes, des crêpes; anciennement les poêles avaient une très-grande queue, sur laquelle il suffisait de frapper un petit coup pour retourner les omelettes et les crêpes, mais qu'il fallait se garder d'abandonner, si on ne voulait pas voir ce que contenait la poêle renversé dans le feu. De là le proverbe employé encore au figuré, bien que les poêles à petite queue se tiennent toutes seules sur le feu : « *Est bien embarrassé celui qui tient la queue de la poêle.* »

Poê

POÊLON

Instrument culinaire en cuivre jaune non étamé avec une longue queue pour pouvoir l'exposer au feu de cheminée.

Les poêlons d'office sont des espèces de casseroles beaucoup plus profondes que celles qui servent à la cuisine. On les emploie pour faire du sirop de sucre, des confitures, etc.

Poêlon d'office.

POIRE

La poire qui provient des sujets cultivés est un de nos meilleurs fruits; il y en a plus de trois cents espèces qui figurent dans nos jardins. La petitesse, la dureté et l'âpreté au goût que nous offre la poire sauvage, comparées au volume énorme, à la douceur et au moelleux de tant de beaux fruits, font sentir l'influence merveilleuse de la culture. La poire sauvage n'est pas mangeable, elle sert seulement à faire une piquette d'assez mauvaise qualité, aussi l'a-t-on nommée avec raison la *poire d'angoisse*.

Les poires renferment, ainsi que les pommes, cinq loges remplies de petits pépins moelleux, mais plus bruns et la plupart noirs. Ces fruits, d'une grosseur à peu près semblable à celle des pommes, et aussi variés, ont, comme nous l'avons dit plus haut, plus de trois cents espèces; aussi nous bornerons-nous à indiquer celles que nous croyons les meilleures; on les divise en trois classes : les poires fondantes, les poires à chair cassante mais douce, les poires à chair ferme ou cassante et imprégnées d'un principe astringent que la cuisson ne fait même pas disparaître complètement.

Presque toutes les poires d'été, telles que le Bon-Chrétien, le Petit-Muscat, la Madeleine, le Rousselet de Reims, etc., appartiennent à la première classe; on peut également y comprendre quelques-unes de celles qui fleurissent

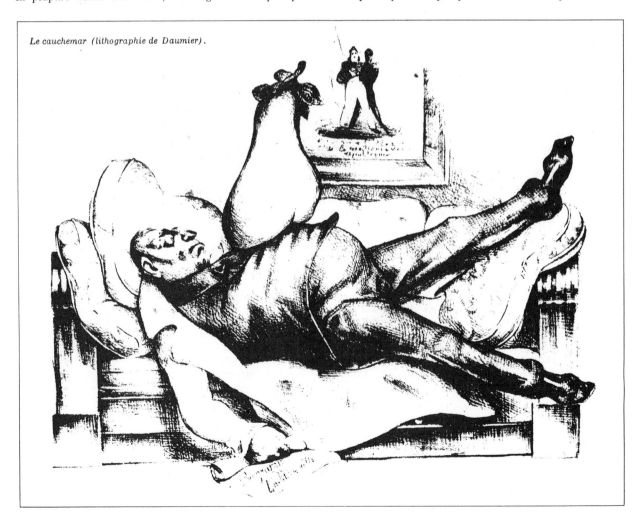

Le cauchemar (lithographie de Daumier).

en automne, telles que les Beurrés, les Doyennés, et parmi celles d'hiver le Saint-Germain, la Virgouleuse, la Crassane et quelques autres.

Celles de la deuxième classe sont moins digestibles que celles de la première, mais elles peuvent être également mangées crues; telles sont le Messire-Jean doré, le Rousselet, le Bon-Chrétien d'Espagne, etc.

Quant à celles de la troisième classe, dont la chair est sèche et cassante, elles ne conviennent à l'état de crudité qu'aux estomacs les plus robustes; le mieux est donc toujours de les faire cuire avec du sucre.

POIRES AU LARD. (Ragoût allemand.) Faites rissoler du lard coupé en petits morceaux; pelez des poires cassantes et coupez-les aussi en morceaux, faites-les étuver avec un peu de bouillon de veau, égouttez-les ainsi que vos carrés de lard, mélangez le tout dans une casserole en y ajoutant une pincée de muscade râpée, du gros poivre et quelques feuilles de tanaisie, faites bouillir le tout ensemble une demi-heure et servez ce bon plat allemand garni de croûtons frits, ainsi qu'il se pratique régulièrement tous les mercredis à la cour de Wurtemberg.

Pour les autres préparations concernant les poires, nous prions le lecteur de se reporter aux articles *Charlotte, Chartreuse, Confitures*, etc.

POIRÉ

C'est le nom d'une boisson fermentée, spiritueuse, faite avec des poires; si les fruits sont de bonne qualité et que l'opération soit bien menée, le poiré est supérieur à beaucoup de vins blancs; il faut choisir pour cela des poires un peu âpres, telles que la poire sauvage, le certeau, le sucré vert, etc., et cette excellente boisson, mise en bouteille, se conserve plusieurs années.

Le poiré est ordinairement plus limpide, moins pesant et plus nourrissant que le cidre. On ne s'en sert guère en cuisine que pour faire le mouillement des matelotes normandes, ainsi que nous l'avons indiqué. *(V. Carrelet.)*

POIREAU

Le poireau est originaire d'Espagne, il est cultivé dans toutes les parties tempérées de l'Europe; les pauvres le mangent cru avec le pain, et il sert dans tous les ménages pour donner du goût à la soupe, car il est doué de propriétés diurétiques qui peuvent être employées dans le régime alimentaire; il n'est guère employé que pour assaisonnements dans les potages français et les courts-bouillons de formule étrangère; il y a cependant des pays où l'on prépare quelques ragoûts de poireau, et l'on confectionne avec des poireaux blancs une certaine soupe grasse qui mérite une considération particulière.

En Lorraine on fait des tartes aux poireaux.

POIS

Nous n'avons à traiter ici que des petits pois cueillis avant leur maturité, alors qu'ils sont encore tendres et remplis d'une eau sucrée.

Les petits pois sont sans contredit un de nos meilleurs légumes. Lorsqu'ils sont bien frais, bien tendres et cuits aussitôt écossés, ils forment un entremets toujours parfaitement accueilli.

Les pois offrent encore une précieuse ressource lorsqu'ils sont desséchés, mais ils sont plus difficiles à digérer que frais. On les accommode de la même façon, au beurre, au lard, au sucre, mais on ne les emploie guère qu'à faire des purées.

PETITS POIS A L'ANCIENNE MODE. (Recette de l'Abbaye de Fontevrault.) Faites écosser peu de temps avant de les mettre cuire deux litres de pois verts fins, et tenez-les renfermés dans une serviette mouillée. Prenez ensuite un cœur de laitue pommée dont vous écarterez le milieu des feuilles afin d'y placer une branche ou tige de sariette verte et fraîchement cueillie. Ficelez cette laitue et mettez-la dans une casserole avec les pois, une pincée de sel, un demi-verre d'eau et une demi-livre de beurre tout frais. Après un quart d'heure de cuisson, vous ôtez la laitue, et au moment de servir vous liez vos pois avec trois cuillerées de crème double où vous aurez délayé le jaune d'un œuf du jour avec une pincée de poivre blanc et une petite cuillerée de sucre en poudre.

PETITS POIS A LA FRANÇAISE. Mettez deux litres de pois très-fins dans une casserole avec un peu de beurre et de l'eau, pétrissez avec les mains, jetez l'eau et ajoutez un bouquet de persil, un petit oignon, un cœur de laitue, un peu de sel et une petite cuillerée de sucre en poudre; couvrez la casserole et faites cuire à petit feu une demi-heure; puis retirez le bouquet de persil et l'oignon, posez la laitue sur le plat; liez vos pois avec un bon morceau de beurre fin, manié d'un peu de farine, sautez-les sur le feu jusqu'à ce qu'ils soient bien liés et versez-les en buisson sur la laitue. Évitez la liaison. Les petits pois frais se lient d'eux-mêmes. — N'oubliez pas, pour que les pois conservent leur humidité dans la cuisson, de mettre en place du couvercle une assiette creuse avec de l'eau.

Vous pouvez les apprêter de la même manière, sans laitue, et les lier avec des jaunes d'œufs et un morceau de beurre frais au lieu de beurre manié.

PETITS POIS A L'ANGLAISE. Jetez dans une casserole d'eau bouillante une petite poignée de sel blanc, mettez-y les pois et faites-les bouillir à grand feu sans les couvrir et en écumant l'eau continuellement, égouttez-les ensuite et mettez-les sauter, sans les remettre au feu, dans un bon morceau de beurre fin ; dressez-les en pyramide sur un plat, mettez au milieu un autre morceau de beurre et servez.

PETITS POIS A LA BOURGEOISE. Vous passez lestement vos pois dans un roux léger ; mouillez avec un peu d'eau bouillante, ajoutez sel et poivre, un bouquet de persil et un cœur de laitue ; laissez réduire jusqu'à ce qu'il n'y ait plus de sauce et ajoutez une liaison de trois jaunes d'œufs au moment de servir.

PETITS POIS A LA CRÈME. Vous mettez tiédir dans une casserole un morceau de beurre manié de farine et vous y ajoutez les pois, un bouquet de persil et ciboules, sel et poivre, laissez-les cuire dans leur jus sans mouillement, puis retirez la casserole du feu, versez dans un vase la cuisson de vos pois, mettez-y de la crème et du sucre en poudre, versez cette sauce sur les pois et sautez-les avant de servir.

PETITS POIS AU LARD. Faites revenir dans du beurre du petit salé coupé en dés ; retirez-le quand il est de belle couleur, puis mettez dans le beurre qui a servi à le rôtir une cuillerée à bouche de farine, faites un roux, mouillez avec du jus ou du bouillon. Remettez ensuite le petit salé avec les pois, ajoutez un oignon, un bouquet garni et un peu de poivre et faites cuire sur l'angle du fourneau.

POIS CHICHES. Les pois chiches sont bien nourrissants, mais d'une digestion quelquefois difficile ; on ne les mange ordinairement qu'en purée. On a essayé, en les torréfiant et en les pulvérisant, de les substituer au café, mais cette expérience n'a amené aucun bon résultat.
On les cultive dans le midi de la France où ils sont connus sous le nom de *garbansos*. Nous en avons parlé plus haut. Ils servent à la confection de l'*oille* et de l'*olla-podrida*.

POISSON

« Les poissons, a dit Cuvier, sont des animaux aquatiques vertébrés, à sang froid et respirant par des branchies. »
Nous n'avons à parler ici du poisson que sous le point de vue de l'alimentation ; aussi n'entamerons-nous pas une discussion anatomique sur la nature et le genre de vie des différentes espèces de poissons, et nous bornerons-nous à indiquer seulement ceux que nous croyons les meilleurs.
Les poissons doivent être considérés comme une des plus grandes ressources de l'alimentation. Les hommes recherchèrent de tous temps cette nourriture saine et délicate, et Montesquieu attribue la grande population de la Chine à l'usage fréquent du poisson. Favorisés par le voisinage de la mer, les populations grecques, en s'adonnant à la pêche, s'attachèrent à distinguer les meilleures espèces. Les cuisiniers grecs savaient donner aux poissons diverses préparations dont il est parlé dans les anciens auteurs qui

ont écrit sur la diététique ; ils avaient plusieurs manières de les apprêter avec le sel, de les mariner avec de l'huile et des aromates, et le poisson en *escabèche* des Italiens et des Espagnols n'en est sans doute qu'une imitation. Aussi nous savons, malgré le peu de notions qui nous sont parvenues sur la cuisine grecque, qu'on préparait alors la chair de l'espadon avec de la moutarde, celle du congre avec du sel et de l'origan, la dorade avec de l'huile, du vinaigre et des pruneaux. Gallien fut le premier qui prescrivit de saler le thon, parce que dans cet état sa chair est moins compacte. Athénée nous a transmis quelques préceptes sur les assaisonnements, et Xénocrate, Eschyle et Sophocle ont parlé des sauces au poisson. A Athènes on avait poussé si loin cette prédilection pour les productions de la mer, que, par une loi de police, il était prescrit d'appeler sur-le-champ les acheteurs au bruit de cylindres d'airain pour que chacun pût se procurer du poisson frais au moment où il était apporté au marché. On assure même que pour obliger les marchands à le vendre plus vite, il leur était enjoint de rester debout, afin que cette obligation les rendît plus soumis et plus empressés de vendre à un prix raisonnable. Parmi les poissons les plus estimés sous les Romains figure le scare que les gourmets préféraient à toutes les autres espèces ; le foie de la lotte jouissait aussi d'une grande réputation, au contraire du reste du corps qui était peu estimé ; le mulet était réputé un des mets les plus délicats, et il a bien dégénéré depuis, car aujourd'hui nous le considérons comme un poisson commun. Les gastronomes se plaisaient alors à le voir expirer sur la table pour jouir de ses changements de couleurs. Apicius fut le premier qui le fit mourir dans de la saumure composée de sang de scombre ou de maquereau ; c'était le fameux *garum sociorum*, et nous avons parlé plus haut des viviers où les Romains conservaient le poisson pendant six mois, en le mettant dans la neige au fond d'une glacière. Lucullus, le plus fastueux des patriciens, fit même couper une montagne dans les environs de Naples pour ouvrir un canal et faire remonter jusque dans ses jardins la mer et les poissons. Pompée le baptisa à ce sujet du nom de Xerxès en toge.
Ce ne fut guère que vers le XIIe siècle que les marchands, réunis en compagnie, entreprirent d'approvisionner de marée la capitale ; alors s'établit la différence des *harengères*, chargées de la vente du poisson de mer, et des *poissonnières* qui faisaient la vente du poisson d'eau douce.
Il se vend annuellement à Paris pour près de *deux millions* de poissons d'eau douce, et *six millions de francs* de marée. Malgré la quantité considérable de poissons qui arrivent encore frais à Paris, ce qui est dû à sa proximité de la mer, il y en a beaucoup encore qui ne peuvent supporter le transport, quelque accéléré qu'il soit. Au siècle dernier, Louis XV avait accordé à titre d'encouragement une prime de 9,000 francs à celui qui pourrait faire arriver à Paris

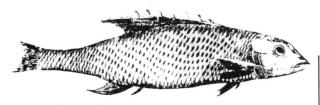

une dorade fraîche; aucun entrepreneur ne put réussir à gagner cette récompense qu'il serait facile d'obtenir aujourd'hui que nous avons les chemins de fer; et c'était ce qui faisait le grand désespoir des Lucullus du siècle dernier.

POISSONS DE MER : Esturgeon, turbot, saumon, cabillaud, thon, bar, alose, dorade, raie, maquereau, sole, barbue, carrelet, limande, plie, vive, éperlan, rouget, hareng, sardine.

CRUSTACÉS : Homards, langoustes, crabes, crevettes, chevrettes ou salicoques.

COQUILLAGES : Huîtres, moules, pèlerines, ormiers.

POISSONS DE RIVIÈRE : Brochet, carpe, anguille, truite, omble chevalier, lavaret, ferrat, perche, lotte, lamproie, barbote, barbeau, tanche, goujon, brême, écrevisses.

POISSON D'AVRIL

Certains étymologistes croient que l'on disait *passion d'avril*, en mémoire de la passion de Jésus-Christ qui arriva le 3 avril, et que la corruption du langage en a fait *poisson d'avril*.

François, duc de Lorraine, et son épouse, retenus prisonniers à Nancy et cherchant quelque stratagème pour se sauver choisirent le premier jour d'avril. Tous deux déguisés en paysans, portant une hotte de fumier, sortirent de Nancy à la pointe du jour, et traversèrent la Moselle à la nage. Ils durent leur salut à la crainte qu'on a généralement du poisson d'avril. En effet, une femme les ayant reconnus alla en prévenir un soldat de la garnison du château qui ne fit qu'en rire, croyant qu'on voulait lui faire manger du poisson d'avril. Cette nouvelle parvint à l'officier qui s'imagina également que c'était un poisson d'avril et n'eut garde de se déranger. Cependant il en avertit le gouverneur qui envoya s'éclaircir du fait, mais il était trop tard; les illustres voyageurs avaient pris les devants, et, grâce au poisson d'avril, ils échappèrent aux recherches.

POIVRE

Ainsi que nous l'avons déjà dit dans notre préface, le poivre a toujours été la plus répandue des épiceries connues et la plus employée en cuisine.

Le poivre a été longtemps l'objet d'un très-grand luxe, et une livre de poivre était un présent considérable à faire à une personne; on rapporte que lorsque Clotaire III fonda le monastère de Corbie, parmi les différentes denrées qu'il assujettit ses douanes à payer annuellement aux religieux, il y avait trente livres de poivre. Roger, comte de Béziers, ayant été assassiné dans une sédition par les bourgeois de cette ville en 1107, une des punitions que son fils imposa aux bourgeois, lorsqu'il les eut soumis par les armes, fut un tribut de trois livres de poivre à prendre annuellement sur chaque famille. Enfin, à Tyr, les Juifs étaient obligés d'en payer de même deux livres par an à l'Archevêque. C'étaient, disent les *Annales de l'Église d'Aix*, Bertrand et Rostang de Noves, archevêques de cette ville, l'un en 1143, l'autre en 1283, qui avaient imposé cette servitude aux *Hébreux perfides*.

Le poivre, très-usité comme condiment, favorise la digestion.

Avant le cubèbe, il était fréquemment employé dans les officines. Dans les pays chauds, on en prépare des liqueurs fermentées excessivement fortes. Comme c'est un stimulant des plus énergiques, on ne l'emploie que modérément dans la bonne cuisine, et les personnes nerveuses et impressionnables doivent même s'en abstenir. Il n'en est pas de même pour les gens de la campagne dont la sensibilité de l'estomac est émoussée par l'habitude d'une nourriture grossière et a besoin d'être fortement excitée, et le poivre est très-propre à produire cette excitation; aussi on en fait un grand usage dans toutes les cuisines provinciales. Il y a trois sortes de poivre : le poivre noir, le poivre blanc et le poivre long.

POMME

Les pommes se mangent crues ou en compotes, confitures, marmelades. On en fait aussi un cidre agréable, généreux et de bonne conservation. On se sert principalement, pour cette boisson, des amères, mélangées d'environ un tiers de douces.

Les provinces de France les plus abondantes en pommes sont la Normandie, l'Auvergne et le Vexin français; la Bretagne en fournit en assez grande quantité.

Les meilleures pommes qu'on mange en hiver sont la reinette, le court-pendu, la pomme d'api et le calville dont il existe trois espèces : la blanche, la rouge et la claire. Le calville rouge, c'est-à-dire celle qui a la peau et une partie de la chair rouges, est la meilleure des trois; elle renferme un suc doux et convient à ceux qui ont des aigreurs dans l'estomac, pourvu toutefois qu'on en mange peu. La reinette convient particulièrement aux bilieux. Mais, de toutes les pommes, le court-pendu est la meilleure; sa saveur est très-agréable, sa chair délicate et son odeur très-douce.

La pomme d'api, qui doit toujours se manger crue, est la plus petite et la plus dure de toutes les pommes; elle renferme une eau savoureuse, très-propre à rafraîchir la bouche et à éteindre la soif, mais sa chair est lourde et difficile à digérer.

Le suc de la pomme crue, suivant Gallien, bout et fermente dans l'estomac comme le vin qui sort de la cuve; ce suc est composé de parties extrêmement fines mais indigestes qui, par le moyen des artères, se distribuent par tout le corps, de sorte qu'il est difficile, si l'on mange beaucoup de pommes crues, que la fermentation excessive, jointe à la crudité de leur suc, ne trouble la circulation du sang et que les principaux viscères n'en souffrent. Simon Pauli, savant médecin, qui aimait beaucoup les pommes et qui avait coutume d'en manger tous les jours, dit qu'il eut pendant vingt ans de très-fortes palpitations de cœur dont il modérait le progrès en se faisant souvent saigner et en mangeant moins souvent des pommes crues; il ajoute que lorsqu'il en mangeait beaucoup le soir, il ne manquait point d'être attaqué, la nuit, une ou deux fois, de cauchemar ou d'insomnie.

Un de nos plus célèbres Normands, Bernardin de Saint-Pierre, donne ainsi, dans une ingénieuse fiction, l'origine des pommiers de sa province :

« La belle Thétis, dit-il, jalouse de ce que, à ses propres yeux, Vénus eût remporté la pomme qui était le prix de la beauté, sans qu'on l'eût admise à la concurrence, résolut de s'en venger. Un jour donc que Vénus, descendue sur cette partie du rivage des Gaules, y cherchait des perles pour sa parure et des coquillages pour son fils, un triton lui déroba sa pomme, qu'elle avait mise sur un rocher, et la porta à la déesse des mers; aussitôt Thétis en sema les pépins dans les campagnes voisines, pour y perpétuer le souvenir de sa vengeance et de son triomphe. Voilà, disent les Gaulois celtiques, la cause du grand nombre de pommiers qui croissent dans notre pays et de la beauté singulière de nos filles. »

On sait aussi quel rôle joue la pomme dans l'histoire. Pour éviter les frais qu'occasionnaient les noces, Solon ordonna que les nouveaux époux ne mangeraient qu'une pomme avant de se mettre au lit, la première nuit du mariage, ce qui n'était guère substantiel et réconfortant pour les pauvres époux.

POMMES AU BEURRE. Videz une vingtaine de belles pommes à l'emporte-pièce; tournez-en neuf ou dix pour en ôter la peau comme pour une compote; faites-les cuire aux trois quarts dans un sucre léger, égouttez-les, faites une marmelade des autres pommes en les faisant cuire dans une casserole avec un peu de beurre, de cannelle et un verre d'eau jusqu'à ce qu'elles soient fondues; étendez sur votre plat une partie de cette marmelade avec un peu de compote d'abricots, arrangez vos pommes dessus et emplissez de beurre le trou qui est au milieu, garnissez les intervalles avec le reste de la marmelade, glacez-la avec du sucre en poudre, faites cuire au four, donnez belle couleur, bouchez le trou des pommes avec des cerises ou des confitures, et servez chaud.

MIROTON DE POMMES. Vous épluchez des pommes et vous en ôtez le cœur, puis vous les coupez par tranches, les faites mariner pendant trois ou quatre heures dans une terrine avec du sucre et de la cannelle en poudre, un demi-verre d'eau-de-vie et un jus de citron, égouttez-les. Mêlez ensemble et mettez dans un plat qui puisse aller au feu, de la marmelade de pommes et d'abricots, rangez les pommes autour et dessus en forme de dôme; mettez le plat au four et laissez cuire jusqu'à ce qu'il ait pris belle couleur.

POMMES AU RIZ. Videz.et tournez une dizaine de belles pommes et faites-les cuire comme celles au beurre; faites blanchir un quart de riz que vous mettrez crever dans du lait en l'arrosant petit à petit; ajoutez un zeste de citron vert, un peu de sel et du sucre en suffisante quantité; quand votre riz est ferme, supprimez le citron, garnissez votre plat de riz, ranger vos tranches de pommes dessus, remplissez les intervalles avec du riz, faites cuire au four jusqu'à belle couleur.

POMMES MERINGUÉES. Mettez dans une croûte à flan ou sur un plat une couche de marmelade de pommes que vous recouvrez de blancs d'œufs fouettés en neige et sucrés; puis vous formez sur le plat, à l'aide d'un cornet de papier dont vous aurez coupé le bout et que vous aurez rempli du restant de blanc d'œuf, des petites meringues; saupoudrez de sucre, mettez à four doux et laissez prendre belle couleur à vos pommes.

POMMES MERINGUÉES. (Formule de M. Carême.) Otez les cœurs et pelez trente-six belles pommes de reinette, choisissez les plus hautes que vous coupez droites avec un coupe-racine, ayez soin que le cœur des pommes se trouve parfaitement au milieu et faites-les cuire un peu fermes dans six onces de sucre clarifié; après cela vous versez le sirop dans le reste des pommes que vous aurez émincées et vous les faites cuire comme de coutume, en desséchant un peu plus la marmelade, où vous mêlez le tiers d'un pot d'abricots; et après l'avoir passée au tamis, vous en mettez une cuillerée dans le plat d'entremets en formant une couronne sur laquelle vous placez droites les dix pommes tournées, de manière qu'elles forment un puits au milieu, vous garnissez le cœur des pommes avec de la marmelade d'abricots et avec le reste de la marmelade vous masquez le dessus et le tour des pommes, mais arrangez-vous de façon que le dessus soit bien uni et très-égal en hauteur, que le tour soit uni et droit, de même que l'intérieur du puits doit être garni de marmelade, afin que les pommes ainsi masquées forment une couronne parfaite et ayant un vide au milieu.

Cette partie de l'opération terminée, vous mettez l'entremets au four doux et dès qu'il commence à se colorer d'un rouge clair, vous fouettez deux blancs d'œufs bien ferme et mêlez avec deux cuillerées de sucre fin, vous les versez dans le milieu des pommes, mais quand le puits est plein, vous avez soin de dresser le reste de blanc d'œuf, en formant une meringue bien bombée sur laquelle vous semez du sucre écrasé un peu fin; le sucre étant fondu, vous remettez les pommes au four; ayez l'attention, en semant le sucre sur la meringue, de ne pas en mettre sur les pommes.

Pommes au beurre et a la gelée de pommes (autre formule du même praticien). Otez les cœurs et tournez quinze pommes d'Afrique; vous faites cuire en deux fois dans six onces de sucre clarifié; épluchez ensuite douze pommes de reinette coupées par quartier, versez dessus le sirop que vous aurez fait réduire au soufflé; puis deux onces de beurre tiède et le quart d'un pot d'abricots; le tout étant bien mêlé, vous placez la casserole feu dessus et dessous et cuisez les pommes comme les précédentes; pendant leur cuisson, vous coupez chaque pomme d'api en deux et en travers, vous les moulez dans un moule en dôme bien légèrement beurré, ensuite vous achevez d'emplir le moule en y versant les pommes au beurre; vous renversez l'entremets sur son plat et mettez, dans le milieu de chaque moitié de pomme d'api, une belle cerise ou un gros grain de verjus confit. Vous masquez parfaitement l'entremets de lames de gelée de pommes de Rouen, ce qui rend les pommes d'un glacé brillant et *séducteur*.

En place de pommes d'api, vous pouvez cuire au sirop dix pommes de reinette coupées par quartier.

Pour les pommes au beurre et aux macarons, vous préparez et dressez l'entremets de même que le précédent, mais vous le masquez de marmelade d'abricots au lieu de gelée de pommes, et servez par-dessus deux onces de macarons écrasés, vous placez ensuite une cerise dans chaque milieu des pommes d'api, et servez.

On dresse également ces sortes de pommes au beurre dans des casseroles d'argent et toujours en procédant de même qu'il est décrit plus haut.

On dresse encore ces bons entremets dans des croûtes de vol-au-vent et de tortes d'entremets glacés, ainsi que dans des croustades de pâte fine en forme de flan.

Pom

CHARLOTTES DE POMMES. Pelez et coupez en quartiers une vingtaine de belles pommes de reinette de France, supprimez-en les cœurs et mettez les tranches de pommes dans une casserole avec un peu de beurre, de cannelle, de citron et un verre d'eau. Couvrez la casserole, placez-la sur un feu doux et laissez cuire les pommes sans les remuer, laissez-les légèrement s'attacher pour leur donner un goût de grillé, ajoutez-y du sucre, un peu d'excellent beurre, faites réduire le tout en le mêlant et continuez jusqu'à ce que cette marmelade ait pris consistance, ôtez alors la cannelle et le citron. Coupez des tranches de mie de pain mollet, larges de deux doigts à peu près, garnissez-en le fond et le tour d'un moule; mettez dans l'intérieur la marmelade de pommes, que vous entremêlez de marmelade d'abricots, afin de rendre l'entremets plus délicat; puis quand le moule est rempli, vous le recouvrez de tranches de pain et le faites cuire environ vingt minutes dans un four ou sur des cendres rouges, faites prendre belle couleur à la charlotte, renversez le moule sur un plat et servez. N'oubliez pas de prendre du beurre clarifié pour beurrer votre pain.

POMMES A LA CRÈME. Pelez des pommes et laissez-les entières, épépinez-les et mettez-les cuire à moitié avec du sucre comme pour une compote. Quand elles sont à moitié cuites, vous les retirez et les mettez dans un plat, puis vous faites une crème avec huit jaunes d'œufs, un peu de farine, eau de fleur d'oranger, citron confit haché, crème et sucre. Faites prendre cette crème sur le feu, qu'elle soit épaisse, mettez-en sur vos pommes, saupoudrez de sucre par-dessus, arrangez-y les tranches de citron confit, faites cuire cette crème au four qu'elle soit bien colorée, et servez chaudement.

POMMES A LA PORTUGAISE. Pelez cinq ou six belles pommes de reinette et supprimez-en le cœur en ayant soin de ne pas les casser. Mettez du sucre en poudre et deux cuillerées d'eau dans un plat d'argent ou dans une croûte de flan; placez-y les pommes dont vous remplacez le cœur par du sucre en poudre et faites cuire au four ou sous le four de campagne.

POMMES A LA RÉGENCE. Pelez vos pommes, videz-les sans les endommager, remplissez-les de marmelade d'abricots, enveloppez-les d'une pâte très-mince, frottez-les avec de l'œuf battu; ayez une pâte à feuilletage très-mince, découpez-la en petites bandes très-petites, enveloppez-en les pommes en tournant de façon à leur donner la forme de la pomme, arrêtez le bout avec un petit morceau de cannelle, faites cuire au four sur une tourtière beurrée comme une tourte; quand elles sont cuites, glacez-les à l'ordinaire dessus et autour avec du sucre et servez chaudement.

POMMES AU SEC. Les pommes qu'on tire le plus ordinairement au sec sont le calville rouge et la reinette coupée par quartier. Quand elles sont bien confites et refroidies, on les met égoutter, puis on les dresse à l'ordinaire et on les poudre de sucre.
Si ce sont des pommes conservées au liquide et que vous vouliez après en faire sécher, faites cuire d'abord du sucre à perlé dans lequel vous leur ferez prendre quelques bouillons et vous les tirerez ensuite au sec mieux que si vous n'aviez pas pris cette précaution, le séchage étant difficile sans cette précaution, à cause de l'humidité qui les décuit dans la suite.

8 *Parva leves animos capiunt.*
L'Enfant est apaisé de peu de choses

Les Pommes font bonnes à l'Eau Rose & force Sucre.

Extrait du « Rôti-cochon ».

POMME DE TERRE

Cet excellent légume qui met désormais les peuples à l'abri de la famine fut apporté de Virginie par l'amiral anglais Walter Raleigh en 1585.
Cet amiral fut plus connu par son esprit entreprenant et les vicissitudes de sa vie que par l'importation de la pomme de terre, à laquelle tout d'abord on ne fit pas grande attention. Walter Scott rapporte que Raleigh se

trouvant un jour avec la reine Élisabeth et sa suite en promenade et la reine ayant à traverser un très-court espace dans lequel se trouvait une flaque de boue, il dégrafa son manteau de velours bleu brodé de perles et l'étendit sur cet espace afin que la reine pût passer sans se mouiller les pieds, ce dont elle le récompensa en le nommant amiral.

Quant à la pomme de terre, des préjugés absurdes l'empêchèrent longtemps d'être appréciée à sa juste valeur; c'était pour beaucoup un aliment dangereux ou au moins grossier et tout au plus bon pour les cochons. Les choses en étaient à ce point, vers la fin du siècle dernier, lorsque Parmentier commença une suite de travaux théoriques et pratiques pour ramener à la culture de la pomme de terre; il fut assez heureux pour triompher des préjugés et tout le monde fut convaincu des avantages de cette culture. En 1793, les pommes de terre furent tellement considérées comme indispensables, qu'un arrêté de la Commune en date du 21 ventôse ordonna de faire le recensement des jardins de luxe afin de les consacrer à la culture de ce légume; en conséquence la grande allée du jardin des Tuileries et les carrés de fleurs furent cultivés en *pommes de terre;* ce qui leur fit donner pendant longtemps le surnom d'*oranges royales* en mémoire de la restauration qui en avait fait apprécier l'utilité.

La pomme de terre est réellement une nourriture et une nourriture saine, facile et peu dispendieuse. Son apprêt a cela d'agréable et d'avantageux pour la classe laborieuse des ouvriers qu'il n'exige presque pas de soins ni de dépense. L'empressement avec lequel on voit les enfants manger des pommes de terre cuites sous la cendre et s'en bien trouver, prouve assez qu'elles conviennent à toutes les constitutions. Le choix n'en est ni douteux, ni indifférent; les grises dont la peau est graveleuse sont les moins bonnes, les meilleures de toutes sont sans contredit les violettes, préférables même aux rouges, connues à Paris sous le nom de *Vitelottes*.

On emploie la pomme de terre dans plusieurs autres préparations. La fécule, par exemple, est employée par les fabricants de chocolat sous le nom de sucre royal et entre dans la confection des chocolats communs. Les fleurs de pomme de terre ont été récemment reconnues propres à la teinture jaune, et un membre du collège de médecine de Stockholm a découvert que les feuilles de pommes de terre, séchées à un point convenable, donnent un tabac supérieur comme parfum au tabac ordinaire.

Quelle plante, alors, est capable d'être comparée à la pomme de terre, dont on peut tout employer, et quelle louange dans la bouche de cette femme s'opposant à ce que l'illustre Parmentier fût élu à une fonction municipale, en donnant pour motif : « *Il ne nous ferait manger que des pommes de terre!* »

POMMES DE TERRE A LA MAITRE D'HOTEL. Faites cuire d'abord vos pommes de terre dans l'eau, pelez-les, coupez-les par tranches, faites-les frire et mettez-les ensuite dans une casserole avec beurre frais, persil haché, sel, poivre, un jus de citron; faites chauffer et liez le tout ensemble; ajoutez un peu de crème, et servez.

On peut remplacer le beurre par de la bonne huile, et si les pommes de terre sont petites, ne pas les couper.

POMMES DE TERRE A LA PARISIENNE. Faites fondre un morceau de beurre ou de graisse dans une casserole avec un ou deux oignons coupés en petits morceaux, ajoutez-y un verre d'eau et jetez-y vos pommes de terre, que vous aurez pelées proprement, avec sel poivre, bouquet garni, et faites cuire à petit feu.

POMMES DE TERRE A L'ANGLAISE. Lavez bien des pommes de terre, faites-les cuire dans de l'eau et du sel, et épluchez-les, puis faites tiédir un bon morceau de beurre dans une casserole, mettez-y vos pommes de terre coupées en tranches, ajoutez sel, poivre, mignonnette, pas de muscade; faites sauter ces pommes de terre et servez-les sur un plat très-chaud.

POMMES DE TERRE A L'ITALIENNE. Faites cuire des pommes de terre dans l'eau, pelez-les et écrasez-les, mêlez-y un morceau de beurre, de la mie de pain trempée dans du lait; versez un peu de lait pour faire une pâte maniable, ajoutez sept ou huit jaunes d'œufs frais et cinq blancs battus en neige, mêlez bien le tout et dressez-le en pyramide sur un plat, faites couler dessus un peu de beurre fondu; faites cuire au four de belle couleur, et servez chaudement.

PURÉE DE POMMES DE TERRE. Faites cuire à l'eau des pommes de terre bien farineuses, écrasez-les, passez-les à travers un passe-purée, mettez-les ensuite dans une casserole avec du beurre frais, du poivre et du sel, remuez-les comme une bouillie, ajoutez un peu de lait jusqu'à ce que cette purée ait une épaisseur convenable et servez-la garnie de croûtons frits dans du beurre.

POMMES DE TERRE AU LARD. Faites frire de petits morceaux de lard et faites roussir dans la friture une cuillerée de farine en remuant toujours, ajoutez du poivre, un peu de sel, bouquet garni; mouillez avec du bouillon, laissez bouillir cinq minutes et mettez-y les pommes de terre, bien épluchées, lavées et coupées par morceaux, laissez cuire, dégraissez, et servez.

POMMES DE TERRE A LA LYONNAISE. Vous coupez par tranches des pommes de terres cuites à l'eau et les mettez dans une casserole, puis vous versez dessus une purée claire d'oignons et vous tenez les pommes de terre chaudes sans les faire bouillir.

Pom

Vous pouvez, si vous n'avez pas de purée d'oignons, mettre dans une casserole, avec un bon morceau de beurre frais, huit oignons coupés par tranches; vous les passez sur le feu jusqu'à ce qu'ils aient une belle couleur blonde, vous ajoutez une pincée de farine, du sel, du poivre, un filet de vinaigre, vous mêlez bien le tout, le faites mijoter pendant un quart d'heure et le mettez ensuite sur les pommes de terre.

POMMES DE TERRE A LA PROVENÇALE. Vous mettez dans une casserole six cuillerées à bouche d'huile, avec le zeste de la moitié de l'écorce d'un citron, du persil, de l'ail et de la ciboule bien hachés, un peu de muscade râpée, du sel, du poivre. Puis vous épluchez les pommes de terre, vous les coupez et les faites cuire dans l'assaisonnement; au moment de servir, vous y mettez le jus d'un citron.

POMMES DE TERRE FARCIES. Lavez et pelez une dizaine de grosses pommes de terre, fendez-les en long par le milieu et creusez-les adroitement avec un couteau ou une cuiller; puis faites une farce avec deux pommes de terre cuites, deux échalotes hachées, un peu de beurre, un petit morceau de lard gras et frais, une pincée de persil et ciboule hachés, pilez le tout ensemble, ajoutez sel, poivre, formez-en une pâte liée, emplissez l'intérieur de vos pommes de terre avec cette farce en bombant un peu le dessus; garnissez de beurre le fond d'une tourtière, rangez les pommes de terre dessus, faites-les cuire pendant une demi-heure à un feu modéré, feu dessous et dessus, afin qu'elles se rissolent, et servez.

POMMES DE TERRE FRITES. Pelez de belles pommes de terre, dites la quarantaine ou juillet, coupez-les assez minces, jetez-les dans une friture fraîche de graisse de rognon de bœuf bien clarifiée, que la friture soit douce, et laissez cuire vos pommes. Dès qu'elles sont cuites mollement, retirez-les dans une passoire, faites chauffer votre friture très-chaude, jetez vos pommes dedans, lissez avec une écumoire; elles se soufflent d'elles-mêmes, et servez comme garniture pour côtelettes et autres.

POMMES DE TERRE SAUTÉES AU BEURRE. Pelez des pommes de terre crues, petites et rondes; mettez un bon morceau de beurre dans une casserole, posez-la sur un feu ardent, ajoutez-y les pommes de terre, sautez-les jusqu'à ce qu'elles soient blondes, égouttez-les, saupoudrez-les de sel fin et arrangez-les sur le plat sans autre assaisonnement qu'un peu de persil haché.

BOULETTES DE POMMES DE TERRE. Faites cuire à l'eau des pommes de terre jaunes, rondes, écrasez-les bien, ajoutez quatre œufs dont vous aurez battu les blancs en neige, un peu de crème, persil, ciboules, sel, muscade; mêlez bien le tout, faites-en glisser dans la friture bien chaude le quart d'une cuillerée à bouche à peu près; cette pâte renfle et forme des espèces de pets de nonnes; servez chaudement.

CROQUETTES ET QUENELLES DE POMMES DE TERRE. Vous faites cuire à l'eau des pommes de terre bien farineuses, puis vous les mettez dans un mortier avec un bon morceau de beurre frais, cinq ou six jaunes d'œufs, un peu de crème, persil haché, sel, poivre. Mêlez bien cette pâte et divisez-la en petits morceaux; passez-les à l'œuf comme il est dit pour les croquettes de volaille; faites-les frire d'une belle couleur blonde; passez-les à l'anglaise, et servez.

GATEAU DE POMMES DE TERRE. Vous faites votre préparation comme il est indiqué ci-dessus pour les croquettes; seulement, au lieu d'assaisonner avec du poivre et du sel, vous mettez du sucre et un peu d'essence de vanille ou d'écorce de citron, ou de fleur d'oranger, Mêlez-y trois ou quatre blancs d'œufs peu battus; puis beurrez un moule, saupoudrez-le de mie de pain, mettez-y votre préparation et faites cuire au four pendant une demi-heure.

POMMES DE TERRE EN SALADE. Vos pommes de terre cuites à l'eau et refroidies, vous les coupez en tranches et les assaisonnez comme une salade, en ajoutant quelques fines herbes.

POTAGE

On appelle potage toute nourriture destinée à être servie dans une soupière et à ouvrir le repas.

On appelle pot-au-feu le bouillon que l'on tire du bœuf cuit à l'eau et qui en a extrait les parties solubles.

Voici ce que dit Brillat-Savarin :

« Pour avoir de bon bouillon, il faut que l'eau s'échauffe lentement, afin que l'albumine ne se coagule pas dans l'intérieur avant d'être extraite ; il faut que l'ébullition s'aperçoive à peine, afin que les diverses parties qui sont successivement dissoutes puissent s'unir intimement et sans trouble ; on joint au bouillon des légumes et des racines pour en relever le goût, ou du pain ou des pâtes pour le rendre plus nourrissant.

« Le bouillon est une nourriture saine, légère, succulente et qui convient à tout le monde. Il réjouit l'estomac, il le dispose à recevoir et à digérer. Les personnes menacées d'obésité doivent laisser le pain et les pâtes de côté et ne prendre que le bouillon.

« On convient généralement qu'on ne mange nulle part d'aussi bon bouillon qu'en France. J'ai trouvé dans mes voyages la confirmation de cette vérité. Ce résultat ne doit point étonner, car le bouillon est la base de la diète nationale française, et l'expérience des siècles a dû le porter à sa perfection.

« Le bouilli est une nourriture saine, qui apaise promptement la faim, se digère assez bien, mais qui seule ne restaure pas beaucoup, parce que la viande a perdu dans l'ébullition une partie des sucs animalisables.

« On tient comme la règle générale, en administration, que le bœuf bouilli a perdu la moitié de son poids.

« Nous comprenons sous quatre catégories les personnes qui mangent le bouilli :

« Les routiniers, qui en mangent parce que leurs parents en mangeaient, et qui, suivant cette pratique avec une soumission implicite, espèrent bien aussi être imités par leurs enfants.

« Les impatients qui, abhorrant l'inactivité à table, ont contracté l'habitude de se jeter immédiatement sur la première matière qui se présente.

« Les inattentifs, qui, n'ayant pas reçu du ciel le feu sacré, regardent les repas comme les heures d'un travail obligé et mettent sur le même niveau tout ce qui peut les nourrir et sont à table comme l'huître sur son banc.

« Les dévorants qui, doués d'un appétit dont ils cherchent à dissimuler l'étendue, se hâtent de jeter dans leur estomac une première victime pour apaiser le feu gastrique qui les dévore, et servir de base aux divers envois qu'ils se proposent d'acheminer pour la même destination.

« Les professeurs ne mangent jamais de bouilli, par respect pour les principes et parce qu'ils ont fait entendre en chaire cette vérité incontestable : *Le bouilli est de la chair moins son jus.* »

GRAND CONSOMMÉ POUR POTAGE ET SAUCE. Mettez dans une marmite deux jarrets de veau, un morceau de tranche de bœuf, une poule ou un vieux coq, un lapin de garenne ou deux vieilles perdrix, mouillez le tout avec une cuillerée à pot de bouillon et remuez-le. Lorsque vous verrez que cela commence à tomber à glace, mouillez-le avec du bouillon et faites surtout qu'il soit clair ; faites bouillir ce consommé, écumez-le, rafraîchissez-le de temps en temps, mettez-y des légumes, tels que carottes, oignons, un pied de céleri, un bouquet de persil et de ciboules ; assaisonnez d'une gousse d'ail et de deux clous de girofle, faites bouillir ce consommé quatre à cinq heures, passez-le à travers une serviette ; vous vous en servirez pour travailler vos sauces et pour vos potages clairs.

BOUILLABAISSE (Recette de M. Roubion, restaurateur à Marseille). Prenez plusieurs qualités de poissons, tels que merlan, grondin, scorpène ou rascasse, turbot, etc., et coupez-les en morceaux.

Préparez un roussi composé d'oignons, d'ail, de persil haché, de tomates, feuille de laurier, écorce d'orange, poivre, épices fines et un ou deux verres d'huile, suivant la force de la bouillabaisse ; faites revenir le tout dans une casserole. Mettez ensuite votre poisson dans cette casserole, ajoutez-y une pincée de sel et autant de safran, mouillez avec de l'eau bouillante de façon à ce que le poisson baigne entièrement et faites bouillir à grand feu la bouillabaisse pendant un quart d'heure, jusqu'à ce qu'elle

Pot

soit réduite aux trois quarts; versez le bouillon sur des tranches de pain que vous aurez coupées et mises dans un plat et servez votre poisson à côté sur un autre plat.

POTAGE A LA BOURIDE ET A L'AILLOLIS (Recette du même). Apprêtez le poisson comme il est indiqué ci-dessus, mettez-le dans une casserole avec de l'ail, un bouquet de persil, du poivre, des épices fines, du laurier, un morceau d'écorce d'orange et du sel; mouillez le tout d'eau bouillante et de vin blanc comme un court-bouillon, faites bouillir pendant un quart d'heure jusqu'à moitié de sa réduction.

Préparez alors un aillolis ou pommade à l'ail comme il suit : Pilez dans un mortier une ou deux gousses d'ail avec une pincée de sel, faites lier un jaune d'œuf et monter comme mayonnaise jusqu'à ce qu'on en ait la quantité voulue, additionnez avec un jus de citron.

Cassez dans une casserole deux ou trois jaunes d'œufs, délayez-y votre aillolis, versez-y votre bouillon de poisson et tournez votre bouride comme une crème sur le feu, jusqu'à ce qu'elle grille, fouettez-la, frappez vos tranches de pain que vous aurez humectées avec le bouillon de poisson et servez le poisson à côté sur un autre plat.

POTAGE AU BLOND DE VEAU. Beurrez le fond d'une casserole, mettez-y quelques lames de jambon, quatre ou cinq livres de veau de bonne qualité, deux ou trois carottes tournées, autant d'oignons; mouillez le tout avec une cuillerée de grand bouillon, faites-le suer sur un feu doux et réduire jusqu'à consistance de glace; quand elle sera d'une belle teinte jaune, retirez-la du feu, piquez les chairs avec la pointe d'un couteau pour en faire sortir le reste du jus; couvrez votre blond de veau, laissez-le suer ainsi un quart d'heure, et mouillez avec du grand bouillon suivant la quantité de vos viandes; mettez-y un bouquet de persil et ciboules assaisonné de la moitié d'une gousse d'ail et piqué d'un clou de girofle; faites bouillir ce blond de veau, écumez-le; mettez-le mijoter sur le bord d'un fourneau; vos viandes cuites, dégraissez-le, passez-le et servez-vous-en comme de l'empotage pour le riz, le vermicelle et même vos sauces.

BOUILLABAISSE A LA NIMOISE. Mettez au fond d'une casserole un morceau de beurre bien frais, et rangez au-dessous plusieurs espèces de poissons, anguilles cuites à moitié, rougets presque cuits, soles, pageaux, dorades, queues de langoustes, le tout coupé en morceaux, assaisonnez et ajoutez des fines herbes bien hachées, mouillez jusqu'à la surface avec de l'excellent bouillon de poisson, que vous aurez fait ainsi :

Mettez dans une casserole toute sorte de poissons, des rascasses, des moraines, des saint-Pierre, des pagels, des loups et des merlans; faites bouillir en les couvrant d'eau,

assaisonnée avec un oignon, une carotte coupée en tranches, du céleri, un cœur de laitue, du cerfeuil, du persil, une demi-feuille de laurier, deux clous de girofle, un peu d'excellente huile ou de beurre, du sel et un ail; après une bonne cuisson, passez au tamis; ce bouillon vous servira pour vos potages et vos sauces blanches au poisson. Mouillez, avons-nous dit, avec de l'excellent bouillon de poisson, un verre de vin blanc sec ou de Madère; faites cuire alors à grand feu, pour précipiter la réduction du mouillement.

Ayez un foie de baudroie que vous aurez fait cuire dans le mouillement de votre poisson, pilez-le parfaitement, mêlez-y trois jaunes d'œufs et délayez le tout avec un demi-verre de très-bonne huile, dressez ensuite votre poisson sur le plat, remettez son fond de cuisson sur le feu, liez-le avec le foie de baudroie comme il vient d'être indiqué; passez cette sauce au tamis en la faisant tomber sur le poisson, et entourez le plat de croûtons frits au beurre.

POTAGE A LA BISQUE. Cuisez cent écrevisses comme à l'ordinaire, faites-en sécher les pattes et les corps à un four bien doux, pilez-les parfaitement, et mettez-les à bouillir dans de l'excellent bouillon, un instant après passez au tamis et conservez ce bouillon; pilez alors la chair des écrevisses avec des blancs de volailles, passez au tamis pour obtenir une purée que vous délayerez avec le bouillon que je viens d'indiquer; faites chauffer au bain-marie et versez dans votre terrine en y joignant de petits croûtons passés au beurre clarifié. (Recette de Durand.) N'oubliez pas d'ajouter à cet excellent potage du beurre frais et un peu de piment. (V.)

POTAGE AU VOUGOLI. Cette soupe, la seule bonne que j'aie mangée à Naples, se fait dans un restaurant de Mergellina, près du château de la reine Jeanne [1].

Mettez dans une casserole quatre douzaines de vougolis, c'est-à-dire de prayres, comme on en mange à Marseille et comme on en trouve dans tous les ports de mer de France; mouillez-les avec les trois quarts d'une bouteille de vin blanc, sautez-les sur le feu jusqu'à ce qu'elles soient ouvertes; égouttez-les sur une passoire, supprimez comme aux moules la moitié des coquilles, et conservez la cuisson.

Hachez un morceau de blanc de poireau avec un petit oignon, joignez-y une gousse d'ail, faites revenir le tout dans une casserole avec de la bonne huile, mouillez-les avec la cuisson des prayres, et la valeur d'un litre de bouillon de poisson; ajoutez une tomate pelée et hachée, un bouquet de marjolaine, et quelques feuilles de céleri vert;

---

1. Nous savons parfaitement que ce château n'est pas celui de la reine Jeanne; mais, comme il n'est connu à Naples que sous ce nom, c'est celui que nous lui donnons pour être intelligible.

faites vivement bouillir tout ce liquide pendant dix minutes, retirez le bouquet et l'ail, mêlez les prayres au potage, que vous verserez dans la soupière.

Envoyez à part de petits croûtons de mie de pain frits à l'huile.

POTAGE A LA REINE. Rôtissez deux ou trois volailles; quand elles seront cuites, séparez la peau des os que vous jetterez dans un excellent bouillon; pilez la chair dans un mortier, mêlez-y cinq ou six amandes pour blanchir votre purée, et gros comme un œuf de mie de pain, que vous aurez mise un instant tremper dans votre bouillon; ajoutez le tout en pilant quelques cuillerées à bouche de ce dernier, passez au tamis en mêlant toujours un peu de bouillon pour faciliter le passage, et faites tomber dans une casserole.

Lorsque vous voudrez vous servir de cette purée, faites-la chauffer au bain-marie, et qu'elle ne bouille pas; versez dans votre soupière et jetez-y des croûtons de pain passés au beurre.

Nota. Toutes les autres purées de volailles ou de gibier aux croûtons de pain se font de la même manière en supprimant les six amandes qui ont fait donner à ce potage le nom de potage à la reine.

POTAGE CROUTE AU POT. Coupez du pain en tranches; mettez-le dans un plat creux et d'argent; mouillez-le avec d'excellent bouillon pour le faire mitonner; lorsque votre mitonnage est réduit, pour le laisser gratiner, couvrez votre fourneau avec de la cendre rouge; coupez un ou deux pains à potage en deux, ôtez-en toute la mie; mettez un gril sur une cendre chaude et faites sécher vos croûtes dessus; lorsqu'elles le seront bien, prenez la partie grasse du bouillon ou consommé; arrosez-en le dedans de vos croûtes et saupoudrez-les de sel fin, ce qu'il en faut pour qu'elles soient d'un bon goût; égouttez-les, mettez-les sur le gratin sans les couvrir, afin qu'elles ne mollissent pas; arrosez-les de quart d'heure en quart d'heure, du derrière de la marmite, jusqu'à ce que le gratin soit parfaitement formé; dégraissez-les, servez-les, et joignez-y une jatte séparée de consommé ou de bouillon.

POTAGE AUX CERISES A L'ALLEMANDE. La soupe aux cerises et la soupe à la bière sont les deux potages populaires de l'Allemagne.

POTAGE AUX CERISES. Enlevez les noyaux et les queues à trois quarts de litre de cerises aigres et fraîchement cueillies, mettez-en les deux tiers dans une marmite en terre, ou dans une casserole non étamée; joignez-y un morceau de cannelle et un zeste de citron, mouillez-les avec un litre d'eau chaude, posez la casserole sur un feu vif et faites cuire les cerises pendant dix minutes; liez alors le liquide avec deux cuillerées à bouche de fécule délayée

à l'eau froide. Dix minutes après, passez les cerises et le liquide au tamis, versez ce liquide dans la casserole, mêlez-y le tiers des cerises réservées, ainsi qu'un peu de sucre, faites bouillir et retirez la casserole sur le côté du feu. D'autre part, pilez deux poignées de noyaux de cerises, mettez-les dans un poêlon rouge avec deux ou trois verres de vin de Bordeaux; faites jeter quelques bouillons et retirez le liquide du feu. Quelques minutes après, passez-le à travers un linge blanc, mêlez-le à la soupe, versez celle-ci à la soupière, et envoyez séparément une assiette de biscuits coupés en petits dés.

SOUPE A LA BIÈRE A LA BERLINOISE. Faites fondre 150 grammes de beurre dans une casserole, leur mêler 150 grammes de farine, pour former une pâte légère; faites cuire celle-ci pendant quelques secondes en la tournant, sans lui laisser prendre couleur; la délayer ensuite avec la valeur de trois litres de bière légère blanche ou brune, tourner le liquide sur le feu jusqu'à l'ébullition, le retirer sur le côté pour le faire dépouiller pendant vingt-cinq minutes, verser dans une petite casserole la valeur d'un demi-verre de rhum et autant de vin blanc du Rhin, un morceau de gingembre coupé et un morceau de cannelle, 100 grammes de sucre et le zeste d'un citron, couvrir la casserole et la tenir au bain-marie; quand la soupe est bien dégraissée, la lier avec une quinzaine de jaunes d'œufs délayés, la vanner sans la faire bouillir, ni même la chauffer trop; la passer au tamis; dans une autre casserole, lui mêler 200 grammes de beurre divisé en petites parties, et aussitôt lui adjoindre l'infusion au rhum en la passant, la verser dans la soupière, envoyer séparément des tranches de pain grillé.

POTAGE PRINTANIER. Il se fait comme le potage à la julienne (voyez le potage suivant), excepté qu'on y ajoute des pointes d'asperges, des petits pois, des radis tournés, de très-petits oignons blanchis; en faisant cuire ces légumes, mettez-y un petit morceau de sucre pour en ôter l'âcreté, faites mitonner votre potage, couvrez-le des légumes énoncés, et servez-le.

POTAGE A LA JULIENNE. Prenez carottes, oignons, céleri, panais, navets, laitues, oseille en égale quantité; vous couperez votre oseille en filets, vous la ferez blanchir dans un peu d'eau, avec un peu de sel; vous la rafraîchirez, et, un quart d'heure avant de servir, vous la mêlerez aux autres légumes. Coupez des racines en tranches d'égale longueur, réduisez-les en filets plus ou moins gros, coupez de même l'oseille, la laitue et le céleri, lavez le tout à grande eau, égouttez-le dans une passoire; mettez un quarteron de beurre dans une casserole avec vos racines et votre céleri, passez sur votre fourneau ces légumes, jusqu'à ce qu'ils aient pris une légère couleur, mouillez-les avec une bonne

Pot

cuillerée de bouillon. Ces racines à moitié cuites, joignez-y votre oseille, laissez mijoter le tout et dégraissez-le. Quand vous serez près de vous en servir, faites le mitonnage tel qu'il est indiqué ci-dessous (article *Mitonnage*), versez votre julienne dessus et mêlez le tout légèrement.

MITONNAGE. Ayez un pain à potage, râpez-le légèrement, enlevez-en les croûtes sans endommager la mie, qui peut vous servir, soit pour vos autres potages, soit pour des petits croûtons ou de gros, soit pour des épinards. Si vous servez une charlotte ou une panade, coupez vos croûtes, arrondissez-les, mettez-les mitonner un quart d'heure avant de servir, mettez dessus tels légumes qu'il vous plaira, mouillez-les avec votre empotage, et servez bouillant.

POTAGE EN TORTUE. Mettez dans la marmite 3 kilos de mouton ou 2 kilos 500 grammes de parures de carrés; ajoutez-y des débris de poissons, comme têtes et arêtes de merlans, débris de saumon, une carpe ou ses débris, ainsi du reste; mettez ce mouton dans une marmite avec vos débris, assaisonnez-le tel que le blond de veau, faites-le suer de même; mouillez-le avec de l'eau, écumez-le bien; que le bouquet de persil soit forcé en aromates. De plus, joignez-y deux brins de basilic et du massif, laissez bien cuire ce mouton, passez-en le bouillon à travers une serviette, clarifiez-le au blanc d'œuf, faites-lui jeter un bouillon, laissez-le reposer, passez-le de nouveau dans une autre serviette et faites-le réduire jusqu'à ce qu'il soit assez corsé pour pouvoir supporter, sans être réduit, du vin de Madère; de là, prenez la moitié d'une tête de veau échaudée de la veille, désossez-la et mettez-la dégorger dans l'eau, que vous aurez soin de changer une ou deux fois; faites-la blanchir et rafraîchir, essuyez-la, parez-la, faites-la cuire dans un blanc (tel que vous le trouverez à son article); dès qu'elle est cuite, égouttez-la; au moment de vous en servir, coupez-la par morceaux carrés gros comme le pouce, et que vous mettrez dans le bouillon énoncé, avec les trois quarts d'une bouteille d'excellent vin de Madère, du poivre de Cayenne environ une cuillerée à café non comblée, une semblable cuillerée à café de poivre kari. Dressez votre potage, composé de vos morceaux de veau; ayez la précaution de faire durcir auparavant quinze œufs frais, après en avoir ôté les blancs; mettez-en les jaunes aussi entiers que possible dans ce potage, à l'instant de servir. La perfection serait d'avoir de petits œufs en grappe.

Nous venons de voir comment on faisait le potage à la tortue en France avec du mouton et du veau. Voyons comment il se fait, en Amérique et en Angleterre, avec de la tortue.

SOUPE A LA TORTUE A L'ANGLAISE ET A L'AMÉRI-CAINE. Si vous le pouvez, procurez-vous une tortue bien vivante et sortant de la mer; celles qui ont vécu pendant quelque temps avant d'être accommodées et hors de leur élément naturel contractent une odeur de poisson corrompu. Quand nous avons déjà dit quelques mots sur la tortue, en racontant comment nous les prenions, nous avons indiqué qu'il fallait, avec une ficelle, lui tirer le plus possible la tête hors de la carapace; s'il est possible, il faut lui couper la tête d'un seul coup, avec un couteau fraîchement repassé; il faut alors la coucher sur le dos, ce qui reste de son cou incliné, et laisser égoutter le sang pendant dix à douze heures; il faut alors prendre le défaut de la carapace en faisant glisser un couteau entre les jointures des deux coquilles, mais sans couper les ailerons ni les nageoires de derrière; quand le plastron est détaché, il faut enlever toutes les graisses et tous les boyaux qui doivent être réservés, détacher ensuite les ailerons et les nageoires de la carapace en même temps que les chairs et les os qui lui sont adhérents; ces chairs ont quelque analogie avec la noix de veau; aussi portent-elles le même nom. Il faut les séparer des os, soit pour les servir plus tard comme pièce de relevé ou d'entrée, soit pour les joindre aux os et les faire concourir à la préparation du bouillon de tortue. Quand le plastron et la carapace sont dégarnis, les diviser en carrés, les faire dégorger, les cuire à grande eau, faire également blanchir les quatre nageoires et le cou, pour les gratter et les faire dégorger pendant une heure.

Quand les carrés de la carapace et du plastron sont tendres au toucher et que les grosses arêtes et les écailles s'en détachent facilement, les égoutter, en supprimer les ordures, mettre les parties molles dans une terrine et les couvrir avec une partie de leur cuisson passée.

Coupez les os crus de la tortue, mettez-les dans une marmite avec les viandes et les nageoires, mouillez-les largement avec la cuisson du plastron, du bouillon ordinaire et de quelques bouteilles de vin blanc; faites bouillir le liquide en l'écumant et retirez la marmite sur le côté du feu, pour la garnir et la soigner à l'égal d'un pot-au-feu. Quand les nageoires et les ailerons sont cuits, les égoutter, les désosser, les déposer dans une terrine et les couvrir également avec du fond; dégraisser le restant, le passer et le laisser déposer. Pour préparer la soupe tortue, voilà comment opérer : pour huit à dix personnes, faire bouillir la valeur de 2 à 3 litres de bouillon de tortue et le tenir au chaud, dépecer deux moyens poulets, les mettre dans une casserole avec les carcasses coupées, les ailerons, les pattes et les gésiers propres, ainsi qu'avec 3 ou 400 grammes de jambon cru coupé en gros dés, faire revenir les viandes sur du beurre et sur un bon feu, jusqu'à ce qu'elles soient légèrement colorées, les saupoudrer alors avec deux cuillerées à bouche d'arrow-root; deux minutes après, les mouiller avec le bouillon de tortue et un verre de vin blanc, tourner le liquide jusqu'à l'ébullition, le retirer sur le côté, lui adjoindre un bouquet d'aromates et deux oignons. Quand les poulets sont cuits, dégraisser le fond de cuisson, le passer au tamis dans une casserole, lui adjoindre une partie des chairs molles, les nageoires et une égale quantité de celles de la carapace et du plastron, les unes et les autres coupées en petits carrés, faire bouillir la soupe, lui mêler un verre de sherry. Si alors elle se trouvait trop épaisse, l'allonger avec du bouillon de tortue. Elle doit être légèrement liée. Vingt-cinq minutes après, la dégraisser, lui mêler une pointe de Cayenne et quelques parties de graisse de tortue, blanchie et coupée en petits morceaux. Au moment de servir, lui additionner une infusion préparée avec les trois quarts d'un verre de sherry, une pincée de marjolaine, une de basilic, une de sariette, une de thym, un brin de sauge, et qu'aucun de ces aromates ne domine, et que le liquide réduise d'un tiers. Si les aromates sont frais, les piler quand ils sont cuits et les mêler à la soupe. Voici comment j'entends le potage en tortue, vraie tortue.

POTAGE AUX CHOUX. Il y a plusieurs manières de faire le potage aux choux. La plus simple de toutes est de mettre un chou de bonne odeur et de bon aspect dans le pot-au-feu, de le retirer quand vous le croyez cuit et de le servir avec le potage.

Nous allons indiquer les améliorations que nous avons faites à ce potage un peu trop simple, selon nous.

Prenez un chou pommé, examinez-le, qu'il soit à l'intérieur bien sain et bien frais; faites un hachis de tous les restes de volaille et gibier que vous aurez; ayez un bon bouillon de la veille que vous versez, au lieu d'eau ordinaire, sur le bœuf destiné à faire le bouillon du jour. Arrivé là, foncez une casserole de bon jambon fumé, Bordeaux, Strasbourg, Mayence; écartez les feuilles de votre chou, introduisez-y votre hachis; liez vos feuilles de manière à ce qu'on ne s'aperçoive pas de l'intercalation; mettez votre chou garni, laissez bouillir deux heures, remplissez avec du bouillon du pot-au-feu le bouillon qui s'épuise. Après deux heures de cuisson, votre bouillon sera fait; tirez votre bouillon du feu, laissez-le mijoter trois quarts d'heure tout ensemble, chou, hachis, jambon, dans la casserole, donnez une dernière poussée au bouillon, servez votre chou bien ficelé dans la soupière, laissez refroidir un instant, et servez.

Vous aurez le choix alors ou de manger votre chou en potage, ou de tremper du pain dans votre bouillon, et de faire de votre chou même un relevé de potage. Cuit ainsi, le chou, le bouillon et la viande, s'empruntant chacun leur suc, ont atteint la plus grande sapidité à laquelle ils puissent parvenir.

POTAGE AUX PATES D'ITALIE. Mettez sur le feu, dans une petite marmite, d'excellent bouillon. Lorsqu'il est en grande ébullition, jetez-y des pâtes d'Italie, soit graines de melon, étoiles ou autres; remuez-le pour qu'elles ne se pelotent pas, écumez-le et dégraissez comme pour le potage au macaroni; laissez-le mijoter un quart d'heure, et servez.

POTAGE A LA SEMOULE. La semoule est aussi une pâte d'Italie (qui ressemble assez au gruau). Faites ce potage comme le précédent, en le remuant un peu davantage, de crainte que la semoule ne s'attache ou ne se pelote.

BOUILLON DE POULET. Ayez un bon poulet commun, videz-le, ôtez-en la peau et flambez-en les pattes, liez-le avec une ficelle, mettez-le dans une marmite avec deux pintes et demie d'eau; ajoutez-y une once des quatre semences froides; après les avoir concassées à moitié, vous les mettez dans un petit linge blanc, pour en faire un petit paquet bien lié; faites cuire le tout à petit feu, jusqu'à ce qu'il soit réduit à deux pintes ou à peu près, et servez-vous-en comme bouillon rafraîchissant.

BOUILLON DE POULET PECTORAL. Prenez un poulet comme ci-dessus, une même quantité d'eau, deux onces d'orge mondé, autant de riz; mettez le tout ensemble dans une marmite, joignez-y deux onces de miel de Narbonne, écumez le tout, faites cuire trois heures ce bouillon, jusqu'à ce qu'il soit réduit aux deux tiers. Il est très-bon pour adoucir les irritations de la poitrine.

BOUILLON DE VEAU RAFRAICHISSANT. Coupez en dés une demi-livre de rouelle de veau, que vous mettrez bouillir avec trois pintes d'eau, deux ou trois laitues et une poignée de cerfeuil; faites bouillir le tout, et, si vous le jugez convenable, ajoutez-y un peu de chicorée sauvage; passez ce bouillon au tamis de soie et servez-vous-en.

POTAGE A LA CRÉCY. Ayez toutes sortes de légumes épluchés et lavés avec soin, tels que carottes, céleri, oignons en petite quantité, faites-les blanchir dans un chaudron pendant un quart d'heure; mettez-les dans une casserole avec un bon morceau de beurre et quelques lames de jambon, passez-les sur un petit feu, mais assez de temps pour que le tout soit cuit; alors, égouttez-le dans une passoire, pilez-le, mouillez-le avec son propre bouillon, passez-le à l'étamine pour en faire une purée, faites partir cette purée sur le feu; qu'elle cuise deux heures; dégraissez-la bien, mitonnez votre potage comme il est déjà énoncé, et mettez votre crécy par-dessus.

POTAGE A LA BENOY. Coupez en petits dés carottes, navets, panais et céleri; prenez du derrière de la marmite ou du beurre clarifié, faites-le chauffer, jetez-y vos légumes, faites-leur prendre couleur, égouttez-les sur un tamis, mouillez-les avec du blond de veau, du consommé et du bouillon; conduisez-les comme ceux de la julienne, dégraissez-les et couvrez-en votre mitonnage. Si vous vous en servez avec du riz, ayez attention qu'il soit clair, que les dés ne soient pas plus gros que le céleri lorsqu'il est crevé, et mêlez bien le tout ensemble.

POTAGE A LA PURÉE DE LENTILLES A LA REINE. Procédez à cet égard comme il vient d'être dit à la purée de pois, et servez-vous-en de même pour les potages, ayant soin pourtant, si ce sont des lentilles à la reine, de les laisser longtemps sur le feu pour que la purée soit rouge autant que possible; ce qui constitue la beauté, ou, si l'on veut, la distinction de ce potage. (Recette de la maison de Madame.)

POTAGE AUX OIGNONS BLANCS. Épluchez avec soin sept à huit douzaines de très-petits oignons blancs, faites-les blanchir, faites-les cuire ensuite dans du bouillon, en y joignant un peu de sucre. Quand ils seront suffisamment cuits, vous les verserez sur le potage au pain que vous aurez préparé.

POTAGE AUX POIREAUX A LA BRESSANNE. Coupez des poireaux en filets de la longueur d'un pouce, laissez-les revenir dans le beurre, jusqu'à ce qu'ils soient blancs, puis faites-les cuire sur un feu doux, dans une petite quantité de bouillon, et versez-les sur un potage au pain. Thèse générale, ne jamais faire bouillir le pain dans le bouillon, qui s'aigrit à l'instant même.

SOUPE AUX SALSIFIS A LA MANIÈRE DE LYON. (Voir Brillat-Savarin, *Physiologie du goût*.) Ratissez de gros salsifis et coupez-les en morceaux de la longueur du petit doigt, faites-les blanchir pendant quelques minutes à l'eau bouillante, puis faites-les cuire à fond dans un bouillon gras ou maigre; vous lierez ce potage avec six jaunes d'œufs avant de le verser dans la soupière et sur les croûtes dont vous l'aurez garni.

POTAGE AUX ŒUFS POCHÉS. Ayez des œufs pochés, rafraîchis et parés de manière à ce qu'ils soient propres à mettre dans votre soupière; dix minutes avant de servir, jetez dans votre bouillon un peu de gros poivre, et faites-y réchauffer vos œufs pochés.

POTAGE A LA MOELLE. Prenez une demi-livre de moelle de bœuf, faites-la fondre, et passez-la au tamis; cassez dedans quatre ou cinq œufs bien frais; joignez dedans un petit pain à café que vous aurez fait tremper dans du bouillon, du sel, de la muscade, du persil et de la farine; faites avec tout cela des boulettes, faites-les bouillir dans du bouillon, pendant cinq minutes, versez ensuite dans la soupière, et servez très-chaud.

POTAGE A LA LANGUEDOCIENNE. Ce n'est qu'une julienne à l'huile. *(Voir Julienne.)*

POTAGE A LA GRIMOD DE LA REYNIÈRE. Mettez dans une marmite un chapon troussé, comme pour le potage au riz, deux pigeons, un morceau de tranche de bœuf de trois livres, le tout bien ficelé; remplissez cette marmite de bon bouillon; après l'avoir écumée, garnissez-la de carottes, navets, oignons, céleri et poireaux; vos viandes cuites, au moment de servir, mettez le chapon et les deux pigeons dans un plat avec des laitues entières, de petits oignons, des carottes et des navets, coupés en gros dés; de ces trois sortes de légumes en grande quantité et cuits comme pour la garbure au hameau, c'est-à-dire dans de l'excellent bouillon; vos légumes cuits, dressez-les sur le chapon et les pigeons, de manière qu'ils forment buisson; passez le bouillon de votre marmite au travers d'une serviette fine ou d'un tamis de soie; servez à côté de votre plat un pot plein de bouillon bien chaud et d'un bon sel.

POTAGE A LA JAMBE DE BOIS, RECETTE DE GRIMOD DE LA REYNIÈRE. On prend un jarret de bœuf dont on coupe les deux bouts, en laissant le gros os d'un pied de longueur, on l'empote dans une marmite avec du bon bouillon, un morceau de tranche de bœuf, et une casserole d'eau froide; lorsque cette marmite est écumée, on l'assaisonne avec du sel et des clous de girofle, on y met deux ou trois douzaines de carottes, une douzaine d'oignons, une douzaine de pieds de céleri, douze navets,

une poule et deux vieilles perdrix (observez qu'il faut mettre votre marmite au feu de bon matin, et la faire aller très-doucement, afin que votre bouillon se fasse plus aisément et soit meilleur).

Prenez ensuite un morceau de rouelle de veau d'environ deux livres; faites-le suer dans une casserole et mouillez-le avec votre bouillon; lorsqu'il sera bien dégraissé vous y ajouterez une douzaine de petits oignons, quelques petits pieds de céleri, vous mettrez le tout dans votre marmite environ une heure avant de servir.

Le bouillon étant ainsi fait, vous vous assurez de son bon goût, vous prenez du pain à potage bien chapelé, vous enlevez les croûtes et les mettez dans une casserole; vous les mouillez avec votre bouillon bien dégraissé, et le faites mitonner; arrivées à leur point, vous les dressez dans leur pot-à-oille et vous les garnissez de toutes les sortes de légumes qui sont dans votre empotage, vous mettez ensuite l'os de votre jarret sur votre potage; vous achevez de le mouiller et vous le servez très-chaudement.

POTAGE AUX ANGUILLES A LA MODE DE HAMBOURG. Tuez et écorchez deux ou trois petites anguilles, les couper par tronçons de la longueur de deux ou trois pouces, les faire blanchir en les plongeant à l'eau bouillante pour les roidir et les retirer aussitôt; faire légèrement

revenir au beurre six poignées de cerfeuil, mêlé d'un peu d'oseille, et beaucoup de betterave poirée; faites revenir au beurre un oignon et deux poireaux émincés; quand ils sont de belle couleur, leur adjoindre les tronçons d'anguilles, et quelques têtes ou arêtes de poisson brisées, pour renforcer le bouillon; mouillez le poisson avec trois litres d'eau chaude et une demi-bouteille de vin blanc; ajoutez sel, gros poivre, girofle, un bouquet de persil, écumez le liquide, et faites-le bouillir jusqu'à ce que les tronçons d'anguilles soient cuits; passer alors le bouillon à travers un linge et le tenir au chaud; jeter les arêtes et les têtes qui ont servi à consolider le bouillon, diviser les tronçons d'anguilles sur leur longueur pour en supprimer les arêtes, et les tenir à couvert dans une petite casserole; couper une julienne très-fine composée de poireaux, de racines de persil et de céleri; mettez ces légumes dans une petite casserole avec un peu de bouillon; les cuire tout doucement en faisant tomber le liquide à glace, aussitôt qu'ils sont cuits, les mêler dans la soupière avec les filets d'anguilles, lier le bouillon avec six jaunes d'œufs délayés, ajouter une pointe de Cayenne, cent grammes de beurre divisé en petits morceaux, ainsi que la julienne de légumes et les filets d'anguilles, verser aussitôt la soupe dans la soupière sur des tranches minces de pain grillé.

POTAGE A LA PURÉE DE GIBIER. Mettez dans six ou sept litres de bouillon quatre livres de bœuf, un jarret de veau, trois perdrix et un faisan; faites écumer et ajoutez carottes, oignons et céleri, laissez bouillir le tout pendant quatre ou cinq heures, pilez en même temps quelques perdreaux rôtis et refroidis, et un peu de mie de pain; passez ces perdreaux pilés à l'étamine, et mouillez cette purée avec le bouillon ci-dessus; faites-la chauffer sur un feu doux sans la laisser bouillir, et versez-la sur des croûtons sautés au beurre.

POT-AU-FEU. Un jour que Rivarol dînait avec des gourmands des trois villes libres de Lubeck, de Brême et de Hambourg, et qu'il faisait la grimace en dégustant je ne sais quel potage teuton, un des convives s'informa d'où venait chez lui cette contraction des muscles faciaux et particulièrement du buccinateur.

« Messieurs, répondit-il, si j'ai fait la grimace en goûtant votre potage, j'ai eu tort, car la courtoisie française voulait que je le trouvasse excellent; mais, puisque la grimace est faite, laissez-moi vous dire une grande vérité : c'est qu'il n'y a point en France une garde-malade ou une portière qui ne sache faire de meilleur bouillon que le plus habile cuisinier anséatique » – ou plutôt hanséatique, puisque *hanséatique* vient du vieux mot allemand *Hansen*, qui veut dire s'associer.

Je prierai le lecteur de vouloir bien remarquer que cette

Pot

dernière observation vient de moi et non de Rivarol, et est faite en vue de ceux qui ont encore le désir de s'instruire.

J'ai dit plus haut combien les Bourbons aimaient les bons potages; j'ai dit aussi que Louis-Philippe mangeait quelquefois quatre assiettées de potages différents et une cinquième dans laquelle il les réunissait tous, mais je n'ai pas dit que c'était sans doute à cause de ce grand amour de la soupe que possède tout bon Français, qu'un célèbre diplomate allemand qui voulait, en 1792, empêcher le roi de Prusse et l'empereur d'Autriche de faire la guerre à la France, avait dit pour combattre cette idée :

« Mais laissez donc bouillir la Révolution française dans sa marmite. »

Paroles prophétiques qui, si elles eussent été écoutées, eussent peut-être empêché l'envahissement de Berlin et de Vienne par ce même peuple français qu'on renvoyait si bien à ses fourneaux.

Le lecteur trouvera peut-être que voilà un préambule bien orgueilleux et bien savant pour en arriver à une simple soupe aux choux, mais il n'est pas encore au bout, et, après avoir fait de l'histoire, il me permettra de lui faire un peu de chimie.

Un gourmet consommé, invité à dîner en ville, au seul aspect, à la première vue, à la simple odeur du potage, se fera immédiatement une idée de tout le repas.

Je répète que la cuisine française ne doit sa supériorité sur les autres nations qu'à l'excellence du bouillon français.

Et remarquez bien que ce n'est point parce que notre viande l'emporte sur les autres viandes, mais parce que nos cuisiniers l'emportent sur les autres cuisiniers. Les Anglais ont certainement des bœufs supérieurs aux nôtres et pourraient faire un bouillon excellent! eh bien, ils n'ont qu'une bonne soupe, la soupe à la tortue.

J'ai étudié dans tous les pays la façon de faire le bouillon, et la dernière fois à Vienne.

Comment les Viennois font-ils leur bouillon?

Ils mettent deux poulets dans leur marmite, les y font cuire à moitié, après quoi ils les mettent à la broche et en font un rôti.

Quant au bouillon, ils y ajoutent une cuillerée de jus pour lui donner de la couleur et ils le servent, non pas chaud, ce qui serait au moins une qualité, mais tiède, ce qui le fait ressembler un peu à de l'eau qui n'est pas fraîche.

De cette façon, ils trouvent moyen tout à la fois de donner un mauvais potage et un mauvais rôti.

C'est du reste une erreur assez généralement répandue et contre laquelle il faut nous élever nous autres hommes de science, de croire que la volaille, à moins qu'elle ne soit très-vieille et très-grasse, employée au potage, soit bonne à faire autre chose que du bouillon de malade.

Le fond d'un bon pot-au-feu, c'est le bœuf.

Je sais bien que dans le Midi on se sert rarement de bœuf et presque toujours de mouton.

Mais ce n'est point précisément pour ses potages que le Midi est renommé.

Avouons cependant que la chair de mouton est, après la chair du bœuf, celle qui fait la meilleure soupe, surtout si on a le soin de la faire rôtir ou griller jusqu'à un tiers de cuisson, afin de la dépouiller de sa graisse qui pourrait communiquer au bouillon un goût de suif toujours très-désagréable.

Voulez-vous, au reste, approfondir la question et connaître les mystères d'un bon potage?

Prenez le plus fort morceau de viande que comporte votre consommation; le bouillon se conservant trois ou quatre jours l'hiver et deux jours l'été, il en sera meilleur et vous y trouverez une économie de temps et de combustible.

La pointe de culotte est un excellent morceau, attendu qu'il y a pondération de gras et de maigre.

Choisissez votre viande la plus fraîche et la moins saignée possible; choisissez-la épaisse; mince, elle sera épuisée par la cuisson; ne la lavez pas, vous la dépouilleriez d'une partie de ses sucs; ficelez-la après en avoir séparé les os, afin qu'elle ne se déforme pas, et mettez-la dans la marmite avec une pinte d'eau par livre de viande.

Maintenant que la viande est dans la marmite et avant d'y ajouter les os, laissez-nous vous dire ce qu'elle contient et grâce à quelles qualités naturelles elle va donner un excellent bouillon.

Je l'ai déjà dit, et je ne saurais trop le répéter, pour les personnes qui veulent se rendre compte de ce que contient la viande, la meilleure et la plus propre à faire le bouillon, elle contient quatre substances essentiellement différentes : la gélatine, l'osmazôme, la graisse et l'albumine.

La fibrine est ce qui reste d'un morceau de viande qui a longtemps bouilli; la cuisson la sépare des principes solubles auxquels elle était unie, c'est-à-dire de la gélatine, de l'osmazôme et de l'albumine, et alors elle n'a plus aucune saveur.

La gélatine, soluble à l'eau bouillante seulement, est la base nutritive du bouillon; c'est elle qui, en quantité suffisante, le fait prendre en gelée; elle existe dans toutes les parties de la chair, mais particulièrement dans les cartilages et dans les os; le fameux chimiste d'Orsay a essayé de nourrir des malades avec de la gélatine pure et n'y a point réussi.

L'osmazôme est le principe sapide des viandes, il est dans la chair et dans le sang, et voilà pourquoi nous avons recommandé de prendre la viande la moins saignée possible; le sang doublera l'écume, mais, l'écume enlevée, donnera un bouillon plus savoureux.

La graisse est enveloppée dans les cellules d'une membrane très-fine qui ne se dissout pas; aussi reste-t-elle toujours adhérente aux fibres. Une ébullition très-haute parvient cependant à briser une partie de ces cellules, et la graisse plus légère que le liquide vient surnager à sa surface; c'est cette graisse qu'il faut enlever avec soin et qui, seule ou mêlée au saindoux, fait d'excellente friture.

L'albumine est de la même nature que du blanc d'œuf, soluble à l'eau froide, elle se coagule dans l'eau chauffée à 60 ou 70 degrés; c'est elle qui forme l'écume, c'est elle qu'il faut enlever avec le plus grand soin, ou sinon, au premier bouillon de votre pot-au-feu, elle se précipitera et vous donnera un potage trouble.

Voilà donc les principes que contient la viande qui se trouve dans votre marmite et dont nous vous avons conseillé de séparer les os.

Nous vous avons conseillé d'en séparer les os, non pas que nous exilions les os du pot-au-feu, bien au contraire, nous leur y gardons une place à part, seulement nous les brisons avec un maillet, attendu que plus ils sont brisés, plus ils rendent de gélatine, et nous les mettons dans un sac de crin avec tous les débris de poulet, de lapin, de perdreaux, de pigeons rôtis qui peuvent se trouver dans le garde-manger, restes du dîner de la veille.

Maintenant, vous pouvez mettre votre marmite sur le feu, vous savez sans doute que mieux vaut une marmite de terre qu'une marmite de fer; faites-la chauffer lentement, ou sinon la viande saisie à la trop grande chaleur, l'albumine se coagulera à l'intérieur, ce qui empêchera l'osmazôme de se dissoudre et vous donnera un bouillon sans sapidité. Bien écumée et quand elle commence à bouillir, je prends le contenant pour le contenu, quand elle commencera de bouillir, salez-la, mettez-y selon sa contenance trois ou quatre carottes, trois ou quatre navets, deux panais, un bouquet de céleri et de poireaux ficelés ensemble; enfin, trois oignons, dont l'un piqué d'une gousse d'ail et les deux autres d'un clou de girofle.

Si vous voulez ajouter, soit par caprice, soit par habitude, un morceau de mouton ou de veau aux ingrédients que nous avons dit, ne manquez pas surtout de le faire rôtir ou griller auparavant; nous vous avons dit pourquoi.

Sept heures d'ébullition lente et continue sont nécessaires au bouillon pour acquérir toutes les qualités requises; nos portières ont pour cette période un terme des plus expressifs; elles disent : *faire sourire* le pot-au-feu.

Vous ne trouverez ce mot dans aucun dictionnaire. Mais si jamais je fais partie des Quarante, je me charge de le faire introduire dans le *Dictionnaire de l'Académie.*

Et maintenant, arrivons à la soupe aux choux.

Quand le pot-au-feu, préparé et conduit dans les conditions que nous venons d'exposer, est arrivé à sa sixième heure de cuisson, vous foncez une grande casserole d'une livre ou d'une livre et demie de jambon fumé, vous coupez un chou en quatre pour en extraire le trognon et les animaux qui pourraient s'y être introduits, et dont la chair n'est point nécessaire à la confection de votre bouillon; vous le ficelez convenablement afin que les feuilles ne s'en détachent pas, et vous le posez délicatement dans votre casserole foncée et capitonnée de jambon; après quoi vous remplissez à la hauteur du sommet du chou votre casserole de ce bon bouillon, qui a *souri* six ou

sept heures, et comme il n'y a plus en contact avec lui en fait de viande que le jambon, vous le poussez à grand feu. Au bout de dix minutes, votre casserole est à sec, le chou a tout bu et est d'un tiers plus gros qu'il n'était. Vous remplissez de nouveau la casserole qui, cette fois, s'épuise à moitié, puis une troisième fois encore, et après deux heures de cuisson, vous servez votre chou à part sur son jambon, et dans votre soupière le bouillon dans lequel ont cuit le chou et le jambon mêlés à votre bouillon primitif.

Et moyennant cela, cher lecteur, vous avez la fameuse et excellente soupe aux choux que vous êtes à même de faire goûter à vos convives qui vous en demanderont aussitôt la recette.

Au temps des tomates, je vous conseillerai pour faire pendant à cette soupe perfectionnée par moi, une soupe inventée par moi.

Je veux parler de la soupe aux moules, aux prayres, aux crevettes et aux écrevisses.

SOUPE AUX MOULES. Voici comment se confectionne cette soupe :

Vous mettez le matin à onze heures sur votre fourneau un pot-au-feu dans la forme de celui que j'ai indiqué, mais dans des proportions moindres, puisque, comme vous allez le voir, le bouillon n'entre que pour un tiers dans la confection de ce potage.

A quatre heures de l'après-midi, vous mettez dans une grande casserole, douze tomates et douze oignons blancs, vous les laissez bouillir une heure.

Pot

Au bout d'une heure, vous passez le tout dans une passoire assez fine pour que la graine des tomates n'y puisse point passer.

Quand vos tomates sont réduites en purée, vous salez, poivrez, introduisez un morceau de glace de viande du poids de trois ou quatre onces et vous laissez les tomates se réduire et épaissir à un feu très-doux.

Puis vous mettez sur le feu vos moules ou vos prayres, si ce sont des moules et des prayres, sans eau, si ce sont des crevettes ou des écrevisses, dans leur sauce.

Cette sauce se compose d'une bouteille de vin blanc, d'un bouquet assorti, de carottes hachées et d'un verre à vin ordinaire d'excellent vinaigre, le tout salé et poivré. Au bout d'un quart d'heure de cuisson, vos moules ou vos prayres, si vous voulez faire une soupe aux moules ou aux prayres, ont rendu leur jus; au bout d'une demi-heure, vos écrevisses ou vos crevettes sont cuites.

Vous ne faites qu'un seul bouillon de votre consommé, de vos tomates, de votre jus de moules ou de prayres, de votre sauce de crevettes ou d'écrevisses.

Puis, au fond d'une casserole, vous écrasez avec le bout du couteau la moitié d'une gousse d'ail, vous la faites roussir dans l'huile, et vous versez doucement et en tournant toujours votre triple bouillon dans la casserole, puis quand les différentes parties hétérogènes se sont homogénéisées par un quart d'heure d'ardente cuisson, vous y jetez vos moules ou vos prayres, vos queues de crevettes ou vos queues d'écrevisses en guise de pain.

Si c'est une soupe aux écrevisses que vous faites, vous pilez les pattes et les corps dans un mortier, vous faites bouillir cette partie dans une portion de votre sauce, et quand votre sauce en a extrait le goût et l'arôme, vous versez et mélangez ce condiment dans les autres éléments de votre potage.

On m'excusera d'être prolixe, je parle moins pour les cuisiniers que pour ceux, plus nombreux, qui n'ont pas les moindres notions de cuisine et qui ont besoin de bien comprendre.

Laissez-moi, cher lecteur, terminer ce long article par la recette d'un potage cher aux chasseurs et vénéré des ivrognes.

Par la recette de ma soupe à l'oignon.

SOUPE À L'OIGNON. Reportez-vous à l'article *Oignon*, vous y verrez que c'est une plante bulbeuse et potagère d'une odeur forte et d'un goût piquant, mais ce qu'il est nécessaire que je consigne ici, c'est qu'il y a deux espèces d'oignons : l'oignon blanc d'Espagne et le petit oignon rouge de Florence.

Le gros oignon, ou oignon blanc d'Espagne, contient en grande quantité une matière sucrée, plus une substance végéto-animale, et enfin une matière phosphorique.

Quand Beauvilliers servait à table.

Non-seulement cet oignon est agréable au goût par sa matière sucrée, mais il est nutritif par sa substance végéto-animale, enfin stimulant par son élément phosphorique. C'est donc celui-là qu'il faut choisir pour faire la soupe aux chasseurs et aux ivrognes, deux classes qui ont besoin de se réparer.

Or vous prenez vingt gros oignons que vous hachez très-fin, vous les faites roussir dans la poêle avec une livre de beurre; lorsqu'ils sont bien roussis, vous y versez trois litres de lait fraîchement tiré, sinon le lait tournera; quand les oignons ont bouilli dans le lait, vous les passez dans un tamis assez large pour que le bouillon fasse purée, vous salez, vous poivrez et vous versez sur des croûtes de pain rôties après y avoir ajouté une liaison de six jaunes d'œufs.

Et voilà!...

SOUPE FROIDE A LA RUSSE, COMME ON LA MANGE A PÉTERSBOURG ET A MOSCOU. (Recette transmise à la Cuisine française par l'auteur des Mémoires de Madame de Créquy.) La base de ce potage est le kvas, bière très-légère de farine d'orge fermentée avec des baies acides et des bourgeons de chênes. On coupe en morceaux du maigre de jambon et des lambeaux de viande arrachés suivant la longueur des fibres, à la manière des anciens Tartares, à qui l'usage des couteaux n'était pas familier. On assaisonne cet étrange potage avec de l'oignon cru, du blé vert qu'on a fait macérer dans de la saumure, une grande quantité d'écha-lotes hachées et des tranches de concombres avortés par suite du froid. A la table des gourmets russes, il arrive souvent que le mouillement de ladite soupe est fait avec du *pyvo*, sorte de bière qui ne s'éloigne pas autant que le kvas de notre bière ordinaire. On y joint de petits morceaux de glace coupés carrément, ou bien de petites boules de neige foulée.

La soupe russe au poisson s'appelle en russe *kholodnoysoup et batvinia*. On y remplace la viande avec du kaviar et du saumon coupé par tranches.

POTAGES MAIGRES

POTAGE AUX HERBES A LA DAUPHINE. — Préparez quatre poignées de feuilles d'épinards et trois cœurs de grosses laitues, le blanc d'une tige de poireau, deux oignons, deux poignées d'oseille, deux poignées d'arroche, deux poignées de bettes, une forte pincée de cerfeuil, quelques feuilles de tanaisie, quelques branches de pourpier vert, et finalement des fleurs de soucis, bien séparées de leur ovaire et de leur calice, attendu l'amertume de cette partie de la plante; hachez toutes ces herbes et faites-les fondre avec un morceau de beurre que vous ne laisserez pas arriver jusqu'au roux, mouillez-les ensuite avec de l'eau chaude à défaut de bouillon de racine, de purée farineuse ou de résidus de poisson; il est bon de ne foncer la soupière qu'avec des tranches de mie de pain, le goût des croûtes a l'inconvénient d'altérer la simple et fine saveur de cette combinaison végétale.

POTAGE A LA REINE EN MAIGRE, RECETTE ET FORMULE DE LA MAISON DE MADAME. Ayez deux brochetons qui ne sentent point la vase; échaudez-les, videz-les, levez-en les chairs; posez-les sur la table du côté de la peau; levez cette peau comme vous lèveriez une barde de lard; coupez ces chairs en gros dés; mettez-les dans une casserole avec un morceau de beurre; faites-les cuire sans les faire roussir; laissez-les refroidir; pilez une vingtaine d'amandes douces émondées; vous aurez fait tremper la mie d'un pain à potage dans de la crème, et vous l'aurez fait dessécher comme il est indiqué; pilez de même cette panade; retirez-la du mortier; pilez aussi vos chairs de brochets; joignez-y votre panade et vos amandes; repilez le tout; foncez une casserole de beurre; mettez dessus des oignons coupés en deux et des racines en lames, telles que carottes, navets, une demi-gousse d'ail, la moitié d'une feuille de laurier, un peu de macis, un bouquet de persil, ciboules, un clou de girofle, deux carpes coupées en tronçons et les débris de vos brochetons; mouillez ce fond d'un peu de bouillon de pois; faites-le suer à petit feu, sans le laisser attacher; lorsque votre glace sera formée, mouillez-la avec du bouillon de pois; faites cuire ce bouillon à petit feu; sa cuisson faite, passez-le dans une serviette et servez-vous-en pour délayer votre appareil, que vous passerez à l'étamine à force de bras, et auquel vous donnerez la consistance d'un coulis; mettez cet appareil dans une casserole, faites chauffer au bain-marie jusqu'au moment de vous en servir; mettez dans votre pot-à-oille des petits croûtons coupés en dés et passés dans le beurre; versez dessus votre purée à la reine et servez.

POTAGE AU CONGRE A LA BRETONNE. Préparez un bouillon comme il est dit ci-dessus pour le potage aux herbes de la dauphine, mais à l'exception qu'avant de mettre les herbes potagères dans leur mouillement, vous y aurez fait cuire un congre ou, du moins, une forte rouelle de cet animal. Lorsque ce poisson aura bouilli pendant deux heures et demie, vous en passerez le bouillon dans un tamis de crin. Vous y mettrez les herbes déjà blanchies et vous achèverez le potage avec une liaison, comme il est dit à l'article ci-dessus.

POTAGE AU LAIT D'AMANDES. Prenez une livre et demie d'amandes douces et douze amandes amères. Mettez-les dans une casserole avec de l'eau fraîche et sur le feu. Lorsqu'elles sont prêtes à bouillir, retirez-les; voyez si la peau se lève; pour les monder, on se sert d'un torchon dans lequel on les frotte; ayez de l'eau froide où vous les mettrez au fur et à mesure; égouttez-les lorsqu'elles seront froides; mettez-les dans un mortier et pilez-les; mettez-y de temps en temps une goutte d'eau afin qu'elles ne tournent pas en huile. Vous jugerez qu'elles seront bien pelées lorsque vous ne sentirez plus de grumeaux sous vos doigts; mettez-les dans une casserole et dans un litre et demi d'eau. Cette eau étant bouillante, laissez-y infuser une demi-once de coriandre et le zeste d'une moitié de citron dont vous aurez ôté le blanc; délayez vos amandes avec cette infusion; passez le tout plusieurs fois au travers d'une serviette ou d'une étamine jusqu'à ce qu'il ressemble à du lait, salez-le et sucrez convenablement. Ensuite mettez au bain-marie; ayez des tranches de mie de pain très-minces, faites-les glacer au four ou sous un four de campagne et jetez-les dans votre lait d'amandes au moment de servir.

Pot

POTAGE AU LAIT D'AMANDES A L'URSULINE. Mondez une demi-livre d'amandes douces et cinq ou six amandes amères, pilez-les comme il est indiqué ci-dessus; ayez un litre et demi de lait, faites-le bouillir et servez-vous d'une partie pour passer votre pâte d'amandes à plusieurs reprises (comme il est dit à l'article précédent). Dans la partie du lait dont vous ne vous serez pas servi, mettez infuser la moitié d'un bâton de vanille que vous retirerez quand vous mélangerez le tout; assaisonnez-le de sucre et d'un peu de sel, mettez gros comme la moitié d'un œuf du meilleur beurre que vous pourrez trouver, trempez votre potage comme le précédent, et servez.

POTAGE AU RIZ, AU LAIT. Ayez un quart de riz, lavez-le à trois eaux et épluchez-le à chacune d'elles, faites-le blanchir à deux ou trois bouillons, égouttez-le sur un tamis, mettez-le dans une marmite avec du beurre, un peu de zeste de citron, une feuille de laurier-amande, faites-le crever à l'eau, et, lorsqu'il commencera à se gonfler, mouillez-le avec du bon lait; faites qu'il ne soit ni trop épais ni trop clair, mettez-y sel et sucre et supprimez-en le laurier, ainsi que le zeste de citron.

POTAGE AU VERMICELLE ET AU LAIT. Procédez comme avec le riz; seulement, quand votre vermicelle sera cuit, que vous l'aurez assaisonné de sel et de sucre, ajoutez-y quelques macarons ou un peu de vanille, ou mieux encore l'un et l'autre.

POTAGE AU POTIRON. Coupez votre potiron en petits morceaux dans votre casserole, versez-y un verre d'eau, laissez-le bouillir jusqu'à ce qu'il soit bien cuit, puis tirez-le de l'eau, faites-le égoutter et passez-le à l'étamine, mouillez cette purée avec du lait, ajoutez-y du beurre venant d'être battu, salez convenablement, faites bouillir votre potage et versez-le sur des croûtons passés au beurre et coupés en losanges ou en deniers.

POTAGE A LA JULIENNE MAIGRE. Préparez vos légumes comme pour le potage au gras, mouillez-les avec du bouillon maigre, et faute de bouillon maigre, servez-vous de l'eau de cuisson des haricots ou des lentilles, faites mitonner votre potage et qu'il soit d'un bon sel.

POTAGE AU MAIGRE AUX HERBES A LA BONNE FEMME. Épluchez, lavez à grande eau, égouttez et hachez une poignée d'oseille, deux laitues, un peu de cerfeuil et de belles-dames, mettez-les dans une grande casserole avec un morceau de beurre, passez-les, faites-les cuire à petit feu, mouillez-les ce qu'il faut pour votre potage avec votre grand bouillon maigre, sinon, avec celui des haricots ou des lentilles, et puis versez sur les tranches de pain, que vous laisserez mitonner.

SOUPE A L'OIGNON A L'EAU. Prenez une douzaine d'oignons auxquels vous aurez retranché la tête et la queue, coupez-les en tranches bien minces, faites-les frire dans du beurre frais jusqu'à ce qu'ils soient d'un beau jaune, versez alors un litre et demi d'eau dessus, ajoutez du sel et du poivre, faites bouillir le tout pendant vingt minutes et versez-le ensuite sur le pain, que vous aurez préparé, après y avoir ajouté une liaison de quelques jaunes d'œufs.

POTAGE A LA CAMERANI. La lettre suivante a été dernièrement écrite au baron Brisse :

« Monsieur le baron,

« En vieux gourmet dont l'estomac, hélas! est aujourd'hui un peu blasé et très-fatigué, j'ai recours à vous pour retrouver la recette du fameux *potage à la Camerani*, que je désirerais goûter encore une fois – la dernière peut-être. « Autant qu'il m'en souvient, le macaroni de premier choix et les ingrédients les plus délicats en étaient la base. En 1806, le potage coûtait environ trois louis par convive, etc., etc. »

A cette lettre le baron répond :

« Le cri du cœur de mon correspondant est irrésistible. Je m'empresse de satisfaire à sa demande, et cela d'autant plus volontiers que, sans rien changer à la formule donnée par Grimod de la Reynière, je vais faire entrer en *petite cuisine* et vulgariser l'illustre potage célébré par tant de poëtes. « Le fond de ce potage, composé par M. Camerani, ancien scapin et semainier perpétuel de la Comédie italienne, gourmand des plus érudits, se compose de foies de poulets. S'ils sont beaux, un sel suffit par convive, et il n'est ni difficile ni ruineux de s'en procurer une demi-douzaine chez les marchands de volailles. »

Le baron Brisse

Potage a la Camerani. « Faire blanchir séparément, et en quantité relative au nombre des convives, du céleri, des choux, des carottes, des navets et des poireaux. Égoutter et hacher le tout bien menu. Mettre ces légumes au feu, dans une casserole, avec un fort morceau de beurre, sel et poivre; les laisser mijoter à feu doux, et, quelques minutes avant leur cuisson parfaite, y mêler les foies de volaille également hachés menu.

« Pendant le même temps, faire blanchir, cuire et égoutter du macaroni et râper du fromage de Parmesan.

« Prendre alors une soupière pouvant aller au feu, en bourrer le fond et y faire un lit de macaroni, par-dessus un lit du hachis précité, enfin un lit de fromage de Parmesan râpé, orné de quelques morceaux de beurre; recommencer ensuite dans le même ordre et élever les assises de ce bâtiment jusque vers les bords de la soupière, en ayant soin de terminer par un lit de fromage.

« Mettre ensuite la soupière sur un feu doux, laisser mitonner le tout un temps convenable et servir. »

« C'est là, dit Grimod de la Reynière, un manger délicieux et le principe d'un très-grand nombre d'indigestions. » Dieu vous en garde, ami lecteur.

Potage Vuillemot (pour douze personnes). Prenez 20 grammes haricots blancs, 20 grammes pois verts, 4 pommes de terre, 4 carottes, 4 navets, 4 oignons blancs, 4 poireaux, un bouquet de persil, céleri. Mettez le tout dans une marmite en terre, mouillez avec 3 litres d'eau de rivière, ajoutez sel et gros comme une noix de beurre, faites partir sur le fourneau après cuisson, passez vos purées au tamis, laissez lisser vos purées sur l'angle du fourneau, enlevez-en la pulpe, en mouillant le tout avec votre bouillon de légumes.

Faites blanchir 20 grammes de riz Caroline, faites-le crever légèrement dans le supplément de votre bouillon. Prenez quelques feuilles d'oseille et cerfeuil, ciselez-les finement, passez au beurre, ajoutez le tout au potage.

Préparez une liaison de 4 jaunes d'œufs, avec une mesure de bonne crème, un quart ou 100 grammes de bon beurre, liez le tout ensemble et servez chaud.

POTIRON

Cucurbitacée de la famille des citrouilles et des giraumons; il y en a d'énormes : on en a vu qui pesaient plus de 100 kilos. On fait avec le potiron d'excellents potages, des crèmes, des tourtes et autres entremets délicats.

Gateau de potiron a l'antiquaille. Coupez du potiron en gros dés et faites-le fondre dans une casserole et réduire à consistance de bouillie épaisse, passez-le ensuite au beurre dans une autre casserole et ajoutez-y une cuillerée de fécule de pommes de terre délayée dans du lait, du sucre en suffisante quantité; faites mijoter

le tout, puis, quand le potiron est assez réduit, vous le retirez et le laissez refroidir, puis vous le pétrissez avec trois jaunes d'œufs, six macarons écrasés, quatre pincées de fleur d'oranger pralinée et un blanc d'œuf fouetté.

Beurrez une casserole, panez-la bien partout de mie de pain. Mettez-y la pulpe du potiron, posez la casserole sur des cendres rouges, couvrez-la avec un couvercle sur lequel vous mettrez du feu. Quand le gâteau aura pris belle couleur, renversez-le sur un plat et servez une crème liée aux jaunes d'œufs et au vin de Lunel à proximité de cet excellent entremets.

Vous pouvez aussi garnir votre plat d'amandes pralinées.

Potiron au kirsch. Vous faites une purée de potiron comme il est indiqué ci-dessus; vous la versez sur un plat, la couvrez d'un caramel, et la servez chaude. Chaque personne alors l'assaisonne sur son assiette de kirsch à sa volonté.

Potiron a la parmesan. Coupez votre potiron en morceaux carrés et faites-le bouillir un quart d'heure dans de l'eau et du sel, faites-le égoutter; puis mettez dans une casserole un bon morceau de beurre et faites-y frire vos morceaux avec sel et épices, retirez-les sur un plat, couvrez-les de fromage râpé, faites prendre couleur au four et servez.

Potiron au four. Faites cuire votre potiron comme ci-dessus, puis faites-le bouillir dans une casserole avec du beurre, du fromage râpé, six œufs battus, mêlez bien le tout, dressez-le sur un plat beurré, dorez le dessus avec de l'œuf, saupoudrez de sucre et faites prendre couleur au four.

Pou

POULE, POULET, POULARDE

 Ce furent les habitants de l'île de Cos qui apprirent aux Romains l'art d'engraisser les volailles dans des lieux clos et sombres. La profusion qui existait à Rome de volailles engraissées obligea le consul Canius Fanius à faire une loi qui défendait d'élever les poules dans les rues.

La poule est originaire de l'Inde; mais du lieu de sa naissance elle s'est répandue sur presque tous les points du globe. Elle offre différentes variétés assez remarquables : en Turquie, son plumage est presque aussi riche que celui du faisan; en Chine, elle a de la laine au lieu de plumes; en Perse, il y en a toute une espèce qui n'a point de queue; dans l'Inde, elles ont la chair et les os noirs, ce qui ne les empêche pas d'être très-bonnes à manger. Les poules furent poursuivies par les lois somptuaires, qui défendirent (et c'est celles-là qu'invoqua le consul Fanius) de servir sur la table une autre poule que la simple poule de basse-cour.

Comme nous n'avons pas en France de lois somptuaires qui défendent d'engraisser la volaille, disons la manière qui leur donne à la fois le meilleur goût et la meilleure graisse possible. En trois semaines ou en un mois, nos poules deviendront des poulardes.

Nourrissez-les pendant quelques jours avec de l'orge moulu, du son et du lait; mettez-les en cage dans un lieu obscur, mais non humide; enfin laissez toujours à leur portée de la farine d'orge pétrie avec du lait.

La nourriture du chapon est la même; les Romains châtraient les petits coqs à l'âge de trois mois, et ils engraissaient ces nouveaux chapons avec une pâtée de farine et de lait dans un lieu sombre. Ils châtraient aussi les poules en leur enlevant les ovaires pour en faire des poulardes grasses. Le sarrasin, plus encore que l'orge, se recommande aux gourmands pour l'engrais des oiseaux de basse-cour.

Brillat-Savarin venait d'être malade; son médecin lui avait recommandé la diète. Un ami vint le voir et le trouva dépeçant une poularde du Mans.

— Est-ce là le régime d'un malade? demande le visiteur indigné.

— Mon ami, lui répondit l'auteur de la *Physiologie du goût*, je vis d'orge et de sarrasin.

— Mais cette poularde?

— Elle en a vécu deux mois; elle me fait vivre à son tour.

Puis, ajouta l'illustre magistrat dans son enthousiasme pindarique, quel présent nous ont fait les Maures en nous envoyant le sarrasin! C'est sa graine qui rend la poularde si séduisante, si fine et si exquise.

Lorsque je parcours la campagne et que je rencontre un champ de sarrasin, je ne puis me lasser d'admirer cette herbe bienfaisante qui embaume l'air quand elle est fleurie; ce parfum me jette dans une sorte d'extase, et je crois humer la vapeur de la poularde même dont elle sera un jour la nourriture.

CHAPON AU GROS SEL. Ayez un chapon, videz-le, flambez-le, troussez-lui les pattes en dedans, bridez-le, bardez-le et mettez-le cuire dans la marmite, dans le consommé, ou dans une casserole avec du bouillon. Pour s'assurer de la cuisson, pincez-lui l'aileron avec les doigts; s'il ne résiste pas, il est cuit. Égouttez-le, dressez-le et mettez-lui sur l'estomac une pincée de gros sel, saucez-le avec un jus de bœuf réduit.

CHAPON AU RIZ. Préparez votre chapon comme le précédent; faites blanchir environ trois quarterons de riz, égouttez-le, mettez-le dans une marmite qui puisse aussi contenir votre chapon, que vous posez du côté de l'estomac; mouillez le tout avec deux bonnes cuillerées à pot de consommé ou de bouillon, faites partir votre marmite, couvrez-la, mettez-la mijoter sur la paillasse, ayez soin de remuer de temps en temps votre riz; sondez votre chapon, pour vous assurer qu'il est cuit; sa cuisson faite, dressez-le, dégraissez votre riz, finissez-le avec un morceau de beurre, en y mettant sel, gros poivre, un peu de réduction, si vous en avez, et masquez-en votre chapon. Si votre riz était trop épais, relâchez-le avec un peu de bon bouillon.

CHAPON AUX TRUFFES. Préparez ce chapon comme le précédent; videz-le par la poche, servez-vous à cet effet du crochet d'une cuiller à dégraisser. Prenez garde de crever l'amer du foie.

Vous aurez brossé et épluché environ deux livres de bonnes truffes; hachez-en quelques-unes des plus défectueuses; coupez par dés, et pilez environ une livre de lard gras, mettez-le dans une casserole, avec vos truffes, du sel, du poivre, un peu de muscade râpée et des fines épices; faites mijoter le tout à un feu très-doux, environ une demi-heure; laissez-le refroidir, remplissez-en votre chapon jusqu'à la poche et cousez-la, bridez-le, les pattes en long; conservez-le, si vous pouvez attendre deux ou trois jours, bardez-le, embrochez-le après l'avoir enveloppé de papier; faites-le cuire à peu près une heure et demie; déballez-le : si vous l'employez pour relevé, supprimez la barde; servez-le à la peau de goret et mettez dessous une sauce aux truffes. (Voyez l'article *Sauce aux truffes*.)

POULARDE EN ENTRÉE DE BROCHE. Plumez les ailerons et la queue de cette pièce; flambez-la, refaites-lui les pattes, prenez garde d'en rider la peau, épluchez-la, supprimez-en le bréchet, videz-la par la poche et prenez garde d'en crever l'amer; maniez dans une casserole, avec une cuiller de bois, un morceau de beurre; assaisonnez-le du jus d'un citron et d'un peu de sel, remplissez-en le

La poule d'eau.

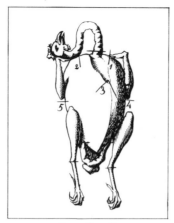
Le Poulet

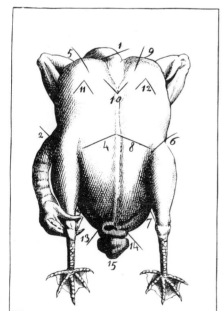
La Morelle ou la Poule d'eau

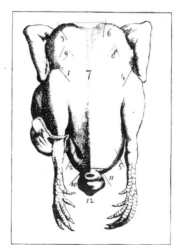
La Poularde

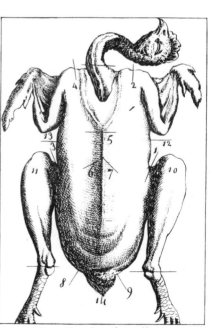
La Poule bouillie.

corps de votre poularde, retroussez-lui les pattes en dehors, bridez-en les ailes, embrochez-la sur un hâtelet; frottez-lui l'estomac d'un citron, saupoudrez-la d'un peu de sel, couvrez-la de tranches de citron, desquelles vous aurez ôté les pépins, enveloppez-la de bardes de lard, de plusieurs feuilles de papier, liées sur vos hâtelets par les deux bouts, posez-la sur la broche, du côté du dos; faites-la cuire environ une heure, déballez-la et servez-la avec la sauce que vous jugerez convenable.

POULARDE AUX TRUFFES. (Voyez ci-dessus *Chapon aux truffes.*)

POULARDE A LA SAINT-CLOUD. Préparez cette poularde comme celle à la maréchale, avec cette différence qu'au lieu de la piquer de lard, il faut la piquer avec des clous de truffes. (Voyez l'article *Poulet à la Saint-Cloud.*)

POULARDES EN BIGARRURE. Épluchez, flambez deux moyennes poulardes, levez-en les ailes, ôtez-en les filets, supprimez les ailerons et les peaux des ailes, piquez deux de ces ailes d'une deuxième et les deux autres de petits lardons de truffes, cuits à moitié; marquez ces quatre ailes dans une casserole foncée de bardes de lard, avec une carotte, un bouquet de persil et de ciboules et deux moyens oignons, dans l'un desquels vous aurez mis deux clous de girofle; mouillez vos ailes avec un peu de consommé, ayez soin que ce mouillement n'atteigne point le lard piqué de vos poulardes et couvrez-les d'un rond de papier. Un quart d'heure avant de servir, faites-les partir, avec feu dessus et dessous. Désossez entièrement les quatre cuisses et remplissez-les d'un salpicon composé de truffes et de foies gras, cousez-en les peaux et donnez aux cuisses la forme d'une figue aplatie; coupez les pattes en deux, supprimez-en le haut et mettez le bas dans la cuisse, en sorte qu'on ne voie que la moitié de cette patte. Piquez deux de ces cuisses de clous de truffes, en forme de rosettes, les deux autres devant rester blanches; frottez-les de citron, marquez ces quatre cuisses dans une casserole, entre des bardes de lard; assaisonnez-les comme les ailes, faites-les cuire à un feu doux environ trois quarts d'heure. Au moment de servir, égouttez-les, ôtez-en les fils, égouttez aussi vos ailes, ôtez le nerf des filets mignons, faites-leur des entailles de distance en distance et mettez-y des petites crêtes de truffes de la largeur de ces filets, donnez-leur une forme cintrée, sautez-les dans du beurre fondu et un grain de sel; après, égouttez-les, glacez les ailes piquées, dressez-les toutes les quatre en croix et posez entre chacune d'elles vos cuisses de poulardes, en mettant dessus, en forme de couronne, les petits filets. Saucez votre entrée avec une espagnole réduite et travaillée avec le consommé que vous aurez fait des carcasses de vos poulardes. (Recette de Vincent de la Chapelle.)

POULARDE SAUCE TOMATE. Préparez cette poularde comme il est indiqué à l'article *Poularde en entrée de broche*, et servez dessous une sauce tomate. *(Voyez cette sauce.)*

POULARDE A LA BROCHE POUR ROT. Videz, flambez, épluchez, refaites une belle poularde; bridez-la, en lui laissant les pattes en long; bardez-la ou piquez-la, embrochez-la, enveloppez-la de papier et faites-la cuire; sa cuisson faite aux trois quarts, déballez-la, achevez sa cuisson et faites lui prendre une belle couleur; mettez sur votre plat un lit de cresson, assaisonné convenablement de sel et vinaigre; posez dessus votre poularde et servez.

POULARDE EN ENTRÉE DE BROCHE A LA HOLLANDAISE. Procédez pour cette poularde comme pour celle en entrée de broche, et servez dessous une sauce hollandaise. *(Voyez cette sauce.)*

POULARDE EN ENTRÉE DE BROCHE. Poêlez ou mettez cette poularde à la broche, et pour la servir, mettez une sauce au beurre d'écrevisses, ou tout autre sauce. (Voyez l'article *Sauce au beurre d'écrevisses.*)

FILETS DE POULARDE AU SUPRÊME. Levez les filets de trois moyennes poulardes, posez ces filets sur la table, et levez-en les petites peaux, le plus possible; trempez dans l'eau le manche de votre couteau et battez-les légèrement, parez-les, faites fondre dans une sauteuse une quantité suffisante de beurre, arrangez-y vos filets, en les trempant des deux côtés, saupoudrez-les d'un peu de sel, couvrez-les d'un rond de papier, levez avec soin les cuisses pour vous faire une entrée, soit pour le jour, soit pour le lendemain; vous leur conserverez la totalité de la peau, pour former de ces cuisses de petits canetons ou des ballons; faites un consommé des carcasses, faites-le réduire presque en glace sans lui donner de couleur; ajoutez-y six cuillerées à dégraisser pleines de velouté réduit, et de pain de beurre; salez et vannez votre sauce, sautez vos filets en les retournant, faites qu'ils soient bien blancs, assurez-vous qu'ils sont bien cuits, en appuyant le doigt dessus; s'ils résistent, c'est qu'ils le sont; vous aurez passé six croûtons de pain de mie à potage, auxquels vous aurez donné la forme et l'épaisseur de vos filets, dressez ces filets en couronne, mettez un croûton entre chacun d'eux, travaillez votre sauce et saucez en marquant votre entrée. Si vous voulez ces filets aux truffes, coupez des truffes en liards, faites-les cuire dans du beurre et un grain de sel, mettez-les dans une partie de votre sauce au suprême, et versez-les dans le puits de vos filets. (Recette de M. Beauvilliers.)

AILES DE POULARDES A LA MARÉCHALE. Prenez trois belles poulardes, levez-en les ailes, supprimez-en les ailerons, ne conservez que les deux moignons, levez-en la petite peau en posant votre aile sur la table, et en faisant glisser votre couteau comme si vous leviez une barde de lard ; prenez garde d'endommager les chairs, piquez vos six ailes d'une deuxième et marquez-les dans une casserole comme il est indiqué à l'article *Poulardes en bigarrure*. Vos ailes cuites, égouttez-les sur un couvercle, glacez-les ; qu'elles soient d'un beau blond, dressez dans votre plat une bonne chicorée réduite (V. l'article *Chicorée béchamel*) ; dressez vos six ailes dessus, la pointe au centre du plat, mettez une belle truffe au milieu et servez.

POULARDE EN GALANTINE. Épluchez, flambez, videz une poularde, désossez-la par le dos, étendez-la sur un linge, couvrez les chairs d'une mince farce cuite de volaille, lardez, assaisonnez. Posez sur votre farce des lardons de distance en distance ; ajoutez-y, si c'est la saison, des truffes coupées en filets, de la grosseur de vos lardons, et entremêlez-les, pour que votre pièce soit bien marbrée, recouvrez ces lardons d'un autre lit de farce, et continuez de mettre ainsi farce et lardons, jusqu'à ce que votre volaille soit remplie ; rapprochez les peaux, cousez-les, tâchez de donner à votre poularde sa forme première, entourez-la de bardes de lard, enveloppez-la d'un morceau d'étamine neuve, cousez cette étamine ; attachez-en les deux bouts avec une ficelle ; foncez une braisière avec quelques carottes, oignons, deux clous de girofle, deux feuilles de laurier, deux ou trois lames de jambon, un jarret de veau, et la carcasse de votre poularde coupée par morceaux ; posez du côté du dos votre pièce sur ce fond ; appuyez un peu la main sur son estomac afin de l'aplatir ; couvrez votre galantine de bardes de lard, mouillez-la avec du bouillon, il faut qu'elle baigne dans son assaisonnement, couvrez-la de papier ; faites-la partir après lui avoir mis son couvercle ; posez-la sur la paillasse avec feu dessous et dessus ; laissez-la cuire une heure et demie ou deux heures ; sa cuisson faite, retirez-la du feu, laissez-la dans son assaisonnement une demi-heure ; retirez-la, pressez-la légèrement, aplatissez-lui de nouveau l'estomac, afin d'avoir la facilité de la garnir de gelée, passez le fond de votre galantine au travers d'une serviette mouillée à cet effet ; si ce fond n'était pas assez ambré, mêlez-y un peu de jus de bœuf, ou de blond de veau ; faites-en l'essai ; si ce fond ou plutôt cette gelée se trouvait trop délicate, faites-la réduire ; cassez deux œufs entiers, jaunes, blancs et coquilles, mettez-les dans votre gelée, fouettez-la avec un fouet de buis, mettez-la sur le feu ; ayez soin de la remuer lorsqu'elle commencera à bouillir ; retirez-la sur le coin de votre fourneau, mettez sur votre casserole un couvercle avec quelques charbons ardents dessus, laissez ainsi votre gelée se clarifier environ une demi-heure ou trois quarts d'heure ; passez-la comme il est indiqué à l'article *Grand Aspic*, laissez votre gelée se refroidir, déballez votre galantine, ratissez le gras qui est autour, dressez-la sur une serviette, garnissez-la de gelée soit coupée en lames, en diamants ou hachée, ou les trois ensemble et servez.

FILETS DE POULARDES A LA BÉCHAMEL. Faites rôtir deux poulardes. Une fois refroidies, levez-en les blancs et supprimez-en les peaux et les tendons ; émincez ces blancs également ; mettez dans une casserole cinq cuillerées à dégraisser de béchamel et deux de consommé, ainsi qu'un peu de muscade rapée (voyez l'article *Sauce à la Béchamel*) ; après une ébullition, délayez votre sauce, prenez garde qu'elle ne s'attache ; au moment de servir, jetez vos filets dedans, retournez-les légèrement, de crainte de les rompre ; dressez-les sur votre plat garni d'une bordure, ou bien garnissez de feuilletage ou de croûtons, ou bien encore servez dans une tourte.

SOUFFLÉ DE POULARDE. Procédez pour ce soufflé comme il est énoncé au soufflé de perdreaux.

HACHIS DE POULARDES A LA REINE. Hachez menu des blancs de poulardes et poulets, mettez dans une casserole de la béchamel ainsi que du consommé, en proportion de la quantité de vos chairs ; faites bouillir et délayez votre sauce ; au moment de servir, mêlez-y votre hachis sans ébullition, finissez-le avec un peu de beurre et un peu de muscade râpée ; ce hachis est le bien venu dans les grands vol-au-vent ou dans les petits pâtés chauds.

Poulets. – Il y en a de quatre sortes :
1º Le poulet commun, qui s'emploie généralement en fricassée, et dont on lève les chairs pour faire des farces de différentes sortes ;
2º Le poulet demi-grain dont on se sert pour les marinades à cru, et différentes entrées qui n'exigent pas de très-gros poulets ;
3º Le poulet à la reine, qui est aussi très-délicat et qui sert aussi pour entrées et pour rôt.

Les marchands de fruits et volailles, à Cuba.

4º Le gros poulet gras, dont on fait plus communément usage pour la broche que pour toute autre chose.

C'est vers la fin d'avril que l'on commence à voir des poulets nouveaux. On les reconnaît facilement à la blancheur de leur peau. Ils sont ordinairement couverts de petits tuyaux, comme s'ils étaient mal épluchés; leurs pattes sont plus unies que celles des vieux, plus douces au toucher, et d'un bleu tirant sur l'ardoise. Les vieilles poules et les vieux coqs ne sont bons qu'à corser les bouillons et les consommés; après les poulets viennent les poulardes et les chapons.

F R I C A S S É E   D E   P O U L E T . Ayez deux poulets, flambez-les, refaites les pattes, épluchez-les, coupez les ongles, videz ces poulets et ôtez-en la poche (soit dit une fois pour toutes);

dépecez-les, en commençant par lever les cuisses; séparez les pattes des cuisses, cassez l'os de la cuisse, à peu près vers le milieu; supprimez la moitié de cet os, coupez le petit bout du moignon, séparez les ailerons des ailes, coupez-en la pointe, ce qu'on appelle le fouet; levez vos ailes dans la jointure, ménagez l'estomac, séparez-le des reins, parez-le des deux bouts et des deux côtés, coupez le rein en deux, parez le croupion, coupez-en la petite pointe, supprimez le boyau adhérent au croupion, parez ce rein et ôtez-en les poumons; mettez dans une casserole une chopine d'eau, un oignon coupé en tranches, quatre branches de persil, un peu de sel et vos morceaux de poulets, faites-les blanchir, c'est-à-dire faites jeter un bouillon à cette eau; retirez-les, égouttez-les sur un linge blanc, parez-les, essuyez-les, passez votre eau à travers un tamis de soie, mettez dans une casserole un quarteron et demi de beurre, joignez-y vos poulets, faites-les revenir légèrement, singez-les avec une pincée de farine de froment, sautez-les pour bien mêler votre farine, mouillez-les peu à peu en les délayant avec votre eau de poulet, ajoutez-y un bouquet de persil et ciboules, garni d'une demi-feuille de laurier, d'un clou de girofle et de champignons tournés (voyez article *Garniture*); faites cuire votre fricassée, dégraissez-la: sa cuisson faite, si la sauce se trouve être trop longue, versez-en une partie ou le tout dans une autre casserole, et faites-la réduire à consistance de sauce, remuez-la sur vos membres de poulets; faites une liaison de trois jaunes d'œufs, avec un peu de crème ou de lait; faites bouillir votre fricassée, retirez-la du feu, liez-la, remettez-la sur le feu, sans la faire bouillir, pour achever de la lier. Sachez si elle est d'un bon goût, finissez-la avec un demi-pain de beurre, un jus de citron ou un filet de verjus; dressez-la, en commençant par mettre les pattes au fond du plat, les reins dessus, en les entremêlant, les cuisses et les ailes. Saucez et servez.

Vous pouvez faire la fricassée de poulet à chaud et à froid, de la même manière qu'il est énoncé à l'article *Salmis de perdreaux chaud ou froid.* Lorsque vous aurez lié votre fricassée de poulet, qu'elle sera un peu froide, ajoutez de la gelée à la sauce. Faites-la prendre de la même manière qu'il est expliqué pour les perdreaux. N'employez point de croûtons.

FRICASSÉE DE POULET A LA CHEVALIÈRE. Préparez deux beaux poulets gras et faites-les cuire de la même manière qu'il a été expliqué, excepté qu'il faut mettre de côté les ailes que vous piquez avec du menu lard; supprimez la peau, ôtez la chair du bout de l'os et grattez-le. Si c'est la saison, vous piquerez deux de ses ailes avec des truffes. Faites fondre du beurre dans une tourtière, arrangez-y vos quatre ailes, saupoudrez-les d'un peu de sel fin, couvrez-les d'un papier beurré, mettez-les cuire dans un four, ou sous un four de campagne, dressez-la, saucez-la, décorez-la de ses quatre ailes, mises en croix, que vous aurez glacées, avec lesquelles vous mêlerez quatre belles écrevisses. Vous mettrez une grosse truffe au-dessus comme pour couronner votre entrée, et vous servirez.

KARI DE POULET A L'INDIENNE. Dépecez deux poulets, comme il est indiqué à l'article *Fricassée de poulet;* mettez dans une casserole 125 grammes de beurre, autant de petit lard et les membres de vos poulets, passez le tout, singez-le avec une cuiller à bouche pleine de farine de froment, sautez ce kari, mouillez-le peu à peu avec du bouillon; assaisonnez-le d'un bouquet de persil et ciboules, d'une poignée de champignons, de sel et d'une cuillerée à café de poudre de *kari;* laissez cuire votre kari. Sa cuis-

son faite, dressez-le dans un vase creux; servez-le avec du riz que vous préparerez ainsi :

Faites blanchir et crever votre riz avec un peu de sel et presque sans mouillement. Beurrez un vase et remplissez-le de ce riz, qui doit être bien entier, de façon à en former un pain; tenez-le chaudement sur une cendre rouge. A l'instant de servir, retournez-le sur un plat; si la poudre de kari n'avait pas donné assez de couleur à votre ragoût, faites infuser dans un peu d'eau une pincée de safran du Gâtinais, exprimez-le sur votre kari, mêlez-le bien, goûtez s'il est d'un bon goût, s'il est assez pimenté. Vous pouvez faire, si vous le voulez, procédant de la manière énoncée, un kari de lapereaux, de veau, de pigeons, etc. N'oubliez pas de faire rissoler dans votre casserole quatre oignons en roussi bien rissolés, et jetez vos membres de poulet dedans; laissez cuire ainsi qu'il est indiqué ci-dessus. Un peu de safran pour le riz est nécessaire.

POULETS EN ENTRÉE DE BROCHE. Ayez deux poulets gras bien blancs, d'égale grosseur et sans taches. Après en avoir plumé les ailerons flambez-les légèrement; prenez garde d'en roidir la peau. Épluchez-les, rompez-leur le bréchet, videz-les par la poche, ayez soin d'en extraire tous les intestins; servez-vous pour cela du crochet d'une cuiller à dégraisser, et prenez garde de crever l'amer. Mettez dans une casserole environ trois quarterons de beurre, un peu de sel, un jus de citron et un peu de muscade râpée; mêlez le tout à froid avec une cuiller de bois, remplissez-en vos poulets également, retroussez-les en poulets d'entrée, c'est-à-dire les pattes en dehors; passez-leur une ficelle dans les ailes et qui fixe la peau de la poche le long du rein, pelez jusqu'au vif un citron, foncez une casserole de bardes de lard; posez-y vos poulets, joignez-y une carotte, un oignon piqué de deux clous de girofle, un bouquet de persil et ciboules, une demi-feuille de laurier, la moitié d'une gousse d'ail, une lame de jambon et quelques petits morceaux de veau; levez la peau d'un citron, coupez-le en tranches, ôtez-en les pépins et mettez ces tranches sur l'estomac de vos poulets, couvrez-les de bardes de lard, mouillez-les avec une cuiller à pot de bouillon, ou d'une poêle, et, faute de cette dernière, mettez avec le bouillon un demi-verre de vin blanc; couvrez-les d'un rond de papier et d'un couvercle, faites-les partir, posez-les sur une paillasse, avec feu modéré dessus et dessous. Leur cuisson achevée, égouttez-les, débridez-les, faites-en sortir le beurre, dressez-les et servez dessous, soit une sauce aux truffes, une espagnole très-corsée, une sauce tomate, une sauce à l'estragon, un aspic, un ragoût de champignons ou un ragoût mêlé, etc.

POULETS A L'IVOIRE. Préparez et poêlez deux poulets, comme il est dit ci-dessus, excepté qu'il en faut supprimer les pattes ; coupez les bouts des moignons, grattez-en les os. Leur cuisson faite, égouttez-les, dressez-les et saucez-les avec une sauce à l'ivoire. (V. cet article.)

POULETS SAUCE AUX HUITRES. Préparez deux poulets comme *Poulardes en entrée de broche*, faites-les cuire de même, égouttez-les et dressez-les ; prenez six douzaines d'huîtres, ôtez-les de leurs coquilles, mettez-les dans une casserole sans autre mouillement que leur eau, faites-les roidir ; mettez dans une casserole quatre cuillerées à dégraisser de velouté réduit, égouttez vos huîtres et jetez-les dans ce velouté, faites-leur jeter un bouillon, ajoutez-y une pincée de persil haché et blanchi, un pain de beurre et une pincée de gros poivre. Au moment de servir, exprimez dans cette sauce le jus d'un citron, sachez si elle est d'un bon goût, versez-la dessus vos poulets, et servez.

POULETS SAUCE AUX TRUFFES. Ayez deux poulets, préparez-les comme ci-dessus et poêlez-les de même. Leur cuisson achevée, égouttez-les, dressez-les et mettez dessus une sauce aux truffes. (Voyez cet article.)

POULETS A L'ESTRAGON. Préparez deux poulets comme il est indiqué ci-dessus ; poêlez-les de même, et, leur cuisson faite, égouttez-les, dressez-les et saucez-les avec une sauce à l'estragon. (Voyez cet article.)

POULETS A LA SAUCE TOMATE. Préparez deux poulets de la même manière que ci-dessus et poêlez-les. Leur cuisson faite, après les avoir égouttés, dressez-les et servez-les avec une sauce tomate. (Voyez cet article.)

POULETS BOUILLIS A L'ANGLAISE. Flambez et troussez deux poulets, comme ceux *Poulardes d'entrée de broche*, mettez de l'eau dans une casserole assez grande pour qu'ils y soient à l'aise, faites-la bouillir, ajoutez-y une pincée de sel, mettez-y vos poulets, faites qu'ils bouillent toujours, sans aller trop vite. Leur cuisson achevée, égouttez-les, dressez-les, saucez et masquez-les avec une sauce à l'anglaise. (Voyez cet article.)

POULETS AUX POIS. Prenez une demi-livre de lard de poitrine, coupez-le en gros dés, supprimez-en la couenne, faites-le blanchir, égouttez-le, mettez dans une casserole un quarteron de beurre, faites un petit roux (voyez l'article *Roux*), passez-y votre lard et faites-le roussir légèrement ; lorsqu'il sera d'un beau blond, joignez-y deux jeunes poulets dépecés, comme pour la fricassée ; mouillez-les avec une cuillerée à pot de bouillon, délayez bien le tout, que vous assaisonnerez d'un bouquet de persil et ciboules, et quand vous aurez mis une demi-feuille de laurier et un clou de girofle, faites bouillir votre fricassée, mettez-y un litron de pois très-fins, faites aller à grand feu, sans la couvrir,

dégraissez-la. Sa cuisson faite, dressez vos membres de poulet, faites-en réduire la sauce si elle est trop longue, goûtez si elle est d'un bon goût, masquez-en les membres, et servez.

POULETS FRICASSÉS AUX POIS ET AU BLANC. Ayez deux jeunes poulets, flambez-les, dépecez-les comme pour la fricassée, mettez un morceau de beurre dans une casserole, joignez-y vos poulets, avec un bouquet de persil et ciboules ; assaisonnez d'un peu de sel fin et de deux moyens oignons, sautez le tout ; faites revenir vos poulets, couvrez-les et laissez-les cuire doucement, avec feu dessus et dessous. A moitié de leur cuisson, mettez-y un litron de pois fins, que vous aurez manié dans de l'eau et du beurre, gros comme une noix ; égouttez-les dans une passoire, laissez suer et cuire le tout, en le sautant de temps en temps. La cuisson achevée, ôtez les oignons et le bouquet, liez votre fricassée avec une cuiller à dégraisser pleine de bon velouté réduit. Si vous n'avez pas de velouté, maniez un pain de beurre avec un peu de farine de froment, et servez-vous-en pour opérer cette liaison. Dressez votre fricassée comme la précédente, et servez.

POULETS AU BEURRE D'ÉCREVISSES. Préparez et faites cuire ces poulets comme il est indiqué aux poulets en entrée de broche (voyez cet article), égouttez-les, mettez dans une casserole quatre cuillerées à dégraisser de velouté réduit et du beurre d'écrevisses, gros comme un œuf ; passez le tout, travaillez bien votre sauce, mettez-la dans le fond de votre plat et dressez vos poulets dessus.

POULETS A LA BROCHE POUR ROT. Ayez deux beaux poulets gras, ou trois petits à la reine; préparez-les comme la poularde (voyez cet article); piquez-en un des deux, s'ils sont gras, et un ou deux, s'ils sont à la reine; bardez-les, embrochez-les, enveloppez-les de papier et faites-les cuire. Aux trois quarts de leur cuisson, déballez-les pour achever de les cuire et faire sécher le lard, laissez-les prendre une belle couleur dorée. Si vous avez de la glace, mettez-en légèrement avec un pinceau sur le lard de vos poulets, dressez-les sur un lit de cresson, assaisonné convenablement d'un peu de sel et de vinaigre, et servez.

POULETS A LA TARTARE. Nettoyez et préparez deux poulets, troussez-les en poule, c'est-à-dire les pattes en dedans; fendez-en les reins et aplatissez-les, cassez les os des cuisses, mettez un morceau de beurre dans une casserole, avec sel et gros poivre; faites-y revenir et cuire ensuite vos poulets, avec feu dessus et dessous. Un quart d'heure avant de servir, passez-les, mettez-les sur le gril à un feu doux; ayez soin de les retourner deux ou trois fois pour qu'ils prennent une belle couleur, et servez dessous une sauce à la tartare. (Voyez cette sauce.)

POULETS SAUCE AU PAUVRE HOMME ET DIVERSES AUTRES. Préparez vos poulets comme il est dit ci-dessus, supprimez-en les cous et les pattes, fendez-en le dos et aplatissez-les, faites-les cuire à moitié dans le beurre, avec sel et poivre; achevez, sans les passer, leur cuisson sur le gril et servez dessous une sauce au pauvre homme à l'estragon, ou tomate, ou toute autre que vous voudrez. (Voyez ces sauces.)

POULETS A LA PÉRIGUEUX. Choisissez deux beaux poulets gras, bien blancs. Après les avoir épluchés et vidés par la poche (voyez l'article *Poulardes en entrée de broche*); vous aurez brossé et lavé deux livres de truffes, desquelles vous supprimerez la peau des grosses; vous en ferez des petites aussi égales que possible; mettez une livre de lard râpé dans une casserole, ajoutez-y vos truffes et leurs parures, que vous aurez hachées, assaisonnez-les de sel,

gros poivre, une pincée d'épices fines, un peu de muscade râpée et une feuille de laurier, que vous ôterez à la fin; faites-les mijoter sur un feu doux l'espace d'une demi-heure, en les remuant avec soin; retirez-les du feu, laissez-les refroidir; mettez vos poulets sur un linge blanc, remplissez-les également par la poche de votre appareil de truffes; retroussez-les en poulets d'entrée, embrochez-les avec un hâtelet, couvrez-les de bardes de lard, de deux ou trois feuilles de papier; posez-les sur une broche, faites-les cuire environ cinq quarts d'heure. Leur cuisson faite, déballez-les, égouttez-les, dressez-les, et servez dessous une sauce à la Périgueux. (Voyez cette sauce.)

POULETS A LA MAYONNAISE. Prenez un poulet cuit à la broche; procédez, à l'égard de cette mayonnaise, comme pour les perdreaux. (V. l'article *Perdreaux à la mayonnaise*.)

SALADE DE POULETS. Prenez deux poulets rôtis et froids, ou de desserte; coupez-les, dépecez-les par membres, comme pour la mayonnaise; mettez-les dans un vase de terre, assaisonnez-les de même qu'une salade, ajoutez-y câpres entières, anchois et cornichons coupés en filets, de la fourniture hachée, sautez le tout, dressez-le sur un plat, comme une fricassée de poulets, sans y comprendre les anchois, les cornichons et les câpres; garnissez le bord du plat de laitues fraîches coupées par quartiers et d'œufs durs coupés de même; décorez votre salade des filets d'anchois et des câpres; saucez-la avec son assaisonnement, et servez.

POULETS A LA CRÈME. Ayez deux poulets froids, cuits à la broche; levez-en les estomacs jusqu'aux cuisses, os et chairs; supprimez-en les poumons, faites une farce avec les chairs des estomacs, en procédant ainsi : levez ces chairs ou blancs de poulet; après en avoir ôté les peaux, hachez très-menu et pilez-les ensuite; parez et pilez également une tétine de veau cuite dans la grande marmite. Si vous n'avez pas de tétine, employez du lard râpé ou du beurre; prenez la mie d'un pain à potage, faites-la tremper et dessécher dans de la crème double; mettez, par portions égales, ces trois substances; pilez le tout ensemble, ajoutez-y cinq jaunes d'œufs, un peu de muscade râpée et du sel ce qu'il en faut, essayez votre farce, goûtez si elle est d'un bon goût, ôtez votre pilon, incorporez légèrement au fur et à mesure, et en la remuant avec une cuiller de bois, trois blancs d'œufs fouettés; mettez-y deux échalotes hachées très-fin, lavées et passées dans un linge blanc, et, si vous le voulez, un peu de persil haché; mêlez bien le tout, retirez-le du mortier; mettez deux bardes de lard sur une tourtière, remplissez vos poulets de cette farce, unissez-la avec votre couteau trempé dans une omelette; donnez à cette farce la forme de l'estomac de vos poulets, dorez-la et faites dessus le dessin qui vous plaira, entourez ces poulets de papier beurré, assez haut pour contenir la farce, fixez-le autour avec une ficelle, posez vos poulets sur une tourtière. Trois quarts d'heure avant de servir, mettez-les dans le four, faites-leur prendre une belle couleur. Leur cuisson faite, dressez-les et servez dessous une italienne blanche, ou une sauce au suprême, ou une à l'ivoire. (Voyez l'article *Sauces*.)

POULETS EN FRITEAU. Dépecez deux poulets comme pour en faire une fricassée, mettez-les dans un vase de terre, avec des tranches d'oignons, persil en branche, sel, gros poivre et le jus de deux ou trois citrons, laissez-les mariner une heure, égouttez-les, mettez-les dans un linge avec une poignée de farine; sassez-les et posez-les sur un couvercle. Vous aurez mis votre friture sur le feu; lorsqu'elle sera à son degré, mettez-y d'abord les cuisses de vos poulets, peu après les estomacs, ensuite les ailes, les reins, ainsi de suite pour le reste. Votre friture cuite et d'une belle couleur, égouttez-la, et, après l'avoir dressée, servez-la, si vous le voulez, avec six œufs frais frits; arrangez dessus et servez avec une sauce poivrade. (Voyez l'article *Sauce poivrade*.)

MARINADE DE POULETS. Dépecez deux poulets cuits à la broche, faites-les mariner une demi-heure avant de les servir (voyez l'article *Marinade cuite*), égouttez-les, trempez leurs membres dans une pâte à frire légère, c'est-à-dire dans laquelle vous aurez mis des blancs d'œufs fouettés; faites frire votre marinade en procédant comme ci-dessus, et servez quand elle sera cuite et d'une belle couleur; égouttez-la sur un linge blanc, dressez-la et servez-la avec du persil frit que vous mettrez dessous, ou seulement avec une pincée dessus.

RISSOLES DE VOLAILLE. Prenez des rognures de feuilletage (voyez *Feuilletage*, article *Pâtisserie*), abaissez-les en long, de l'épaisseur d'une pièce de quarante sous, et plus mince, s'il est possible; mouillez le bord de votre abaisse avec un doroir trempé dans l'eau, couchez de la farce cuite de volaille par parties, et d'espace en espace, de la grosseur d'un grain de verjus; repliez cette abaisse sur ces parcelles de farce; donnez-leur la forme de petits chaussons. A cet effet, coupez-les en demi-lune, avec un coupe-pâte godronné ou avec votre couteau; ayez soin que la jointure de vos pâtes soit bien soudée, farinez un couvercle, arrangez vos rissoles dessus. Quand vous serez sur le point de servir, faites-les frire, qu'elles prennent une belle couleur, dressez-les, et servez.

POULET EN CAPILOTADE. Dépecez un poulet cuit à la broche, mettez dans une casserole trois cuillerées à dégraisser pleines d'italienne, à défaut de laquelle vous emploierez de la sauce hachée, et à défaut de cette dernière une sauce au pauvre homme (voyez article *Sauces*); faites mijoter votre poulet dans une de ces sauces. Un quart

d'heure avant de servir, dressez-le, ajoutez à votre sauce quelques cornichons coupés en liards ou en filets, saucez, et servez.

POULETS A LA SAINT-CLOUD. Préparez deux poulets comme ceux pour entrée de broche; prenez deux ou trois truffes bien noires, formez-en des petits clous, décorez-en vos poulets, ce qui consiste seulement à mettre chacun de ces clous dans les trous que vous faites à l'estomac de vos poulets avec une petite lardoire. Il faut que ces trous soient également espacés; foncez une casserole de bardes de lard, mettez-y un oignon piqué d'un clou de girofle, une carotte tournée, un bouquet de persil et ciboules, saupoudrez l'estomac de vos poulets de sel fin, exprimez aussi dessus un jus de citron, couvrez-le de bardes de lard et d'un rond de papier, mouillez-le avec une poêle, ou employez un verre de consommé ou de bouillon; joignez-y un verre de vin blanc, une demi-feuille de laurier et une lame de jambon. Trois quarts d'heure avant de servir vos poulets, faites-les partir, posez-les sur la paillasse avec feu dessus et dessous. Leur cuisson achevée, égouttez-les, dressez-les, servez dessous une sauce aux truffes, à la Saint-Cloud ou en petit deuil; si vous n'avez point de velouté, passez le fond de vos poulets, mettez-y un pain de beurre manié dans une demi-cuillerée de farine, faites bouillir votre sauce, dégraissez-la, et, l'ayant fait réduire, passez-la à l'étamine, ajoutez-y vos petits dés de truffes, dont il est question à la sauce en petit deuil, passez dans du beurre et finissez par un demi-pain de beurre.

POULETS A LA RAVIGOTE. Préparez deux poulets comme pour entrée de broche. Leur cuisson achevée, égouttez-les et servez dessous une sauce ravigote. (V. *Ravigote*.)

POULETS A LA REINE, SAUCE A LA PLUCHE VERTE. Préparez et poêlez trois de ces poulets. Leur cuisson faite, égouttez, dressez, marquez-les avec une sauce à la pluche verte, et servez.

SAUCE A LA PLUCHE VERTE. Prenez des feuilles de persil bien vertes, faites-les blanchir, rafraîchissez-les, jetez-les sur un tamis, mettez dans une casserole trois cuillerées à dégraisser de velouté réduit et deux de consommé, faites réduire le tout. A l'instant où vous voudrez servir, jetez vos feuilles de persil dans cette sauce, et, si elle est trop salée, jetez-y un morceau de beurre. Passez, vannez, et servez.

POULETS A LA PROVENÇALE. Prenez deux poulets que vous couperez comme pour une fricassée; ayez une douzaine d'oignons blancs; coupez-les en demi-anneau, ou avec un peu de persil; mettez vos oignons dans une casserole ou sauteuse dans laquelle vous ferez un lit de vos oignons et un des membres de votre volaille, recouvrez le tout avec un autre lit d'oignons et de persil; ajoutez un verre d'huile, une ou deux feuilles de laurier, du sel en quantité suffisante; mettez-les au feu, et lorsqu'ils seront partis vous les laisserez aller doucement. Leur cuisson faite, glacez-les, dressez-les en mettant vos oignons au milieu, et un peu d'espagnole pour les saucer. Ensuite, servez.

COTELETTES DE POULARDE OU DE POULET. Procédez à l'égard de ces côtelettes comme pour celles des perdreaux, énoncées à l'article *Gibier*.

BLANQUETTE DE POULARDE. Levez les chairs d'une poularde froide ou des débris que vous en avez, supprimez-en les peaux et les tendons; émincez ces chairs, mettez dans une casserole du velouté, faites-le réduire et dégraissez-le; au moment de servir jetez votre émincé, ne le laissez pas bouillir; faites une liaison délayée avec un peu de crème ou de lait; finissez votre blanquette avec un morceau de beurre et le jus d'un citron.

CUISSES DE POULARDE EN CANETONS OU EN PETITS OIGNONS. Quand vous aurez levé les filets de trois belles poulardes, comme il est dit à l'article précédent, en ménageant les peaux des cuisses, désossez-les jusqu'à la moitié de l'os qui tient à la patte; supprimez les trois quarts de chaque patte; étendez vos cuisses sur un linge blanc, remplissez-les d'un salpicon composé de foies gras, de truffes et de champignons; cousez les peaux de ces cuisses et donnez-leur une forme allongée, comme le cou d'un cygne ou d'un canard; il faut que le moignon de la cuisse forme le cou de votre oiseau et que la patte forme le bec; fixez ces pattes avec un fil, de manière à leur conserver la grâce qu'a le col du cygne; faites deux incisions au reste de la patte, l'une censée derrière la tête de l'oiseau; l'autre sur le haut du bec, pour qu'il forme la protubérance qui est sur le bec du cygne; ayez six belles écrevisses dont les pattes soient égales, faites-les cuire dans du bouillon, ôtez-leur les douze grandes pattes, formez-en les ailes de vos cygnes en les enfonçant dans la chair par le bout qui tenait au corps de l'écrevisse; foncez une casserole de bardes de lard, rangez-y vos petits cygnes comme s'ils étaient sur l'eau, mettez sur chaque une tranche de citron, afin qu'ils soient bien blancs; mouillez-les avec une poêle; couvrez-les de bardes de lard et d'un rond de papier; trois quarts d'heure avant de servir, faites-les partir et cuire doucement sur la paillasse, avec peu de feu dessus; leur cuisson faite, égouttez-les; ôtez-en les fils; dressez-les et servez dessous *une sauce hollandaise verte, ou une sauce au beurre d'écrevisses*.

CUISSES DE POULARDE EN BALLON. Désossez six ou huit cuisses de poularde, supprimez à peu près les trois quarts de chaque patte; mettez ces cuisses sur un linge blanc, étalez-les, remplissez-les d'un salpicon, cousez-les comme celles des poulardes en bigarrure, marquez-les dans une casserole foncée de bardes de lard, mouillez-les avec une poêle, faites-les cuire environ trois quarts d'heure; leur cuisson faite, égouttez, dressez, saucez-les avec une bonne italienne rousse, et servez.

CUISSES DE POULARDE A LA BAYONNAISE. Prenez trois culottes de poularde, partagez-en la peau en deux jusqu'au croupion, levez les cuisses avec cette peau, désossez-les entièrement en leur laissant néanmoins le bout de l'os adhérent aux pattes; cela fait, marinez avec du citron, sel, gros poivre, une feuille de laurier cassée en morceaux, laissez mariner pendant deux ou trois heures; au moment de servir, égouttez-les, farinez-les, faites-les frire dans du lard râpé; coupez quatre oignons en anneaux, ôtez-en le cœur; faites frire ces oignons, ayez soin qu'ils aient ainsi que les cuisses une belle couleur; dressez ces cuisses sur votre plat, mettez dessus vos anneaux frits et servez dessus une sauce poivrade.

CUISSES DE POULARDE A LA LIVERNOIS. Levez les cuisses de trois poulardes, supprimez la moitié de l'os de la cuisse, parez-les, foncez une casserole de quelques carottes coupées en lames, de deux oignons, d'un bouquet de persil et de ciboules assaisonné de ces aromates et d'une lame de jambon; posez ces cuisses dessus, mouillez-les, avec une cuillerée à pot de bouillon, couvrez-les de quelques bardes de lard et d'un rond de papier; tournez deux petites carottes soit en bâtonnet, soit en champignon; mettez-les blanchir, égouttez-les, faites-les cuire dans du bouillon et tomber à glace, mettez-y un petit morceau de sucre pour en ôter l'âcreté; versez dans une casserole quatre à cinq cuillerées à dégraisser pleines d'espagnole; ajoutez-y vos carottes tombées à glace; faites-les bouillir, dégraissez-les, égouttez les cuisses de poularde; dressez-les, ajoutez un demi-pain de beurre à votre ragoût; sautez-le, masquez-en votre entrée et servez.

CUISSES DE POULARDE AUX TRUFFES. Désossez six cuisses de poularde comme il est indiqué à l'article *Cuisses en ballon;* farcissez-les d'un salpicon composé de truffes et de foies gras; cousez ces cuisses, marquez-les dans une casserole comme il est dit aux cuisses précédentes; faites-les cuire de même, égouttez-les; ôtez-en les fils et servez dessous un ragoût de truffes. (V. l'article *Ragoût aux truffes.*)

AILERONS DE POULARDE PIQUÉS ET GLACÉS. Flambez, désossez quinze ailerons, faites-les légèrement blanchir; piquez-les d'une deuxième: cela fait, rangez vos ailerons dans une casserole sur un peu de rouelle de veau, une lame ou deux de jambon, un oignon piqué d'un clou de girofle, une carotte tournée, un bouquet de persil et ciboules; mouillez-les avec du bouillon; couvrez-les d'un rond de papier beurré; faites-les partir et cuire sur la paillasse, avec un feu vif dessous et dessus, afin qu'ils prennent une belle couleur; leur cuisson faite, passez leur fond au travers d'un tamis de soie; faites-le réduire presque à glace dans une sauteuse, laquelle doit avoir assez d'étendue pour les contenir sans être les uns sur les autres; rangez-les sens dessus dessous dans cette sauteuse, c'est-à-dire que le côté piqué doit tremper dans la glace; posez cette sauteuse sur une cendre chaude, laissez mijoter ainsi vos ailerons; quand ils seront glacés, prenez-les avec une fourchette, dressez-les sur votre plat, le côté glacé en dessus; mettez dans le restant de votre glace une cuillerée à dégraisser d'espagnole et une de consommé; faites bouillir le tout; détachez bien votre glace, sautez-en vos ailerons, et servez.

AILERONS DE POULARDE A LA CHICORÉE. Préparez vos ailerons comme les précédents, faites-les cuire de même; dressez-les sur une bonne chicorée blanche, et servez. (Voir l'article *Chicorée blanche*.)

AILERONS DE POULARDE A LA PLUCHE VERTE. Ayez une quinzaine d'ailerons; après les avoir préparés comme il est indiqué ci-dessus, formez une casserole de quelques tranches de veau et de jambon; joignez-y une douzaine de queues de champignons, une demi-gousse d'ail, une demi-feuille de laurier et une pincée de basilic; rangez vos ailerons sur ce fond; coupez deux carottes en lames et deux oignons en tranches, couvrez-en vos ailerons, mouillez-les avec du bouillon ou du consommé; faites-les partir; mettez-les cuire sur la paillasse avec feu dessous et dessus; leur cuisson faite, passez votre fond dans une casserole à travers un tamis de soie; ajoutez à ce fond un petit pain de beurre manié dans de la farine; faites lier votre fond en la tournant; laissez-la réduire jusqu'à consistance de sauce, avec un peu de gros poivre; goûtez si elle est d'un bon sel, masquez-en vos ailerons, et servez.

AILERONS DE POULARDE A LA VILLEROI. Flambez, épluchez, désossez quinze ailerons; remplissez-les d'une farce cuite de volaille (*V. Farce cuite*); marquez-les dans une casserole comme les ailerons piqués et glacés (*V. cet article*), et faites-les cuire de même; leur cuisson achevée, égouttez-les, posez-les sur une tourtière, couvrez-les d'une Sainte-Menehould (*V. l'article de cette sauce*); panez-les avec moitié mie de pain et moitié fromage de parmesan; faites prendre au four couleur à vos ailerons, dressez-les, et servez.

CRÊTES ET ROGNONS EN VELOUTÉ. Préparez et faites cuire dans un blanc sept crêtes et sept rognons; leur cuisson achevée, égouttez-les, mettez dans une casserole du velouté réduit en suffisante quantité; jetez-y vos crêtes et vos rognons; faites-les mijoter un demi-quart d'heure; liez votre ragoût, finissez-le avec la moitié d'un pain de beurre et un jus de citron, dressez et servez.

GRAND ASPIC DE CRÊTES ET ROGNONS. Prenez un moule à aspic ou, faute de ce moule, une casserole proportionnée à la grandeur de votre plat, posez-la dans un autre vase rempli de glace pilée; coulez dans ce moule de l'aspic de l'épaisseur d'un travers de doigt, décorez-le d'un dessin à votre fantaisie, exécutez ce dessin avec des truffes, des blancs d'œufs durs, des cornichons, des queues et des œufs d'écrevisses ou des rognons de coqs; ce décor achevé, coulez-le légèrement sur votre aspic en prenant garde de le déranger; cet aspic pris, remplissez votre moule de crêtes et rognons de coqs en laissant tout autour un espace de deux travers de doigt; remplissez d'aspic cet intervalle ainsi que le moule pour que le tout ensemble ne forme qu'un pain; au moment de servir, trempez votre moule dans de l'eau tiède, renversez-le sur un couvercle, coulez votre aspic sur le plat sans ôter le moule; lorsqu'il sera bien glacé, enlevez-en le moule avec adresse; remuez la gelée qui se trouverait fondue au moyen des barbes d'une plume ou d'un chalumeau de paille; ayez soin que cette gelée soit diamantée (très-claire). Essuyez votre plat et servez.

Vous pouvez vous servir du même procédé pour faire des aspics de blancs de poulardes, de lapereaux ou de perdreaux; et si votre moule se trouve faire un puits, remplissez-le d'une mayonnaise ou d'une ravigote à la gelée.

PETITS ASPICS DE CRÊTES ET DE ROGNONS. Procédez pour ces petits aspics comme il est énoncé ci-dessus pour le grand aspic, soit pour leur dessin, soit pour les remplir convenablement : faites-en sept ou neuf.

FOIES GRAS A LA PÉRIGUEUX. Prenez sept foies de poularde, qu'ils soient bien gras; ôtez-en l'amer et la partie du foie qui le touche; piquez-les de clous de truffes; marquez-les dans une casserole foncée de bardes de lard; mouillez-les avec une sauce mirepoix (voyez à l'article *Sauces* celle mirepoix); faute de mirepoix, mettez un verre de vin blanc et un de consommé, avec un peu de sel, une carotte tournée, deux moyens oignons dont un piqué d'un clou de girofle, un bouquet de persil et ciboules, une demi-feuille de laurier et la moitié d'une gousse d'ail; couvrez alors ces foies de bardes de lard et d'un rond de papier; faites partir et cuire un quart d'heure et demi sur la paillasse, avec feu dessus et dessous; égouttez-les, dressez-les sur le plat et saucez-les avec une sauce à la Périgueux. (*Voyez cet article.*) Vous pouvez servir entre vos foies des croûtes de pain passées dans le beurre avec une belle truffe au milieu. Ayez soin de clouter de truffes vos foies.

FOIES GRAS EN CAISSE A LA FINANCIÈRE. Même préparation que pour la Périgueux. Les foies cloutés de truffes seulement, les faire braiser dans une bonne mirepoix; mouillez avec un peu de bon consommé de volaille et un verre de bon Madère; après cuisson, passez le fond, dégraissez, ajoutez le fond à une bonne espagnole, jetez dedans quenelles de volaille, champignons tournés, crêtes et rognons de coqs, truffes en lames, un jus de citron; couchez dans votre caisse vos foies gras sur la financière, glacez vos foies, garnissez votre caisse de belles écrevisses et de croûtons glacés, et servez chaud.

FOIES GRAS AU GRATIN. Prenez un plat d'argent ou tout autre qui puisse aller au feu; mettez dans le fond l'épaisseur d'un travers de doigt de gratin (voyez *Gratin*, article *Farces*); ayez six ou sept beaux foies de poulardes bien blancs, appropriez-les comme il est dit à l'article précédent, arrangez-les sur votre plat en laissant un puits au milieu, remplissez tous les intervalles de vos foies en sorte que le tout ne forme qu'un pain; ayant uni votre gratin entièrement avec un couteau, couvrez-le d'un papier beurré, mettez-le dans le four ou sous un four de campagne; sa cuisson faite, retirez-le, ôtez-en le papier beurré, débouchez-en le puits, saucez-le avec une espagnole réduite ou une italienne rousse et servez.

FOIES GRAS EN MATELOTE. Préparez six foies gras, ainsi qu'il est expliqué ci-dessus; faites-les blanchir et cuire comme ceux à la Périgueux *(Voyez cet article)*; égouttez-les; dressez-les sur votre plat; saucez-les d'une sauce à la matelote (voyez l'article *Sauce à la matelote*); ajoutez-y des cœurs de pain passés dans le beurre, des truffes si vous voulez, et servez.

FOIES GRAS EN CAISSE. Faites une caisse ronde ou carrée de la hauteur de deux pouces et demi environ; huilez-la en dehors; étendez dans le fond du gratin de l'épaisseur d'un travers de doigt; ayant préparé six foies

gras, mettez-les dans une casserole avec un morceau de beurre, du persil, ciboules, champignons hachés, sel, poivre et fines épices, le tout en suffisante quantité; passez ainsi ces foies; mettez votre caisse sur le gril; arrangez vos foies dans cette caisse avec les fines herbes; posez sur un feu doux; laissez cuire, et leur cuisson faite, dressez votre caisse sur le plat; saucez-la d'une bonne espagnole réduite dans laquelle vous aurez exprimé le jus d'un citron; dégraissez-les en cas qu'il y surnage du beurre.

COQUILLES DE FOIES GRAS. Faites blanchir de ces foies, en raison de la quantité de coquilles que vous voulez servir; coupez-les par lames, ainsi que des truffes et des champignons; ajoutez-y persil et ciboules hachés, sel, gros poivre, un peu d'épices fines et un morceau de beurre; mettez le tout dans une casserole et passez sur le feu, mouillez avec un peu de vin de Champagne et d'espagnole, faites réduire ce ragoût à courte sauce, mettez-le dans des coquilles (nommées communément pèlerines), panez-les, faites-leur prendre une belle couleur au four, ou sous un four de campagne, et servez.

POULARDE EN ENTRÉE DE BROCHE. Poêlez ou mettez cette poularde à la broche, et pour la servir, faites une sauce au beurre d'écrevisses ou tout autre sauce qu'il vous plaira. *(Voyez Sauce au beurre d'écrevisses.)*

POULARDE EN ENTRÉE DE BROCHE A LA RAVIGOTE. Procédez, pour cette poularde, comme il est indiqué à l'article *Poulets à la ravigote.*

POULARDE A L'IVOIRE. Préparez cette poularde comme il est indiqué à l'article *Poulets à l'ivoire.*

POULARDE AUX HUITRES. Même préparation que le poulet aux huîtres.

POULARDE SAUCE A L'ESTRAGON. Préparez la poularde comme les précédentes, poêlée. Dans une mirepoix, mouillez avec bon jus, un peu de vin blanc, passez le fond, clarifiez, ajoutez les feuilles d'estragon et servez. *(V. Sauce à l'estragon.)*

Foie gras de Strasbourg

POUPELIN

Ancienne pâtisserie d'entremets très-délicate, faite avec du beurre, du lait et des œufs frais, pétrie avec de la fleur de farine. On y mêle aussi de l'écorce de citron et du sucre, afin de lui donner bon goût.

Faites bouillir à peu près une chopine d'eau, un quart de beurre et un peu de sel. Quand l'eau commence à bouillir, vous y mettez de la farine ce qu'elle peut en boire, vous la faites sécher et la changez de casserole. Délayez-y alors douze ou quatorze œufs les uns après les autres.

Beurrez une casserole. Mettez-y la pâte, qui ne doit monter qu'au quart, parce qu'elle quadruplera de volume en cuisant, et faites cuire dans un four bien chaud; ôtez votre poupelin lorsqu'il est cuit, coupez-le en travers, frottez-en l'intérieur avec du beurre bien frais et saupoudrez sur le beurre de sucre et de fleur d'oranger pralinée. Beurrez aussi l'intérieur, saupoudrez de sucre et glacez avec la pelle rouge. *(Document de la famille La Reynière.)*

AUTRE MANIÈRE. Prenez un fromage à la crème bien égoutté et bien frais, du sel, trois œufs frais, blancs et jaunes, et deux poignées de fleur de farine; pétrissez le tout ensemble, mettez dessous des petits morceaux de beurre et faites cuire au four dans une tourtière beurrée. Lorsqu'il est cuit, de belle couleur, coupez-le par la moitié, ôtez-en le dedans, râpez-y du sucre, piquez-le de lardons, d'écorce de citron confite, arrosez-le de beurre fondu, passez la pelle rouge dessus, recouvrez-le et mettez-le au four, saupoudrez-le de sucre fin, passez la pelle rouge et servez chaudement.

POUPETON

Espèce de gâteau fait avec du hachis de viande ou de poissons.

POUPETON AU GRAS. Prenez de la cuisse de veau, moelle de bœuf, lard blanchi, hachez le tout avec des champignons, persil, ciboules, mie de pain, trempez dans de bon jus et deux œufs crus. Formez votre poupeton en garnissant une tourtière de bardes de lard. Mettez votre hachis par dessus, puis des pigeons ou des poulets passés au roux; couvrez la volaille avec le reste du hachis, couvrez la tourtière et faites cuire feu dessus et dessous. Quand votre poupeton est cuit, vous le renversez proprement sur un plat et le servez chaudement.

AUTRE POUPETON AU GRAS. Faites un hachis de rouelles de veau dont vous aurez ôté les peaux et les nerfs, lard et graisse de bœuf, persil, ciboules, champignons, sel, poivre, fines herbes, fines épices; mettez un peu de mie de pain dans une casserole avec de la crème ou du lait, faites cuire sur le fourneau comme une crème et mettez-y deux jaunes d'œufs crus, laissez-la refroidir, puis mettez-la dans le godiveau avec quatre ou cinq jaunes d'œufs crus, hachez bien cette farce et pilez-la ensuite dans un mortier.

Garnissez le fond d'une tourtière de bardes de lard, mettez le godiveau par dessus et unissez-le avec le bout de votre couteau, que vous aurez trempé dans un œuf battu.

Passez des petits pigeons dans une casserole avec un peu de lard fondu, un bouquet garni, un oignon piqué de clous de girofle, crêtes, ris de veau, champignons et truffes coupés par tranches; mouillez-les de jus et laissez mitonner à petit feu, puis dégraissez ce ragoût, liez-le d'un coulis de veau et de jambon, ajoutez-y quelques pointes d'asperges, et, si c'est la saison, des fonds d'artichauts, et laissez refroidir.

Votre ragoût étant froid, dressez les pigeons avec la garniture; mettez-le dans la tourtière, couvrez-le du reste du godiveau, unissez le dessus et frottez-le d'un œuf battu. Renversez les bardes de lard qui sont autour de la tourtière dessus, couvrez-le et faites cuire au four feu dessous et dessus; quand il est cuit, renversez-le sur un plat, jetez-y un coulis clair de veau et de jambon, garnissez, si vous voulez, de marinade de poulets et de pigeons au basilic et servez chaudement pour entrée.

Les poupetons de cailles, perdrix, tourterelles, ortolans, etc., se font de la même manière; la seule différence est dans le ragoût que l'on met dans le poupeton.

POUPETON AU SANG. Désossez deux lièvres et un lapin de leur chair, faites-en un hachis avec un morceau de jambon, champignons, truffes, persil, ciboules, poivre, sel, fines épices, un peu de basilic et trois ou quatre jaunes d'œufs crus. Tuez ensuite trois ou quatre petits pigeons dont vous conservez le sang, dans lequel vous mettrez un jus de citron pour empêcher qu'il ne tourne; faites un ragoût de vos pigeons comme il est dit dans l'article précédent, et liez-le d'un coulis de veau et de jambon et du sang des pigeons que vous aurez délayé avec deux jaunes d'œufs; mettez avec la chair du lièvre de très-petits lardons et faites-en une espèce de pâte, garnissez une tourtière de bardes de lard, mettez au fond le ragoût de pigeons et autour le hachis que vous aurez fait. Couvrez le tout et faites cuire comme il est dit ci-dessus. Quand votre poupeton est cuit, vous le renversez sur un plat, le garnissez tout autour de tranches de jambon et l'arrosez avec une essence de jambon.

POUPETON AU MAIGRE. Écaillez deux ou trois carpes, ôtez-en les peaux, désossez-les et faites un hachis avec la chair et celle d'une anguille, des champignons, du persil, de la ciboule, du sel, poivre, un peu de basilic et de muscade; pilez une douzaine de grains de coriandre avec trois ou quatre clous de girofle dans un mortier, et mettez-y votre hachis; vous mêlez et pilez bien le tout, vous mettez du beurre à proportion, vous ajoutez un peu de mie de pain mitonné dans du lait ou de la crème et trois ou quatre jaunes d'œufs crus délayés ensemble, vous liez le tout ensemble et laissez refroidir cette farce. Vous faites pendant ce temps un ragoût de laitances de carpes bien blanchies, vous le liez d'un coulis d'écrevisses et vous le laissez refroidir.

Vous beurrez le fond d'une tourtière, vous y étendez du papier et vous en garnissez le fond et les bords avec votre farce; mettez le ragoût de laitances au fond, couvrez-le du restant de la farce que vous unissez avec un œuf battu, arrosez d'un peu de beurre fondu, faites cuire au four comme il est dit ci-dessus, renversez votre poupeton, faites un trou au milieu et mettez-y un coulis d'écrevisses.

POURPIER

Plante à feuilles larges, épaisses et charnues, qu'on emploie quelquefois pour garnir des salades, et que, dans certains pays, on prépare à la manière des cardes. Après avoir été blanchie, on peut la placer sous un gigot de mouton rôti, où elle reçoit une saveur agréable du jus dont elle s'imprègne. On peut aussi la confire dans du vinaigre et du sel, et elle se conserve très-longtemps.

Friture de pourpier a la milanaise. Faites macérer pendant quelques heures des tiges de pourpier dans leur entier avec du jus de citron, de la cannelle et du sucre en poudre. Trempez-les ensuite dans une pâte à frire mêlée avec des blancs d'œufs fouettés et un peu d'eau-de-vie; faites cuire à petit feu et servez chaudement.

Ragout de cotes de pourpier. Épluchez des côtes de pourpier et faites-les cuire à demi dans une eau blanche, égouttez-les et mettez-les ensuite dans une casserole avec du coulis clair de veau et de jambon; faites mitonner à petit feu et réduire, mettez ensuite un peu de beurre manié de farine, donnez au ragoût une pointe de vinaigre.

Se sert avec toutes sortes d'entrées.

PRALINES
(V. Dragées.)

PRÉSURE

On donne particulièrement ce nom à une liqueur acide contenue dans la caillette des veaux et des jeunes animaux ruminants à l'âge où ils sont encore nourris de lait, et qui sert à faire cailler le lait qu'on prépare pour en faire des fromages.

On conserve la présure de la manière suivante :

Videz une caillette de veau uniquement nourri de lait, lavez-la, remettez-y le lait caillé qui y était contenu avec une poignée de sel, liez-en l'ouverture avec une ficelle et mettez-la dans un pot avec une bouteille d'eau-de-vie et six onces d'eau, couvrez bien le pot et faites infuser un mois, puis filtrez-la et conservez-la dans une bouteille bien bouchée, pour vous en servir au besoin.

Une cuillerée à café de présure suffit pour cailler le lait.

PROFITEROLES

Entremets sucré. Ce gâteau se trouve chez tous les pâtissiers des grandes villes. Nous ne croyons pas devoir en donner la recette. On fait des profiteroles au chocolat.

PROVENÇALE
(Sauce à la)

Elle se fait avec deux jaunes d'œufs crus, une cuillerée de jus ou de consommé réduit, de l'ail, du piment enragé et le jus de deux citrons. On la fait prendre au bain-marie, sur de la cendre chaude, en la remuant toujours afin qu'elle prenne consistance. On y ajoute de l'huile d'olive que l'on y mêle bien, et on la sert en entrée de poisson.

PRUNES

Les prunes furent apportées de Syrie et de Damas par les Croisés, et leurs différents noms, comme on le pense bien, ont une signification. Ainsi, celles de *Reine-Claude* doivent leur nom à la première femme de François Ier, fille de Louis XII. On lit que cette bonne reine Claude *fit greffer de cet arbre dans son jardin pour en bailler à tous.* Celles de *Mirabelle* ont été apportées en Provence, puis en Lorraine, par le roi René. Quant à celles de *Monsieur*, on les nommait ainsi parce que Monsieur, frère du roi Louis XIV, les aimait beaucoup et ne pouvait s'en rassasier.

Les prunes sont d'excellents fruits, très-sucrés et très-nourrissants, un peu acidulés dans la plupart des variétés, susceptibles de former une boisson fermentée bien supérieure à celle que boivent les cultivateurs dans quelques-uns de nos départements. Dans quelques-unes, la matière sucrée paraît unie à un principe légèrement acerbe qui disparaît par la cuisson, et comme ces espèces ont un parenchyme abondant, ce sont celles qui forment, par la dessiccation imparfaite qu'on leur fait éprouver, les meilleurs pruneaux.

On fait avec les prunes d'excellentes compotes, des confitures, des marmelades, pâtes, ratafias et puddings. *(Voyez ces articles.)*

PRUNEAUX

On donne ce nom aux prunes cuites au four. Leur fabrication est des plus simples; elle consiste à cueillir les prunes lorsqu'elles sont bien mûres, à les déposer sur des claies, à les exposer dans le four à une douce température trois ou quatre fois de suite; après ces opérations, les pruneaux, déposés dans un lieu sec, se conservent sans altération pendant une ou deux années. On emploie le plus ordinairement pour cette dessiccation les prunes de Damas.

Les pruneaux de quelques pays, de Tours, de Nancy, de Brignoles, d'Agen, ont acquis une réputation méritée et sont la source d'un revenu très-important; ils sont d'ailleurs préparés avec beaucoup plus de soin que les pruneaux communs du commerce.

Pour préparer les pruneaux de Tours, il faut prendre des prunes de Sainte-Catherine, bien mûres, qui tombent de la branche à la moindre secousse; on les range sur des claies et on les expose au soleil quelques jours de suite; elles se ramollissent et atteignent le point où elles contiennent la plus grande quantité du principe mucoso-sucré. On les met ensuite vingt-quatre heures dans un four légèrement chauffé; on les retire, on chauffe le four de nouveau au tiers environ de la chaleur nécessaire au pain et on remet les prunes, en ayant toujours soin de boucher exactement l'ouverture du four. On répète une troisième fois la même opération, en élevant toujours la température du four. A ce point, on prend les pruneaux un à un, on les presse entre le

pouce et l'index, après avoir tourné le noyau de travers; on remet les pruneaux au four chauffé à la température qu'il a lorsqu'on retire le pain; le four doit être hermétiquement fermé à l'ouverture. Après une heure de cette chauffe, on retire les pruneaux, on place pendant deux heures dans le four un vase contenant de l'eau; enfin, on remet les pruneaux après avoir ôté le vase, on ferme hermétiquement et on laisse passer pendant vingt-quatre heures; c'est alors qu'ils auront *pris le blanc.*

Les pruneaux ainsi préparés sont superposés les uns sur les autres dans de petits paniers et conservés en lieu sec. La matière blanche qu'on y développe par la dernière opération, matière de nature résineuse, paraît plutôt nuisible qu'utile à la qualité : elle les rend moins faciles à digérer. Les pruneaux d'Agen qui se préparent de la même façon ne reçoivent pas le blanc et beaucoup de personnes les préfèrent.

On fait ordinairement cuire les pruneaux avec du sucre, excepté les brignoles qui sont assez sucrés par eux-mêmes pour ne pas en avoir besoin, et, pour donner plus de relief à ces compotes, on y mêle un peu de vin de Bordeaux.

Pudding froid aux pêches.

PUDDING

Mets anglais dont nous avons déjà parlé à l'article *Plumpudding*. Nous allons donner ici quelques recettes françaises.

PUDDING DE POMMES DE REINETTE AU RAISIN MUSCAT. Pelez et épépinez quelques pommes de reinette coupées par quartiers, et émincez chaque quartier en cinq parties égales; sautez ces pommes dans une grande casserole avec 120 grammes de sucre fin sur lequel vous aurez râpé le zeste d'un citron, 125 grammes de beurre tiède et 250 grammes de muscat bien lavé et dont vous aurez ôté les pépins. Placez votre casserole sur le fourneau, feu dessus et dessous, et aussitôt que les pommes sont bien

échauffées, vous les versez sur votre plafond de pâte, vous mettez cuire le tout ensemble et vous terminez l'opération comme il est indiqué à l'article *Plum-pudding*.

GRAND PUDDING A LA MOELLE. Procurez-vous 72 grammes de graisse de rognon de bœuf et 36 grammes de moelle bien entière, ôtez les pellicules de la graisse et hachez-la très-fin en y ajoutant la moelle et quelques onces de farine tamisée, un quart de sucre en poudre, cinq œufs, un demi-verre de lait et le quart d'un verre de vieille eau-de-vie de Cognac; délayez bien ce mélange, mêlez-y la moitié d'une noix muscade râpée, une bonne pincée de sel fin, 2 onces de cédrat confit en filets, 6 onces de beau raisin de Corinthe épluché et lavé, 6 onces de vrai muscat dont vous séparerez les grains en deux, ajoutez trois belles pommes de reinette hachées très-fin et la moitié d'un pot de marmelade d'abricots pour donner du moelleux au pudding. Le tout étant parfaitement amalgamé, vous le versez sur le milieu d'une serviette presque entièrement beurrée et vous liez cette serviette de manière à donner une forme ronde au pudding au milieu duquel vous attachez avec une épingle le bout d'un cordon de quinze lignes de longueur qui sera tenu à l'anneau d'un poids de dix livres afin de contenir le pudding fixe à l'ébullition, point essentiel de l'opération; vous mettez alors le pudding et le poïds dans une grande marmite pleine d'eau bouillante que vous aurez soin de toujours tenir en ébullition sur un feu modéré pendant quatre heures et demie. Au bout de ce temps, ôtez-le de la serviette en le dressant sur un couvercle, puis avec un couteau tranchant enlevez-en la superficie afin d'en séparer les parties blanchies par l'ébullition que vous couvrez d'un bol que vous retournerez ensuite pour parer le dessous du pudding sur lequel vous placez le plat et que vous renversez sens dessus dessous, ôtez le bol, masquez l'entremets d'une sauce au vin d'Espagne et servez de suite.

Vous faites la sauce de cette manière: délayez dans une casserole quatre jaunes d'œufs avec une demi-cuillerée de fécule, 2 onces de sucre fin, un peu de beurre d'Isigny, un grain de sel et deux verres de vin de Malaga. Tournez cette sauce sur un feu modéré; aussitôt qu'elle s'épaissit, passez-la à l'étamine fine et servez-la à proximité du pudding.

PUDDING A LA PARISIENNE, appelé PUDDING DU CABINET DIPLOMATIQUE. Hachez très-fin une gousse de vanille bien givrée, pilez-la avec 4 onces de sucre et passez le tout au tamis; hachez très-fin une livre de graisse de rognon de veau et une demi-livre de moelle de bœuf; joignez-y une demi-livre de farine de crème de riz, délayez ce mélange dans une casserole avec sept jaunes d'œufs et deux œufs entiers, un demi-verre de crème et un demi-verre de vrai marasquin d'Italie, une pincée de sel fin,

le quart d'une muscade râpée, deux onces de pistaches entières, quatre de macarons doux concassés gros, le sucre à la vanille, une once d'angélique hachée, trente belles cerises confites, égouttées, séparées en deux, puis six pommes d'api, hachées très-fin; amalgamez bien le tout ensemble, puis versez le pudding sur la serviette et finissez le procédé selon la règle.

Pendant la cuisson, vous coupez en filets 2 onces de pistaches (chaque amande en six morceaux), et lorsque le pudding est tout paré, prêt à servir, vous semez dessus du sucre en poudre, vous y *fichez* les filets de pistaches, dans le genre des pommes meringuées en hérisson, vous servez promptement et faites la sauce comme à l'ordinaire.

On peut, en place de cerises, y mettre le même nombre de beaux grains de verjus confit, et, en place de pistaches entières, deux onces de cédrat confit et coupé en petits filets.

PUDDING AUX GROSEILLES VERTES ET ROSES. Ayez une livre de groseilles vertes et bien mûres, une autre livre des mêmes groseilles, mais roses et de bonne maturité; vous en ôtez la fleur et la queue avec le bec d'une plume, vous les épépinez et vous les roulez avec six onces de sucre fin. Continuez le pudding comme il est indiqué ci-dessus. *(Recette de M. de Courchamps.)*

PUDDING AUX FRAISES. Épluchez deux livres ou plus de belles fraises, lavez-les vivement, égouttez-les sur une serviette, roulez-les ensuite dans une terrine avec six onces de sucre fin et versez-les dans le pudding que vous

Pui

aurez préparé selon la règle; finissez comme de coutume. Les puddings aux framboises, aux prunes, aux cerises, aux abricots se préparent de même.

P U D D I N G D E P O M M E S A L A C R È M E. Coupez par quartiers quinze pommes de reinette, épluchez-les, faites-les cuire dans une grande casserole avec du sucre fin, un peu de beurre tiède; préparez ensuite la moitié de l'une des recettes des crèmes pâtissières *(V. cet article)*, préparez une abaisse de pâte fine, placez-y les quartiers de pommes au fond et autour, de façon à laisser au milieu un creux pour y verser la crème, couvrez et finissez le pudding comme d'habitude, et au moment de servir masquez-le de marmelade d'abricots et semez dessus des macarons écrasés.

P U D D I N G A U R I Z A L ' O R A N G E. Lavez à plusieurs eaux tièdes 500 grammes de riz de la Caroline et mettez-les à l'eau froide sur le feu; égouttez le riz quand vous le voyez bouillir, et faites-le cuire ensuite avec du lait, du beurre fin et du sucre en poudre sur lequel vous aurez râpé le zeste de deux oranges douces. Lorsque votre riz sera crevé et de consistance un peu ferme, vous y mêlez 250 grammes de moelle hachée, 125 grammes de raisin de Corinthe, la moitié de macarons amers, 60 grammes d'écorce d'orange confite coupée en dés, six jaunes d'œufs, trois œufs entiers, un demi-verre d'eau-de-vie d'Andaye, une pincée de sel; amalgamez bien le tout et versez-le sur une serviette beurrée; finissez l'opération comme de coutume, mais en ne laissant bouillir que deux heures au lieu de quatre; dressez le pudding sur le plat, masquez-le avec 60 grammes de macarons écrasés et servez-le sans sauce.
On peut remplacer le raisin muscat par du Corinthe; on peut aussi supprimer la moelle et la remplacer par du beurre tiède en y ajoutant de la muscade.

C A B I N E T P U D D I N G (entremets anglais). Ayez de gros biscuits ou des morceaux de gâteau de Savoie que vous coupez en tranches. Beurrez un moule et mettez au fond quelques raisins de caisse épépinés et autant de raisins de Corinthe lavés et épluchés, joignez-y quelques morceaux de cédrat confit coupés en petits dés; placez une couche de biscuits, puis une couche de fruits, et ainsi de suite jusqu'à ce que le moule soit rempli. Préparez une crème à l'anglaise, versez-la dans le moule afin qu'elle s'incorpore dans le biscuit, mettez le pudding au bain-marie pendant une heure, arrosez-le avec un peu de gelée de groseille et servez.

P U D D I N G A U P A I N ou B R E A D - P U D D I N G. Prenez un plat creux qui aille au feu, garnissez-le de tranches de pain beurrées que vous saupoudrez de raisins de Corinthe bien lavés et bien épluchés; délayez deux œufs entiers avec un litre de lait que vous aurez assaisonné de sucre en

poudre et de zeste de citron; versez le tout sur les tranches de pain, faites cuire à un four doux pendant une demi-heure et servez.

PUITS

Puits, en termes culinaires, désigne le vide qu'on doit former dans la pâte pour y introduire les divers ingrédients qui entrent dans sa composition pour la délayer plus commodément et pour y mélanger la levure. On nomme également puits le vide laissé par des viandes dressées en couronne, destiné à recevoir un ragoût, un coulis ou autre garniture.

PUITS D'AMOUR

Espèce de pâtisserie feuilletée, faite de pâte et de confiture.

PUNCH

A l'eau-de-vie, au rhum, au kirsch, au vin, le punch n'est autre chose qu'une de ces liqueurs dans lesquelles on met du sucre et des tranches de citron, de la muscade et de la cannelle; on met ensuite le feu aux liqueurs qui par là deviennent un composé excellent. Nos voisins les Anglais ont un goût particulier pour les punchs; on peut en juger par celui que donna sir Edward Russel, commandant en chef des forces britanniques, le 25 octobre 1694. Ce bol de punch, le plus extraordinaire dont on ait jamais entendu parler, fut préparé dans le vaste bassin de marbre du jardin de sa maison : quatre barriques d'eau-de-vie, huit barriques d'eau clarifiée, vingt-cinq mille limons, quatre-vingts pintes de jus de citron, treize quintaux de sucre de

Lisbonne, cinq livres de muscade, trois cents biscuits pilés, et enfin une pipe de vin de Malaga furent versés dans le bassin sur lequel un dais avait été dressé pour le garantir de la pluie; on avait construit en bois de rose un petit batelet dans lequel un mousse élégamment habillé, appartenant à la flotte, voguait sur le punch même et en servait à la compagnie, composée de plus de six mille personnes.

En général, cette boisson se boit chaude, et pendant long-temps un bol de punch enflammé constitua en Angleterre le dernier et indispensable service de tout repas bien ordonné. Cette liqueur est très-fortifiante et très-agréable; elle convient beaucoup après les grandes fatigues pour rappeler la transpiration qui pourrait avoir été supprimée par l'humidité, le froid et la pluie. On peut en boire plusieurs verres sans crainte qu'elle fasse mal.

D'après le *Dictionnaire de Trévoux*, le punch était connu en 1763 sous le nom de bonne ponche; il se composait alors avec une chopine d'eau-de-vie, une pinte de limonade et une livre de cassonade mélangées ensemble; on y ajoutait de la muscade en poudre et des galettes de mer *grillées* et *broyées;* mais cette boisson n'était guère connue que des marins de nos navires marchands.

Voici la meilleure formule, selon nous, pour faire aujourd'hui le punch à la française :

Mettez dans le même bol une bouteille de vieux rhum de la Jamaïque, avec deux livres de sucre royal et concassé, faites-y prendre le feu et agitez le sucre avec une spatule afin qu'il se caramélise en brûlant avec le rhum; après diminution d'un tiers du liquide, immiscez dans le même bol et mélangez avec ce rhum sucré quatre pintes de thé Soutchon, qui doit être bouillant, joignez-y le suc de huit citrons et de douze oranges bien mûres. Ajoutez-y finalement du blanc rack de Batavia, la valeur d'un quart de pinte, et servez, avec ce punch, qui doit être très-chaud afin de bien produire tous ses effets, une corbeille de gaufres aux macarons d'amandes, ou de tous autres gâteaux secs et de fine pâte.

PUNCH A LA DUPOUY. Prenez un ananas et découpez-le par fines tranches, saupoudrez-les avec du sucre candi parfaitement pulvérisé, versez sur le tout une bouteille de vieux vin de Sillery blanc non mousseux, un flacon de véritable kirsch-wasser de la forêt Noire, ou sinon de vénérable eau-de-vie de Cognac, ou de vieux rhum américain; brûlez légèrement et buvez très-chaud. Le lendemain vous n'aurez pas de démenti à craindre en disant que vous avez bu du punch comme on n'en a jamais bu, comme on n'en boit nulle part, si ce n'est dans les salons privilégiés de nos véritables illustrations gastronomiques.

On fait aussi avec le punch des crèmes, des gelées, des biscuits, des massepains, des sorbets, etc. *(V. ces articles.)*

PURÉE

Les purées, qui sont le produit de substances farineuses ou d'autre nature, ont deux emplois bien distincts; elles constituent à elles seules des plats d'entremets et servent de garniture ou litière pour accompagner des rôtis ou des entrées; elles diffèrent des sauces par leur consistance plus ferme et leur épaisseur.

PURÉE DE POMMES DE TERRE. Épluchez bien vos pommes de terre, lavez-les, émincez-les et mettez-les dans une casserole avec un verre d'eau, un peu de beurre, sel et muscade; faites-les cuire pendant une demi-heure, feu dessus et dessous, puis maniez-les avec une cuillère de bois, remettez-les au feu, faites-les réduire et mettez pour les finir un bon morceau de beurre et un peu de sucre en poudre.

PURÉE DE POMMES. Faites une marmelade de pommes sans la sucrer; assaisonnez-la avec un peu de sel et de jus de rôti non dégraissé; puis vous la servez comme litière sous un carré de porc frais cuit à la broche, ou un oison rôti, ou des boudins grillés.

PURÉE D'OIGNONS. Épluchez une trentaine d'oignons, retranchez-en la tête et la queue et coupez-les en tranches, passez-les au beurre assaisonné de sel et de poivre, faites-leur prendre une belle couleur. Mouillez avec du bon bouillon et un peu de jus, faites réduire, passez les oignons au tamis clair en pressant avec le manche d'une cuiller et mêlez-y un peu de caramel.

Si vous voulez obtenir une purée blanche à la Soubise, vous ne faites pas prendre couleur aux oignons, vous mouillez avec du jus blond, un verre de vin blanc et une chopine de crème, vous faites réduire à grand feu et passez à l'étamine.

PURÉE DE MARRONS. Enlevez la première et la seconde peau de marrons rôtis, passez-les dans une casserole avec un peu de beurre, et mouillez-les avec du bouillon et un verre de vin blanc; faites fondre vos marrons à petit feu, pilez-les et passez-les au tamis; faites cuire à part une demi-douzaine de saucisses, ajoutez à votre purée de marrons le jus et la graisse des saucisses et servez-les comme litière aux saucisses.

On peut remplacer les saucisses par des côtelettes.

PURÉE D'OSEILLE. Hachez de l'oseille, des cœurs de laitue et du cerfeuil, mettez le tout et faites-le revenir dans une casserole avec un bon morceau de beurre.

Quand l'oseille est bien fondue, vous mouillez avec du bouillon; faites réduire, passez au tamis, ajoutez à la purée du jus ou un fond de cuisson, liez-la avec des jaunes d'œufs et faites-la cuire sans la laisser bouillir.

Pur

PURÉE DES QUATRE RACINES. Prenez quelques carottes, des oignons, des navets, un ou deux panais; émincez le tout et mettez-le dans une casserole avec un bon morceau de beurre; mouillez avec du bouillon et remuez jusqu'à ce que les légumes commencent à se fondre. Laissez cuire deux ou trois heures, retirez-les, écrasez-les sur un tamis de crin ou une passoire à petits trous, mouillez-les de temps en temps avec un peu de leur bouillon, remettez la purée dans la casserole, ajoutez-y du jus ou un fond de cuisson, ou un mouillement réduit, joignez-y un peu de caramel d'une couleur claire et servez pour entremets ou comme garniture.

PURÉE DE POIS SECS. Faites cuire des pois avec de l'eau, du sel, deux ou trois oignons, persil et ciboules, écrasez-les dans une passoire à petits trous en versant de temps en temps un peu de bouillon dessus. Mouillez-le avec la purée; ajoutez un morceau de beurre et faites réduire.

Si vous voulez faire votre purée au gras, vous mouillez avec du bon bouillon; si c'est maigre, vous mouillez avec du lait ou de l'eau.

Les purées de lentilles, de haricots blancs ou rouges et de tous autres légumes secs se font de la même manière.

PURÉE SAUCE TOMATE. Prenez douze tomates, fendez-les en deux, enlevez les pépins de la partie aqueuse, jetez-les dans une casserole; ajoutez une bonne mirepoix, un bouquet garni de pointes d'ail, des levures de lard, mouillez avec une cuiller à pot de consommé, un verre de vin blanc, deux petits verres de cognac, couvrez de papier et laissez cuire une heure. Passez le tout à l'étamine, remettez votre sauce sur le feu, faites-la dégraisser sur l'angle du fourneau, lissez-la et mettez-la au bain-marie pour sa destination. *(Recette Vuillemot.)*

PURÉE DE MOUSSERONS. Épluchez et lavez des mousserons, faites-les blanchir, hachez-les finement et mettez-les dans une casserole avec un morceau de beurre et du jus de citron, faites roussir, mouillez avec du jus et faites réduire.

PURÉE DE VOLAILLE. Dépouillez une volaille rôtie, désossez-la, hachez-la finement et pilez la chair dans un mortier, mettez cette chair pilée dans une casserole avec du bon bouillon et un blond de veau, sel, poivre; faites cuire, réduire, et tamisez.

PURÉE DE GIBIER. Faites rôtir à la broche trois perdrix ou bécasses, dépecez-les, mettez les peaux et débris d'os dans une casserole avec du vin blanc sec, une échalote et une feuille de laurier; faites réduire des trois quarts et mouillez avec un peu d'espagnole et de coulis mêlés avec du consommé, faites réduire de nouveau cette sauce, dégraissez-la, passez-la au tamis. Pilez ensuite la chair de votre gibier, délayez-la dans la sauce, passez-la au tamis, posez sur un feu doux et laissez cuire sans bouillir.

PURÉE PROVENÇALE. Épluchez des oignons, coupez-les en tranches et passez-les sur le feu sans leur faire prendre couleur, ajoutez quatre cuillerées de velouté, une pinte de crème et un peu de sucre en poudre; faites réduire votre purée à grand feu en la tournant continuellement, faites-la épaissir et passez-la à l'étamine.

Si vous n'aviez pas de velouté, vous pourriez le remplacer par une cuillerée de farine mêlée avec un peu de crème, du sel et du poivre, et finir votre purée comme il est indiqué.

PURÉE DE HOMARD. Prenez un homard bien frais, brisez-le et retirez-lui les chairs blanches de la queue et des pattes; coupez ces chairs en petits dés, pilez bien les parures, les chairs et les œufs qui se trouvent dans la coquille avec du beurre fin, tamisez et mettez ce que vous aurez passé chauffer dans un bain-marie après y avoir ajouté les chairs et la farce du crustacé ainsi que son œuf et sa crème de laitance.

(Voir pour les autres purées de cuisine les articles *Navets, Carottes, Aubergines, Champignons, Écrevisses, Huîtres* et *Foie de Raie.*)

Illustration de Grandville parue dans le MUSÉE PHILIPON.

QUARTIER D'AGNEAU ROTI

Ce qu'on appelle le quartier d'un agneau, c'est le gigot et la longe se prolongeant jusqu'aux premières côtes.

Scier le manche d'un quartier d'agneau, en ficeler la bavette, à défaut de broche à l'anglaise, le traverser avec une brochette en fer, l'envelopper avec du papier graissé; le faire cuire en l'arrosant avec du beurre ou du saindoux; trois quarts d'heure après, le déballer, le saupoudrer avec de la mie de pain, lui faire prendre couleur, le saler, le décrocher, le dresser sur un plat et le papilloter, envoyez un bon jus à part.

En Angleterre, on sert habituellement les quartiers d'agneaux avec une sauce aigre-douce, composée d'échalotes hachées avec de la menthe fraîche, un peu d'eau et de vinaigre assaisonnés de sel et du sucre.

QUARTIER DE MOUTON BRAISÉ

Couper un gigot de mouton, en lui laissant adhérer la selle jusqu'à la hauteur des côtelettes, désosser la selle, puis le gigot, jusqu'à la jointure du manche, saler intérieurement les chairs, les ficeler en leur donnant une jolie forme allongée, marquer le mouton dans une casserole longue foncée avec des débris de lard et de légumes; le saler légèrement et le mouiller avec la valeur de trois à quatre verres de bouillon; poser la casserole sur le réchaud, faire réduire le liquide jusqu'à ce qu'il tombe à glace, mouiller alors le mouton à hauteur avec du bouillon; mettre le liquide en ébullition, pour retirer la casserole sur un feu très-doux avec des cendres chaudes sur le couvercle, pour le cuire ainsi pendant cinq heures au moins et même davantage, si la viande ne provenait pas d'un jeune animal; dans tous les cas il est plus prudent de le mettre à cuire une heure plus tôt, pour n'avoir pas même la crainte de servir un mouton incuit.

Quand le mouton est cuit à point, l'égoutter sur un plafond, allonger le fond de cuisson avec du vin blanc; le faire bouillir, le dégraisser avec de la sauce brune, débrider le mouton, le découper en entailles, le dresser sur un plat, empapilloter le manche, l'entourer d'une garniture aux petits oignons, glacer et dresser un bouquet, le glacer au pinceau; et verser une partie de la sauce au fond du plat.

QUARTIER DE VEAU ROTI
A L'ANGLAISE

En général les broches anglaises destinées à rôtir les gros morceaux les maintiennent dans une espèce de cage sans donner la peine de passer à travers leur chair ni broche ni hâtelet; c'est un point sur lequel les cuisines françaises devraient prendre exemple.

Choisir un quartier de veau bien blanc, le parer, scier le manche au-dessous de la jointure du pied, écourter l'os du quasi, l'envelopper dans du papier beurré, le faire tourner devant un bon feu, une heure après le déballer et finir de le cuire en l'arrosant avec la graisse de la lèchefrite; le dresser ensuite sur un plat, parer le manche pour le papilloter, le faire accompagner sur la table d'une saucière de bon jus et d'un plat de légumes cuits à l'eau salée ou à la vapeur.

QUARTIER DE DAIM A L'ANGLAISE

C'est ce que Walter Scott dans ses romans appelle de la venaison. Qui n'a désiré manger de la venaison de Walter Scott et de la bosse de bison de Cooper?

Malheureusement les bisons sont bien loin de nous, mais il n'en est pas de même des daims, nous en avons dans toutes nos forêts : il est vrai qu'ils sont réservés aux plaisirs royaux, et que nos daims à nous sont moins bons que les daims anglais. Quand vous aurez un quartier de daim, lavez-le avec de l'eau tiède, essuyez-le avec un linge, salez-le et masquez-le avec du papier beurré; puis vous l'envelopperez dans une large abaisse de pâte faite simplement avec de la farine et de l'eau tiède, en lui donnant l'épaisseur d'un centime, soudez attentivement les jointures, puis soutenez la pâte en l'enveloppant à son tour avec du papier beurré; faites rôtir le quartier pendant trois heures en l'arrosant toutes les dix minutes; quand il est à point, déballez-le, dressez-le sur un réchaud de table à réservoir, piquez le quartier de daim vers le bout avec la pointe d'un couteau afin de sortir le jus de la viande ; envoyez immédiatement le quartier avec une saucière de gelée de groseilles, un plat de haricots blancs, égouttez à la minute et mêlez avec un morceau de beurre.

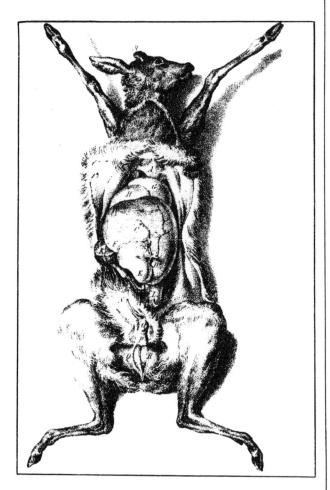

QUASI DE VEAU A LA CASSEROLE

Le quasi de veau fait suite à la longe, et se trouve placé à l'extrémité du cuisseau ; dans le bœuf il représente le morceau qu'on appelle la culotte.

Prenez un quasi de veau, abattez l'os en dessous pour lui donner de l'aplomb ; posez-le dans une casserole de sa dimension, dont vous aurez eu soin de beurrer grassement le fond ; le saler en dessus ; couvrir la casserole, la poser sur le feu, et cuire le quasi pendant une heure et demie à feu bien doux avec des cendres sur le couvercle en le retournant souvent ; quand il est cuit et d'une belle couleur, dressez-le sur un plat, versez dans la casserole la valeur d'un verre de bouillon, faites bouillir quelques minutes, dégraissez-le, et le versez en le passant.

QUEUE DE MOUTON AUX OLIVES

Faites blanchir huit à dix queues de mouton, coupez-en les extrémités, les mettez dans une casserole avec du bon saindoux, deux petits oignons et un morceau de carotte ; posez la casserole sur le feu pour faire revenir les viandes ; assaisonnez-les ; quand elles seront de belle couleur, saupoudrez-les avec un peu de farine, mouillez-les avec un peu de bouillon chaud, du jus, du vin blanc ; faites bouillir le liquide, et dix minutes après retirez la casserole sur le côté du feu ; si la sauce n'était pas de belle couleur, y mêler un peu de caramel ; puis, quand les queues seront cuites, vous égoutterez la sauce dans une casserole en la passant au tamis, vous la dégraisserez avec soin, vous y ajouterez un verre de vin blanc, vous la ferez réduire jusqu'à ce qu'elle soit liée à point, vous parerez les queues ; vous les mettrez avec leur sauce ; deux minutes après vous retirez la casserole du feu, vous mêlez vos olives au ragoût et vous le dressez sur un plat chaud à la chicorée ou aux oignons glacés : tout est bon aux queues de mouton.

QUEUE DE HOMARD A LA GELÉE

Pour dresser ce plat, faites d'abord cuire à l'eau salée, avec bouquet assorti et vinaigre, trois petits homards, faites-les refroidir avec les queues allongées ; quand ils sont froids, détachez les queues et les grosses pattes ; sciez ces dernières pour découvrir les chairs d'un côté, les enlever, les passer à la gelée et les remettre dans les coquilles ; divisez ensuite chaque queue en deux parties sur la longueur, sortez les chairs des coquilles pour les couper ; nettoyez alors ces coquilles avec soin, essuyez-les, masquez-les au fond avec une couche de gelée hachée, et sur celle-ci posez les chairs des queues en les renversant, c'est-à-dire en les appuyant sur le côté coupé avec les parties rouges à l'extérieur, nappez les chairs au pinceau avec de la gelée à moitié prise, groupez vos six moitiés de queues et vos six pattes entières le plus galamment possible sur ce qu'on appelle un pain vert.

RABIOLES ou RAVIOLIS

Excellent potage italien, dont voici la formule genevoise : Vous prenez une livre de farine que vous placez sur une table ou une planche bien unie, vous la détrempez avec trois œufs frais. Vous commencez par mettre du sel, un peu d'eau et les œufs au milieu de la farine en maniant continuellement jusqu'à ce que vous ayez obtenu une pâte ferme et lisse; alors vous l'abaissez avec un rouleau le plus long possible, vous en formez une abaisse mince comme du papier, en y saupoudrant le moins de farine possible; ayez une farce disposée que vous placez par petites parties égales. Mouillez votre pâte, repliez-la en deux pour qu'elle forme une espèce d'enveloppe, appuyez à l'entour afin que les deux parties puissent se coller ensemble, coupez-les par carré de la grandeur d'un pouce, placez-les au fur et à mesure sur des plats ou couvercles de casseroles. Au moment de servir votre potage, vous faites blanchir vos rabioles dans du consommé. Quand elles sont toutes montées sur le bouillon et qu'elles ont bouilli cinq minutes, vous les égouttez, vous mettez dans votre soupière une cuillerée à pot de consommé, un lit de rabioles, un lit de fromage parmesan râpé, du beurre fin fondu et vous recouvrez avec du jus afin qu'elles baignent un peu. Servez le tout le plus chaudement possible.

La farce dont vous vous servez pour les rabioles se fait de quenelles de volailles auxquelles vous joignez un peu de parmesan râpé, un peu de bourrache blanchie et hachée, un peu de lait cuit et de fromage à la crème; mêlez le tout ensemble avec un peu de muscade et de cannelle, ainsi que deux jaunes d'œufs, et n'omettez pas d'y ajouter du gros poivre.

Les rabioles se font aussi blanchir et cuire dans le même consommé que pour le potage en tortue, et alors on les sert dans leur bouillon avec du fromage parmesan râpé à proximité de ce potage.

RABLE

On appelle râble la partie qui se trouve entre le train de devant et celui de derrière d'un lièvre ou d'un lapin. C'est cette partie qui est la plus délicate et que l'on sert de préférence rôtie : pour cela, on prend un lièvre ou un lapin dont on retranche les épaules et les cuisses en coupant carrément les reins de ce gibier, qu'on laisse en un seul morceau. On le pique de fins lardons et on l'attache à la broche, mais il faut au moins trois ou quatre trains de lièvre pour garnir suffisamment un plat de rôti; on le finit avec des tranches ou quartiers de bigarade pour garniture. N'oubliez pas de faire mariner le ou les râbles de lièvre avant de les coucher en broche. *(V. Marinade.)*

RACINE

Cette dénomination de racine est applicable à bien des sujets, mais nous n'avons à nous occuper que de celles dont on se sert à la cuisine pour sauces ou garnitures, c'est-à-dire des racines potagères, dont la partie comestible se trouve cachée sous la terre, telles que carottes, panais, navets, betteraves, pommes de terre et topinambours, et nous renvoyons nos lecteurs à chacun de ces articles où il a été spécialement traité des différentes manières de les apprêter.

RADIS

Les radis offrent plus de dix variétés différentes, et il est inutile de dire qu'ils ne se mangent que crus. Le radis a la forme du navet, mais il n'a pas son goût sucré, il est au contraire piquant et excite l'appétit; il y en a des blancs, des roses et des rouges et le petit radis gris d'été, dont la saveur est plus relevée que celle des autres espèces.

Le radis est originaire de la Chine, et nous lisons dans les capitulaires de Charlemagne qu'il faisait partie des plantes potagères que ce monarque recommandait aux régisseurs de ses terres de cultiver.

Le radis se mange en hors-d'œuvre, avec du beurre et du sel; il est apéritif, atténuant et antiscorbutique.

Rag

RAGOUTS

C'est par les ragoûts surtout que brillait l'ancienne cuisine française; c'est par les ragoûts au contraire que pèchent toutes les cuisines et surtout la cuisine anglaise.

Jamais aucune autre cuisine que la nôtre n'atteindra à la hauteur de nos sauces piquantes, ni à la finesse de nos blanquettes et de nos poulettes.

Ainsi, faites le tour du monde, et vous ne trouverez pas un cuisinier, fût-il cordon rouge et cordon bleu, qui vous fasse une omelette comme la mère de famille qui prépare le dîner de son mari et de ses enfants.

Un mot d'abord sur les salpicons.

Les salpicons sont composés de toutes sortes de viandes et de légumes, comme ris de veau, truffes, champignons, fonds d'artichauts, etc.; mais il faut, pour qu'ils soient bons, que les viandes que vous employez et que vous mettez dans une égale proportion soient cuites à part ainsi que les légumes, afin que ces ingrédients se trouvent d'égale cuisson selon leur qualité.

SALPICON ORDINAIRE. Il se compose de ris de veau, de foies gras ou demi-gras, de jambon, de champignons et de truffes si c'est la saison; coupez cela en petits dés d'égale grosseur; au moment de servir, ayez de l'espagnole bien réduite, la quantité qu'il vous faut pour vos chairs et vos légumes; jetez-les dedans, mettez-les sur le feu; remuez-les sans les laisser bouillir et servez.

On fait de même ce salpicon avec des quenelles ou du godiveau, des blancs de volailles cuites à la broche, des crêtes de coqs et des fonds d'artichauts; cela dépend de ce que l'on a et de la saison où l'on se trouve.

RAGOUT DE RIS DE VEAU. Faites dégorger un ou deux ris de veau; quand ils ont rendu tout leur sang, faites-les blanchir, marquez-les dans une casserole avec une ou deux carottes, deux oignons, quelques parures de veau, un bouquet de persil et ciboules; assaisonnez, mettez vos ris de veau dans la casserole, couvrez-les avec une petite barde de lard, mouillez avec une cuillerée ou deux de bouillon, qu'ils ne trempent pas entièrement, couvrez-les avec un rond de papier beurré, faites-les partir; mettez-les ensuite sur le fourneau avec de la cendre chaude dessus et dessous; veillez à ce qu'ils ne cuisent pas trop; quand ils le seront à leur point, retirez-les de leur assaisonnement; si vous n'avez pas de sauce, passez leur cuisson dans une casserole au travers d'un tamis. Au cas où vous voudriez les mettre au blanc, maniez un pain de beurre dans une pincée de farine et quelques champignons; mettez le tout dans cette cuisson, laissez cuire, dégraissez; joignez quelques fonds d'artichauts si vous voulez, et ayant coupé vos ris de veau en tranches, mettez-les dans cette sauce sans les laisser bouillir; lorsque vous serez pour les servir,

faites une liaison de deux jaunes d'œufs, un peu de persil haché très-fin, un jus de citron si vous n'avez pas de verjus. Voici la manière de les lier : d'abord cassez deux œufs, ôtez-en les jaunes sans les rompre ni laisser ni blanc ni germe; écrasez-les avec une cuiller, délayez-les avec un peu d'eau et du bouillon; ensuite, quand votre ragoût sera bouillant, retirez-le au bord du fourneau, tenez la queue de votre casserole d'une main, et de l'autre versez doucement votre liaison dans votre ragoût en le remuant toujours, posez-le sur le feu, remuez-le encore, ne le laissez jamais bouillir, mettez-y sur-le-champ un petit morceau de beurre pour que votre sauce soit moelleuse, finissez-la avec un jus de citron ou un filet de verjus, qu'elle ne soit ni trop longue ni trop courte, et servez.

RAGOUT DE CRÊTES ET DE ROGNONS DE COQS EN FINANCIÈRE. Quand vos crêtes auront été échaudées et cuites dans un blanc ainsi que les rognons, mettez dans une casserole la quantité convenable de velouté réduit si vous voulez votre ragoût au blanc, et d'espagnole réduite si vous le voulez au roux, en y ajoutant un peu de consommé au cas où votre sauce se trouverait trop liée; faites mijoter vos crêtes un quart d'heure, joignez-y, un peu avant de servir vos rognons, quelques champignons tournés que vous aurez fait cuire, des fonds d'artichauts et des truffes selon votre volonté; si votre ragoût est au blanc, liez-le comme il est indiqué à l'article *Ragoût de ris de veau*, et s'il est au roux, suivez le même procédé que celui énoncé au même article.

RAGOUT DE LAITANCES DE CARPES. Prenez vingt-quatre laitances, détachez-les des boyaux, jetez-les dans l'eau fraîche, laissez-les dégorger une demi-heure, changez-les d'eau et mettez-les sur le bord d'un fourneau, laissez-les dégorger jusqu'à ce qu'elles soient blanches; prenez une autre casserole, faites-y bouillir de l'eau avec un peu de sel, égouttez vos laitances et jetez-les dans cette eau; obtenez une ébullition, retirez-les du feu, ayez dans une casserole quatre cuillerées à dégraisser d'italienne blanche ou rousse, mettez-y vos laitances, faites-leur jeter encore un bouillon ou deux, dégraissez-les, finissez-les avec un jus de citron, et servez-les comme ragoût de laitances, soit dans une casserole d'argent, soit dans une caisse ou dans un vol-au vent.

RAGOUT DE LANGUES DE CARPES. Faites dégorger un cent de langues de carpes, blanchissez-les comme les laitances de carpes; la sauce de ces langues est la même que celle des laitances; elles se finissent de même.

RAGOUT DE CÉLERI. (Recette du docteur Rocques). Vous faites cuire du céleri haché comme la chicorée et les épinards, vous l'assaisonnez de poivre, de sel, de muscade; vous le nourrissez de bon bouillon et vous le servez avec des croûtons dorés ; vous pouvez même, si vous êtes un peu friand, placer sur ce lit bien douillet quelques ortolans ou quelques filets de perdreaux rouges. Essayez de ce plat, chers confrères en gourmandise, et vous en serez peut-être satisfaits.

R a g o u t   d e   t o m a t e s   f a r c i e s   a   l a   G r i m o d. Après avoir ôté les pépins de vos tomates, vous les remplissez de chair à saucisses assaisonnée d'ail, de persil, de ciboules et d'estragon, puis vous les faites cuire dans une tourtière, sous un four de campagne.

Aujourd'hui on remplace volontiers la chair à saucisses par une bonne duxelle *(V. Duxelle)* et mie de pain dessus. *(V.)* Vous servez cet entremets dans la tourtière même, et vous l'arrosez de jus de citron.

D e s   t r u f f e s   e n   g é n é r a l. *(Les classiques de la table, variétés, recettes d'élite.)* La truffe tient le premier rang parmi les cryptogames : l'oronge, ce champignon des rois, Fungus Cæsareus, comme l'appelaient nos vieux botanistes, ne vient qu'après elle ; au lieu d'être indigeste, comme on l'a répété, elle favorise les fonctions de l'estomac, et doit sa faculté digestive à ses molécules légèrement excitantes, pourvu qu'on en use avec modération ; elle nourrit, restaure, réchauffe les tempéraments froids ; les viandes, les légumes, le poisson et les autres aliments, quels qu'ils soient, deviennent plus légers lorsqu'ils sont assaisonnés aux truffes. Il s'est trouvé pourtant quelques auteurs dont le palais n'a jamais pu apprendre à savourer ces délicieux tubercules, qui leur ont reproché de troubler la digestion, de causer l'insomnie, de disposer à l'apoplexie, aux maladies nerveuses. Nous avons consulté un assez grand nombre d'amateurs de truffes, les uns vieux, les autres jeunes ; ils ont tous, d'un commun accord, célébré son action bienfaisante. L'un d'eux, d'un âge moyen, homme très-spirituel et d'un caractère aimable comme les vrais gastronomes, me disait il y a quelques jours :

« Quand je mange des truffes, je deviens plus vif, plus gai, plus dispos ; j'éprouve intérieurement, surtout dans mes veines, une chaleur douce, voluptueuse, qui ne tarde pas à se communiquer à ma tête ; mes idées sont plus nettes et plus faciles ; je fais, si cela me convient et sur-le-champ, des vers pour des poëtes riches, je compose des discours pour quelques savants inquiets, pour des députés paresseux, puis je m'endors, ma digestion se fait sans trouble, mon sommeil est calme ; mais ce qu'on dit de certaine vertu des truffes est pour moi de l'histoire ancienne. »

Au reste, qui ne connaît la truffe et son incomparable parfum ? Est-il une production naturelle plus renommée chez les peuples anciens et modernes ? Les Romains l'aimaient avec passion et la demandaient à l'Afrique.

– Libyen, s'écrie Juvénal, dételle tes bœufs, garde tes moissons, mais envoie-nous tes truffes.

« La truffe règne aujourd'hui en souveraine, non plus dans les petits soupers, mais bien dans les banquets, dans les dîners ministériels. Elle remonte le ressort des organes, ranime le sang engourdi, donne du courage, de l'esprit même... Que de résistances vaincues, de doutes éclaircis par un excellent ragoût de truffes ! Qui pourrait résister au pouvoir de cette composition qui charme le goût, enivre l'odorat ? Hommage à la truffe du Périgord ! – Comme son arôme enchanteur caresse, flatte, réjouit les houppes nerveuses du palais ! Voyez-vous ce magistrat gourmand, savourant avec délices les molécules parfumées des truffes de Sarlat ? On dirait qu'il est assis à la table des dieux. – Ses yeux brillants de plaisir expriment l'ineffable impression du gaster, et ce contentement intérieur, présage certain d'une heureuse digestion !

« Mais, nous dira quelqu'un, les médecins ont condamné l'usage des truffes. – Oui, mais ils ont aussi proscrit le thé, le café. Pour quelques hommes de mauvais goût et d'un esprit chagrin, que de friands, que de gourmets parmi les disciples d'Esculape ! Leurs noms se pressent depuis Barthez jusqu'à Broussais. Ici tout le monde est d'accord, tous les systèmes se modifient, et toutes les sectes, également friandes, se rapprochent. Bien faisante gastronomie, voilà de tes miracles ! Tu persuades, tu inspires, et, lorsque tu le veux, les médecins, assis autour d'une table chargée de mets succulents, deviennent tous éclectiques !

« La truffe embellit tout ce qu'elle touche. – Sans parler des mets les plus fins, auxquels elle prête un nouveau charme, les substances les plus simples, les plus communes, imprégnées de son arôme, peuvent paraître avec succès sur les tables les plus délicates. »

Je suis du temps où les truffes ont été le plus à la mode ; les Bourbons de la branche aînée gouvernaient, disait-on, avec des truffes. Il y avait deux reines théâtrales qui reconnaissaient particulièrement l'influence de ces estimables tubercules ; c'étaient Mᴸᴸᵉ George et Mᴸᴸᵉ Mars.

Tous les soirs où ces dames jouaient, et surtout aux époques de leurs beaux succès, il y avait à souper chez elles pour quelques intimes; elles rentraient avec les courtisans de la loge et trouvaient chez elles les courtisans de la maison.

Chez George, on mangeait toujours les truffes de la même façon.

Chez Mars, c'était l'affaire de son cuisinier, et il avait là-dessus carte blanche..

Mais chez Agrippine, la femme de toutes les sensualités, on ne faisait grâce à la truffe d'aucune des sensations qu'elle pouvait donner.

A peine rentrée, on apportait à George, dans une cuvette de la plus belle porcelaine, une eau parfumée avec laquelle elle se lavait les mains; puis des truffes qui avaient déjà subi deux ou trois ablutions et autant de frottements, dans une assiette à part, une petite fourchette de vermeil et un petit couteau à manche de nacre et à lame d'acier.

Agrippine alors, de sa main moulée sur l'antique, de ses doigts de marbre aux ongles roses, commençait à éplucher, le plus adroitement du monde, le tubercule noir qui était un ornement pour sa main, puis elle coupait par feuillets minces comme du papier, versait dessus du poivre ordinaire, quelques atomes de poivre de Cayenne, les imprégnait d'huile blanche de Lucques ou d'huile verte d'Aix et passait le saladier à un de ses serviteurs qui retournait la salade préparée par elle.

Le reste du souper se composait, selon la saison, de rôti de gibier, d'une poularde de Bresse ou du Mans, ou d'une dinde fine de Bourges.

Puis venait la salade, dont ce souper n'était que le prologue. On se ferait difficilement idée du parfum auquel atteignait la truffe, réduite à ce simple assaisonnement d'huile et de poivre.

On puisait à pleine fourchette dans le saladier, comme on eût fait pour une salade ordinaire.

Chez Mlle Mars, le service était beaucoup plus compliqué, mais il manquait à l'assaisonnement de la salade les beaux bras, les belles mains, les ongles roses et surtout l'abandon et le laisser-aller charmant d'Agrippine.

La plus antique recette de truffes que nous pouvons offrir à nos lecteurs est celle que nous trouvons dans Apicius.

RAGOUT DE TRUFFES A L'APICIUS. Faites cuire d'abord vos truffes dans l'eau, embrochez-les, faites-leur faire cinq ou six tours devant le feu, arrosez-les avec de l'huile, du jus de citron, du chervis, du poivre et du miel; lorsque la sauce sera bouillante, liez-la avec du vin et des œufs.

RAGOUT DE TRUFFES AU VIN DE CHAMPAGNE. Lavez plusieurs fois vos truffes dans l'eau tiède; brossez-les et mettez-les dans une casserole foncée de bardes de lard, avec du sel, une feuille de laurier, une bouteille de vin de Champagne; on couvre hermétiquement la casserole, on

fait bouillir une demi-heure, et l'on sert les truffes sur une serviette.

M. le baron Thiry, gastronome distingué, veut qu'on substitue au champagne du vin de Collioure, et M. Bignon, autre autorité, préfère le vin de Madère ou le Xérès; comme on ne mange pas qu'une seule fois dans sa vie des truffes à la serviette, on peut essayer successivement de ces trois vins.

Mais lorsqu'on veut conserver aux truffes leur saveur naturelle et sans mélange, on les enveloppe une à une dans du papier beurré et on les fait cuire dans une passoire à la vapeur de l'eau bouillante.

A tous ces apprêts il est permis de préférer la truffe sous la cendre. Enveloppez de papier beurré, et les mangez au beurre d'Isigny. (*V.*)

RAGOUT AUX TRUFFES. Prenez une livre de truffes, suivant vos besoins; si vous les achetez vous-même, prenez-les aussi rondes que possible; serrez-les dans votre main : il faut, en les serrant moyennement, que l'on sente leur résistance, et qu'elles ne soient ni molles ni gluantes; flairez-les pour juger de leur parfum; si elles avaient un goût de fromage, rejetez-les.

Après vous être assuré de leur qualité, jetez-les dans l'eau fraîche; celles qui surnagent sont inférieures à celles qui restent au fond; ayez une petite brosse, brossez-les pour en extraire absolument la terre et rejetez-les dans un autre vase rempli d'eau claire et non chaude, vu qu'elles en perdraient leur parfum, rebrossez-les et, avec la pointe du couteau, ôtez-en la terre jusque dans les creux et les sinuosités; s'il s'en trouve qui aient des brochettes, retirez-les : je parle ainsi parce qu'il arrive que les marchands osent en faire de grosses de plusieurs petites, en les joignant l'une à l'autre à la faveur de ces brochettes. Cela fait, lavez vos truffes encore à une troisième eau et même plus, vu qu'il faut que l'eau reste limpide. On conserve ordinairement les plus belles pour servir sur la serviette ou en croustades; les autres se coupent par tranches et en dés pour faire la sauce aux truffes, dont je vais parler.

RAGOUT AUX TRUFFES ET A L'ESPAGNOLE. Prenez une poignée de truffes, ou davantage si le cas le requiert; coupez-les en lames ou en dés, comme il est dit à l'article précédent; mettez-les dans une casserole sur un feu doux avec un morceau de beurre, faites-les suer, mouillez-les avec un demi-verre de vin blanc, deux cuillerées à dégraisser d'espagnole réduite; faites-les aller sur un feu doux jusqu'à ce qu'elles soient cuites; dégraissez votre sauce et finissez-la avec un petit morceau de beurre; ayez soin de bien l'incorporer avec vos truffes, soit en les passant, soit en les remuant; surtout n'y mettez point de citron, ce qui ôterait le velouté de votre sauce.

RAGOUT AUX TRUFFES A L'ITALIENNE. Émincez

des truffes comme les précédentes, la quantité que vous jugerez nécessaire; faites-les suer dans du beurre, comme il est énoncé précédemment; mettez un peu d'échalotes et de persil hachés, du sel et du poivre; mouillez avec un demi-verre de vin blanc et deux cuillerées à dégraisser d'espagnole; faites bouillir votre sauce; dégraissez, et finissez-la avec un filet d'excellente huile d'olive.

RAGOUT AUX TRUFFES A LA PIÉMONTAISE. Émincez vos truffes comme il est dit plus haut et mettez-y, au lieu de beurre, de l'huile; joignez à cela un peu d'ail écrasé; posez votre casserole sur une cendre chaude, afin que vos truffes ne fassent que frémir; au bout d'un quart d'heure, assaisonnez-les de sel fin et d'un peu de gros poivre; forcez-les un peu en jus de citron, et servez.

RAGOUT AUX TRUFFES A LA PÉRIGUEUX. Coupez des truffes en petits dés; passez-les dans du beurre; mettez-y deux ou trois cuillerées à dégraisser d'italienne rousse ou d'espagnole avec un peu de vin blanc, et finissez-les avec la moitié d'un pain de beurre de Vembre. Cette sauce se sert sur des perdreaux, des poulardes, des poulets et des dindes truffés.

POUDRE FRIANDE. Vous prenez parties égales de mousserons, de morilles, de cèpes, de champignons de couche et de truffes.

Vous les coupez par fragments, et vous les faites sécher au soleil ou dans un four, vous pilez ensuite le tout dans un mortier, et vous le passez au tamis.

Cette poudre donnera aux aliments un parfum et un goût admirables, si vous la conservez dans un vase de porcelaine, ou dans un flacon de verre hermétiquement fermé; on la mêle avec les champignons frais, avec les salmis de bécasses, de perdrix, de grives, de mauviettes, avec le turbot, la morue, la truite, enfin avec toutes sortes de ragoûts et de légumes.

RAGOUT DE TRUFFES EN PUDDING. Epluchez deux livres de moyennes truffes, et les émincez en lames de deux lignes d'épaisseur; sautez-les dans une casserole avec quatre onces de beurre tiède, une grande cuillerée de glace de volaille dissoute, un demi-verre de Madère sec, le sel nécessaire, une pincée de mignonnette et une pointe de muscade râpée.

Vous prenez un bol d'entremets, ayant à peu près quatre pouces de profondeur sur sept de diamètre; vous le beurrez légèrement à l'intérieur, vous le foncez de pâte brisée, et vous y placez des truffes avec leur assaisonnement. Vous humectez ensuite le tour de la pâte, et vous la couvrez d'une abaisse ronde dont vous soudez parfaitement les bords, afin que le parfum des truffes ne s'évapore point à l'ébullition; puis vous enveloppez le bol dans une serviette, vous le liez avec une ficelle, et vous le placez dans une marmite d'eau bouillante. Après une heure et demie d'ébullition, le pudding est cuit. Au moment de servir, vous l'égouttez, vous en détachez la serviette et vous le disposez sur le plat d'entremets.

Les truffes mises dans du lait hâtent la coagulation et lui communiquent leur parfum. On peut de cette manière obtenir des fromages aux truffes.

RAGOUT DE CHAMPIGNONS A LA CUSSY. Prenez des champignons d'une texture ferme, lavez, brossez et pelez des truffes noires, saines et d'une moyenne grosseur, coupez les champignons ainsi que les truffes par tranches épaisses comme des feuilles de carton. Ajoutez-y un peu d'ail haché très-menu, mettez le tout dans une casserole avec un morceau de beurre fin, proportionné à la quantité de vos cornichons, faites sauter à grand feu, et lorsque le beurre sera fondu, exprimez-y le jus de vos deux citrons, ajoutez ensuite sel, gros poivre, muscade râpée, quatre cuillerées à bouche de grande espagnole, et autant de sauce réduite; faites cuire votre ragoût et, au moment de l'ébullition, ajoutez un verre de vin de Sauternes ou de Xérès, continuez la cuisson pendant vingt minutes et servez.

RAGOUT DE TRUFFES BLANCHES ET NOIRES A LA ROSSINI. Vous émincez finement des truffes blanches du Piémont, vous mettez ensuite dans votre saladier de l'huile d'Aix, de la moutarde fine, du vinaigre, un jus de citron, du poivre et du sel, vous battez ces ingrédients jusqu'à parfaite combinaison, et vous y mêlez vos truffes. On peut servir de même nos truffes noires en ajoutant à cet assaisonnement deux jaunes d'œufs et une pointe d'ail, afin de leur donner le goût et le moelleux des truffes blanches du Piémont.

RAGOUT DE TRUFFES AU FROMAGE DE PARMESAN. Faites mariner vos truffes dans l'huile, coupez-les par lames très-minces et disposez un lit de ces truffes émincées sur un plat d'argent avec de l'huile, du sel, du gros poivre et du fromage de parmesan râpé; après avoir fait ainsi plusieurs couches, mettez le plat sur la cendre chaude et sous le four de campagne; un quart d'heure suffit pour la cuisson.

Rag

RAGOUT DE MOUSSERONS. C'était le plat favori de ce directeur sybarite à qui nous devons Bonaparte et le 13 vendémiaire. Il occupait deux ou trois individus à lui chercher des mousserons parfumés des Bouches-du-Rhône et de l'Isère.

Voici comment Barras avait l'habitude de se faire servir ce plat de prédilection.

Lavez, égouttez les mousserons, passez-les au beurre ou avec du lard fondu, un bouquet garni, sel et poivre; mouillez avec du jus de veau ou du bouillon réduit à moitié; laissez mitonner à petit feu, dégraissez et liez le ragoût, avec du jus blond, ou à défaut avec du beurre manié de farine.

RAGOUT DE NAVETS. Épluchez des navets, et coupez-les proprement; faites-leur faire un bouillon dans l'eau, laissez-les égoutter, faites un roux dans une casserole avec du beurre et une demi-cuillerée de sucre en poudre; passez-y les navets jusqu'à ce qu'ils aient pris une belle couleur; mouillez avec du jus ou du bouillon, assaisonnez avec sel, gros poivre et un bouquet garni.

RAGOUT DE MORILLES. La morille est une sorte de champignon et s'accommode de même; prenez des morilles proportionnellement au ragoût que vous voulez faire, épluchez-en les queues pour en ôter la terre, fendez les grosses en deux ou trois, lavez-les, mettez-les dans un vase avec de l'eau tiède pour qu'elles dégorgent et que le sable qu'elles sont sujettes à retenir tombe au fond du vase; retirez-les de cette eau, faites-les blanchir, égouttez-les, mettez-les dans une casserole avec un morceau de beurre; passez-les, mouillez-les avec de la sauce rousse, si elles sont au roux; blanche, si elles sont au blanc, comme il est énoncé pour les ragoûts de champignons; et finissez de même.

RAGOUT DE CHICORÉE AU BRUN. Ayez douze chicorées, épluchez-les, ôtez-en tout le vert, lavez ces chicorées dans plusieurs eaux, en les tenant par la racine et en les plongeant à plusieurs reprises; prenez garde qu'il n'y reste des vers de terre, qui souvent y séjournent, égouttez-les, faites-les blanchir à grande eau où vous aurez mis une poignée de sel; elles seront suffisamment blanchies

lorsqu'en pressant les feuilles entre vos doigts elles s'écraseront facilement; alors retirez-les avec une écumoire, mettez-les rafraîchir dans un seau d'eau fraîche, égouttez-les, pressez-les entre vos mains, de manière qu'il reste le moins d'eau possible; supprimez-en les racines et les plus gros cotons, hachez cette chicorée, mettez-la dans une casserole avec un morceau de beurre, passez-la sur un feu doux, environ un quart d'heure pour la bien dessécher, mouillez-la avec deux cuillerées d'espagnole et une de consommé; faites-la cuire une heure au moins, en la remuant continuellement avec une cuiller de bois, de crainte qu'elle ne s'attache et ne brûle; quand elle sera réduite à son point, mettez-y du sel et servez.

RAGOUT DE CHICORÉE AU BLANC. Employez pour ce ragoût le même procédé énoncé ci-dessus, excepté qu'il faut employer en moindre quantité du velouté, au lieu d'espagnole; ce ragoût de chicorée se finit avec une chopine de crème ou du lait réduit, que vous y versez petit à petit, un peu de muscade râpée et du sel, la quantité convenable.

AUTRE MANIÈRE. Pour faire le ragoût de chicorée au blanc n'ayant point de velouté, passez-la dans le beurre; quand elle est assez desséchée, singez-la légèrement, délayez-la avec du bouillon, mettez-y le sel convenable, faites-la cuire et réduire, finissez-la comme la précédente avec de la crème ou du bon lait, et un peu de muscade râpée, c'est-à-dire une bonne béchamelle. *(V. Béchamelle.)*

MANIÈRE DE REMPLACER LA CHICORÉE DANS LA SAISON OU ELLE MANQUE ET LORSQUE L'ON N'EN A PAS CONSERVÉ. Prenez le cœur d'un ou deux choux dont vous aurez ôté le vert, flairez-les; s'ils sentent le musc, prenez-en d'autres, coupez-les par quartier, ôtez-en les trognons et les plus grosses côtes; émincez-les avec votre couteau le plus fin possible, jetez-les dans l'eau, lavez-les bien, retirez-les dans une passoire; faites-les blanchir comme la chicorée, mais un peu plus de temps; rafraîchissez-les, pressez-les, hachez-les comme la chicorée, et pour leur accommodage c'est le même procédé.

RAGOUT D'ÉPINARDS. Ayez des épinards ce qu'il vous en faut, ôtez-en les queues, et ceux qui ne sont pas bien verts ou qui sont tachés, lavez-les plusieurs fois à grande eau, faites-les blanchir au grand bouillant, dans beaucoup d'eau où vous aurez mis une poignée de sel; ayez soin de les remuer et de les écumer; prenez garde que l'eau ne s'en

aille par-dessus les bords du chaudron, ce qui ferait voler de la cendre dans vos épinards, leur donnerait un mauvais goût et les ferait croquer. Pour juger s'ils sont assez blanchis, pressez-en entre deux doigts; s'ils s'écrasent facilement, ils le sont assez; dès lors retirez-les du feu, jetez-les dans une passoire, ensuite dans une assez grande quantité d'eau fraîche pour les rafraîchir sur-le-champ; laissez-les rafraîchir deux heures, jetez-les de nouveau dans une passoire; après mettez-les en pelote, sans pour cela les trop presser; hachez-en ce dont vous aurez besoin, mettez-les dans une casserole avec un morceau de beurre suffisant pour les nourrir; passez-les sur un feu vif, remuez-les avec une cuiller de bois; quand ils seront assez desséchés et d'un beau vert, mouillez-les avec de l'espagnole; s'ils sont pour entrée, faites-les réduire à consistance d'une forte bouillie, mettez-y un peu de muscade râpée; et, pour les finir, un pain de beurre; remuez-les bien, puis servez.

RAGOUT DE HARICOTS A LA BRETONNE. Prenez des haricots de Soissons, secs ou verts, il n'importe; épluchez et lavez-en un litre, mettez-les dans une marmite, à l'eau froide, avec un morceau de beurre sans sel, et durant leur cuisson versez-y à plusieurs reprises un peu d'eau fraîche, ce qui les empêchera de bouillir et les rendra plus moelleux; quand ils seront cuits, égouttez-les, mettez-les dans une casserole avec un morceau de beurre, une cuillerée ou deux de purée d'oignons au brun (comme elle est énoncée à son article) et d'espagnole, assaisonnez-les d'un peu de gros poivre et de sel; sautez-les souvent et finissez-les avec un pain de beurre.

RAGOUT DE HARICOTS AU JUS. Mettez dans une casserole vos haricots cuits, comme il est dit ci-dessus, avec un morceau de beurre, deux cuillerées d'espagnole, une cuillerée de jus de bœuf, du sel, du gros poivre, et finissez-les aussi avec un pain de beurre.

RAGOUT AUX CONCOMBRES. Coupez l'extrémité de trois concombres. Évitez d'en prendre d'amers, ôtez-leur la pelure, coupez-les en quatre et supprimez-en les pépins, coupez ces concombres en écailles d'huîtres, parez-les, arrondissez-les, tâchez que les morceaux soient égaux, faites-les blanchir dans de l'eau avec un peu de sel, assurez-vous s'ils sont cuits, mettez dans une casserole trois ou quatre cuillerées à dégraisser de velouté; ajoutez-y vos concombres; faites-les cuire et réduire, dégraissez-les; goûtez s'ils sont d'un bon sel; finissez de les lier avec un morceau de beurre; mettez-y un peu de muscade râpée et servez.

RAGOUT DE CONCOMBRES AU BRUN. Préparez vos concombres comme ci-dessus, mettez dans une casserole quatre cuillerées à dégraisser pleines d'espagnole réduite, grasse ou maigre; ajoutez-y vos concombres; dégraissez et

faites réduire; mettez-y gros comme le pouce de glace; finissez-les avec un petit morceau de beurre et servez.

RAGOUT A LA CHIPOLATA. Mettez dans une casserole deux cuillerées à pot d'espagnole réduite, une demi-bouteille de vin de Madère, des champignons tournés, de petits oignons cuits à blanc, des marrons préparés comme pour les terrines, des petites saucisses à la chipolata, que vous aurez fait cuire dans du bouillon, des truffes coupées en quartiers et un peu de gros poivre, faites réduire votre ragoût, dégraissez-le et servez-vous-en.

RAGOUT DE POIS AU LARD. Prenez lard ou jambon, une demi-livre au plus, si le cas le requiert; coupez-le en gros dés, faites-le blanchir; mettez du beurre dans une casserole, faites-y revenir votre lard ou votre jambon; qu'il soit d'une belle couleur; ayez un litre de pois très-fins; mettez-les dans un vase avec gros de beurre comme une noix; maniez-les avec la main, versez de l'eau dessus, laissez-les dans l'eau un demi-quart d'heure pour que leur peau s'attendrisse; égouttez-les dans une passoire, mettez-les dans une casserole, et faites-les suer : lorsqu'ils seront bien verts, mouillez-les avec une cuillerée à pot d'espagnole, ajoutez-y votre petit lard ou votre jambon, un bouquet de persil et ciboules, faites-les partir, retirez-les sur le bord du fourneau, laissez-les mijoter et réduire. Votre ragoût étant bien cuit, dégraissez-le, goûtez s'il est d'un bon sel; s'il se trouvait trop salé, mettez-y un peu de sucre, du sucre toujours, enlevez l'âcreté et servez.

RAGOUT AU GODIVEAU. Mettez de l'espagnole dans une casserole, la quantité que vous croirez nécessaire pour votre ragoût, ajoutez-y la quantité convenable d'andouillettes de godiveau, mettez-y des champignons préparés comme il est dit aux garnitures, et quelques fonds d'artichauts coupés en quatre ou en huit morceaux, faites achever de cuire, dégraissez, faites réduire, ajoutez le jus d'un citron ou un filet de verjus et servez-vous-en soit pour garnir une tourte ou un pâté chaud, ou tout autre ragoût. Gorges de ris de veau coupés en dés.

RAIE

Ce poisson ayant besoin d'être mortifié pour être plus tendre, le transport du port de mer à Paris ajoute à sa qualité; c'est du reste le seul poisson qui puisse se conserver pendant deux ou trois jours, même en temps d'orage. Les deux meilleures espèces sont la *turbotine* et la *raie bouclée*, et la meilleure manière de la manger est de la faire cuire à l'eau de sel avec du vinaigre et quelques tranches d'oignons; on l'égoutte, on l'épluche, et on la sert avec une sauce blanche aux câpres ou une sauce au beurre noir noisette, garnie de persil frit.
Le foie de la raie ne doit rester que deux ou trois minutes dans l'eau bouillante pour être cuit.

Rai

RAIE FRITE. Enlevez la peau d'une raie, coupez-la en morceaux comme des filets, sans en ôter les arêtes, mettez-les mariner avec assaisonnement, ajoutez-y un morceau de beurre manié de farine, vinaigre, fines herbes; faites un peu tiédir la marinade pour que le beurre fonde, laissez les filets mariner pendant quatre heures, retirez-les avant de les faire frire, farinez-les et garnissez.

RAIE A LA NOISETTE. Faites comme ci-dessus, assaisonnez et masquez d'une sauce au beurre.

RAIE A LA SAINTE-MENEHOULD. Faites une sainte-menehould avec un verre de lait, sel, poivre, un morceau de beurre manié de farine, deux oignons en tranches, un bouquet garni, clous de girofle, une pointe d'ail, une feuille de laurier; mettez cette sauce sur le feu et tournez jusqu'à ce qu'elle bouille, coupez une raie en filets, faites-les cuire dans la sauce, retirez-les, trempez-les dans du bouillon, pansez-les, retrempez-les dans du beurre, repansez-les, faites-les griller, et servez avec une sauce Robert ou une rémoulade aux câpres.

RAIETONS FRITS. Enlevez la peau de plusieurs raietons, mettez mariner avec sel, vinaigre, oignons et quelques branches de persil, égouttez-les, farinez-les, faites-les frire d'une belle couleur, égouttez-les de nouveau, et servez avec une sauce au beurre noir aromatisée.

Œufs de raie.

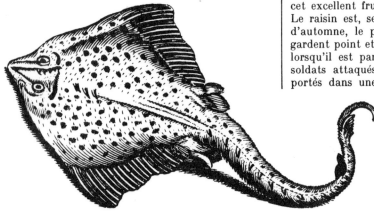

RAIFORT

On en compte deux espèces, le cultivé et le sauvage : la racine du cultivé est grosse, charnue, d'un brun noir en dehors et très-blanche en dedans; cette chair est d'une saveur tellement épicée, qu'elle en paraît âcre et brûlante. Pour que le raifort soit meilleur, on le coupe par rouelles une ou deux heures avant de le servir, on couvre chaque rouelle de sel égrugé, puis on les remet les unes sur les autres, cela leur fait jeter une eau âcre et les rend plus douces à manger.

On emploie quelquefois le raifort comme garniture autour des aloyaux rôtis et des gros poissons que l'on a cuits au bleu. On en garnit aussi des bateaux à hors-d'œuvre et on en compose un beurre assaisonné qui s'emploie dans la confection des sandwiches et des craquelins à l'écossaise. Le raifort a les mêmes inconvénients que la vraie rave, il est également venteux, il cause des rapports, même des maux de tête quand on en mange trop.

On en met aussi dans les ragoûts auxquels on veut donner un haut goût.

RAIPONCE

Plante du genre campanule que l'on cultive dans les potagers. On mange la racine et les feuilles radicales de cette plante en salade et on y adjoint ordinairement des tranches de betteraves confites au vinaigre et des montants de céleri cru.

RAISIN

Depuis Noé, qui le premier planta et fit usage de la vigne, d'innombrables variétés de raisins se sont produites. Ces variétés seraient trop longues à énumérer ici; aussi nous bornerons-nous à citer les principales, c'est-à-dire celles que l'on voit le plus ordinairement figurer sur nos tables.

Ce sont : le chasselas de Fontainebleau qui vient en première ligne, le gros Corinthe et le chasselas noir qui viennent après, et quelques muscats, tels que celui de Frontignan, le muscat hâtif du Piémont, celui de Rivesaltes, le rouge de corail, le gros muscat noir, le violet de Gascogne et le passe-musqué d'Italie. Il y a aussi le gros muscat long et violet de l'espèce de Madère, renommé pour sa beauté, son volume et sa bonté; mais le meilleur de tous les muscats est celui qu'on a surnommé de l'Enfant-Jésus, d'après la belle grappe du tableau de Mignard; malheureusement cet excellent fruit est devenu très-rare.

Le raisin est, selon Gallien, le premier de tous les fruits d'automne, le plus nourrissant de tous ceux qui ne se gardent point et celui dont le suc est le moins malfaisant, lorsqu'il est parfaitement mûr. Tissot rapporte que des soldats attaqués de dysenteries rebelles, ayant été transportés dans une vigne, se rétablirent en peu de temps

par l'usage des raisins qu'ils mangèrent en abondance. Richard Cœur-de-Lion, n'étant encore que duc de Guyenne, rassembla un jour les notables de son duché et fit rendre cet édit mémorable : « Quinconque prendra une grappe de raisin dans la vigne d'autrui payera *cinq sous* ou *perdra une oreille*. » Cet édit nous apprend qu'on estimait fort peu, en 1175, époque à laquelle fut rendu cet édit, une oreille de Gascon puisqu'elle ne valait que cinq sous. Elles ont considérablement renchéri depuis, et il n'y a pas aujourd'hui un seul Gascon, si petit qu'il soit, qui n'estime ses oreilles bien plus que toutes les vignes du monde, quoique aimant bien le raisin.

On croit généralement aussi que ce fut un grain de raisin qu'il ne put avaler qui causa la mort du joyeux chantre des festins, Anacréon, environ 437 ans avant Jésus-Christ. Il dut être content cependant, car on dit qu'il mourut à la suite d'un bon repas.

On a remarqué que certains gibiers, tels que le petit renard, le lièvre et quelques petits oiseaux, engraissaient considérablement en automne, et que leur chair devenait alors tendre, délicate et bonne à manger, mais, dès que les vendanges étaient faites, ils maigrissaient complètement et leur chair perdait le bon goût que lui avait donné le raisin.

Le séchage des raisins en les dépouillant de la plus grande partie de leur phlegme et en corrigeant l'acide qu'ils contiennent les rend plus nourrissants et leur donne en même temps une qualité adoucissante, très-propre pour remédier aux âcretés de l'estomac et pour amollir le ventre; aussi ceux qui ont l'estomac faible se trouvent-ils bien de mâcher, après le repas, deux ou trois grains de raisin sec avec les pépins; cela contribue beaucoup à la coction des aliments.

On fait sécher les raisins au soleil ou au four; par le premier procédé, ils conservent une grande douceur, tandis que le second leur communique une certaine âcreté; les grands raisins secs dits de *Damas* proviennent de vignes à gros grains ou à grains gros et oblongs, et sont désignés suivant leur lieu de provenance : raisins secs de France, de Calabre, d'Espagne ou du Levant. Parmi les raisins d'Espagne, on distingue les raisins muscats, les raisins au soleil (séchés sur cep au soleil), les raisins fleuris, les raisins Malaga et les raisins Lexias. Les meilleurs raisins secs de France proviennent du Languedoc et de la Provence, ce sont les *jubis*, les *pcards*, etc. En fait de raisins secs d'Italie, on vante ceux de la Calabre à cause de leur belle chair et de leur goût délicat; ils viennent en masse dans le commerce attachés à des fils.

Les raisins secs à petits grains, dits *raisins de Corinthe*, proviennent d'une variété de vigne croissant surtout aux îles Ioniennes et en Grèce. La liqueur vineuse qu'on fabrique avec des raisins secs et du vin qu'on fait fermenter ensemble, déjà connue des anciens sous le nom de *vinum passum*, était une des boissons favorites des Romains.

RAISINÉ

Confiture de raisins doux qu'on fait cuire et réduire en y ajoutant des poires ou des coings et dont l'enfance est très-friande. On en fait aussi avec du cidre et du poiré dans les pays où on ne récolte pas de raisins; c'est une substance très-salutaire, qui a l'avantage d'offrir des ressources à la classe la moins aisée du peuple, puisqu'il ne faut point ou peu de sucre pour la préparer.

Le meilleur raisiné est celui de Bourgogne; on le fait avec du vin doux que l'on fait bouillir doucement dans une chaudière, en l'écumant et le remuant de temps en temps avec une spatule pour qu'il ne s'attache pas. Ajoutez peu à peu des morceaux de poires émincées, de Messire-Jean, de virgouleux ou de Rousselet. Puis, lorsque tout l'appareil se trouve réduit au tiers de la chaudière, on tamise la confiture et on l'empote.

RALE

Il existe deux variétés de cet oiseau de passage, le râle de genêt et le râle d'eau, ou, autrement dit, le râle rouge et le râle noir. Les chasseurs l'appelaient autrefois le *roi des cailles*, parce qu'arrivant avec elles au mois de mai et repartant en septembre, on le supposait leur conducteur. Le râle est un oiseau de la grosseur du pigeon, ayant le cou et le bec longs; celui de genêt est un peu plus gros que le râle d'eau; il se nourrit de semences de genêts, d'où lui vient son nom, et l'on n'a pas besoin d'ajouter que c'est un de nos plus excellents gibiers.

On le sert rôti, entouré de feuilles de vigne et enveloppé dans une grande feuille de papier beurré, sans lardons ni bardes de lard, attendu que cet oiseau se trouve pourvu d'une graisse abondante. Il suffit seulement d'une demi-heure de cuisson pour qu'il soit cuit à point.

La chair du râle d'eau est moins savoureuse et par conséquent moins estimée que celle du râle de genêt. Il reçoit les mêmes préparations que les autres oiseaux aquatiques. (V. Vanneau, Pluvier.)

RAMBOURS

Pomme de belle apparence et de médiocre saveur. Elle est originaire de Rambures, en Picardie. On ne l'emploie pas en cuisine à cause de son peu de saveur. Elle ne sert qu'à figurer dans les corbeilles de fruits.

RAMEQUIN
(V. Pâtisserie)

RAMEREAUX

RAMEREAUX EN MARINADE. Videz et flambez trois ramereaux, coupez-les en deux ou en quatre, faites-les cuire dans une légère marinade; un peu avant de servir, égouttez-les sur un linge blanc, faites-les frire après les avoir trempés dans une pâte à frire; qu'ils soient d'une belle couleur, et servez-les comme les autres marinades.

RAMEREAUX A L'ÉTOUFFADE. Videz et flambez trois ramereaux, préparez des moyens lardons, assaisonnez-les de sel, de poivre, de persil et ciboules hachés, d'épices fines et d'aromates pilés et passés au tamis; il faut que le basilic domine un peu; lardez vos ramereaux, marquez-les dans une casserole, comme il est énoncé à l'article précédent; faites-les cuire; leur cuisson achevée, dressez-les sur votre plat; tamisez le fond, saucez-les, et servez-les.

DES TOURTEREAUX. Les tourtereaux sont d'une chair sèche, mais d'un meilleur goût que les pigeons de volière. Mettez-les à la broche.

RAMIER
(V. Pigeon)

RATAFIA
(V. Liqueurs)

RATONNET DE MOUTON

Coupez des noix de mouton par tranches, aplatissez-les, assaisonnez-les de sel, de poivre, fines herbes, fines épices,

Le ramier.

persil, ciboules, une pointe d'ail, un verre d'huile, un jus de citron; laissez-les mariner deux heures, couvrez ces noix d'une farce de volaille, roulez-les, embrochez-les dans un hâtelet, mettez une barde de lard de chaque côté pour empêcher la farce de s'échapper; attachez-les à une broche, et arrosez-les en cuisant avec leur marinade mêlée avec un verre de vin blanc; quand elles sont cuites, dressez-les sur un plat, mettez dans le dégout avec lequel vous les avez arrosées un peu de jus et de coulis. Dégraissez-le, servez dessus vos ratons, ou servez-les avec une sauce à l'italienne.

On peut aussi les piquer de lard et les faire cuire de même ou comme des fricandeaux et tirer leur glace pour mettre dessus.

On fait de même les ratons de veau et de bœuf après en avoir mortifié les viandes.

RAVE
(V. Radis et Raifort)

RAVIGOTE

Nom donné à une sauce piquante faite avec du cerfeuil et de l'estragon hachés; on y aoujte de la pimprenelle, de la ciboule, du sel, du poivre et des quatre épices; on fait chauffer le tout dans une casserole de terre avec du blond de veau, du vinaigre, du beurre frais que l'on mélange ensemble afin de bien lier le tout.

RAVIGOTE A L'HUILE. Vous hachez les herbes comme il est indiqué ci-dessus; puis vous les mettez avec de l'huile, du vinaigre, du sel, du gros poivre, dans du bouillon froid. Remuez longtemps cette sauce afin de la bien lier.

VERT DE RAVIGOTE. Vous prenez une égale quantité de cerfeuil, de pimprenelle et d'estragon, un peu de ciboulette, de persil, de cresson alénois et de cresson de santé; vous faites blanchir le tout sur un feu très-ardent, puis vous faites rafraîchir ces herbes à grande eau, les pressez et les pilez dans un mortier, en y ajoutant un peu de sauce allemande froide; quand le tout formera une espèce de pâte, vous le passerez dans un tamis en le pressant avec une cuiller de bois.

Vous vous servez de ce vert de ravigote pour mettre dans les liaisons, les sauces et les ragoûts.

REINE-CLAUDE

Excellente prune que l'on cueille au mois d'août. (*V. Prunes Compotes, Confitures, Marmelade, Tourtes, Glaces et fruits à l'eau-de-vie.*)

REINETTE

La pomme reinette possède trois variétés : la blanche ou reinette de France qui est la meilleure espèce de pommes à cuire, dont la pulpe est très-sucrée et qui est imprégnée d'un acide qui en relève beaucoup la saveur; la reinette grise qui vient après, et enfin la reinette d'Angleterre ou du Canada.

C'est avec la reinette qu'on fait la gelée de pommes à la manière de Rouen. (*V. Gelées, Pâtisseries, Charlottes.*)

RÉMOULADE

Sauce composée d'anchois, de câpres, de persil et ciboules hachés à part, le tout passé avec du bon jus, une goutte d'huile, une gousse d'ail et assaisonnement ordinaire.

RÉMOULADE A LA PROVENÇALE. Hachez du persil, deux échalotes, un peu d'oignon, pressez-les ensuite dans un linge pour en extraire les parties aqueuses, hachez aussi des cornichons, des câpres et un anchois, pilez parfaitement le tout dans un mortier avec quatre jaunes d'œufs durcis, un peu de persil blanchi, de l'ail et ajoutez-y un jaune d'œuf cru quand tout est pilé; versez presque goutte à goutte dans le mortier la valeur d'un bon verre

d'huile, assaisonnez de sel, poivre, moutarde, une cuillerée à bouche de bon vinaigre à l'estragon, un jus de citron, et mêlez bien le tout ensemble.

REQUIN

CROUSTADE DE SQUALLES DE L'ESTOMAC DE JEUNES REQUINS. Ayez quinze estomacs de jeunes requins, mettez-les tremper vingt-quatre heures, égouttez-les, puis faites-les blanchir vingt minutes dans une eau légèrement salée; égouttez-les encore et passez-les à l'eau fraîche, épongez-les ensuite avec une serviette.

Foncez ensuite une casserole de bardes de lard et mettez-y vos squalles; ajoutez-y une feuille de laurier des Indes, 2 clous de girofle, 3 tranches de citron auxquelles vous aurez enlevé la peau et les pépins; mouillez d'une cuillerée à pot de bon consommé de volaille, 3 onces de beurre, et faites cuire le tout à petit feu jusqu'à entière cuisson.

Au moment de servir, faites une sauce avec une grande cuillerée à pot de suprême, une cuillerée à bouche de Soubise, deux fortes pincées de kari indien et faites en sorte que votre sauce réduite ne soit pas trop pâteuse.

Faites ensuite égoutter vos squalles, passez-les dans votre sauce et dressez-les dans votre croustade.

Pour les personnes qui aiment le requin ou qui auraient la fantaisie d'en manger, nous conseillons cette recette qui nous est donnée par M. Duglerez, chef de la bouche de la maison Rothschild, à qui nous devons déjà plusieurs recettes de ce genre, mais nous déclarons à l'avance que nous ne pouvons donner notre avis sur ce mets, n'en ayant jamais mangé et n'en ayant pas l'envie.

La chair du requin est dure, coriace, maigre, gluante et difficile à digérer, ce qui n'empêche pas les Norvégiens et les Islandais de la faire dessécher et de la faire cuire ensuite pour la manger. Nous leur recommandons la recette ci-dessus.

Sa graisse a la qualité singulière de se conserver longtemps et de durcir en séchant comme le lard de cochon; aussi les peuples susnommés s'en servent au lieu de lard et la mangent avec leur *stockfish*.

RIBLETTE

Ragoût qu'on prépare sur le gril d'une tranche déliée de viande de bœuf ou de veau, ou de porc, qu'on sale et qu'on épice. On apprête les riblettes comme les côtelettes.

RISSOLE

Sorte de pâtisserie faite de viande hachée et épicée, enveloppée dans de la pâte et frite dans du saindoux. On fait d'abord de petites abaisses en forme de petite pâte ovale, on les remplit d'un godiveau fait de blanc de chapon, moelle de bœuf, sel et poivre, le tout bien haché, puis, les rissoles faites, on les confit dans le saindoux.

RISSOLES EN GRAS. Faites une farce avec un blanc de chapon ou un morceau de veau blanchi sur le gril, du persil, ciboules, un champignon, un peu de jambon cuit, de la mie de pain trempée dans de la crème, liez avec deux jaunes d'œufs crus, pilez ensuite le tout dans un mortier, puis faites une abaisse de feuilletage très-mince, coupez-la en petits morceaux sur lesquels vous mettez un peu de votre farce, couvrez de même pâte, soudez les deux abaisses, parez vos rissoles tout autour, faites frire dans du saindoux bien chaud, et servez pour hors-d'œuvre ou pour garniture.

RISSOLES EN MAIGRE. Vous opérez de la même façon qu'il est indiqué ci-dessus; vous faites seulement une farce maigre au lieu d'une farce grasse et vous faites frire.

RISSOLES DE TÉTINE DE VEAU. Prenez des tétines de veau blanchies, coupez-les entières, mettez entre deux morceaux un peu de farce, soudez avec des œufs et faites frire trempées dans une pâte légère.

RISSOLES A LA MOELLE GLACÉES. Prenez un peu de crème pâtissière avec un quart de moelle et de la fleur d'orange; grillez du sucre, un peu de crème, trois ou quatre biscuits d'amandes amères, pilez bien le tout, formez vos rissoles comme il est dit plus haut, faites-les frire, glacez, et servez chaud pour entremets.

RISSOLES DE CHOCOLAT. Faites une pâte brisée bien fine ou de feuilletage, étendez-la bien mince et formez vos rissoles; faites une crème pâtissière délicate, râpez-y du chocolat assez pour qu'elle en prenne le goût, laissez-la refroidir, formez vos rissoles, peu de pâte, beaucoup de crème, faites frire, glacez à la pelle rouge ou dans le four, et servez chaud.

On fait des rissoles de café, de safran, de crème, de riz, d'amandes, pistaches avelines et toutes sortes de fruits.

RISSOLES D'ÉPINARDS. Épluchez bien vos épinards, lavez-les à plusieurs eaux, faites cuire ensuite dans une casserole avec un verre d'eau; égouttez-les, pressez-les, pilez-les dans un mortier avec un morceau de beurre frais, de l'écorce de citron vert, quelques biscuits d'amandes amères, un peu de sucre et d'eau de fleur d'oranger, formez ensuite vos rissoles comme on l'a déjà dit, faites frire de belle couleur dans une friture maigre; quand elles sont frites et dressées sur un plat, sucrez-les, glacez-les à la pelle rouge et servez pour entremets.

RISSOLES DE MARMELADE D'ABRICOTS. Vous faites une pâte brisée avec un litre de farine fine, un quart de beurre, une cuillerée d'eau de fleur d'oranger, un peu de citron râpé très-fin, une pincée de sel, un peu d'eau, formez-en de petites abaisses, mettez dessus de petits tas de marmelade d'abricots, finissez à l'ordinaire, et servez, glacées avec du sucre à la pelle rouge.

RISSOLES DE CHAMPIGNONS ET MOUSSERONS. Coupez en dés les champignons et les mousserons, passez-les sur le feu avec un morceau de beurre, un bouquet, une tranche de jambon, mettez-y une pincée de farine, mouillez avec un peu de réduction, deux cuillerées de coulis, un peu de bouillon et sel, faites cuire ce ragoût, dégraissez-le, puis, quand il est cuit, liez la sauce, mettez-y un jus de citron et laissez refroidir. Faites une pâte brisée, mettez de petits tas de votre ragoût sur les abaisses, finissez comme on l'a dit, et servez de même.

RISSOLER

Action de cuire les viandes ou autres mets jusqu'à leur donner une couleur rousse.

Le rôti, pour être beau et bien cuit, doit être rissolé. On dit aussi d'un pain cuit de belle couleur qu'il est rissolé.

RISSOLETTES

Elles se font avec toutes sortes de viandes cuites hachées menu, avec un peu de graisse de bœuf ou de veau, du lard, sel, poivre, persil, ciboules, échalotes, trois jaunes d'œufs; dressez de cette farce sur de petites rôties de pain, et servez chaud pour hors-d'œuvre.

RIZ

Originaire de l'Orient, le riz est après le pain la nourriture la plus saine, la plus abondante et la plus universellement connue. Les peuples de l'Asie, de l'Afrique et de l'Amérique en font une consommation considérable et s'en trouvent fort bien; dans beaucoup de pays de l'Europe, le riz est aussi fort en usage. On fait encore dans certains pays un vin de riz d'une couleur blanche ambrée et d'un goût aussi agréable que le vin d'Espagne : cette boisson enivrante est très en usage à la Chine, où le riz est la base de la nourriture des habitants.

Le riz que nous consommons en France nous vient de l'Italie, du Piémont et de la Caroline.

RIZ SOUFFLÉ. Préparez une once ou deux de riz, faites-le crever dans du lait avec un peu de zeste de citron, du sel et un peu de beurre, mouillez-le petit à petit pour qu'il se maintienne ferme, ajoutez-y deux cuillerées de sucre en poudre; votre riz crevé et réduit, mettez-y des jaunes d'œufs les uns après les autres, faites-les prendre sans les laisser trop cuire, fouettez les blancs que vous mêlerez avec votre appareil, dressez votre soufflé sur un plat, mettez-le au four ou sous un four de campagne, glacez-le de sucre en poudre lorsqu'il commencera à prendre couleur, laissez-le s'achever de se cuire et de se glacer, et servez-le. Mettez le soufflé dans un bol d'argent, cernez-le autour avec un couteau afin de lui laisser l'aisance de monter, glacez et servez.

GATEAU DE RIZ A LA BOURGEOISE. Lavez et faites blanchir 250 grammes de riz, faites-le crever dans un peu de lait que vous aurez fait bouillir avec le zeste d'un citron, mouillez ce riz petit à petit et maintenez-le ferme, laissez-le ensuite refroidir, incorporez-y une douzaine de macarons, dont six amers, une pincée de sel fin, 125 gr. de sucre, quatre œufs entiers et les jaunes de quatre autres dont vous conserverez les blancs. Beurrez une casserole, égouttez-la, saupoudrez-la de mie de pain, fouettez vos quatre blancs d'œufs, incorporez-les légèrement dans le riz, versez-le dans une casserole qui devra vous servir de moule, mettez-le au four une demi-heure ou trois quarts d'heure avant de servir, dressez-le, sa cuisson achevée, et servez-le de suite; les macarons en poudre.

Les gâteaux de vermicelle ou de semoule se font de la même manière, excepté que vous ne faites pas crever ces pâtes.

Vous pouvez masquer votre gâteau ou servir à proximité de cet entremets une sauce composée de la manière suivante :

Mettez dans une casserole la moitié d'une cuillerée à bouche de fleur de farine délayée avec de la crème, une cuillerée à café d'eau de fleur d'oranger, un peu de sel, une cuillerée à bouche de sucre fin et un peu de beurre, mettez cet appareil sur le feu, faites-le cuire en le tournant, puis masquez-en votre gâteau en le tirant du four.

RIZ AU LAIT D'AMANDES. Nettoyez votre riz et mettez-le dans une casserole avec un peu d'eau, ajoutez un grain de sel, un peu de zeste de citron, deux feuilles de laurier amande, et faites cuire à petit feu; pilez ensuite 250 grammes d'amandes que vous humectez en pilant avec une cuillerée d'eau afin qu'elles ne tournent pas en huile; lorsqu'elles sont bien pilées, vous les passez dans une serviette, en pressant fortement; mettez du sucre dans votre riz, mouillez-le avec ce lait d'amandes et achevez de le faire cuire à petit feu.

Otez, avant de servir, le citron et le laurier.

RIZ AUX POMMES A LA BONNE FEMME. Préparez du riz comme pour un gâteau, en employant des œufs entiers battus, beurrez une casserole et mettez deux doigts de ce riz au fond de cette casserole et autant autour, remplissez l'intérieur avec des quartiers de pommes en compote. Couvrez avec du riz et faites cuire comme le gâteau.

TURBAN DE POMMES AU RIZ. Garnissez de 250 grammes de riz cuit un moule légèrement beurré; placez dans l'intérieur six pommes coupées par quartier et cuites au sirop, renversez ensuite le moule sur le plat d'entremets, enlevez-les, placez à l'entour, et un peu inclinés, les quartiers de pommes cuites blanches et ornez-les avec des grains de raisin de Corinthe. Vous placez à l'entour du haut du riz et droites de petites bandes rondes de riz que vous aurez teintées d'un beau rose ou vert-pistache très-tendre, ou si vous préférez vous placez tout simplement des filets d'angélique; servez votre entremets après avoir versé autour le sirop de pommes.

Chose extraordinaire, j'en ai mangé sur les bords du Volga.

CORBEILLE DE RIZ GARNIE DE PETITS FRUITS. Vous dressez votre riz sur le plat en forme de corbeille après l'avoir préparé comme il est indiqué ci-dessus, vous ornez cette corbeille d'une mosaïque de petits filets d'angélique, puis vous garnissez le tour du pied de petites colonnes de pommes, vous groupez dans la corbeille de petits fruits disposés avec douze pommes de reinette bien saines de manière à imiter des poires, des abricots, des figues et des petites pommes d'api; vous colorez les figues après la cuisson avec un peu de vert, mais pas d'essence d'épinards, les abricots avec une petite infusion de safran et les pommes d'api avec un peu de carmin; puis vous placez dans les fruits, pour imiter des grappes de raisin, de petites parties de riz dans lesquelles vous fichez de moyens grains de muscat; pour former une grappe de ce fruit, vous en groupez une autre de raisins de Corinthe et vous placez enfin, entre tous ces fruits, des feuilles de biscuit aux pistaches, d'angélique en losange ou de riz teint d'un vert tendre.

RIZ EN TIMBALE GLACÉE. Vous foncez légèrement de pâte fine un moule d'entremets, ensuite vous masquez la pâte avec les trois quarts de riz; versez dans le milieu huit pommes de reinette coupées par quartier que vous aurez fait cuire avec deux onces de sucre, deux de beurre d'Isigny et deux cuillerées de marmelade d'abricots. Couvrez le tout du reste de riz et d'une abaisse de pâte; mettez ensuite la timbale au four doux, faites-lui prendre couleur blonde, renversez-la sur le plat, enlevez le moule, glacez la surface avec de la marmelade d'abricots transparente et servez.

RIZ EN CROUSTADE ET MERINGUÉ. Dressez et décorez une croustade de pâte fine, cuisez-la de belle couleur, préparez six onces de riz et huit belles pommes tournées et cuites très-blanches. Dégarnissez la croustade de la farine que vous y avez mise pour cuire, versez-y la moitié du riz que vous élargissez et placez dessus les pommes que vous aurez garnies intérieurement d'abricots. Couvrez-les avec le reste du riz que vous unissez, puis mettez l'entremets au four doux; fouettez deux blancs d'œufs, mêlez-les avec deux cuillerées de sucre en poudre, formez-en une grosse meringue, saupoudrez-la de sucre fin et placez-la sur un bout de planche; mettez-la au four, donnez-lui belle couleur, retirez l'entremets que vous masquez avec le sirop, glacez la croûte de votre croustade et servez de suite. Cette préparation faisait les délices d'Alice Ozy, à Saint-Germain.

RIZ A LA TURQUE. Lavez et blanchissez 248 grammes de riz Caroline, faites-le cuire un peu ferme avec quatre verres de lait, un quart de sucre sur lequel vous aurez râpé le zeste d'un citron, un quart de beurre d'Isigny, six onces de raisin de Corinthe bien lavé et un grain de sel; vous ôtez le riz du feu quand il est crevé, vous y mêlez huit jaunes d'œufs, vous le versez dans une casserole d'argent ou dans une croustade et le mettez au four doux pendant vingt minutes. Vous le saupoudrez ensuite de sucre fondu au fer à glacer pour donner à la surface du riz une belle couleur rougeâtre, et vous servez de suite.

RIZ A LA TURQUE (autre méthode). Choisissez 500 grammes de bon riz que vous lavez à plusieurs eaux, égouttez-le et mettez-le dans une casserole et faites-le crever avec du bon consommé; il faut le mouiller très-peu. Votre riz à moitié cuit, joignez-y un peu de safran en poudre,

un morceau de beurre fin, de la moelle de bœuf fondue et un peu de glace de volaille; maniez le tout ensemble et servez dans une soupière ou sur un plat avec du consommé clarifié.

RIZ A L'INDIENNE. Vous préparez votre riz en y joignant le tiers d'un verre de rhum et une petite infusion de safran, afin de le colorer d'un beau jaune; servez-le glacé comme il est indiqué plus haut et dans une casserole d'argent.

RIZ A LA FRANÇAISE. Lavez et blanchissez du riz et faites le cuire avec du beurre fin, du sucre en poudre et du lait; mêlez-y ensuite quelques macarons amers, un peu de fleur d'oranger, pralines en feuille, de l'écorce d'orange confite et coupée en dés, une vingtaine de cerises coupées en deux et autant de gros raisins de Muscat bien épépinés et quelques filets d'angélique confite. Finissez ce plat comme il est indiqué ci-dessus, et servez avec une sauce liée au vin d'Alicante ou de Val-de-Penas.

Riz à la grecque.

RIZ A LA RISTORI. Vous faites crever une livre de riz bien lavé. Vous râpez une demi-livre de lard, puis vous émincez un chou de Milan et vous le faites suer avec le lard, du sel, du poivre, persil, quelques graines de fenouil; quand le chou a été étouffé pendant trois quarts d'heure, vous mettez le riz dedans avec très-peu de mouillement afin qu'il soit à peine couvert, vous le laissez cuire un quart d'heure et vous le servez avec du fromage de Parmesan râpé.

RIZ A LA COCHINAT. Dépecez deux poulets, passez-les au beurre, mais ornés d'un bon bouquet garni de deux clous de girofle, de petits piments enragés bien écrasés ou pilés et d'une pincée de safran. Mouillez vos poulets avec du bouillon en y ajoutant trente oignons émincés le plus également possible, en observant d'en retirer les bouts et les cœurs, faites frire vos oignons bien blancs, égouttez-les et mettez-les cuire avec vos poulets en faisant bouillir le tout à grand feu; lavez une livre de riz, faites-le blanchir, faites-le cuire dans de l'eau de manière qu'il soit à peine crevé, servez vos poulets dans une terrine, votre riz dans une autre, ne dégraissez pas vos poulets; ayez soin que leur sauce soit un peu longue sans être liée.

RIZ AU BEURRE, AUX POMMES ET AUX RAISINS DE CORINTHE. Faites cuire 360 grammes de riz comme il est indiqué, joignez-y du raisin de Corinthe parfaitement lavé, tournez ensuite douze pommes d'api que vous coupez par quartier et que vous faites cuire avec du beurre fin, du sucre en poudre et de la marmelade d'abricots.

Vous beurrez ensuite légèrement un moule à cylindre et vous le garnissez avec le riz que vous renversez aussitôt sur un plat; vous glacez ce riz de marmelade d'abricots, vous versez dans le cylindre les quartiers de pommes tout bouillants et vous servez de suite.

GATEAU DE RIZ AU CARAMEL. Vous préparez le riz de la manière accoutumée, mais vous faites cuire le sucre au caramel et y mêlez une cuillerée de fleur d'oranger pralinée. Lorsqu'il est froid, vous le faites dissoudre avec un demi-verre d'eau bouillante et le versez ensuite dans le riz que vous moulez comme le précédent; puis, après l'avoir renversé sur son plat, vous le glacez de sucre en poudre que vous faites fondre en posant dessus le fer à glacer, ce qui donne une couleur brillante au gâteau que vous servez le plus promptement possible.

On peut, au lieu de glacer ce gâteau, le masquer de marmelade d'abricots et semer par-dessus des macarons amers pulvérisés.

Tous ces gâteaux sont de fort jolis entremets.

RIZ A LA CHANCELIÈRE. (Recette de la présidente Fouquet.) Mettez dans une grande huguenote de terre, qui doit être plus haute que large, une demi-livre de riz bien lavé à six eaux tièdes, une demi-livre de sucre en poudre, un quarteron de beurre tout frais, trois cuillerées de miel blanc, une petite cuillerée de fine poudre de cannelle et puis enfin deux pintes de lait très-nouveau; enfournez la huguenote en mettant le pain au four et laissez-y cuire le riz jusqu'à l'heure où on défournera le gros pain de douze livres. Notez bien qu'il faut que le haut du vase soit assez vide et longuement exhaussé pour que le lait, en bouillant par la grande chaleur du four, ne puisse sortir de la huguenote et se trouve obligé de retomber toujours sur le riz. Madame la chancelière de Pontchartrain a vécu longtemps de cette nourriture agréable aussi bien que légère et très-salubre aux inflammations de poitrine et d'estomac.

Riz à l'infante.

ROAST-BEEF ou ROSBIF
(V. Bœuf)

ROBINE

Nom d'une excellente poire connue aussi sous les noms d'*averat*, de *muscat d'août* et de *royale*.

ROCAMBOLE (échalote d'Espagne)

Espèce d'ail qui croît naturellement dans les contrées méridionales de l'Europe. On la rencontre aussi en Allemagne, en Hongrie, en Danemark. Les bulbes sont employées dans la cuisine comme assaisonnement, elles sont plus douces que celles de l'ail commun; on sert aussi sur la table, pour être mangées crues, les petites bulbes qui se trouvent parmi les fleurs.

La rocambole de France ayant presque toujours un goût de verdeur et d'âcreté très-prononcé, il faut avoir bien soin de la faire blanchir avant de s'en servir.

ROGNON

C'est sous ce nom que l'art culinaire s'est emparé des reins des animaux; la saveur urineuse qui les caractérise est ce que recherchent les amateurs de cette sorte de mets.

La chair des rognons a cela de particulier qu'elle ne s'attendrit jamais par la cuisson; ils sont ordinairement d'une substance molle et compacte qui les rend difficiles à digérer et produit des obstructions; il y a cependant quelques jeunes animaux dont les reins sont assez tendres et d'un bon goût, tels que ceux des agneaux, des veaux, des cochons de lait et de quelques autres.

Les rognons de bœuf étant toujours un peu pierreux et la substance étant pourvue d'une saveur trop forte, nous ne conseillons pas à nos lecteurs d'en abuser.

ROGNONS DE MOUTON AUX MOUSQUETAIRES. Prenez des rognons, ôtez-en la graisse fendez-les en deux, embrochez-les à des brochettes, assaisonnez-les de sel, poivre, un peu d'échalotes hachées bien menu. Frottez une casserole de beurre, lard ou graisse, arrangez-y vos rognons, mettez-les un instant sur le feu ou sur des cendres chaudes, feu dessus et dessous, laissez-les seulement un instant, cela suffit pour leur cuisson, dressez-les dans un plat, mettez un peu d'eau dans la casserole où ils ont cuit, un peu de mie de pain, sel, poivre, une pointe de vinaigre, jetez vos rognons dessus, et servez pour hors-d'œuvre.

ROGNONS DE MOUTON A LA BROCHETTE HONORIFIQUE. Mouillez une douzaine de rognons de mouton, fendez-les légèrement à l'opposé du nerf, ôtez les peaux qui les enveloppent et achevez de les fendre sans les séparer; passez au travers, de quatre en quatre, une brochette de bois en sorte qu'ils ne puissent se refermer, trempez-les dans du beurre fondu, panez-les, faites-les griller en les

retournant à propos; quand ils sont cuits, retirez les brochettes, dressez-les sur un plat, mettez dans chacun un peu de maître-d'hôtel froide, faites chauffer votre plat et exprimez dessus le jus d'un citron.

ROGNONS DE MOUTON AU VIN DE CHAMPAGNE. Supprimez la graisse et les fibres d'une douzaine de rognons de mouton et émincez-les, mettez du beurre dans une casserole, ajoutez-y vos rognons assaisonnés de sel, poivre, muscade, persil haché et champignons, faites sauter à grand feu, puis, lorsqu'ils sont roidis, vous y mettez un peu de farine et d'Aï bouilli avec deux cuillerées d'espagnole réduite, remuez sur le feu sans laisser bouillir, et au moment de servir, joignez-y un peu de beurre fin et un jus de citron, et servez avec des croûtons.

ROGNONS DE MOUTON GLACÉS. Piquez-les d'un lard très-fin sans ôter la peau, enfilez-les dans des brochettes et attachez-les à la broche avec un papier beurré sur l'endroit qui n'est pas piqué, et, quand ils sont cuits à propos, servez avec une sauce à l'espagnole ou toute autre.

ROGNONS DE MOUTON SUR LE GRIL. Ouvrez les rognons par le milieu, passez au travers une petite brochette, assaisonnez-les de sel, poivre, et faites griller; quand ils sont cuits, servez-les avec une sauce à l'échalote. Tous les rognons de mouton sont bons à toutes sauces, pourvu qu'ils soient saignants.

ROGNONS MARINÉS. Prenez des rognons de mouton et fendez-les en deux sans les séparer, faites-les mariner avec un peu d'huile, persil, ciboule, une pointe d'ail, le tout haché très-fin; ajoutez thym, laurier, basilic en poudre, sel, fines épices. Quand ils auront pris goût dans la marinade, vous les passez comme les autres dans des petits hâtelets, les trempez dans leur marinade, les panez de mie de pain, vous les faites griller en les arrosant de temps en temps avec leur marinade, et vous les servez avec une sauce à l'échalote dessous.

ROGNONS DE MOUTON EN RAGOUT. Faites blanchir les rognons, ôtez-en la petite peau, piquez-les de gros lard, passez-les à la poêle avec bon beurre, persil, ciboules; empotez-les après avec bon bouillon, sel, poivre, clous, champignons, morilles, palais de bœuf, marrons, un bouquet de fines herbes et un coulis de bœuf, et servez pour entremets.

ROGNONS DE MOUTON AUX CONCOMBRES. Faites cuire vos rognons dans des bardes de lard, laissez-les refroidir, émincez-les et mettez-les dans un ragoût de concombres au roux ou à la béchamel.

ROGNONS DE MOUTON SAUTÉS. Fendez douze rognons pelés et servez cru. Nous devons à l'obligeance de notre ami Nadar cette recette primitive.
Cependant, si vous le préférez, posez-les sur un sautoir avec beurre fondu, sel et poivre; faites aller à grand feu. Quand ils sont roidis d'un côté, retournez-les et faites-les cuire de l'autre; retirez-les, dressez-les sur un plat avec autant de croûtons de pain passés au beurre. Mettez dans votre sautoir un morceau de graisse, deux cuillerées d'espagole réduite, faites bouillir votre sauce, finissez-la avec du beurre fin et un jus de citron, saucez vos rognons, et servez.

ROGNONS DE BŒUF A L'OIGNON. Passez des tranches d'oignon dans une casserole avec un morceau de beurre; lorsqu'il est à moitié passé, mettez-y votre rognon de bœuf coupé très-mince, assaisonnez de sel et poivre, ne mouillez qu'avec le jus que cela rendra, ajoutez un filet de vinaigre et de la moutarde, et servez pour hors-d'œuvre.

ROGNONS DE BŒUF A LA POÊLE. Passez votre rognon bien émincé dans une poêle avec persil, ciboule, échalote, sel et poivre. Otez les rognons lorsqu'ils sont cuits, mettez dans la sauce un verre de vin et un peu d'eau, liez avec trois jaunes d'œufs et servez pour hors-d'œuvre.

ROGNONS DE VEAU SAUTÉS. Émincez des rognons de veau dont vous aurez ôté les peaux et la graisse. Mettez-les sur un plat à sauter avec du beurre, sel, poivre, muscade, échalote et persil hachés et champignons cuits; faites-les sauter sur un feu très-ardent. Ajoutez un peu de farine, du vin blanc, quelques cuillerées de sauce espagnole réduite, puis, au moment de servir, mettez dans les rognons un peu de beurre bien frais et un jus de citron.
Si vous faites cuire vos rognons de veau à la broche ou au four, vous leur laisserez leur graisse.
Les rognons d'agneau et les rognons de coq reçoivent aussi des préparations que nous avons indiquées à leur article.

ROQUEFORT (Fromage de)

Fromage qui se fabrique à Roquefort-en-Rouergue, dans l'Aveyron.
Ce fromage est composé d'un mélange de lait de chèvre et de brebis, chauffé et mis en présure et en forme; on entoure ensuite chaque petite masse de sangles pour les empêcher de se fendre, et on le dessèche dans des caves où règne un courant d'air très-vif, puis on le sale en le couvrant d'une couche de sel et en en empilant plusieurs les uns sur les

autres, au bout de trois ou quatre jours de salaison ; on les laisse s'affiner en ayant soin de les gratter et nettoyer toutes les fois qu'ils montrent un duvet plus ou moins coloré ; dès que ce duvet est rouge et blanc, ces fromages sont bons à manger : c'est habituellement au bout de trois à quatre mois de cave.

Nous recommandons le fromage de Roquefort, qui passe avec raison pour le meilleur de tous nos fromages secs.

ROSSIGNOL

Le rossignol a beau nous charmer par son chant mélodieux, cela n'empêche pas nos cruels chasseurs de le tuer pour sa chair, qui ne le cède en délicatesse qu'au becfigue. On rapporte que Lucullus, dans un repas somptueux, fit servir plusieurs plats composés d'une très-grande quantité de cervelles de rossignols : mets exquis s'il en fut.

ROSSOLIS

Liqueur agréable qu'on buvait ordinairement à la fin des repas au siècle dernier. En voici la recette :

Mettez dans une bouteille de verre une pinte d'esprit-de-vin ou de bonne eau-de-vie avec douze clous de girofle, trois brins de poivre long, un peu d'anis vert et de coriandre cassée. Laissez tremper le tout environ deux heures et passez-le dans un linge ; faites cuire du sucre à soufflé, retirez-le du feu, mettez-y votre esprit-de-vin, remuez-le bien avec une cuiller, passez-le ensuite dans une chausse, mettez au fond de cette chausse une douzaine d'amandes douces et non pilées. Si vous le voulez meilleur, pilez dans un mortier un grain de musc et deux grains d'ambre avec un peu de sucre en poudre. Mettez le tout dans un peu de coton ou dans de l'étoupe, arrachez-le à la pointe de la chausse, et passez votre liqueur deux ou trois fois.

ROSSOLIS OU LIQUEUR PARFUMÉE'. Faites bouillir deux pintes d'eau et deux livres de sucre jusqu'à diminu-

tion d'un quart, versez-y ensuite deux cuillerées d'eau de fleur d'oranger, faites bouillir encore un peu, jetez-y un blanc d'œuf fouetté avec la coquille rompue, remuez bien ce blanc d'œuf dans votre liqueur, ôtez-la du feu quand elle commence à bouillir, passez-la plusieurs fois dans la chausse, clarifiez-la, versez-y de bonne eau-de-vie à discrétion, suivant la force que vous voulez lui donner, versez-y enfin de l'essence d'ambre ou d'hypocras, plus ou moins, suivant votre goût.

ROTI

Viande cuite à la broche et au four. Le rôti, dans les repas réglés, se sert au second service. Le gros rôti est la grosse viande rôtie, telle que bœuf, veau, gigot de mouton, etc.; le petit rôti est la volaille, le gibier et les petits pieds.

Quelques personnes regardent les viandes rôties comme moins saines et moins nourrissantes que celles qui sont bouillies. « Le feu, disent-ils, venant à agir d'une manière immédiate sur les viandes que l'on rôtit, en dissipe toute l'humidité qui les rendait si saines, il en dessèche les fibres et, concentrant ce qui n'a pu se dissiper du suc de ces viandes, il le fermente et l'exalte au point d'en développer tous les sels et d'en former un suc salin et spiritueux, propre à fermenter le sang et à exalter la bile.

« Les viandes bouillies, au contraire, toujours suivant ces mêmes personnes, ne reçoivent l'action du feu qu'au travers de l'eau, qui la modère et la corrige ; c'est une sorte de bain-marie ; ce n'est plus un feu sec et ardent qui brûle, c'est une chaleur douce et modérée qui cuit sans durcir et pénètre sans dessécher. Or rien ne ressemble si bien aux digestions qui se font dans le corps et n'y dispose mieux les nourritures qu'on lui prépare.

« Enfin, le rôti donne peut-être plus de vigueur parce qu'il remue davantage les esprits et qu'il affecte plus agréablement la langue, mais il fournit moins de suc nourricier, parce que l'ardeur immédiate du feu lui en a enlevé davantage. »

C'est une erreur : rien n'est plus capable, au contraire, de dépouiller la viande de son suc que l'eau. L'eau est le plus puissant dissolvant ; il vide les pores de la viande, la rend propre à se charger de toutes sortes de sels et à se remplir de ce qu'il y a soit de plus spiritueux, soit de plus huileux, soit de plus terrestre dans le corps. On dissout plus de mixtes et on tire plus de sucs par les dissolvants aqueux que par les autres. Comment donc la viande, lorsqu'elle sera longtemps dans l'eau bouillante, n'y perdrait-elle pas la meilleure partie de son suc ? Elle l'y perd si bien, que le bouillon en tire toute la gelée : c'est donc une erreur, nous le répétons, de prétendre que la viande bouillie est plus nourrissante, et si le rôti a plus de goût que le bouilli, c'est, comme a dit un savant médecin du dernier siècle, parce qu'il a encore tout son suc, au lieu que la viande bouillie a perdu une partie du sien par le moyen de l'eau. Les viandes que l'on fait rôtir ne doivent pas être saisies trop brusquement par le feu, pas plus qu'elles ne doivent languir. Les viandes noires doivent rester rouges afin de conserver tout leur jus, mais les viandes blanches exigent une cuisson plus égale, et la moindre teinte rosée doit avoir disparu. Quant à fixer une règle bien certaine à l'égard de la cuisson des viandes rôties, c'est assez difficile; car cela dépend toujours de la qualité et de la quantité des viandes que l'on fait rôtir; il y a cependant deux choses essentielles à considérer dans les procédés qu'on doit suivre pour bien faire rôtir : d'abord la manière d'établir et de conduire le feu, ensuite la qualité des viandes, qu'il faut traiter différemment suivant qu'elles sont blanches ou noires.

Nous empruntons à M. A. Goque, auteur de la *Cuisine française*, la manière de rôtir les viandes noires et les viandes blanches.

MANIÈRE DE ROTIR LES VIANDES NOIRES ET LES VIANDES BLANCHES. Les viandes noires telles que le bœuf et le mouton demandent à être vivement saisies. Il faut pour ces viandes un feu clair, principalement établi aux deux bouts de la broche. Ne hâtez pas trop cependant la cuisson, mais conduisez votre feu de manière à diminuer graduellement la chaleur. Une grosse pièce, par exemple un rôti de bœuf ou de mouton pesant trois ou quatre kilogrammes, exigera une heure ou une heure et demie de cuisson. Les signes auxquels on reconnaît que la cuisson est arrivée au point convenable sont : 1º une certaine résistance que la viande oppose au doigt qui la touche; 2º une petite fumée qui s'en échappe; 3º quelques gouttelettes de sang qu'elle commence à laisser tomber. Les viandes noires s'arrosent d'elles-mêmes, c'est-à-dire avec leur propre jus. Ne jamais les arroser. (Le contraire des viandes blanches.)

Les viandes blanches, telles que le veau, l'agneau, la dinde et les autres volailles se traitent d'une manière toute différente. Elles veulent aussi être arrosées de temps en temps de beurre, parce qu'elles ne rendent pas autant de jus que les viandes noires et qu'elles se dessécheraient facilement. On reconnaît que les viandes blanches sont arrivées à point parfait de cuisson, lorsqu'elles deviennent tendres sous le doigt qui les interroge et qu'elles laissent échapper une petite fumée. Du reste, il suffit d'avoir acquis un peu d'expérience pour savoir faire rôtir convenablement les viandes blanches; à cet égard une cuisinière, d'abord inexpérimentée, peut devenir, après quelques mois de pratique, aussi habile que le cuisinier qui a déjà vieilli dans l'exercice de sa profession. Mais il n'en est pas de même des viandes noires. Le vrai talent du rôtisseur se décèle dans la manière de bien cuire ces viandes, qui doivent conserver tout leur jus jusqu'au moment où elles paraissent sur la table et se séparer sous le tranchant du couteau en morceaux tendres et succulents.

TEMPS QU'EXIGENT LES DIVERS ROTIS. En traitant des viandes de boucherie (bœuf, mouton, veau, etc.), de la volaille et du gibier, nous avons eu l'occasion de donner quelques conseils qui s'appliquaient plus particulièrement à chacune de ces viandes, et nous avons indiqué aussi exactement que possible pour chacune d'elles le temps qu'exigeait leur cuisson, en admettant toujours qu'on se serve d'une broche et qu'on ait un feu bien soutenu. Avec l'appareil appelé cuisinière et placée devant le feu, il faut moins de temps; avec le même appareil et une coquille qui renferme le feu, il faut moins de temps encore. Dans certaines cuisines on a adopté la broche et le feu dans une coquille convenablement disposée à cet effet, c'est peut-être le meilleur système.

PIÈCES A ROTIR	TEMPS DE LA CUISSON
Pièce de bœuf de 2 kilogrammes 1/2	1 heure 1/2.
Pièce de bœuf de 5 kilogrammes	2 heures 1/2.
Pièce de veau de 2 kilogrammes	1 heure.
Pièce de mouton (gigot ou épaule) de 2 kg.	1 heure.
Pièce de mouton (gigot ou épaule) de 3 kg.	1 heure 1/2.
Pièce d'agneau, gros quartier	1 heure.
Pièce d'agneau, petit quartier	3 quarts d'heure.
Pièce de porc frais de 2 kg.	2 heures.
Cochon de lait	2 heures 1/2.
Chapon ou poularde	1 heure.
Poulet	3 quarts d'heure.
Dinde	1 heure 1/2.
Pigeon	1 demi-heure.
Canard	3 quarts d'heure.
Caneton	1 demi-heure.
Oie grasse	1 heure 1/4.
Faisan	3 quarts d'heure.
Perdreau	1 demi-heure.
Bécasse	1 demi-heure.
Alouettes bardées	20 minutes.
Chevreuil, gros quartier	3 heures.
Lièvre	1 heure 1/2.
Levraut	1 demi-heure.
Lapereau	1 demi-heure.

ROTI A L'IMPÉRATRICE. Le cochon à la troyenne, à l'intérieur duquel on fait entrer des bec-figues, des huîtres, des grives, le tout en quantité et arrosé de bon vin et de jus exquis et que le Sénat romain fut obligé de défendre par une loi somptuaire à cause de sa cherté, doit cependant céder le pas à ce planureux rôti dont la recette suit :

On ôte le noyau d'une olive, on le remplace par un filet d'anchois; le fruit ainsi bourré se met dans une mauviette, laquelle à son tour entre dans une caille que renfermera une perdrix qui devra se cacher dans les flancs d'un faisan. Le faisan disparaîtra à son tour dans le sein d'une vaste dinde, dont un cochon de lait deviendra la retraite; on fera rôtir le tout, et le tout bien rôti vous offrira pour résultat la quintessence de l'art culinaire, le chef-d'œuvre de l'art gastronomique. Ne croyez pas cependant que ce mets doive servir en entier : les gourmands ne mangent que l'olive et le filet d'anchois, et cette olive ne revient pas à moins de 500 francs.

Du Cochon Roti, vive la Peau, étant chaud.

ROTIES

Tranches de pain qu'on fait rôtir et sur lesquelles on sert différentes substances maigres ou grasses.

ROTIES DE ROGNONS DE VEAU. La longe de veau étant cuite, tirez-en le rognon, hachez-le avec sa graisse, un peu de persil, de l'écorce de citron vert, du sucre en proportion, pilez le tout dans un mortier; coupez de petites tranches de pain de la longueur de deux doigts, mettez un peu de farce sur chacune, beurrez le fond d'une tourtière et arrangez-y vos rôties. Mettez-les au four ou sous un couvercle pour leur faire prendre couleur, quand elles sont cuites, sucrez-les et glacez-les avec la pelle rouge, dressez-les proprement sur un plat et servez pour entremets ou garniture.

ROTIES A LA RICHELIEU. Faites un salpicon de ris de veau, crêtes et fonds d'artichauts coupés en dés, passez des champignons en dés, mouillez de jus, mettez-y le salpicon, faites cuire le tout avec du blond de veau, assaisonnez et liez sur la fin avec des jaunes d'œufs, peu de sauce; laissez refroidir, garnissez ensuite vos rôties, frottez-les d'œufs battus, faites frire et servez avec une sauce au blond de veau réduit.

ROTIES DE CHAPON. Faites une farce de chair de chapon, mêlez-y du sucre et de l'écorce de citron vert,

faites cuire et glacer comme les précédentes et servez de même.

ROTIES A L'ANGLAISE. Coupez en petits dés deux ris de veau blanchis avec champignons et jambon, passez-les avec un morceau de beurre et un bouquet, mouillez avec du jus et du bouillon, liez ce ragoût lorsqu'il est cuit avec du coulis, dégraissez-le, laissez réduire la sauce presque à sec, liez-le encore de trois jaunes d'œufs, mettez sur des tranches de pain coupées en rôties autant de ragoût qu'il en peut tenir, arrangez de petits œufs sur le ragoût, dressez vos rôties, unissez-les avec la lame d'un couteau trempé dans l'œuf battu, faites-les frire dans une friture bien chaude et servez à sec ou avec une essence.

ROTIES DE CONCOMBRES. Coupez des concombres en dés, faites-les mariner une heure avec sel, poivre, vinaigre, pressez-les ensuite et passez-les avec un morceau de beurre, ciboule et persil, mouillez de jus et de bouillon, faites réduire, liez le ragoût avec trois jaunes d'œufs et laissez refroidir, mettez encore deux jaunes d'œufs, étendez les concombres sur des tranches de pain, unissez-les avec un œuf battu, panez-les, faites-les frire de belle couleur et servez avec une essence.

ROTIES D'ÉPINARDS. Faites blanchir des épinards, pressez-les et passez-les au beurre, mouillez de bouillon et de coulis, faites réduire jusqu'à ce qu'ils soient à sec, tournez toujours avec une cuiller afin qu'ils ne brûlent pas, et laissez-les refroidir. Coupez des tranches de pain comme de coutume, étendez dessus les épinards, unissez-les avec de l'œuf battu, panez-les, faites-les frire de belle couleur et servez avec une bonne essence d'épinards.

AUTRES ROTIES AUX ÉPINARDS. Lavez les épinards dans plusieurs eaux, faites-les blanchir dans l'eau bouillante, et mettez-les ensuite égoutter, pressez-les bien, hachez-les ensuite. Mettez-les dans une casserole avec du raisin de Corinthe, écorce de citron confit, sucre en poudre, un peu de sel et de muscade, trois œufs entiers et cinq jaunes crus, un peu de crème; mêlez bien le tout ensemble et faites-le dessécher sur le feu; ôtez-le ensuite, ajoutez d'abord deux œufs entiers et un peu après deux autres œufs avec un peu de vin des Canaries, que vous mêlez bien ensemble; farinez le fond d'un plat, étendez la farce dessus comme une crème froide et laissez-la refroidir, coupez-la ensuite par morceaux de la longueur du doigt, faites frire ces morceaux dans du beurre fondu bien chaud; quand ils sont frits, poudrez-les de sucre fin et glacez-les à la pelle rouge; faites ensuite une sauce avec un peu de beurre, du vinaigre et du vin des Canaries, que vous jetez dessus avec un jus d'orange, et servez comme entremets.

ROTIES DE HARICOTS VERTS. Faites cuire des haricots verts avec de l'eau et du sel, passez-les avec un morceau de beurre, persil, ciboule, hachis. Mouillez-les avec du bouillon, assaisonnez de sel et poivre; liez-les avec du coulis, faites réduire la sauce, ajoutez-y trois jaunes d'œufs, faites lier sur le feu sans bouillir, laissez refroidir, ajoutez encore deux jaunes d'œufs et liez bien le tout; étendez ces haricots sur des morceaux de pain coupés en rôties, unissez-les avec de l'œuf battu, panez-les, faites-les frire de belle couleur et servez pour entremets.

ROTIES DE BÉCASSES. Hachez la chair et le dedans des bécasses avec sel et poivre, lard fondu, mêlez et pilez le tout ensemble, faites vos rôties comme à l'ordinaire, et mettez-les cuire à petit feu dans une tourtière, servez-les quand elles sont cuites avec un jus de citron. (Retirez le noyau, mais ne videz pas.)

ROTIES DE FOIES GRAS. Passez les foies gras à la poêle, hachez-les ensuite avec du lard, trois ou quatre champignons, fines herbes, sel et poivre et finissez-les comme à l'ordinaire.

ROTIES AU JAMBON. Coupez huit tranches de jambon égales, faites-les dessaler deux heures dans de l'eau. Mettez-les suer dans une casserole jusqu'à ce qu'elles commencent à s'attacher, ajoutez un peu de coulis et de jambon, faites faire quelques bouillons à cette sauce, dégraissez-la, passez-la au tamis, mettez-y un filet de vinaigre et un peu de gros poivre. Coupez des tranches de pain de la grosseur des tranches de jambon, passez-les avec un morceau de beurre; quand elles sont de belle couleur, dressez-les sur un plat, mettez les tranches de jambon dessus et arrosez avec l'essence de jambon.

ROTIES A LA MOELLE. Faites des abaisses de pâte d'amandes en forme de rôties, avec un petit rebord de l'épaisseur d'un doigt, faites-les cuire au four, couvrez-les d'un peu de crème à la moelle bien délicate, un peu de blanc d'œuf fouetté par-dessus, râpez du sucre, glacez-les et servez chaudement.

ROTIES A LA MOELLE SANS SUCRE. Mettez dans une casserole un peu de farce de volaille bien fine avec un peu de blond de veau, de petites herbes hachées, un jaune d'œuf, le tout bien manié, avec bons assaisonnements; coupez en morceaux de la moelle cuite au bouillon, garnissez des tranches de pain rôties ou frites d'un peu de farce et de morceaux de moelle, remettez un peu de farce par-dessus, panez, faites prendre couleur et servez à sec.

ROTIES EN CANAPÉ. Faites un salpicon de ris de veau, crêtes et fonds d'artichauts coupés en dés, passez des champignons en dés que vous mouillez avec du jus, mettez-y ensuite le salpicon, faites cuire le tout, mettez-y un blond de veau, liez avec des jaunes d'œufs et peu de sauce; le salpicon refroidi, garnissez-en des rôties bien minces, frottez-les d'œufs battus, faites-les frire dans du saindoux, et servez avec un blond de veau.

ROTIES D'ŒUFS. Faites bouillir un demi-setier de crème avec un morceau de sucre, du biscuit d'amandes écrasées, de la râpure de citron, mettez huit jaunes d'œufs, deux blancs, un peu de beurre manié, le tout bouilli avec de la crème, garnissez-en des tranches de pain rôties bien minces, mettez du blanc d'œuf fouetté par-dessus, glacez avec du sucre et servez.
On peut se servir de pâte d'amandes au lieu de pain.

ROTIES AU LARD. Coupez une demi-livre de petit lard en dés avec une tranche de jambon, mettez-les dans une casserole avec persil, ciboules, quatre jaunes d'œufs, du gros poivre, maniez le tout ensemble, étendez cette farce sur des tranches de pain coupées en rôties, faites-les frire, mettez du coulis peu salé dans un plat avec un filet de vinaigre, étendez vos rôties dessus et servez.

ROTIES A LA PROVENÇALE. Coupez du pain rassis par tranches, ôtez-en la croûte, faites-les frire dans de l'huile d'olive bien chaude et égouttez-les quand elles sont de belle couleur; fendez en deux des anchois dessalés, rangez les rôties dans un plat, une moitié d'anchois sur chacune, du poivre concassé par-dessus, arrosez de bonne huile et servez pour entremets avec un jus d'orange.

ROTIES A LA D'ANTIN. Lardez des mies de pain de jambon et d'anchois, coupez-les ensuite en rôties ordinaires, et faites-les frire au lard; quand elles sont frites, dressez-les dans un plat avec huile, jus de citron, gros poivre et servez.

ROTIES A LA HOLLANDAISE. Hachez des anchois avec persil, ciboules, échalotes, ail, le tout mêlé avec de bonne huile, étendez cette farce sur les rôties, d'un côté seulement; coupez des anchois en filets, coupez-en sur ces rôties, dressez-les dans un plat avec huile, orange, poivre concassé et servez.

ROTIES DE POISSON AU MAIGRE. Hachez de la chair de carpe avec persil, sel, écorce de citron vert, quelques biscuits d'amandes amères et un peu de beurre frais; pilez le tout dans un mortier avec un peu de sucre, trois ou quatre jaunes d'œufs, un peu de mie de pain trempée dans de la crème, coupez des tranches de pain en rôties, mettez de cette farce dessus, beurrez une tourtière, arrangez-y vos rôties et mettez-les au four ou sous un couvercle; quand elles sont cuites et bien colorées, sucrez-les et glacez-les à la pelle rouge, dressez-les sur un plat et servez chaudement pour entremets ou garniture.

ROUELLE

Tranche de viande coupée en travers. La rouelle de veau est la partie charnue de la cuisse de veau qui se trouve vers le jarret; c'est un excellent morceau lorsqu'il est bien apprêté.

MANIÈRE D'APPRÊTER LES ROUELLES DE VEAU. Prenez des rouelles un peu épaisses, piquez-les de nombreux lardons, saupoudrez de sel, poivre et autres épices fines; garnissez le fond d'une casserole de bardes de lard, sur lesquelles vous arrangerez les rouelles. Ne donnez d'abord à ce ragoût qu'un feu médiocre, afin que la viande rende son suc; puis augmentez-le au fur et à mesure pour faire prendre couleur à vos rouelles des deux côtés, ce qui se fait en les blanchissant avec un peu de farine; faites-les ensuite roussir dans du lard fondu que vous ôterez après, pour mettre un peu de bouillon; lorsque les rouelles sont suffisamment rousses, vous laissez cuire doucement en ajoutant aux assaisonnements un peu de persil et de ciboule; vous liez la sauce avec des jaunes d'œufs et du verjus et vous servez ce ragoût.

ROUELLES DE VEAU A LA COUENNE. Piquez vos rouelles de lard, assaisonnez de sel, gros poivre, persil, ciboules, échalotes, une pointe d'ail, le tout haché; coupez par morceaux de la couenne de lard nouveau, mettez dans une terrine un lit de rouelles de veau, dessus un lit de couenne, et continuez ainsi jusqu'à la fin; ajoutez-y un demi-verre d'eau et autant d'eau-de-vie, faites cuire sur des cendres chaudes pendant quatre ou cinq heures et servez comme du bœuf à la mode.

HACHIS DE ROUELLES DE VEAU. Hachez votre veau avec du lard, après en avoir ôté la peau; mêlez-y des champignons, du persil et mie de pain, deux œufs durs, deux autres jaunes d'œufs crus pour faire la cuisson; mettez ce hachis dans une tourtière au fond de laquelle vous aurez eu soin d'arranger des bardes de lard, et laissez cuire ainsi; mais comme en cuisant à la braise il se forme dessus une espèce de croûte, faites un trou pour lui laisser prendre vent; quand il sera cuit, ajoutez-y un suc de gigot, mêlez avec un peu de verjus dans lequel vous aurez battu un jaune d'œuf, et servez.

ROUELLES DE BŒUF. On se sert des rouelles de bœuf pour faire des hachis dans lesquels on mêle de l'oignon, de la ciboule, du sel, du poivre, du clou de girofle, le tout cuit ensemble; on ajoute après cuisson un peu de verjus et on le sert.

ROUGE DE RIVIÈRE

Sorte de canard sauvage plus délicat et s'apprêtant absolument comme lui. *(V. Canard.)*

ROUGES-GORGES

Petits oiseaux de passage dont la poitrine est couleur d'orange. *(V. Petits oiseaux.)*

ROUGET

On l'appelle aussi mulet. C'est un poisson de mer qui a le corps rouge et la tête fort grosse, qui habite surtout la Méditerranée, où on le pêche dans tous les parages, d'ordinaire sur les fonds limoneux; on le rencontre aussi dans l'Océan, notamment dans la Manche, mais il y devient de plus en plus rare.

Le rouget était très-recherché des Grecs et des Romains, tant pour l'excellence de son goût que pour la beauté de ses couleurs. Les Romains surtout en avaient fait un objet de grand luxe et ne reculaient pas pour s'en procurer devant les plus folles dépenses. Parmi les auteurs anciens, Suétone nous apprend que les rougets étaient si recherchés de son temps, que trois de ces poissons furent vendus trente mille sesterces (5,844 fr.), ce qui obligea Tibère à rendre des lois somptuaires et à faire taxer les vivres apportés au marché. Varron dit qu'Hortensius avait dans ses étangs une immense quantité de rougets et qu'il les faisait venir dans des petites rigoles jusque sous les tables où ils mangeaient, pour les voir mourir dans des vases de terre et jouir de la vue de tous les changements que leurs brillantes couleurs éprouvaient pendant leur agonie. Un des plaisirs de ce temps était d'étouffer entre ses mains un de ces poissons, afin de se repaître des différentes variations de tons qu'il subissait à mesure que le sang se retirait à l'intérieur du corps, depuis le pourpre, le violet et le bleu jusqu'au blanc le plus pâle. Ce barbare spectacle se renouvelait sur les tables les mieux servies, où l'on mettait, sur des réchauds allumés, des plats dans lesquels des rougets couverts de globes transparents expiraient à petit feu devant les convives qui avaient le double avantage de jouir de ce spectacle et de manger le poisson plus frais.

Aujourd'hui le rouget, sans atteindre à ce degré d'admiration dont il était l'objet de la part des Romains, est encore fort estimé des gourmets. Sa chair blanche, ferme, friable, agréable, se digère aisément parce qu'elle n'est pas grasse. La meilleure manière de préparer les rougets, dit M. de Courchamps, c'est de les vider par les ouïes sans les écailler, de les faire griller sur de la cendre rouge et de les servir avec une sauce blanche où l'on ajoute des câpres et des boutons de capucines confites, ainsi que les foies des rougets bien écrasés.

On les fait souvent cuire au court-bouillon, mais nous ne le conseillons pas, parce que la cuisson sur le gril est, de toutes les préparations essayées sur les rougets, celle qui réussit le mieux.

ROUGETS EN CASSEROLE. Videz les rougets, coupez-en les têtes, frottez un plat ou une tourtière de beurre assaisonné de sel, poivre haché, fines épices, persil, ciboules entières; arrangez-y vos rougets, assaisonnez dessus comme dessous, arrosez-les de beurre fondu, panez-les de mie de pain bien fine, faites-les cuire au four ou dans une casserole, faites une sauce hachée avec ciboules, persil, champignons et truffes, que vous mettez dans une casserole quand le beurre est fondu avec sel et poivre; mouillez d'un peu de bouillon de poisson et laissez mitonner à petit feu; si la sauce est courte, liez-la d'un coulis d'écrevisses, mettez-la dans un plat, arrangez vos filets autour, et servez-les chaudement pour entrée.

ROUGETS GRILLÉS A LA SAUCE AUX ANCHOIS. Vos rougets étant vidés, coupez-en les têtes, puis trempez-les dans du beurre fondu et du sel, faites-les griller à petit feu; quand ils sont grillés, dressez-les dans un plat; faites une sauce blanche avec du beurre frais, une pincée de farine, une ciboule entière, sel, poivre, muscade, un peu d'eau et de vinaigre et deux anchois, liez votre sauce, jetez-la sur vos rougets et servez chaudement.

ROUGETS EN MARINADE. Videz vos rougets, coupez-en la tête, levez-en les filets, mettez-les mariner pendant deux heures dans une casserole avec tranches d'oignons, ciboules entières, quelques feuilles de laurier, sel, poivre, jus de citron ou bien un peu de vinaigre; tirez-les de la marmite, essuyez-les, farinez-les et faites-les frire dans du beurre affiné. Quand ils sont frits, de belle couleur, servez-les sur une serviette pliée dans un plat pour entremets.

FILETS DE ROUGETS AUX FINES HERBES. Apprêtez les rougets comme ci-dessus, levez-en les filets et mettez-les dans une casserole avec un peu de fines herbes hachées; ajoutez-y beurre fondu, sel, poivre, persil et ciboule hachés, laissez prendre goût dans leur assaisonnement pendant une heure, mettez-les ensuite sur des cendres chaudes afin que le beurre se fonde, panez-les de mie de pain fine et faites-les griller.

Faites une rémoulade avec de bonne huile, quelques câpres, du persil haché, un peu de ciboule, un anchois, poivre, sel, un peu de moutarde et un jus de citron, le tout mêlé ensemble, mettez cette sauce dans une saumure au milieu d'un plat, les filets grillés autour, et servez chaudement pour entremets.

ROULADE

Tranche de viande roulée et farcie.

ROULADE DE BŒUF OU DE VEAU A L'ANCIENNE MODE. Laissez mortifier un cuisseau de veau de Pontoise, levez-en toutes les noix, ôtez toutes les peaux et coupez le maigre par tranches minces, battez ces tranches avec un couperet, étendez ensuite sur une table une crépine de veau trempée dans l'eau fraîche, couvrez-la avec les tranches de veau, que vous couvrez à leur tour de lard râpé et de jambon pilé avec sel, poivre, girofle, cannelle, muscade râpée, coriandre écrasée, persil, ciboules, échalotes, un peu d'ail, thym, basilic, champignons, tétine de veau en filets, ris de veau et bon beurre; roulez ensuite le tout comme une andouille, ficelez les deux bouts et le milieu, couvrez de bardes de lard, traversez la roulade avec un hâtelet et attachez-la sur la broche enveloppée de papier beurré; faites cuire à petit feu, en l'arrosant de temps en temps; lorsqu'elle est cuite, ôtez la barde pour lui faire prendre couleur.

Servez avec une sauce piquante ou une purée de tomates.

ROUX

Le roux est d'un grand usage dans les cuisines pour faire cuire les viandes à l'étuvée, à la braise, etc.; cela augmente leur sapidité et retient à l'intérieur une partie des sucs qui autrement se délayeraient dans les mouillements.

Le roux est tout simplement de la farine que l'on fait frire dans le beurre ou dans la graisse en remuant toujours afin qu'elle ne se forme pas en grumeaux.

On s'en sert aussi pour colorer et lier les sauces.

ROUX BLANC et ROUX BRUN. *(V. Sauce.)*

Épreuve

DIMANCHE 16 MAI. (N°. 19. Prem. Année.)

Les animaux se repaissent, l'homme mange, l'homme d'esprit seul sait manger.
(BRILLAT-SAVARIN.)

LE GASTRONOME,

journal universel du goût,

RÉDIGÉ PAR UNE SOCIÉTÉ

D'HOMMES DE BOUCHE ET D'HOMMES DE LETTRES.

SABOT AU SANG

Ancien mets bourgeois.

Coupez une noix de veau de la largeur d'une assiette, piquez-la de menu lard, étendez dans une casserole des tranches de bœuf battues et des bardes de lard, renversez dessus la noix de veau, le lard en dessous, mettez dessus une crépine de cochon que vous plisserez et ficellerez comme une bourse tout autour avec une aiguillée, coupez de la panne de cochon en petits dés, faites-la dégourdir dans une casserole sur le feu, mettez-y ensuite une chopine de sang de cochon, assaisonnez de sel, poivre et fines épices, faites-le épaissir en le remuant sur le feu, mettez-le ensuite dans votre crépine, serrez-le avec sa ficelle, recouvrez le tout de tranches de bœuf et de bardes de lard et faites cuire dans le four ou entre deux braises, tirez la noix de la casserole, dressez-la dans un plat, déficelez la crépine, mettez ce qui est dedans tout autour, jetez dessus une essence de jambon et servez pour entrée.

SABAYON ou SAVAYON

Crème aux œufs et au vin blanc sucré, dont l'origine, d'après son nom, doit être sarabaudienne ou savoyarde. On la sert ordinairement dans des petits pots ou des tasses à sorbets avec un biscuit de Savoie. *(V. Crème.)*

SAFRAN

On donne ce nom aux pistils détachés d'une plante du genre *crocus :* on en récolte dans les environs de Paris et dans le Gâtinais qui est d'une qualité supérieure.

L'odeur du safran est extrêmement pénétrante, elle peut causer des céphalalgies violentes et même entraîner la mort. Sa saveur amère, aromatique, n'a rien de désagréable; sa couleur est fortement marquée, et le jaune qu'elle produit nuance promptement tous les objets qu'il touche. Le safran est une des matières colorantes les plus estimées, et les anciens en faisaient grand cas comme aromate; les Romains en préparaient une teinture alcoolique qui servait à parfumer les théâtres. Il est quelques contrées où l'on emploie cette fleur comme assaisonnement, ou pour donner de la couleur aux gâteaux au vermicelle, au beurre, etc.

On ne s'en sert plus aujourd'hui que pour la composition des babas, du pilau, du riz à l'africaine et du scubac.

CONSERVE AU SAFRAN. Faites cuire du sucre à la petite plume, mêlez-y du safran torréfié et réduit en poudre, ajoutez-y un peu de liqueur de scubac d'Irlande, puis dressez vos conserves, faites-les sécher à l'étuve et servez-vous-en au besoin.

MOUSSE AU SAFRAN. Vous faites bouillir de la crème double avec un peu de fleur d'oranger sèche et pulvérisée, et vous y mêlez une assez forte décoction de safran du Gâtinais. Cette composition étant refroidie, fouettez-la vigoureusement avec le fouet de buis, dressez-la dans vos gobelets à mousse, mettez-les dans la glace, où vous les maintiendrez jusqu'au moment de servir. C'est un des plats de *campagne* ou de *nécessité* qui, dans les repas nombreux, ont le double avantage de faire nombre et de mettre de la variété dans le service des entremets au sucre.

SAGOU

Sorte de fécule qui nous vient des Indes et que l'on trouve dans plusieurs espèces de palmiers. Elle est inodore et d'une saveur fade; on en fait usage en potage. Le sagou devient alors transparent et se gonfle beaucoup; c'est surtout en bouillie ou cuit avec du lait, du sucre et des aromates qu'on le consomme : le sagou est un aliment très-agréable, très-léger et peu nourrissant. On en recommande l'usage à la première enfance, à l'extrême vieillesse, aux convalescents, aux phtisiques et à toutes les personnes dont les facultés digestives sont affaiblies. On fait aussi un sagou artificiel avec la fécule de pommes de terre.

Pour sa préparation, *V. Potages.*

SAINDOUX

Graisse de cochon, dont on fait un grand usage dans les cuisines, surtout pour les fritures et pour décorer la base ou les socles massifs de certains gros entremets froids. *(Voir pour sa préparation à Chantereau)*

SOCLES EN SAINDOUX. Ayez 2,500 kg de graisse de rognons de mouton, hachez-la et faites-la fondre sur un feu doux; quand elle aura bouilli vingt minutes, ajoutez-y six livres de saindoux que vous ferez fondre et chauffer avec cette graisse; passez tout au travers d'un linge neuf en en recevant le produit dans une grande terrine; laissez refroidir cet appareil, fouettez-le à tour de bras avec un fouet à blancs d'œufs, puis, quand il aura pris assez de consistance, ajoutez-y de la décoction de bleu de Prusse ou de l'indigo broyé; joignez-y le suc de deux citrons et battez le tout avec deux spatules croisées. Vous vous servirez de ce mélange pour modeler un socle afin de supporter une galantine, un jambon froid, un filet de biche ou autre grosse pièce analogue.

SAINT-AUGUSTIN

Espèce de poire automnale.

SAINT-GERMAIN

Autre excellente poire.

SALADE

Ce mot sert principalement à désigner des préparations culinaires qui requièrent, outre du sel et du poivre, de l'huile ou bien du beurre et de la crème et communément du vinaigre.

En examinant les salades sous le rapport de l'hygiène, il semble d'abord qu'elles doivent avoir une influence défavorable sur la santé : des herbes crues, des épices irritantes, du vinaigre, doivent, pense-t-on, être peu digestibles et même irriter l'estomac; l'expérience cependant ne justifie pas ce jugement. Il est peu de mets dont l'usage soit aussi répandu que celui-ci dans toutes les classes de la société; on l'a presque toujours sous la main et il plaît généralement au goût. Néanmoins, rarement il cause des accidents; il serait donc injuste d'exciter la défiance à son égard. Quel que soit le mode adopté pour préparer les salades, il est toujours nécessaire d'user très-sobrement du vinaigre; un mérite dans l'apprêt est de faire disparaître l'acidité de ce liquide au point que sa saveur se confonde avec celle des herbes, de l'huile et des autres ingrédients. C'est pour cet effet que le jaune d'œuf est un intermédiaire très-utile. On devrait aussi faire un usage exclusif du vinaigre de vin, trop fréquemment remplacé aujourd'hui par l'acide qu'on obtient au moyen de la combustion du bois; c'est une distinction à laquelle on ne s'attache pas assez et sur laquelle nous devons appeler l'attention publique. On devrait servir les fournitures à part, puisées parmi les plantes excitantes, elles se digèrent plus difficilement que les salades; avec cette attention, on rendrait ces dernières plus accessibles à beaucoup de personnes.

Les salades varient suivant les saisons. On commence à manger les chicorées vers la fin de l'automne et on ne les assaisonne qu'avec une croûte de pain rassis frottée d'ail, posée au fond du saladier et que l'on remue avec la salade afin qu'elle s'en imprègne bien; on n'ajoute à cette salade aucune autre espèce de fourniture.

Plus tard on emploie l'escarole, espèce de chicorée moins tendre et moins savoureuse que la première et qui s'apprête également sans fournitures.

Les salades d'hiver se composent presque toujours de mâches, de raiponces et de céleri, coupé en bâtonnets; le céleri s'emploie aussi quelquefois seul en salade, mais il faut l'assaisonner alors avec de l'huile battue, de la moutarde et du soya. Le cresson de fontaine est aussi une salade d'hiver, et on l'assaisonne habituellement avec des tranches de betteraves et quelques filets d'olives tournés.

La barbe de capucin apparaît vers la fin de l'hiver; on l'assaisonne comme la chicorée blanche en y mélangeant de la betterave coupée en tranches.

La laitue paraît habituellement vers Pâques. C'est de toutes les salades celle qu'on aime le mieux, et le plus généralement on y met des herbes de fournitures, des œufs durs coupés par quartier, quelquefois des huîtres marinées, des queues de crevettes, des œufs de tortue, des filets d'anchois, des olives farcies et quelquefois aussi des achards ou du soya de la Chine. Cette salade exige beaucoup d'huile, et l'huile verte d'Aramont est la meilleure qu'on puisse ajouter pour son assaisonnement. Vient ensuite la laitue romaine, moins tendre et moins aqueuse que la précédente, mais pourvue d'une saveur sucrée. On ne la sert pas avec des œufs durs.

On fait aussi des salades avec toutes sortes de légumes cuits, ainsi que nous l'avons indiqué aux endroits concernant ces divers articles.

M. Chaptal a laissé, pour accommoder la salade, une méthode qui a toujours été vulgairement employée dans le nord de l'Europe, et cela n'empêche pas qu'on en fasse honneur à cet illustre académicien. La chose consiste à saturer la salade avec de l'huile assaisonnée de sel et de poivre, avant d'y mettre le vinaigre, ce dont il résulte que la salade ne saurait jamais être trop vinaigrée, parce que le vinaigre glisse sur chaque feuille huilée, de sorte que si l'on a mis trop de vinaigre dans une salade, ainsi qu'il arrive souvent comme chacun sait, on n'a jamais à s'en repentir, parce que le vinaigre se réunit toujours au fond du saladier où M. Chaptal a calculé fort judicieusement qu'il devait retomber en vertu des lois de sa pesanteur spécifique à l'égard de l'huile.

Nous ferons aussi remarquer que le sel ne se dissolvant pas dans le vinaigre, il est inutile d'essayer de l'y faire fondre;

il est préférable de le mêler avec l'huile et de le verser ensuite sur la salade.

SALEP

Ce nom, d'origine persane, a été donné aux bulbes desséchées des orchis qui croissent en abondance dans la Perse et dans toute l'Asie Mineure. Les anciens connaissaient très-bien ces bulbes, et Pline et Théophraste en font mention dans leurs écrits. Les Grecs et les Latins les connaissaient surtout pour leurs propriétés aphrodisiaques, qui ne sont dues cependant qu'aux différents aromates qu'on leur associe, tels que le gingembre, l'ambre, le musc, le girofle, etc. Un homme, paraît-il, est suffisamment nourri pendant un jour avec une once de cette substance et autant de gelée animale dissoute dans l'eau, aussi les Orientaux s'approvisionnent-ils de salep pour leurs voyages.

Pour préparer le salep, les Orientaux récoltent la bulbe des orchis lorsqu'ils commencent à fleurir; ils en ôtent l'écorce et les jettent dans l'eau froide où ils les laissent quelques heures; ils les font ensuite cuire dans l'eau bouillante et les enfilent avec du crin ou mieux du coton, puis il les font sécher au contact de l'air; les bulbes deviennent demi-transparentes, très-dures et ressemblent assez à de la gomme adragante; on peut les conserver indéfiniment sans altération, pourvu que l'on évite l'humidité. Quelquefois, au lieu de les enfiler, on les sèche sur des tamis et des toiles. Quand on veut en faire des gelées on les réduit en poudre en les humectant préalablement d'un peu d'eau, sans cela leur extrême dureté n'en permettrait pas la pulvérisation; on en fait dissoudre une petite quantité dans l'eau bouillante, qui, aromatisée et sucrée, ne tarde pas, par le refroidissement, à se prendre en une gelée demi-transparente.

La poudre de salep que l'on vend dans le commerce est le plus souvent mélangée avec de la fécule, mais il est facile de reconnaître la fraude en faisant dissoudre 2 grammes 15 centigrammes de salep dans 225 grammes d'eau distillée et en ajoutant à cette dissolution 1 gramme 90 centigrammes de magnésie calcinée; le mélange prend au bout de quelques heures une consistance de gelée bien prononcée, ce qui n'a pas lieu toutes les fois que le salep est falsifié.

Geoffroi dit que si l'on fait évaporer sur des assiettes de faïence l'eau dans laquelle on a fait cuire le salep, il y reste un extrait visqueux dont l'odeur est celle d'une prairie fleurie quand on passe au-dessous du vent. Son odeur se rapproche aussi de celle du mélilot dont la fleur commence à se faner.

SALSIFIS

Racine potagère. Il y en a deux espèces, l'une grise, et l'autre – la meilleure – noire. On les ratisse à blanc, on les jette à mesure dans l'eau avec un peu de vinaigre, puis, lorsqu'ils sont bien lavés, on les fait cuire à grande eau avec du sel et du vinaigre; ils s'écrasent sous le doigt lorsqu'ils sont cuits; alors on les retire, on les égoutte et on les sert avec une sauce au beurre.

On les sert aussi en gras, et pour lors, faites un roux léger, mouillez avec du jus, faites réduire et mettez-y vos racines. Pour les mettre en friture, on les fait cuire dans une eau plus fortement vinaigrée; on les trempe dans une bonne pâte, et on les fait frire dans du beurre affiné suivant la méthode ordinaire.

SANDWICHS
ou tartines à l'anglaise

D'un pain rassis, de pâte serrée, tirez vingt-quatre tartines de beurre très-minces, mettez-en douze sur un linge blanc; émincez soit du maigre de veau rôti, soit du filet de bœuf, rosbif, jambon cuit, langue à l'écarlate, volaille rôtie, gibier et poisson sec, rangez ces lames de viande sur vos douze tartines, poudrez-les d'un peu de sel blanc, recouvrez vos viandes avec les douze autres tartines, et servez-les à dîner pour hors-d'œuvre, et en prenant le thé comme collation.

SANG

Sauf la gélatine, le sang est composé des mêmes principes que la chair, c'est-à-dire qu'il contient de la fibrine, de l'albumine et de l'osmazome. On mange le sang de quelques animaux assaisonné de diverses manières : celui du lièvre comme liaison du civet, celui du pigeon comme sauce, enfin celui du cochon comme boudin : le sang des animaux est un aliment fort tonique et fort nutritif.

SANGLIER

Porc à l'état sauvage, état dans lequel sa chasse n'est pas sans danger. Le sanglier est de sa nature un animal assez misanthrope, qui, arrivé à un certain âge, se réfugie dans les ronces et les halliers les plus épais, où il n'aime pas qu'on vienne le déranger; il prend alors les noms de ragot, de quartanier et de solitaire. Il est rare qu'un de ces animaux, armé qu'il est de redoutables défenses, ne revienne pas sur le chasseur qui l'a tiré; le mieux que le chasseur ait à faire dans ce cas-là, c'est s'il a une branche d'arbre à portée de sa main de s'y suspendre et de laisser passer le sanglier qui revient rarement sur son coup de boutoir. J'ai raconté plusieurs chasses de ma jeunesse, qui n'étaient pas exemptes sous ce point d'anecdotes fort originales. Les jeunes marcassins s'écorchent et se mangent rôtis à la broche.

Les quartiers du devant, la hure et les filets, sont les morceaux les plus honorables du sanglier; on en fait également des côtelettes, comme on fait du porc, mais le peu de facilité qu'on a de le saigner fait qu'on ne peut pas toujours recueillir son sang pour en confectionner du boudin.

COTELETTES DE SANGLIER A LA SAINT-HUBERT. Coupez, parez, sautez vos côtelettes avec sel, poivre, sur un feu très-vif; lorsqu'elles sont cuites des deux côtés, vous les dressez en couronne, puis vous mettez dans le plat à sauter un verre de vin blanc, autant de sauce espagnole; vous ferez réduire et verserez cette sauce sur vos côtelettes. La sauce espagnole peut se remplacer par un roux que l'on mouille avec du consommé.

FILET DE SANGLIER A LA BLAZE. Faites mariner deux jours un filet paré de sanglier, puis faites-le égoutter et mettez-le dans une casserole avec des bardes de lard, des parures de viande, carotte, oignon, sel, poivre, bouquet garni, mouillez le tout avec une égale quantité de vin blanc ou de consommé, donnez deux heures de cuisson, faites ensuite égoutter le filet, glacez-le et dressez-le sur une sauce piquante.

QUARTIER DE SANGLIER A LA ROYALE. Échaudez, flambez une cuisse de laie, désossez-la jusqu'à la jointure du manche, lardez-la avec épices et aromates pilés; mettez-la ensuite dans une terrine avec beaucoup de sel, de poivre, genièvre, thym, laurier, basilic, oignons et ciboules. Vous laisserez mariner cette cuisse cinq jours; lorsque vous voudrez la faire cuire, vous ôterez de l'intérieur de ladite cuisse les aromates qui y seront, vous l'envelopperez dans un linge blanc, vous la ficellerez comme une pièce de bœuf, vous la mettrez dans une braisière avec la saumure dans laquelle elle a mariné, six bouteilles de vin blanc, autant, d'eau, six carottes, six oignons, quatre clous de girofle un fort bouquet de persil et ciboules, du sel si vous croyez que la saumure ne suffise pas pour lui en donner, vous la ferez mijoter pendant six heures, vous la sondez pour savoir si elle est cuite, sinon vous la laissez aller une heure de plus; laissez-la une demi-heure dans sa cuisson, et en la retirant laissez-la dans sa couenne.

SANGLIER A LA DAUBE. Lardez un cuissot de sanglier, assaisonnez-le, mettez-le dans une marmite avec quelques bardes de lard, tranches d'oignon, carottes, panais, gros bouquet de persil, ciboules, deux gousses d'ail, quatre clous de girofle, deux feuilles de laurier, faites suer une demi-heure à petit feu, et mouillez avec un demi-verre d'eau-de-vie, un demi-setier de vin blanc et du bouillon, faites suer à petit feu six ou sept heures, laissez refroidir et servez froid, avec un pot de groseilles.

SARCELLE

Variété du canard sauvage qui s'apprête et se mange comme lui.

SARCELLES AUX CARDONS. Videz trois sarcelles; les flamber, les brider, les mettre à la broche, les envelopper avec du papier beurré, les déballer deux minutes avant de les débrocher; les mettre alors dans une casserole avec quatre cuillerées à bouche de vin blanc, autant de glace fondue, poser la casserole sur le feu, réduire le mouillement de moitié, débrider les sarcelles, les dresser sur un plat et les entourer avec une garniture de cardons à l'espagnole, les arroser avec la réduction et les envoyer sur table.

SARCELLES SAUCE A L'ORANGE. Videz et bridez quatre sarcelles; les traverser avec une brochette, les faire rôtir à feu vif pendant douze ou quatorze minutes en les arrosant au pinceau avec de l'huile; quand elles sont à point, les saler, les débrocher, en détacher les filets, mettre ceux-ci dans une casserole plate avec un peu de glace au fond, et les chauffer une minute à feu très-vif pour sécher l'humidité des filets; les dresser ensuite sur un plat et les masquer avec la sauce suivante.

SAUCE A L'ORANGE. Coupez le zeste d'une grosse orange encore verte; l'émincer en julienne, la faire cuire à l'eau et l'égoutter sur un tamis, puis le mettre dans une petite casserole et lui mêler la valeur d'un verre de bonne aspic bien claire et réduite; au moment de servir, alléger cette sauce en lui incorporant hors du feu le jus de l'orange et celui d'un citron.

SARCELLES EN RAGOUT. Troussez vos sarcelles, lardez-les de gros lard, passez-les à la casserole avec lard fondu, un peu de farine pour la liaison, ou faites-les rôtir à moitié à la broche et empotez-les avec bon bouillon, sel, poivre, épices fines, fines herbes en paquet, laissez cuire doucement le tout; à moitié de cuisson, mettez-y des navets coupés par tranches et passés au roux, environ un bon verre de vin; puis, lorsque le ragoût sera cuit et la sauce suffisamment liée, servez chaudement pour entrée.

AUTRE FAÇON. Faites un hachis avec ris de veau, champignons, chair de sarcelles, ciboules, persil, sel et poivre, le tout haché menu et cuit dans la casserole, farcissez-en les sarcelles et faites-les rôtir à la broche, puis,

quand elles sont rôties, servez-les avec un coulis de champignons ou une sauce faite avec deux verres de bon vin, deux ou trois tranches d'oignon, du clou de girofle, un peu de poivre; faites bouillir le tout dans une casserole jusqu'à ce que la sauce soit réduite à moitié, passez-la au tamis mettez-y un jus de bœuf, passez-la sur le feu dans la casserole et vous versez ensuite sur les sarcelles que vous servez chaudement.

SARCELLES AUX CHOUX-FLEURS. Préparez vos sarcelles comme à l'ordinaire et faites-les cuire à la broche; épluchez ensuite des choux-fleurs, faites-les blanchir et cuire dans un blanc de farine avec de l'eau, du sel et un morceau de beurre. Quand ils sont cuits, mettez-les égoutter; mettez dans une bonne essence du beurre frais avec du gros poivre, faites lier la sauce sur le feu, dressez les sarcelles dans un plat, les choux-fleurs autour, versez la sauce sur les choux-fleurs et servez chaudement.

de les faire cuire dans une casserole avec un petit coulis clair de veau et de jambon, et vous les servez autour des sarcelles.

SARCELLES AUX OLIVES. Pour exécuter ce mets méridional, faites cuire vos sarcelles à la broche ou à la braise; passez ensuite deux ou trois petits champignons dans une casserole, mouillez-les de bon jus; quand ils sont cuits, liez-les d'un petit coulis clair de veau et de jambon; tournez des olives, ôtez-en le noyau et jetez-les dans l'eau bouillante, retirez-les ensuite, égouttez-les, mettez-les dans votre ragoût, faites-lui prendre un bouillon, dressez vos sarcelles dans un plat, le ragoût par-dessus, et servez chaudement.

SARCELLES A LA ROCAMBOLE OU A LA PONSON DU TERRAIL. Faites-les cuire à la broche, faites suer une tranche de jambon dans une casserole, mouillez-la de bouillon et de coulis; quand elle commence à s'attacher

SARCELLES AUX NAVETS. Embrochez comme ci-dessus, ou bien les ayant lardées de gros lard assaisonné, garnissez une marmite de bardes de lard et de tranches de bœuf avec oignons, carottes, persil, tranches de citron, fines herbes, poivre, sel, clous de girofle, mettez-y vos sarcelles, assaisonnez dessus comme dessous, et faites cuire à la braise.

Coupez des navets en dés ou tournez-les en olives, passez-les dans un peu de saindoux pour leur faire prendre couleur; égouttez-les ensuite et mettez-les mitonner dans une casserole avec un bon jus, liez-les d'un bon coulis, dressez vos sarcelles dans un plat, le ragoût de navets par-dessus, et servez chaudement.

SARCELLES AUX MONTANTS. Faites cuire vos sarcelles comme ci-dessus, à la broche ou à la braise, faites ensuite cuire un peu plus qu'à demi des montants de cardons d'Espagne dans de l'eau avec un morceau de beurre, une pincée de farine et de sel, et ne mettez les montants dans cette eau blanche que lorsqu'elle commence à bouillir; lorsqu'ils sont à moitié cuits, vous les égouttez et achevez

faites bouillir et dégraissez-la, passez-la au tamis, écrasez quelques rocamboles, mettez-les dans l'essence, et servez avec vos sarcelles.

SARCELLES AUX TRUFFES. Faites cuire vos sarcelles à la broche avec une farce légère dans le corps et quelques truffes et servez avec un ragoût de truffes.

POTAGE DE SARCELLES AUX NAVETS. Videz vos sarcelles, troussez-les proprement, faites-les refaire, piquez-les de gros lard assaisonné, faites-les cuire à demi à la broche, empotez-les ensuite dans une marmite avec trois ou quatre oignons, panais et carottes, mouillez de bon bouillon et faites cuire; ratissez des navets, coupez-les en dés ou en long, farinez-les un peu, faites-les frire de belle couleur dans du saindoux, égouttez-les; mettez-les ensuite dans une petite marmite avec de bon bouillon et faites cuire, mitonnez vos croûtes de bon bouillon, servez-vous pour cela du bouillon où ont cuit vos sarcelles, après l'avoir dégraissé; dressez les sarcelles au milieu du potage, garnissez les bords de navets, versez dessus le bouillon des navets et un jus de veau et servez chaudement.

POTAGE DE SARCELLES AUX TRUFFES ET AUX CHAMPIGNONS. Piquez les sarcelles de gros lard bien assaisonné ; faites-les cuire à demi à la broche et ensuite dans une marmite avec de bon bouillon, passez des truffes dans une casserole avec un peu de lard fondu, mouillez-les d'un jus de veau, laissez-les mitonner à petit feu, faites un coulis d'une sarcelle cuite à la broche, pilez-la dans un mortier, garnissez le fond d'une casserole de tranches de veau et de jambon, oignons par tranches, panais, carottes ; couvrez la casserole et faites suer à petit feu ; quand le veau est attaché, poudrez-le d'une pincée de farine, mouillez de moitié jus et moitié bouillon, assaisonnez de champignons, truffes, un peu de persil, une ciboule entière, quelques clous de girofle, un peu de basilic et des croûtes ; laissez mitonner le tout ensemble pendant une demi-heure, tirez les tranches de veau de la casserole, délayez-y la sarcelle pilée, passez le tout à l'étamine, videz ce coulis dans la casserole où est le ragoût de truffes, mitonnez des croûtes moitié jus et moitié bouillon, dressez les sarcelles sur le potage de coulis par-dessus, et servez chaudement. C'est à tort qu'on associe parfois la sarcelle aux lentilles. Nous blâmons cette profanation.

PATÉ DE SARCELLES. Fendez les sarcelles par le dos, ôtez-en tous les os, excepté ceux des cuisses, lardez-les de moyen lard, assaisonnez-les de sel, poivre, muscade, clous de girofle, cannelle, lard, laurier, bardes de lard, fines herbes, persil et ciboule, le tout pilé ; faites une abaisse de pâte ordinaire, couvrez et façonnez votre pâté, dorez-le avec des jaunes d'œufs et faites-le cuire au four.

SARDINE

Petit poisson de mer d'une saveur délicate ; on le trouve partout, mais principalement sur les côtes de Bretagne où les sardines sont très-abondantes ; aussi cette pêche est-elle pour les habitants une source de richesse ; on rapporte que dès le XVIIe siècle elle produisait un revenu immense, et que dans la seule ville de Port-Louis on faisait annuellement 4,000 barriques de sardines.

La sardine est aussi fort abondante dans la Méditerranée et surtout aux environs de la Sardaigne d'où elle tire son nom.

Il n'y a que les habitants des bords de la mer qui puissent manger des sardines fraîches et encore est-on obligé de les saler aussitôt pêchées, car c'est de tous les poissons celui qui se conserve le moins. A peine est-il hors de l'eau qu'il meurt, et la putréfaction ne tarde pas à l'attaquer ; l'accumulation d'un aussi grand nombre d'individus facilite même cette décomposition ; aussi les pêcheurs ont-ils soin, à mesure qu'ils vident le filet, de les entremêler abondamment de sel, et malgré cette précaution il s'en gâte énormément.

On prépare les sardines comme les harengs en les salant et les fumant. Les sardines du Nord sont beaucoup plus estimées, parce que dans la saumure on ajoute des aromates et des épices qui leur donnent un goût fort agréable ; mais ces sardines ne se conservent pas longtemps, et, quand elles sont gâtées, on les emploie pour amorce dans la pêche des maquereaux, des merlans, des raies et autres poissons de mer.

Notre bon roi Henri IV, qui prisait les fins morceaux, avait, paraît-il, pour les sardines fraîches une prédilection particulière. Depuis son abjuration, il en faisait son déjeuner ordinaire les jours de jeûne.

Pisanelli prétend aussi que la sardine aime le son des instruments et qu'elle sort la tête hors de l'eau pour l'entendre ; les buveurs surtout aiment beaucoup la sardine, cela les excite à boire, et, disent-ils, leur fait trouver le vin bon.

SARDINES EN CAISSE. Prenez des sardines fraîches, coupez-leur la tête et le bout de la queue ; mettez de la farce de poisson au fond d'une caisse, arrangez les sardines dessus, couvrez-les de même farce, unissez avec un œuf battu, saupoudrez de mie de pain, couvrez d'une feuille de papier, faites cuire au four, égouttez la graisse, jetez par-dessus un coulis maigre, qui soit clair, et servez-vous-en au besoin comme hors-d'œuvre.

SARRASIN

Originaire d'Asie, le sarrasin fut transporté en Afrique et introduit en Europe par les Maures d'Espagne. Quoique ce grain soit avantageux en ce qu'il vient aisément partout, qu'il se développe et mûrisse assez promptement pour donner deux récoltes sur le même sol, dans une année favorable, et que son usage soit sain, nourrissant et de facile digestion, on ne peut se dispenser de dire que le pain qu'on en fait est le plus mauvais de tous ; sec le lendemain de sa cuisson, il se fend, s'émiette et devient alors venteux et détestable. Il n'en est pas de même si on emploie le sarrasin en bouillie : cette préparation est fort nourrissante et saine ; on mange cette bouillie chaude ou froide, frite ou grillée.

Dans les cantons où le sarrasin constitue la nourriture habituelle des habitants, comme, par exemple, dans la basse Bretagne et dans la basse Normandie, on y fait la bouillie et la galette avec du lait ; cela lui donne un goût plus agréable et le rend plus léger, plus sapide et plus facile à digérer.

SASSENAGE

Fromage analogue au roquefort et qui tire son nom du bourg de Sassenage, près de Grenoble dans le Dauphiné.

SAUCE

On appelle ainsi un assaisonnement liquide auquel on joint du sel et des fines épices pour relever le goût de certains mets.

La manière de les préparer varie beaucoup ; nous allons donner les recettes de celles qui sont le plus usitées dans la cuisine.

JUS DE BŒUF. Beurrez le fond d'une casserole ; mettez-y, comme au blond de veau, quelques lames de jambon et bardes de lard, oignons en tranches et carottes ; couvrez le tout de lames de bœuf, épaisses de deux doigts, mouillez-le d'une cuillerée à pot de grand bouillon ; faites-le partir sur un feu vif ; lorsqu'il commencera à s'attacher, piquez la viande avec la pointe d'un couteau ; couvrez de cendres votre fourneau pour empêcher que votre jus n'aille trop vite ; prenez bien garde qu'il ne brûle ; quand il sera fort attaché, mouillez-le comme le blond de veau ; écumez-le, assaisonnez-le avec un bon bouquet de persil et ciboules, en y ajoutant quelques queues de champignons ; quand vous jugerez la viande cuite, dégraissez, passez votre jus dans une serviette, et servez-vous-en pour colorer vos potages et vos sauces, ou les entrées ou entremets qui exigent du jus.

GRANDE SAUCE. Beurrez une casserole, foncez-la de lames de jambon ; coupez votre veau par morceaux mettez-en sur votre jambon, suffisamment pour la grandeur de votre casserole, mouillez-le avec une ou deux cuillerées de bouillon, de manière que votre veau soit presque couvert ; mettez-y deux carottes tournées, un gros oignon que vous retirerez quand il sera cuit. Lorsque votre veau est tombé à glace, vous laissez très-peu de feu sous votre casserole, et vous l'entourez de cendres rouges pour faire descendre la glace ; quand elle a pris sa couleur, vous la détachez avec une cuillerée à pot de bouillon froid ; sitôt qu'elle est détachée, vous remplissez votre casserole de bouillon ; quand votre veau est cuit, vous le retirez, et vous passez votre blond de veau dans une serviette, vous avez votre roux dans une casserole, vous le délayez assez pour que la sauce ne soit pas trop épaisse, et vous la faites partir ; retirez-la sur le bord du fourneau et remuez-la de temps en temps pour que votre coulis soit d'une belle couleur ; s'il en manquait, perfectionnez-le avec du jus de bœuf ; il se formera, durant la cuisson, une peau dessus. Ne l'ôtez pas, et ne le dégraissez qu'à parfaite cuisson et au moment de le passer, sans l'exprimer, à travers l'étamine. Votre sauce passée, mettez une cuiller dedans, ayez soin de la sasser et vanner jusqu'à ce qu'elle soit refroidie, pour qu'il

ne se forme point de peau dessus, et servez-vous-en pour des petites sauces brunes. *(Recette de M. de Courchamps.)*

ESPAGNOLE. Foncez une casserole de lard et surtout de jambon, et procédez à cet égard comme il est indiqué pour la *grande sauce*, mettez une noix de veau dessus, avec une cuillerée de consommé, cinq ou six carottes et oignons ; faites partir le tout comme le coulis général, et mettez-le sur un feu doux, jusqu'à ce que votre noix jette son jus. Lorsque la glace sera formée, ce que vous reconnaîtrez au fond de la casserole, qui doit être d'un beau jaune, retirez-la du feu, piquez alors vos noix avec votre couteau, pour que le reste du jus s'en exprime ; mouillez-les avec du consommé dans lequel vous aurez fait cuire une quantité suffisante de perdrix, de lapins ou de poulets ; mettez un bouquet de persil et ciboules assaisonné de deux clous de girofle par noix de veau, d'une demi-feuille de laurier, d'une gousse d'ail, d'un peu de basilic et de thym ; faites bouillir le tout ; retirez-le sur le bord du fourneau et dégraissez-le ; au bout de deux heures, liez votre espagnole avec le roux comme le coulis général ; lorsqu'elle sera liée de manière à être plus claire qu'épaisse, laissez-la bouillir une demi-heure ou trois quarts d'heure, pour que le roux s'incorpore ; alors dégraissez et passez cette espagnole à l'étamine dans une autre casserole, remettez-la sur le feu pour la faire réduire d'un quart ; elle pourra vous servir pour tous les ragoûts au brun, vous y mettrez du madère, du champagne ou du bourgogne, selon les petites sauces dont vous aurez besoin. Ma coutume n'est pas de mettre le vin dans l'espagnole générale, attendu qu'on ne met point tout au vin, et qu'avec le vin elle peut s'aigrir du jour au lendemain, si tout n'est pas employé dans la journée, ce qui serait *une perte ;* l'habitude des cuisiniers encore est de ne point faire réduire les vins seuls, ce qui leur donne souvent un goût d'alambic, et fait évaporer toute la partie spiritueuse ; conséquemment ils les font réduire avec la sauce à une demi-glace ou gros comme le pouce de glace, ou même davantage.

ESPAGNOLE TRAVAILLÉE. Lorsque vous voudrez vous servir de l'espagnole pour des sautés, ou comme simple sauce, prenez-en deux ou trois cuillerées à pot, ou davantage, avec environ le tiers de consommé, quelques parures de truffes bien lavées et quelques queues de champignons, faites réduire le tout sur un grand feu, et dégraissez-le avec soin. Si votre espagnole manque de couleur, donnez-lui-en avec votre blond de veau ; faites-la réduire à consistance de sauce ; passez-la à l'étamine ; mettez-la dans un bain-marie, pour vous en servir au besoin.

VELOUTÉ, OU COULIS BLANC. Mettez dans une casserole beurrée une noix ou sous-noix, ou une partie d'un cuisseau de veau, avec lames de jambon, cuillerée de consommé, carottes, oignons; faites partir le tout sur un bon feu; quand vous verrez que votre mouillement est réduit, et qu'il pourait s'attacher, mouillez-le avec du consommé, en raison de la quantité de vos viandes et de la force de votre consommé; quand le tout sera bien bouillant, retirez-le, ajoutez échalotes, tournures de champignons, mais *sans citron*, mettez-y un bouquet assaisonné que vous retirerez cuit, en l'exprimant entre deux cuillers; retirez également vos viandes lorsqu'elles seront cuites; ayez soin, durant que votre sauce est sur le feu, de faire un roux blanc pour la lier. Voici la manière de vous y prendre : faites fondre 500 g de beurre fin, tirez-le au clair dans une casserole, puis vous mettez dans votre beurre de la fleur de farine de froment, vous remuez au point qu'il soit parfaitement bu par la farine; ensuite vous mettez la casserole sur un feu doux; vous remuez constamment, pour que votre roux ne prenne point de couleur; vous le flairez, et lorsque vous sentez que la farine est cuite, vous délayez le tout ou une partie, avec le mouillement de votre velouté. Cela fait, ayez soin de tourner continuellement votre farce, pour que la farine ne tombe point au fond et qu'elle ne s'attache pas; dégraissez votre velouté; tamisez, remettez sur le feu, dégraissez de nouveau, faites réduire, retirez, mettez dans un vase, passez et vannez.

VELOUTÉ TRAVAILLÉ. Il se travaille comme l'espagnole, excepté que l'on n'y met rien qui le colore.

GRAND ASPIC. Mettez dans une marmite un ou deux jarrets de veau, une vieille perdrix, une poule, des pattes de volailles si vous en avez, deux ou trois lames de jambon; ficelez vos viandes, joignez-y deux carottes, deux oignons, un bouquet bien assaisonné; mouillez le tout d'un peu de consommé, faites-le légèrement suer; lorsque vous verrez que votre aspic, tombant en glace, prendra une teinte jaune, mouillez-le avec du bouillon si vous en avez, sinon avec de l'eau, en observant de le laisser réduire davantage; faites-le partir, écumez-le, mettez-y le sel nécessaire, laissez-le cuire trois heures. Alors dégraissez-le, passez-le au travers d'une serviette mouillée et tordue; laissez-le refroidir; cassez deux œufs avec blancs, jaunes et coquilles; fouettez-les, mouillez-les avec un peu de votre bouillon, mettez-y une cuillerée à bouche de vinaigre d'estragon, et versez le tout dans votre aspic : posez-le sur le feu, agitez-le avec un fouet de buis; quand il commencera à partir, retirez-le sur le bord du fourneau, afin qu'il ne fasse que frémir; couvrez-le, et sur son couvercle mettez du feu. Quand vous verrez que cet aspic est clair, passez-le au travers d'une serviette mouillée et tordue que vous attacherez aux quatre pieds d'un tabouret, retournez, couvrez-le de nouveau, et sur son couvercle mettez un peu de feu. Quand il sera passé, servez-vous-en pour vos grands et petits aspics.

SAUCE HOLLANDAISE. Elle se fait avec la grande sauce au beurre; mettez-en dans une casserole trois cuillerées à dégraisser, avec un citron coupé en dés, et duquel vous ôtez le blanc et les pépins; joignez-y trois jaunes d'œufs coupés de même, un peu de persil haché, une pincée de mignonnette et un filet de bon vinaigre blanc.

SAUCE A L'ALLEMANDE. Mettez un peu de beurre, des champignons hachés dans une casserole; faites bien cuire vos champignons, joignez-y trois cuillerées à dégraisser de velouté travaillé et une cuillerée de consommé; faites réduire, jetez-y du beurre, du persil blanchi; passez et vannez le tout, mettez le jus de la moitié d'un citron, un peu de mignonnette, passez et servez.

Faute de velouté, singez vos champignons, délayez le tout avec d'excellent bouillon, mettez-y un bouquet bien assaisonné d'un clou de girofle, la moitié d'une gousse d'ail, thym et laurier; votre sauce cuite, retirez le bouquet, exprimez-le et finissez cette sauce comme la précédente.

SAUCE A LA BÉCHAMEL. Mettez dans une casserole ce qu'il vous faut de velouté et un peu de consommé. Si vous employez un demi-litre de velouté, faites aller votre sauce sur un grand feu, tournez-la avec soin, qu'elle se réduise d'un tiers de son volume; en même temps faites réduire au tiers une pinte de crème double, incorporez-la peu à peu dans votre sauce que vous tournerez jusqu'à ce qu'elle soit réduite au point où elle était avant d'y avoir mis la crème. Cette sauce ayant la consistance d'une légère bouillie, tordez-la dans une étamine bien blanche, et mettez-la au bain-marie avant de servir.

SAUCE A LA SAINTE-MENEHOULD. Mettez dans une casserole un morceau de beurre coupé, singez-le de farine; délayez votre sauce avec du lait ou de la crème; assaisonnez-la d'un bouquet de persil et ciboules, la moitié d'une feuille de laurier, quelques champignons et échalotes; mettez-la sur le feu; tournez-la comme la béchamel, et tordez-la à l'étamine; remettez-la sur le feu; mettez-y du persil haché et un peu de mignonnette.

SAUCE A LA BONNE MORUE. Elle se fait comme la sainte-menehould, excepté qu'elle est un peu moins liée, qu'il faut saupoudrer le mets que l'on sert, avec du persil haché et blanchi.

SAUCE A LA POULETTE. Mettez dans une casserole du velouté réduit, faites-le bouillir, ajoutez-y une liaison avec du persil haché et blanchi, un petit morceau d'excellent beurre, et un jus de citron, et servez-vous-en si vous n'avez pas de velouté, faites un petit roux blanc, mouillez-le avec du bouillon, mettez-y un bouquet de persil et de ciboules, faites cuire et réduire votre sauce, dégraissez-la, passez-la à l'étamine et servez-vous-en.

SAUCE ITALIENNE ROUSSE. Mettez dans une casserole champignons hachés, tranches de citron et dés de jambon (le citron devra n'avoir plus de pépins), ajoutez une cuillerée à bouche d'échalote hachée, lavée et passée dans le coin d'un torchon comme pour vos champignons; plus une demi-feuille de laurier et deux clous de girofle, et un quart de litre d'huile, passez le tout sur le feu; quand vous vous apercevrez que le citron et les ingrédients sont presque cuits, retirez le citron; mettez une cuillerée de persil haché, et une cuillerée d'espagnole, et un demi-litre de bon vin blanc, sans l'avoir fait réduire, ajoutez un peu de mignonnette, faites ensuite réduire votre sauce, dégraissez-la, ôtez le jambon, et lorsque votre sauce aura atteint son degré de réduction, retirez-la.

SAUCE ITALIENNE BLANCHE. Même préparation que pour l'italienne rousse, excepté que vous emploierez pour celle-ci du velouté au lieu d'espagnole.

SAUCE BAVAROISE. Cette sauce peut s'appliquer à plusieurs de nos poissons, mais particulièrement à deux espèces que vous rencontrerez, particulièrement dans le Nord, aux zanders et aux soudacs. Mesurez dans une casserole quatre cuillerées à bouche de bon vinaigre, faites réduire celui-ci de moitié, et éloignez-le du feu, mêlez-y trois ou quatre jaunes d'œufs selon la force de votre vinaigre, un morceau de beurre gros comme un œuf, et un petit morceau de racine de réforme; battez l'appareil, ajoutez un peu de sel et de muscade, tournez-le sur un feu modéré, transvasez-le dans une autre casserole au tamis fin, mêlez-y 100 grammes de beurre divisé en petites parties, mettez cette casserole nouvelle sur un feu doux, et battez l'appareil pour le faire mousser sans le laisser bouillir, enfin incorporez-lui 100 grammes de beurre d'écrevisses.

SAUCE A LA MAITRE D'HOTEL FROIDE. Mettez un morceau de beurre dans une casserole, joignez-y du persil haché, quelques feuilles d'estragon, une ou deux feuilles de baume, du sel fin en suffisante quantité, le jus d'un ou deux citrons, ou un filet de verjus, mariez le tout avec une cuiller de bois, jusqu'à ce qu'il soit bien incorporé; cette préparation vous servira pour les choses indiquées ci-après.

SAUCE A LA MAITRE D'HOTEL LIÉE. Mettez dans une casserole deux cuillerées de velouté, joignez-y gros de beurre comme un œuf, avec persil haché très-fin et deux ou trois feuilles d'estragon hachées de même; mettez cette sauce sur le feu, tournez-la avec une cuiller de bois pour bien incorporer votre beurre avec le velouté; à l'instant où vous voudrez les servir, passez et vannez votre sauce, ajoutez-y un jus de citron ou un filet de verjus.

SAUCE AU SUPRÊME. Mettez dans une casserole deux ou trois cuillerées de velouté réduit, ajoutez-y deux ou trois cuillerées de consommé de volaille; faites réduire le tout à la valeur de trois cuillerées de velouté; au moment de vous en servir, mettez-y gros de beurre comme un œuf; faites aller cette sauce sur un bon feu, tournez-la et passez-la; qu'elle soit bien liée, sans être trop épaisse; arrivée à son degré, retirez-la; mettez-y un jus de citron ou un filet de verjus, vannez-la et usez-en au besoin.

SAUCE A LA MATELOTE. Mettez dans une casserole une cuillerée à pot d'espagnole réduite; l'est-elle à peu près, mettez-y des petits oignons que vous aurez fait roussir et cuire dans le beurre, des champignons tournés et des fonds d'artichauts. A l'instant où vous servirez votre sauce, vous y mettrez gros de beurre comme une petite noix; remuez le tout de manière à bien mêler le beurre sans écraser vos garnitures, et servez.

SAUCE POIVRADE. Coupez une lame de jambon en douze petits dés, mettez-les dans une casserole avec un petit morceau de beurre, cinq ou six branches de persil, deux ou trois ciboules coupées en deux, une gousse d'ail, une feuille de laurier, un peu de basilic, du thym, et deux clous de girofle; passez le tout sur un bon feu; lorsqu'il sera bien revenu, mettez-y une pincée de poivre fin, une cuillerée à dégraisser de vinaigre, quatre cuillerées d'espagnole sans être réduite; remuez votre sauce, faites-la partir, retirez-la sur le bord du fourneau, laissez-la cuire trois quarts d'heure, dégraissez-la et passez-la dans une étamine.

SAUCE HACHÉE. Mettez dans une casserole une petite cuillerée d'échalotes hachées et blanchies, autant de champignons, un peu de persil haché; versez dessus deux ou trois cuillerées à dégraisser d'espagnole, autant de bouillon, deux cuillerées à dégraisser de bon vinaigre et une pincée de mignonnette; faites bouillir et dégraissez; hachez plein une cuiller à bouche de câpres et autant de cornichons. Lorsque vous voudrez vous servir de cette sauce, ajoutez-y le beurre d'un ou deux anchois; passez et vannez le tout.

Il ne faut pas que les cornichons et les câpres bouillent.

SAUCE PIQUANTE. Hacher un oignon, le faire revenir avec du beurre dans une casserole sans le roussir, lui adjoindre un demi-verre de vinaigre, un bouquet de persil, deux feuilles de laurier, un peu de thym, poivre et girofle, faire réduire le liquide de moitié, mêler au liquide réduit la valeur d'un verre de bouillon ou de jus et autant de sucre; faire bouillir le liquide, retirer la casserole sur le côté du feu; un quart d'heure après dégraisser la sauce et la passer au tamis, lui mêler deux cuillerées à bouche de câpres entières, et autant de cornichons coupés par morceau.

SAUCE PÉRIGUEUX. Pelez deux ou trois truffes crues,

préalablement brossées et épluchées avec soin; les couper en petits dés et les tenir à couvert; verser dans un sautoir la valeur d'un verre et demi de sauce brune, ainsi que quelques cuillerées à bouche de bon fond de veau, ajouter une partie des parures, de truffes, poser la casserole sur feu vif, faire réduire la sauce en la tournant; quand elle est réduite d'un tiers, lui incorporer peu à peu le tiers d'un verre de bon madère, le passer sur les truffes coupées; lui donner deux minutes d'ébullition, et la retirer du feu.

SAUCE AU RAISIN. (Destinée à accompagner particulièrement la langue de bœuf à l'écarlate.) Mettre dans une casserole un verre de vinaigre, un bouquet de persil, thym, laurier, grains de poivre, clous de girofle; faire réduire de moitié, mêler au liquide deux verres de jus, le faire bouillir et le lier, avec une cuillerée à bouche de fécule délayée à l'eau froide; au bout de cinq minutes, la passer au tamis dans une autre casserole, lui adjoindre deux cuillerées à bouche de gelée de groseille, ainsi que deux poignées de raisins de Corinthe et de Smyrne épluchés et lavés à l'eau chaude, lui donner cinq minutes d'ébullition à un feu modéré, et la verser sur votre langue de bœuf.

SAUCE A LA CRÈME DE CREVETTES, DESTINÉE A ACCOMPAGNER UN TURBOT. Mettre dans une casserole plate la valeur de trois verres de béchamel passée au moment, la faire réduire en lui incorporant trois cuillerées à bouche d'une crème crue, et ensuite quelques cuillerées de cuisson de champignons; quand elle est bien crémeuse, la retirer du feu, lui incorporer 100 grammes de bon beurre frais, et, en dernier lieu, 50 grammes de crème de crevettes; masquer le turbot avec une partie de la sauce; mêler au restant quelques cuillerées à bouche de queues de crevettes et la verser dans une saucière; orner le poisson avec quelques petits bouquets de feuilles de persil.

SAUCE A LA PLUCHE. Faites blanchir, rafraîchissez, mettez sur un tamis des feuilles de persil; mettez dans une casserole trois cuillerées de velouté réduit et deux de consommé; faites réduire le tout à l'instant où vous voudrez servir; jetez vos feuilles de persil dans votre sauce; si elle se trouvait trop salée, ajoutez-y un petit morceau de beurre; passez, vannez, et servez.

SAUCE A LA PURÉE DE CHAMPIGNONS. Prenez deux maniveaux de champignons, épluchez-les, lavez-les bien à plusieurs eaux, en les frottant légèrement dans vos mains; cela fait, égouttez-les dans une passoire, ensuite émincez les têtes et les queues; mettez-les dans une casserole, avec gros de beurre comme un œuf; faites-les fondre à petit feu, et lorsqu'ils seront presque cuits, mouillez-les avec du velouté, la valeur de deux cuillerées à dégraisser,

laissez-les cuire trois quarts d'heure, passez-les à l'étamine à force de bras, et finissez votre purée avec de la crème double comme celle d'oignons blancs, néanmoins avec cette différence que celle-ci doit être un peu plus claire.

SAUCE TORTUE. Mettez dans une casserole la valeur d'une cuillerée à pot d'espagnole réduite, un bon verre de vin de Madère sec, une cuillerée de poivre kari, pleine, et la moitié de cette quantité de poivre de Cayenne; faites réduire le tout; dégraissez-le ensuite, ajoutez-y des crêtes de coq, des rognons, des fonds d'artichauts, des champignons, une gorge de ris de veau, ou des ris d'agneaux, si c'est la saison; faites bouillir le tout afin que les ingrédients prennent le goût de la sauce et sa couleur; mettez-y, au moment de servir, six ou huit jaunes d'œufs bien entiers, prenez garde de les écraser en remuant avec la cuiller, et servez-vous de cette sauce pour les mets en tortue. Par principe, faites toujours réduire vos garnitures dans le vin avant de les jeter dans la sauce.

SAUCE KARI OU A L'INDIENNE. Mettez dans une casserole trois cuillerées de velouté réduit et autant de consommé, une cuiller à café pleine de poivre kari; prenez une pincée de safran, faites-le bouillir dans un petit vase; quand la teinture du safran sera formée, passez-la sur le coin d'un tamis dans votre sauce; exprimez bien le safran avec une cuiller; faites-en même passer une partie; faites ensuite bouillir, et dégraissez. Si cette sauce n'était pas assez poivrée, vous y mettriez, avec la pointe d'un couteau, un peu de poivre rouge, autrement dit poivre de Cayenne.

SAUCE TOMATE. Ayez douze ou quinze tomates bien mûres et surtout bien rouges; ôtez-en les queues, ouvrez-les en deux avec votre couteau et ôtez-en la graine; pressez-les dans votre main pour en faire sortir la partie aqueuse qui se trouve dans le cœur et que vous jetterez, ainsi que la graine; mettez-les dans une casserole avec un morceau de beurre gros comme un œuf, une feuille de laurier et un peu de thym; posez votre casserole sur un feu modéré; remuez vos tomates jusqu'à ce qu'elles soient en purée. Durant leur cuisson, mettez-y une cuillerée d'espagnole ou de la partie grasse du bouillon, ce qui vaudrait mieux; lorsqu'elles seront au degré de purée, passez-les à force de bras à travers l'étamine, ratissez le dehors de cette étamine avec le dos de votre couteau; mettez tout le résidu dans une casserole, avec deux cuillerées d'espagnole, faites-le réduire à consistance d'une légère bouillie, mettez-y du sel convenablement, et sur la pointe d'un couteau un peu de poivre de Cayenne.

SAUCE A L'IVOIRE. Après avoir ôté les poumons d'un poulet ordinaire, mettez-le dans une marmite qu'il faut avoir le soin de bien laver; ajoutez-y deux carottes, deux oignons, dont un piqué d'un clou de girofle et un bouquet assaisonné; mouillez le tout avec deux cuillerées à pot de consommé, ou de bouillon qui n'ait point de couleur; faites écumer cette marmite, retirez-la sur le coin du fourneau afin qu'elle mijote. Après une heure et quart ou une heure et demie de cuisson, passez ce consommé à travers une serviette; prenez deux ou trois cuillerées de consommé, mettez-les dans une casserole, joignez-y deux cuillerées de velouté, faites réduire à consistance de sauce. Lorsque vous serez sur le point de servir, mettez-y gros de beurre comme la moitié d'un œuf; passez et vannez bien cette sauce, versez-y une cuiller à bouche pleine de jus de citron, et servez.

SAUCE RAVIGOTE BLANCHE. Épluchez et lavez cresson alénois, cerfeuil, pimprenelle, estragon, civette, céleri et feuilles de baume; mettez le tout dans un vase; jetez dessus un poisson d'eau bouillante; couvrez et laissez infuser trois quarts d'heure; ensuite passez cette infusion, mettez-la dans une casserole avec trois cuillerées à dégraisser de velouté; faites-la réduire à consistance de sauce; mettez-y la valeur d'une cuillerée à bouche pleine de vin blanc, gros de beurre comme la moitié d'un œuf; passez et vannez bien cette sauce, et servez-la.

SAUCE RAVIGOTE FROIDE ET CRUE. Prenez la même ravigote que celle énoncée ci-dessus, hachez-la bien fin; joignez-y une cuillerée de câpres hachées de même, un ou deux anchois que vous aurez concassés, un peu de poivre fin et du sel convenablement; mettez le tout dans un mortier de marbre ou de pierre, pilez-le jusqu'à ce qu'on ne puisse plus distinguer aucun ingrédient; ajoutez-y un jaune d'œuf cru; broyez, arrosez avec

un peu d'huile et, de temps en temps, un peu de vinaigre blanc pour l'empêcher de tourner, et cela jusqu'à ce que le tout soit à consistance de sauce (si vous voulez votre ravigote très-forte, ajoutez-y un peu de moutarde); alors retirez-la du mortier, et servez.

SAUCE RAVIGOTE CUITE. Ayez la même ravigote que celle ci-dessus; lavez-la, faites-la blanchir comme vous feriez blanchir des épinards; rafraîchissez-la quand elle sera cuite; mettez-la égoutter sur un tamis, pilez-la bien; quand elle le sera, passez-la, à force de bras, au travers d'un tamis ordinaire; cela fait, délayez-la avec de l'huile et du vinaigre; mettez-y sel et poivre, ainsi que vous feriez pour une rémolade; qu'elle soit d'un bon goût, et servez.

SAUCE VERTE. Vous ferez cette sauce comme la sauce au suprême, en y ajoutant une ravigote comme celle énoncée dans l'article ci-dessus et du vert d'épinards que vous ferez ainsi : lavez et pilez bien une poignée d'épinards, exprimez-en le jus en les mettant dans un torchon blanc et les tordant à force de bras; cela fait, mettez ce jus dans une petite casserole sur le bord d'un fourneau; il se caillebotte comme du lait; lorsqu'il le sera, jetez-le dans un tamis de soie pour le laisser égoutter; à l'instant de servir vous délayerez, soit le tout, soit une partie, pour faire votre sauce verte; de suite vous y mettrez le jus d'un citron, ou un filet de vinaigre; passez et servez aussitôt, de peur que votre sauce ne devienne jaune.

SAUCE ROBERT. La sauce Robert est une des sauces des plus appétissantes comme des plus relevées, et Rabelais, qui range au nombre de ceux qui ont bien mérité de la patrie son inventeur, le cuisinier Robert, l'appelait la sauce « tant salubre et nécessaire ».
Cependant, sa réputation n'est pas aussi culinaire que l'on pourrait le croire, elle est toute religieuse au contraire, ce qui ne veut pas dire que ce qui est culinaire est étranger à la religion; demandez à votre curé ce qu'il en pense et vous en verrez la preuve.
Revenons à notre sauce. L'historien Thiers (ne pas confondre avec l'ancien ministre), curé de Champrond, au diocèse de Chartres, s'étant élevé contre quelques charlataneries ecclésiastiques autorisées par le chapitre de l'église de Chartres, eut pour adversaires les nommés Patin, official, et Robert, vicaire général de l'évêque de Chartres. Le pasteur de Champrond fit alors contre le grand vicaire de monseigneur une satire qu'il intitula *la Sauce Robert*, par allusion à la célèbre préparation culinaire de laquelle Rabelais parle. La satire fut dénoncée, Thiers fut décrété de prise de corps et obligé de fuir.
Indiquons maintenant la manière de la préparer.

RECETTE ROBERT. Coupez en rouelles ou en dés six gros oignons, ou davantage si le cas le requiert; ayez soin de laver l'oignon pour enlever la partie amère; mettez-les dans une casserole avec du beurre à proportion; posez le tout sur un bon feu; singez-le avec un peu de farine, et faites qu'elle roussisse avec vos oignons; quand tout le sera, délayez avec du bouillon; laissez cuire; mettez sel et mignonnette, et lorsque votre sauce sera arrivée à son degré, joignez-y de la moutarde, et servez.

SAUCE ÉCREVISSES. Préparez une sauce au beurre avec 125 grammes de beurre et 125 grammes de farine en la mouillant avec de la cuisson de poisson dégraissée, passée et refroidie; quand la sauce est liée, la finir en lui incorporant 100 grammes de bon beurre frais, un morceau de beurre d'écrevisses ainsi que quatre à cinq cuillerées de pattes et de queues d'écrevisses coupées en petits dés.

AUTRE SAUCE AU BEURRE D'ÉCREVISSES. Lavez à plusieurs eaux un demi-cent de petites écrevisses, mettez-les dans une casserole, couvrez-les; faites-les cuire dans du grand bouillon avec un peu de mouillement; sitôt qu'elles commencent à bouillir, sautez-les pour que celles qui sont dessous viennent dessus; quand elles seront d'un beau rouge, retirez la casserole du feu; laissez dix minutes vos écrevisses couvertes; ensuite égouttez-les sur un tamis, laissez-les refroidir, séparez-en les chairs, comme les queues que vous conservez pour faire les garnitures; jetez le dedans du corps après en avoir extrait les petites pattes; lavez-bien toutes ces écailles, jetez-les sur un tamis; faites-les sécher sur un four tiède ou sur un couvercle posé sur une cendre chaude; quand elles le seront, pilez-les dans un mortier; lorsqu'elles seront presque entièrement pilées, joignez-y gros de beurre comme un œuf; pilez-les de nouveau jusqu'à ce qu'on ne distingue presque plus les écailles de vos écrevisses; si ces écrevisses, en les pilant, ne donnaient point assez de rouge à votre beurre, ajoutez-y deux ou trois petites racines qu'on nomme orcanètes; cela fait, mettez fondre sur un feu très-doux votre beurre d'écrevisses environ un quart d'heure; quand il sera très-chaud, mettez un tamis un peu serré sur un vase rempli d'eau fraîche; versez sur ce tamis votre beurre, lequel se figera dans l'eau; ensuite ramassez-le, mettez-le sur une assiette (afin de vous en servir pour vos sauces au beurre d'écrevisses); ensuite prenez trois cuillerées de velouté réduit et bien corsé; incorporez votre beurre d'écrevisses et vannez bien le tout à l'instant de vous en servir.

SAUCE AUX HOMARDS. Otez les chairs et les œufs d'un moyen homard, coupez les chairs en dés, détachez les fibrines des œufs; mettez dans une casserole les œufs et les chairs sans mouillement, couvrez votre casserole d'un papier ou d'un couvercle, de crainte que vos chairs ne se hâlent; lavez les coquilles de votre homard, détachez-en les petites pattes du plastron que vous supprimerez; vos coquilles étant bien lavées, mettez-les sécher dans une étuve; une fois séchées, pilez-les et faites-en un beurre, comme il est indiqué au beurre d'écrevisses, et finissez-le de même; le beurre de votre homard refroidi, mettez-le dans une sauce blanche, vannez-la sur le feu sans la faire bouillir; ajoutez-y, si vous le voulez, un peu de poivre de Cayenne ou de gros poivre, versez votre sauce sur les chairs de votre homard, mêlez bien le tout et servez-le dans une saucière.

SAUCE DES GOURMETS. Faites bouillir dans une casserole la valeur de trois quarts de verre de glace fondue, et quatre cuillerées à bouche de purée de tomates, retirez aussitôt la sauce du feu pour lui incorporer peu à peu, en la tournant à la cuiller, cent cinquante grammes de beurre d'écrevisses, divisé en petites parties; quand la sauce est bien liée, lui mêler une cuillerée à bouche de bon vinaigre et finir avec une pincée d'estragon haché, autant d'échalote hachée fin et blanchie.

SAUCE ÉCHALOTE A LA BÉARNAISE. Mettez dans une petite casserole deux cuillerées à bouche d'échalote hachée et quatre cuillerées de bon vinaigre d'Orléans; la poser sur le feu et cuire les échalotes jusqu'à ce que le vinaigre soit réduit de moitié; retirez alors la casserole, et quand l'appareil est à peu près refroidi, mêlez-lui quatorze jaunes d'œufs, broyez-les à la cuiller et joignez-leur quatre cuillerées à bouche de bonne huile. Posez alors la casserole sur un feu doux; liez la sauce en la tournant, retirez-la aussitôt qu'elle est à point, et lui incorporez encore un demi-verre d'huile, mais en l'alternant avec le jus d'un citron; finir la sauce avec un peu d'estragon ou de persil haché et un peu de glace de viande.

SAUCE A LA PURÉE D'OSEILLE. Ayez deux poignées d'oseille ou davantage si le cas le nécessite, ôtez-en les queues, lavez ensuite cette oseille, égouttez-la, hachez-la très-menu, mettez-là dans une casserole avec un morceau de beurre que vous ferez fondre; quand votre oseille sera cuite, passez-la à force de bras à travers une étamine, remettez-la dans une casserole après avoir ramassé avec le dos d'un couteau ce qui avait pu rester au dehors de cette étamine, versez-y une cuillerée ou deux d'espagnole, faites-la recuire environ trois quarts d'heure; ayez soin de la remuer toujours, dégraissez-la et faites qu'elle soit d'un bon sel; arrivée à la consistance d'une bouillie épaisse, retirez-la du feu, et servez-vous-en.

SAUCE A LA PURÉE D'OIGNONS BLANCS. Mettez dans une casserole avec un morceau de beurre une quinzaine d'oignons émincés, posez votre casserole sur un feu doux afin que votre oignon ne prenne point couleur; faites-le cuire à petit feu, ayant soin de le remuer souvent avec une cuiller de bois; quand vous voyez qu'il s'écrase facilement sous la cuiller, joignez-y une ou deux cuillerées de velouté et laissez cuire de nouveau; quand le tout sera bien cuit et réduit, passez-le de nouveau dans une étamine comme pour la purée d'oseille, remettez-le dans une casserole et sur le feu, incorporez dans cette purée d'oignons une chopine de crème que vous aurez fait bouillir d'avance, mettez-y un peu de muscade râpée pour que votre purée soit d'un bon goût; lorsqu'elle aura atteint le degré d'une bonne bouillie, retirez-la, et usez-en au besoin.

SAUCE A LA PURÉE DE POIS. Marquez cette purée de pois comme celle indiquée pour les potages, faites-en autant que vous croirez nécessaire pour une ou deux entrées, mettez-la réduire avec une quantité suffisante de velouté; lorsqu'elle sera à son point, ajoutez-y un peu de vert d'épinards pour lui donner la teinte qu'ont les pois verts; finissez-la avec un morceau de beurre, une pincée de sucre en poudre, qu'elle soit à consistance d'une bouillie épaisse, et servez.

SAUCE POIS VERTS, POUR ENTRÉES ET ENTREMETS. Prenez deux litres de gros pois verts ou davantage, lavez-les, jetez-les dans une passoire, mettez-les dans une casserole avec un morceau de beurre, du persil coupé en branches, quatre ou cinq ciboules coupées en deux, posez votre casserole su· le feu, sautez vos pois lorsque vous les verrez se rider; mouillez-les avec deux cuillerées à pot de bouillon, mettez une ou deux lames de jambon, faites-les partir, retirez-les sur le bord du

fourneau, faites-les cuire, jetez-les dans une passoire, ôtez-en le jambon, écrasez-les avec une cuiller ou pilez-les à l'étamine à force de bras en les humectant avec le bouillon dans lequel ils ont cuit. La purée étant passée, mettez-la dans une casserole avec un morceau de beurre, une cuillerée ou deux de velouté; faites-les réduire à consistance d'une purée, dégraissez-la, qu'elle soit d'un bon sel, mettez-y un petit morceau de sucre et finissez-la avec un morceau de beurre; si elle n'était pas assez verte, mettez-y un peu de vert d'épinards comme il est indiqué à l'article *Purée des potages.*

SAUCE A LA PURÉE DE LENTILLES A LA REINE. Elle se fait comme la précédente, excepté qu'il faut la servir avec de l'espagnole; on doit laisser cuire la purée de lentilles plus que la purée de pois, afin qu'elle soit d'une belle couleur marron; on la finit avec un morceau de beurre et on lui donne la même consistance que la purée de pois.

PURÉE DE GIBIER. Prenez un ou deux perdreaux rôtis à la broche, un lapereau et une bécasse, soit séparément, soit ensemble; levez-en toutes les chairs, hachez le tout très-menu, mettez le hachis dans un mortier et pilez bien; lorsqu'il sera pilé, mettez-le dans une casserole avec de l'espagnole réduite et un peu de consommé, faites chauffer le tout sur un feu doux et sans bouillir; quand cette purée sera bien chaude, passez-la à force de bras à l'étamine, ramassez ce qui peut en rester dehors, remettez-la dans une casserole, faites-la chauffer et placez-la au bain-marie; au moment de vous en servir, finissez-la avec un morceau de beurre. Si vous ne la trouvez pas assez corsée, mettez-y un peu de glace et servez-la soit avec des œufs pochés dessus, soit avec des croûtons ou dans des croustades.

SAUCE AU PAUVRE HOMME. Prenez cinq ou six échalotes, ciselez et hachez-les, ajoutez une pincée de persil haché bien fin, mettez le tout dans une casserole soit avec un verre de bouillon, soit avec du jus ou de l'eau en moindre quantité, et une cuillerée à dégraisser de bon vinaigre, du sel, une pincée de gros poivre, faites bouillir vos échalotes jusqu'à ce qu'elles soient cuites, et servez.

GLACE OU CONSOMMÉ RÉDUIT. Prenez un ou deux jarrets de veau, et soit pour augmenter, soit pour remplacer ces jarrets, employez des parures de carrés et des débris de veau; mettez le tout dans une marmite fraîchement étamée, avec quatre ou cinq carottes, deux ou trois oignons, et un bouquet de persil et de ciboules; mouillez le tout avec d'excellent bouillon, ou quelques bons fonds; faites écumer votre marmite et rafraîchissez-la plusieurs fois avec de l'eau fraîche, mettez-la sur le bord d'un fourneau, et lorsque vos viandes quitteront les os, passez votre consommé à travers une serviette, que vous aurez mouillée et tordue; laissez refroidir votre consommé, clarifiez-le, faites-le réduire à consistance de sauce en ayant soin de remuer toujours, vu que rien n'est plus sujet à s'attacher et à brûler; à cet effet, ne la conduisez pas à trop grand feu, ce qui pourrait la noircir; elle doit être d'un beau jaune et très-transparente; n'y mettez point de sel, elle en aura toujours assez. Cette réduction sert à donner du corps à vos sauces et ragoûts qui pourraient en manquer, et à glacer vos viandes. Vous ferez un petit pinceau avec des queues de vieilles poules, ôtez-en les barbes, ne laissez que le bout des plumes d'environ deux pouces de longueur; mettez-les bien égales, qu'il n'y en ait pas une plus longue que l'autre; liez-les fortement, ce qui formera votre pinceau; lavez-le dans l'eau tiède, pressez-le, servez-vous-en, mais prenez garde de le laisser bouillir dans votre glace, de peur de faire partir les barbes par parcelles dans votre travail.

Marinade cuite. Mettez dans une casserole gros de beurre comme un œuf, une ou deux carottes en tranches, ainsi que des oignons, une feuille de laurier, la moitié d'une gousse d'ail, un peu de thym, de basilic, du persil en branches, deux ou trois ciboules coupées en deux; faites passer le tout sur un bon feu; quand vos légumes commenceront à roussir, mouillez-les avec du vinaigre blanc, le double d'eau, mettez-y sel et gros poivre, laissez bien cuire cette marinade, passez-la à travers un tamis, et servez-vous-en au besoin.

Poêle. Prenez quatre livres de rouelle de veau, coupez-les en dés, ainsi qu'une livre et demie de jambon, une livre et demie de lard râpé que vous couperez de même, cinq ou six carottes coupées en dés, huit moyens oignons entiers; un fort bouquet de persil et de ciboules, dans lequel vous envelopperez trois clous de girofle, deux feuilles de laurier, du thym, un peu de basilic et un peu de massif; joignez à cela trois citrons, coupés en tranches, dont vous aurez supprimé la pelure et les pépins; mettez le tout dans une marmite fraîchement étamée, avec une livre de beurre fin, passez-le sur un feu doux, mouillez-le avec du bouillon ou du consommé; faites partir, écumez, laissez cuire quatre ou cinq heures, passez votre poêle à travers un tamis de crin, et servez-vous-en au besoin.

Sauce a la mirepoix. Cette sauce se fait comme la précédente, et n'en diffère qu'en ce que dans le volume de son mouillement il entre un quart de vin soit de Champagne, soit d'autre bon vin blanc.

Blanc. Ayez une livre ou une livre et demie de graisse de bœuf, coupez-la en gros dés, mettez-la dans une marmite avec carotte coupée en tranches, oignons entiers,

piqués de deux clous de girofle, une ou deux feuilles de laurier, un bouquet de persil et ciboules, une gousse d'ail, deux citrons coupés en tranches, dont vous aurez supprimé la peau et les pépins; passez le tout sur le feu sans le faire roussir; lorsque votre graisse sera aux trois quarts cuite, singez-la d'une cuillerée à bouche de farine, mouillez le tout avec de l'eau, joignez-y de l'eau de sel, ce qu'il en faut.

L'eau de sel se fait ainsi : mettez dans une casserole une ou deux poignées de sel avec de l'eau, faites-la bouillir, écumez-la, laissez-la reposer, tirez-la au clair, et servez-vous-en.

Petite sauce a l'aspic. Mettez dans une casserole un bon verre de consommé, faites-y infuser une partie suffisante de fines herbes dont on se sert pour la ravigote; posez votre casserole sur de la cendre chaude environ un quart d'heure, ne laissez pas bouillir, passez le tout à travers un linge blanc, ne l'exprimez pas trop fort, mettez-y une cuillerée à bouche de vinaigre d'estragon, un peu de gros poivre, et servez-vous-en.

Sauce au fumet de gibier. Mettez dans une casserole quatre cuillerées à dégraisser de consommé, prenez deux ou trois carcasses de perdreaux, que vous aurez concassées avec le dos de votre couteau; un bon verre de vin blanc; faites cuire environ trois quarts d'heure, passez le tout à travers un tamis de soie, faites réduire et tomber à glace. Cela fait, mettez deux ou trois cuillerées à dégraisser d'espagnole, faites bouillir; dégraissez, et servez-vous-en.

Sauce au beurre d'ail. Prenez deux gousses d'ail, pilez-les avec gros de beurre comme un œuf; lorsque le tout sera bien pilé, mettez votre beurre sur le fond d'un tamis de crin double, passez-le à force de bras, avec une cuiller de bois, ramassez-le, et servez-vous-en soit avec du velouté, soit avec de l'espagnole réduite.

Sauce au beurre d'anchois. Prenez trois ou quatre anchois, lavez-les bien, frottez-les avec une serviette, afin qu'il n'y reste aucune écaille; levez-en les chairs, supprimez-en l'arête, pilez-les avec gros de beurre comme un petit œuf; quand le tout sera pilé, ramassez-le, passez-le au tamis, et mettez-le sur une assiette. Vous aurez fait réduire quatre cuillerées à dégraisser d'espagnole; à l'instant de saucer, vous incorporerez votre beurre d'anchois soit en partie, soit en totalité, avec votre espagnole; faites chauffer deux citrons pour la dessaler, passez et vannez-la; si elle se trouvait trop liée, ajoutez-y un peu de consommé, et servez-vous-en.

Sauce au beurre de Provence. Prenez cinq ou six gousses d'ail, pilez-les comme pour le beurre d'ail; passez-les comme ci-dessus, à travers un tamis de crin double; ramassez avec la cuiller tout le résidu; mettez-le dans un vase de faïence; ayez de la bonne huile vierge d'Aix, versez-en un peu dessus; tournez votre huile et votre ail comme pour faire une pommade, sans discontinuer de la mouiller et de la remuer petit à petit; mettez-y du sel convenablement. Elle doit venir comme un morceau de beurre, à force de la travailler; alors servez-vous-en.

SAUCE A LA TARTARE. Hachez deux ou trois échalotes bien fin, un peu de cerfeuil et d'estragon; mettez le tout dans le fond d'un vase de terre avec de la moutarde et deux jaunes d'œufs, un filet de vinaigre, sel et poivre, selon la quantité qu'il vous en faut; arrosez légèrement d'huile votre sauce, et remuez-la toujours : si vous voyez qu'elle se lie trop, jetez-y un peu de vinaigre; goûtez si elle est d'un bon sel : si elle se trouvait trop salée, remettez-y un peu de moutarde et d'huile.

SAUCE AU FENOUIL. Épluchez, hachez, faites blanchir quelques branches de fenouil, jetez-les sur un tamis, mettez dans une casserole deux cuillerées à dégraisser de velouté, autant de sauce au beurre; faites-les chauffer, ayez soin de les vanner; à l'instant de servir, jetez votre fenouil dans votre sauce; passez-la bien, pour que votre fenouil soit bien mêlé, mettez-y le sel convenable et un peu de muscade râpée.

SAUCE A L'ANGLAISE, AUX GROSEILLES A MAQUEREAU. Prenez vos deux pleines mains de groseilles à maquereau à moitié mûres; ouvrez-les en deux, ôtez-en les pépins; faites-les blanchir dans l'eau avec un peu de sel, comme vous feriez blanchir des haricots verts; égouttez-les; jetez-les dans une sauce comme celle indiquée ci-dessus, avec fenouil ou sans fenouil. Cette sauce sert à manger, en place de celle de maître d'hôtel, des maquereaux bouillis.

SAUCE CLAIRE A L'ESTRAGON. Prenez de votre grand aspic : si vous n'en aviez pas, employez quelques bons fonds, que vous clarifierez comme je l'ai indiqué à l'article *grand aspic*. Après l'avoir clarifié, mettez-y un filet de vinaigre à l'estragon, coupez quelques feuilles d'estragon en losanges; faites-les bouillir, et au moment de servir, jetez-les dans votre aspic.

SAUCE A L'ESTRAGON LIÉE. Mettez dans une casserole deux ou trois cuillerées à dégraisser de velouté réduit, si vous la voulez blanche, et d'espagnole réduite, si vous la voulez rousse; ajoutez-y un filet de vinaigre à l'estragon, de l'estragon préparé comme le précédent, et finissez de lier votre sauce avec un pain de beurre.

SAUCE MAYONNAISE. Mettez dans un vase de terre trois ou quatre cuillerées à bouche d'huile fine, et deux de vinaigre d'estragon; joignez-y estragon, échalotes, pimprenelle, hachés très-fin, sel, gros poivre, en suffisante quantité, deux ou trois cuillerées à bouche de gelée d'aspic; remuez bien le tout avec une cuiller; la sauce se liera et formera une espèce de pommade. Goûtez-la : si elle était trop salée ou trop vinaigrée, mêlez-y un peu d'huile; en cas que vous la vouliez claire, concassez la gelée avec votre couteau, et mêlez-la légèrement avec votre assaisonnement.

ROUX. Mettez dans une casserole une livre de beurre ou davantage; faites-le fondre sans le laisser roussir; passez au tamis de la farine de froment, la plus blanche et la meilleure; mettez-en autant que votre beurre en pourra boire (on le fait aussi considérable que le besoin l'exige); il faut que ce roux ait la consistance d'une pâte un peu ferme; menez-le au commencement sur un feu assez vif, ayant soin de le remuer toujours; lorsqu'il sera bien chaud et qu'il commencera à blondir, mettez-le sur de la cendre chaude, sous un fourneau allumé, en sorte que la cendre rouge de ce fourneau tombe sur le couvercle qui couvre votre roux; remuez-le de demi-quart d'heure en demi-quart d'heure, jusqu'à ce qu'il soit d'un beau roux; de cette manière votre roux n'aura point l'âcreté que les roux ont ordinairement.

ROUX BLANC. Faites fondre le beurre le plus fin que vous aurez; mettez-y de la farine en suffisante quantité; passez au tamis comme ci-dessus, de crainte qu'il ne se trouve dans votre farine des grumeaux ou de la malpropreté; mettez-le sur un feu très-doux, afin qu'il ne prenne point couleur; ayez soin de le remuer environ une demi-heure et servez-vous-en à votre volonté.

PATE A FRIRE. Passez une demi-livre de farine; mettez-la dans une terrine avec deux cuillerées à bouche d'huile, du sel et deux ou trois jaunes d'œufs, mouillez avec de la bière en suffisante quantité pour qu'elle ne corde point; travaillez-la pour qu'elle soit à consistance d'une bouillie; fouettez un ou deux blancs d'œufs, incorporez-les dans votre pâte en la remuant légèrement; faites-la deux ou trois heures avant de vous en servir. Du plus ou du moins de blancs d'œufs fouettés dépendra la légèreté de votre pâte. Vous pouvez faire de même cette pâte avec du beurre au lieu d'huile, et de l'eau chaude en place de bière. L'eau tiède avec un peu de beurre fondu vaut mieux que la bière; pas de vin blanc. L'huile vaut mieux que le beurre, la pâte est plus croustillante; un peu de cognac, un petit verre.

FRITURE. L'expérience m'a appris que, de toutes les fritures, la meilleure est celle que l'on fait avec la partie grasse qu'on tire de la grande marmite. Lorsqu'on n'a pas assez de cette graisse, on y supplée avec de la graisse de rognons de bœuf hachée très-fin, ou que l'on coupe en dés,

PARIS
A TABLE

Notre réalité est bien autrement merveilleuse que cette orgueilleuse fiction.

Quand Paris se met à table, la terre entière s'émeut ; de toutes les parties de l'univers connu, les choses créées, les produits de tous les règnes, ceux que le globe voit croître à sa surface, ceux qu'il enserre dans son sein, ceux que la mer renferme et nourrit, ceux qui peuplent l'air : tous accourent, se pressent et se hâtent, afin d'obtenir la faveur d'un regard, d'une caresse ou d'un coup de dents. Pour la France, le dîner de Paris est la grande affaire du pays. La plaine, la colline, la montagne et la vallée, le bois, la forêt, le vignoble et les guérets, le potager et le verger, la

Extrait de « Paris à table » par Eugène Briffault, illustré par Bertall - 1846.

et qu'on fait fondre avec soin. Ces graisses valent infiniment mieux que le saindoux, qui a le défaut de ramollir la pâte, et celui encore plus grand, lorsqu'on le fait chauffer, de s'enfler et d'écumer, ce qui le fait déborder souvent du vase où on l'a mis, et ce qui est dangereux encore, *dans le feu*. L'huile fait à peu près le même effet et n'est pas moins dangereuse sous ce dernier rapport ; mais elle ne ramollit pas. A l'égard du beurre fondu, cette friture revient fort cher et a presque les mêmes inconvénients : ainsi je conclus que de toutes les fritures, tant pour la beauté que pour la bonté et l'économie, la meilleure est celle qui provient de la graisse qu'on a retirée de la marmite, ainsi que celle qu'on fait de la graisse des rognons de bœuf.

Manière d'opérer en cela :

Lorsque vous aurez de la graisse indiquée en suffisante quantité, mettez-la dans une marmite pour la faire cuire et clarifier ; faites-la partir comme vous feriez à l'égard d'un bouillon ; mettez-y quelques tranches d'oignons et quelques morceaux de pain, faites-la aller quatre ou cinq heures sur le bord d'un fourneau ou devant le feu, comme on fait aller, vulgairement dit, un pot-au-feu bourgeois ; après, ôtez-en le pain, les oignons, et tirez-la au clair : elle doit être extrêmement limpide ; mettez-en la quantité dont vous avez besoin dans une poêle, faites-la chauffer ; pour vous assurer si elle est chaude assez, trempez un de vos doigts dans l'eau et secouez-le sur la friture ; si elle pétille et jette l'eau, c'est qu'elle est à son degré de chaleur. Si c'est du poisson que vous faites frire, avant de l'abandonner tenez-le par la tête et trempez le bout de la queue dans votre friture ; si, l'ayant laissé une seconde, vous voyez que ce bout est presque cassant, mettez-y votre poisson et ayez soin de le retourner.

SAUCE AUX HATELETS. Hachez un peu de persil, ciboules et champignons ; mettez ces fines herbes dans une casserole avec un morceau de beurre ; passez-les, singez-les, et mouillez-les avec une cuillerée à pot de consommé ; assaisonnez cette sauce d'un peu de sel, gros poivre, de la muscade râpée et une demi-feuille de laurier ; faites-la aller sur un bon feu, en ayant soin de la tourner jusqu'à ce qu'elle ait atteint son degré de cuisson, c'est-à-dire qu'elle soit réduite à consistance d'une bouillie claire ; retirez-en le laurier ; liez-la avec deux jaunes d'œufs délayés avec un peu de bouillon, et servez-vous-en.

BRÈDE SAUCE. Prenez de la mie de pain *ad hoc*, faites-la dessécher avec du lait ; laissez-la cuire environ trois quarts d'heure, et ne lui donnez que la consistance d'une bouillie épaisse ; ajoutez-y vingt grains de poivre blanc, du sel en suffisante quantité et, en la finissant, gros comme une noix d'excellent beurre ; servez-la dans une saucière, à côté de vos pièces de venaison.

SAUCE AUX TRUFFES A LA SAINT-CLOUD, OU EN PETIT DEUIL. Coupez une truffe en très-petits dés; passez-les dans un petit morceau de beurre; mouillez-les avec quatre cuillerées à dégraisser, pleines de velouté, et deux de consommé; faites cuire et réduire votre sauce; dégraissez-la et finissez-la avec un pain de beurre.

SAUCE A LA PLUCHE VERTE. Mettez dans une casserole quatre cuillerées pleines de velouté réduit; faites bouillir et dégraissez au moment de servir; mettez dans cette sauce des feuilles de persil blanchi, du gros poivre, un pain de beurre et le jus d'un citron; observez que ce jus doit dominer un peu.

COURT-BOUILLON. Mettez dans une casserole un morceau de beurre avec des oignons coupés en tranches, et des carottes coupées en lames, deux feuilles de laurier cassées, trois clous de girofle, deux gousses d'ail, du thym, du basilic, et un peu de gingembre; passez le tout sur un feu vif, pour donner à ces légumes un peu de couleur; faites que le fond de votre casserole soit un peu attaché; mouillez-les avec deux ou trois bouteilles de vin; si vous voulez que votre court-bouillon soit au gras, mettez quelques bons fonds de graisse; faites-le bouillir et servez-vous-en.

KET-CHOP. Ayez douze maniveaux de champignons, épluchez-les, lavez-les, émincez-les le plus possible; ayez une terrine d'office neuve; faites un lit de champignons de l'épaisseur d'un travers de doigt; saupoudrez-le légèrement de sel fin, ainsi de suite, lit par lit, jusqu'à ce que vos champignons soient employés; ajoutez-y une poignée de brou de noix; cela fait, couvrez votre terrine d'un linge blanc, fixez ce linge avec une ficelle et recouvrez votre terrine avec un plat quelconque. Laissez quatre ou cinq jours vos champignons se fondre; tirez-en le jus au clair et exprimez-en le marc à force de bras, au travers d'un torchon neuf (il faut être deux pour cela); mettez ce jus dans une casserole; faites-le réduire; ajoutez-y deux feuilles de laurier; vous aurez marqué une petite marmite comme pour faire un fond de glace (voyez la *Glace*); ajoutez-y quatre ou cinq anchois pilés, une cuillerée à café de poivre de Cayenne (voyez *Poivre de Cayenne*); faites réduire le tout presque à demi-glace; ôtez-en les feuilles de laurier, et laissez-le refroidir; ensuite mettez-le dans une bouteille neuve bien bouchée et servez-le avec le poisson.

LA DUXELLE. Hachez champignons, persil, ciboules et échalotes, le tout par tiers; mettez du beurre dans une casserole avec autant de lard râpé, passez ces fines herbes sur le feu, assaisonnez-les de sel, gros poivre, fines épices, un peu de muscade râpée et une feuille de laurier; mouillez le tout de quelques cuillerées d'espagnole ou de velouté; laissez-le mijoter, ayant soin de le remuer lorsque vous

croirez votre duxelle suffisamment cuite, et l'humidité des fines herbes évaporée; finissez-la avec une liaison que vous ferez cuire sans laisser bouillir; ajoutez-y, si vous voulez, le jus d'un citron; déposez-la dans une terrine, et servez-vous-en pour tout ce que vous voudrez mettre en papillote.

SAUCE AU VERT-PRÉ. Mettez dans une casserole cinq cuillerées à dégraisser pleines de velouté et deux de consommé; faites-les réduire, au moment de servir ajoutez-y un petit pain de beurre et gros comme une noix de vert d'épinards; passez sans travailler votre sauce et servez-vous-en.

SAUCE A L'ORANGE. Coupez par la moitié des oranges, exprimez-en le jus dans un tamis que vous poserez sur un vase de faïence; coupez en deux vos moitiés d'oranges dont vous aurez exprimé le jus, ôtez-en toutes les chairs; coupez le zeste en petits filets; faites-le blanchir, égouttez-le, mettez-le dans un jus de bœuf bien corsé avec une pincée de gros poivre, retirez sur le bord du fourneau votre casserole; mettez-y le jus de vos oranges, saucez-y vos filets et que le reste soit dessus.

Eau de sel. Mettez de l'eau dans un petit chaudron et du sel proportionnellement à la quantité de l'eau, avec quelques ciboules entières, du persil en branche, une ou deux gousses d'ail, deux ou trois oignons coupés en tranches; zestes de carottes, thym, laurier, basilic, deux clous de girofle; faites bouillir trois quarts d'heure, écumez votre eau, descendez-la du feu, couvrez-la d'un linge blanc, laissez-la reposer une demi-heure ou trois quarts d'heure; passez-la au travers d'un tamis de soie sans y verser le fond, servez-vous-en pour faire cuire votre poisson et tout ce qui nécessite de l'eau de sel.

Beurre lié. Cassez deux œufs, supprimez-en les blancs, mettez les jaunes dans une casserole; faites fondre environ un quarteron de beurre sans le laisser roussir; broyez, rompez vos jaunes avec une cuiller de bois, versez votre beurre au fur et à mesure sur ces jaunes; posez votre casserole sur un feu doux, mettez-y du jus de citron, et servez-vous-en pour faire vos parures.

Verjus et la manière de le faire pour qu'il se conserve. Prenez du verjus avant qu'il ne commence à mûrir, séparez les grains de la grappe, ôtez-en les queues; mettez les grains dans un mortier avec un peu de sel, pilez-les, exprimez-en le jus à travers un linge à force de bras ou sous une pierre; ayez une chausse de futaine, ou deux, si la quantité de verjus que vous voulez faire l'exige; mouillez cette chausse, enduisez-la de farine du côté plucheux de la futaine, suspendez-la de manière qu'elle soit·ouverte; versez votre verjus en plusieurs fois jusqu'à ce qu'il devienne limpide comme de l'eau de roche; vous aurez auparavant rincé des bouteilles, ou vous en aurez de neuves, pour qu'elles n'aient aucun mauvais goût; vous les soufrerez en agissant ainsi : ayez un bouchon qui puisse aller à toutes les bouteilles, passez dedans un fil de fer, arrêtez-le sur le haut des bouteilles et faites-lui faire un crochet à l'autre extrémité : il faut que ce fil de fer ne passe pas la moitié de la bouteille; mettez au crochet un morceau de mèche soufrée comme celle qu'on emploie pour mécher les tonneaux, allumez-la, mettez-la dans les bouteilles l'une près de l'autre; lorsque vous apercevrez que la bouteille est remplie de la vapeur, ôtez-en la mèche et bouchez-la, ainsi des autres; au bout d'un instant videz-y votre verjus et bouchez bien vos bouteilles, que vous mettrez debout dans la cave, et quand vous voudrez vous en servir, supprimez la petite pellicule qui doit s'être formée dans le goulot; vous pourrez vous servir de ce verjus en place de citron; vous pourrez vous en servir aussi pour les liqueurs fraîches et le punch, en y ajoutant un peu d'esprit-de-vin ou du zeste de citron. Ce verjus est bon pour obvier aux inconvénients des chutes; il suffit, à cet effet, d'en prendre un verre lorsque l'accident vient d'arriver.

Sauce ravigote chaude pour cervelles de veau et autres. (Recette d'Urbain Dubois.) Mettez dans une casserole la valeur d'un demi-verre de vinaigre blanc; ajoutez au liquide un bouquet d'estragon, quelques échalotes et grosses épices; faites réduire le liquide de moitié, adjoignez-lui alors quelques cuillerées de sauce blonde un peu consistante, faites-la bouillir pendant quelques minutes, passez-la au tamis et la tenez au chaud, hachez fin une pincée de feuilles de persil, une ou deux feuilles d'estragon, une de pimprenelle et une de cerfeuil; les mettre dans le coin d'une serviette, tremper celle-ci dans l'eau chaude; exprimez l'humidité des fines herbes, mêlez-les à la sauce, et incorporez à celle-ci hors du feu trois ou quatre cuillerées à bouche de bonne huile d'olive.

Sauce a l'aurore. Ayez du velouté travaillé, dans lequel vous mettrez plein deux cuillerées à bouche de jus de citron, du gros poivre et un peu de muscade râpée; votre sauce marquée, vous avez quatre jaunes d'œufs durs que vous passez à sec à travers une passoire; au moment de servir, vous mettez vos jaunes dans votre sauce. Prenez garde de ne pas la laisser bouillir quand les jaunes y seront, et qu'elle soit d'un bon sel.

Sauce aux olives farcies. Jetez dans l'eau bouillante 250 grammes d'olives farcies, égouttez-les, retirez-les, mettez-les dans une espagnole réduite au bain-marie, ajoutez deux cuillerées d'huile d'olive, et servez au besoin.

Sauce aux moules. Vos moules ratissées et passées à plusieurs eaux, vous les mettez dans une casserole avec ail, persil, sur un feu vif, et vous faites sauter les moules de temps en temps jusqu'à ce qu'elles soient ouvertes; alors ôtez les moules de leurs coquilles, et après les avoir laissées reposer et tiré au clair l'eau qu'elles ont rendue, faites-en une sauce au beurre, jetez vos moules dans cette sauce, et tenez-la bien chaude pour vous en servir.

Sauce froide a la polonaise. Exprimez dans une saucière le suc de quatre citrons et celui d'une bigarade; joignez-y une forte pincée de mignonnette avec trois cuillerées *à café* de bonne moutarde et six pleines cuillerées à bouche de *sucre* bien pur et bien pulvérisé; mélangez et délayez, et servez avec gibier noir froid.

Sauce dite a la genevoise. Mettez dans une casserole avec une bouteille de vin rouge oignons, persil, échalotes, ail, laurier, thym et épluchures de champignons; faites réduire le tout au quart, mettez une cuillerée à pot de consommé, mouillez avec le fond du poisson que vous aurez disposé pour votre service; faites travailler votre sauce comme celle à la matelote réduite, passez-la à l'étamine; vous la finirez avec un beurre de deux anchois, un bon quarteron de beurre fin; ayez soin que votre sauce se trouve bien liée, pour qu'elle puisse marquer, servez-vous de cette sauce pour le poisson d'eau douce.

Nous ne pouvons nous empêcher de mettre sous les yeux du lecteur une diatribe qu'un gastronome de mauvaise humeur laisse, à propos de la sauce genevoise, échapper contre les Genevois; nous la donnons pour ce qu'elle vaut, mais n'en prenons aucunement la responsabilité; c'est bien assez d'avoir dans la Confédération suisse une ville contre moi, sans avoir la capitale même de la Confédération.

« Il est à savoir, dit ce gastronome, que lorsqu'on s'adresse à un Genevois pour avoir la recette de la sauce genevoise, recette qui est des plus économiques et des plus simples, il vous rédige et vous remet toujours une interminable et glorieuse pancarte où l'on vous prescrit notamment de ne pas manquer d'employer moitié vin de Champagne et moitié vin de Bordeaux pour faire le mouillement ou court-bouillon de tous les poissons qu'on veut accommoder à la genevoise. Nous avertissons les voyageurs de ne pas s'en rapporter à ce dernier formulaire qui n'est jamais employé à Genève qu'à l'égard des étrangers et pour se donner par écrit un faux air de magnificence. Lorsque des Genevois peuvent se décider à faire les frais de deux bouteilles de vin de Champagne ou de vin de Bordeaux, c'est pour les boire en compagnie et nullement pour les verser dans un chaudron de leur petite cuisine. »

SAUCE DITE A LA TALPAGE (pour manger le lièvre et le lapin rôtis). Faites fondre du lard pour en faire un roux, mettez-y de l'ail et des échalotes, mouillez avec du vin, salez, poivrez, faites griller le foie, écrasez-le avec du vinaigre et joignez-le à la sauce. Au moment de servir, passez cette sauce et ajoutez-y le jus de la bête. Cette sauce doit être très-relevée.

Vous vous en lécherez les doigts!...

SAUCISSES

Composition dont les principaux éléments sont des viandes hachées et enveloppées soit dans un morceau de crépine, soit dans un boyau de porc ou de mouton.

SAUCISSON

Viande hachée et enfermée dans un intestin de bœuf. Il y a des villes dont les bons saucissons ont fait la réputation. Il y a les saucissons de Lyon, il y a les saucissons de Strasbourg, il y a les saucissons d'Arles; mais, il faut l'avouer, la beauté des femmes d'Arles a fait plus encore pour la réputation de la ville que la sapidité de ses saucissons. Grimod doit, dans les *Mousquetaires*, une de ses plus heureuses exclamations à ce mot *saucisson!* qui jaillit de sa mémoire au moment où il passe devant l'auberge où, prisonnier avec Athos, il a mis la cave à sec, et la cuisine sens dessus dessous.

SAUGE

Herbe aromatique qui, en médecine, s'il faut en croire l'école de Salerne, a de puissantes qualités, mais dont on ne se sert en cuisine que pour faire mariner les grosses pièces de venaison, et composer les brouets destinés à faire cuire les jambons et les andouilles.

SAUMON

Poisson du Nord et du Midi, poisson d'eau douce pendant la belle saison, poisson de mer pendant le reste de l'année. Il quitte la mer au printemps pour frayer et voyage par troupes nombreuses. Un ordre remarquable règne parmi ces nomades qui, réunis sur deux files, se joignant à l'avant, forment le coin : c'est la disposition qu'observent dans l'air les oiseaux migrateurs; ils remontent d'ordinaire avec lenteur et en se jouant; cette marche produit un grand bruit, mais, dès qu'ils se croient menacés, l'œil ne peut suivre leur vitesse qui n'a d'égale que celle de l'éclair; ni les digues, ni les petites cataractes ne les arrêtent; ils se couchent de côté sur les pierres, ils se courbent fortement en arc, puis, se redressant avec violence, ils se trouvent projetés en l'air, et passent par-dessus l'obstacle; ils s'avancent ainsi dans les fleuves, parfois à plus de huit cents lieues des côtes de la mer. C'est entre le mois d'octobre et celui de février que se fait la pêche du saumon.

SAUMON ROULÉ A L'IRLANDAISE. Prenez la moitié d'un saumon que vous désossez et blanchissez; saupoudrez le côté de l'intérieur d'un mélange fait avec du poivre, du sel, de la muscade, quelques huîtres hachées, du persil et de la mie de pain; vous roulez le saumon sur lui-même, vous le mettez dans un plat creux et le faites cuire dans un four bien chaud; quand il est cuit, servez-le avec le produit de sa cuisson.

SAUMON A LA GENEVOISE. Mettez dans une casserole une hure de saumon ficelée, avec oignons coupés en tranches, zestes de carottes, bouquet de persil et ciboules, du laurier, un ou deux clous de girofle, sel et fines épices, mouillez le tout avec du vin rouge; faites cuire votre saumon, et, sa cuisson achevée, passez dans une casserole à travers un tamis de soie une partie de son assaisonnement; mettez autant de roux que vous avez mis d'assaisonnement, faites réduire à consistance de sauce, ajoutez-y un peu de beurre, passez et liez votre sauce, égouttez votre saumon, dressez-le et servez-le garni de croûtons frits.

Les Genevois n'usent jamais de cette recette, aimant mieux boire le vin de Champagne que de le mettre dans un chaudron.

QUEUE DE SAUMON GRILLÉE. Nettoyez une queue de saumon, mettez-la sur un plat; marinez-la avec un peu d'huile, sel fin, feuille de laurier, persil et ciboules

Hures de saumon à la gelée.

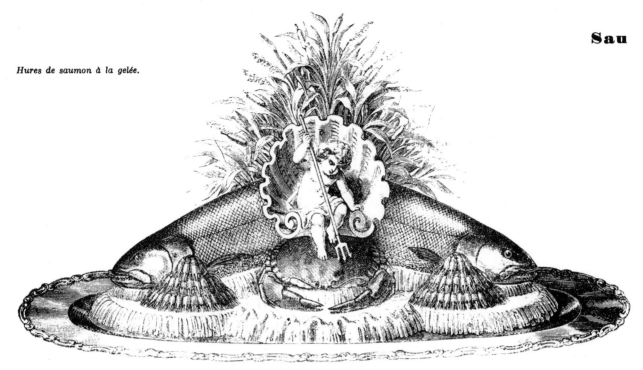

coupées en deux ; retournez-la et, à cet effet, servez-vous d'un couvercle de casserole, et reglissez-la sur le gril ; arrosez-la de temps en temps de sa marinade (son épaisseur déterminera le temps de sa cuisson). Pour vous assurer si elle est cuite, écartez un peu la chair de l'arête : si elle est encore rouge, laissez-la cuire ; la cuisson faite, renversez-la sur le couvercle, supprimez-en la peau, saucez avec une sauce au beurre, parsemez-la de câpres confites ou de fleurs de capucines au vinaigre.

SAUTÉ DE SAUMON. Levez la peau d'un morceau de saumon cru, coupez-le par minces escalopes, aplatissez-les avec le manche de votre couteau que vous aurez trempé dans l'eau pour qu'il ne tienne pas à la chair du saumon ; puis vous aurez fait fondre du beurre dans une sauteuse, vous y aurez rangé vos escalopes sans les mettre les unes sur les autres ; saupoudrez-les d'un peu de sel fin et de gros poivre ; mettez dans une casserole, si c'est au gras, trois cuillerées à dégraisser de velouté réduit ; si c'est au maigre,

de l'espagnole maigre et gros de beurre comme deux œufs, faites chauffer et lier votre sauce, sautez vos escalopes retournez-les, et, leur cuisson faite, égouttez-les ; dressez-les en couronne sur votre plat, auquel vous aurez fait une garniture ; supprimez une partie du beurre dans lequel vous avez fait sauter vos escalopes, conservez-en le jus, mettez ce fond dans votre sauce, liez-la de nouveau, ajoutez jus de citron, persil, muscade.

GALANTINE DE SAUMON. Prenez le manchon d'un fort saumon, fendez-le par le ventre, retirez-en la forte arête, étendez-le sur un linge blanc, piquez-le de gros lardons, d'anchois, de thon mariné, de cornichons et de truffes ; étalez sur toute la superficie des chairs des quenelles de poisson quelconque ; reformez votre manchon de saumon dans sa forme naturelle, serrez-le bien dans une serviette et faites-le cuire dans un bon court-bouillon, laissez-le refroidir, déballez, parez, dressez, glacez et garnissez de croûtons. Servez avec un beurre de Montpellier.

Tranches de saumon à la gelée.

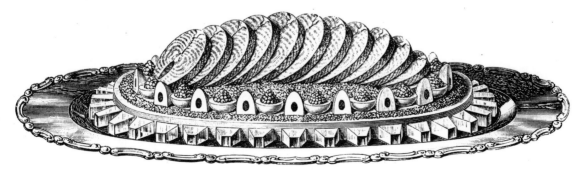

PATÉ CHAUD DE SAUMON. Otez la peau et l'arête d'un morceau de saumon, piquez-le de filets d'anguilles et de filets d'anchois; passez ces morceaux au beurre avec des fines herbes, comme il est indiqué à l'article *Esturgeon en fricandeau;* assaisonnez de sel, gros poivre, épices; laissez-les refroidir, mêlez vos fines herbes avec des quenelles de poisson, mettez le tout dans une croûte de pâté et finissez comme il est indiqué à l'article *Pâtisserie;* servez et saucez d'une italienne.

SAUMON FUMÉ. Prenez du saumon fumé, coupez-le par lames, mettez de l'huile sur un plat d'argent, sautez vos filets; leur cuisson faite, ajoutez-en l'huile, passez par-dessus un jus de citron, et servez.

SAUMON SALÉ. Faites dessaler votre saumon, mettez-le dans une casserole avec de l'eau fraîche, faites-le cuire, écumez-le, et quand vous le verrez près de bouillir retirez votre casserole du feu, couvrez-la d'un linge blanc et au bout de cinq minutes égouttez-le, et servez-le en salade.

SAUMONNEAUX DU RHIN. Faites-les cuire au bleu pour les dresser en grillage et les servir en entremets avec une sauce à l'huile verte et au jus d'orange amère : il est rare que les saumonneaux arrivent assez frais à Paris pour y être mis en friture, et c'est cependant la préparation qui leur convient le mieux.

SAUMONNEAUX A LA POÊLE. Faites-les cuire une heure sur un feu doux, avec du consommé, du vin de Champagne, quelques lames de jambon cuit; assaisonnez avec bouquet garni, échalotes, quatre épices, passez la sauce réduite au tamis et servez.

SELTZ (Eau de)

L'eau minérale de Seltz doit à l'acide carbonique qu'elle tient en dissolution la double propriété de communiquer aux différentes boissons avec lesquelles on la mélange une saveur piquante qui favorise l'activité de l'appareil digestif; il est difficile, à Paris du moins, de se procurer de l'eau de Seltz naturelle et qui n'ait rien perdu de ses propriétés; mais comme on a trouvé le moyen de l'imiter exactement, et même de donner à l'imitation un goût plus agréable que le goût naturel, il n'est pas d'été si brûlant ni de lieux si déserts où l'on ne puisse se procurer de l'eau de Seltz en la fabriquant soi-même. Pour composer de l'eau minérale de Seltz artificielle, il est suffisant de mettre par chaque bouteille d'eau filtrée un demi-gros de bicarbonate de soude avec un demi-gros d'acide tartrique; on aura soin de bien ficeler les bouchons sur ces bouteilles et de les coucher à la cave ou dans un lieu frais, afin que le gaz qui se dégage par la réaction des deux sels ne puisse faire sauter les bouchons ni faire éclater les bouteilles.

SEMOULE

Pâte en petit grain de la même substance que le vermicelle et qu'on emploie également pour des potages et des entremets sucrés. La meilleure semoule est celle de Gênes, où l'on en fabrique de deux sortes, savoir : la semoule blanche, qui se fait avec de la farine de riz, et la jaune qui se fait avec de la fleur de froment dans laquelle on ajoute de la teinture de safran, de la coriandre et des jaunes d'œufs. C'est celle qui convient le mieux pour toutes les préparations de la semoule au lait et au sucre.

La semoule au lait et au sucre se mange très-bien froide, comme on mangerait une crème.

SIROP

Il existe deux procédés pour la préparation des sirops *à froid :* faites fondre dans de l'eau le double de son poids de sucre, environ deux livres dans dix-huit ou vingt onces de liquide, tel que les sucs de limons, d'oranges, de roses, de violettes passées au tamis, et mettez au froid dans des bouteilles bien bouchées.

On peut mettre aussi dans un vase de faïence un lit de sucre, un autre lit de fruits, tels que groseilles, oranges, cerises, remettre par-dessus un lit de sucre, et ainsi alternativement en ayant soin que le premier et le dernier lit soient de sucre; le sucre se dissout dans le jus des fruits, lequel en deux jours est transformé en sirop; cette sorte de sirop est très-agréable, mais ne se conserve pas longtemps.

Il faut apporter une grande attention dans la confection des sirops : pas assez cuits, ils se conservent mal; trop cuits, ils se candissent.

Les sirops par coction se font ainsi : mettez dans votre liquide du sucre à raison d'une livre par pinte, et faites évaporer; la cuisson n'a pour but que de concentrer les sucs; d'autres praticiens font évaporer le suc avant d'y mettre le sucre; ce moyen donne un sirop plus agréable, mais qui ne se garde point aisément.

Le sucre doit toujours être en double proportion, à froid immédiatement, à chaud au moyen de l'évaporation.

Nous ne donnons aucune recette particulière pour la préparation des sirops d'orgeat, framboises, au verjus, aux grenades, etc., ces préparations étant du domaine du confiseur et non du cuisinier.

SOLE

La meilleure sole est de couleur gris-lin; on la trouve dans les eaux de Dieppe : les soles pêchées à Calais ou à Roscoff sont fort inférieures à celle-là.

SOLES FRITES POUR ROT. Ayez une belle sole, ratissez-la, ou mieux encore arrachez-lui la peau grise, videz-la en faisant une petite incision au-dessous de l'ouïe, lavez-la, égouttez-la; faites-lui une incision au dos, passez la lame de votre couteau le long de l'arête pour en détacher les chairs; au moment de servir, trempez votre sole des deux côtés, farinez-la et faites frire. Soutenez sa friture par un bon feu : il faut que ce poisson, comme tous ceux qu'on fait frire, se tienne roide en sortant de la poêle. Sa cuisson faite et d'une belle couleur, égouttez-le sur un linge blanc, saupoudrez-le d'un peu de sel fin, mettez sur un plat une serviette pliée proprement, posez votre sole dessus, et servez à côté des citrons entiers ou des bigarades.

SOLES A LA FLAMANDE. Comme la précédente, puis mettez-les dans une poissonnière et mouillez-les d'une eau de sel, faites cuire, égouttez, et dressez avec du beurre fondu dans une saucière ou avec une sauce aux huîtres.

SOLES AU FOUR. Fendez vos soles par le dos, soulevez-en les chairs des deux côtés, emplissez le dos de fines herbes hachées, passées au beurre et refroidies; étendez un morceau de beurre dans le fond de votre plat, posez-y vos soles sur le dos, dorez-les avec une plume trempée dans du beurre fondu, saupoudrez-les d'un peu de sel fin, d'épices fines, panez-les de mie de pain, mouillez-les d'un peu de vin blanc ou de bouillon, faites-les cuire au four ou sous un four de campagne.

FILETS DE SOLES EN FRITURE. Coupez des filets de soles, marinez-les avec du sel, du poivre, un jus de citron; au moment de servir vous les passerez dans de l'œuf, puis dans de la mie de pain, et vous les ferez frire. On doit les servir en cordon autour d'une rémolade ou d'une sauce Robert.

SAUTÉ DE FILETS DE SOLES. Coupez deux ou trois soles en filets de manière que chacune d'elles vous en donne huit; marinez ces filets avec du sel, du poivre, une échalote ou un oignon, du persil et des truffes, le tout bien haché, et un jus de citron; vous les mettrez ensuite dans un sautoir enduit en dessous d'une couche de beurre; posez le tout sur le feu; les filets roidis d'un côté vous les retournerez de l'autre, et lorsqu'ils seront au point vous les retirerez et vous les dresserez sur un plat; vous pencherez le sautoir pour en faire découler le beurre et le remplacerez par un demi-verre de vin blanc sec, dans lequel vous ferez bouillir des tranches de truffes jusqu'à ce qu'il soit réduit à moitié; vous ajouterez alors un peu d'espagnole; dégraissez votre sauce et versez-la sur les filets.

FILETS DE SOLES A LA ORLY. Nettoyez et videz vos soles, fendez-les par le dos, depuis la tête jusqu'à la queue, levez-en les chairs, c'est-à-dire faites quatre filets dans votre sole; parez-les, mettez-les mariner dans une terrine, avec sel fin, persil en branches, ciboulettes et tranches d'oignons, et le jus d'un ou plusieurs citrons; remuez vos filets dans cette marinade où il faut les laisser environ trois quarts d'heure; un instant avant de servir, égouttez-les, farinez-les, faites-les frire, qu'ils soient fermes et d'une belle couleur, dressez-les sur votre plat et servez dessus une sauce italienne aux tomates. (Sauce tomate lisse.)

SAUTÉ DE FILETS DE SOLES A LA MAITRE D'HOTEL. Levez vos filets de soles comme je l'ai indiqué précédemment, levez-en la peau; la peau levée, coupez vos filets en plusieurs morceaux égaux et parez-les; vous aurez fait fondre du beurre dans une sauteuse assez grande pour contenir vos filets; arrangez-les dans cette sauteuse; saupoudrez-les d'un peu de sel fin, recouvrez-les d'un peu de beurre fondu; au moment de servir, posez-les sur le feu, et lorsqu'ils seront roidis d'un côté retournez-les de l'autre; leur cuisson faite, égouttez-les, dressez-les en miroton, et saucez-les d'une bonne maître d'hôtel où vous aurez mis du velouté réduit que vous forcerez d'un peu de citron.

SOLES AU GRATIN. Levez vos filets comme il est dit ci-dessus; levez-en la peau; étendez sur ces filets de la farce cuite, soit au gras, soit au poisson, de l'épaisseur d'une pièce de cinq francs; roulez-les entièrement en commençant par le bout le plus mince, et faites qu'ils soient d'une égale grosseur; à cet effet, mettez plus de farce sur les filets qui se trouvent être les plus faibles; étendez dans le fond de votre plat de la farce environ l'épaisseur d'un travers de doigt; posez-les sur le plat et formez-en une couronne, afin qu'il se trouve un vide au milieu; garnissez de farce tous les intervalles, en dedans ainsi qu'en dessus, de sorte que vos filets ne fassent qu'une masse; unissez le tout avec la lame de votre couteau, que vous tremperez dans de l'eau tiède; panez les mies de pain, arrosez-les d'un peu de beurre, mettez-les cuire au four ou sous un four de campagne; la cuisson de votre gratin faite et d'une belle couleur, égouttez-les, et mettez dans son puits une provençale ou une italienne.

FILETS DE SOLES A L'ITALIENNE. Prenez des soles frites et froides, ou de desserte; levez-en les filets, supprimez-en les peaux, parez-les avec soin; mettez un peu de bouillon dans une sauteuse ou une casserole; arrangez-y vos filets, mettez-les chauffer sur de la cendre chaude; prenez garde qu'ils ne bouillent; au moment de servir, égouttez-les sur un linge blanc, dressez-les sur votre plat comme des lames de jalousie; saucez-les d'une sauce italienne et servez.

FILETS DE SOLES A LA SAUCE DE PROVENCE. Lever les filets de deux soles, les diviser chacun en deux parties, les assaisonner, les fariner et les plonger dans de la friture d'huile bien chaude; quand ils sont cuits, les égoutter et les dresser sur un plat avec du persil tout autour; puis vous enverrez à part la sauce suivante : ôtez les arêtes du poisson, délayez des aromates et du vin blanc; vous tirerez un peu d'essence de poisson, vous la dégraisserez, vous la passerez au tamis, et vous la ferez réduire en demiglace; vous lui mêlerez une cuillerée à bouche de purée de tomates au naturel et passée à l'étamine, ainsi qu'une cuillerée de sauce; faire réduire ce liquide pendant quelques minutes, le retirer sur le côté du feu, lui incorporer cent cinquante grammes de bon beurre divisé en petites parties; l'incorporation doit se faire peu à peu et sans cesser de tourner la sauce; quand celle-ci est bien liée, la finir avec le jus d'un citron et une pointe de Cayenne.

SOLE GRILLÉE. Otez entièrement la peau de la sole; assaisonnez-la avec du sel, du poivre et un jus de citron; oignez-la ensuite de beurre fondu et passez-la enfin dans de la mie de pain; c'est quand elle est ainsi préparée qu'il faut la faire griller à petit feu; faites fondre en même temps un anchois avec un morceau de beurre; mouillez ce mélange avec un quart de verre de vin blanc sec et un jus de citron, et versez-le sur votre sole.

SOLE FARCIE AUX HUITRES. Fendez la sole par le dos, enlevez-en l'arête et tous les cartilages, farcissez-la avec un peu de farce de poisson et un ragoût d'huîtres bien truffé; vous la ferez cuire au four avec feu dessus feu dessous, dans un sautoir, avec un peu de beurre au fond; assaisonnez la sole avec du sel, une tranche de carotte et de citron, recouvrez-la avec des bardes de lard, et mouillez avec un demi-verre de vin blanc sec ou du bouillon de poisson; posez un rond de papier dessus; après cuisson vous la servirez sur un ragoût d'huîtres

et de truffes préparées et mêlées en égale quantité; le tout doit être saucé avec une allemande.

SOLES A LA MODE DE TROUVILLE. Retirer la peau noire à deux soles fraîches et propres, les diviser chacune en deux ou trois parties, beurrer un plat à gratin, les saupoudrez avec deux cuillerées à bouche d'oignons hachés, ranger les morceaux de soles dans le fond du plat, les assaisonner, les mouiller à hauteur avec du cidre et poser le plat sur un feu vif; faire bouillir le liquide pendant quelques instants et poser le plat au four; dix minutes après poser les morceaux de soles sur le plat, faire bouillir vivement le fond de cuisson pendant deux minutes, le retirer du feu et le lier en lui incorporant cent cinquante grammes de bon beurre, et à défaut de ce bon beurre lier le fond avec un petit morceau de beurre manié, puis lui incorporer le beurre frais et une pincée de persil haché; la verser sur les soles.

FILETS DE SOLES EN MAYONNAISE. Prenez des soles frites et froides ou de desserte, levez-en les filets, parez-les, coupez-les de la longueur de deux pouces; dressez-les en couronne sur le plat et masquez-les d'une mayonnaise.

FILETS DE SOLES EN SALADE. Préparez vos filets comme il est dit aux articles précédents, et procédez pour ces filets comme il est indiqué à la *salade de volaille*.

SOUDAC

Un des bons poissons que l'on rencontre dans tous les cours d'eau de Russie, et dont la grandeur se mesure au bassin dans lequel on le trouve, est le soudac; il a la forme du brochet, dont il a à peu près le goût.

SOUDAC A LA MOSCOVITE. Écaillez la queue d'un gros soudac, coupez-la par tranche de l'épaisseur de trois centimètres, rangez ces tranches sur une grille, plongez-les dans l'eau salée et bouillante, joignez-y un bouquet de persil, laissez le liquide jeter un bouillon, retirez la casserole du feu, couvrez-la et tenez-la dix minutes sur le côté.

D'autre part, hachez un oignon, faites-le revenir dans une casserole plate avec du bon beurre; quand il est de couleur blonde, jetez-lui deux piments rouges et quatre à cinq cents grammes de riz bien trié et bien lavé; faites revenir celui-ci pendant deux minutes, et le mouillez trois fois sa hauteur avec du bouillon de poisson; couvrez la casserole, faites vivement partir le liquide pendant dix minutes, puis retirez-le sur un feu très-doux; un quart d'heure après, le riz se trouvera cuit avec les grains entiers sans cependant être tout à fait à sec : alors on l'arrosera avec cinq ou six cuillerées à bouche de sauce tomate, on le tiendra hors du feu pendant cinq minutes, on le finira en lui incorporant un morceau de beurre, trois douzaines de queues d'écrevisses et autant d'olives farcies aux anchois et conservées à l'huile; le dresser sur un plat chaud, égoutter avec soin les tranches de soudac, les dresser sur le riz en donnant à sa queue la forme qu'elle avait, humecter le poisson avec du beurre fondu.

Soudacs des gourmets. Prendre de moyens soudacs vivants, les tuer, les écailler, en supprimer les ouïes, les séparer en tronçons, les vider, les laver et les éponger sur un linge, beurrer le fond d'une casserole, le masquer avec quelques champignons frais et émincés en lames, saler légèrement ceux-ci, ranger des tronçons de poisson sur les champignons, les assaisonner, les mouiller à trois quarts de hauteur de vin blanc, du jus d'un citron, et de la cuisson de deux douzaines d'huîtres blanchies; ajouter un bouquet de persil garni, ainsi qu'un petit morceau de beurre manié avec autant de farine que de poudre de kari; fermer la casserole, la poser sur un bon feu, faire bouillir le liquide pendant douze minutes, enlever les tronçons un à un, sans les briser, les dresser sur un plat chaud, enlever le bouquet, lier le fond de cuisson avec trois jaunes d'œufs délayés, cuire la liaison sans la faire bouillir, mêler les huîtres à la sauce, et la verser sur les tronçons.

STERLET

Il existe en Russie un poisson pour lequel les Russes ont une prédilection pareille à celle que les Romains avaient pour le surmulet et la dorade.

On sait qu'à Rome l'amphitryon avait l'habitude de montrer vivants la dorade et le mulet qui devaient être servis au dîner.

Or, comme il y avait douze lieues à faire de l'endroit où on les pêchait jusqu'à Rome, des esclaves placés en relais les apportaient en courant sans les changer d'eau et arrivaient presque toujours à temps pour que les convives pussent voir dans leur agonie se ternir l'or, la pourpre et l'azur de leurs écailles.

Il en était de même et bien pis encore chez un Russe, quand il s'agissait de faire manger un sterlet à ses amis.

Le sterlet ou petit esturgeon *(Acipenser rethenus)* était un mets auquel les grands seigneurs de Pétersbourg et les boyards de Moscou ne voyaient rien à comparer; le grand esturgeon ordinaire ne restait estimé par eux que parce qu'il fournissait le caviar.

Avant qu'il y eût des chemins de fer en Russie, il fallait parfois faire faire à un sterlet deux ou trois cents lieues pour avoir l'honneur d'être servi sur la table d'un prince : or, dans les gelées d'hiver, quand le baromètre est à 30 ou 32 degrés au-dessous de zéro et qu'il faut faire faire à un poisson deux ou trois cents lieues dans la même eau, à

une température égale à zéro, ce n'est pas chose facile, puisqu'il faut réchauffer l'eau au fur et à mesure qu'elle se refroidit; on avait donc des voitures rien que pour le transport des sterlets, et il arrivait parfois qu'une simple soupe au sterlet, s'il entrait dans sa confection deux ou trois de ces poissons, revenait à 6 ou 8,000 francs.

Sterlet au Chablis. Inutile, après ce que nous venons de raconter, de dire que le sterlet est le plus estimé des poissons russes. Il faut choisir un sterlet de moyenne grosseur, retirer du poisson les écailles aiguës des côtés et du dos, le ratisser, le vider et le laver; faire une petite incision à l'extrémité des chairs de la queue afin de saisir le boyau nerveux qui longe l'arête principale; il est de la grosseur d'une aiguille à tricoter en bois; quand une fois il est à nu, le prendre avec un linge pour le sortir tout entier, mais peu à peu; distribuer le sterlet en cinq ou six tronçons coupés en biais, les mettre dans une casserole dont le fond est beurré, et masquer avec quelques tranches de racine de persil, ajouter une feuille de laurier et une gousse d'ail non épluchée, saler le poisson, le mouiller aux trois quarts avec du vin de Chablis et le jus de deux ou trois citrons, couvrir la casserole, faire bouillir le liquide à feu vif, de façon que quand le sterlet est cuit le fond de cuisson se trouve réduit de moitié; dégraisser alors la sauce, lui donner quelques cuillerées de bonne glace liquide, lui mêler un bouillon et la lier avec un morceau de beurre manié à la farine, ajouter le jus d'un citron, et dresser les tronçons de sterlet sur un plat long en reformant le poisson : entourer celui-ci des deux côtés avec des bouquets de truffes, d'olives, de quenelles et de champignons, le masquer avec une partie de la sauce et envoyer le surplus dans une saucière.

Cet article est emprunté à la *Cuisine de tous les pays*, études cosmopolites de M. Urbain Dubois, et seul dispensaire de cuisine où j'aie trouvé cette manière et les deux manières suivantes d'apprêter le sterlet. Nous écrivons en Russie pour avoir la recette de cette fameuse soupe au poisson que l'on appelait *ouka* et qui coûtait, nous l'avons dit, quelquefois jusqu'à 6 ou 8,000 francs.

Elle coûte aujourd'hui ce que coûte une soupe à la tortue, et pour peu que M. Coste veuille bien s'occuper de l'acclimatation du sterlet, elle coûtera ce que coûte un potage ordinaire.

Paté froid de sterlet. Si, à Saint-Pétersbourg, quelqu'un s'occupait à préparer des pâtés froids de sterlet dans de bonnes conditions, je ne doute pas que ce mets fût bientôt apprécié et mis à l'ordre du jour par les gourmets de tous les pays; j'ai eu l'occasion d'en préparer quelquefois, et j'ai trouvé que les qualités de ce poisson se prêtaient admirablement bien à cet emploi.

Nettoyer un sterlet selon la règle, le distribuer en tronçons, mettre ceux-ci dans une casserole avec un peu de beurre et un verre de vin blanc, deux poignées de parures de truffes fraîches et un bouquet de persil mêlé avec des aromates; cuire le poisson pendant sept à huit minutes, couvrir la casserole et la retirer du feu; dix minutes après, égoutter le fond de cuisson du sterlet dans une terrine, retirer alors les tronçons de la casserole pour les couper chacun en deux parties sur leur longueur, afin d'en extraire attentivement les arêtes et corps durs; déposer le poisson dans un plat creux, lui mêler 5 à 600 grammes de truffes crues, épluchées et coupées en quartiers; les assaisonner avec sel, épices, persil haché et quelques cuillerées de vin de Madère; fermer le vase et faire macérer le poisson avec les truffes et le vin pendant une heure.

Couper en morceaux 300 grammes de chair d'anguille et autant de chair de brochet sans arêtes, les mêler dans le mortier pour les piler, et les retirer. Piler 500 grammes de lard frais et le mettre aussi de côté. Piler enfin quatre truffes crues avec gros comme un œuf de panade, ainsi qu'avec les filets de six anchois; quand le mélange est opéré, ajouter à cette farce le lard et les chairs de poisson pilées; l'assaisonner de haut goût avec du sel et épices, la piler encore, et cinq minutes avant de la retirer du mortier lui incorporer le peu de fond de cuisson du sterlet. Foncer un moule à pâté avec de la pâte brisée, masquer le fond et les parois de la caisse avec une couche de farce, emplir le vide avec les morceaux de sterlet et les truffes par couches alternées avec de la farce; terminer et cuire le pâté selon les règles ordinaires. Une demi-heure après qu'il est sorti du four, lui infiltrer (par le haut) quelques cuillerées de bonne gelée infusée avec un peu d'aromates et mêlée avec la moitié de son volume de Madère. Laisser bien refroidir le pâté avant de le servir.

BOUILLABAISSE AU STERLET. Tuer un petit sterlet, le nettoyer, le diviser en tronçons et le tenir sur glace. Émincer deux oignons et le blanc d'un poireau, les mettre dans une casserole avec de la bonne huile d'olive et deux gousses d'ail, les faire revenir de couleur blonde, leur adjoindre les morceaux de sterlet ainsi qu'une douzaine de ierchis, une petite anguille et six grosses écrevisses coupées en deux sur la longueur; ajouter un bouquet de persil et deux petits piments rouges, une pincée de sel, les chairs d'un citron coupées en tranches, sans écorce ni semences, et enfin deux cuillerées à bouche de purée de tomates; mouiller le poisson à hauteur avec deux tiers de vin blanc et un tiers de bouillon de poisson, poser la casserole sur un feu vif, cuire le poisson pendant douze à quatorze minutes, retirer la casserole du feu, égoutter le liquide en le passant au tamis, le verser dans un plat creux sur des tranches de pain un peu épaisses, dresser le poisson sur un autre plat et l'envoyer en même temps que le bouillon et le pain.

SUNAN

Nom donné par les Japonais à ces nids d'hirondelles qu'on mange à la Chine et dont nous avons déja parlé sous le nom, je crois, de *salangane*. On en trouve en Hollande, où l'on peut toujours s'en procurer en les payant sur le pied de 40 florins l'once (environ 80 francs de notre monnaie), c'est-à-dire à 1,200 francs la livre; on les y emploie pour garnir certaines entrées fines, et on les fait cuire avec du consommé de volaille qu'on assaisonne avec un peu de macis. La partie comestible de ces nids, car il s'y trouve toujours quelques matières hétérogènes, est une substance assez mucilagineuse et d'une apparence assez conforme à celle du gros vermicelle de Pise; elle est pourvue d'une saveur très-fine et qui rappelle le goût de la sept-œils de Rouen. Les naturalistes orientaux pensent que ce doit être un tissu de fucus, de varech ou d'une autre plante marine; mais toujours est-il que ce sont les nids d'une hirondelle de rocher *(alcyo petrœus)* et les missionnaires ont observé qu'on ne trouve jamais ces nids que dans des cavernes au bord de la mer.

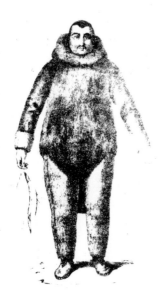

Salangane et son nid.

TANCHE

La tanche est ainsi nommée, c'est-à-dire *cyprinus tincta*, parce qu'elle a une couleur toute particulière à elle et assez différente de celle des autres poissons, étant comme teinte d'un vert jaune et noirâtre. Il y en a de deux espèces, celles d'eau douce et celles de mer. Les anciens ne connaissaient pas la tanche d'eau douce : Cicéron est le seul qui en ait parlé dans son livre des orateurs illustres; il cite un orateur qui avait mérité le nom de Tincta par la singularité de son esprit.

Les tanches destinées à la nourriture doivent être choisies fortes et bien nourries; le goût en est plus ou moins savoureux selon qu'elles sont d'une eau courante, d'une eau limpide ou d'une eau stagnante; on les mange de toute façon.

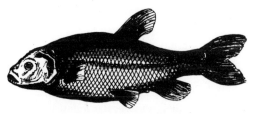

TANCHE A LA POULETTE. Après avoir trempé votre tanche dans un chaudron d'eau presque bouillante, raclez-en le limon et les écailles; vous la coupez par morceau et la faites dégorger; vous mettez ensuite du beurre dans la casserole, vous le faites tiédir avec vos morceaux de tanche, vous les sautez dans le beurre; joignez-y plein une cuiller à bouche de farine que vous mêlez ensemble; vous mouillez votre ragoût avec une bouteille de vin blanc, du sel, du gros poivre, une feuille de laurier, un bouquet de persil, de la ciboule, des petits oignons et des champignons; vous ferez aller votre ragoût un peu vite, dès qu'il sera cuit vous y mettrez une liaison de trois jaunes d'œufs. Garnissez ce plat d'écrevisses, de foies de lottes ou de langues de carpes.

TANCHE GRILLÉE. Raclez le limon et les écailles en commençant par la queue, mais sans toucher la peau; mettez dans le corps de ces poissons un morceau de beurre manié de fines herbes avec une pointe d'ail, persil et ciboules hachés, sel et poivre; faites tiédir la marinade et mettez-y les tanches; laissez-les prendre goût pendant une couple d'heures, retirez-les, essuyez-les et farinez-les pour les faire frire. On fait aussi cuire les tanches dans un court-bouillon au vin bien assaisonné, et on les sert avec une sauce aux câpres et aux capucines.

TAPIOCA

Fécule de manioc, extraite de la racine râpée. La pulpe râpée est mise dans un sac auquel on suspend un poids; le jus s'écoule; ce qui reste dans le sac est un mélange de beaucoup de fécule avec un peu de parenchyme : ce mélange séché sert à la nourriture des nègres dans nos colonies. Le suc qui s'écoule entraîne la partie la plus fine de la fécule, qui se dépose et qu'on sépare par décantation; cette fécule séchée et cassée en morceaux est le tapioca. Quant au suc qu'entraîne cette fécule, c'est un poison violent; mais sa propriété vénéneuse ne réside que dans un principe très-volatil; car, lorsque le suc de manioc a bouilli, on l'emploie dans certaines préparations alimentaires.

TARTE

Pâtisserie feuilletée dont on couvre les abaisses, avec des crèmes, des fruits en compote ou des confitures.

TERRA MERITA ou CURCUMA

C'est une racine orientale qui, comme le safran, donne une teinture jaune dont on fait usage pour colorer les ragoûts : le curcuma fait partie de la poudre nommée *kari*, dont on fait un grand usage dans l'Inde, et qui entre en Europe dans quelques préparations culinaires. Nous avons déjà dit que le kari se compose de 120 grammes de piment enragé, de 90 grammes de curcuma, 30 gram-

489

mes de poivre, 30 grammes de girofle, un peu de muscade, le tout en poudre fine.

Les Anglais y ajoutent de la rhubarbe; on sait qu'une des distractions gastronomiques des Anglais est de manger des tourtes et des petits pâtés de rhubarbe. La mode en a été importée par eux chez les pâtissiers du faubourg Saint-Honoré, à Paris.

TERRINE

On lit dans le *Dictionnaire général de la cuisine française :* Entrée, qui tire son nom de l'usage où l'on était autrefois de servir la viande dans la terrine même où elle avait été cuite, sans aucune autre sauce que le mouillement qu'elle avait produit. Aujourd'hui la terrine est composée de plusieurs sortes de viandes cuites à la braise, qu'on sert dans un vase appelé terrine, soit d'argent ou de porcelaine, avec telle sauce, coulis, ragoût ou purée qu'on trouve bien d'y ajouter.

Les terrines de foies de canards de Toulouse et celles de Nérac, qui sont garnies de perdreaux aux truffes, ont une juste réputation; mais tout cela doit céder à l'ancienne *terrine du Louvre*, ainsi qu'elle est formulée par Leclerq.

TERRINE A L'ANCIENNE MODE. Faites cuire avec du bouillon un poulet gras, une perdrix, le râble d'un lièvre, une noix de veau et une noix de mouton, le tout piqué de lard moyen bien assaisonné de fines herbes et d'épices. Laissez tout cela bouillir ensemble. Pelez ensuite des marrons grillés, nettoyez-les convenablement et mettez-les à cuire avec les viandes. Fermez bien la terrine et lutez-la de pâte ferme, afin que tout cela cuise en son jus. Dégraissez la sauce avant de la servir, et ajoutez-y pour lors un gobelet de vin des Canaries.

THÉ

C'est en 1666, en plein règne de Louis XIV, que le thé, après une opposition non moins vive que celle qu'avait éprouvée le café, s'est introduit en France.

Aujourd'hui il s'en consomme, rien qu'en Angleterre et en France, pour plus de vingt millions de livres sterling. Il y a sept ou huit espèces de thé, mais nous n'en consommons guère que trois espèces : le thé perlé, dont la feuille est parfaitement roulée sur elle-même; le thé souchong, dont les feuilles sont d'un vert sombre, un peu noirâtre et bien roulées; enfin, le pékao, en pointes blanches, celui dont l'odeur est la plus aromatique et la plus agréable.

Le thé perd facilement son odeur ou en contracte non moins facilement une désagréable. Il est donc important pour la conservation des thés qu'ils soient enfermés dans des boîtes de porcelaine.

Il y a en outre cinq ou six autres espèces de thés : il y a le thé jaune, qui vaut en Russie jusqu'à trente à quarante francs la livre; on en prend d'habitude une seule tasse après dîner comme on prend du café. Il y a encore le thé camphon, qui veut dire thé de feuilles choisies : il est en effet composé des meilleures feuilles du thé bonni, tendres et de bonne grandeur; il est de beaucoup préférable à d'autres, mais il est très-rare.

Le meilleur thé se boit à Pétersbourg, et en général par toute la Russie : la Chine y confinant par la Sibérie, le thé n'a pas besoin de traverser la mer pour venir à Moscou ou à Pétersbourg, et les voyages par mer nuisent beaucoup au thé.

Le thé vert est rarement usité en France; il est légèrement pourvu d'une propriété plus ou moins enivrante, qu'il manifeste par son action sur les nerfs quand on le prend trop fort et en trop grande quantité. Le thé se fait par infusion : on en mêle à dose convenable dans une théière, et on verse par-dessus une demi-tasse d'eau bouillante; on attend que les feuilles soient développées, et alors on achève de remplir la théière. Par le fait d'une habitude particulière à la Russie, et qui ne laisse pas au premier abord de choquer singulièrement les étrangers, les hommes boivent le thé dans des verres, et les femmes dans des tasses de Chine.

Voici la légende qui se rattache à cette habitude :

Les premières tasses à thé furent faites à Cronstadt. Or il arrivait souvent que, par économie, les cafetiers mettaient dans la théière une quantité moindre de thé qu'il n'eût fallu. Alors, comme le fond de la tasse représentait une vue de Cronstadt, que la transparence de la liqueur laissait voir trop clairement, le consommateur appelant le marchand et lui montrant le fond de sa tasse :

« On voit Cronstadt », lui disait-il.

Et comme le marchand ne pouvait nier qu'on vît Cronstadt,

Une plantation de thé à Simpar.

et comme il fallait, si le thé était suffisamment fort, qu'on ne vît pas Cronstadt, le marchand était pris en flagrant délit de fraude.

Ce que voyant, le marchand eut l'idée de substituer des verres au fond desquels on ne voyait rien, aux tasses où l'on voyait Cronstadt.

C'est la maîtresse de la maison qui met le thé dans la théière, qui le sucre, qui y ajoute un nuage de crème, une tranche de citron ou une goutte de Cognac, et à qui appartient la responsabilité du thé qu'elle offre à ses convives.

THON

Poisson de mer, qui a deux passages dans la Méditerranée, et qui se fait prendre sur les côtes de Marseille, sur celles de Corse, sur celles de l'île d'Elbe, sur celles de Sicile et sur celles d'Afrique. C'est surtout de lui qu'on peut dire qu'il n'est ni chair ni poisson; aussi les pêcheurs l'ont-ils surnommé le veau des chartreux, parce que certaines parties de sa chair ont le goût et la blancheur de la chair du veau. Sa chair se mange fraîche et surtout marinée;

presque tout le thon mariné qui se mange en France vient de Provence. Le filet avec lequel on pêche les thons s'appelle une madrague. Un homme constamment en sentinelle compte le nombre de thons qui entrent dans la madrague, et comme pas un ne peut se retrouver dans les nombreux détours que forme le filet, autant il en voit entrer, autant il y en a de pris. Quand on croit en avoir un nombre suffisant, on ferme la porte d'entrée, on soulève les filets à la hauteur de l'eau; des hommes descendent dans les filets et poignardent les thons, qui rendent une énorme quantité de sang.

PROCÉDÉ POUR MARINER LES THONS. Videz le thon aussitôt pêché, coupez-le par morceaux, rôtissez sur le gril, faites frire dans l'huile, assaisonnez de sel et de poivre, et encaquez dans de petits barils dans de l'huile et du vinaigre.

THON A LA BROCHE. Prenez une forte tranche de thon, lardez avec anguilles et anchois; faites-le rôtir, arrosez-le en cuisant avec une marinade maigre : oignons en tranches

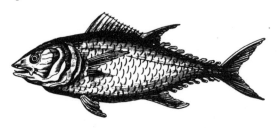

et citron, ciboules, sel, poivre et laurier, une livre de beurre que vous mettez dans la lèchefrite; dégraissez ensuite cette marinade, liez-la d'un fort coulis roux en y ajoutant quelques câpres, et versez-la sur le thon.

THON EN CAISSE. Foncez une caisse de papier avec des tranches de thon, avec des herbes fines, parez et mettez la caisse dans une tourtière; faites cuire prestement entre deux feux vifs, et servez.

THON FRAIS EN SALADE. Servez avec une rémoulade des tranches de thon rôti.

THON FRIT. Servez avec une rémoulade des tranches de thon mariné et frit.

THYM

Plante aromatique qu'on emploie comme assaisonnement.

TOAST

C'est la Révolution qui a établi en France l'usage des toasts. Cette dénomination nous vient des Anglais, qui, pour porter la santé de quelqu'un, mettent dans chaque pot de bière une rôtie de pain, qui s'écrit *toast* et qui se prononce *toste*. Le toast ou rôtie reste à celui qui boit le fond du vase.

Un jour qu'Anne Boleyn, la plus belle femme qui existât alors en Angleterre, prenait un bain entourée des seigneurs de sa suite (elle était de mœurs faciles), ces gentilshommes, pour lui faire leur cour, prirent chacun un verre et puisèrent dans sa baignoire de l'eau, qu'ils burent. Un seul s'abstint de suivre cet exemple, et quand on lui demanda pourquoi il ne faisait pas comme les autres :

« C'est, répondit-il, que je me réserve le toast. »

Pour un Anglais, c'était assez gracieux.

Un autre toast célèbre, qui peut venir à la suite du précédent :

Le comte de Stair, lorsqu'il était ambassadeur d'Angleterre en Hollande, donnait souvent des fêtes brillantes auxquelles il invitait tous les autres ministres étrangers qui, de leur côté, l'invitaient aussi à leurs dîners diplomatiques.

Un jour qu'ils se trouvaient tous rassemblés chez l'ambassadeur de France, celui-ci, faisant allusion à la devise de Louis XIV, porta la santé du soleil levant; tout le monde lui fit raison.

L'ambassadeur de l'impératrice-reine but ensuite à la lune et aux étoiles fixes, faisant allusion aux diverses principautés d'Allemagne.

On se demandait comment le comte de Stair, qui restait seul, allait porter la santé de son maître pour égaler au moins ses deux collègues. Alors il se lève gravement, et, présentant son verre :

« A Josué, dit-il, qui arrêta le soleil, la lune et les étoiles. »

Pas mal, mais assez prétentieux, qu'en dites-vous?

Encore un petit toast et un bon mot pour finir :

Dans un dîner d'Anglais (c'est toujours dans les dîners d'Anglais qu'on voit ces choses-là), on porta, selon l'usage, la santé des dames. Milord B..., bien connu pour sa galanterie, dit :

« Messieurs, je bois au beau sexe des deux hémisphères.

— Et moi, répondit le marquis de la V...., plus réaliste que son ami, je bois aux deux hémisphères du beau sexe. »

TOMATES

Fruit qui nous vient des peuples méridionaux, chez lesquels il est en grand honneur; on mange sa pulpe en purée, et on emploie son sucre comme assaisonnement.

TOMATES A LA GRIMOD DE LA REYNIÈRE. Après avoir ôté les pépins de vos tomates, beurrez-les d'un hachis de viandes fines, et si vous n'en avez pas, de chair à saucisses, auquel vous aurez mêlé une gousse d'ail, du persil, de la ciboule et de l'estragon haché, mettez le tout cuire sur le gril, ou, ce qui vaut mieux encore, dans une tourtière sous un four de campagne avec beaucoup de chapelure, pressez dans la tourtière même un jus de citron pour achever l'assaisonnement, et servez.

TORTUE

A l'article *Potage de tortue* nous avons dit tout ce que nous avions à dire sur les différentes manières d'apprêter cet animal. Nous recevons cependant de M. Duglerez, ancien chef de bouche de la maison Rothschild, quelques recettes sur le même sujet, et nous nous empressons de les indiquer à nos lecteurs amateurs de tortue.

Dans plusieurs contrées de l'Amérique, dit M. Duglerez, la tortue se trouve communément et se débite parmi le peuple comme poisson, à très-bon marché.

Elle se prépare dans ces pays sans condiments recherchés et sans autres assaisonnements que des stimulants.

En Angleterre, où la tortue est très-estimée, il s'en fait une très-grande consommation, quoiqu'elle ne soit généralement employée que pour les potages; cela tient, paraît-il, à l'ignorance des raffinements de l'art culinaire dans ce pays.

En France, la tortue est plus honorablement représentée et tout peut être employé en cuisine.

Les parties les plus délicates sont les parties gélatineuses, telles que le plastron et la carapace, de même que les quatre nageoires et les graisses, qui sont d'une exquise délicatesse.

PRÉPARATION DE LA TORTUE. Fixez votre tortue à une échelle, attachez-lui au cou un poids de 25 kilogrammes, et à l'aide d'un fort couteau coupez-lui la tête et laissez saigner pendant cinq à six heures. Posez-la ensuite sur la table, couchée sur le dos, détachez le plastron de la carapace, enlevez tous les intestins, puis détachez aussi les nageoires avec leur peau en appuyant votre couteau sur la carapace, ramassez avec soin la graisse en raison de sa délicatesse; coupez le plastron et la carapace en quatre ou six morceaux, mettez-les dans un grand chaudron d'eau chaude et laissez cuire vingt à vingt-cinq minutes, c'est-à-dire jusqu'au moment où la peau se détache des os; retirez ensuite les morceaux du feu et plongez-les dans l'eau froide, puis égouttez-les sur des serviettes. Les morceaux de chair maigre que vous avez retirés de l'eau chaude sont très-peu délicats, c'est une chair longue, filandreuse et fade; les forts morceaux ressemblent à des noix de veau; on peut les piquer et les servir de même, en les montant d'un haut goût. Tout est possible dans l'art culinaire.

POTAGE A LA TORTUE. Pour le potage à la tortue, vous mettez toutes vos chairs maigres dans une marmite, puis vous ajoutez 10 kilogrammes de tranches de bœuf, deux jarrets de veau, trois vieilles poules; vous mouillez de trois grandes cuillerées de bon bouillon et laissez tomber à grand feu le fond à demi-glace; remplissez ensuite votre marmite d'un grand bouillon, vous la garnissez de quatre oignons piqués de clous de girofle, un bouquet de basilic et romarin, puis vous laissez cuire le tout à petit feu pendant six heures. Quand tout sera préparé comme on vient de le dire, vous prenez les peaux que vous avez retirées du plastron et de la carapace et vous les coupez en morceaux de trois centimètres carrés ainsi que les nageoires, à moins que vous n'ayez l'intention de servir ces dernières comme relevé; puis vous mettez ces morceaux dans une casserole foncée de bardes de lard, avec une bouteille de vieux madère, et vous finissez de mouiller avec le consommé préparé et passé. Laissez cuire le tout ensemble en vous assurant de temps en temps, en sondant, si la cuisson est arrivée à

point; elle doit conserver un ferment pareil à la tête de veau qui ne demande que peu de cuisson.

On sert ce potage de deux manières, clair ou lié, et on le termine par une infusion de menthe, basilic, romarin, serpolet, le tout mouillé d'un grand verre de vin de Madère sec que l'on fait réduire à un quart; ajoutez-y une pointe de Cayenne et finissez-le. Goûtez avant de servir s'il est de bon goût; il doit avoir une saveur agréable et être monté de ton. Ce qui fait la qualité du potage à la tortue, en Angleterre, c'est que nos voisins d'outre-mer possèdent en tout temps des plantes fraîches dont ils se servent comme purée pour finir leur potage.

NAGEOIRES DE TORTUE A LA RÉGENCE. Mettez dans une braisière foncée de bardes de lard quelques tranches de jambon de Bayonne fumé, quatre oignons piqués de clous de girofle et aromates indiens, placez-y vos nageoires, saupoudrez d'une pincée d'épices fines, recouvrez de bardes de lard et de quelques tranches de veau, arrosez d'une bouteille de vieux madère et d'un riche consommé;

couvrez le tout d'un papier et par-dessus votre couvercle fermant hermétiquement avec du feu dessus. Laissez cuire deux heures et assurez-vous de la cuisson : pour que ce soit bien cuit il faut que le fond soit réduit de trois quarts. Au moment de servir, égouttez les nageoires, dressez-les sur un plat en les appuyant sur une forte croustade que vous aurez placée au milieu du plat; ornez ce relevé d'une riche garniture de petites croustades, de truffes, crêtes, rognons, quenelles, etc. Passez ensuite le fond de la cuisson au tamis, laissez-le reposer, puis dégraissez-le bien; mettez-le dans un grand plat à réduire en y ajoutant trois grandes cuillerées d'espagnole, travaillez le tout à grand feu en y ajoutant une pincée de poivre de Cayenne, posez ensuite cette sauce dans un bain-marie et faites en sorte qu'elle soit très-succulente et un peu montée.

TOURTE

Pâte feuilletée dans laquelle on sert des ragoûts variés pour entrées.

TOURTEREAUX ET TOURTERELLES

Variété du pigeon sauvage dont la chair est toujours plus grasse que celle du ramier; on la sert rôtie, enveloppée de feuilles de vigne enveloppées elles-mêmes d'une grande lame de tétine de veau.

TRIPE

 PRÉPARATION DE LA TRIPE DE BŒUF. Sept villes se sont disputé l'honneur d'avoir donné naissance à Homère; la France et l'Italie se disputent celui d'avoir trouvé la préparation de la tripe de bœuf. Nous abandonnerions pour notre compte, si nous en avions le droit, la part que la France peut avoir dans cette préparation, mais des devoirs nous sont imposés et nous ne cédons notre part aux Milanais que sous toute réserve.

Frottez et lavez la tripe dans un océan d'eau, taillez-la ensuite large de trois doigts, faites-la bouillir avec un bon bouquet de persil et de thym, ajoutez du beurre et de l'ail, mettez du sel, du poivre, trois ou quatre gros oignons; faites cuire le tout pendant deux bonnes heures, puis tirez de leur cuisson tous les morceaux de tripes, et faites-les égoutter. Il est d'habitude de faire cuire la tripe de cette façon avant de l'assaisonner de quelque manière que ce soit.

TRIPES A LA MODE DE CAEN. Quand vous aurez gratté et nettoyé à plusieurs eaux, faites blanchir à l'eau bouillante et mettez vingt-quatre heures dégorger dans de l'eau froide plusieurs fois renouvelée.

Foncez une daubière d'oignons, carottes en tranches, lard, clous de girofle, bouquet garni, ail, feuille de laurier, gros poivre, morceau de pied de bœuf; égouttez les tripes, mettez sel et muscade râpés; placez les tripes dans une terrine avec jarret de jambon; baignez de vin blanc coupé d'eau, couvrez de bardes de lard.

Posez le couvercle et fermez-le hermétiquement avec de la pâte, faites cuire pendant sept heures à four très-doux et servez chaud, avec la cuisson dégraissée et liée.

TRIPE DE BŒUF SUR LE GRIL. La partie la plus consistante de la tripe est la meilleure. Après l'avoir bien grattée et bien lavée, vous la ferez cuire dans l'eau, avec carottes, oignons, persil, laurier, thym, clous de girofle, sel, poivre en grain; quand elle est cuite, vous la faites égoutter, vous la taillez par morceaux de la largeur de quatre doigts, vous la couvrez de beurre frais fondu ou d'huile avec persil, oignons, un tout petit peu d'ail, du sel et du poivre; vous l'enveloppez dans du pain écrasé et vous faites cuire le tout sur le gril, puis vous les mangez à la sauce piquante. Au reste, on peut manger la tripe comme le palais de bœuf à l'italienne, à la française, à la lyonnaise, à la milanaise, à la sauce Robert et à la provençale.

TRIPE DE BŒUF EN CRÉPINETTES. Après avoir fait cuire la tripe, taillez-la en petits morceaux pareils à de petits dés, avec un nombre égal de champignons et une demi-livre de lard, ajoutez-y un peu de mie de pain et deux jaunes d'œufs; du tout faites un amalgame, saupoudrez-la de sel, de poivre, de noix de muscade réduite en poudre, de clous de girofle et d'une pointe d'ail, enfermez le tout dans de la voilette de porc en la divisant en morceaux gros comme un œuf, aplatissez-les, mettez-les sur le gril quelques moments avant de les porter sur la table, et quand ils sont passés du gril sur le plat couvrez-les de sauce tomate et servez.

TRIPE DE BŒUF A LA LYONNAISE (recette de Lucotte). Faites frire dans le beurre une douzaine d'oignons coupés par quartiers; quand ils seront d'un beau blond, mettez-y une cuillerée de farine, laissez la sauce se faire un instant, joignez-y une bouteille de vin blanc, des champignons, du sel, du poivre, laissez-y cuire la tripe à petit feu, et au moment de la manger ajoutez-y un suc de limon.

TRIPE EN FRICASSÉE DE POULET. Grattez et nettoyez avec le plus grand soin, lavez dans trois ou quatre eaux diverses et bouillantes; vous mettez enfin votre tripe dans l'eau fraîche, après quoi vous la faites cuire avec des oignons taillés, de l'ail et des clous de girofle; vous la faites égoutter, vous l'enveloppez bien de beurre et de farine baignée dans du bouillon, vous ajoutez des champignons, vous liez la sauce avec des jaunes d'œufs et vous la servez avec un suc de limon.

TRIPE DE BŒUF A LA SAUCE PIQUANTE. Alors que votre tripe sera bien lavée, taillez-la en morceaux carrés, mettez-la dans une casserole, avec un gravelet, quelques oignons, sel, poivre, deux cuillerées de bouillon et un peu de moutarde; quand tout sera bien lié, servez sans laisser refroidir : c'est un mets des plus indigestes.

TRUFFE

Nous voilà arrivés au *sacrum sacrorum* des gastronomes, à ce nom que les gourmands de toutes les époques n'ont jamais prononcé sans porter la main à leur chapeau, au *tuber cibarium*, au *lycoperdon gulosorum*, à la truffe.
Vous avez interrogé les savants, leur demandant ce que c'était que ce tubercule, et après deux mille ans de discussion les savants vous ont répondu comme le premier jour : « Nous ne savons pas. » Vous avez interrogé la truffe elle-même, et la truffe vous a répondu : « Mangez-moi et adorez Dieu. » Faire l'histoire des truffes serait entreprendre celle de la civilisation du monde, à laquelle, toutes muettes qu'elles sont, elles ont pris plus de part que les lois de Minos, que les tables de Solon à toutes les grandes époques des nations, à toutes les grandes lueurs que jetèrent les empires; elles affluaient à Rome, de la Grèce et de la Libye; les Barbares en passant sur elles les foulèrent aux pieds et les firent disparaître, et d'Augustule jusqu'à Louis XV elles s'effacent pour reparaître seulement au XVIIIe siècle et atteindre leur apogée sous le gouvernement parlementaire de 1820 à 1848.
Nous avons en France, dit le *Dictionnaire de la Conversation*, plusieurs espèces de truffes : la noire, la grise, la violette et la truffe à odeur d'ail. Beaucoup de nos départements récoltent ces variétés. La chaîne calcaire qui sillonne les départements de l'Aube, de la Haute-Marne, de la Côte-d'Or, fournit la truffe grise presque aussi délicate que la truffe blanche à odeur d'ail du Piémont. La truffe noire est en abondance dans les terres du Périgord, de l'Angoumois, du Quercy; elle nous arrive encore du Gard, de la Drôme, de l'Isère, du Vaucluse, de l'Hérault, du Tarn, des Pyrénées orientales, des montagnes du Jura, de l'Ardèche, de la Lozère. Plusieurs forêts de la Touraine produisent des truffes d'une bonne qualité.
La truffe, dit Brillat-Savarin, est le diamant de la cuisine; elle réveille des souvenirs érotiques et gourmands chez le sexe portant robe, et des souvenirs gourmands et érotiques chez le sexe portant barbe; la truffe n'est point un aphrodisiaque positif, mais elle peut en certaine occasion rendre les femmes plus tendres et les hommes plus aimables. (Voir l'article *Sauce*, dans l'intérieur duquel nous avons déjà longuement et de notre mieux parlé des truffes, au point de vue anecdotique, et aussi des truffes spécialement considérées comme ingrédient entrant dans les sauces.)

TRUFFES A LA CENDRE. Brossez les truffes dans l'eau pour en enlever la terre qu'elles retiennent toujours, essuyez-les, mettez-les sur une feuille de papier en double, bien enveloppées de bardes de lard assaisonné de sel et poivre, repliez le papier et recouvrez le tout d'une troisième feuille de papier mouillé; faites cuire dans la cendre chaude avec un feu modéré par-dessus; étant cuites, retirez-les pour les essuyer, servez sous une serviette pliée. On peut aussi les faire cuire à sec dans du papier beurré, afin d'en user en maigre.

TRUFFES AU VIN DE CHAMPAGNE. Pelez de grosses truffes, foncez une casserole de tranches de veau et de jambon, mettez des truffes dessus avec un bouquet garni, quelques champignons entiers, du lard fondu, sel et poivre; couvrez de bardes de lard, mouillez avec de bon petit vin blanc un peu sucré, faites cuire à petit feu; quand elles sont cuites retirez-les, passez la cuisson un peu dégraissée.

TRUFFES A LA VAPEUR. Mettez dans une casserole deux verres de vin blanc, un petit verre d'eau-de-vie et un clayon comme il est prescrit pour les pommes de terre; couchez vos truffes l'une à côté de l'autre sur ce clayon, couvrez la casserole de son couvercle; aussitôt que vous verrez les vapeurs sortir de la casserole, fermez-la d'un torchon mouillé, les vapeurs se condenseront et retomberont bouillantes sur les truffes. Lorsqu'elles seront cuites, retirez-les, laissez-les un instant se ressuyer à l'air, et servez-les en colline sur une assiette. Vous pouvez conserver aux truffes leur saveur naturelle, il n'y a pour cela qu'à les envelopper une à une dans du papier beurré, et qu'à les faire cuire à la vapeur de l'eau bouillante.

TRUFFES AU COURT-BOUILLON. Mettez dans une marmite, avec ciboules, laurier, clous de girofle, oignons, sel, poivre et vin de Bordeaux, vos truffes bien appropriées, essuyez et dressez-les sur une serviette en forme de bastion.

TRUFFES EN ROCHE. Brossez, lavez, faites égoutter des truffes à la passoire, assaisonnez-les, maniez-les avec du lard fraîchement haché et pilé que vous diviserez en deux parties, l'une pour enduire la surface d'une abaisse de feuilletage, sur laquelle vous aurez posé les truffes en forme de pyramide, et la seconde pour être posée à leur sommet : cette dernière portion doit être recouverte d'une plaque de lard, et le tout d'une deuxième abaisse qui, s'adaptant aux truffes posées. les unes sur les autres, simule les aspérités d'un rocher. Il faut ensuite dorer la pièce et pratiquer un petit trou sur le couvert, et l'exposer pendant une heure au four chaud; ce temps écoulé, retirez-la, tracez le couvercle avec la pointe d'un couteau pour enlever les bardes de lard; cette opération faite, replacez le couvert, et servez bien chaud pour entremets. *(Recette Courchamps et Alexandre Dumas.)*

ÉMINCÉ DE TRUFFES. Émincez des truffes et passez-les au beurre, avec échalotes, persil haché, sel et gros poivre, mouillez avec un verre de bon vin blanc de Sauternes et deux cuillerées de jus ou de bouillon réduit à moitié; au moment de servir, mettez une cuillerée d'huile ou un morceau de beurre.

TRUFFES BLANCHES. C'est le Piémont, on le sait, qui fournit ces excellentes truffes, d'une espèce particulière et si estimée des gourmets que quelques-uns d'entre eux les préfèrent à nos truffes noires de France. Cette truffe a cela de remarquable, qu'elle n'a pas besoin d'être cuite; lavez-la, essuyez-la, puis avec un petit couteau enlevez un petit point noir de la surface; émincez les truffes en tranches aussi minces que possible, faites-les chauffer simplement dans la sauce ou avec la garniture avec laquelle elles doivent être associées.

On sert aussi les truffes blanches en salade; en ce cas il faut les émincer, puis faire chauffer de l'huile avec quelques filets d'anchois passés au tamis; quand l'huile est bien chaude lui adjoindre les truffes, les assaisonner et les retirer hors du feu en les sautant.

TRUFFES AU GRATIN. Choisir sept à huit belles truffes, rondes et crues, les couper en deux, les vider à l'aide d'une cuiller à légumes, couper en petits dés les chairs enlevées, les mêler avec une égale quantité de foies gras cuits, assaisonner l'appareil, le lier avec un peu de sauce brune réduite avec lui; emplir les moitiés de truffes l'une à côté de l'autre dans une casserole plate, avec un peu de vin dedans, faire bouillir le liquide et pousser la casserole au four; dix minutes après dresser les truffes sur un plat.

SALADE AUX TRUFFES A LA TOULOUSAINE. Un cuisinier français d'un grand mérite, mais qui exerce à

l'étranger, M. Urbain Dubois, nous donne cette recette en l'accompagnant de cet éloge :

« Ce mets est une création récente de la science toulousaine; elle prouve qu'en France le grand art de la gastronomie est partout cultivé avec un égal empressement et toujours avec succès.

« Choisir cinq ou six truffes noires, fraîches et d'un bon arôme, ainsi que trois artichauts bien tendres. Brosser les truffes avec soin, les laver, les peler, les émincer très-fin et les enfermer dans un vase. Parer les artichauts des feuilles dures, pour ne laisser que celles qui sont d'une tendreté certaine; les diviser alors par le milieu et sur leur longueur; émincer chaque moitié en tranches aussi fines que les truffes et les faire macérer avec un peu de sel pendant dix minutes; les éponger ensuite sur un linge.

« Passer au tamis trois jaunes d'œufs cuits, les mettre dans une terrine, y mêler un peu de moutarde et les délayer avec un demi-verre d'huile la plus fine et un peu de bon vinaigre à l'estragon, frotter le fond d'un saladier avec une gousse d'ail, et ranger dans celui-ci les truffes et les artichauts par couches alternées, en les assaisonnant avec sel et poivre ainsi qu'avec une partie des œufs délayés avec l'huile; dix minutes après, sauter les truffes et les artichauts (dans le saladier) afin d'opérer le mélange de l'assaisonnement. Cette salade est digne de porter un grand nom. »

SALADE DE TRUFFES NOIRES A LA RUSSE. Peler quelques truffes noires, les mettre dans une casserole plate avec un peu de madère, les saler et les faire cuire pendant trois ou quatre minutes, les émincer, les déposer aussitôt dans une terrine, les assaisonner, les arroser avec un peu d'huile, les couvrir et les faire macérer pendant dix minutes, les saupoudrer ensuite avec une pincée d'estragon, de ciboulette et de persil haché, les lier avec trois ou quatre cuillerées à bouche de mayonnaise, dresser alors la salade sur un plat, la masquer avec une couche de mayonnaise, finir avec une cuillerée de moutarde anglaise. (Voyez à l'article *Sauces* le paragraphe consacré aux *truffes*.)

TRUITE

Il y a plusieurs espèces de truites, les unes blanches, les autres rosées et de grandeur différente.

La truite est le poisson qui ressemble le plus au saumon; les meilleures truites sont celles dont la substance est rougeâtre et qu'on appelle à cause de cela truite saumonnée; quelques naturalistes prétendent que ce saumonnage est une qualité dont elles se dotent elles-mêmes en mangeant des écrevisses. Les truites les plus recherchées à Paris sont celles de la Meuse et de la Seine; elles ne sont jamais d'un très-gros volume, mais leur chair est pourvue d'une saveur parfaite et d'une délicatesse infinie, tandis que les grosses truites du lac de Genève sont presque toujours sèches et coriaces. Ce poisson est d'une agilité, d'une force et d'une résolution surprenantes; il remonte non-seulement les torrents les plus rapides, mais il s'élance dans les cascades les plus élevées et remonte ainsi les chutes d'eau, jusque sur les sommets du Mont-Blanc et du grand Saint-Bernard. Les mouvements qu'il se donne contribuent certainement à rendre ce poisson d'une saveur agréable et d'un usage très-salubre.

TRUITE A LA MONTAGNARDE. Quand elle sera restée une heure dans l'eau salée, faites-la cuire avec une bouteille de vin blanc, trois oignons, bouquet, clous de girofle, deux gousses d'ail, laurier, thym, basilic et beurre manié de farine; faites bouillir à feu vif; ôtez les oignons et le bouquet, servez la truite avec sa sauce, et jetez dessus, en servant, un peu de persil blanchi.

TRUITE AU COURT-BOUILLON. Videz une truite, lavez, ficelez-lui la tête, puis faites-la cuire dans une poissonnière avec du vin blanc, des oignons coupés par tranche, une poignée de persil, quelques clous de girofle, trois feuilles de laurier, une branche de thym et du sel; quand elle aura mijoté pendant une heure, dressez-la sur une serviette et sur un lit de persil vert, mettez à côté une sauce faite avec du court-bouillon lié de beurre et de farine et réduit.

TRUITE A LA CHAMBORD. Commencez par vider, échauder et tremper votre truite dans l'eau bouillante, enlevez-en toutes les peaux, lavez-la à plusieurs eaux, laissez-la égoutter, piquez-la avec de gros clous de truffes, faites cuire votre truite dans une bonne marinade au vin; au moment de servir égouttez-la, dressez-la sur un grand plat ovale, garnissez-la de quatre ris de veau piqués et glacés de quatre pigeons, de huit écrevisses, saucez d'une financière.

TRUITES A LA SAINT-FLORENTIN (formule de l'ancien hôtel de la Reynière). Prenez les plus belles de celles que vous trouverez, écaillez et videz-les, jetez dans le corps du beurre manié avec sel, poivre et fines herbes; mettez-les dans une poissonnière avec deux ou trois bouteilles de vin blanc, pour que le vin dépasse d'un bon doigt; ajoutez sel, poivre, oignons, clous, muscade, bouquet, croûtes de pain, faites cuire à feu clair, de sorte que le vin s'enflamme comme un punch; lorsque la flamme commence à diminuer jetez-y du beurre et vannez avant que de servir.

TRUITES FARCIES. Videz, lavez, égouttez quatre truites, remplissez les corps de farce composée de quenelle de carpe, de truffes coupées en gros dés, de champignons, ficelez les têtes de vos truites, faites-les cuire dans un court-bouillon; leur cuisson terminée, mettez-les refroidir et égoutter, panez-les deux fois à l'œuf, et au moment de servir faites-les frire et servez avec sauce aux tomates.

TRUITES AUX ANCHOIS. Incisez sur le côté vos truites écaillées et vidées, faites-les mariner avec sel, gros poivre, ail, persil, ciboules, champignons hachés, thym, laurier, basilic en poudre, huile fine, mettez-les dans une tourtière avec une marinade, panez et faites cuire au four, servez-les avec une sauce aux anchois.

SAUTÉ DE FILETS DE TRUITES. Levez les filets de cinq à six jeunes truites, coupez-les en petites lames, veillez à ce que tous soient égaux, parez vos morceaux, enlevez-en la peau du côté de l'écaille, rangez-les les uns

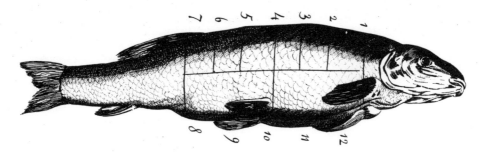

à côté des autres dans votre sautoir, semez dessus du persil haché et bien lavé, du sel, du gros poivre, de la muscade râpée ; vous ferez tiédir un morceau de beurre que vous verserez sur les filets au moment de servir ; vous mettez votre sautoir sur un feu vif. Lorsque votre sauté est roidi d'un côté vous le retournez et ne le laissez qu'un instant au feu, vous le dressez en miroton autour du plat et vous placez le reste dans le milieu ; servez avec une italienne.

TRUITES A LA HUSSARDE. Dépouillez-les et mettez-leur dans le corps du beurre manié de fines herbes, assaisonnez de bon goût, faites mariner et griller ensuite, et servez-les avec une poivrade.

PATÉ DE TRUITES. Lardez vos truites d'anguilles et d'anchois, dressez le pâté, foncez-le de beurre frais, faites un godiveau de chair de truite, de champignons, de truffes, de persil, de ciboules, de beurre frais avec fines herbes, épices, sel et poivre, couvrez de beurre frais, faites cuire, dégraissez et servez avec une sauce aux écrevisses.

TURBOT

Juvénal a d'un seul coup et dans la même satire illustré l'empereur Domitien et le turbot pour lequel il convoquait le Sénat ; une grande séance eut lieu, mais la chose était si importante que les Pères conscrits se séparèrent sans décider à quelle sauce serait mis le monstrueux animal. A défaut de la décision du Sénat romain, nous avons celle de Vincent de la Chapelle, vénérable Père conscrit de la cuisine française, et d'après ce que nous savons de la cuisine antique, nous n'aurons pas trop à regretter que, cette fois comme tant d'autres, l'honorable assemblée ait fait buisson creux. A la place du turbot de Domitien, qui ne se trouve pas tous les jours, s'il faut en croire la description de Juvénal, prenez le plus beau et le plus grand turbot sans tache que vous puissiez trouver, surtout qu'il soit très-épais, très-blanc et très-frais ; fendez-le jusqu'au milieu du dos, plus près de la tête que de la queue, et de la longueur de trois à quatre pouces, mais plus ou moins, selon sa grandeur ; relevez-en les chairs des deux côtés ; coupez-en les arêtes, de la longueur de l'ouverture ; supprimez-en trois ou quatre nœuds ; arrêtez la tête avec une aiguille à brider et de la ficelle passée entre l'arête et l'os de la première nageoire ; frottez votre turbot avec du jus de citron ; mettez-le dans une turbotière où vous le mouillerez avec une bonne eau de sel et une ou deux pintes de lait ; joignez à cela deux ou trois écorces de citrons en tranches, desquels vous aurez ôté la chair et les pépins ; faites-le partir sur un feu assez vif, si vous êtes en été, car le menant alors à un feu trop doux, vous risqueriez de le voir se dissoudre en morceaux. Dès que votre assaisonnement commencera à frémir, couvrez le feu et laissez cuire votre turbot sans le

faire bouillir ; couvrez-le d'un papier beurré et laissez-le dans son assaisonnement jusqu'au moment de le servir : un demi-quart d'heure avant, égouttez-le ; arrangez une serviette sur le plat, garnissez-la en dessous avec des bottes de persil, afin que votre turbot soit posé droit et que le milieu rebondisse sur le plat ; faites-le glisser dessus ; coupez très-également avec de gros ciseaux celles de ses barbes qui pourraient être décharnées, ainsi que le bout de la queue ; mettez autour de votre turbot du persil en branche, et s'il avait quelques déchirures, masquez-les avec du persil ; servez à côté d'une saucière garnie d'une sauce blanche, avec des câpres, et d'une saucière garnie d'une sauce piquante ou au coulis gras, ou au jus de poisson, ou une bonne hollandaise.

On doit ajouter ce qui suit à cette bonne prescription de Vincent de la Chapelle : servez, avec un relevé de turbot, une sauce hollandaise ou bien une sauce aux huîtres, une sauce aux tomates au gras, une sauce blanche au raifort épicé, et de préférence à toutes les autres, une sauce au beurre de homard et au hachis de ce poisson.

TURBOT A L'ANGLAISE. Les Anglais, naturellement grands mangeurs de poisson, ont pour chaque espèce des sauces arrêtées d'avance avec lesquelles ils le servent invariablement.

Ainsi, avec le turbot, on mange généralement une sauce homard ou une sauce crevette ; avec le saumon bouilli, une sauce au persil, souvent accompagnée d'une salade de concombres ; avec le cabillaud, une sauce aux huîtres : cette sauce est rigoureusement exigée par les gourmets ; avec le merlan, une sauce aux œufs ; avec les maquereaux bouillis, une sauce au persil ou une sauce aux groseilles à maquereau ; avec les poissons frits, merlans, truites, éperlans, soles, une sauce au beurre d'anchois.

Choisir un turbot frais, blanc, épais, le vider et l'ébarber tout autour et le fendre sur le côté noir, tout le long de l'arête principale ; le déposer alors dans un grand vase d'eau froide pour le faire dégorger pendant une heure, l'égoutter, lui brider la tête, le poser sur la grille d'une turbotière en l'appuyant sur le côté noir, le saupoudrer avec une poignée de sel et le mouiller à couvert avec de l'eau froide ; poser la turbotière sur le feu vif, pour faire bouillir le liquide ; au premier bouillon le retirer sur le côté et le tenir ainsi pendant quarante à cinquante minutes au même degré, sans cependant le faire bouillir.

D'autre part, cuire un homard à l'eau salée, le laisser refroidir, en retirer les chairs de la queue entière, sans endommager la coquille, couper ces chairs en tranches, les déposer dans une petite casserole, couper les parures, ainsi que les chairs des pattes en petits dés, et les tenir également à couvert : préparez une sauce au beurre bien lisse ; quand elle est finie, lui adjoindre le salpicon de homard et la tenir au bain-marie. Au moment de le servir, égoutter le turbot, le débrider et le glisser sur un large plat dont le fond est couvert avec une planche de forme ovale; percez deux trous et masquez avec une serviette.

Il n'est presque pas nécessaire de dire que la surface blanche du turbot doit se trouver en dessus. Posez le homard cuit sur le centre du turbot, dressez aussitôt sur la coquille du homard les chairs de la queue découpées en tranches, et traversez l'épaisseur de la coquille avec un hâtelet garni de deux écrevisses et une truffe; entourez le turbot avec des feuilles de persil, envoyez la sauce séparément.

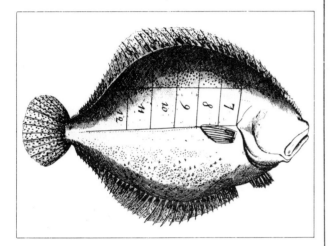

KADGIORI DE TURBOT. Ce mets, d'origine indienne, se sert aujourd'hui communément en Angleterre, qui semble être devenue une dépendance indienne.

Lever les filets d'un petit turbot cru, les couper en gros dés, les faire revenir avec du beurre et à feu vif pendant deux minutes seulement, les assaisonner et retirer la casserole du feu; hacher un oignon, le faire revenir avec du beurre sans prendre couleur, y mêler cinq cents grammes de riz lavé et égoutté pendant une heure sur un tamis; quelques secondes après, le mouiller trois fois sa hauteur, avec du bouillon de poisson, le cuire à feu vif pendant dix à douze minutes, puis retirer la casserole et la tenir à la bouche du four jusqu'à ce que le riz soit à peu près sec, lui mêler alors les filets de turbot, les saupoudrer d'une pincée de Cayenne, verser sur eux quelques cuillerées à bouche de sauce, ainsi que trois œufs durs hachés, et enfin un morceau de beurre divisé en petites parties; le dresser aussitôt sur un plat creux, et l'arroser avec du beurre cuit à la noisette.

PÂTÉ CHAUD DE TURBOT A LA DANOISE. Prendre un petit turbot frais et cru, ou simplement une moitié, si une moitié suffit au nombre des convives; détacher les chairs de l'arête et les couper transversalement en filets longs, ayant deux ou trois centimètres d'épaisseur, déposer ces filets dans une terrine, les assaisonner avec sel et épices, cuire cinq à six œufs durs, les couper en quartiers, les assaisonner de sel et de poivre, les saupoudrer avec du persil et les tenir à couvert.

Tamiser quatre ou cinq cents grammes de grosse semoule, sans y laisser aucune partie de farine; y mêler deux jaunes d'œufs l'un après l'autre en la frottant entre les mains, l'étaler ensuite sur un plafond et la faire sécher à l'étuve, la frotter encore en brisant les grumeaux, et la cuire à l'eau salée en la tenant consistante et sèche; hacher séparément deux oignons blancs, une poignée de persil vert, huit à dix champignons comestibles frais; faire revenir l'oignon dans une casserole avec du beurre, mais sans prendre couleur, lui adjoindre les champignons, les faire revenir aussi jusqu'à ce qu'ils aient réduit leur humidité; saupoudrer alors les fines herbes avec une cuillerée à bouche de farine, les mouiller avec un demi-verre de vin blanc, ajouter une feuille de laurier, et tourner la sauce jusqu'à l'ébullition pour la cuire pendant quelques minutes; lui additionner ensuite le persil haché et les filets de turbot, couvrir la casserole, donner deux bouillons à la sauce, la retirer sur le côté du feu, la tenant ainsi pendant cinq minutes, laissant refroidir la sauce et le poisson tout ensemble.

Préparer une pâte feuilletée avec cinq cents grammes de bonne farine et deux cent cinquante grammes de beurre ou de graisse, lui donner six tours, la laisser reposer, en retirer le quart et abaisser le reste avec le rouleau dans la forme d'un carré long, en lui donnant de trente à trente-cinq centimètres de largeur et le double de longueur, enrouler la pâte autour pour l'étaler sur une plaque en la déroulant; l'humecter tout autour, puis étaler sur son centre une couche un peu épaisse de semoule cuite et refroidie, en lui donnant aussi la forme d'un carré long, mais beaucoup plus étroit que l'abaisse; sur cette couche ranger les filets de poisson en les entremêlant avec les fines herbes, les œufs durs, ainsi que deux douzaines d'huîtres blanchies; masquez cet appareil en dessus et sur les côtés avec le restant de la semoule, donnez au corps du pâté une forme bombée et régulière; relever aussitôt la pâte des côtés sur le haut pour le masquer, relever également la pâte sur les bouts pour les replier sur le pâté en les appuyant et en les soudant; humecter le dessus de la pâte, abaisser le feuilletage tenu en réserve en forme de carré long, le poser sur le pâté de façon à l'envelopper presque entier, dorer la surface avec des œufs battus, faire une cheminée sur le centre afin de donner du dégagement à la vapeur; puis avec la pointe du couteau tracer un petit dessin sur la surface de l'abaisse, pousser le pâté au four modéré, le couvrir avec du papier en ficelant celui-ci, le cuire pendant une heure un quart.

Dans l'intervalle, faire blanchir deux douzaines d'huîtres avec un verre de vin blanc; avec la tête, les arêtes de poisson, du vin et des légumes, préparer la valeur d'un litre de bouillon, et avec celui-ci, ainsi qu'avec la cuisson des huîtres, marquer une petite sauce blonde, la lier avec trois jaunes d'œufs, la finir avec du beurre, persil haché et jus de citron, lui additionner les huîtres, et l'envoyer en même temps que le pâté.

TURBOT A LA CRÈME GRATINÉE. Faire cuire à l'eau salée la moitié d'un turbot, l'égoutter de sa cuisson, lui enlever ses arêtes depuis la première jusqu'à la dernière et le côté noir de sa peau; diviser les chairs en portions coupées d'avance, les ranger l'une à côté de l'autre sur un plat creux, les saupoudrer avec une pincée de champignons hachés et cuits, les masquer aussitôt avec quelques cuillerées à bouche de bonne béchamel, réduite et assaisonnée; monter l'appareil en dôme, le masquer aussi en dessus avec la sauce, le saupoudrer avec de la mie de pain, l'arroser avec du beurre fondu, enfin le pousser au four vif pour lui faire prendre couleur pendant dix à douze minutes, et, en sortant le plat du four, le poser sur un autre plat. N'oubliez pas une bordure de purée de pommes de terre à l'œuf.

TURBOT A LA RÉGENCE (ancienne formule du Palais-Royal). Faites cuire dans une casserole deux ou trois livres de veau en tranches, bardées de lard avec sel et poivre, persil en bouquet, fines herbes, oignons piqués de clous de girofle et deux feuilles de laurier; faites suer; le tout étant attaché, mettez du beurre frais avec un peu de farine. Le roux fait, mouillez avec du bouillon, détachez le fond avec la cuiller, bardez le turbot, et faites-le cuire avec une bouteille de vin de Champagne ou autre vin, avec le jus de veau et le veau par-dessus; étant cuit, laissez-le mitonner sur des cendres chaudes, dressez-le; servez dessus un ragoût d'écrevisses et liez d'un coulis d'écrevisses.

TURBOT MATELOTE NORMANDE. Fendez par le dos un jeune turbot, séparez les chairs de l'arête, mettez entre la chair et l'arête une bonne maître-d'hôtel crue; coupez six gros oignons en petits dés, ayez un plat d'argent de la grandeur de votre turbot, mettez des oignons par-dessus avec un bon morceau de beurre assaisonné de sel, gros poivre, thym, laurier en poudre, persil haché et un peu de muscade râpée; mettez votre turbotin sur vos oignons,

poudrez-le de sel, ajoutez-y du citron et un peu de beurre fondu, mouillez d'une bouteille de bon cidre mousseux, mettez votre plat sur un petit fourneau couvert d'un four de campagne à feu très-doux. Arrosez pendant la cuisson.

TURBOT GRATINÉ AU FROMAGE DE PARME. Votre turbot cuit au court-bouillon et refroidi, enlevez-lui les peaux et les arêtes, et mettez-en les chairs dans une béchamel maigre, faites chauffer le tout sans le faire bouillir, dressez sur un plat qui puisse aller au feu, saupoudrez-le de mie de pain mélangée de parmesan râpé, arrosez-le avec du beurre fondu, posez-le sur un feu doux, et faites-lui prendre couleur sous un four de campagne.

TURBOTINS SUR LE PLAT. Videz, lavez, égouttez un, deux ou trois turbotins; fendez-leur le dos, étendez du beurre dans le fond d'un plat, saupoudrez-le d'un peu de sel et de fines herbes hachées; posez vos turbotins sur le plat, panez-le avec de la chapelure de pain et des fines herbes, un peu de sel en poudre et d'épices fines; arrosez-les légèrement de beurre fondu; mettez dessous du vin blanc en suffisante quantité; faites-les partir sur un fourneau, mettez-les sous un four de campagne ou dans un grand four, si vous en avez la commodité; assurez-vous de leur cuisson en posant le doigt dessus : ils seront cuits s'ils ne vous résistent point; servez-les avec leur mouillement, ou égouttez-les et servez-les avec une italienne.

MAYONNAISE OU SALADE DE TURBOT. Parez, coupez en rond les filets d'un turbot de desserte, mettez-les dans un vase, assaisonnez-les de sel, de gros poivre, de ravigote hachée, d'huile et de vinaigre à l'estragon, dressez vos filets en couronne sur votre plat avec une guirlande d'œufs durs, décorez-les de filets d'anchois, de cornichons, de feuilles d'estragon, de truffes, de betteraves et de câpres; mettez de jolis croûtons de gelée autour de votre plat et au milieu une mayonnaise ou, pour mieux faire, une sauce verte.

FILETS DE TURBOT A LA BIGARADE. Levez les filets d'un turbotin; après les avoir coupés en aiguillettes, faites-les mitonner avec un jus de citron, sel, gros poivre, un peu d'ail; au moment de servir égouttez sur un linge blanc, farinez-les, faites-les frire d'une belle couleur, dressez-les sur un plat, et servez-les sur une sauce au coulis de poisson et au jus d'oranges amères.

V

VANILLE
(Epidendrum vanilla).

Plante exotique de la famille des orchidées; elle croît toujours à l'ombre, soit dans des fentes de rochers, soit au pied des grands arbres; l'arôme de la vanille, d'une finesse extrême, est si parfaitement suave que l'on s'en sert pour aromatiser les crèmes, les liqueurs et les chocolats.

VANNEAU

Oiseau remarquable par la beauté de son plumage et la finesse de sa chair. Il y a un proverbe qui dit : « N'a pas mangé un bon morceau qui n'a mangé ni bécasse ni vanneau. » Ses œufs sont encore plus estimés que lui; au mois d'avril et de mai on les mange ou plutôt on les gobe par milliers en Belgique; en Pologne on en fait des omelettes d'un excellent goût; en Hollande, où ces oiseaux sont fort communs, on les mange à toutes les sauces. On suppose que le vanneau, *vanelius* des gourmands de l'ancienne Rome, n'était pas celui-là; et que le *vanellus apicianus*, c'est-à-dire le vanneau d'Apicius, était le pluvier doré. Dans l'Antiquité comme de nos jours, lui et ses œufs, au reste, étaient fort appréciés.

VEAU

Les meilleurs veaux sont ceux de Pontoise, de Rouen, de Caen, de Montargis, de Picardie; on en élève aussi dans les environs de Paris qui ne sont point à dédaigner; leur viande se mange à Paris plus succulente qu'en aucun lieu. Un soin tout particulier donné à l'éducation de ceux qu'on destine à la consommation est la première cause de cette supériorité; une seconde cause est l'observation stricte des règlements qui défendent de mettre à mort ces innocentes créatures avant l'âge de six semaines; aussi un veau de Pontoise est-il à cet âge le plus délicieux rôti que la boucherie puisse offrir; le morceau du rognon et celui d'après sont les plus recherchés sous cette forme. Une grave discussion s'est engagée entre les amateurs pour savoir lequel de ces deux morceaux est le meilleur : il y a un moyen de tout concilier, c'est de servir dans son

1. Le vanneau.
2. Le vanneau armé du Sénégal.

Vea

entier la longe qui les réunit tous les deux; seulement il faut une table nombreuse pour la fêter convenablement, car lorsqu'elle est belle elle ne pèse guère moins de douze à quinze livres.

TÊTE DE VEAU AU NATUREL. Choisissez-la bien blanche, ôtez les deux côtés de la mâchoire inférieure, désossez aussi le bout du mufle jusque auprès des yeux, en relevant la peau sans l'endommager; coupez le museau sans blesser la langue; mettez dégorger cette tête à grande eau, faites-la blanchir, épluchez-la, frottez-la avec un citron; cela fait, mettez-la dans un blanc, après l'avoir enfermée dans un torchon dont vous aurez attaché les quatre bouts; faites-la partir, laissez-la cuire deux ou trois heures, retirez-la, et après l'avoir développée laissez-la égoutter, découvrez la cervelle en levant la calotte, parez-la, dressez-la et servez-la avec une sauce au pauvre homme, ou toute autre sauce piquante, poivrade ou ravigote.

TÊTE DE VEAU FARCIE. Ayez une tête de veau échaudée, bien blanche, dressez-la en laissant tenir les yeux à la peau et prenant garde de la percer avec le couteau; mettez-la dégorger, ainsi que la langue dont vous aurez supprimé le gosier; faites une farce avec une livre et demie de graisse de rognons de bœuf; hachez ces deux objets séparément; pilez le veau; cette opération faite, joignez-y votre graisse et pilez le tout ensemble de manière qu'il ne puisse être distingué; joignez à cela la mie d'un pain à potage que vous aurez trempée dans la crème et ensuite desséchée par des fines herbes hachées et passées dans le beurre, telles que champignons, persil et ciboules, que vous laisserez refroidir pour incorporer avec votre farce; assaisonnez-la de sel, épices fines et poivre; pilez le tout ensemble, mouillez cette farce avec un peu d'eau à la fois; ajoutez trois ou quatre œufs, l'un après l'autre; si elle se trouvait trop ferme pour l'étendre sur la tête de veau, mettez-y un peu d'eau. Cette farce finie, égouttez cette tête, essuyez-la, flambez-la si elle en a besoin; ensuite mettez-la sur un linge, étendez sur ces chairs l'épaisseur de deux doigts de farce; cela fait, mettez sur cette farce un salpicon froid, dont vous aurez coupé les dés un peu plus gros que pour les croquettes; remettez la langue après l'avoir fait blanchir; ôtez la peau qui l'enveloppe à la position où elle était quand la tête était entière; recouvrez votre salpicon avec la farce, ayant soin de donner à cette tête sa première forme; couvrez-la, et du côté du collet enveloppez-la de bardes de lard ou d'une toilette de veau (ce qui vaut mieux), afin que la farce n'en sorte pas; roulez-la dans une serviette ou étamine, ayant soin de lui coucher les oreilles; ficelez-la par-dessus la serviette, toujours en ménageant sa forme; foncez une marmite avec quelques débris de viande de boucherie; mettez-y sel, oignons, carottes, deux feuilles de laurier, deux gousses

Tête de veau au naturel.

Les méditations d'un Gourmand.

d'ail, deux clous de girofle, une bouteille et demie de vin blanc de bonne qualité, quelques fonds de braise ou de bon bouillon; laissez-la cuire deux ou trois heures, surtout qu'elle n'arrête pas. Quand elle sera cuite, égouttez-la sur un couvercle et servez avec le ragoût ci-après : Mettez dans une casserole deux cuillerées à pot d'espagnole et un demi-setier de vin blanc; faites réduire le tout; ajoutez-y six ou huit grosses quenelles de la farce énoncée plus haut, et que vous aurez fait pocher dans du bouillon; joignez-y des champignons tournés, des fonds d'artichauts, quelques tranches de gorges de ris de veau; faites mijoter le tout, dégraissez-le; déballez votre tête, dressez-la sur le plat; mettez ce ragoût autour, garnissez-le d'écrevisses, de ris de veau piqués et glacés, ainsi que de truffes, et servez.

TÊTE DE VEAU EN TORTUE. Ayez une tête de veau échaudée, désossez-la comme la précédente; mettez-la dégorger, faites-la blanchir, ainsi que la langue; coupez-la en deux; flambez-la, frottez-la de citron; mettez-la cuire dans un blanc, comme celle à la *bourgeoise;* lorsqu'elle sera cuite, coupez-la proprement en douze morceaux; égouttez et dressez ces morceaux sur un plat; placez-y la langue que vous aurez panée à l'anglaise et fait griller d'une belle couleur; joignez-y la cervelle que vous aurez divisée en cinq ou six parties, fait cuire dans une marinade, mise dans une pâte et fait frire; saucez les morceaux de la tête de veau avec le ragoût en tortue; garnissez-les de six œufs frais pochés, d'une douzaine de belles truffes, d'autant d'écrevisses, de quelques ris de veau piqués, et servez.

OREILLES DE VEAU FARCIES. Ayez des oreilles, flambez-les, mettez-les cuire dans un blanc (voyez *Blanc,* à son article); lorsque ces oreilles seront cuites, tirez-les de leur blanc, laissez-les refroidir, remplissez-les de farce cuite (voyez *Farce cuite,* à son article); unissez cette farce avec la lame de votre couteau; cassez quelques œufs comme pour une omelette, trempez-y vos oreilles, panez-les, retrempez-les une seconde fois dans les œufs, et panez-les de nouveau; mettez-les sur un couvercle, couvrez-les du reste de votre mie de pain; un peu avant de servir, retirez-les, faites-les frire : observez que votre friture ne soit pas trop chaude, afin que ces oreilles ne prennent pas trop de couleur et que votre farce ait le temps de cuire; retirez-les, dressez-les sur un plat, la pointe en haut; mettez dessus une pincée de persil frit et servez.

OREILLES DE VEAU EN MARINADE. Faites cuire cinq oreilles de veau dans un blanc, comme vous l'avez fait ci-dessus; lorsqu'elles seront cuites, coupez-les dans leur longueur en quatre morceaux, faites-les mariner avec vinaigre, sel et gros poivre; égouttez-les et trempez-les dans une pâte à frire qui soit très-légère (voyez *Pâte à frire,* à son article); couchez les morceaux les uns après les autres dans la friture avec assez de vivacité pour qu'ils soient frits également; retournez-les avec une écumoire, menez-les à un feu vif; lorsque votre friture sera d'une belle couleur et sèche, retirez-la, égouttez-la sur un linge blanc, dressez-la sur le plat, et couronnez-la avec du persil frit.

OREILLES DE VEAU A LA RAVIGOTE. Préparez ces oreilles comme les précédentes; ayez attention qu'elles soient bien blanches; au moment de servir, coupez-en les pointes et ciselez-en les cartilages, égouttez-les, servez-les sur une ravigote froide ou chaude.

TÊTE DE VEAU A LA MANIÈRE DU PUITS CERTAIN. Désossez une tête de veau bien échaudée et laissez-lui les yeux et la cervelle; faites bien dégorger le tout, puis mettez cette tête désossée dans de l'eau froide; faites-lui faire un bouillon seulement et mettez-la à rafraîchir; coupez alors toute la chair en morceaux ronds de la grandeur d'une pièce de cinq francs, à l'exception des oreilles et de la langue, qui doivent rester entières; frottez tous ces morceaux avec du citron, et faites cuire dans un blanc ainsi que la carcasse que vous aurez enveloppée dans un linge. La carcasse et la langue étant bien égouttées, vous ouvrirez la tête, nettoierez la cervelle et farcirez l'intérieur avec des ris de veau, des champignons et des truffes coupés en petits dés, et des quenelles de veau. Arrangez cette farce de manière que le tout ait la forme d'une tête de veau entière; enveloppez-la d'une crépinette de cochon pour qu'elle ne se déforme pas, et faites-la cuire au four; dressez cette farce sur un plat ovale, placez les oreilles de chaque côté, les morceaux coupés en rond tout autour; versez sur le tout une sauce financière, et placez de belles écrevisses autour du plat.

TÊTE DE VEAU A LA DESTILIÈRE. (Formule de M. de la Reynière.) Prenez une tête de veau bien blanche : vous la désossez tout entière, vous la mettez dégorger comme la précédente, vous la faites blanchir de même; vous retirez la cervelle, vous la faites dégorger, vous enlevez les fibres et la première peau qui la couvre, vous la faites blanchir dans de l'eau bouillante et un filet de vinaigre; après, vous avez un petit blanc dans lequel vous la faites cuire : trois quarts d'heure de cuisson suffisent; votre tête de veau étant bien refroidie, vous la sortez de l'eau, vous l'essuyez bien, vous la flambez comme la précédente, vous la coupez par morceaux, vous laissez les yeux entiers et les oreilles de même, vous ficelez ces morceaux et les faites cuire comme précédemment; quand votre tête est cuite, au moment de la servir, vous la sortez du blanc, vous l'égouttez et la déficelez, vous dressez vos morceaux sur le plat, vous séparez la cervelle et vous la mettez aux deux extrémités; vous détachez la langue, vous la coupez en petits carrés gros comme des dés à jouer, et vous la mettez dans la sauce; vous prendrez presque plein une cuiller à pot d'espagnole, dans laquelle vous mettrez une demi-bouteille de vin de Chablis, six gousses de petit piment enragé, écrasé, six cuillerées à dégraisser de consommé; vous ferez réduire cette sauce à moitié; quand elle sera réduite, vous y mettrez des cornichons tournés en petits bâtons, votre langue en dés et des champignons, vous verserez ce composé sur la tête.

Tête de veau a la poulette. Vous coupez par morceau une tête de veau, que vous faites cuire comme d'habitude, vous mettez un morceau de beurre dans une casserole, vous passez des fines herbes dans le beurre, vous y mettez un peu de farine, vous mouillez avec du bouillon, vous salez et poivrez, vous faites bouillir environ pendant un quart d'heure, vous jetez les morceaux de tête dedans, vous les faites mijoter afin qu'ils soient chauds; au moment de servir vous mêlez une liaison de deux ou trois jaunes d'œufs, selon que votre ragoût sera fort; seulement, à partir de ce moment, vous tournerez votre ragoût, ne le laissant pas bouillir avec votre liaison, attendu qu'au premier bouillon qu'il jetterait la sauce tournerait; au moment de servir, mêlez-y un jus de citron ou un filet de vinaigre.

Tête de veau a la sainte-menehould. Prenez un morceau de beurre, une demi-cuillerée de farine, sel, gros poivre, jus de citron ou du vinaigre, délayer le tout ensemble, ajoutez un peu de bouillon, faites lier la sauce épaisse, couvrez-en des morceaux de tête préalablement cuits, panez-les avec de la mie de pain, dorez les morceaux avec du beurre, panez-les une seconde fois, mettez-les sous un four de campagne jusqu'à ce qu'ils aient pris une belle couleur, et servez.

Tête de veau frite. Faites mariner, trempez dans de la pâte et faites frire des morceaux de tête de veau cuite; que la friture soit modérément chaude.

Longe de veau rotie. Roulez le flanchet, assujettissez-le de petits hâtelets afin que la longe soit bien carrée et qu'elle n'ait pas l'air plus épaisse d'un côté que de l'autre; pour réussir à cela, supprimez une partie des os de l'échine qui avoisinent le rognon, cela fait, couchez sur le feu votre longe, c'est-à-dire embrochez-la et assujettissez-la avec un grand hâtelet, que vous attacherez fortement des deux bouts sur la broche; il faut deux heures et demie ou trois heures pour la cuire; cela dépend de la quantité de feu et de l'épaisseur de la pièce.

Ragout de veau a la ménagère. Mettez un morceau de beurre dans une casserole, faites-le fondre, mettez deux cuillerées de farine que vous faites roussir, mettez-y votre morceau de veau que vous remuerez avec le roux jusqu'à ce qu'il soit ferme, ayez de l'eau chaude ou du bouillon que vous verserez sur le ragoût, que vous remuerez jusqu'à ce qu'il bouille; mettez-y du sel, du poivre, une feuille de laurier, un peu de thym, laissez bouillir une heure, puis mettez-y trois oignons, champignons, carottes ou morilles.

Tête de veau farcie (Ancienne recette du dispensaire de Versailles, par Ch. Sanguin; manuscrit de la bibliothèque du roi). Enlevez la peau de dessus une tête de veau bien blanche et bien échaudée, et prenez garde de la couper; vous désossez ensuite la tête pour en prendre la cervelle, la langue, les yeux et les bajoues; faites une farce avec la cervelle, de la rouelle de veau, de la graisse de bœuf, le tout haché bien fin; assaisonnez avec du sel, gros poivre, persil, ciboule hachés, une demi-feuille de laurier, thym et basilic hachés comme en poudre; mettez-y deux cuillerées à bouche d'eau-de-vie; liez cette farce avec trois jaunes d'œufs et les trois blancs fouettés; prenez la langue, les yeux, dont vous ôtez tout le noir, les bajoues; épluchez le tout proprement après l'avoir fait blanchir à l'eau bouillante; coupez-le en filets ou en gros dés, et le mêlez dans votre farce; mettez la peau de la tête de veau sans être blanchie dans une casserole, les oreilles en dessus, et la remplissez avec votre farce; ensuite vous la cousez en la plissant comme une bourse; ficelez-la tout autour en lui redonnant sa forme naturelle; mettez-la cuire dans un vaisseau juste à sa hauteur avec un demi-setier de vin blanc, deux fois autant de bouillon, un bouquet de persil, ciboule, une gousse d'ail, trois clous de girofle, oignons, sel, poivre; faites-la cuire à petit feu pendant trois heures; lorsqu'elle est cuite, mettez-la égoutter de sa graisse et l'essuyez bien avec un linge; après avoir ôté la ficelle, passez une partie de sa cuisson au travers d'un tamis, ajoutez-y un peu de sauce espagnole et y mettez un filet de vinaigre; faites-la réduire sur le feu au point d'une sauce; servez sur la tête de veau. Si vous vouliez vous servir de cette tête de veau pour entrée froide, il faudrait mettre dans la cuisson un peu plus de vin blanc, sel, poivre, et moins de bouillon; laissez-la refroidir dans sa cuisson, et servez sur une serviette avec gelée de viande.

Noix de veau a la bourgeoise (d'après l'excellente recette de Vincent de la Chapelle, reproduite par M. Beauvilliers). Prenez une noix de veau, celle d'un veau femelle s'il vous est possible; conservez la panoufle dans tout son entier, mettez-la entre deux linges blancs, battez-la avec le plat du couperet; cela fait, lardez-la dans l'épaisseur des chairs et dans toute leur longueur, sans endommager la panoufle. Assaisonnez vos lardons comme je l'ai indiqué à *Noix de bœuf et culotte de bœuf à l'écarlate;* foncez une casserole de quelques parures ou débris de veau, posez votre noix dessus; mettez deux ou trois oignons autour, quelques carottes tournées, un bouquet de persil et ciboules; mouillez-la avec un bon verre de consommé ou de bouillon, couvrez-la, mettez-la sur la paillasse, avec feu dessous et dessus; laissez-la cuire près d'une heure et demie ou deux heures; le temps de sa cuisson dépend et de sa qualité et de sa grosseur. Sa cuisson terminée, égouttez-la, passez son fond, faites-le réduire à glace; détachez bien le tout, dégraissez-le, finissez-le avec la moitié d'un pain de beurre, et saucez.

Si vous n'aviez point d'espagnole, vous feriez un petit roux, vous le mettriez, votre noix étant glacée, dans le reste de sa glace; mêlez bien le tout, mouillez-le avec un quart de verre de vin blanc et un verre de bouillon, faites-le réduire, dégraissez et finissez-le comme ci-dessus.

Cette noix peut se servir sur de la chicorée, de l'oseille, des épinards, de la purée d'oignons, sur des petites racines tournées et des montants de cardes.

CERVELLES DE VEAU EN FRITURE. Pelez les cervelles et faites-les dégorger dans l'eau fraîche; faites-les blanchir ensuite trois ou quatre minutes dans de l'eau bouillante; vous aurez d'abord mis un peu de sel et un filet de vinaigre; écumez-les, après quoi vous les égoutterez et les mettrez de nouveau dans de l'eau fraîche, et marinez-les au vinaigre; quand vous voudrez les employer, trempez-les dans une pâte à frire.

COQUILLES DE CERVELLE AU NATUREL. Blanchissez toujours vos cervelles de la même manière, assaisonnez-les ensuite avec du sel et du poivre, mêlez-y une échalote, des truffes et du persil hachés ensemble; faites sauter le tout un moment pour répandre l'assaisonnement, arrosez avec de l'huile ou bien mettez-y un peu de lard râpé ou de beurre; ajoutez un peu de jus de citron, après quoi vous remplirez les coquilles frottées à l'intérieur avec du beurre et un peu d'anchois; mettez dessus de la râpure de pain et faites griller à l'ordinaire.

FOIE DE VEAU A LA POÊLE. Ayez un foie de veau bien blond, c'est-à-dire bien gras; émincez-le par petites lames de l'épaisseur d'une pièce de cinq francs; mettez dans une poêle un morceau de beurre en raison du volume de foie que vous préparez; posez cette poêle sur un bon feu et remuez-la souvent. Lorsque votre foie sera roide, singez-le d'une pincée de farine; remuez-le de nouveau, pour que la farine ait le temps de cuire. Cela fait, saupoudrez-le d'un peu de persil et de ciboules ou échalotes hachées; assaisonnez-le de sel et de poivre; mouillez-le avec une demi-bouteille de vin rouge; remuez le tout sur le feu sans le laisser bouillir, de crainte de faire durcir votre foie. Si la sauce était courte, allongez-la avec un peu de bouillon, et finissez si vous le voulez avec un filet de vinaigre ou de verjus et servez.

FOIE DE VEAU A LA BOURGEOISE OU A L'ESTOUFFADE. Ayez un foie de veau comme il est indiqué ci-dessus; lardez-le de gros lardons en travers, lesquels auront été assaisonnés de sel, poivre, épices fines, basilic et thym mis en poudre, persil et ciboules hachés. Votre foie étant bien lardé, mettez-le dans une casserole foncée de bardes de lard, avec oignons, carottes, deux clous de girofle, une feuille de laurier, une gousse d'ail, quelques débris de veau et une demi-bouteille de vin blanc; achevez de le mouiller avec du bouillon, faites-le partir, écumez-le, couvrez-le de bardes de lard et d'un rond de papier; mettez dessus un couvercle et lutez-le; cela fait, mettez-le environ cinq quarts d'heure sur une paillasse, avec feu dessus et dessous. Lorsqu'il sera cuit, passez dans une casserole au tamis de soie une partie de son mouillement; mettez ce mouillement sur le feu avec un pain de beurre manié dans de la farine pour lier votre sauce; faites réduire, ajoutez-y, si vous le voulez, un peu de beurre d'anchois, sassez, masquez-en votre foie, et servez.

FOIE DE VEAU A LA BROCHE. Choisissez un beau foie blond, lardez-le en dessous de gros lard, que vous aurez assaisonné comme ceux du foie à l'estouffade; piquez-le comme le filet de bœuf (Voyez *Filet de bœuf* à son article), mettez-le ensuite sur un plat de terre avec quelques branches de persil et des ciboules coupées en trois ou quatre, deux feuilles de laurier et un peu de thym; saupoudrez d'un peu de sel, arrosez-le avec de l'huile d'olive et laissez-le mariner ainsi. Lorsque vous voudrez le mettre à la broche, passez-y quatre ou cinq petits hâtelets en travers et un grand dans sa longueur, que vous fixerez sur la broche, en l'attachant assez fortement des deux bouts pour qu'il ne puisse tourner sur lui-même; enveloppez-le de papier beurré que vous attacherez de même sur la broche; arrosez-le; faites-le cuire environ cinq quarts d'heure : sa cuisson dépend de sa grosseur et du plus ou moins de feu que vous ferez; déballez-le, et, après l'avoir glacé, servez-le avec une bonne poivrade dessus. (V. *Poivrade* à son article.)

J'ai déjà dit qu'avec toutes les précautions voulues, le foie de veau tournait toujours dans sa broche, attendu qu'il n'a pas de corps. Le moyen infaillible de la faire tenir jusqu'à cuisson, c'était de faire rougir la broche au milieu, enfiler le foie, et, saisi, il se tient très-bien. (V.)

LANGUES DE VEAU A LA SAUCE PIQUANTE. Ces langues s'accommodent comme celles de bœuf. (Voyez article *Langues de bœuf.*)

PIEDS DE VEAU. Les pieds de veau se font cuire comme la tête et se mangent au naturel, en marinade, à la ravigote. Ils sont ennemis de toutes sauces fades.

CERVELLES DE VEAU A L'ALLEMANDE. Ayez trois cervelles de veau bien levées, c'est-à-dire sans être endommagées; mettez-les dans une casserole avec de l'eau en suffisante quantité; de suite ôtez-en toutes les fibres, ainsi qu'au cervelet. Cela fait, changez-les d'eau, laissez-les dégorger; repassez-les pour en ôter les fibres, s'il en est resté; faites-les blanchir environ un quart d'heure de la manière suivante : faites bouillir de l'eau avec une pincée de sel blanc, un verre de vinaigre blanc; mettez-y vos cervelles, retirez-les après qu'elles sont blanchies, égouttez-les, mettez-les dans une casserole que vous aurez foncée de lard, mouillez-les avec un verre de vin blanc, deux fois autant de consommé, afin qu'elles trempent; joignez-y un bouquet de persil et ciboules bien assaisonné, quelques tranches de citron, desquelles vous aurez ôté les pépins et l'écorce; couvrez-les de bardes de lard et d'un rond de papier, faites-les partir sur un fourneau; mettez-les ensuite trois quarts d'heure sur une petite paillasse; leur cuisson faite, dressez-les sur le plat et masquez-les avec sauce à l'allemande. (Voyez *Sauce à l'allemande* à son article.)

CERVELLES DE VEAU EN MATELOTE. Prenez la même quantité de cervelles; faites-les cuire de même que celles ci-dessus; leur cuisson faite, dressez-les sur le plat; garnissez-les d'écrevisses, de croûtons coupés en queue de paon et passés dans le beurre; saucez-les avec la sauce matelote indiquée à son article et servez.

CERVELLES EN MARINADE. Préparez deux cervelles de veau comme les précédentes et faites-les cuire de la même manière; après les avoir égouttées, divisez-les en cinq morceaux, mettez-les dans une marinade passée au tamis (Voyez *Marinade* à son article); faites une pâte à frire assez légère (Voyez *Pâte à frire* à son article); trempez-y vos morceaux, égouttez-les pour qu'ils ne soient pas trop chargés de pâte et mettez dans la friture; faites qu'ils aient une belle couleur, égouttez-les; dressez-les en les surmontant d'une pincée de persil frit et servez.

CERVELLES DE VEAU AU BEURRE NOIR. Préparez et faites cuire ces cervelles comme celles dites à l'allemande; lorsque vous serez prêt à servir, égouttez-les et, après les avoir dressées, saucez-les avec le beurre noir qui se prépare ainsi :
Mettez une demi-livre de beurre dans un diable (poêle à courte queue); posez-le sur le feu; faites-le roussir sans le brûler, ce qui s'évite en agitant la poêle. Lorsqu'il est suffisamment noir, retirez-le et tirez-le au clair; après l'avoir écumé, essuyez votre poêle; versez dedans une cuillerée à dégraisser de vinaigre, une pincée de sel; faites chauffer, versez-le dans votre beurre noir, agitez le tout, saucez-en vos cervelles, garnissez-les de persil frit, soit autour, soit dessus, et servez de suite.

CERVELLES DE VEAU A LA RAVIGOTE. Prenez également trois cervelles que vous préparez de la même manière que ci-dessus; lorsqu'elles seront cuites, dressez-les et servez-les avec une sauce à la ravigote indiquée à son article : vous pouvez servir autour des petits oignons que vous aurez fait blanchir et cuire ensuite dans du consommé.

MOU DE VEAU A LA POULETTE. Ayez un mou de veau bien blanc, coupez-le en gros dés, faites-le dégorger et changez-le d'eau afin d'en exprimer le sang; faites-le blanchir en le mettant à l'eau froide, faites-lui jeter un bouillon, rafraîchissez-le, c'est-à-dire jetez-le dans l'eau froide, égouttez-le, mettez dans une casserole convenable un morceau de beurre; ce beurre une fois fondu, jetez-y votre mou; faites-le revenir sans qu'il roussisse, singez-le de farine, retournez-le avec une cuiller afin que la farine s'incorpore avec le mou, mouillez-le doucement avec du bouillon, ayant soin de le remuer toujours; assaisonnez-le de sel, poivre, et d'un bouquet de persil garni d'une feuille de laurier, d'un clou de girofle, d'une gousse d'ail; faites partir à grand feu, toujours en le remuant, afin que la farine ne tombe pas au fond et ne s'attache point; aux trois quarts cuit, mettez-y des petits oignons et des champignons; la cuisson faite du tout, si la sauce se trouvait trop longue, versez-en dans une autre casserole la majeure partie, faites-la réduire, dégraissez-la; arrivée à son point, liez-la avec quelques jaunes d'œufs, mettez-y un peu de persil haché, un filet de verjus ou le jus d'un citron; goûtez si elle est d'un bon sel et servez.

PIEDS DE VEAU AU NATUREL. Nous avons dit que les pieds de veau ne se prêtaient pas aux sauces fades; il y a cependant trois ou quatre préparations auxquelles on peut les soumettre : désossez des pieds de veau, coupez-en les batillons, nettoyez-les, ficelez-les et faites-les blanchir dans l'eau bouillante; après cela, mettez-les dans une casserole ou dans un pot, couvrez-les d'eau et d'une barde de lard, mettez-y une carotte, un oignon piqué, une demi-feuille de laurier, quelques tranches de citron et du sel, et faites-les bouillir pendant trois heures; avant de les servir, hachez séparément du persil et des échalotes, ou, à défaut, des oignons que vous mettrez à côté des pieds après avoir ôté les os de ces derniers.

PIEDS DE VEAU EN FRITURE. Faites-les cuire comme au numéro précédent, coupez-les en morceaux, mettez-les dans la pâte et faites-les frire.

PIEDS DE VEAU EN POULETTE. Après les avoir

préparés comme ci-dessus, coupez-les en morceaux et mettez-les dans une casserole, avec un peu de velouté et de persil haché, liez-les avec deux jaunes d'œufs, après quoi vous exprimerez par-dessus un peu de jus de citron, qu'on peut au besoin remplacer par un filet de vinaigre.

PIEDS DE VEAU EN POULETTE A LA BOURGEOISE. Après les avoir préparés au naturel il faut les désosser, les couper par morceaux, et les passer un instant sur le feu avec une plaque de lard fondu; liez-les d'abord avec une pincée de farine, puis mouillez-les avec du bouillon ou de l'eau bouillante; ajoutez un bouquet, une truffe coupée en tranches, un peu de sel et de poivre, et faites bouillir lentement; quand la sauce sera réduite à moitié, vous la lierez avec deux jaunes d'œufs, et vous y exprimerez le jus d'un citron, que vous pouvez remplacer par un filet de vinaigre.

FRAISE DE VEAU A LA MONTSOREAU. Ayez une fraise de veau bien blanche et grasse, ayez soin de l'approprier comme il faut; faites-la dégorger et blanchir en lui faisant jeter quelques bouillons, rafraîchissez-la, mettez-la cuire dans un blanc comme la tête de veau (voir *Blanc* à son article); la cuisson faite, égouttez-la, et servez-la avec une sauce au pauvre homme, que vous mettrez dans une saucière. (Voyez *Sauce au pauvre homme.*)

FRAISE DE VEAU A LA MONSELET. Faites cuire cette fraise comme pour la servir au naturel; sa cuisson achevée, coupez-la en morceaux égaux; mettez-la dans une italienne bien réduite et bien corsée; la fraise étant fade par elle-même, au moment de la servir relevez-la d'un jus de citron, d'un peu d'huile et d'ail râpé.

RIS DE VEAU A LA DAUPHINE. Ayez cinq ris de veau, séparez-en les gorges, mettez-les dégorger, changez-les d'eau plusieurs fois afin qu'ils soient bien blancs; faites-les blanchir légèrement, qu'ils ne soient que roidis pour les piquer plus facilement; foncez une casserole de quelques parures de veau, garnissez-la d'oignons et de carottes, mettez autour de cette casserole des bardes de lard, posez vos ris sur ce fond, qu'ils se touchent sans être pressés; mouillez-les avec du consommé, en sorte que le lard ne trempe pas; couvrez-les avec un rond de papier beurré, faites-les partir, posez-les sur une paillasse, couvrez-les, mettez du feu sur leur couvercle, que ce feu soit assez ardent pour qu'ils prennent une belle couleur dorée; laissez-les cuire environ trois quarts d'heure; égouttez-les sur un couvercle, glacez-les, mettez-les sur une bonne chicorée blanche réduite (voyez *Ragoût à la chicorée blanche* à son article), ajoutez-y si vous voulez quatre grandes crêtes de pain passées dans le beurre.
Si vous n'avez pas de glace, passez le fond de vos ris au travers d'un tamis de soie; faites-le réduire en glace et servez-vous-en pour glacer vos ris.

RIS DE VEAU A L'ESPAGNOLE. Après avoir fait blanchir des ris de veau et les avoir piqués comme les précédents, marquez-les de même et faites-les cuire; lorsqu'ils le seront, passez leur fond dans une casserole, faites-les réduire jusqu'à glace; remettez vos ris de veau jusqu'à ce que leur glace soit à son point; retournez-les légèrement du côté du lard, dressez-les sur le plat, mettez dans la casserole une cuillerée à dégraisser d'espagnole, détachez bien la glace, saucez-en vos ris de veau et servez.

HATELETS DE RIS DE VEAU. Marquez des gorges de ris de veau sans être piquées, comme les ris énoncés aux articles précédents; lorsqu'elles seront presque cuites, retirez-les de leur fond et laissez-les se refroidir; coupez-les par tranches d'un demi-pouce d'épaisseur; coupez de même grosseur une langue de veau fourrée, des truffes que vous passerez dans le beurre, du petit lard cuit dans la marmite; vous aurez une sauce aux hâtelets (voir *Sauce aux hâtelets* à son article); quand elle sera bien chaude, vous y mettrez tous vos morceaux, que vous mêlerez bien, et déposant le tout sur un plat, vous le laisserez refroidir; ensuite enfilez ces morceaux l'un après l'autre et par le milieu, en les entremêlant; cela fait, parez ces hâtelets sur les quatre faces, qu'ils soient d'une belle couleur et servez.

RIS DE VEAU EN CAISSE. Faites cuire des gorges de ris de veau, coupez-les par tranches, passez-les dans des fines herbes, telles que persil, ciboules et champignons hachés très-fin, un morceau de beurre, sel et gros poivre; faites-les mijoter; vous aurez une caisse ronde ou carrée, que vous huilerez en dehors; mettez dans le fond de cette caisse l'épaisseur d'un travers de doigt de farce cuite (voyez *Farce cuite* à son article); mettez votre caisse sur un gril ou sur un couvercle de tourtière, afin que votre farce puisse cuire sans brûler; il faut que cette caisse prenne une teinte jaune; mettez-y vos ris de veau et vos fines herbes, saucez-les avec une bonne espagnole réduite ou un jus de citron et servez.

Vea

RIS DE VEAU A L'ANGLAISE. Préparez et faites cuire ces ris comme les précédents; mettez dans une casserole du beurre gros comme un œuf, faites-le fondre sans trop le chauffer; délayez-y deux jaunes d'œufs, assaisonnez votre beurre d'un peu de sel, dressez vos ris de veau sur une tourtière, dorez-les avec votre beurre et vos jaunes bien mêlés, panez-les avec de la mie de pain dans laquelle vous aurez mis un peu de parmesan râpé, arrosez-les avec ce beurre, en vous servant de ciboules fendues en forme de pinceau; mettez ces ris au four, ou sous un four de campagne pour leur faire prendre une belle couleur dorée; dressez-les sur le plat, saucez-les avec une bonne italienne blanche et servez.

Vous pouvez servir panée la moitié de ces ris, et l'autre moitié piquée et glacée.

RIS DE VEAU A LA POULETTE. Faites cuire ces ris comme il est énoncé ci-dessus; mettez dans une casserole du velouté ce que vous jugerez à propos, coupez vos ris par tranches; vous aurez eu soin de ne pas les laisser trop cuire; mettez-les dans votre velouté avec des champignons que vous aurez fait cuire (voyez *Sauce aux champignons* à son article); laissez réduire votre ragoût à son degré, et liez-le avec deux ou trois jaunes d'œufs (voyez *Liaison et la manière de lier*, à leurs articles); mettez-y du persil haché et blanchi, si vous le voulez, un demi-pain de beurre, un jus de citron, et servez.

POITRINE DE VEAU FARCIE A LA BOURGEOISE. Vous préparez une farce à la ménagère, c'est-à-dire qu'ayant quatre ou cinq onces de veau, quatre de lard, deux de graisse, deux de moelle de bœuf, deux de rognon, deux de mitonnage, c'est-à-dire de pain blanc trempé dans le lait, vous prenez une bonne poignée d'herbes : des épinards, de l'oseille, du cerfeuil, de la poirée, un peu d'estragon, que vous hachez bien menu, et dans lesquelles vous jetez un peu de sel, moins pour les saler que pour leur faire rendre l'eau que vous extrairez en les pressant fortement dans la main; mêlez ces herbes à votre farce, ajoutez-y trois jaunes d'œufs, une once de lard, pareille quantité de jambon, moitié gras, moitié maigre, coupez ces derniers objets à petits dés, et joignez-les à votre farce.

Ayez une belle poitrine de veau, pratiquez entre les côtes et la poitrine une poche que vous remplirez de cette farce; cousez l'ouverture et mettez à cuire : la poitrine farcie peut se préparer à la broche ou dans une braise, avec une garniture de laitues ou de choux.

PAIN DE FOIE DE VEAU. (Recette de Durand de Nîmes.) Otez les peaux de la moitié d'un foie de veau, hachez ce foie bien menu, prenez du lard, à peu près le volume du foie, hachez-le et mêlez-le au premier, pilez

le tout dans un mortier en l'assaisonnant avec du sel, des épices et du persil bien haché; enlevez-le ensuite de là pour le mettre dans un plat de terre profond; coupez en petits dés deux oignons que vous ferez roussir sur le feu, en ajoutant un peu de dégraissé de quelques bons fonds de cuisson, ou un peu de beurre ou de bon lard râpé.

Lorsque ces oignons seront cuits, vous les mêlerez avec le foie, vous couperez également à petits dés une tranche de jambon et un peu de lard, deux ou trois truffes, et les jetterez dans le foie; ajoutez encore trois jaunes d'œufs, brouillez bien tous ces objets avec une cuiller de bois, montez les blancs très-fermes, et joignez-les de même à votre pain.

Prenez alors une casserole bien faite, mettez au fond une plaque de lard, et foncez-la en outre avec de la crépine de cochon, posez-y votre foie que vous recouvrirez d'une barde de lard; faites cuire au four ou sous le fourneau; après la cuisson, égouttez sur un couvert de casserole, enlevez le lard, dressez le pain sur le plat et servez dessus une sauce au chevreuil.

ROGNONS DE VEAU AU VIN. Pelez des rognons, émincez-les bien fin, sautez-les dans une casserole avec un peu de beurre et de lard fondus, assaisonnez avec du sel, du poivre, une échalote, du persil et des truffes, le tout bien haché; quand les rognons seront cuits, ôtez-les posez-les sur une assiette, versez dans la cuisson un demi-verre de vin blanc, et faites réduire à moitié, ajoutez alors un peu de coulis et faites bouillir un instant. Vous jetterez ensuite les rognons dans la sauce, vous la ferez un peu bouillonner, la verserez dans le plat et y mêlerez un peu de jus de citron.

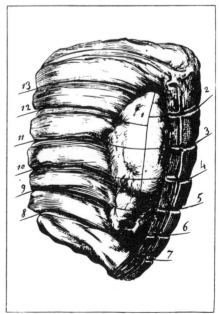

Le Rognon de Veau.

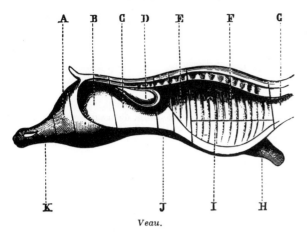

Veau.

A. *Rouelle.*
B. *Quasi.*
C. *Longe.*
D. *Rognons.*

E. *Côtelettes de filet.*
F. *Côtelettes.*
G. *Collet.*
H. *Épaule.*

I. *Poitrine.*
J. *Tendrons.*
K. *Jarret.*

MANCHON DE VEAU A LA GÉRARD[1]. Prenez une belle noix de veau, parez-la dans sa longueur et tranchez-la en quatre ou cinq morceaux, de l'épaisseur d'un demi-pouce au plus; coupez ces morceaux en carrés longs, battez-les avec le plat d'un couperet; après, rebattez-les avec le dos de la lame de votre couteau; que les coups soient très-près les uns des autres, à différents sens, afin de rompre les fibres des viandes; mettez dans trois de ces morceaux de la farce de quenelle, où vous n'aurez point mis trop de blancs d'œufs fouettés, roulez-les, en leur donnant la forme de manchon, recouvrez-les d'un lit de cette farce de l'épaisseur de la lame de votre couteau; coupez par bandes de la largeur de deux doigts les deux lames de veau qui vous sont restées, piquez-les avec soin, appliquez-les aux deux bouts de chacun de vos manchons; bridez-les en dessous, ainsi que les morceaux piqués, pour qu'ils ne se détachent ni ne se déforment; hachez des truffes très-fin; sablez-en un de vos manchons jusqu'aux bordures piquées; hachez de même des pistaches pour en sabler un second, et si vous voulez, pour le troisième, hachez encore de même des amandes douces bien émondées, et appliquez-les sur le troisième (ce qui fera trois couleurs), et garnissez le tout en sorte qu'on ne voie point la farce; cela fait, marquez-les comme les noix de veau; foncez une casserole de bardes de lard; donnez-leur la même cuisson, à la réserve qu'il faut mettre moins de feu sur leur couvercle; égouttez-les, débridez-les, parez-les des deux bouts: glacez-en les parties piquées; dressez-les sur le plat, et mettez dessous une sauce à la Périgueux aux truffes bien noires et bien parfumées.

1. Invention d'un aide aux entrées de Mme de Pompadour qui, ne voulant pas donner le nom d'une personne si illustre à un plat d'entrée dont la substance lui paraissait trop vulgaire, lui donna le sien.

QUEUES DE VEAU A LA POULETTE. Prenez ce que vous jugerez à propos de queues de veau, coupez-les comme à l'article précédent, faites-les dégorger dans de l'eau tiède; quand elles le seront, faites-les blanchir, égouttez-les; mettez dans une casserole un morceau de beurre, vos queues de veau, un bouquet de persil et ciboules; assaisonnez d'une demi-gousse d'ail, d'une feuille de laurier; joignez à cela quelques oignons. Passez le tout sur un feu doux, sans laisser roussir votre beurre; singez d'un peu de farine; remuez vos viandes, mouillez-les avec autant de bouillon qu'il en faut; mettez dans ce ragoût du sel et du gros poivre; faites-le cuire; ayez soin de le remuer souvent afin qu'il ne s'attache pas; retirez-en les oignons et le bouquet en l'exprimant; liez-le, mettez-y un peu de persil haché et blanchi, un filet de vinaigre ou le jus d'un citron, et servez.

AMOURETTES DE VEAU. Ce qu'on appelle amourettes est tout simplement la moelle allongée des quadrupèdes. Celles de veau sont préférées pour leur délicatesse. On emploie celles de bœuf, de mouton, comme on pourrait employer toutes celles des animaux à quatre pieds. Voici la manière de les approprier et de les accommoder :

Ayez des amourettes, mettez-les dans l'eau, ôtez-en les membranes qui les enveloppent; changez-les d'eau, laissez-les dégorger; coupez-les par morceaux d'égale longueur, autant que possible; faites-les blanchir comme les cervelles de veau; quand elles le seront, mettez-les dans une marinade (voyez *Marinade* à son article); lorsque vous voudrez vous en servir, égouttez-les, mettez-les dans une légère pâte à frire, faites-les frire, qu'elles soient d'une belle couleur; dressez-les et servez.

Nota. — On se sert aussi des amourettes en place de pâte pour faire des timbales; on fonce une casserole de bardes de lard, on met dedans ses amourettes comme on fonce une timbale avec de la pâte, je veux dire, les arranger tout autour les unes sur les autres, en sorte qu'elles forment un puits dans lequel on met des lames de rouelle de veau bien jointes les unes contre les autres, afin de contenir les amourettes dans leur position, et de la farce cuite (voyez *Farce cuite* à son article), dont on fait un contre-mur, et de laquelle on garnit le fond; mettez dans ce puits un salpicon bien réduit de ce que vous jugerez convenable; couvrez-le de farce, soudez bien le tout, pour que la sauce du salpicon ne s'échappe pas; mettez cette timbale dans un four doux ou sur la paillasse, avec un feu modéré dessous et dessus; faites-la cuire trois heures; renversez-la, ôtez-en les bardes, versez autour une bonne italienne rousse et servez.

QUARTIER DE VEAU DE DERRIÈRE. Si vous avez besoin d'une longe, vous la couperez à trois doigts plus bas que la hanche; vous roulerez le flanchet, vous l'assujettirez avec des petits hâtelets, afin que votre longe soit bien carrée et qu'elle n'ait pas l'air plus épaisse d'un côté que de l'autre; pour réussir à cela, supprimez une partie des os de l'échine qui avoisinent le rognon; cela fait, couchez sur le fer votre longe, c'est-à-dire embrochez-la, et assujettissez-la avec un grand hâtelet que vous attacherez fortement des deux bouts sur la broche; enveloppez cette longe de plusieurs feuilles de papier que vous beurrerez en dessus, de crainte qu'elles ne brûlent; il faut deux heures et demie ou trois heures pour la cuire, cela dépend de la quantité de feu et de l'épaisseur de la pièce.

CUISSEAU DE VEAU ET LES MANIÈRES D'EN TIRER PARTI. Ayez un cuisseau de veau, commencez par en lever la noix. On appelle noix la chair qui se trouve en dedans de la cuisse, et qui en est la partie la plus grasse et la plus tendre. Vous parviendrez à la lever en passant le bout de votre couteau le long du quasi, à l'endroit où la chair est découverte, et vous irez jusqu'à ce que vous trouviez une séparation des chairs; vous la suivrez jusqu'à l'os proche du genou, et vous continuerez de glisser votre couteau sur l'os pour lever votre noix bien entière; ensuite levez la sous-noix qui est la plus voisine. Il y a une autre noix qu'on appelle la *noix du pâtissier*, laquelle se trouve proche la fesse du veau et la naissance de la queue. Cette sous-noix sert ordinairement à faire le godiveau et les farces cuites. Levez votre quasi, coupez le jarret dans le genou et le bout de la crosse. Ils vous serviront pour vos consommés; la noix pour vous faire une entrée, la sous-noix pour faire votre farce cuite, et la noix du pâtissier pour faire votre godiveau, ou, si vous l'aimez mieux, pour tirer un peu de velouté, ce qu'on appelle *sauce tournée;* le quasi, l'os et les chairs qui restent après, vous pouvez en tirer une espagnole.

NOIX DE VEAU EN BEDEAU. Ayez une noix de veau, prenez de préférence d'un veau femelle; conservez la panoufle ou tétine : battez-la entre deux linges et parez-la sur la partie découverte; piquez-la de gros lard, sur le dessous et le dessus d'une deuxième, marquez-la et assaisonnez-la comme la précédente; couvrez la panoufle d'une barde de lard, afin qu'elle ne prenne point de couleur; faites-la cuire, comme il est dit plus haut, avec feu dessous et dessus; glacez-la, servez-la sur de la chicorée, de l'oseille ou des concombres, soit au jus, soit à la béchamel.

NOIX DE VEAU PIQUÉE. Battez une noix de veau, posez-la sur la table, levez-en la panoufle, retournez-la et parez-la; cela fait, piquez-la tout entière, marquez-la dans une casserole, comme la précédente; mettez vos oignons sous votre noix, pour lui donner une forme bombée; mouillez-la avec du consommé ou du bouillon, de

façon que le lard de cette noix ne trempe point dans le mouillement; glacez-la, et servez-la sur une espagnole réduite.

HATEREAUX. Ayez une noix de veau; coupez-la par lames, un peu plus minces que les précédentes, battez-les de même; coupez-les en plus petits morceaux, à peu près de la longueur de trois pouces sur quatre de large; piquez-les avec soin dans toute leur longueur, après posez-les sur un linge, du côté du lard; étendez dessus le côté non piqué la farce ci-après :
Prenez de la farce cuite ce qu'il vous en faut pour faire neuf hâtereaux, en incorporant dans cette farce un tiers en sus de petits foies gras, des truffes, des champignons coupés en petits dés; maniez bien le tout avec une cuiller de bois; joignez-y deux ou trois jaunes d'œufs, du sel en suffisante quantité et un peu d'épices fines, mettez de cette farce, comme il est déjà dit, sur vos hâtereaux; roulez-les en sorte que les deux bouts de veau se joignent, embrochez-les d'un hâtelet, fixez-le sur la broche; enveloppez-les de papier, arrosez-les, durant leur cuisson, avec du beurre, dressez-les, et servez dessous une italienne corsée rousse ou blanche.

PAUPIETTES DE VEAU. Prenez une partie de noix de veau, coupez en tranches fort minces; battez-les bien sur tous les sens, comme nous l'avons dit pour les hâtereaux; mettez dessus une farce cuite de volaille ou de veau, roulez-les comme je l'ai indiqué pour les hâtereaux, ficelez-les pour qu'elles ne se déforment pas; foncez une casserole de bardes de lard, mettez vos paupiettes avec une petite cuillerée à pot de consommé, un bon verre de vin blanc, un bouquet de persil et ciboules, assaisonné d'un clou de girofle, d'une gousse d'ail et d'un peu de basilic; faites cuire à peu près trois quarts d'heure, passez le fond au travers d'un tamis de soie, mettez-y deux cuillerées à dégraisser d'espagnole, faites-le réduire, dégraissez-le, égouttez vos paupiettes, glacez-les et servez.

ESCALOPES DE VEAU A LA MANIÈRE ANGLAISE. Prenez une noix de veau bien blanche et bien tendre, coupez-la par filets carrés, d'un pouce et demi en tous sens, et de ces filets faites des escalopes, c'est-à-dire coupez-les de deux lignes d'épaisseur, ensuite aplatissez-les légèrement sur une table bien propre où vous aurez mis un peu d'huile, parez chaque morceau en lui donnant la forme d'un écu, et qu'il en ait à peu près l'épaisseur; vous aurez fait fondre et clarifier du beurre que vous aurez tiré au clair dans une sauteuse, ou, faute de celle-ci, dans un couvercle de marmite bien étamé; rangez-y ces escalopes, de manière qu'elles se touchent, sans être les unes sur les autres, posez-les sur un feu ordinaire, quand elles seront roidies d'un côté, retournez-les de l'autre avec la pointe de votre couteau, pour qu'elles roidissent de même; égouttez le beurre, mettez une cuillerée à dégraisser de gelée ou de bon consommé, faites aller vos escalopes sur un feu plus vif, remuez-les en totalité; lorsque vous verrez qu'elles tombent à glace, retirez-les, dressez-les en cordons autour de votre plat; mettez au milieu un ragoût de godiveau et servez. (Voyez *Ragoût de godiveau* à son article.)

FILETS MIGNONS DE VEAU. Ayez six filets mignons de veau piqués en trois et décorez les trois autres, soit de truffes ou de jambon; marquez-les comme les fricandeaux; faites-les cuire de même; glacez-les et dressez-les sur un ragoût de chicorée, d'oseille ou d'autres ragoûts à votre volonté.

QUARTIER DU DEVANT DU VEAU. Dans ce quartier il y a l'épaule, le carré et les tendrons; l'épaule se sert à la broche; on s'en sert aussi, étant rôtie, pour faire des blanquettes; on peut en tirer des sauces comme du cuisseau mais elle a moins de sucs nourriciers.
Elle renferme des parties de chair fort délicates; elle a aussi à la partie la plus proche du collet une noix enveloppée de graisse, qui, pour sa délicatesse, est fort estimée des gourmets.

BLANQUETTE DE VEAU. Lorsque vous aurez servi une épaule de veau à la broche et qu'il y sera resté assez de chair pour faire une blanquette, levez la chair qui reste par morceaux, que vous aplatirez avec la lame de votre couteau, parez-les, ôtez-en les peaux rissolées, émincez les filets que vous aurez levés, faites réduire le velouté et jetez-y vos filets, sans les laisser bouillir; liez votre blanquette avec autant de jaunes d'œufs qu'il en faut; mettez-y un filet de verjus ou jus de citron, un petit morceau de beurre, un peu de persil et de ciboules hachés, si vous le jugez à propos, et servez.

TENDRONS DE VEAU A LA POULETTE OU AU BLANC. Parez une poitrine de veau, levez-en la chair qui couvre les tendrons, séparez-les des côtes; posez vos tendrons sur la table et coupez-les en forme d'huître en inclinant votre couteau de la droite à la gauche; donnez-leur l'épaisseur de trois quarts de pouce; arrondissez-les, mettez-les dégorger; faites-les blanchir et rafraîchissez-les; foncez une casserole de bardes de lard; mettez dans le fond quelques parures de veau, posez dessus vos tendrons, joignez-y un bouquet assaisonné, quelques tranches de citron, trois ou quatre carottes tournées et autant d'oignons; mouillez-les avec du consommé ou du bouillon; faites-les partir et mettez-les mijoter sur la paillasse deux ou trois heures; avant de les retirer, sondez-les avec la pointe du couteau; si elle entre sans effort, retirez-les du feu, égouttez-les et servez-vous-en de toutes les manières.

TENDRONS DE VEAU EN QUEUE DE PAON. Otez les os rouges comme je l'ai indiqué aux tendrons ci-dessus; retournez votre poitrine, de manière que les côtes se trouvent sur la table; mettez un linge blanc sur cette poitrine, aplatissez-la avec le plat du couperet; cela fait, coupez-la par morceaux de trois à quatre doigts de largeur, arrondissez-en avec votre couteau le gros bout et diminuez-en la partie opposée, de manière à en former un cœur allongé qu'on appelle *queue de paon*. Détachez la chair, du côté des os; rognez l'os, de manière que la chair dépasse; faites-les dégorger et blanchir; marquez-les comme les tendrons ci-dessus, avec cette différence que vous n'y mettrez pas de tranches de citron; la cuisson est à peu près la même; si vous n'aviez point de sauce pour les accommoder, passez leur fond au travers d'un tamis de soie; faites-les réduire à glace et glacez-les; mettez dans le reste de votre glace un petit morceau de roux (voyez *Roux* à son article); faites-le fondre en le délayant avec votre glace; mouillez-le avec du consommé ou du bouillon et le quart d'un verre de vin blanc, ajoutez-y dix parures de champignons ou de truffes; faites bouillir cette sauce, dégraissez-la et tordez-la dans une étamine; faites-la réduire de nouveau à consistance de sauce; goûtez si elle est d'un bon goût; finissez-la en la passant et la vannant avec un petit morceau de beurre, et saucez-en vos tendrons : vous pouvez la servir avec des petits oignons, des pointes d'asperges ou un ragoût de champignons. (Voyez l'article *Ragoût.*) (Recette de M. Beauvilliers.)

TENDRONS DE VEAU EN MACÉDOINE. Préparez ces tendrons comme ceux énoncés ci-dessus, soit en huître, soit en queue de paon; leur cuisson faite, préparez la macédoine comme il est indiqué à son article.

TENDRONS DE VEAU EN MAYONNAISE. Lorsque vos tendrons seront bien cuits, faites-les refroidir; parez-les de nouveau, dressez-les en cordon autour de votre plat; mettez autour une bordure de petits oignons que vous aurez fait blanchir et cuire dans le bouillon ou du consommé et des cornichons tournés en petits oignons, en les entremêlant; ne les arrangez autour du plat que quand vous aurez masqué vos tendrons avec votre mayonnaise et servez. (Voyez *Sauce mayonnaise.*)

TENDRONS DE VEAU A LA RAVIGOTE. Préparez vos tendrons comme ceux coupés en huîtres, dont il est parlé ci-dessus; leur cuisson faite, mettez-les refroidir et parez-les; vous aurez fait un bord de plat avec du beurre que vous décorez à votre fantaisie; dressez vos tendrons en cordon sur votre plat et masquez-les avec une ravigote froide (voyez *Ravigote froide* à son article). Si vous serviez vos tendrons à la ravigote chaude, vous feriez un bord de plat avec des croûtons.

TENDRONS DE VEAU A LA MARINADE. Faites cuire et mettez dans une marinade vos tendrons (voyez *Marinade* à son article); faites-leur jeter un bouillon; laissez-les refroidir; égouttez-les un demi-quart d'heure; avant de vous en servir, trempez-les dans une légère pâte à frire, couchez-les dans la friture l'un après l'autre, ayant soin de les égoutter pour qu'ils aient une forme agréable; faites-leur prendre une belle couleur; retirez-les alors de la friture; égouttez-les sur un linge blanc; faites frire une pincée de persil, dressez vos tendrons, mettez dessus votre persil, dressez vos tendrons, persillez et servez.

TENDRONS DE VEAU A LA VILLEROY. Préparez vos tendrons comme ils sont indiqués à la poulette; forcez-les d'un peu plus de liaison et de citron; laissez-les refroidir; garnissez-les bien de leur sauce, passez-les, trempez-les dans une omelette, passez-les une seconde fois, faites-les frire, dressez-les, mettant dessus ou dessous une pincée de persil frit et servez.

SAUCE COLBERT. Recommandée par M. Urbain Dubois, auteur de la *Cuisine de tous les pays*.

Par sa nature, dit-il, cette sauce s'applique aussi bien aux viandes qu'aux poissons et même à plusieurs espèces de légumes; elle peut être servie avec des rôtis, des grillades et des fritures; aucune sauce, ni ancienne, ni moderne, ne peut lui être comparée à cet égard, et notons en passant que sa préparation n'exige ni beaucoup de science, ni beaucoup de travail; je la recommande donc comme une des plus utiles.

Manier deux cents grammes de bon beurre avec une cuillerée à bouche de persil haché, une pointe de muscade et le jus de deux citrons. Versez dans une casserole les deux tiers d'un verre de glace de viande fondue, la faire bouillir, la retirer aussitôt sur le côté du feu et lui incorporer peu à peu, en la tournant vivement à la cuiller, le beurre préparé, divisé en petites parties, mais en alternant le beurre avec le jus de deux citrons; éviter l'ébullition; quand la sauce est bien liée, lui mêler une cuillerée à bouche d'eau froide et la retirer. Elle se sert pour les soles à la Colbert.

COTELETTES DE VEAU. Ayez un carré de veau bien blanc, coupez-le par côtes de même grosseur; ôtez-leur l'os de l'éclime; à cet effet coupez dans la jointure à la jonction de la côte avec l'éclime; parez le filet de la côtelette; ôtez-en les nerfs et aplatissez légèrement avec le plat du couperet, après en avoir ôté les peaux, en prenant bien garde d'altérer ce filet; arrondissez votre côtelette, supprimez une partie de la chair du haut en découvrant le bout de la côte; grattez l'os avec le dos de votre couteau, en sorte qu'il n'y reste aucune chair : recoupez le bout de l'os, de façon qu'étant cuit, il ne soit pas trop long et que votre côtelette ait de la grâce; vous pourrez vous en servir, soit au naturel, soit pour les faire quitter, ou de toute autre manière.

COTELETTES DE VEAU A LA PROVENÇALE. (Cuisine méridionale.) A peine le touriste qui voyage en France, du nord au midi, a-t-il dépassé Valence et atteint Mornas, qu'il sent qu'une saveur nouvelle se mêle aux mets qu'on lui sert; cette saveur est celle de l'ail. Comme, pour la plupart du temps, toute la différence qui existe entre la cuisine du nord et celle du midi est cette saveur d'ail qui se fait sentir plus fortement ce n'est pas la peine de faire un livre de cuisine spécial sur la Provence, mais il suffit de dire la quantité d'ail qui doit entrer dans chaque plat.

Ainsi, pour les côtelettes de veau à la provençale, émincer cinq ou six oignons blancs, les mettre dans la poêle avec une gousse d'ail et du saindoux pour les faire revenir à feu modéré jusqu'à ce qu'ils soient de belle couleur, les assaisonner avec sel et poivre, les saupoudrer avec un peu de farine, les mouiller avec du vin et du jus, puis cuire le ragoût pendant dix à douze minutes à feu très-doux; d'autre part, faire revenir au saindoux des deux côtés, et dans une casserole plate, sept à huit côtelettes de veau parées, assaisonnées et farinées; aussitôt que les chairs sont roidies, égouttez la graisse de la casserole et mouillez les côtelettes à moitié de hauteur avec du bouillon, le faire bouillir, retirer la casserole sur un feu modéré, la couvrir et la tenir ainsi jusqu'à ce que les côtelettes soient cuites et le fond réduit en demi-glace; leur mêler alors les oignons, épicer d'une pointe de Cayenne et saupoudrer de persil haché; deux minutes après, dressez les côtelettes en couronne sur un plat et versez le ragoût dans le puits de cette couronne.

COTELETTES PIQUÉES. Lorsque vous aurez paré vos côtelettes comme il est dit ci-dessus et que vous aurez conservé la panuffe, liez cette panuffe et l'os de la côtelette, afin qu'elle ne se détache point; piquez vos côtelettes d'une deuxième, comme je l'ai indiqué à l'article *Noix de veau;* foncez une casserole des parures de vos côtelettes, joignez deux oignons, trois ou quatre morceaux de carottes et un bouquet assaisonné, tel qu'il est indiqué plusieurs fois, mouillez-les avec du bouillon, du consommé ou de l'eau; si vous employez de l'eau, mettez un peu de sel, couvrez vos côtelettes d'un rond de papier beurré et faites-les cuire comme il est indiqué à l'article *Grenadins;* vos côtelettes cuites, égouttez-les, faites-en réduire le fond à glace et servez-vous-en pour les glacer, surtout si vous n'avez point de glace. Vous pourrez servir ces côtelettes sur de l'oseille, de la chicorée, des concombres, des petits pois, une sauce tomate, une purée de champignons, ou avec une bonne espagnole réduite.

C O T E L E T T E S   D E   V E A U   S A U T É E S . Prenez sept côtelettes de veau, parez-les et aplatissez-les, ensuite faites fondre à peu près 125 gr. de beurre dans une sauteuse, trempez dans ce beurre vos côtelettes des deux côtés et rangez-les de manière qu'elles ne soient pas les unes sur les autres, faites-les partir sur un feu moyen et retournez-les souvent; lorsqu'elles auront atteint les trois quarts de leur cuisson, égouttez-en le beurre et mettez dans vos côtelettes gros de glace comme deux fois le pouce, une cuillerée à dégraisser de bouillon, et menez-les à grand feu; ayez soin de les retourner souvent, de les appuyer sur le fond de la sauteuse afin qu'elles se pénètrent bien de la glace; lorsqu'elles seront cuites et qu'elles seront glacées, dressez-les sur le plat comme les précédentes, remettez un peu de consommé dans le fond de votre sauteuse pour en détacher toute la glace; quand votre consommé sera réduit, mettez-y un demi-pain de beurre et le jus d'un citron; liez le tout sans le laisser bouillir en agitant votre sauteuse, arrosez-en vos côtelettes et servez.

C O T E L E T T E S   D E   V E A U   A U   J A M B O N . Préparez sept côtelettes comme les précédentes et faites-les cuire de même; lorsque vous les servirez, mettez entre elles des lames de noix de jambon, comme l'on met des lames de langue à l'écarlate entre les côtelettes à la Chingara ou jambon.

C O T E L E T T E S   D E   V E A U   A U   N A T U R E L . Prenez autant qu'il vous en faut de ces côtelettes, parez et aplatissez-les comme celles ci-dessus, saupoudrez-les d'un peu de sel, trempez-les dans du beurre fondu et mettez-les sur le gril, ayez soin de les retourner, arrosez-les du reste de leur beurre durant leur cuisson pour qu'elles soient d'une belle couleur. Vous pourrez vous assurer qu'elles sont cuites, si, en appuyant le doigt dessus, elles sont fermes; alors dressez-les, saucez-les avec un bon jus de bœuf réduit ou une sauce au pauvre homme, et servez.

C O T E L E T T E S   D E   V E A U   P A N É E S . Elles se préparent de même que celles énoncées plus haut, sinon qu'après les avoir trempées dans le beurre, on les pane, et qu'elles exigent un feu plus doux.

C O T E L E T T E S   D E   V E A U   E N   P A P I L L O T E S . Prenez ce qu'il vous faut de ces côtelettes; faites-les revenir dans le beurre, mettez-y persil, champignons et ciboules hachés (un tiers de chaque), un peu de lard râpé, avec sel, poivre et épices fines; laissez mijoter le tout; quand ces côtelettes seront cuites, retirez-les des fines herbes, et mettez dans ces fines herbes une cuillerée ou deux à dégraisser d'espagnole ou du velouté, selon la quantité de côtelettes que

vous avez; laissez réduire votre sauce, en sorte que l'humidité en soit évaporée; goûtez si vos fines herbes sont d'un bon goût; liez-les avec des jaunes d'œufs, selon la quantité de la sauce; laissez-la refroidir ainsi que vos côtelettes; coupez votre papier de la forme d'un petit cerf-volant, huilez-le dans l'endroit où votre côtelette doit poser; mettez sur le papier des petites bardes de lard très-minces; mettez la moitié d'une cuillerée à bouche de fines herbes sur le lard; posez dessus votre côtelette, et couvrez-la de fines herbes et d'une petite barde; renfermez votre papillote, *videlez-la;* nouez la pointe du côté de l'os avec une ficelle; faites que vos côtelettes soient d'une belle couleur, et servez.

C A R R É   D E   V E U U   A   L A   B R O C H E . Prenez un carré de veau bien gras et bien blanc; ôtez le bout qui se trouve dessous l'épaule, afin que votre carré soit entièrement couvert; levez-en l'arête de l'échine dans toute sa longueur. Coupez-la avec le couperet dans les jointures des côtés comme je l'ai dit (article *Côtelettes*); cela fait, coupez-le de toute sa longueur du côté de la poitrine, afin de le mettre bien carré; passez quelques hâtelets dans le filet, et faites-leur rejoindre les côtes; afin que votre carré se soutienne, couchez-le sur fer, en passant un grand hâtelet au-dessus du filet, pour l'assujettir sur la broche; liez le hâtelet fortement des deux bouts; enveloppez votre carré de papier beurré; faites-le cuire environ une heure et demie en l'arrosant avec soin; de suite ôtez-en le papier et faites lui prendre une belle couleur; servez-le avec un bon jus de bœuf.

C A R R É   D E   V E A U   P I Q U É . Prenez un beau carré de veau; ôtez-en l'os de l'échine, comme il est dit précédemment; cela fait, coupez légèrement et dans toute sa longueur la peau qui couvre le filet, surtout sans l'endommager; de même levez-en le nerf ainsi que les peaux qui le couvrent encore, en faisant glisser votre couteau entre ce nerf et la chair du filet; parez-le bien et battez-le légèrement; ensuite piquez-le, comme il est dit à l'article du *Ris de veau*, et marquez-le dans une casserole ainsi que je l'ai énoncé pour la noix de veau, à son article; sa cuisson faite, glacez-le et servez-le sur tel ragoût que vous jugerez à propos.

P E T I T E S   N O I X   D ' É P A U L E   D E   V E A U . Ayez quinze petites noix d'épaule de veau; faites-les blanchir, rafraîchissez-les, parez-les, sans en supprimer la graisse qui les entoure, foncez une casserole de deux carottes, de deux oignons, quelques débris de veau, un bouquet de persil et ciboules, une demi-feuille de laurier et deux clous de girofle; posez ces noix sur ce fond, mouillez-les avec un peu de bouillon ou de consommé; couvrez-les de bardes de lard, et d'un rond de papier; une heure avant de servir,

Vea

Selle de veau à la Richemont.

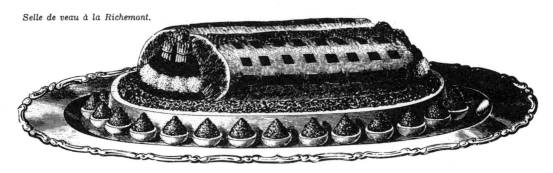

faites-les partir, mettez-les cuire sur la paillasse avec feu dessous et dessus; leur cuisson achevée, égouttez-les sur un couvercle; glacez-les et servez-les sur une purée de champignons (voyez *Sauce à la purée de champignons,* à son article), ou sur toute autre purée. Si vous n'aviez point de glace, prenez le fond de ces noix et faites-le réduire à glace, en sorte qu'elle soit d'une belle couleur dorée.

COTELETTES DE VEAU AU DOGE DE VENISE (recette de Ferdinando Grandi). Préparez de belles côtelettes de veau. Faites-les griller un quart d'heure avant de servir, garnissez-les d'un appareil que vous aurez fait avec 250 grammes de riz, douze à quatorze fonds d'artichauts coupés en dés et une partie de sauce tomate, le tout fait en perfection. Dressez vos côtelettes. Dressez le riz dans le milieu en forme de pyramide, et garnissez-le presque entièrement de petits champignons tournés. Ornez le haut de la pyramide d'un bonnet de doge que vous ferez avec une carotte blanchie. Glacez les côtelettes, et servez une demi-glace dans une saucière.

COTELETTES DE VEAU A LA ROBERT PEELE (recette de Ferdinando Grandi). Faites griller des petites côtelettes de veau de l'épaisseur d'un demi-centimètre; à moitié cuites, faites-leur subir une légère pression. Lorsqu'elles sont froides, essuyez-les bien avec une serviette; masquez-les complètement avec une béchamel de bon goût, où vous aurez mélangé de la moelle coupée en dés; vous faites ce mélange quand la béchamel est froide. Faites prendre exactement la forme de la côtelette, puis, vous touchez délicatement sur de la farine et de l'œuf battu, où vous mêlerez une petite portion de beurre fondu. Panez légèrement, le plus possible. Vingt minutes avant de servir, vous ferez sauter les côtelettes au beurre, très-doucement. Quand le beurre sera bien chaud, servez-les toutes naturelles dans un plat à relevé et sur deux rangs. Vous présenterez, dans une saucière, une sauce maître-d'hôtel où vous aurez mêlé des truffes coupées en julienne.

RIS DE VEAU A LA ZURICH. Prenez trois ris de veau du cœur, piquez-les, retournez-les et clouez-les avec des truffes. Faites-les cuire dans un bon fond bien glacé. Quand vous les servirez, vous les placerez sur une croustade de pain déjà préparée, sur un plat au milieu duquel vous aurez disposé un croûton de pain, un peu plus élevé que les ris. Sur le croûton, vous placerez une quenelle de volaille ronde plate, un peu plus large que celui-ci, et par-dessus la quenelle, une grosse truffe. Entre les trois ris de veau, dressez de belles crêtes debout. Vous garnirez le tour, au bas du plat, de six truffes, six bouquets de rognons de chapon, et six quenelles de gibier. Saucez le tout avec une bonne demi-glace et servez le reste dans une saucière. Faites aussi présenter dans une casserole d'argent une bonne soubise. (Recette de Ferdinando Grandi.)

COTELETTES DE VEAU PANÉES ET GRILLÉES. Prenez six ou huit côtelettes, bien appropriées et bien parées, saupoudrez-les de sel et de poivre, trempez-les dans du beurre fondu, panez-les avec de la mie de pain bien rassis, mettez-les sur le gril, retournez-les de cinq minutes en cinq minutes, arrosez-les de leur beurre pendant leur cuisson, pour qu'elles soient d'une belle couleur, et dès que vous serez assuré qu'elles sont cuites, dressez-les, saucez-les avec un bon jus de bœuf, une sauce au pauvre homme, ou bien encore avec une poivrade aiguisée d'un jus de citron.

COTELETTES DE VEAU AU VERT-PRÉ. On met les côtelettes dans une casserole avec un morceau de beurre et un bouquet garni, on les passe sur le feu, on y jette une pincée de farine, on mouille avec du bouillon un verre de vin blanc, on assaisonne de sel et gros poivre, on fait cuire à petit feu, on dégraisse la cuisson faite et la sauce réduite, on y ajoute gros comme une noix de bon beurre manié de farine, une bonne pincée de cerfeuil blanchi et haché, on lie la sauce, et on y met un jus de citron et un filet de vinaigre.

ROUELLE DE VEAU A LA CRÈME. Coupez votre rouelle par petits morceaux que vous lardez en travers, avec du gros lard assaisonné de sel, de fines épices, de persil, de ciboules et de champignons hachés; vous la mettrez dans une casserole, avec un peu de beurre, vous la passerez sur le feu, vous mettrez alors une bonne pincée de farine mouillée avec du bouillon et un verre de vin blanc; votre rouelle cuite, et la sauce bien réduite, vous ajouterez une liaison de trois jaunes d'œufs délayés avec de la crème, que vous ferez lier sur le feu.

BLANQUETTE DE VEAU A LA DUCHESSE. Faites cuire à la broche un morceau de veau, soit du cuisseau, soit de la petite longe; lorsqu'elle est cuite à point et refroidie, levez-en adroitement le filet, mettez-le en petits morceaux gros comme des pièces de deux sous, puis ensuite dans une casserole, entre des bardes de lard; faites-le chauffer pendant une demi-heure dans une étuve au bain-marie; on fait clarifier et réduire deux cuillerées à pot de coulis blanc, ou de consommé, on lie avec trois jaunes d'œufs, et on ajoute à cela un quarteron de beurre frais, un jus de citron et une pincée de persil blanchi; on jette la blanquette de veau dans cette sauce et on la sert vivement et chaudement avec des croûtons autour; on peut, si on le juge à propos, la mettre dans un vol-au-vent.

BLANQUETTE DE VEAU AUX TRUFFES. Vous prenez du maigre de veau rôti d'avance, et pour en faire une blanquette, levez la chair qui reste par morceaux que vous aplatirez avec la lame de votre couteau, parez-les, ôtez-en les peaux rissolées, émincez les filets que vous aurez levés, faites réduire du velouté, jetez-y vos filets sans les laisser bouillir, liez votre blanquette avec autant de jaunes d'œufs qu'il en faut, mettez-y un filet de verjus ou un jus de citron, un petit morceau de beurre, un peu de persil et de ciboules hachées, et joignez-y finalement des truffes émincées et cuites d'avance dans du court-bouillon ou dans du consommé.

TENDRON DE VEAU EN CASSEROLE AU RIZ. Lavez un kilogramme de riz, faites-le blanchir, mettez-le dans une casserole, mouillez-le un peu avec du fond de la marmite, cuisez doucement, remuez doucement; faites en sorte qu'il soit bien nourri, c'est-à-dire qu'il soit gras, salez convenablement; sa cuisson achevée, faites un bouchon de mie de pain de la grandeur du fond de votre plat, dressez tout autour votre riz comme vous feriez pour un pâté, soudez-le bien sur votre plat, couvrez votre mie de pain d'une barde de lard, étendez de votre riz sur un couvercle que vous aurez beurré pour en couvrir votre casserole, faites-le glisser sur votre pain et soudez le premier placé; donnez au tout une forme agréable, marquez le couvercle de votre casserole pour pouvoir l'enlever facilement quand il sera cuit, mettez-le dans un four très-chaud, donnez-lui une belle couleur; lorsque vous serez prêt de servir, levez votre couvercle avec grand soin, videz votre cas-serole au riz et remplissez-la d'un ragoût de tendrons de veau à la poulette.

TENDRON DE VEAU EN TERRINE. Faites revenir dans du beurre les tendrons parés, blanchis et rafraîchis, saupoudrez-les de farine, mouillez-les avec un peu de consommé et un peu de velouté, ajoutez un bouquet garni, du gros poivre, des champignons, des petits oignons, des ris de veau, des crêtes et des rognons de coq; le tout étant cuit, vous dresserez ces ingrédients dans une terrine, puis vous passerez la sauce, vous la lierez avec des jaunes d'œufs, et vous verserez dessus.

TENDRON DE VEAU A LA JARDINIÈRE. La cuisson comme ci-dessus; dressez vos tendrons en couronne, mettez autour des laitues cuites dans du consommé et dans le milieu des navets et des carottes tournées en petits bâtons.

POITRINE DE VEAU A LA MOUSQUETAIRE. Faites cuire une poitrine de veau, avec moitié bouillon, moitié vin blanc, un bouquet garni, sel et poivre; quand elle est cuite, dressez-la sur un plat, et renversez la peau sur les côtés, pour laisser les tendrons à découvert; dégraissez la cuisson, liez-la avec du beurre manié de farine, ajoutez une pincée de persil blanchi haché, et versez sur la poitrine braisée.

POITRINE DE VEAU AUX PETITS POIS. Coupez par morceaux, faites blanchir et ensuite revenir au beurre votre poitrine de veau, ajoutez une bonne pincée de farine mouillée avec du bouillon, assaisonnez avec du poivre et un bouquet garni ; ne mettez pas de sel, à cause du bouillon qui devait être déjà salé. Lorsque la poitrine est à moitié cuite, ajoutez-y les petits pois avec une ou deux feuilles de sarriette, et un très-petit morceau de sucre ; au moment de servir, mettez une liaison de quatre jaunes d'œufs.

POITRINE DE VEAU AUX OIGNONS GLACÉS. Parez et bridez votre poitrine, mettez dans le fond d'une casserole des bardes de lard, coupez en tranches des oignons que vous mettez dans le fond de votre casserole ; vous y placez votre poitrine, vous la couvrez de lard, vous mettez par-dessus deux feuilles de laurier, des oignons coupés, un peu de thym, la moitié d'une cuiller à pot de consommé et de plus une pincée de gros poivre ; vous faites cuire alors votre poitrine avec feu dessus et dessous pendant deux heures et demie ; quand elle est cuite, vous l'égouttez, vous la glacez avec la glace de vos oignons, et la mettez sur le plat avec des oignons glacés à l'entour, vous versez dans votre glace deux cuillerées à dégraisser d'espagnole, travaillée avec une cuillerée de consommé, vous détachez votre glace avec votre sauce, et vous servez le plus chaudement possible.

POITRINE DE VEAU A LA VILLAGEOISE. Vous faites blanchir un chou et un morceau de petit lard coupé en tranches, vous ficelez l'un et l'autre à part, vous y joignez votre poitrine de veau coupée par morceaux et blanchie, vous faites cuire le tout ensemble avec du bouillon, en ayant soin de ne point saler, à cause du lard ; quand tout est cuit, vous retirez le chou et la viande que vous dressez dans un plat, vous dégraissez le bouillon et vous faites réduire la sauce ; si elle est trop longue et si, en la goûtant, vous la trouvez trop salée, vous pouvez en corriger l'âcreté en y mêlant un peu de lait et de cassonade blanche.

ÉPAULE DE VEAU AUX SEPT RACINES. Piquez intérieurement une épaule désossée avec des lardons assaisonnés de sel fin, gros poivre, persil haché bien fin, deux feuilles de laurier, un peu de thym bien haché et quatre épices ; puis vous la roulez en long, vous la ficelez, vous réunissez dans le fond d'une braisière des bardes de lard, quelques tranches de veau, les os de l'épaule, puis l'épaule elle-même, après avoir couvert de lard cette épaule, vous ajoutez des oignons, des carottes et des navets, deux pieds de céleri, trois panais, six topinambours et une demi-botte de salsifis ; vous ajouterez du gros poivre, un bouquet garni, vous couvrirez le tout d'un papier beurré, puis vous ferez cuire sur un feu doux en mettant du feu sur le couvercle de la braisière et en laissant bouillir ainsi pendant trois heures. Déficelez l'épaule ensuite, dressez-la sur un plat ovale, glacez-la, et mettez autour de votre épaule ainsi préparée, pour garniture, toutes les racines de sa cuisson.

ÉPAULE DE VEAU EN MUSETTE CHAMPÊTRE. (Une lettre de Voiture à son ami Costar indique tout le cas que le poëte d'Anne d'Autriche faisait de ce mets.) Désossez une épaule de veau, piquez-la avec du petit lard, de la langue à l'écarlate, salez et poivrez l'intérieur, puis troussez l'épaule en forme de musette, et ficelez-la de manière à la maintenir dans cette forme ; étant ainsi préparée, mettez-la dans une braisière avec des bardes de lard, carottes, oignons, bouquet garni, mouillez avec du consommé ; l'épaule étant cuite, faites-la égoutter, passez et dégraissez votre fond de cuisson, faites-la réduire à demi-glace, puis remettez l'épaule dedans, arrosez-la, et faites bouillir doucement avec feu dessous et dessus. Cette épaule se servait anciennement sur un matelas de petites fèves de marais, apprêtées à la crème et à la sarriette.

ÉPAULE DE VEAU EN GALANTINE. Désossez une épaule de veau, faites une farce avec la moitié de la chair et une égale quantité de lard, étendez les chairs que vous avez réservées, mettez dessus une couche de farce, sur cette farce arrangez de gros lardons, de la langue à l'écarlate coupée comme les lardons, et des truffes coupées comme la langue ; faites une nouvelle couche de farce, mettez les mêmes ingrédients dessus, et ainsi de suite jusqu'à ce que toute la farce soit employée ; roulez ensuite l'épaule de veau, ficelez-la fortement, couvrez-la de bardes de lard, enveloppez-la dans un linge, faites-la cuire comme un fricandeau, et faites aussi de la gelée avec le fond comme avec le fond de fricandeau, parez la galantine et servez-la avec des tranches de gelée dessus et autour.

GROS DE VEAU ROTI. Piquez votre gros de veau de lard, faites-le rôtir longtemps à feu doux : il doit être bien cuit sans être desséché ; afin d'éviter la déperdition de ses sucs, lorsqu'il est embroché, on applique légèrement sur toutes les parties de la surface une pelle rouge qui crispe la chair et retient les sucs en dedans.

On peut rendre ce rôti plus agréable encore en l'arrosant avec une marinade composée d'huile, de jus de citron, de chair d'anchois, de sel et de poivre ; lorsqu'il est cuit, on le sert avec ce qui reste de la marinade dans la lèchefrite après avoir dégraissé.

ÉPAULE DE VEAU ROTIE. Parez une épaule de veau, faites-la cuire à la broche, servez-la de belle couleur sans autre sauce que son jus.

CUISSE DE VEAU ROTIE. Faites mariner une cuisse de veau pendant deux jours dans du vin blanc avec du poivre, du sel et des herbes aromatiques, piquez-en le dessus avec du lard moyen et mettez-la à la broche ; bien cuite, vous la servirez avec une sauce à la ravigote.

CUISSE DE VEAU A LA HOLLANDAISE. Prenez la plus grosse partie d'une cuisse de veau, ôtez-en l'os, piquez-la de la langue à l'écarlate, ficelez-la et faites-la cuire dans une terrine avec des bardes de lard, des parures de viande, un bouquet garni, quelques carottes et oignons, le tout mouillé avec du bouillon non dégraissé ; lorsque le morceau sera cuit, vous passerez et dégraisserez son fond de cuisson et vous ajouterez un peu de coulis réduit à glace et vous ferez réduire ce mélange sur lequel vous dresserez le morceau de cuisse après y avoir ajouté le jus d'un citron.

CARRÉ DE VEAU A LA MÉNAGÈRE. Piquez un carré de veau avec du lard moyen, faites-le cuire dans une casserole avec carottes, oignons, un bouquet garni, le tout mouillé avec du bouillon ; lorsque le carré de veau sera cuit, vous le ferez égoutter et vous le dresserez sur une sauce aux tomates.

RIS DE VEAU EN FRICANDEAU. Faites-les dégorger et blanchir, ôtez-en le cornet, piquez-les de lard fin assaisonné, faites-les cuire dans une bonne braise, trois quarts d'heure suffiront ; retirez-les quand ils sont cuits, passez la cuisson, faites-la réduire, et quand il n'y en a presque plus, passez les ris pour les glacer du côté du lard, mettez auparavant dans la cuisson un peu de caramel ou de sucre en poudre, servez sur une purée de champignons, de tomates, de marrons, d'oseille, ou bien sur un ragoût de truffes, de concombres, de chicorée ou d'épinards ; vous mettrez un peu de bouillon dans la casserole pour détacher la glace, et vous vous en servirez pour assaisonner la purée dont vous aurez fait choix.

RIS DE VEAU GLACÉS. Faites dégorger et blanchir des ris de veau et piquez-en le dessus avec un lard fin, mettez-les ensuite dans une casserole entre des bardes de lard, des parures de viandes, un jarret de veau, quelques carottes et oignons, un bouquet garni, des clous de girofle et une feuille de laurier ; mouillez le tout avec du bouillon, de manière que le bouillon ne couvre pas tout à fait les ris de veau, étendez à la surface un rond de papier beurré et faites cuire avec feu dessous et feu dessus ; une heure de cuisson suffit, on dresse ensuite les ris sur une italienne.

RIS DE VEAU EN CASSOLETTES. Modelez des morceaux de beurre dans un coupe-pâte ou dans un moule quelconque, puis passez-les, en les trempant d'abord dans des œufs battus et assaisonnés comme pour une omelette, et ensuite dans la mie de pain mêlée de fromage de Parme râpé ; répétez cette opération, puis vous ferez à l'une des extrémités de chacun de ces morceaux de beurre ainsi garnis une petite ouverture dans laquelle vous introduirez un hachis de ris de veau mêlé de truffes et bien assaisonné, jetez-les tous en même temps dans de la friture chaude et servez-les sur un jus clair où vous ajouterez celui d'un citron.

RIS DE VEAU EN PAPILLOTES. Faites cuire des ris de veau comme il est dit ci-dessus, puis faites-les égoutter, mettez-les sur un plat, versez dessus une sauce à la Duxelles ; le tout étant refroidi, vous mettrez du jambon coupé par tranche bien mince sur chaque ris de veau, et vous l'envelopperez ainsi garni de sauce et de tranches de jambon, dans du papier huilé que vous plisserez tout autour afin qu'il ne puisse rien s'en échapper ; quelque temps avant de servir ces papillotes, faites-leur prendre couleur sur le gril.

OREILLES DE VEAU A LA SAINTE-MENEHOULD. Échaudez et nettoyez des oreilles de veau, foncez une casserole de bardes de lard, mettez les oreilles par-dessus et recouvrez-les de bardes, mouillez avec du vin blanc et du bouillon, ajoutez des tranches de citron sans peau ni pépins ou des groseilles à maquereau, ou du verjus bien épépiné ; en outre, mêlez-y quelques racines, un bouquet garni, sel et poivre ; faites cuire à petit feu, et quand les oreilles de veau seront cuites et égouttées, saucez-les dans du beurre tiède, panez-les, dorez avec l'œuf entier battu, panez une seconde fois, faites-leur prendre couleur sous un couvercle de tourtière et servez-les avec une sauce piquante.

OREILLES DE VEAU AUX CHAMPIGNONS. Faites-les cuire à la braise et puis faites sauter au beurre des champignons bien épluchés, versez dessus un peu de consommé, autant de velouté ; faites réduire ce mélange, liez-le avec des jaunes d'œufs, dressez vos oreilles de veau, et versez cette préparation dessus.

CERVELLES DE VEAU EN CRÉPINETTE. Coupez en deux des cervelles de veau cuites ; coupez en morceaux carrés quelques gros oignons, faites-les cuire dans du beurre avec de la muscade râpée, du sel et du poivre, une feuille de laurier, un peu d'ail ; lorsque ces oignons seront bien jaunis, vous les mouillerez avec du velouté et vous ferez bien bouillir le tout pendant quelques instants ; ôtez ensuite cette préparation de dessus le feu, liez-la avec des jaunes d'œufs, mettez dedans des cervelles cuites et coupées comme nous venons de le dire, laissez refroidir le tout, prenez l'un après l'autre les morceaux de cervelle, ayez soin qu'ils soient bien garnis de tous côtés de la préparation que nous venons d'indiquer ; enveloppez chaque morceau dans de la crépinette de cochon, faites prendre couleur et dressez sur une sauce aux tomates.

CERVELLES DE VEAU A LA PROVENÇALE. Cuites comme ci-dessus, coupez-les en deux, qu'elles aient une forme régulière, dressez-les en couronne et versez le tout dans une mayonnaise où vous joindrez un peu d'ail, décorez la mayonnaise avec de la gelée, des cornichons et des olives tournées.

LANGUE DE VEAU A L'ÉTUVÉE POUR HORS-D'ŒUVRE. Blanchissez, rafraîchissez une langue de veau dégorgée, piquez-la de lard bien assaisonné d'épices et de fines herbes, mettez-la dans une casserole avec un bouquet garni, deux carottes et deux oignons dont un piqué de deux clous de girofle, mouillez avec du consommé et faites bouillir à petit feu pendant quatre heures; débarrassez ensuite la langue de veau de la peau qui la couvre, dressez-la sur une sauce piquante et glacez-la. On peut remplacer la sauce piquante par une ravigote ou une poivrade.

FILETS MIGNONS DE VEAU BIGARRÉS A LA BELLEVUE. Piquez un filet mignon de veau avec du lard fin, piquez-en un autre avec des truffes bien noires, un troisième avec des filets de cornichons très-verts, le quatrième avec de la langue à l'écarlate; faites revenir le filet piqué de lard dans de la glace de viande, et les autres dans du beurre; mettez ces quatre filets sur un plat avec de la glace de viande, faites-les cuire à un feu doux avec un four de campagne par-dessus; lorsqu'ils seront cuits, dressez-les sur un ragoût à la financière, où vous n'épargnerez ni les truffes, ni les crêtes, ni les rognons de coqs. C'est une des plus fines entrées de la cuisine moderne.

FRAISE DE VEAU AU NATUREL. Faites-la blanchir dans l'eau bouillante pendant un quart d'heure; retirez-la et faites-la égoutter, faites-la cuire avec des bardes de lard, du vin blanc, du bouillon, un oignon piqué de clous de girofle, sel, gros poivre, faites cuire à petit feu; quand elle est cuite, faites réduire la cuisson, ajoutez-y des cornichons et un filet de vinaigre; servez cette sauce dans une saucière, à proximité du hors-d'œuvre auquel elle est destinée.

FRAISE DE VEAU AU KARI. Faites-la cuire comme ci-dessus, faites réduire la cuisson, ajoutez-y un peu de safran coupé, et une bonne pincée de poudre de kari.

FRAISE DE VEAU FRITE. Faites cuire comme ci-dessus, coupez la fraise en morceaux, et laissez-la tremper pendant une heure dans une marinade tiède, roulez les morceaux en les trempant dans la marinade, laissez refroidir, faites-les frire ensuite après les avoir trempés dans une pâte légère.

PIEDS DE VEAU A LA FERMIÈRE. Faites-les cuire dans la marmite, servez-les avec une sauce composée de vinaigre, de gros poivre, de bouillon et de fines herbes hachées.

PIEDS DE VEAU A LA CAMARGO. Faites cuire à l'eau quatre pieds de veau, on les égoutte, on les met dans une casserole avec deux cuillerées de verjus, un morceau de beurre manié de farine, sel, gros poivre, une échalote hachée et un verre de bouillon, on les fait mijoter une demi-heure à petit feu, avant de servir on ajoute un anchois haché

que l'on délaye dans la sauce, avec une poignée de persil haché; que la sauce soit courte et acide.

PIEDS DE VEAU A LA SAINTE-MENEHOULD. On fend par le milieu les pieds de veau bien échaudés, on les ficelle dans une bonne braise; lorsqu'ils sont cuits, et qu'il n'y a plus que très-peu de sauce, on les fait refroidir à moitié pour les paner de mie de pain, qu'on arrose avec la graisse de la braise; on les fait griller de belle couleur et on les sert pour hors-d'œuvre.

VEAU MARINÉ POUR SERVIR EN HORS-D'ŒUVRE. Faites mortifier une belle noix de veau pendant quatre jours en hiver et un en été. Qu'il ne fasse pas trop chaud; ôtez-en la peau, la graisse et les nerfs, coupez-la en quatre; vous aurez préalablement 125 grammes de sel bien sec, que vous pilerez ou écraserez, et que vous passerez au tamis, vous en frotterez bien votre veau dans tous les sens, comme nous croyons l'avoir indiqué à l'endroit du *bœuf salé et fumé*. Vous le mettrez ensuite dans une terrine de grès avec quelques tranches d'oignon, du persil en branches, un peu de thym, du gingembre, une gousse d'ail, une douzaine de belles baies de genièvre, du poivre noir concassé, et trois anchois lavés et pilés; remuez le tout dans la terrine, et couvrez-la d'un linge blanc de lessive que vous attacherez à une ficelle; au bout de quatre jours retournez le veau, laissez-le quatre jours encore, et après ce temps faites-le égoutter en laissant un tiers seulement de jus que le veau a rendu; vous le mettrez, ainsi que la viande et l'assaisonnement, dans une casserole; ajoutez-y une bouteille de très-bon vin blanc; faites-le bouillir; couvrez le feu pour qu'il ne fasse que mijoter, et quand il sera cuit, ce que vous saurez en enfonçant une fourchette dedans, retirez-le du feu, mettez-le dans la terrine où il a mariné, laissez-le refroidir dans son assaisonnement; alors vous le mettrez soit dans un pot, soit dans un bocal de verre, où vous verserez de la bonne huile d'olive, en suffisante quantité pour que la viande s'y baigne complètement. Recouvrez-le avec du parchemin, et vous l'emploierez comme si c'était du thon mariné. Les industriels vendent généralement cette préparation sous le nom de thon conservé.

VELOUTÉ RÉDUIT

On travaille le velouté comme l'espagnole en le faisant se consommer et en y ajoutant des champignons et des parures de truffes.

VERJUS

Jus d'un raisin vert dont la principale espèce est connue sous le nom de farineau ou bordelaise. On appelle verjus de grain celui qu'on tire par expression de la grappe avant la maturité de son fruit; il va sans dire que c'est le meilleur; c'est pour les cerneaux surtout un assaisonnement indispensable. On appelle verjus topette celui que l'on prépare pour la conservation et qu'on peut améliorer, soit en y mêlant du sel, soit en y laissant tomber quelques gouttes de vinaigre.

VESPÉTRO

Ratafia qui se fait avec de la graine d'angélique, du carvi, de la coriandre, du fenouil, des zestes de citron et d'orange, de l'eau-de-vie et du sucre.

VINS

Nous voilà arrivés à un point tellement important de la gastronomie et surtout de la gastronomie moderne que nous nous croyons dans la nécessité d'ouvrir une parenthèse.

Il s'agit du vin, c'est-à-dire de la partie intellectuelle du repas :

Les viandes n'en sont que la partie matérielle.

On ne vieillit point à table, a dit Grimod de la Reynière.

Bien manger et bien boire sont deux arts qui ne s'apprennent pas du jour au lendemain. Quand Alexandre voulut ajouter à son titre victorieux le titre de gastronome, ce fut à Persépolis et à Babylone qu'il prit ses licences pour être nommé docteur en bien boire et en bien manger. Le bruit de ses orgies a franchi l'espace de deux mille ans : Alexandre ne pouvait rien faire que de grand.

Une nuit il proposa un prix pour celui qui boirait le plus.

Trente-six de ses convives moururent le lendemain.

Les Athéniens, dont Alexandre avait ambitionné les applaudissements, ne se grisaient pas, ou ne se grisaient que légèrement.

Les caves les plus renommées de l'Antiquité étaient celles de Scaurus; elles contenaient trois cent mille amphores de tous les vins connus, il y en avait de cent quatre-vingt-quinze espèces différentes.

Selon Isidore le mot vin dérive de *vis*, qui veut dire force. Anacréon l'appelle le fils de la vigne. Pindare l'appelait le lait de Vénus, les Romains, le lait de la bonne déesse; on a fini par l'appeler Bacchus, parce que son nom pouvait s'appliquer à toute liqueur fermentée; on croit que ce furent les Égyptiens qui firent connaître aux Grecs la manière de le faire; seulement, on le sait, les Grecs, c'était le perfectionnement. Un des vins les plus savoureux de la Grèce, que l'on appelait *diachéton*, se faisait en étendant sur des claies, qu'on élevait de six à sept pieds du sol, des raisins qu'on exposait au soleil; on les rentrait pendant la nuit pour les garantir de la rosée, et après les avoir laissés pendant sept jours absorber le plus de soleil possible, on les pressait, on en faisait un vin excellent et dont le principal arôme était la framboise.

Dès que le vin commença de voyager, les vins de Scio furent expédiés à Rome.

Les vins de Scio étaient les meilleurs de la Grèce; Virgile et Horace les trouvaient excellents, tous deux les ont chantés, vantant particulièrement celui du quartier de Psara; on le recommandait dans certaines maladies. César, qui avait à lui la récolte du monde, en régalait ses amis après ses triomphes et dans les festins qu'il donnait au grand Jupiter. Athénée dit que les vins grecs aident à la digestion, qu'ils nourrissent bien, qu'ils sont généreux et que les plus agréables étaient ceux du quartier d'Arius, où il s'en faisait de trois sortes.

Gallien parle de ceux d'Asie, que dans de grands vases on suspendait aux cheminées, et qui, par l'évaporation, acquéraient la dureté du sel. Aristote rapporte que ceux d'Arcadie se desséchaient dans des outres et qu'on était obligé de les délayer avec de l'eau pour les rendre potables, mais on ne pouvait dessécher que des vins liquoreux, épais, et qui avaient peu fermenté.

Les Romains tiraient leurs meilleurs vins de la Campanie, province qui appartient aujourd'hui au royaume de Naples. Les noms de Falerne et de Massic étaient les plus estimés et se retrouvent souvent dans les vers d'Horace.

Ceux du mont Pausilippe, qui présente en effet un si magnifique versant aux rayons du soleil à son midi, étaient renommés pour leur légèreté, et Pline vante leur parfum et leur douce générosité. Sophocle leur donne le nom de Jupiter, parce que, dit-il, comme le roi des dieux, ils donnent la santé et le plaisir, les plus beaux présents que les dieux puissent nous faire.

Les vignobles d'Albano, eux aussi, jouissaient d'une grande réputation; leurs vins étaient à la fois légers et forts, ils se conservaient, chose rare, dans des vins non fermentés. Strabon les a comparés aux meilleurs vins de la Grèce et d'Italie, et si nous nous en rapportons à Horace, qui habitait le pays, ils ne le cédaient en rien aux vins de Ténédos.

L'année du consulat d'Opimius, l'année de la naissance d'Horace, la vingtième année avant Jésus-Christ, fut unique pour les admirables vins que ce vignoble produisit; ils se conservèrent plus d'un siècle et prirent la consistance du miel; de là l'habitude que l'on prit d'appeler tous les vins excellents du nom de vins opimiens, parce que pendant le consulat d'Opimius l'été fut tellement chaud que les raisins furent pour ainsi dire cuits, ce qui les rendit d'une bonté extraordinaire.

Du temps d'Hippocrate les anciens préparaient le vin en y mêlant l'eau de la mer. Hippocrate parle de cette pratique, qui avait pour but de le rendre moins visqueux, plus clair, et d'en prévenir l'altération. Pline, le grand transmetteur d'anecdotes vraies ou fausses, Pline rapporte qu'on dut cette découverte à un esclave ivrogne, qui, volant du vin à son maître, remplaçait le vin qu'il buvait avec de l'eau de mer; vers le milieu du tonneau le vin se trouva tellement amélioré que le maître du vin crut devoir promettre une récompense à celui qui le lui buvait s'il voulait dire de quelle façon il le remplaçait; l'esclave fit jurer à son maître

par les grands dieux, et raconta tout. Ceci devint d'un usage public, et Dioscoride, dans son cinquième livre, donne la description des différents procédés d'après lesquels on préparait le vin par l'eau de mer.

Mais comme avec les Barbares toute civilisation disparut, le vin, qui marque un des degrés de la civilisation, disparut aussi.

Les premières boissons dont il soit fait mention dans les annales de la gastronomie après le passage des Barbares, furent le cidre, puis la bière; puis viennent peu à peu les vins de toutes sortes; il est fait mention du cidre sous la seconde race, puis vient la bière. Le clairet était du vin clarifié, dans lequel on avait fait infuser des épiceries; l'hypocras était du vin adouci avec du miel. Un abbé, malheureusement l'histoire n'a pas conservé son nom, donna un repas dans lequel il réunit six mille convives devant trois mille plats. Les diverses qualités des vins se firent reconnaître presque seules aux premières occasions données aux gourmands de les apprécier; on ne parlait pas encore du vin de Champagne lorsque Venceslas, roi de Bohême et des Romains, étant venu en France pour négocier un traité avec Charles VI, se rendit à Reims au mois de mai 1397. Là il goûta le vin des environs de cette ville et il le trouva si bon, qu'il consacra trois heures chaque jour à s'enivrer, de trois à six. Le moment de s'occuper du traité vint enfin, et c'est ce que redoutait Venceslas. Le traité signé, le roi de Bohême demanda à séjourner encore quelque temps dans la ville qui lui avait été si hospitalière; il y resta un an. Il était resté un an à attendre le traité, un an à le discuter, et un an à se reposer de la fatigue que lui avait causée ce travail diplomatique.

En s'en allant il révéla au dauphin le secret de ce long séjour; le dauphin voulut goûter le vin des environs de Reims et le trouva excellent. De là le commencement de la réputation des vins de Champagne.

Le vin de Bordeaux fut très-longtemps à vaincre les préjugés qui existaient contre lui. Saint-Simon raconte qu'il vient d'arriver à Paris à la cour un petit gentilhomme des environs de Bordeaux qui buvait de son vin; il fut question de ce phénomène pendant près de quatre-vingts ans sans que l'on élucidât la question. Cependant un jour le roi Louis XV, voyant venir à lui le maréchal Richelieu, se souvint de cette discussion et résolut de le prendre pour juge d'une question dans laquelle il était expert.

« Monsieur le gouverneur de Septimanie, d'Aquitaine et de Novempopulanie, disait un jour le roi Louis XV au maréchal Richelieu, parlez-moi d'une chose : est-ce qu'on récolte du vin potable en Bordelais? — Sire, il y a des crus de ce pays-là dont le vin n'est pas mauvais. — Mais qu'est-ce à dire? — Il y a ce qu'ils appellent du blanc de Sauternes, qui ne vaut pas celui de Montrachet, ni ceux des petits coteaux bourguignons, à beaucoup près, mais qui n'est pourtant pas de la petite bière; il y a aussi un certain vin de Graves qui sent la pierre à fusil comme une vieille carabine, et qui ressemble au vin de la Moselle, mais il se garde mieux. Ils ont en outre dans le Médoc et du côté du Bazadais deux ou trois espèces de vins rouges, dont les gens de Bordeaux font des gasconnades à mourir de rire. Ce serait la meilleure boisson de la terre et du nectar pour la table des dieux, à les entendre, et ce n'est pourtant pas là du vin de haute Bourgogne, ou du vin du Rhône, assurément! Ce n'est pas bien généreux ni bien vigoureux, mais il y a du bouquet pas mal, et puis je ne sais quelle sorte de mordant sombre et sournois qui n'est pas désagréable. Du reste on en pourrait boire autant qu'on voudrait, il endort son monde, et puis voilà tout. C'est là ce que j'y trouve de mieux.

Pour satisfaire la juste curiosité du roi, M. de Richelieu fit venir du vin de Château-Laffitte à Versailles, où Sa Majesté le trouva *passable;* mais jusque-là, malgré la préférence que le grand cardinal avait pour lui, nul amphitryon n'eût eu l'idée de donner du vin de Bordeaux à ses convives, à moins que ceux-ci ne fussent des Bourdelais, des Armagnacots, des Astaracois, et autres Gascons.

Les premiers crus de Bordeaux, en vins rouges, portent les noms de Laffitte-du-Château, Château-Latour, Château-Margaux, Château-Haut-Brion, Premier-Graves et Ségur-Médoc.

Ceux de la seconde classe sont les vins de Mouton-Canon, Médoc-Canon, Saint-Émilion, Rosans, Margaux, la Rose-Médoc, Pichon-Longueville, Médoc-Potelet, Saint-Julien-lès-Ville et Saint-Julien; vin du Pape (Grave rouge), vin de la Mission (Grave rouge), et tout le haut Pessac : ces vins sont également estimés, et tous ceux nommés de Pauillac ont cela de particulier, qu'il faut s'attendre à les voir tomber malades deux mois après leur mise en bouteille; dans cet état ils sont beaucoup moins bons que lorsqu'on les avait goûtés en futaille. Il suffit alors de les laisser cinq ou six mois en flacon pour qu'ils s'améliorent, et qu'ils puissent acquérir la bonne qualité qui leur est propre.

Parmi les vins blancs de Bordeaux, le haut Barsac, le haut Prégnac, le Château-d'Yquem, sont de qualité première; les autres sont considérés comme de qualité secondaire; mais bien longtemps avant les qualités précieuses du vin de Champagne et du vin de Bordeaux, on avait découvert les brillantes qualités du vin de Bourgogne.

Le vin de Beaune, par exemple, rivalise avec les premiers crus de Bourgogne, lorsqu'il est de bonne année. Il ne faut cependant pas lui laisser passer sa quatrième ou cinquième feuille si l'on ne veut pas qu'il perde de sa vigueur et de son bouquet.

Arrivent ensuite les vins de Pommard, de Volnay, de Nuits, de Chassagne, de Saint-Georges, de Vosnes, de Chambertin, du Clos-Vougeot et de la Romanée. La Romanée-Conti est le meilleur vin rouge de Bourgogne. Comme vins blancs, ceux de Chablis, le Musigny, le Richebourg, le Vosnes, le Nuits, le Chambolle, sont agréables, et ceux de Meursault les surpassent; mais ceux-ci sont encore surpassés par le Chevalier-Montrachet. Il est reconnu que le vin de Montrachet, proprement dit, est le meilleur de tous les vins français.

Justice rendue aux vins de Bourgogne, aux vins de Bordeaux, les deux premiers grands vins de France, il est juste que nous revenions à ce pauvre vin de Champagne, que les gastronomes étrangers mettent au premier rang et que nous ne mettons qu'au troisième.

Le meilleur de tous ces vins est le vin de Sillery ou le vin de la Maréchale; beaucoup lui préfèrent cependant le vin d'Aï à cause de son bouquet aromatique qui tient de l'odeur de la pomme de pin. Saint-Évremond dit qu'il est le plus naturel, la plus épuré, le plus sain et le plus exquis par le goût de pêche qui lui est particulier; aussi Charles VIII, Léon X, Charles Quint et François Ier avaient-ils à eux des maisons dans Aï, pour pouvoir y faire plus soigneusement leurs provisions. Les vins d'Hautvillers, d'Épernay, de Château-Thierry, de Bouzy, et le clos de vins rouges de Saint-Thierry, près de Reims, rivalisent avec ceux d'Aï.

Les vins de Romanée, de Chambertin, du Clos-Vougeot, de Richebourg et de Saint-Georges, qui sont cependant excellents, ne peuvent voyager sans danger, surtout par mer; ils ont en outre une acidité désagréable lorsqu'on ne les soigne pas. Quant au vin de l'Ermitage, près de Valence, en Dauphiné, le rouge est plein de corps; sa couleur est pourpre foncé, son bouquet exquis, sa saveur celle de la framboise. Le blanc n'est pas estimé. Ceux de Côte-Rôtie, bruns et blonds, pourraient le disputer à ceux de l'Ermitage; celui de Saint-Georges-d'Orques, près de Montpellier, vaut le vin de l'Ermitage par son odeur, sa consistance et son velouté; ceux de Cahors sont très-noirs, très-chauds, très-estimés quand ils ont vieilli. Les muscats blancs du Roussillon et des côtes du Languedoc, tels que Lunel, Frontignan et Rivesaltes, sont les meilleurs de tous les vins blancs. Le Sauternes est justement célèbre parmi ceux-ci. Ceux de Bourgogne tiennent le second rang : ils sont forts, couleur œil de perdrix, agréables au goût, et supportent l'eau; comme ils sont peu acides, ils conviennent aux vieillards et aux hypocondriaques. Ceux de Bordeaux sont fort estimés; on dit que rien n'est plus rare à Paris que les vins de Bordeaux des premiers crus et d'une bonne année, parce que les Anglais, qui les aiment beaucoup, les font enlever. Ceux d'Orléans, quoique bons, portent à la tête; les vins blancs de Poitou approchent un peu de ceux du Rhin, mais leur sont inférieurs.

Il y a deux mille cinq cents ans que les Grecs et les Romains apportèrent la vigne en Provence, et l'on est tout étonné de ne pas y trouver les meilleurs vignobles de la France,

Vin

comme aussi la meilleure culture : ce n'est ni la faute du soleil ni de la terre, mais de l'insouciance des habitants; cependant nous avons dans le Var les vins de la Gaude, ceux de Cagne et de Saint-Laurent; le Saint-Tropez est de ceux qui ont besoin de vieillir; à Toulon, le vin de Lamalgue a une réputation, qu'il mérite. Les vins fins des Bouches-du-Rhône sont les vins de la Çiotat, de Sainte-Marguerite, près de Marseille et d'Erargue; ceux de Cassis, ceux de la Crau et Roquevaire sont fort estimés; ce dernier fournit les meilleurs vins cuits; à la Ciotat, à la Valette, près Toulon, on fait des vins cuits qui approchent de ceux de Tokay. La manière de les cuire entre pour beaucoup dans leur bonté.

L'Italie fournit aussi des vins fameux, mais en général ils ont plus de réputation que de valeur. Au premier rang il faut mettre le Lacryma-Christi, dont le plant a été recouvert par la lave du Vésuve; on l'appelait de ce nom poétique parce qu'il coulait en forme de larmes avant qu'on eût coulé le raisin; les rares échantillons qui restent de ce vin sont d'une couleur vermeille, agréable et pénétrante.

Le vin d'Albe est estimé. Il y en a de rouge et de blanc; on cite aussi le muscat de Toscane et de Monte-Fiascone. On compare à notre vin de Champagne, malgré la différence qui existe entre eux, le vin d'Orvieto; on l'appelle aussi vin d'*Est*.

Voici à quelle circonstance il doit ce nom :

Un cardinal, grand amateur de tous les bons vins, mais assez mal renseigné sur le lieu de leur naissance, ayant une tournée à faire en Italie, envoya devant lui un courrier avec mission de goûter tous les vins; partout où il en trouverait un bon, il devait écrire sur l'endroit le plus apparent de la maison le mot *Est*, c'est-à-dire *c'est ici.*

Arrivé à Orvieto, le courrier remplit son devoir, goûta le vin et le trouva si bon, qu'au lieu de se contenter d'écrire une fois *Est* il écrivit trois fois *Est, Est, Est.*

Le cardinal comprit parfaitement la recommandation; il fit arrêter sa voiture, se fit servir une petite collation qui dura trois jours.

Le quatrième, il était mort en recommandant de verser tous les ans, dans son tombeau à l'anniversaire de son trépas, une pièce de vin d'Orvieto.

Mais l'usage ne dura que jusqu'à la quatrième année du pontificat de Grégoire XVI, qui trouva la recommandation scandaleuse et qui, au lieu de permettre que la pièce de vin, comme on l'avait fait jusqu'alors, fût versée sur la fosse de Sa Grandeur, ordonna qu'elle fût distribuée aux jeunes gens du collège.

L'auberge où était mort le pauvre cardinal conserva néanmoins son enseigne, qui représentait un homme d'Église à table, ivre-mort, avec cette inscription au-dessus : *Est, Est, Est.*

Lorsque je suis passé à Orvieto, l'enseigne existait encore, mais l'usage de répandre une pièce de vin sur la fosse du prince de l'Église était déjà aboli.

Le vin de Marcimien, près de Vicence, est agréable à boire; les vins de Rhétie, de la vallée Thélivienne, sont exellents; ils sont couleur de sang, laissent un goût un peu austère sur la langue, et sont stomachiques.

L'Espagne fournit son contingent : l'Alicante, le Bénicarlo, le vin de Xérès, le vin de Pacaret, de Rota, de Malaga, ne déparent pas les meilleures tables. On estime le vin de Canarie, qui croît aux environs de Palma; celui de Malvoisie, qui se transporte en tous lieux. La Grèce nous fournit encore aujourd'hui, mais gâtés par l'introduction et le mélange de la pomme de pin, les mêmes vins que dans l'Antiquité : vins de Candie, de Chio, de Ténédos, de Lesbos, de Chypre, de Samos et de Santorin.

J'ai goûté tous ces vins, dans les lieux mêmes où les vignes les avaient donnés, mais je les ai trouvés tous ou presque tous gâtés par l'introduction de la pomme de pin dans le tonneau ou dans l'outre qui les contenaient; c'est une superstition antique, un dernier hommage à Bacchus qui avait pris pour sceptre un thyrse surmonté d'une pomme de pin.

Le vin de Saint-Georges, en Hongrie, est le même qu'on nous vend à Paris sous le nom de Tokay; il est vrai qu'il en approche beaucoup, mais les gourmets ne sauraient s'y laisser tromper. A Saint-Georges, ainsi qu'à Raterstoff, on en récolte de deux qualités : celui qu'on destine à fabriquer du vermout, et celui qu'on destine à la vente en Europe.

Quant au véritable vin de Tokay, comme le plant qui le rapporte appartient par moitié à l'empereur de Russie et à l'empereur d'Autriche, inutile de dire qu'il faut une révolution, pendant laquelle on pille les caves de ces deux empereurs, pour que des lèvres vulgaires touchent ce nectar destiné aux dieux.

Celui de Constance, moins rare heureusement, rivalise avec lui non-seulement de réputation, mais d'excellence réelle; et cependant tous deux le cèdent aux vins persans qu'on récolte aux environs de Schiraz, et qui portent le nom de cette ville.

Après la mort de M. le Bailli de Ferrette, ambassadeur de l'ordre de Malte à Paris, on a vendu chez lui sept à huit flacons de vin de Schiraz, sur le pied de 285 francs la demi-bouteille.

L'usage de consommer ou de goûter plusieurs sortes de vins pendant le même repas est souvent nuisible à la santé, mais surtout lorsqu'on fait succéder des vins sucrés à des vins acidulés, ou des vins qui ont beaucoup de corps à des vins légers, et spécialement après une alimentation surabondante; mais les vins légers et mousseux, les vins vieux, généreux et secs, c'est-à-dire qui ont peu de sucre et de matière colorante, n'ont pas les mêmes inconvénients, parce qu'ils ne font qu'accélérer la digestion des aliments ingestés.

La classification des vins est chose importante. Heureusement en pouvons-nous donner ici une excellente et conforme à la tradition. Nous la devons à M. Maurial, auteur de l'*Art de boire, connaître et acheter le vin*. Voici cette classification que nous faisons précéder de quelques observations raisonnées de l'auteur.

L'ordre de mérite dans lequel les auteurs d'ouvrages très-estimés ont placé les vins me semble plus savant que facile à appliquer. Le degré d'estime que la commune renommée attache aux divers produits, ainsi que les qualifications adoptées dans la pratique par le commerce et le consommateur, m'ont paru mériter la préférence. Tout le monde sait que les *grands vins* sont ceux qui réunissent au plus haut degré toutes les qualités qui sont propres à cette souveraine des boissons. Les *vins fins* sont réputés être dans les mêmes conditions, mais à un degré inférieur. C'est dans cette catégorie qu'on choisit les vins *d'entremets*, mot qui, dans la pratique, est synonyme de *vin fin*. Les *grands ordinaires* sont ceux qui ne proviennent pas de crus renommés pour leur finesse, mais auxquels l'âge a fait acquérir toutes les qualités qui leur sont particulières. Les *bons ordinaires* se trouvent parmi ceux qui ont de la légèreté, de la force et un bouquet plus prononcé que délicat. Les *ordinaires*, les plus abondants, sont pris parmi tous ceux qui, sans avoir une qualité remarquable, n'ont aucun des défauts des vins *communs, lourds, grossiers et plats*.

On comprend que l'ordre ci-dessus est souvent interverti. La fortune ou le goût du consommateur peuvent lui permettre de boire le vin fin à l'ordinaire ou l'obliger de servir à l'entremets un vin qui n'est considéré que comme ordinaire.

Les vins de liqueur sont presque tous placés dans la catégorie des *vins fins* ou des *grands vins*; ils sont par excellence *vins de dessert*.

Vin

GRANDS VINS ROUGES FRANÇAIS

Gironde. – Château-Margaux, Château-Latour, Château-Laffitte et Château-Haut-Brion, qui sont les quatre premiers crus. Lascombe, les deux Rauzan, les trois Léoville, Gruaud-Laroze, de Gorce, Brane-Mouton, Pichon-Longueville, qui sont les deuxièmes crus; les premiers choix des communes de Cantenac, Margaux, Saint-Julien, Saint-Laurent, Saint-Gemme et Saint-Estèphe, qui produisent des troisièmes crus.

Côte-d'Or. – Romanée-Conti, Chambertin, Richebourg, le Clos-Vougeot, la Romanée-Saint-Vivant, la Tâche, le clos Saint-Georges, Corton et les premières cuvées de Volnay et de Nuits.

Yonne. – Le clos de la Chaînette, le clos de Migraine, le clos des Olivottes et celui de la Palotte.

Drôme. – Ermitage, choix de Méal, Gréfieux, Beaume, Roucoule, Muret, Guionnières, les Burges et les Lauds.

Marne. – Premiers choix de Verzy, Verzenay, Saint-Basle, Bouzy et du clos Saint-Thierry.

Basses-Pyrénées. – Les meilleurs de Jurançon et de Gan.

Vaucluse. – Clos de la Nerthe, Châteauneuf-du-Pape.

Pyrénées-Orientales. – Les premiers choix de Banyuls, Cosperon et Collioure.

Lot. – Le Cahors Grand-Constant.

GRANDS VINS BLANCS FRANÇAIS

Gironde. – Château-Yquem, seul grand premier, Sauternes, Barsac, Bommes, Preignac, la Tour-Blanche, Château-Carbonnieux.

Côte-d'Or. – Les trois Montrachet.

Loire. – Château-Grillet.

Marne. – Sillery.

Drôme. – Ermitage blanc.

GRANDS VINS ROUGES ÉTRANGERS

Duché de Nassau. – Première qualité d'Asmanhausen.

Autriche. – Monts Calenberg et premiers choix de Hongrie.

Espagne. – Les meilleurs d'Olivenza.

Portugal. – Premiers choix de Porto et de Moncao.

Turquie. – Arinse et Mesta.

Grèce. – Morée, Ithaque, Zante, Céphalonie.

Perse. – Schiraz et Ispahan.

Ile de Madère. – Première qualité dit Tinto.

GRANDS VINS BLANCS ÉTRANGERS

Allemagne. – Johannisberg, Rudesheim. Steinberg et Liebfrauenmilch.

Bavière. – Premiers crus de Wurtzbourg.

Espagne. – Les premiers vins secs de Xérès et Paxarète.

Ile de Madère. – Le vin sec dit Sarcial.

VINS FINS ROUGES FRANÇAIS

Gironde. – Les troisièmes crus de Bordeaux non portés aux grands vins, les quatrièmes et cinquièmes crus, les bourgeois supérieurs, bons bourgeois et paysans de communes portées aux grands vins; les bons choix des communes de Saint-Sauveur, Lamarque, Cussac, Saint-Seurin-de-Cadourne, Blanquefort, Ludon, Macau, Labarde, Arsac, Avensac, Castelnau, Couquèques, Bourg, Fronsac, Saint-Émilion, Canon, Pomerol, Mérignac, Talence, Léognan, Pessac et Queyries.

Côte-d'Or. – Vosnes, Nuits, deuxième Volnay, Prémeaux, Chambolle, Pommard, Beaune, Morey, Savigny, Meursault, Blagny, Gevrey, Chassagne, Aloxe, Santenay et Chenove.

Yonne. – Les côtes de Pitoy, des Perrières, de Preaux, Épineuil, deuxièmes choix de Tonnerre, Auxerre et de Dannemoine.

Saône-et-Loire. – Mercurey, Thorins, Chénas, Romanèche et la Chapelle-Guinchay.

Drôme. – Deuxièmes crus de l'Ermitage, Crozes, Mercural et Gervaut.

Rhône. – La Côte-Rôtie, Vérinay, Morgon et Fleury.

Marne. – Mareuil, Disy, Pierry, Épernay, Taissy, Ludes et Rilly.

Aube. – Les premiers choix des Riceys, Balnot-sur-Laigne, d'Averny et de Bagneux-la-Fosse.

Dordogne. – Premiers crus de Bergerac, Creysse, Ginestet, la Terrasse et Sainte-Foy-des-Vignes.

Gard. – Chusclan, Tavel, Saint-Geniès, Lédenon et Cante-Perdrix.

Jura. – Les premiers crus du territoire d'Arbois.

Ardèche. – Cornas et Saint-Joseph.

Vaucluse. – Clos Saint-Patrice, deuxièmes crus de Châteauneuf-du-Pape, Sorgues et Aubagne.

Var. – La Gaude, Saint-Laurent et Lamalgue.

Savoie. – Premiers crus de Montmélian, Saint-Jean de la Porte et Mont-Termino.

Basses-Pyrénées. – Deuxièmes crus de Jurançon et de Gan.

Pyrénées-Orientales. – Port-Vendres, deuxièmes crus de Banyuls, Cosperon et Collioure.

VINS FINS BLANCS FRANÇAIS

Gironde. – Les deuxièmes et troisièmes crus de Sauternes, Bommes, Barsac, Preignac, Blanquefort, Villenave d'Ornon; premiers crus de Léognan, Langon, Toulène, Saint-Pey, Loupiac, Martillac, Sainte-Croix-du-Mont et Fargues.

Marne. – Les crus de Cramant, le Ménil, Avize, Épernay et Saint-Martin d'Ablois.

Haut-Rhin. – Les vins secs de Guebwiller, Riquewihr, Ribeauvillé, Turkheim, Bergothzell, Rouffach, Pfafenheim, Enguishem, Ingersheim, Hennevoyer, Katzenthal, Ammerschwir, Kaiserberg, Kientzheim, Sigolsheim et Babenheim.

Bas-Rhin. – Molsheim et Wolxheim.

Côte-d'Or. – Meursault, dans les cuvées de Perrières, Combette, la Goutte-d'Or, la Genevrière et les Charmes.

Jura. – Château-Châlon, Arbois et Pupillin.

Rhône. – Condrieu.

Lot-et-Garone. – Clairac et Buzet.

Yonne. – Les premières cuvées de Chablis.

Saône-et-Loire. – Pouilly, Fuissé, premiers choix.

Savoie. – Le coteau d'Altesse.

Ardèche. – Saint-Peray et Saint-Jean.
Basses-Pyrénées. – Jurançon, Gan, Larronin, Gélos et Mazères.
Dordogne. – Bergerac, Sainte-Foy-des-Vignes, Saint-Nexant.

VINS FINS ÉTRANGERS ROUGES

Allemagne. – Les duchés de Nassau, du bas Rhin, la Bavière et le Wurtemberg fournissent à cette catégorie les deuxièmes et troisièmes choix de leurs vins rouges.
Autriche. – Deuxièmes et troisièmes choix de Hongrie, premiers choix de la Moravie, du Tyrol, de la Carniole, de l'Illyrie et de la Dalmatie.
Suisse. – Ceux de Faverge et de Cortaillod en premier choix.
Italie. – Carmignano, Monte-Serrato, Albano, Orvieto, Terni, Bari, Reggio, Mascoli et Paro.
Espagne. – Premiers choix de Valdepeñas.
Portugal. – Les vins fins de Beira et de Torrès-Védras.
Russie. – Les bons choix de Koos, de Zimlansk, Tchniedaly, Mokosange, de Tiflis et de Chamakhi.
Turquie. – Loucovo, Valone, Chastita, Kissamos, Amodos, Kersoan et du Liban.
Principautés danubiennes. – Les premiers choix des environs de Cotnar.
Grèce. – Corfou, Sainte-Maure, Lépante, Chéronée, Mégare, Polioguna et Cérigo.
Perse. – Ceux de Kasbin et d'Yesed.
Cap de Bonne-Espérance. – Les meilleurs vins rouges secs de cette catégorie.

VINS FINS ÉTRANGERS BLANCS

Allemagne. – Les deuxièmes et troisièmes choix de ceux cités aux grands vins et ceux dits de Moselle, Pisport, Zettingue, Olisberg et quelques autres.
Autriche. – Schiracker, Presbourg et les deuxièmes et troisièmes choix de ceux déjà cités aux grands vins.
Italie. – Les vins secs de Marsala et de Castel-Veterano.
Espagne. – Rancio de Péralta, deuxièmes Xérès, premiers Montilla et Malaga secs.
Turquie. – Les vins dits de la Loi, le nectar de Mesta et le Vin d'or.
Perse. – Les vins secs de Schiraz et d'Ispahan.
Iles de l'océan Atlantique. – Les premiers des îles Ténériffe, Açores, Canaries, et les deuxièmes choix de l'île de Madère.

VINS GRANDS ORDINAIRES ROUGES FRANÇAIS

Gironde. – Les vins bourgeois et paysans ordinaires du Médoc, deuxième cru de Bourg, premier cru de Blaye; les premiers et deuxièmes palus de Queyries, Bassens et Montferrand; les premiers et deuxièmes choix de Bourg, Fronsac, Saint-Émilion, et ceux qui ne sont pas placés dans les catégories précédentes des communes de Blanquefort, le Pian, le Taillan, Arsac, Eysines, Saint-Germain, Valeyrac, Civrac, Saint-Trélody, Saint-Christoly, Blagnan et Mérignac.
Côte-d'Or. – Deuxièmes choix des crus cités aux vins fins, Monthélie, Dijon, Rully, Meursault, Fixin.
Saône-et-Loire. – Mercurey, Givry, Juliénas.
Rhône. – Morgon, Sainte-Foy, les Barolles, Millery et la Galée.
Marne. – Ville-Dommange, Chamery et Saint-Thierry.
Dordogne. – Deuxièmes choix de Bergerac, Lalinde, Beaumont, côte Saint-Léon.
Hérault. – Saint-Georges d'Orques.
Haute-Garonne. – Fronton et Villaudric.
Yonne. – Avallon, Joigny, Coulanges et Irancy.
Haute-Marne. – Aubigny et Monsaugeon.
Moselle. – Scy, Sussy, Sainte-Ruffine et Sale.

Meuse. – Bar-le-Duc, Bussy-la-Côte, Longeville, Savonnières, Ligny, Naives, Rosières, Chardogne, Varnay et Creuë.
Haut-Rhin. – Deuxièmes choix de Riquewihr, Ribeauvillé et autres.
Jura. – Les Arsures, Salins, Marnoz. Aiglepierres et deuxièmes d'Arbois.
Lot. – Premiers choix de Cahors et de Gourdon.
Landes. – Turson.
Tarn. – Cunac, Caisaguet, Saint-Amarens et Gaillac.
Gard. – Lédenon, Roquemaure et Langlade.
Indre-et-Loire. – Saint-Nicolas-de-Bourgueil et Joué.

GRANDS ORDINAIRES BLANCS FRANÇAIS

Gironde. – Les deuxièmes choix de ceux cités aux vins fins, les bonnes Graves, Fargues, Landiras, Langoiran, Cadillac et autres.
Marne. – Ceux des troisièmes crus cités.
Haut et Bas-Rhin. – Deuxièmes et troisièmes choix des vignobles cités.
Côte-d'Or. – Deuxièmes cuvées de Meursault.
Jura. – L'Étoile et Quintigny.
Indre-et-Loire. – Les meilleurs de Vouvray.
Yonne. – Junay, Épineuil, Tonnerre et Dannemoine.
Saône-et-Loire. – Solutré, premiers choix de Vergisson.
Maine-et-Loire. – Premières côtes de Saumur, Parnay et Dampierre.
Savoie. – Martel, Saint-Innocent et Lassaraz.
Nièvre. – Pouilly-sur-Loire.
Tarn. – Premiers choix de Gaillac.
Gard. – Premiers choix de Laudun et Calvisson.
Les grands ordinaires rouges, les bons ordinaires et ordinaires étrangers, se consommant en totalité dans les pays de production, n'ont pas été désignés. Les vins blancs seront seuls indiqués comme se trouvant dans le commerce souvent à la place des crus supérieurs.

GRANDS ORDINAIRES BLANCS ÉTRANGERS

Suisse. – Cully et la côte de Dessalés, en deuxièmes choix.
Italie. – Les îles d'Elbe, de Sicile, Caprée, Ischia et Lipari.
Espagne. – Albaflor et deuxièmes Valdepeñas.
Portugal. – Lamalongua et Tavira.
Russie. – Sudach, Theodosie, Affiney et quelques autres.
Turquie. – Deuxièmes de Candie, Macédoine et Styrie.
Moldavie. – Ses premiers choix.
Grèce. – Lépante, Chéronée et Mégare.

VINS BONS ORDINAIRES ROUGES FRANÇAIS

Tous les vignobles cités dans les précédentes catégories fournissent des qualités qui ne peuvent figurer que dans celle-ci; suivent ceux qu'il convient d'y ajouter :
Gironde. – Les deuxièmes choix des secondes palus, les seconds des côtes de Blaye, les troisièmes des côtes de Bourg, les troisièmes de celles de Fronsac et Saint-Émilion, Castillon et Sainte-Foy-la-Grande, Sainte-Eulalie, Saint-Loubès, la Grave et Carbon-Blanc.
Maine-et-Loire. – Champigné-le-Sec.
Indre-et-Loire. – Joué, Saint-Nicolas-de-Bourgueil en deuxième crû.
Ain. – Les meilleurs vins de Seyssel.
Loire. – Lupé, Saint-Michel, Chuynes, Boen et Chavenay.
Isère. – Reventin et Seyssuel.
Drôme. – Saillans, Vercheny, Die, Rousas, Châteauneuf-du-Rhône, Allan, Monségur et Montélimar.
Indre-et-Loire. – Chissaux, Bléré, Athée, Civray, Azay, Chenonceaux, Épeigné, Francueil, Saint-Avertin et quelques autres vignobles.
Rhône. – Sainte-Foy, les Barolles et Millery deuxièmes choix.
Dordogne. – Domme, Saint-Cyprien, Cunéges et Chancelade.

Vin

Lot. – Premiers choix de Pont-l'Évêque et Fumel.
Aude. – Premiers de Treilles, Portet, Fitou, Mirepeisset et Ginestas.
Tarn. – Deuxièmes de Gaillac, premiers de Rabastens.
Hérault. – Vérargues, Saint-Christol, Saint-Dresery et Castries.
Gard. – Roquemaure, Saint-Gilles, Bagnols et deuxièmes de Lédenon.
Saône-et-Loire. – La côte châlonnaise, le Mâconnais et le Beaujolais fournissent un grand nombre de choix à cette catégorie.
Yonne. – Les choix non cités produisent une nombreuse quantité de ces vins à Joigny, Auxerre, Avallon et Irancy.
Vaucluse. – Les deuxièmes choix, assez abondants, des communes citées.
Var. – Bandols, le Cattelet, Saint-Cyr et le Beausset.
Basses-Alpes. – Mées.
Bouches-du-Rhône. – Séon-Saint-Henri, Séon-Saint-André, Saint-Louis et Château-Combert.
Basses-Pyrénées. – Monein, Aubertin, Conchez, Portet, Aydie, Aubans, Dieusse, Cisseau, Ponts et Burosse.
Pyrénées-Orientales. – Espira-de-l'Agly, Rivesaltes, Salces, Pezilla et Baixas.
Hautes-Pyrénées. – Madiran, Soublecause, Saint-Lanne et Lascazères.
Gers. – Les bons choix de Nogaro.
Alpes-Maritimes. – Bellet et les premiers du territoire de Nice.
Savoies (les deux). – Côte de Chautagne, Touvière et Cantefort.
Ile de Corse. – Ajaccio, Sari, Vico, Peri, Bastia, Cap-Corse, Calvi, Monte-Maggiore, Corte, Bonifacio et Porto-Vecchio.
Lot-et-Garonne. – Péricard et Monflanquin.
Les vins blancs bons ordinaires sont en très-grande quantité sur les territoires dont il vient d'être parlé dans les diverses catégories de vins supérieurs; en examinant les départements qui fournissent celle des vins ordinaires, il sera fait mention, sans qu'il soit utile de les séparer, de ceux qui produisent des vins blancs possédant leurs qualités relatives.

VINS ROUGES ORDINAIRES DE FRANCE

Tous les vins qui entrent dans cette catégorie sont ceux qui fournissent la quantité la plus considérable des vins de consommation courante et dont le commerce est le plus important. Néanmoins, pour figurer ici, ils doivent être dépourvus de goût de terroir, n'être ni lourds, ni grossiers, ni pâteux, ni plats; en un mot, ils doivent aller seuls et pouvoir se conserver, s'améliorer plus ou moins, sans mélange ni addition.
Ain. – Seyssel, Champagne, Machurat, Tallissieux, Culoz, Anglefort, Groslée, Saint-Benoît, Virieux, Cervirieux, Saint-Rambert, Toisieux, Ambérieux, Vaux, Lagnieux, Saint-Sorlin, Villebois, L'Huis, Montmerle, Toissy, Montagneux et quelques autres donnent des vins rouges et blancs.
Aisne. – Pargnan, Craone, Craonelle, Jumigny, Vassogne, Cussy, Bellevue, Roussy, Laon, Cressy, Bièvre, Orgeval, Montchâlons, Ployard, Vourciennes, Arancy, Château-Thierry, Tréloup, Vailly et Soupir donnent beaucoup de vins rouges et quelques vins blancs.
Allier. – La Garenne du Sel (rouges et blancs).
Alpes (Basses-). – Deuxième choix de Mées et quelques autres rouges.
Alpes (Hautes-). – La plupart de ses vignobles (rouges et blancs).
Ardèche. – Mauve, Limoni, Sara, Vion, Aubenas et l'Argentière (rouges et blancs).
Ardennes. – Ceux de l'arrondissement de Vouziers (rouges et blancs).
Aube. – Bouilly, Laine-aux-Bois, Javernat, Souligny, Bar-sur-Seine, Bar-sur-Aube et Landreville (rouges et blancs).
Aude. – Deuxième Fitou, Leucatte, Treilles, Lagrasse, Alet, Limoux et Magrie (rouges et blancs).
Aveyron. – Lancedac, Agnac, Marillac, Guron et Gradels (rouges et blancs).

Bouches-du-Rhône. – Aubagne, Gemenos, Auriol et Cuges (rouges et blancs).
Charente. – Saint-Saturnin, Asnières, Saint-Genis, Linards, Moulidars, Fonquebrune, Gardes, Rouillac, Blanzac, Vars, Montignac Saint-Sernin, Vouthon, Marthon, Mornac, la Couronne, Roulet, Nersac, Julienne et quelques autres (rouges et blancs).
Charente-Inférieure. – Saintes, Chepniers, Fontcouverte, Bussac, la Chapelle, Saint-Romain, Saujon, Le Gua, Saint-Julien, Nouilliers, Matha, Saint-Jean-d'Angély, Marennes, Saint-Just, la Rochelle, les îles d'Oléron et de Ré (rouges et blancs).
Cher. – Savignol, Sancerre, Vassely, Fussy et Saint-Amand (rouges et blancs).
Corrèze. – Les côtes d'Allassac, Saillac, Donzenac, Varets, Meyssac, Saint-Basile, Queyssac, Nonards, Puy-d'Arnac, Beaulieu et Argentat (rouges et blancs).
Corse. – Les troisièmes choix de ses vins cités (rouges et blancs).
Côte-d'Or. – Tous les vins qui n'ont pas été mentionnés. Ce département produit peu de vins communs (rouges et blancs).
Dordogne. – Cadouin, Limeuil, Monpazier, deuxième Domme, Saint-Cyprien, Montignac et les ordinaires de Bergerac (rouges et blancs).
Doubs. – Besançon, Byans, Mouthier, Lombard, Liesse, Lavans, Jallerange, Châtillon-le-Duc et Pont-Villiers (rouges et blancs).
Drôme. – Les troisièmes choix des vignobles cités et Étoile, Livron et Saint-Paul (rouges et blancs).
Gard. – Lacostières, Jonquières, Pujaut, Laudun, Langlade, Vauvert, Millaud, Calvisson, Aigues-Vives et Alais (rouges et blancs).
Garonne (Haute-). – Deuxièmes de Villaudric et Fronton, Montesquieu-Volvestre et Buzet (rouges).
Gers. – Vertus, Mazères, Viella, Gouts, Lussan, Ville-Comtal, Miélan, Plaisance, Vic-Fezensac, Valence et Miradoux (rouges et blancs).
Gironde. – Presque tous les vins rouges et blancs du département non cités aux précédentes catégories, les plus communs de la Benauge et de l'Entre-deux-mers exceptés.
Hérault. – Garrigues, Pérols, Villevayrac, Bousigues, Frontignan, Poussan, Loupian, Mèze, Agde, Pézenas, Béziers, Lodève, Lunel, Montpellier, Saint-Georges et les premiers choix d'Aramont et de Picpoul en vins rouges et blancs.
Indre. – Valaunay, Vic-la-Moustière, Veuil, Latour-du-Breuil, Concremiers et Saint-Hilaire (rouges et blancs).
Indre-et-Loire. – Chinon, Ballan, Luynes, Fondettes et les choix d'Amboise (rouges et blancs).
Isère. – Saint-Chef, Saint-Savin, Jallien, Ruy-les-Roches, Vienne, Lambin, Crolles, la Terrasse, Grignon, Saint-Maximin, Murinais, Bessins, Pont-en-Royan et Saint-André (rouges et blancs).
Jura. – Voiteur, Ménetru, Blandans, Saint-Lothaire, Poligny, Geraise et Saint-Laurent (rouges et blancs).
Landes. – Le Tursan, la côte de Leynie, et la haute Chalosse (rouges et blancs).
Loir-et-Cher. – Onzain, Mer, Chaumont, Thésée, Monthou, Bourré, Montrichard, Chissey, Mareuil, Pouillé, Angé, Faverolles, Saint-Georges, Lusillé, Meusne et Chambon (rouges et blancs).
Loire. – Charlieu, Lupé, Chuines, Chavenay, Saint-Michel, Saint-Pierre-de-Bœuf, Boen, Renaison, Saint-André et Saint-Haon (rouges et blancs).
Loiret. – Sargeau, Saint-Denis, Saint-Marc, Saint-Gy, Beaugency, Baule, Baulette, Marigny (rouges et blancs).
Lot. – Ses vins rosés et mi-couleur et presque tous ceux qui n'ont pas été cités (rouges).
Lot-et-Garonne. – Thézac, la Croix-Blanche, Agen, Marsan, Castelmoron, Sommenzac, la Chapelle, Notre-Dame, Clairac et Marmande (rouges et blancs).
Lozère. – Marvejols, Florac et Villefort (rouges).
Maine-et-Loire. – Dampierre, Varrains, Chacé, Saint-Cyr, Brézé, Saumur et Feuillé (rouges et blancs).

Marne. – Vertus, Avenay, Champillon, Damery, Monthelon, Mardeuil, Moussy, Vinay, Claveau, Maury, Poigny, Vantheuil, Châtillon, Romery, Vincelles, Villens, Ceuilly, Vaudières, Verneuil, Troissy, Châlons et Vitry-sur-Marne (rouges et blancs).

Marne (Haute-). – Vaux, Rivière-les-Fossés, Pranthoy et Saint-Dizier (rouges et blancs).

Meurthe. – Thiancourt, Pagny, Arnaville, Bayonville, Charny, Essey, Toul, Saulny, Lucey, Côte-Rôtie, Roville et autres (rouges et blancs).

Meuse. – Apremont, Loupmont, Woinville, Lionville, Saint-Julien, Vaucouleurs, Vignot, Sampigny, Saint-Michel, Bruxières, Monsec, Loisey, Ancerville, Rambecourt, Belleville et les Rochelles (rouges et blancs).

Moselle. – Les deuxièmes choix des vignobles cités et quelques-uns du territoire de Sarreguemines (rouges et blancs).

Nièvre. – Deuxièmes de Pouilly-sur-Loire (blancs).

Oise. – Clermont (rouge).

Puy-de-Dôme. – Néchers, Issoire, Cournon, Lauden, Orset, Lezandre, Mesel, Dallet, Pont-du-Château, Beaumont, Aubière, Mariel, Calville, les Martres, Authezat, Monton, Vic-le-Comte, Coudes et Montpeyroux (rouges).

Pyrénées (Basses-). – Lasseube, la Hourcade, Sault de Navailles, Cuqueron, Luc, Navarrens et Sauveterre (rouges et blancs).

Pyrénées (Hautes-). – Bagnères et Argelès (rouges et blancs).

Pyrénées-Orientales. – Torremila, Terrats, Esparrons, Vernet, Prades et environs (rouges).

Rhin (Haut- et Bas-). – Quelques vins blancs des vignobles cités.

Rhône. – Irigny, Charly, Curis, Poleymieux et Couzon (rouges).

Saône (Haute-). – Le clos du Château, Rey, Chariez, Naveune, Quincy et Gy (rouges et blancs).

Saône-et-Loire. – Montagny, Chenoxe, Buxy, Saint-Vallerin, Saules, la Chassagne, Villié, Regnié, Lantigné, Quincié, Marchand, Durette, les Étoux, Cercié, Saint-Jean, Pizay, Jasseron, Vadoux, Belleville, Saint-Sorlin, Charentay, Charnay, Pricé, Vaux-Renard, Saint-Amour, Chevagny, Chanes, Saint-Verand, Loché, Vaizelle, Urigny, Sancé, Sénecé, Azé, Pierreclos, Verzé, Igé; Blacé, Saint-Julien, Denicé, Bussières, Lacenas et plusieurs autres vignobles de la côte beaujolaise, mâconnaise et châlonnaise fournissent à cette catégorie de bons vins ordinaires rouges et blancs.

Sarthe. – Le clos de Jasnières, Bazouges, Brouassin, Arthésée, la Chapelle d'Aligné, Saint-Vérand, Cromières, la Flèche et Gazonfières (rouges et blancs).

Savoies (les deux). – Thonon, Aix et les vins des Abymes (rouges et blancs).

Seine-et-Marne. – La côte des Vallées et plusieurs vignobles de l'arrondissement de Fontainebleau (rouges).

Seine-et-Oise. – La côte des Célestins, le clos d'Athis-Mons, Andresy, Septeuil et Boissy-sans-Avoir (rouges).

Sèvres (Deux-). – Mont-en-Saint-Martin, Bouillé, Loret, la Rochenard, la Foi-Monjault et Airvault (rouges et blancs).

Tarn. – Plusieurs vignobles de Rabastens, Gaillac et Alby (rouges et blancs).

Tarn-et-Garonne. – Fau, Aussac, Auvillar, Saint-Loup, Campsas, la Villedieu et Montbartier (rouges et blancs).

Var. – Lacadière, Saint-Nazaire, Ollioules, Pierrefeu, Cucres, Sollées-Farlède, Hyères, Lorgues, Saint-Tropez, Brignoles (rouges).

Vaucluse. – Morière, Avignon et Orange (rouges).

Vendée. – Luçon, Faymoreau, Loge-Fougereuse et Talmont (rouges et blancs).

Vienne. – Champigny, Saint-Georges, Couture, Dissay, Chauvigny, Saint-Martin, Villemont, Saint-Romain et Vaux (rouges et blancs).

Yonne. – Cheney, Vaulichères, Tronchoy, Molesmes, Cravant, Jussy, Vermanton, Joigny, Saint-Bris, Arcy-sur-Cure, Pourly, Pontigny, Vezinnes, Junay, Saint-Martin, Commissey, Neuvi, Sautour, Villeneuve-le-Roi, Saint-Julien-du-Sault, Paron, Marsangy, Rousson, Collemiers, Rosoy, Grou, Véron et les plus inférieurs des

vignobles déjà cités fournissent une grande quantité de vins rouges à cette catégorie.

Les vins blancs sont tout aussi abondants et offrent beaucoup de choix. Châblis présente près de vingt-cinq vignobles; l'arrondissement de Sens en renferme aussi une importante quantité.

VINS DE LIQUEUR FRANÇAIS

La France produit, relativement, peu de vins de cette espèce; néanmoins quelques crus peuvent lutter avec un certain avantage avec la plupart des vins de liqueur étrangers.

Le muscat de Rivesaltes, dans les Pyrénées-Orientales, est l'un des meilleurs vins de liqueur français.

Le vin de paille de Colmar et de Kaiserberg (Haut-Rhin).

Le vin de l'Ermitage du département de la Drôme.

Les premiers choix de Frontignan et de Lunel (Hérault).

Les quatre vins ci-dessus peuvent être considérés comme les premières qualités des vins de liqueur de France.

Suivent, dans leur ordre de mérite, les vins de cette catégorie qui se présentent en seconde ligne :

Hérault. – Les deuxièmes choix de Lunel et Frontignan; le premier dit *picardan*, et les meilleures préparations de Grenache.

Haut et Bas-Rhin. – Les meilleurs muscats de Wolxheim, Héligensten et quelques autres localités.

Pyrénées-Orientales. – Les vins dits de Grenache, à Banyuls, Collioure et Cosperon, et le Macabeo de Salses.

Dordogne. – Les premiers choix de Montbazillac.

Corrèze. – Le vin de paille d'Argentat.

Vaucluse. – Les vins dits Grenache et les vins muscats de Beaume.

Var. – Les muscats rouges et blancs de Roquevaire, de Cassis et de la Ciotat.

Corse. – Les vins de liqueur du Cap-Corse.

Les départements ci-dessus et plusieurs autres récoltent ou préparent une assez grande quantité de vins muscats ou de liqueur, mais dont la réputation ne dépasse pas les pays de production.

VINS DE LIQUEUR ÉTRANGERS

Les vins de cette espèce et dans les premières qualités se trouvent fort rarement dans le commerce. Les souverains des pays qui les produisent les retiennent pour leur usage ou pour en faire des présents à d'autres souverains. Leur prix élevé est aussi une très-grande difficulté que le commerce ne consent guère à vaincre pour se munir de la petite quantité disponible.

Les crus les plus renommés sont ceux de *Tokay, Constance*, le vin vert de *Cotnar*, de la *Commanderie* (île de Chypre), le *Lacryma-Christi*, malvoisie de *Madère*, le *Tinto d'Alicante*, les muscats rouges et blancs de *Syracuse* et les rouges et blancs de *Schiraz*.

Plusieurs autres pays et ceux qui fournissent les crus ci-dessus présentent un choix nombreux dont suit la nomenclature par contrée.

Allemagne. – Les vins dits de paille de la *Franconie*.

Autriche. – Les seconds crus de Tokay, Tarczal, Mada, Zombor, Szeghy, Szadany, Tolesva, Erdo-Benye et les vins de liqueur de Transylvanie, Istrie, Dalmatie et de la Vénétie.

Italie. – Les deuxièmes choix de Lacryma-Christi *(Naples)*, de Syracuse *(Sicile)*, le muscat rouge et Aliatico *(Toscane)*. Les vins muscats de Canelli et de Chounbave *(Piémont)*, les Nasco, Giro, Tinto et les malvoisies de l'île de *Sardaigne*. Le vermut et l'Aléatico de l'île d'*Elbe*. Les vins muscats du Vésuve *(Naples)*. Le Malvasia des îles *Lipari*, le Vino-santo de *Castiglione* et le vin aromatique de Chiavenne *(Lombardie)*.

Etats-Romains. – Les vins blancs et rouges d'*Albano*, les muscats de *Monte-Fiascone*, d'*Orvieto* et de *Farnèse*.

Espagne. – Les deuxièmes Tinto d'Alicante *(Valence)*, le Tintilla de Rota *(Estramadure)*, le Tintilla de Xérès et de San-Lucar et Paraxète *(Andalousie)*, le Tinto, la Malvasia, le Lacryma et les muscats blancs

Vin

de Malaga *(Grenade)*. Le Pedro-Ximénes de Victoria *(Biscaye)*. Le vin Grenache de Sabaye et Carinena *(Aragon)*, la malvasia de Pollentia *(îles Majorque)*, les Velez-malaga et une très-grande quantité des plus ou moins inférieurs de ces vignobles.

Portugal. — Les vins muscats de Setuval et de Carcavellos dans l'Estramadure portugaise.

Turquie. — Les malvoisies second choix de Chypre et de Candie; les vins muscats rouges et blancs des îles Samos, Ténédos et Chypre. Le vin de Galistas *(Macédoine)* et celui de Smyrne.

Principautés danubiennes. — Les deuxièmes crus de Cotnar *(Moldavie)* et le vin de Piatra *(Valachie)*.

Perse. — Les malvoisies de Schiraz et Ispahan.

Cap de Bonne-Espérance. — Les deuxièmes crus de Constance; les muscats rouges et blancs, dits *rota*.

Grèce. — Les malvoisies de la Morée et le Vino-santo de l'île Santorin, ainsi que plusieurs vins muscats des îles Ioniennes.

Russie. — Les vins de liqueur de Koos et de Sudach *(Crimée)*.

Iles de l'océan Atlantique. — Deuxième choix des malvoisies et des vins muscats de l'île de Madère; les premiers des îles Ténériffe, des Açores, Canaries, Gomère et Palme.

Mexique. — Les meilleurs vins de liqueur de Passo-del-Norte, de Paras, de San-Luiz-de-la-Paz et de Zelaya.

La plupart des pays qui produisent les vins de liqueur dont la nomenclature précède, préparent ou récoltent un nombre très-considérable d'autres vins de cette nature, qui sont envoyés et livrés au commerce sous le nom des crus les plus renommés. Il n'est pas sans intérêt d'ajouter que ces vins peuvent acquérir des qualités qui leur manquent par les soins, par le temps et aussi par les voyages qu'on leur fait faire. S'ils n'atteignent pas toutes les qualités des crus supérieurs, ils peuvent les remplacer, à la satisfaction des consommateurs, qui ont rarement la faculté de les comparer avec les premiers.

F. MAURIAL *(L'Art de boire)*.

Nous avons déjà dit, en parlant des caves, que si la cave dans laquelle on doit enfermer son vin est située à Paris, il faut éviter qu'elle soit exposée aux ébranlements qu'occasionne jusqu'à une certaine distance le passage de voitures; ces ébranlements déterminent l'ascension de la partie la plus légère de la lie, dont le mélange avec le vin suffit souvent pour le faire aigrir.

Si la cave est en communication avec un bûcher de bois vert, avec un amas de fruits, ou avec tout autre dépôt de matière en fermentation continuelle, il est impossible de conserver le vin sans qu'il s'altère.

Après cette dissertation sur les vins, il nous reste à traiter de tout ce qui se rapporte à leur conservation et à leur amélioration.

Mais ici nous nous adressons à plus savant que nous, et ne pouvons rien faire de mieux que de répéter ce qu'en a dit M. Lorein dans son excellent *Traité des préparations*.

PLACEMENT DES TONNEAUX. Les futailles doivent être sur des chantiers ou madriers élevés d'un demi-pied au-dessus du sol, et posés sur des dés en pierre. Le bois de chantier doit être sain; s'il était atteint de pourriture, il la communiquerait promptement aux tonneaux, et surtout aux cercles.

Il faut assujettir chaque tonneau avec des cales; sans cette précaution, lorsqu'on retire l'un deux, les autres sont exposés à éprouver quelque mouvement, ce qui occasione l'ascension d'une partie de la lie; accident qu'on doit prévenir autant qu'il est possible.

Les tonneaux doivent être éloignés du mur d'un pied au moins, pour qu'on puisse toujours visiter leur fond postérieur.

DE LA VISITE DES TONNEAUX. Avant de descendre le vin à la cave, il faut examiner avec soin les tonneaux et faire remplacer tout de suite les cercles défectueux. Les tonneaux descendus et placés sur les chantiers, on doit les visiter avec soin pendant les premiers jours, et ensuite de temps en temps : si les tonneaux sont remplis de vin de l'année, il faut les percer près de la bonde et fermer le trou avec un fausset, qu'on lève de temps en temps pour s'assurer si le vin n'est pas encore dans un état de fermentation. On s'en aperçoit lorsqu'en levant le fausset, l'air sort avec sifflement; dans ce cas il faut lever le fausset tous les jours, et ensuite à des intervalles plus éloignés; lorsque l'air commence à sortir avec moins de violence, avoir soin de mettre les fûts bondés de côté pour éviter l'air par la bonde.

Si le vin s'échappe par quelque endroit, on cherche à reconnaître la source du mal; si c'est un trou de ver, on le reconnaît facilement dans la partie découverte du tonneau. Si le trou se trouve sous les cercles, on peut le découvrir en les écartant ou en faisant sauter l'un d'eux.

Si le vin s'échappe par un nœud ou par un éclat de douve, on enfonce dans la fente, avec la lame d'un couteau, du papier trempé dans du suif, et on pose dessus un mélange de suif et de mastic de vitrier. Pour plus de sûreté, on cloue par-dessus une petite lame de plomb.

Si la fuite du vin a lieu entre les douves par suite de la rupture de plusieurs cercles, on enveloppe le tonneau avec une corde et on garrotte fortement. Garrotter, c'est passer un bâton sous la corde et faire passer les deux bouts par-dessus en tordant. On garrotte ainsi dans une ou plusieurs parties, selon l'éminence du danger. Par là on se donne le temps de préparer tout ce qui est nécessaire pour transvaser le vin.

On doit goûter le vin de temps en temps pour connaître comme il se comporte.

Lorsqu'on veut conserver pendant plusieurs années du vin en tonneaux, ce qui est nécessaire pour rendre potables certains vins très-spiritueux et très-chargés en couleur, c'est une très-bonne pratique de faire enduire les tonneaux de manière à les rendre inaccessibles à l'action de l'humidité qui règne toujours plus ou moins dans les caves. On peut employer pour cela une peinture grossière, des ocres, par exemple; mais la substance qui convient le mieux dans ce cas est le mastic dont voici la composition :

Faites broyer des tuileaux; passez le résultat du broyage au tamis de crin, et repassez au tamis de soie, ou à travers une toile métallique très-fine, ce qui a passé à travers le tamis de crin.

A treize livres de la poudre ainsi obtenue, ajoutez une livre de litharge pulvérisée, et repassez le tout au tamis fin pour opérer un mélange intime.

Faites broyer ce mélange avec deux ou trois onces d'huile de lin par livre, et délayez ensuite avec suffisante quantité de la même huile, pour former une peinture applicable au pinceau.

On en donne deux ou trois couches aux tonneaux à quelques jours d'intervalle, en ayant soin que tout soit couvert. On évite par là les frais de reliage et de remplissage, ainsi que le danger de perdre le vin par la rupture du cercle.

DE L'OUILLAGE. Ouiller, c'est remplir. Plus les vins sont nouveaux, plus les douves sont minces, plus la cave est sèche et aérée, plus les tonneaux doivent être remplis souvent. Toute négligence sous ce rapport nuit. Les vins tendres et légers s'altèrent rapidement dans les tonneaux qui ne sont pas constamment tenus pleins : un autre motif de remplir fréquemment, c'est que la perte éprouvée par le tonneau croît en plus forte proportion que le temps; ainsi, lorsque le tonneau a perdu deux bouteilles en un mois, il en faudra six pour le remplir à l'expiration du second mois.

Le vin avec lequel on remplit un tonneau doit, autant que possible, être d'une qualité analogue à celui qu'il contient; cela n'est cependant pas de rigueur pour les vins communs, qui peuvent gagner quelque chose quand on les remplit avec du vin meilleur; mais il faut le faire pour les vins fins qu'on ne veut pas dénaturer.

Dans tous les cas, il vaut mieux remplir avec un vin quelconque que de ne pas remplir du tout.

Ce qui vient d'être dit sur la nécessité de remplir, est un motif de plus en faveur de la peinture des tonneaux qui contiennent des vins précieux. Quand on n'en a qu'une ou deux pièces, on est souvent fort embarrassé pour les remplir d'une manière convenable.

COLLAGE. L'effet du collage des vins est non-seulement de les éclaircir, mais aussi de les dépouiller de matières en dissolution qui se précipiteraient plus tard. On prévient par là des dépôts dans les bouteilles. Si on conserve des vins en tonneaux depuis plusieurs années on fait bien de les coller une fois l'an, au mois de mars ou en octobre. Il est de rigueur de choisir pour cette opération un jour où le vent souffle du nord à l'est. Quatre à cinq jours après le collage, on soutire le vin, on nettoie le tonneau et on le remplit, soit du vin qui en a été tiré, soit du contenu d'un autre tonneau collé aussi.

Si on veut mettre en bouteilles du vin récemment arrivé, on le laisse reposer quelques jours, et on le colle ensuite avec du blanc d'œuf et de la colle de poisson.

Quatre blancs d'œufs bien frais, fouettés avec une demi-bouteille de vin, suffisent pour coller une pièce de deux cent cinquante à deux cent soixante-quinze bouteilles. On retire d'abord cinq à six litres de vin; on ôte la bonde; on verse la colle; on introduit dans le tonneau un bâton fendu

Vin

en quatre par en bas, et on l'agite en tournant tantôt dans un sens et tantôt dans un autre, pour bien mélanger la colle. On continue ainsi pendant une ou deux minutes. On remplit ensuite le tonneau avec le vin qu'on avait tiré et on en ajoute s'il est nécessaire. On frappe le tonneau pour en faire sortir les bulles d'air qui pourraient être restées dans la partie supérieure et on remet la bonde. Au bout de quatre ou cinq jours, le vin est clair et on peut le tirer.

Si le vin a déjà séjourné pendant quelques mois dans la cave, comme il s'est formé au fond un dépôt de lie qu'il ne faut pas faire remonter, on n'enfonce le bâton fendu que jusqu'à la moitié du tonneau.

Les vins blancs se collent avec la colle de poisson dissoute dans le vin, à raison d'un litre par pièce; cette colle se prépare de la manière suivante :

On bat, avec un marteau, un gros de belle colle de poisson; on la déchire en morceaux qu'on divise avec des ciseaux; on la met tremper pendant sept ou huit heures, avec ce qu'il faut de vin pour la baigner; quand elle s'est gonflée et qu'elle a absorbé le vin, on en ajoute autant qu'on en a mis la première fois : après vingt-quatre heures, la colle forme une gelée à laquelle on ajoute un demi-verre d'eau un peu chaude, et on la malaxe avec la main pour écraser ce qui n'est pas entièrement dissous. On passe la colle avec expression à travers un linge, et on la bat avec une poignée d'osiers, en versant peu à peu du vin blanc, jusqu'à ce que la totalité de la dissolution forme à peu près un litre de liquide. Avant de verser la colle dans le tonneau, on la bat de nouveau avec un litre de vin blanc; du reste, on procède comme pour le vin rouge.

Les poudres de M. Julien, qui demeure à Paris, boulevard Poissonnière, et qui a des dépôts dans la plupart des vignobles, remplacent avec avantage les blancs d'œufs et la colle de poisson.

TIRAGE DE VIN EN BOUTEILLES. Il faut s'assurer avant tout si le vin est bien limpide; pour cela on en tire dans un verre qu'on interpose entre l'œil et la lumière. Si le vin n'est pas d'une limpidité parfaite, on attend deux ou trois jours, et si après ce temps il n'est pas bien clair, on le soutire et on le colle de nouveau.

Le tirage en bouteilles doit se faire, autant que possible, par un temps froid, et surtout lorsque le vent souffle du nord à l'est.

Cette précaution influe plus qu'on ne le pense sur la conservation des vins. On doit éviter surtout de tirer le vin quand le temps est disposé à l'orage et lorsqu'un vent chaud souffle du sud ou de l'ouest.

Les bouteilles doivent être rincées avec soin et flairées une à une; on doit rejeter celles qui ont un mauvais goût. Le gravier de rivière, bien lavé, ou la grenaille d'étain pur,

sont les substances les plus convenables pour rincer les bouteilles.

Lorsqu'on met en bouteilles du vin qu'on se propose de garder longtemps, le choix des bouchons est d'une grande importance. Il faut les choisir d'un liège fin, moelleux, cédant sous le doigt. Ils coûtent plus cher que les autres, mais l'économie qu'on croirait faire sous ce rapport en en achetant de plus communs serait fort mal entendue.

Les bouchons qui ont déjà servi ne doivent être employés que pour des vins communs, destinés à être bus de suite. On bouche les bouteilles à mesure qu'on les remplit; on règle l'ouverture de la cannelle en conséquence. Les bouchons doivent entrer de force, en frappant avec la batte, jusqu'à ce qu'ils ne débordent que d'une ou deux lignes.

Lorsqu'on veut conserver longtemps le vin en bouteilles, on enduit l'extrémité du bouchon avec une cire préparée à cet effet. Cet enduit préserve les bouchons de la moisissure qui les atteint à la longue, et les empêche d'être rongés par les insectes qui pullulent dans beaucoup de caves.

La cire ou le mastic dont on enduit les bouchons se compose de la manière suivante :

On fait fondre deux ou trois livres de résine commune avec un quarteron de cire jaune et deux onces de suif; on colore avec le minium, les ocres, le noir animal, etc. Si la cire paraît trop cassante, on augmente la dose de suif; dans le cas contraire, on ajoute de la résine.

DES MOYENS DE PRÉVENIR L'ALTÉRATION DES VINS OU D'Y REMÉDIER

DES VINS QUI TOURNENT A LA GRAISSE. Lorsqu'en versant du vin il file comme de l'huile, on dit qu'il a tourné à la graisse. Cette maladie, qui attaque plus fréquemment les vins blancs que les vins rouges, se dissipe presque toujours avec le temps. Si cependant on ne veut pas attendre, il faut coller le vin et le bien agiter; si cela ne suffit pas, on le soutire, on le colle une seconde fois, et on ajoute à la colle d'un demi-litre d'esprit-de-vin.

On remédie à la graisse en mettant dans le tonnneau une once de charbon en poudre, qu'on mêle bien au liquide, en agitant avec le bâton fendu.

Si le vin qui tourne à la graisse est en bouteilles, et qu'on ne veuille pas attendre son rétablissement naturel, on le dépote deux fois de suite à un mois d'intervalle. La lie bien fraîche ajoutée aux vins gras dans la proportion d'un vingt-cinquième les rétablit très-promptement. On ne doit employer ce moyen que pour des vins ordinaires, qui pourront s'améliorer si la lie qu'on y mêle provient d'un vin généreux.

DES VINS QUI TOURNENT A L'AIGRE. Cette maladie provient presque toujours du peu de soin qu'on a mis à remplir les tonneaux, des transports effectués dans les temps chauds, ou de la mauvaise qualité des caves. Comme il est reconnu que les vins peu spiritueux y sont plus sujets que les autres, on pourrait en prévenir le développement sur des vins de cette nature en y ajoutant cinq à six litres d'eau-de-vie par pièce.

Lorsqu'on s'aperçoit que le vin commence à contracter un goût d'aigre, il faut le soutirer dans un tonneau où on brûle un pouce de mèche soufrée; on le colle en même temps avec six blancs d'œufs par barrique. S'il n'a pas tout à fait perdu le goût qu'il avait contracté, on répète cette opération six jours après; on laisse reposer le vin, on le met en bouteilles et on le boit de suite.

On peut encore rétablir les vins qui ont tourné à l'aigre, en jetant dans une barrique un quarteron de froment grillé

comme du café, mais un peu moins noir; on soutire au bout de vingt-quatre heures, on colle et on met en bouteilles pour boire de suite.

DES VINS QUI DEVIENNENT AMERS. Le moyen le plus simple de rétablir ces vins, c'est de les couper avec des vins plus jeunes, ou au moins avec des lies récentes. Quand le vin qui a contracté de l'amertume est en bouteilles, il se rétablit souvent de lui-même avec le temps, pourvu que les bouteilles soient bien bouchées, qu'on ne les déplace pas et que la cave soit bonne.

On peut encore corriger l'amertume des vins en les transvasant dans un tonneau fraîchement vide d'un bon vin, et dans lequel on a brûlé à plusieurs reprises un demi-litre d'esprit-de-vin; on ne doit verser une nouvelle portion d'esprit-de-vin dans le tonneau que lorsque la première est brûlée et qu'il n'y a plus de flamme; sans cela, le filet d'esprit-de-vin s'allumerait en tombant et la flamme se communiquerait jusqu'au vase qui contient le reste, ce qui occasionnerait des accidents.

DES VINS QUI ONT CONTRACTÉ LE GOUT D'ÉVENT. Les vins ne contractent ce goût que lorsque les tonneaux ont été mal bouchés. Si le goût est peu prononcé, on peut le faire disparaître en collant le vin, et le soutirant après quinze jours de repos. Toujours bonde de côté pour éviter l'évent.

Si le goût d'évent est très-fort, il faut mêler au vin 10 à 12 pour 100 de lies fraîches, rouler le tonneau une fois par jour pendant un mois et soutirer; on ajoute ensuite dans le tonneau quatre ou cinq bouteilles d'eau-de-vie.

DES VINS QUI ONT CONTRACTÉ LE GOUT DU FUT, DE MOISI, ETC. Lorsque le goût contracté est fort, il n'y a aucun moyen de le faire disparaître; on peut seulement essayer de le masquer. Pour cela, après avoir transvasé le vin, on fait rôtir une livre de froment dans une brûloire à café. On l'enferme tout chaud dans un sac long et étroit, qu'on descend dans le tonneau par sa bonde, et qu'on retient avec une ficelle. On ferme le tonneau, et vingt-quatre heures après on transvase encore le vin dans un tonneau où on a mis de la lie fraîche dans la proportion d'un huitième de vin défectueux.

DES MOYENS DE PRÉVENIR LA DÉGÉNÉRESCENCE DES VINS. Les vins les plus faibles se soutiennent ordinairement fort bien dans les bonnes caves, quand d'ailleurs ils y arrivent sains; il faut donc, pour prévenir leur dégénérescence, employer les moyens indiqués pour l'amélioration des caves. Il faut surtout les tenir très-propres et en éloigner les substances fermentescibles. Si, par la nature de leur sol ou le voisinage des fosses d'aisance, les caves sont infectées de miasmes putrides, on fera bien d'y brûler, de temps en temps, une once ou

Vin

deux de soufre : on le place sur un têt, on l'allume et on se retire.

Comme les vins spiritueux supportent assez bien beaucoup d'inconvénients qui dénaturent promptement les vins faibles, comme le sont souvent les vins ordinaires, si on a une certaine provision de ceux-ci qu'on soit obligé de garder en tonneaux, il est bon d'y ajouter depuis trois jusqu'à sept à huit bouteilles d'eau-de-vie par barrique ; en goûtant de suite les vins auxquels on a fait cette addition, on y reconnaît très-bien la saveur de l'eau-de-vie ; mais, après un mois ou deux de mélange, on ne la retrouve plus et le vin est sensiblement amélioré.

Des vins trop sombres en couleur. Ces vins sont ordinairement pâteux, lourds et fades, quoique souvent très-spiritueux. On les améliore en les coupant avec des vins blancs, qu'on y ajoute dans des proportions diverses, selon que les vins sont plus au moins chargés en couleur.

De l'apreté des vins. Il y a des vins qui acquièrent en vieillissant une excellente qualité, mais qui sont si âpres, lorsqu'ils sont jeunes, qu'ils sont peu agréables à boire. Ce qu'on peut faire de mieux pour ces vins, c'est de les attendre ou d'accélérer leur maturité en les plaçant dans un cellier un peu chaud, pourvu qu'ils n'y soient pas frappés directement par le soleil.

Quant aux vins qui, étant âpres et verts, sont peu spiritueux, c'est en vain qu'on espérait les améliorer en les coupant avec des vins spiritueux et fades du Midi : leur saveur perce toujours. Le seul moyen d'adoucir ces vins, c'est d'y ajouter de l'eau-de-vie, dont on proportionne la quantité à l'âpreté des vins. On peut, sans inconvénient, en mettre jusqu'à huit ou dix pintes par barrique de trente veltes ; on peut même dépasser cette porportion, si l'on veut garder ces vins pendant longtemps.

Vin de pêche a la façon de Strasbourg. Prenez cent pêches de vigne, et douze pêches d'espalier bien mûres, ôtez-en la peau et les noyaux, écrasez la pulpe du fruit dans une terrine, ajoutez-y un demi-litre d'eau avec une once de bon miel, passez au tamis, et soumettez ce qui ne passera pas au tamis à l'action d'une presse ; versez tout le liquide dans une cruche de grès, ajoutez-y quatre livres de sucre, cinq onces de feuilles de pêcher, un gros de cannelle, deux gros de vanille, et autant de bon vin blanc que vous aviez de suc de pêche ; laissez fermenter en couvrant bien le vase, et lorsque vous aurez séparé les feuilles, que le liquide sera éclairci, vous mettrez en bouteilles.

Quelques personnes ajoutent un litre d'eau-de-vie au mélange, mais cela n'est pas nécessaire. Ce vin est très-agréable au goût, est un excellent stomachique, et les

L'estaminet au boulevard du Temple.

chimistes anglais disent qu'il facilite les digestions laborieuses.

Il va sans dire que l'on peut également faire du vin de prunes ou d'abricots ; seulement, comme ces fruits sont plus sucrés que la pêche, on mettrait moins de sucre, et on suivrait du reste le même procédé.

VIN DE GROSEILLES OU DE CERISES A LA MANIÈRE D'ANGLETERRE. Prenez six parties de groseilles rouges bien mûres et six parties de cerises de la grosse espèce, une partie de cerises noires si vous projetez de faire du vin de cerises, ou bien une partie de framboises si vous voulez faire du vin de groseilles ; écrasez les fruits pour en avoir le sucre que vous verserez dans un baril ; ajoutez une livre de cassonade par dix bouteilles de sucre ; ayez soin que le baril soit plein, et conservez en outre une bouteille de ce sucre pour remplir le baril, et remplacez ce que la fermentation fera sortir par la bonde ; lorsque la mousse s'arrêtera, fixez la bonde et laissez reposer pendant un mois, tirez la bonde et mettez en bouteilles.

VIN CHAUD A LA MODE ANGLAISE, OU NÉGUS. Breuvage originaire des Indes, et qui s'opère avec du vin blanc, du sucre, du jus de limon et de la râpure de muscade. Quand on peut joindre à tout ceci de l'eau-de-vie de France ou du jus de tamarin, c'est un breuvage anglais qui ne laisse rien à désirer.

Maintenant que tout le monde peut améliorer la qualité de son vin, qu'on nous permette de citer quelques anecdotes :

Une remarque qu'on peut faire, c'est que le mot *vin* se rend à peu près d'une manière semblable dans toutes les langues anciennes et modernes. En grec, *oinos ;* en latin, *vinum ;* en arabe, *vainon ;* en allemand, *wein ;* en anglais, *wine ;* en russe, *vinss*.

Dans les premiers temps de la république romaine, l'usage du vin était sévèrement défendu aux femmes, et Romulus avait permis aux maris de répudier et même de tuer les épouses qu'ils auraient surprises buvant du vin. Valère Maxime rapporte qu'Egnatius Metellus, ayant usé de cette permission, fut absous par le fondateur de Rome. Fabius Pictor raconte que les parents d'une Romaine, l'ayant surprise tandis qu'elle tâchait de forcer la serrure d'un coffre qui contenait du vin, l'enfermèrent et la firent périr d'inanition. Les Romains étaient si scrupuleux sur la conduite des femmes à cet égard, qu'ils avaient introduit l'usage, d'après le conseil de Caton, d'embrasser les femmes quand elles entraient dans une maison, afin de juger par leur haleine si elles n'étaient pas en faute. Ils se relâchèrent peu à peu de cette rigoureuse exactitude, et, les lois cédant enfin au luxe et à la débauche, les femmes imitèrent les hommes et prirent en toute occasion les mêmes licences.

Le vin est, dit-on, le lait des vieillards et ce qui les soutient. Drexelius, jésuite allemand, n'est pas du tout de cet avis. Il prétend que plus le vin a de force, moins il convient à un estomac affaibli par l'âge ou la maladie. Entre l'estomac et la nourriture, dit-il, il doit y avoir une telle proportion que la chaleur de l'un n'excède pas celle de l'autre. Bon vin et mauvais estomac ne peuvent s'allier l'un à l'autre. Cependant, croire qu'un bon vin vieux a la vertu de réparer les forces d'un estomac délabré est une opinion si ancienne, si générale et si profondément enracinée dans les esprits, qu'il est moralement impossible de faire régner à sa place l'axiome : *Vinum potens, vinum nocens.*

Boire à ses repas d'un vin plus exquis que celui qu'on fait boire aux autres ne saurait être une exception permise à la grandeur. C'est un privilège que l'impudence et l'avarice peuvent seules usurper. Le vin de Falerne était cher ; Pline en buvait et Pline admettait quelquefois à sa table nombre de gens nouvellement affranchis. Quelqu'un qui croyait avec raison que tous ceux qui sont à une même table doivent boire d'un même vin, lui dit que ces jours-là son vin de Falerne devait s'en aller bien vite. – « Pardonnez-moi, lui dit Pline, quand mes affranchis mangent avec moi, ils ne boivent pas de mon vin, je bois du leur. »

Le premier vin qu'on ait vanté en France est le vin de Suresnes. Henri IV en envoyait en présent, et on a conservé de lui une lettre qui en fait foi.

L'auteur de la *Bibliographie agronomique*, M. Musset-Pathay, a fait connaître sur le vin de Suresnes une anecdote dont l'exactitude nous a été attestée par l'un des annuaires statistiques de Loir-et-Cher, à portée par conséquent d'en être bien instruit.

« Il y a, dit l'auteur de la *Bibliographie*, une opinion assez commune sur laquelle il est bon de donner quelques éclaircissements. Elle est relative à la réputation du vin de Suresnes, village situé sur le bord de la Seine, à deux lieues de Paris. On croit communément que le vin produit par les vignes plantées près de ce village a jadis été d'une bonne qualité et que même il a paru sur la table de nos rois. Voici ce qui a donné lieu à cette opinion. Il y a aux environs de Vendôme, dans l'ancien patrimoine de Henri IV, une espèce de raisin que dans le pays on appelle *Suren.* Il produit un vin blanc très-agréable à boire, que les gourmets conservent avec soin, parce qu'il devient meilleur en vieillissant. Henri IV faisait venir de ce vin à la cour ; il le trouvait très-bon. C'en fut assez pour qu'il parût délicieux aux courtisans ; et l'on but pendant le règne de ce monarque du vin de *Suren.* Il y a encore dans le vendômois un clos de vigne qu'on appelle Clos de Henri IV.

« Louis XIII n'ayant pas pour le suren la même prédilection que le roi son père, ce vin passa de mode et perdit sa renommée. Dans la suite on crut que c'était le village de Suresnes qui avait produit le vin qu'on buvait à la

cour. La ressemblance des noms avait causé cette erreur. »
Pierre d'Andelys, dans son poëme de la *Bataille des Vins*,
nomme Deuil, Montmorency, Marly, Argenteuil, mais il
ne dit rien de Suresnes, qui pourtant est dans le voisinage; cela peut prouver qu'au XIIIe siècle Suresnes avait
encore moins de mérite et de réputation qu'aujourd'hui.
On ne doit donc plus s'étonner qu'un propriétaire d'excellents vignobles en Bourgogne ait transporté, sans aucun
succès, des plants de Suresnes sur les coteaux de l'Yonne.
Autrefois le vin de Mantes, à douze lieues de Paris, était
fort renommé. L'empereur Julien l'Apostat en fait l'éloge.
Ce qui le faisait surtout rechercher, c'est qu'il ne se gâtait
jamais en quelques pays lointain qu'on le transportât.
Le cordelier Rubriquis, qui fut envoyé par saint Louis au
Grand Kan des Tartares, présenta à ce monarque
un grand flacon de ce bon vin de Mantes, qui fut trouvé
si délicieux, qu'il disposa le roi tartare à embrasser la
religion du pays qui le produisait. Le missionnaire nous
fait entendre que, si le vin de Mantes ne lui avait pas
manqué, le fils de Gengiskan eût été déclaré chrétien.
Le vin a toujours été très-considéré et, depuis Charlemagne,
on ne faisait aucun marché qu'il n'y eût une gratification
extraordinaire que l'on nommait pot-de-vin. Ce qu'on
offrait à l'église pour les baptêmes et les mariages s'appelait vin du curé; les présents qu'on faisait à sa future avant
le mariage, le vin de noce; ce que les plaideurs donnaient
aux clercs de leurs rapporteurs, le vin des clercs; et le droit
qu'on payait aux officiers municipaux quand on était reçu
bourgeois, le vin de bourgeoisie : ce vin se donnait en nature.
Lorsqu'on ne donna plus de vin, on n'en conserva pas moins
l'usage de ce que l'on appelait donner un pot-de-vin à
la suite d'un marché, mais ce fut en espèces.
Une charte du fameux abbé Suger, régent du royaume
sous le règne de Louis le Jeune, donne dix sols de rente
et un muid de vin à la collégiale de Saint-Paul. C'est,
y est-il dit, pour que les chanoines servent Dieu et saint
Paul avec plus de gaieté et de dévotion : *Ut jucundius
et devotius Deo sanctoque Paulo inserviant.*
Un proverbe peu connu et qui cependant mérite de l'être,
c'est celui-ci : *A bon vin, bon latin.* Le premier président
du parlement de Paris, M. de Lamoignon, était en peine
d'avoir un bibliothécaire. Il s'adressa pour cela à M. Her-
mant, recteur de l'Université, qui lui indiqua M. Baillet,
son compatriote. Le président voulut d'abord le connaître
et le fit inviter à dîner. Baillet s'y rend; mais, s'apercevant
qu'il est entouré de pédants qui veulent faire les savants
avec lui, il ne répond que par monosyllabes aux diverses
questions qu'on lui fait. On lui demande en latin comment
il trouve le vin; il était mauvais, il répond : *Bonus.* Aussitôt
de rire et d'en conclure, comme on l'avait déjà pressenti,
que le candidat n'est qu'un sot. Au dessert on sert du vin
d'une meilleure qualité et, pour se donner de nouveau

le plaisir de rire, on renouvelle la question de la qualité
du vin. Baillet répond : *Bonum.* – Oh! oh! ah! ah! eh!
Vous voilà redevenu bon latiniste. – Oui, répond Baillet :
à bon vin, bon latin.
On a dit du vin de Brétigny, près de Paris, qu'il faisait
danser les chèvres, et cette manière de parler proverbialement est encore en usage dans le pays pour désigner
la mauvaise qualité du vin. Voici l'origine que l'on donne
à cette locution. Il y avait, dit-on, à Brétigny un habitant
nommé Chèvre. C'était le coq et en même temps le plus riche
propriétaire de son village et une grande partie du vignoble
lui appartenait. Cet homme aimait à boire et, dans la gaieté
que l'ivresse lui inspirait, il avait la folie de faire danser
presque à toute heure sa femme et ses enfants. C'était
ainsi que le vin de Brétigny faisait danser les chèvres.
Le premier président de Bellièvre était un homme de très-
grand mérite et de fort bonne compagnie. Il aimait surtout
la bonne chère et se piquait d'avoir le meilleur vin de tout
Paris.
Sortant un jour de la grand'chambre, il trouve le comte
de Fiesque avec MM. de Manicamp et de Jousac qui
l'abordèrent avec un placet à la main, dont la teneur
était :
« Nous supplions très-humblement Monseigneur le premier
président de vouloir bien ordonner à son maître d'hôtel
de nous donner six bouteilles de son excellent vin de
Bourgogne, que nous comptons boire ce soir, à tel endroit,
à la santé de Sa Grandeur. »
M. de Bellièvre alors, avec son air de grave magistrat,
prend son crayon et met au bas du placet :
« Bon pour douze bouteilles, attendu que je m'y trouve-
rai. »
Nous allons donner maintenant une preuve comme quoi
le bon vin peut conduire directement au ciel.
Un amateur de bon vin faisait ce joyeux raisonnement à
son confesseur qui le gourmandait sur son penchant à
l'ivrognerie en lui annonçant qu'il ne ferait jamais son
salut, s'il ne s'en corrigeait : « Mon père, le bon vin fait
du bon sang, le bon sang donne la bonne humeur, la bonne
humeur fait naître les bonnes pensées, les bonnes pensées
produisent les bonnes œuvres et les bonnes œuvres conduisent l'homme dans le ciel; donc le bon vin doit me conduire
au ciel.
– Ainsi soit-il », dit le pasteur abasourdi.

Cave-Décantage.

J'eus l'occasion de visiter un jour les caves du *Café Anglais*, aménagées, soignées et entretenues par un véritable connaisseur, M. Delhomme. C'est à six ou sept heures du soir qu'il faut descendre dans ces galeries souterraines, qui feraient songer aux merveilles des *Mille et Une Nuits*, si la foi mahométane n'avait pas proscrit l'usage du vin. C'est un type excellent de grande cave. Une visite d'une heure dans cet établissement serait fort instructive pour toutes les personnes désireuses de bien boire. On n'y pourrait apprendre en si peu de temps l'âge précis auquel on doit boire le vin et le temps qu'il met à se bonifier ou à s'affaiblir dans la bouteille. Ce temps n'est pas le même, on le sait, pour tous les crus; il dépend aussi beaucoup des années où le vin a été récolté. Le vin des bonnes années se conserve plus longtemps en bouteilles que le vin des mauvaises. La connaissance de ces importantes particularités ne saurait être acquise en peu de temps,

et il faut s'en rapporter sur ce point à des personnes d'expérience et de confiance. Ce qu'on apprendra en un instant dans les caves du *Café Anglais*, c'est l'importante opération du *décantage*.

Le décantage consiste à verser, en inclinant doucement la bouteille, une liqueur qui a fait un dépôt. C'est de cette opération que dépend la clarté du vin vieux.

La liqueur bien décantée présente à travers la carafe cette belle couleur limpide qui entre pour quelque chose dans le plaisir qu'on a à boire du bon vin.

La perte qui résulte de ce transvasement peut être évaluée à deux ou trois verres à liqueur par bouteille. En remontant l'escalier en spirale des caves du *Café Anglais*, on rencontrera à l'heure du « coup de feu » l'excellent Dugléré, praticien distingué que j'ai plus d'une fois consulté comme un oracle gastronomique et à qui je dois les menus placés sous son nom à la fin de ce *Dictionnaire*.

Pour plus amples détails sur les conditions d'une bonne cave, voir l'article *Cave*.

Vin

Ordre de service des vins de table.

Sur ce point nous ferons encore un emprunt au petit livre de M. Maurial :

Selon les usages, la succession des vins dans leur ordre de service varie d'après leurs caractères généraux ou leur renommée particulière, ou encore le goût et la couleur qui leur sont propres; mais la règle la plus hygiénique, qui est celle de Brillat-Savarin, c'est de les consommer dans l'ordre des plus tempérés aux plus généreux et aux plus parfumés.

Les coutumes des grandes maisons, dont on consulte à cet égard plus volontiers les usages, consistent à offrir après le potage du xérès ou du madère sec; ces vins, très-toniques, aident à l'assimilation de ce premier et aqueux aliment.

Avec les huîtres, les hors-d'œuvre, on offre du vin blanc de Bourgogne ou de Bordeaux, ou les deux simultanément, et dans les meilleurs vins fins possibles. Au premier service le Bordeaux d'abord, et le Bourgogne rouge ensuite; ils devront être pris parmi les plus inférieurs qu'on se propose d'offrir. Entre le premier et le second service, on offre un verre de madère, de vieux cognac ou de rhum, ou bien encore du wermuth de première qualité, suivant le désir ou le goût des convives; c'est là ce qu'on appelle le *coup du milieu*. Au second service, on offre alternativement du bordeaux, du bourgogne ou de l'ermitage, mais de qualité dite des *grands ordinaires*. Aux entremets, il faut offrir les vins fins dans l'ordre hygiénique ci-dessus, de toute provenance, mais rouges. Au commencement du dessert on doit présenter les vins à grande réputation des grands crus, de divers pays et de diverses couleurs, en commençant par les rouges. Le vin de Champagne, Sillery frappé, se sert le dernier des vins qu'on boit en mangeant. A défaut de glace et même de Sillery, on remplace par le meilleur champagne mousseux dont on dispose. Pour terminer le repas, et lorsque les convives s'attaquent aux pâtisseries sèches, on offre du vin de liqueur; mais il serait plus prudent de n'en pas boire, car, en cet état, cette nature de vin trouble la digestion sans aucune compensation, à moins cependant qu'on puisse offrir du Tokay, Constance, Schiraz, Chypre et leurs pareils,

Dans les repas où on n'offre pas ces vins riches de réputation, l'ordre se suit en offrant un verre de xérès, marsala ou madère ordinaires après le potage; le vin blanc avec le poisson ou les hors-d'œuvre, le vin de Bordeaux et à la suite le vin de Bourgogne ordinaires rouges pour le premier service, entre les deux services, le coup du milieu; au second service, du meilleur vin rouge; à l'entremets, le vin fin, et au dessert le Champagne.

Pour servir ces liquides avec une certaine pompe, huit verres sont nécessaires : 1º le verre ordinaire à pied pour mouiller le vin; 2º le verre à bordeaux ou à Bourgogne; 3º le verre à madère, un peu plus petit que ce dernier; 4º le verre vert pour le vin du Rhin; 5º la coupe en cristal brillant pour faire ressortir la belle couleur d'or du johannisberg; 6º le verre allongé pour le Champagne mousseux; 7º la coupe pour le champagne frappé; 8º et enfin le verre à liqueur.

Les verres à servir avec le couvert sont au nombre de trois : le grand verre à boire, le verre à madère et le verre à bordeaux ou bourgogne; au second service. on les enlève pour les remplacer par ceux qui sont destinés à contenir les vins désignés pour ce service.

VINAIGRE

Vin qui a subi la fermentation acétique. Le vinaigre est susceptible de plusieurs falsifications, qui ont toutes pour objet d'augmenter sa force : on y ajoute dans ce but, ou de l'acide acétique concentré, qu'on obtient par la carbonisation du bois en vases clos, ou de l'acide sulfurique. Ces falsifications sont assez difficiles à reconnaître; le meilleur moyen de s'y soustraire, c'est de faire soi-même son vinaigre. Le procédé suivant est très-simple et très-économique.

Prenez un baril de vingt-cinq à trente litres bien cerclé en fer; il n'est pas nécessaire qu'il ait un trou de bonde en dessus; s'il en a un, fermez-le hermétiquement; faites ouvrir sur un des fonds, à un pouce environ du jable, un trou de dix-huit lignes de diamètre; lorsque le tonneau est en place, ce trou doit se trouver en haut; faites placer sur le même fond, à quatre pouces du jable inférieur. un petit robinet en étain; placez le baril à demeure dans un endroit habituellement chauffé, au moins dans les temps froids; assujettissez-le de manière qu'on ne puisse facilement l'ébranler.

Ces dispositions étant prises, faites bouillir quatre litres de bon vinaigre avec une demi-livre de tartre; versez-le tout bouillant dans le baril, servez-vous pour cela d'un entonnoir dont la douille soit recourbée un peu moins qu'à l'angle droit : bouchez le trou et rouler le baril en tout sens, pour que son bois s'imprègne partout de vinaigre; vous ne l'assujettirez qu'après cette opération; versez immédiatement dans le tonneau quatre litres de vin. On emploie pour cela les braisières des tonneaux; à cet effet on les tire avec la lie et on les filtre au papier gris. Cette filtration est fort simple : on attache, par les quatre coins, entre deux tréteaux, deux chaises, ou, de toute autre manière, un linge blanc; on le couvre d'une feuille de papier à filtrer et on verse le vin sur le papier : il passe clair et on le reçoit dans une terrine, pour le mettre ensuite dans des bouteilles de verre ou de grès, qu'on tient couchées jusqu'au moment du besoin.

Le premier vin qu'on ajoute au vinaigre est très-longtemps à s'acidifier complètement; mais ensuite l'opération s'accélère de plus en plus, jusqu'à ce qu'enfin huit jours suffisent pour convertir de un litre à un litre et demi de vin en vinaigre.

On accélère la première acidification en jetant dans le tonneau environ un quarteron de rognures de vignes hachées grossièrement, ou pareille quantité de fleurs de sureau ou de pétales de roses.

Quand la première acidification est opérée on ajoute tous les huit jours un litre ou un litre et demi de vin, et on continue ainsi jusqu'à ce que le baril soit à peu près à moitié plein; alors, chaque fois qu'on doit ajouter du vin, on tire auparavant une quantité égale de vinaigre. Le trou latéral doit toujours rester ouvert; mais pour empêcher que la poussière ou des insectes ne s'y introduisent, on place, au devant, une plaque d'étain percée de petits trous, laquelle étant attachée avec un seul clou, peut être détournée à droite ou à gauche, lorsqu'il est nécessaire que l'ouverture soit libre.

Le baril peut fonctionner pendant plusieurs années.

Si on veut du vinaigre très-fort, on ajoute de l'eau-de-vie au vin, dans la proportion d'un huitième : il n'y a en effet que l'eau-de-vie contenue dans le vin qui se convertit en vinaigre; si le vin n'en contient pas assez, on remédie à ce défaut en en ajoutant.

Les vins qu'on appelle piqués, c'est-à-dire qui commencent à tourner à l'aigre, se convertissent facilement en vinaigre, et en donnent de bon : on n'en obtient que de mauvais avec les vins qui tournent à l'amer.

VINAIGRE ROSAT, suivant l'ancienne et bonne méthode indiquée par madame Fouquet. Prenez un quarteron de feuilles de roses d'églantier ou de roses communes, et autant de mûres sauvages qui ne seront pas à leur parfaite maturité; ajoutez une once d'épines-vinettes bien mûres; faites sécher le tout à l'ombre; quand cela sera bien sec, vous le pilerez et réduirez en poudre très-fine; vous mettrez ensuite une demi-once de cette poudre dans un demi-setier de bon vin rouge ou blanc; vous délayerez ce mélange et le laisserez ensuite reposer, vous le passerez au travers d'un linge, et vous aurez du vinaigre rosat.

Un ancien auteur a dit qu'on obtenait le même résultat avec de la moelle de lièvre; il indique son procédé de cette manière : un gros de moelle de lièvre que vous mettez dans une chopine de vin.

VINAIGRE A L'ESTRAGON. Mettez dans une cruche 3 litres de bon vinaigre blanc d'Orléans et 750 grammes de feuilles d'estragon, que vous aurez laissées se flétrir à l'ombre, ayant bien soin de les étendre afin qu'elles ne s'échauffent pas; quand l'estragon sera fané, mettez-le dans la cruche avec le vinaigre, en y ajoutant un petit nouet de clous de girofle et les zestes de deux citrons; puis vous boucherez bien le vase, que vous exposerez à l'ardeur du soleil pendant quinze jours, ou bien vous le mettrez deux ou trois fois dans le four, après que le pain en aura été retiré. Vous pourrez après cela vous en servir. Il est inutile d'y mettre du sel, ainsi qu'on a coutume de le faire. Vous décanterez votre vinaigre, c'est-à-dire que vous le tirerez à clair; vous exprimerez les feuilles d'estragon, et vous passerez le vinaigre au papier gris ou à la chausse de futaine, comme il est indiqué pour le verjus *(V. Verjus);* ou bien prenez un grand tamis de crin sur lequel vous mettrez un rond de papier gris, formé de deux feuilles étendues l'une sur l'autre, de manière

à couvrir tout le fond du tamis et à dépasser ses rebords de deux à trois pouces; vous verserez le vinaigre dessus et quand vous l'aurez obtenu bien clair; versez-le dans des bouteilles que vous boucherez soigneusement.

VINAIGRE A LA RAVIGOTE. Prenez feuilles d'estragon flétries à l'ombre, feuilles de pimprenelle, civette et échalotes épluchées, de chaque deux onces; de fleurs fraîches de sureau, une once et demie; les zestes de deux citrons, le zeste d'une bergamote ou d'un cédrat, et finalement une douzaine de clous de girofle concassés. Mettez le tout dans une cruche de grès ou de terre qui ne soit pas vernie, avec six pintes de bon vinaigre blanc d'Orléans, le plus fort possible. Faites macérer cet appareil et laissez infuser le tout ensemble environ dix-huit ou vingt jours, au bout duquel temps vous achèverez ce vinaigre aromatique ainsi qu'il est indiqué ci-dessus pour le vinaigre à l'estragon.

VINAIGRE DU CONNÉTABLE. Dans un pot de terre verni, de la capacité de trois pintes, mettez deux pintes d'excellent vinaigre rosat, une livre de raisin d'Alexandrie nouveau que vous épépinerez avant de le mettre dans le vinaigre; vous exposerez ce mélange sur de la cendre chaude, l'espace de dix heures; après ce temps, vous lui ferez jeter quelques bouillons; quand il sera à moitié refroidi, vous le passerez au travers d'un linge; versez-le ensuite dans des bouteilles propres que vous boucherez bien.

VINAIGRE A LA ROSE POUR LA TOILETTE. Le procédé est le même que pour celui à l'estragon, flétri à l'ombre; seulement, au lieu d'estragon vous mettrez la même quantité de fleurs de roses épluchées et séchées. En place d'un nouet de girofle vous mettrez un chapelet de racines d'iris de Florence bien sèches; quand votre vinaigre sera fait, vous pourrez faire resservir plusieurs fois le chapelet en le faisant sécher après que vous vous en serez servi.

VINAIGRE DE LAVANDE POUR LA TOILETTE. Procurez-vous un pot comme on vient de l'indiquer, et selon la quantité que vous voudrez avoir de vinaigre. Vous mettrez deux onces de fleurs de lavande nouvelle, et quelques zestes de citron par pinte de vinaigre; vous laisserez infuser le tout pendant vingt-quatre heures. Exposez votre vase bien luté sur de la cendre chaude; laissez-le pendant huit ou dix heures, mais sans le faire bouillir; passez ensuite à la chausse ou au filtre de papier gris, et conservez ce vinaigre dans des bouteilles hermétiquement bouchées.

Vio

VIOLETTE

Fleur dont le nom éveille le plus d'idées printanières; qui dit violette, dit ombre, dit fraîcheur, dit modestie, dit ruisseau courant dans les herbes. Il n'y a pas de poëte, fût-il érotique comme Parny, fût-il romantique comme Hugo, qui n'ait trouvé le nom de violette au bout de sa rime; c'est un nom doux et parfumé. Le bleuet, ce charmant saphir des blés, ne vient qu'après la violette dans la série poétique des fleurs champêtres. Vivante, elle est destinée à orner le corsage des jeunes filles; morte, elle prête son arôme aux sucreries, aux liqueurs, aux sorbets, aux conserves, et aux autres compositions de l'office.
Les glaces aux violettes sont une des chatteries les plus estimées des friands.

GLACE AUX VIOLETTES. Épluchez des fleurs de violettes que vous pilerez au mortier de verre avec du sucre, en y joignant un peu d'iris de Florence en poussière impalpable, travaillez cet appareil à la sabotière, servez en tasses, en plaçant quelques violettes pralinées sur votre sorbet.

MARMELADE DE VIOLETTES. Faites cuire du sucre à la grande plume; étant à moitié chaud, délayez-y de la violette pilée et passée au tamis : il faut une livre et demie de sucre pour une demi-livre de violettes.

SIROP DE VIOLETTES. Quel est le vieillard, quel que soit son âge, et si près de la tombe qu'il soit arrivé, qui ne voit à l'autre extrémité de l'horizon sa mère s'approchant de son berceau, une tasse fumante à la main, et approchant de sa bouche la liqueur parfumée? Cette liqueur parfumée, c'était du sirop de violettes.
Épluchez une demi-livre de fleurs de violettes (celles des bois sont les meilleures), mettez-la dans une terrine ou autre vase susceptible d'être bouché; vous ferez bouillir trois demi-setiers d'eau, et ne mettrez l'eau sur vos violettes que dix minutes après que vous l'aurez retirée du feu, parce que votre infusion, qui doit être d'un beau violet, serait verte si l'eau était versée dessus trop bouillante; vous mettrez votre infusion à l'étuve, pour qu'elle se tienne chaude jusqu'au lendemain, que vous en retirerez la fleur en exprimant bien le tout dans une serviette pour en retirer la teinture; vous la mettrez dans une terrine avec trois livres de sucre en poudre que vous y ferez fondre; vous remettrez encore la terrine à l'étuve pendant vingt-quatre heures, en remuant de temps en temps; tenez l'étuve chaude pendant tout ce temps, comme pour le candi, cela vous produira deux bouteilles de sirop; vous aurez attention, avant de le mettre en bouteilles, d'en opérer la cuisson, qui doit être au fort lissé pour qu'il se conserve et qu'il ne fermente point : de tous les sirops, c'est le seul qui se fait sans aller au feu.

VIRGOULEUSE

Poire d'automne à laquelle toute cuisson réussit mal, et qui par conséquent doit être mangée crue, étant excellente ainsi.

VIVE

La vive est la terreur des pêcheurs de la Manche. Ce poisson est armé sur le dos, ainsi qu'aux ouïes, de plusieurs arêtes infiniment aiguës, dont on ne saurait assez se garantir en la tirant du filet, ou en la préparant. S'il arrive qu'on en soit piqué, il faudrait commencer par faire saigner la plaie, et finir par la frotter avec un espèce d'onguent composé d'un oignon qu'on pèlerait avec le foie de la vive, et où l'on ajouterait du sel et de l'esprit-de-vin : c'est le spécifique employé dans toutes les familles riveraines de la côte de Cherbourg et de Barfleur.

VIVES A LA MAITRE D'HOTEL. Tranchez les formidables arêtes du dos hirsuté des vives, videz-les, lavez-les, ciselez-les légèrement des deux côtés, faites-les mariner dans l'huile avec du persil et du sel, placez-les ensuite sur le gril, et après leur cuisson dressez-les sur le plat, masquez-les d'une sauce à la maître d'hôtel ou d'une sauce sur laquelle vous aurez fait pleuvoir une grêle de câpres, comme dit Hugo.

VIVES A LA NORMANDE. Préparez des vives ainsi qu'il est dit à l'article ci-dessus, coupez-leur la tête et la queue, piquez-les avec des filets d'anguilles et d'anchois, faites-les cuire ensuite dans une casserole avec du beurre et du persil, des carottes, des oignons, un clou de girofle, laurier et basilic; mouillez avec du vin blanc après cuisson, passez la sauce au tamis dans une casserole, à cette sauce ainsi tamisée joignez du beurre manié de farine, faites cuire et liez le tout ensemble, dressez les vives sur le plat et masquez-les avec cette sauce, sur laquelle vous exprimerez un jus de citron.

VIVES A LA BORDELAISE. Préparez comme ci-dessus, faites cuire dans une casserole avec vin blanc, oignons, carottes, persil, laurier, sel, après cuisson dressez, masquez d'une italienne et servez.

VOLAILLE

Il est bon de recommander aux gens de basse-cour, et à la cuisinière, de ne jamais tuer la volaille pendant que son estomac est rempli (celui de la volaille); on aura soin aussi de ne jamais la renfermer lorsqu'elle est morte (la volaille toujours), avant qu'elle ne soit devenue rigidement froide.
Pour engraisser les chapons, les poulardes, etc., on les enferme dans un poulailler bien clos qui abonde en orge et en froment, et où l'on a soin de leur donner de l'eau

et du son bouilli de temps en temps. En Normandie et dans le Maine, pays réputés pour fournir à Paris les plus fines poulardes et les meilleurs chapons, on les met dans des cuves couvertes d'un drap où on les nourrit avec de la pâte de millet, d'orge ou d'avoine; on trempe ces morceaux de pâte dans du lait pour leur faire une chair délicate et blanche; dans les commencements on ne leur en donne pas abondamment, afin de les accoutumer à cette nourriture, et de jour en jour on augmente en les obligeant à en avaler autant qu'ils peuvent en contenir; trois fois par jour on les empâte : le matin, à midi et le soir; on engraisse les canards et les dindons de la même manière avec les aliments qui leur conviennent le mieux, et qui sont ordinairement de la farine de maïs et des pommes de terre que l'on a fait bouillir avec de la farine d'avoine et du babeurre.

VOL-AU-VENT

Pâté chaud dont l'abaisse et les parois doivent être feuilletées; le contenu en ris de veau, en foie de poulet, en blanc de volaille, en champignons (voir *Petits Pâtés*).

VUILLEMOT
(Denis-Joseph)

Cuisinier français, né à Crépy, en Valois (Oise), vers 1811, d'origine anglaise; son aïeul paternel était membre du Parlement, son grand-père maternel était maître d'hôtel chez Mlle de Lescure, cousine de Louis XVI en son château de Bressuire, en Poitou.

Ses parents voulurent faire de lui un homme de loi, mais ses instincts naturels le portèrent vers l'art qu'avait exercé son grand-père et qu'exerçait alors son père, lequel tenait dignement l'hôtel de la Bannière, à Crépy.

Cédant à son invincible penchant, dès l'âge de quinze ans, il vint à Paris et entra chez M. Véry, du Palais-Royal, ami de son père, où il resta deux ans, après lesquels il entra dans la maison du roi sous les auspices de MM. Pierre Hugues et Desmonay, de la maison royale, vieux amis de la famille Vuillemot.

Plus tard, Vuillemot, brûlant, du feu sacré, rencontra l'illustre Carême, devint son élève et son ami et acheva par lui son éducation culinaire.

En 1837, Vuillemot prit l'établissement de son père à Crépy; en 1842, il acquit l'hôtel de la Cloche, à Compiègne, et s'associa à M. Morlière, et ils restèrent quinze ans ensemble dans un parfait accord.

En l'année 1842, il fit les grands dîners commandés par le duc de Nemours, après la mort de son frère, au retour du camp de Châlons. A cette époque, j'eus l'occasion de retrouver Vuillemot. Je l'avais connu à Crépy, chez son père. A mon retour d'un voyage de Lille avec Dujarrier et quelques amis, je le revis à l'hôtel de la Cloche, et voici comment :

Harassé de fatigue et mourant de faim, j'interpellai vivement en ces termes : « Holà! n'y a-t-il pas à nous servir des roues de cabriolet à l'oseille, et des manches de couperet à la Sainte-Menehould? » Vuillemot, qui n'était pas en retard de réplique et qui, par son guichet, venait de me reconnaître, dit : « Monsieur, il ne nous reste plus que des côtelettes de tigre et du serpent à la tartare. » Sur ce, je reconnus mon Vuillemot, celui-là même dont les saillies m'amusaient dans la maison de son père; je lui tendis la main, et l'intimité ainsi scellée à nouveau ne l'empêcha pas de faire acte de cuisinier accompli.

A partir de ce moment amical et gastronomique, mes relations avec Vuillemot se sont continuées, et je me souviens avoir été témoin au mariage de sa fille aînée, fêtes nuptiales qui furent pour moi les fêtes de Comus, suivies de si parfaits loisirs, à Compiègne, que, au milieu de ces hôtes qui fêtaient ma bienvenue, je terminai mon *Monte-Cristo*.

Ce roman fut achevé à Pompadour, propriété de l'État, que hante encore l'ombre de l'illustre marquise, et que venaient de louer Vuillemot et Morlière.

C'est en 1854 qu'eut lieu le glorieux épisode des langues de lapin. Je laisse Vuillemot le conter lui-même d'après la lettre qu'il m'écrivit à ce sujet :

« Cher et illustre maître,

« Vous voulez des renseignements précis sur le nouveau mets dont vous entendez parler et dont l'étrangeté pique votre curiosité. C'est une recette et une anecdote. Je vous envoie l'une et l'autre. D'abord la recette :

« RECETTE POUR LANGUES DE LAPINS DE GARENNE. Prenez soixante langues de lapins pour six personnes. Vous me direz : Où prendre soixante lapins et pour en tirer les langues? Le fait ci-dessous vous prouvera, cher maître, que l'on peut se les procurer. Je dis donc, prenez soixante langues de lapin, blanchissez-les, rafraichissez-les enlevez la peau de dessus; faites une bonne mirepoix, ajoutez-y vos langues; mouillez avec une cuiller à pot de bon consommé, un verre de madère, un demi-verre de vin blanc. Couvrez le tout d'un papier beurré et braisez-les; ajoutez à la cuisson quatre belles truffes; une demi-heure après, dès qu'elles sont cuites, passez le fond, ajoutez un peu de bonne espagnole, réduisez votre sauce à demi-glace, passez-la à l'étamine; ajoutez à votre sauce vos langues parées; coupez les truffes en forme de langues, des champignons, des quenelles de volaille, même forme; un jus de citron. Mettez au bain-marie, faites une caisse en papier, huilez-la, faites-la sécher, et dressez votre ragoût dedans. »

« Voici maintenant en quelles circonstances cette recette reçut une éclatante exécution :

« En 1854, à l'hôtel de la Cloche que je tenais à cette époque, j'étais adjudicataire des lapins de la forêt de Compiègne, et tous les jours on détruisait une partie des lapins, que j'envoyais à la Vallée.

« Le prince Edgard Ney, M. le Marquis de Toulongeon, le général Fleury, M. le baron Lambert, se trouvaient à mon hôtel. Il me prit l'idée de leur faire une surprise pour leur dîner, pensant bien que les acheteurs de lapins ne regarderaient pas dans le bec du lapin s'il possédait une langue ou non. Je coupai quatre cents langues sur huit cents que j'avais, et je me livrai à la préparation culinaire ci-dessus formulée, en ayant soin de faire une caisse fermée comme surprise.

« J'avais proposé à ces messieurs que si l'un d'eux trouvait le moyen d'ouvrir la caisse sans déchirer le papier et devinait ce qui composait le mets, il gagnerait un pâté de faisan truffé. M. le marquis de Toulongeon devina le contenu et ouvrit la caisse.

« Le pâté promis lui fut envoyé en son hôtel.

« Veuillez agréer, cher et illustre maître, etc., etc.

« VUILLEMOT. »

Vers 1863, à mon retour de Tiflis, je reçus la visite de Vuillemot, qui m'informa qu'une ovation m'était faite par mes amis, mon fils en tête, sous forme d'un banquet, où devaient se trouver Méry, Grisier, Roger de Beauvoir, Léon Bertrand, Noël Parfait et autres amis du bon temps. Le banquet eut lieu en effet au *restaurant de France*, place de la Madeleine, que venait de prendre Vuillemot. Le repas fut tel, que, pour témoigner ma gratitude j'offris à mon hôte un couteau acheté par moi à Tiflis, qui portait gravé sur la lame : *Alexandre Dumas à son ami Vuillemot*. Une particularité exquise du menu était qu'il contenait, sous forme culinaire, depuis le potage jusqu'au dessert, la liste de mes principales créations.

Voici, autant que je me rappelle, le menu de ce dîner littéraire :

MENU DU DINER OFFERT A ALEXANDRE DUMAS A SON RETOUR DE RUSSIE. — SEPTEMBRE 1869.

Hors-d'œuvre divers.

Potages.

A la Buckingham.
Aux Mohicans.

Relevés.

Truite à la Henri III.
Homard à la Porthos.
Filet de bœuf à la Monte-Cristo.
Bouchées à la reine Margot.

Rôts.

Faisans, perdreaux, cailles, bécasses.

Entremets.

Aux Mousquetaires.
Petits pois aux Frères corses.

Écrevisses à la d'Artagnan.
Bombe à la dame de Montsoreau.
Crème à la reine Christine.
Salade à la Dumas.
Vase d'Aramis.
Gâteau à la Gorenflot.
Corbeille de fruit de Mlle de Belle-Isle.
Dessert assorti.

Vins.

Xérès Amontillado, Pakaret, Château-Laffitte, Clos-Vougeot, Jurançon, premier service.
Champagne, Pommery et Greno, et Moët frappé.
Chypre, Constance, Setaval, au dessert.

Quelques années après, Vuillemot essaya de se retirer des affaires; c'était donner un démenti à son génie de cuisinier; aussi je ne fus point surpris de recevoir une lettre qui m'invitait à une crémaillère pendue par Vuillemot à Saint-Cloud.

Il avait voulu se retirer comme un simple rentier dans ce charmant petit pays; mais, l'*Hôtel de la Tête noire* s'étant trouvé à vendre, il en avait fait l'acquisition. Le cuisinier nous était rendu et le dîner qu'il nous donna était de nature à nous prouver que la main de Vuillemot n'avait pas faibli non plus que ses dons naturels et son intelligence culinaire.

Dans ce dîner se retrouvaient, comme on pouvait s'y attendre, les notabilités littéraires, qui avaient toujours fait groupe autour de lui.

Cela n'a rien de surprenant : pour se bien connaître en l'art de la cuisine, il n'est tels que les hommes de lettres; habitués à toutes les délicatesses, ils savent apprécier mieux que personne celles de la table : témoin les Brillat-Savarin, les Grimod de la Reynière, les Monselet, etc.

Avant de terminer, c'est une dette pour moi de remercier l'excellent Vuillemot pour les indications précieuses qu'il m'a données comme collaborateur à ce *Grand Dictionnaire de la Cuisine*, tant en recettes originales, dont il a lui-même conçu la formule, qu'en conseils de parfait praticien.

Les enseignements que j'ai puisés auprès de lui, conformes à mes propres goûts, m'ont toujours paru procéder de ces grands principes qui font de la cuisine française une cuisine supérieure, comme nous l'avons prouvé, je crois, à celles de toutes les autres nations civilisées.

N'oublions pas de dire que, si la France possède des vins excellents et délicats, Vuillemot m'a prouvé plus d'une fois qu'il était aussi bon dégustateur que bon cuisinier.

WATTER-FISH

Sorte de court-bouillon hollandais.

WELCH-RABBIT
(lapin gallois)

Espèce de rôties à l'anglaise. Faites avec de la mie de pain des tartines que vous ferez griller de belle couleur; ayez du fromage anglais de Glocester ou d'une espèce analogue; coupez-en de petits morceaux que vous ferez fondre avec un peu d'eau dans une timbale; ajoutez-y du poivre de Cayenne; étendez sur ces rôties le fromage fondu; glacez-les avec une pelle rouge (mais en la tenant à distance), et mettez délicatement sur chacune de ces rôties un peu de beurre frais avec un scrupule de moutarde anglaise.

WERMUTH

Vin de Tokay, de Saint-Georges, de Ratterstoff, ou autres vins de Hongrie qu'on mélange avec de l'extrait d'absinthe et dont on use au commencement du repas.

WHITE-BAIT

Le *white-bait*, poisson blanc, est à coup sûr un des mets les plus populaires de Londres. Je me rappelle avoir été invité, sans autre motif qu'une invitation ordinaire, par un de mes amis qui arrivait de l'Indre, à venir manger des white-bait à Grennisch.

Je trouvai l'invitation si originale que je m'y rendis immédiatement.

Le white-bait est un tout petit poisson qu'on appelle *yanchette* en Italie, *pontin* à Nice et tout simplement *poisson blanc* à Bordeaux.

Le white-bait était la couronne d'un dîner à trois services tout de poisson. Je fus curieux de voir comment on préparait ce mets qu'on venait manger de deux ou trois cents lieues.

On lavait des poignées de poisson dans de l'eau glacée, on les étalait sur un linge, on les égouttait et on tenait ce linge sur la glace pendant vingt minutes. Au moment de servir on roulait les poissons dans de la mie de pain, on les mettait dans une serviette avec une poignée de farine, on prenait la serviette par les deux bouts en la serrant et secouant vivement pour faire passer d'une seule avalanche dans une passoire en fil de fer, assez étroite pour ne laisser passer que la farine; on agitait cette passoire et on la plongeait avec le poisson dans une friture très-chaude, une minute de cuisson suffisait. Quand le poisson était de belle couleur on l'enlevait avec la passoire, on le saupoudrait de sel et d'un peu de poivre de Cayenne, puis on le dressait en buisson sur une serviette pliée et on l'envoyait aussitôt.

Je regrette de ne point avoir gardé la carte de ce dîner composé de quarante-huit plats, douze de poissons, et assaisonnés chacun d'une façon particulière.

XÉRÈS

Vin liquoreux qu'on récolte en Espagne et dont nous avons suffisamment parlé dans notre article sur les vins étrangers.

ZANDER

Le zander est un poisson commun dans tout le nord de l'Europe. Il y en a deux espèces : les uns vivent uniquement dans les lacs et les grands fleuves, les autres dans la mer, mais non loin de l'embouchure des fleuves. Il est connu sous différents noms : en Russie on l'appelle *soudac*, dans l'Allemagne du Sud on l'appelle *schills*. En Prusse les zanders sont très-abondants et généralement de qualité parfaite, ceux surtout qui sont pêchés dans les grands fleuves.

La chair du zander a quelque analogie avec celle du millan de la Méditerranée.

Zes

ZESTE

On nomme ainsi l'épiderme jaune de l'écorce des citrons, des oranges et des cédrats : on la lève en tranches minces; l'huile essentielle à laquelle les fruits de ce genre doivent leur arôme réside spécialement dans le zeste; le blanc qui est en-dessous en est complètement dépourvu; d'ailleurs, il est d'une amertume assez désagréable, et c'est pourquoi on recommande toujours de l'en séparer avec soin.

ZUCHETTI

Ragoût italien où les oranges et les courges entrent comme principal élément.

Le lever d'un gourmand

Notes de Jean Arnaboldi

ABATTIS

Vous présentez délicieusement, cher Maître, les abattis comme un plat populaire. Lorsqu'on en lit maintenant votre recette, on se prend à regretter le bon temps où l'on pouvait utiliser pour la réaliser « une douzaine d'ailerons de jeunes dindes, plus les cous, les pattes et les gésiers ». Mais, à propos, que faisait-on des dindes ainsi dévalisées? Les abattis ne font plus beaucoup partie de la cuisine populaire, on préfère la volaille, du moins sous cette forme riche. Quant au mot lui-même il est maintenant réservé aux volailles, le terme « abats » concernant les victimes quadrupèdes de notre gourmandise.

ABRICOTS

La poupelure de sagou qui sert de support à certaines préparations peut être remplacée par le tapioca, très cuit, ou la semoule, si l'on désire serrer de plus près la recette de l'époque.

ABSINTHE

Lorsque vous parlez de « dispensaires », cher Maître, il s'agit de livres à tendance médicale où sont définies les propriétés de presque tout ce qui sert à notre alimentation. Nous n'avons plus droit à l'absinthe que vous avez connue mais vos regrets nous surprennent un peu lorsque vous écrivez : « Il est impossible de ne pas déplorer les ravages que l'absinthe a faits, depuis quarante ans, parmi nos soldats et parmi nos

poètes », – ce qui nous semble curieusement limitatif. D'autres en voulaient à l'eau qui écrivaient : « L'eau, ce liquide si impur dont une seule goutte suffit pour troubler l'absinthe! » Quoi qu'il en soit, je vois percer là votre aversion contre les excès de boisson. Car, si votre mansuétude est acquise aux gourmands, il est à noter qu'à diverses reprises, dans votre ouvrage, la boisson ne vous inspire pas la même clémence.

ACALOT

Si ce vilain oiseau triste n'est pas mangeable, sauf par les Mexicains, je crains que sa mention ne tienne qu'à votre goût de l'exotisme!

ACCIOCA

Votre définition est un chef-d'œuvre d'humour. (Exotique toujours.)

ACHANACA

Décidément, vous étiez en verve et possédé par l'attirance des pays lointains! Voilà maintenant que vous écrivez d'une plante encore inconnue de nous, mais que l'on trouve sur tous les marchés... au Pérou!

AIL

Je suis fort surpris, vous aimez la cuisine provençale, vous la vantez, et voilà que vous donnez sommairement la recette d'une « espèce de mayonnaise » contenant de l'ail écrasé, servie avec le poisson, sans nommer l'immortel aïlloli. Je ne puis penser que vous fassiez la petite bouche à ce sujet! Qu'en dirait Monte-Cristo?

ALCOOL

Vous avez raison de souligner l'erreur qui consiste à confondre les termes alcool et eau-de-vie. Le premier ne doit être employé qu'en chimie et,

en vérité, les gastronomes ne connaissent que le second.

En revanche, la distinction que vous faites entre l'eau-de-vie et l'esprit-de-vin, suivant le degré alcoolique, est maintenant parfaitement désuète. Je note — discrètement — que vous ne faites ici aucun commentaire d'amateur.

ALE

Milady n'aurait pas aimé que vous confondiez deux mots d'anglais : c'est « all » qui signifie « tout ». Ale ne concerne que la bière.

ALOYAU

Merci, cher Maître, de nous prouver, dans votre préambule, que le « barbecue » n'est pas une invention récente.

ANANAS

Je ne vous chicanerai pas sur les origines péruviennes que vous prêtez à ce fruit. Quant à la façon de le consommer, elle a, heureusement, beaucoup changé. Votre gourmandise se serait satisfaite de la saveur de l'ananas qui, de votre temps, ne devait jamais connaître une maturité suffisante.

ANIS

L'anis ne fait plus « le désespoir des étrangers qui ne peuvent fuir ni son goût, ni son odeur ». Quant à votre explication du mot *POMPER-NICK*, en réalité *PUMPERNICKEL*, elle satisfait plus le sens de l'humour que celui de la sémantique.

BALEINE

Peste, cher Maître, pour être le plus grand des mammifères, la baleine n'a pas besoin de mesurer soixante-cinq mètres de long! Le plus grand spécimen « homologué » se contentait de 108 pieds. Quoi qu'il en soit, dès le xIᵉ siècle, on trouvait de la viande, de l'huile et de la graisse de baleine sur les marchés citadins, et nos aïeux s'en sont nourris. D'ailleurs, la graisse est encore utilisée de nos jours à des fins alimentaires, mais nullement gastronomiques. Malheureusement, nous pourrons dire avec Paul Fort : « Du temps qu'on allait aux baleines… », car elles sont en voie de disparition.

BANANES

Elles étaient certes peu courantes à votre époque, mais connaissant votre goût pour les prouesses insolites, je n'hésiterai pas à vous dire, cher Maître, qu'un Londonien a établi en 1956, un record de consommation : quarante bananes en quarante minutes!

BEURRE

Chacun fait son beurre comme il l'entend, mais votre « beurre de cheval » ne me convainc guère! Révérence parler, bien sûr.

BIÈRE

Si la fabrication a quelque peu évolué, vous avez raison quant aux principes et plus encore lorsque vous évoquez l'art du tirage. Les amateurs ont acquis une grande délicatesse dans leurs choix et leurs goûts. Enfin, c'est un Français qui détient le record de consommation. Il a bu vingt-quatre pintes en cinquante-deux minutes.

BŒUF

Les princesses et princes allemands prisonniers du maréchal de Richelieu furent, il faut l'espérer, moins affamés que leur compatriote Johann Ketzler. En 1880, il mangea un bœuf entier, rôti, en quarante-deux jours.

BOUILLI

Votre mépris du bœuf bouilli me surprend. Vous emboîtez une fois de plus le pas à Brillat-Savarin, qui écrit une bien grande sottise en définissant les quatre catégories de consommateurs de bouilli : les routiniers, les impatients, les inattentifs et les dévorants. Vous prétendez aussi qu'il est fort méprisé des gastronomes (le bœuf), ce qui est faux, heureusement pour nous, et je sais de succulents pot-au-feu qui méritent mieux que les théories solennelles de « Monsieur le Professeur ». Lorsque vous en donnez la recette, en revanche, vous y mettez le poids : « Prenez une pièce de bœuf de 12 à 15 kilos. » De quoi nourrir une solide escouade.

PALAIS DE BŒUF

Vos recettes sont tombées en désuétude et cela, sans doute, parce que nous consommons proportionnellement beaucoup plus de veau qu'il y a cent ans. Mais, dites-moi, est-ce un plat plus recherché que le bouilli ?

BOUCHER — BOUCHERIE

Votre vision des bouchers, « hommes de sang », est celle d'un romancier. Si vous connaissiez les nôtres, vous seriez sans doute surpris de leur bonhommie et de leur courtoisie. Le souvenir de Caboche est bien lointain !

En ce qui concerne l'histoire, permettez-moi de rectifier une erreur de date : vous écrivez que Philippe-Auguste abandonna la boucherie du Parvis à l'évêque de Paris en 1122. Or, le vainqueur de Bouvines naquit en 1165. Au demeurant, il n'y eut jamais de boucherie sur le Parvis, mais au Grand Châtelet.

Enfin, les boucheries hippophagiques, contrairement à vos prévisions, se sont développées et monsieur de Saint-Hilaire, leur promoteur, marque ainsi un point sur le romancier.

BONITE

Avec votre permission, je dirai que vous confondez la bonite avec les dauphins ou les marsouins. D'autre part, elle n'abonde pas entre les Tropiques, et ses qualités gastronomiques ne méritent point une longue discussion.

BOULANGERS

Décidément, votre imagination vous emporte, cher Maître, lorsque vous dites des boulangers :

« Ces êtres étranges presque nus, qu'on aperçoit à travers les soupiraux des caves et dont les cris, pour ainsi dire sauvages, sortant de ces antres profonds, causent presque toujours une impression pénible. » Pour nous, l'image du boulanger et de son fournil est à la fois plus gaie et plus appétissante !

BRANDADE

Mais pourquoi, diantre, êtes-vous surpris de n'en avoir pas trouvé la recette dans « Le Cuisinier Gascon » puisqu'elle est nîmoise ?

BROCHE

La cuisine à la broche connaît de nos jours une vogue qui vous eût satisfait, à tel point même que les habitudes de la conversation ont retransformé vos hâtelets en brochettes.

BROCHET

Je crois que votre brochet de Kaiserslautern est l'équivalent allemand de la légendaire sardine marseillaise. Six mètres et 175 kilos, voilà ce qui s'appelle une belle pièce ! Quant au problème de leur destruction, s'il se posait de votre temps, il est, de nos jours, pratiquement résolu !

BRULURES

Vous êtes bien avisé de penser aux petits ennuis du cuisinier, mais vos lecteurs de 1965 le seront de ne pas suivre vos conseils à la lettre.

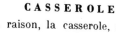

CABILLAUD

Vos statisticiens ne manquaient pas d'imagination! Heureusement, la Providence modère l'éclosion des œufs de cabillaud mais la perspective d'aller à New York en marchant sur leur dos est bien séduisante!

CACAO

Au chapitre « Torréfaction » vous nous dites une chose étonnante : « Vous écossez des amandes de cacao, vous en mettez environ 50 centimètres d'épaisseur dans une poêle en fer... » Que voilà une belle poêle! Heureusement pour nous, cette opération est maintenant réservée à l'industrie.

CAILLES

Vous fûtes bien heureux, cher Maître, de connaître encore les cailles dans leur splendeur naturelle alors que, de plus en plus, nous ne trouvons que les produits d'un banal élevage.

CAKE

Vous étiez partisan d'une politique de grandeur, car la fabrication de votre gâteau ne nécessitait pas moins de 9 kilos de marchandise et un demi-litre d'eau-de-vie!

CALAPE

Ou de la tortue à la quenelle. Dites-moi, cher Maître, vous ne manquiez ni d'ingéniosité ni de possibilités, lors de vos croisières aventureuses.

CANARD

Vous dites : « On estime particulièrement la chair de l'estomac que l'on appelle vulgairement les aiguillettes. » Pour nous les aiguillettes sont fort distinguées et sont constituées par le filet de canard découpé en tranches minces.

CARAMEL

Permettez-moi une petite précision : le caramel ne peut être délayé qu'à l'eau très chaude, bien entendu.

CASSEROLE

Vous avez raison, la casserole, en France, est plus en honneur que partout ailleurs. Je crains cependant que vos considérations sur la cuisine européenne soient entachées d'un certain parti pris dont notre primauté n'a guère besoin.

CASSONADE

Vous dites qu'elle diffère du sucre en poudre « par son état pulvérulent et sa moins grande pureté ». Va pour la pureté, mais le reste semble bizarre.

CAVE

Votre liste des vins qui doivent garnir la cave d'un amphitryon me laisse aussi essoufflé qu'une chevauchée de mousquetaires. Seriez-vous moins connaisseur en vins qu'en mets et n'êtes-vous point victime du désir d'éblouir?

CAVIAR

Nous y reviendrons puisque vous en parlez de nouveau à la lettre K, mais quel bel esturgeon de cape et d'épée que ce monstre long de 20 mètres qui pesait 1 155 kilogrammes et dont on retira paradoxalement 3 030 kilogrammes d'œufs!

CÈPES

Vous n'avez pas eu de chance en les dégustant, car vous en parlez plus une fois séchés ou conservés que dans leur naturel. C'est un merveilleux champignon, un régal de gourmets que Curnonsky, Prince élu des gastronomes, surnommait « la viande végétale ».

CERVELAS

Les cèpes risquaient de mettre en péril vos amitiés bordelaises. Voilà maintenant que tous les gourmets lyonnais vont protester, à juste titre. Vous devez avoir eu maille à partir avec un mauvais charcutier.

CHARCUTERIE

Voilà un chapitre qui eût mérité un développement beaucoup plus long, mais je crois que le porc n'a pas toutes vos sympathies. Vous aimez le dire « immonde ». Je préfère Monselet, qui, dans un poème à lui dédié, ne craint pas de le qualifier « d'animal-roi, cher ange ».

CHEVAL

Vous aimiez tant le cheval que vous le dédaigniez en tant que nourriture. A propos, dans vos *Mémoires*, évoquant la force colossale du général votre père, vous dites que, suspendu à une poutre, il soulevait de terre sa monture en la serrant entre ses cuisses...

CHOU

Vous faites large part à des préventions injustifiées contre cet excellent légume, beaucoup plus riche que vous ne le dites — notamment en soufre — et qui fut l'une des bases de notre cuisine régionale.

COCHON

Entre *charcuterie* et *cochon*, vous avez dû changer de fournisseur. Vous oubliez l'animal immonde à la chair indigeste, générateur de trichine et autres babioles, pour chanter ses louanges. Vous avez raison.

COMPOTE

Le terme est maintenant réservé aux fruits, mais votre définition ne s'accorde pas à l'étymologie. Celle-ci nous enseigne qu'une compote est un mélange et, si la cuisson est très différente de celle de la confiture, il n'y a aucune raison pour que la forme du fruit soit préservée.

CONFITURE

Le seul geste de couvrir les pots de confiture avec un papier blanc trempé dans l'eau-de-vie ajoute encore au parfum du fruit le charme du souvenir.
De votre temps, les hommes ne rougissaient pas d'aimer les friandises. Le goût de la confiserie fut longtemps très vif en France et, dès 1711, un ouvrage de plus de cinq cents pages, intitulé *Nouvelle Instruction pour les Confitures, les liqueurs et les fruits*, donne une extraordinaire variété de recettes.

CONSERVES

Vous faites une large place à la conservation par dessication très en vogue de nos jours, mais vous ne semblez pas apprécier à sa juste valeur la méthode Appert qui devait cependant bouleverser nos habitudes alimentaires, l'agriculture et l'industrie. Quant au baron Liebig, bien que démocratisé, il perdure.

MARRONS GLACÉS

Une recette qu'il vaut mieux éviter pour ne pas connaître de mécomptes.

COQ

Voilà bien des louanges, cher Maître, pour un animal de belle prestance, mais stupide et cruel. Pensez qu'il est devenu notre emblème à la suite d'un jeu de mots, un peu dédaigneux, des Romains, car Gallus n'a jamais signifié Gaulois. Napoléon avait raison, qui lui préférait les aigles.

COULEURS

On a fait beaucoup mieux depuis, avec une audace qui a, heureusement, provoqué une législation rigoureuse.

CRÈME

Comment pouvez-vous dire de la crème qu'elle « est une espèce de peau dont on ne se sert guère comme aliment à cause de la grande quantité de beurre qu'elle contient »? Vous faites bon marché de merveilleuses sauces et de recettes parmi les plus célèbres de notre art culinaire.

CRÊPES

Ne confondons pas la pâte à frire et la pâte à crêpes, cette dernière étant plus riche et plus épaisse que la précédente.

CUISINE, CUISINIER, CUISINIÈRE

Me permettez-vous de penser, cher Maître, que votre étude sur les cuisines étrangères est assez sommaire. Heureusement, le pittoresque y trouve son compte. Quant à Vatel, il n'était pas cuisinier, mais plutôt intendant aux cuisines.

DINDON

Grimod de la Reynière, jeune homme, se fit préparer sept dindes pour lui seul, car il ne mangeait que le sot-l'y-laisse. Je pense que l'avantage d'une dinde est de pouvoir nourrir sept personnes, et que les préparations en salmis, daubes ou ballotines sont, de fort loin, les plus souhaitables; la recette que vous empruntez à monsieur de Courchamps me laisse rêveur : quatre livres de truffes pour un dindon. C'est un plat à garder dans un coffre-fort, surtout de nos jours.

DINER

Votre rappel nous est précieux, cher Maître, la conversation doit étinceler comme un rubis et s'enrichir au fur et à mesure que la gourmandise est satisfaite. Les plaisirs de la table sont inséparables de ceux de l'esprit et les sujets de conversation aimable n'ont jamais fait défaut, quelle que soit l'époque.

café se développe par l'eau glacée. Mais ce n'est pas à vous, buveur d'eau pendant cinquante ou soixante ans de votre vie (je vous cite) que l'on pourrait en remontrer.

EAU-DE-VIE

Comment se fait-il que vous oubliiez, dans vos éloges, les subtiles eaux-de-vie blanches ne provenant pas de la distillation du vin, mais de fruits, de plantes, et le calvados déjà fort prisé de votre temps?

ÉCREVISSES

Encore un privilège que nous vous envions. Les nôtres ne valent pas celles que vous avez connues.

ÉLÉPHANT

Quelle taille doit avoir la braisière que vous conseillez pour la cuisson de plusieurs pieds de jeunes éléphants?

ESCARGOTS

Les Romains les élevaient, nous dites-vous. Nous avons aussi des escargottières en Bourgogne. Mais quels « gros limaçons à coquille » préparez-vous « à la polonaise », coupés en gros dés?

EAU

C'est « notre petite sœur humble, chaste et précieuse » dit saint François d'Assise. Vous avez raison, cher Maître, le buveur d'eau peut avoir le goût aussi fin que l'amateur de vin. Mais de quel délicat plaisir est-il privé!
Autrefois, dites-vous, Paris tout entier se désaltérait au fleuve. Voilà une chose que nous avons peine à imaginer. Les citadins doivent avoir recours aux eaux minérales et le plaisir que vous avez connu nous est refusé. A table, je pense que l'eau a sa place. Un verre d'eau judicieusement bu permet de mieux apprécier les vins qui suivent, tout comme l'arôme du

FAISAN

Me permettez-vous d'ajouter deux conseils aux vôtres? D'abord, il faut veiller, quand on les fait rôtir, à ne les garnir que de bardes de lard extrêmement fines. Ensuite, pour pallier la sécheresse éventuelle de la chair, on peut glisser à l'intérieur deux petits suisses.

FOIE GRAS

C'est Clause, le cuisinier de monsieur de Contades, gouverneur d'Alsace, qui l'inventa. Mais vous semblez ignorer les foies gras d'autres provenances. Ce n'est pas porter ombrage aux foies gras alsaciens que de parler de ceux que l'on produit en Périgord, en Gascogne et dans le Languedoc. Une seule chose me semble importante : consommer le foie gras en premier plat et, surtout, sans l'accompagner d'une salade qui altère le goût du pâté et celui du vin.

FONDUE

Notre recette est différente, mais il reste conseillé de boire le moins possible en la mangeant.

FROMAGES

Avec votre permission, cher Maître, je dirai que vous semblez peu intéressé par ce chapitre fort important, cependant. Pourtant les quelque trois cent cinquante variétés dont nous nous enorgueillissons devaient exister, pour la plupart, de votre temps. Vous ne citez pas, à leur propos, Brillat-Savarin, qui écrivit pourtant : « Un repas sans fromage est une belle à qui il manque un œil. »

GOGUETTE

Si l'ancien mets populaire ainsi nommé a disparu, la locution a retrouvé, de nos jours, une vie nouvelle.

GRILLADES

Vous recommandez de choisir des tranches de viande bien minces. Les amateurs, maintenant, pensent tout à fait différemment et désirent des grillades épaisses, infiniment plus savoureuses.

HARENG

Il a nourri les Français, sous des formes diverses : frais, salé, séché, fumé, pendant plusieurs siècles, à tel point que le peuple fêtait une « Saint Harenc » reconnaissante. Même actuellement, sa popularité demeure grande et aucun gourmet ne rechigne devant un hareng à la moutarde, ni devant un « bouffi » à la peau de bronze doré.

HOMARD

Votre homard « demande » à être découpé vivant pout être préparé à l'américaine (ou, mieux, à l'armoricaine). Puis-je vous citer un quatrain qui vous eût amusé :

> Une Américaine était incertaine
> Sur la façon d'apprêter un homard
> Si l'on remettait la chose à plus tard
> Disait le homard, à l'Américaine...

HUITRES

Elles nourrirent nos ancêtres ainsi qu'en témoignent les amoncellements de coquilles découverts sur la côte vendéenne. Vous exprimiez des craintes en les voyant manquer, mais la situation s'est rétablie et les huîtres, rationnellement élevées, ne sont pas près de faire défaut aux amateurs, disciples de Vitellius et du général Junot, grands consommateurs devant Amphitrite. Pensez donc, à ce propos, qu'un citoyen de Melbourne réussit à en engloutir 40 douzaines durant une heure, en 1955.

KAVIAR

« Par sa propriété de disposer l'estomac à recevoir des aliments, le kaviar remplace le potage pour les amateurs », a dit Meyerbeer. Disons que, généralement, et même pour les amateurs, c'est le potage qui remplace le kaviar. Peut-être n'est-ce pas là qu'une simple question de goût...

LAMPROIE

Il semble que vos pas ne vous aient pas souvent conduit vers le sud-ouest. En effet, vous ne donnez pas l'une des plus classiques recettes de cette région : la Lamproie à la Bordelaise.

LANGOUSTE

Vous êtes bien sévère pour la langouste dont la chair semble plus fine encore que celle du homard.

LARD

Voilà que vous êtes de nouveau injuste envers le cochon et son lard, respectivement réputés « indigeste » et « encore plus malfaisant ». Quelle noire ingratitude !

LÉGUMES

Je vous prie de m'excuser, mais je ne comprends pas, cher Maître, en quoi les légumes sont vulgaires. A mon avis, bien apprêtés, seuls ou en garniture, ils sont un orgueil de la table. Quant à leurs qualités alimentaires, elles sont incontestables et maintenant reconnues. Vivent les légumes, Monsieur...

LIÈVRE

Laissez-moi rappeler que, pour utiliser le sang du lièvre (ou du lapin) dans un civet, il faut avoir la précaution de le battre avec un filet de vinaigre pour empêcher la coagulation.

MAIS

Depuis que votre ouvrage a été publié, le maïs est devenu une céréale de première importance. Cependant, tandis que vous écriviez, le maïs était aussi cultivé dans le sud-ouest et le millas, le millassou périgourdins ne datent pas d'hier, non plus que les soupes au maïs. Sans être des merveilles, ces recettes ont droit à considération.

MERLAN

Non, mon cher Maître, le meilleur merlan n'est pas pêché en Méditerranée, mais dans l'océan Atlantique, ce qui est également vrai pour la plupart des poissons, sauf les poissons de roche. En revanche, je souscris en tous points à l'éloge que vous en faites.

MOUTON

L'élevage s'est considérablement étendu et amplifié. Ma seule surprise est que vous ne mentionniez pas là les célèbres « prés salés » auxquels vous avez antérieurement fait allusion.

NAVETS

Puisque ces légumes vous ont conduit à parler des étranges fantaisies d'appellation, permettez-moi de vous dire qu'un siècle plus tard, nous pensons tout comme vous. Nous restons souvent pantois devant des titres effarants en nous demandant ce qu'ils peuvent bien cacher. Quoi qu'il en soit, nous poursuivrons cette réforme que vous cautionnez.

ŒUFS

Voyez-vous, cher Maître, nous n'avons plus les mêmes problèmes. Vous aviez de la difficulté à vous procurer des œufs en hiver. Nous les trouvons facilement, mais je gage que vous ne les aimeriez guère. Votre temps était heureux où les œufs étaient pondus par de vraies poules ! Nous hésitons parfois à classer le poulet parmi les volailles tant il en a perdu la saveur. Encore devons-nous être satisfaits quand il n'en possède pas une autre. Bref, je ne veux pas m'appesantir, mais plutôt dire qu'avec de bons œufs, il est possible de réaliser un plat simple et délicieux. C'est au docteur Bécart, grand gastronome, que je le dois : enfermez dans une boîte étanche, et pendant vingt-quatre heures, les œufs en coquille, et une truffe. Le parfum du « diamant noir » les pénètre et se révélera délicieusement quand les œufs seront cuits à la coque.

OIE

C'est effectivement une grande dispensatrice des plaisirs de la table. Jeune, elle est bonne rôtie. Sa graisse est succulente et, employée en doses légères, elle parfume soupes, ragoûts et légumes. De son foie généreux, nous avons parlé. Mais, cher Maître, vous ne dites rien des merveilleux confits, providence des festins gascons et languedociens.

OIGNON

La soupe à l'oignon fait partie de nos classiques. Votre recette est excellente, mais je ne vous suis pas en ce qui concerne le bouillon. S'il est léger et bien dégraissé, il donne à la soupe une qualité supérieure.

OURSINS

Vous paraissez les dédaigner un peu et vous comparez la saveur de leur chair à celle de l'écrevisse. Ce n'est déjà pas si mal, mais je pense que l'extrême finesse de goût de l'oursin n'a réellement besoin d'aucune comparaison.

PLUM-PUDDING

Vous le tenez en médiocre estime, et cela se comprend. Toutefois, vous citez le beurre parmi les parties essentielles, alors qu'il n'y figure pas en réalité, mais plutôt la graisse de rognon de bœuf.

POISSON

L'omble chevalier et le lavaret sont des poissons de lac que vous rangez, cher Maître, parmi les poissons de rivière. Mettons-nous d'accord sur un moyen terme, avec votre permission, et classons ces merveilles, difficilement transportables, parmi les poissons d'eau douce.

POMME DE TERRE

Savez-vous que pour assurer la vulgarisation de la pomme de terre, le roi Louis XVI en fit planter un jardin, surveillé par des gardes ? C'était là un stratagème destiné à susciter l'envie des Parisiens qui, effectivement, vinrent en dérober subrepticement. C'est donc d'un

larcin, bénin, que naquit la popularité de ce tubercule.

Quant aux feuilles séchées prônées par un membre du Collège de médecine de Stockholm, une expérience datant d'un peu plus de vingt ans nous a prouvé qu'elles ne pouvaient en aucun cas remplacer le tabac.

POULET

L'abondance des recettes que vous publiez montre l'estime dans laquelle vous le tenez. Elles sont un bel exemple de cette cuisine mitonnée qu'il nous faut bien préserver, même si notre poulet n'est plus ce qu'était le vôtre.

PROVENÇALE

Votre sauce ressemble à l'ailloli, mais ce n'est pas encore lui !

ROGNON

Croyez-vous réellement, cher Maître, que la saveur urineuse soit la raison première du choix d'un plat de rognons ? Vous plaisantiez certainement en écrivant cela, car ce mets est délicat, aussi bien quand on le réalise que lorsqu'on le déguste.

ROTI

Votre discussion sur les mérites comparés des viandes rôties et des viandes bouillies me semble un peu byzantine. Je crains que le mépris de Brillat-Savarin pour les bouillis ne vous influence trop et je parierais que votre goût personnel s'accommodait fort bien de tout ce qui était savoureux, quel que soit le mode de cuisson adopté.

RAGOUT

« C'est par les ragoûts que brillait l'ancienne cuisine française. » Votre imparfait laisse à penser que, déjà de votre temps, on en cuisinait moins. Cette tendance n'a fait que se confirmer et Curnonsky disait, il y a trente ans, que les derniers mijotaient dans les loges des concierges. Vos ragoûts sont distingués et ils exhalent souvent un délicat parfum de truffe, mais les modestes blanquettes, les simples mirotons, les haricots de mouton moins raffinés, peut-être, n'en sont pas moins succulents.

RAIE

Excusez-moi de ne pas partager votre avis quant à la mortification nécessaire de ce poisson. Il doit, au contraire, être d'une parfaite fraîcheur.

RAIFORT

Vous n'avez peut-être pas connu l'excellente sauce au raifort qui relève si bien des viandes bouillies et des potées.

SARDINE

La sardine, dites-vous, excite à boire et fait trouver le vin bon. Je ne le crois pas, à moins qu'elle fasse trouver bon le vin qui ne l'est pas ! Au surplus, boire beaucoup en mangeant des sardines ne doit pas faciliter la digestion.

SAUCISSE

Vous n'en parlez guère et, cependant, ce mets qui peut être quelconque ne manque pas de mérite lorsqu'il est confectionné par un bon charcutier et convenablement apprêté. La preuve en est que la saveur diffère nettement suivant la province dont elles proviennent. Tout comme le saucisson d'ailleurs.

SAUMON

Vous ne dites rien du saumon fumé qui est, cependant, l'un des mets les plus fins qui se puissent déguster.

TAPIOCA

La préparation a beaucoup évolué et le tapioca, nourrissant sous un petit volume, permet au cuisinier d'obtenir des veloutés fort agréables, sans crainte d'empoisonnement.

TRIPE

Vous auriez grandement tort, cher Maître, d'abandonner si facilement notre primauté en matière de tripes. Ce plat classique fait l'objet de variantes et d'accommodements que, certainement, vous n'avez pas connus. Sinon vous les jugeriez mieux.

TRUFFE

Ses origines sont demeurées aussi mystérieuses qu'elles l'étaient de votre temps. La truffe est encore un de ces pieds-de-nez que la nature fait à la science. Malheureusement, sa rareté va grandissant. Des savants hollandais ont tenté de réaliser une truffe de synthèse et ils n'y sont heureusement pas parvenus. Les gourmands l'aiment toujours autant et ils estiment que ses vertus gastronomiques sont beaucoup plus évidentes que ses qualités aphrodisiaques. Rien de changé sous le soleil, voyez-vous?

TRUITE

Il est à croire qu'elles se reproduisent moins vite que les pêcheurs. Elles seraient pratiquement passées à l'état de souvenir si une réglementation sévère n'était venue à leur secours. Le plus souvent, cher Maître, nous en sommes réduits aux truites d'élevage, pâles imitations des savoureux poissons que vous avez connus — et que nous connaissons encore, de temps en temps.

VEAU

Où l'on voit que la valeur n'attend pas le nombre des années. Le veau est une providence pour le cuisinier. Vous n'en donnez pas moins de cent quinze recettes, soit une bonne cinquantaine de plus que les ouvrages contemporains les mieux documentés. Grâces vous en soient rendues.

VINS

Le chapitre que vous consacrez aux vins, cher Maître, est remarquablement documenté et fort instructif. Il garde pour nous toute sa saveur — car vous contez admirablement — et une valeur d'anecdote en ce qui concerne les classements et les conseils techniques. Ce qui surprend, c'est que vous ne parliez pas de la préparation des vins et de leur service sur table. Vous donnez leur ordre de présentation en adoptant la loi très sage de la gamme ascendante et nous constatons ainsi qu'un repas de *moyenne importance* comportait en 1860 : un verre de xérès, de madère ou de marsala après le potage

le vin blanc sur le poisson ou les hors-d'œuvre

le vin de Bordeaux et à la suite le *vin de Bourgogne* ordinaire rouge
puis le coup du milieu
un second service du *meilleur vin rouge*

à l'entremets, *le vin fin*

et au dessert,
le *champagne*.
soit quelque six vins différents, sans compter les petites fantaisies.
Décidément, vous étiez admirables !
Mais, de vous à moi, vous aviez aussi le temps de l'être.

VINAIGRE

Il est à remarquer l'importance que vous lui accordez par rapport à celle que lui réservent les auteurs contemporains. Vous avez tout à fait raison, car le vinaigre courant, le nôtre, banalise tout ce qu'il devrait rehausser.

WELCH-RABBIT

Excusez-moi de terminer en cuistre, mais vous traduisez cette expression par lapin gallois, ce qui est juste, tandis que l'appellation anglaise est erronée. Il s'agit du *welsh-rarebit*, ou, si vous le voulez, du « morceau précieux » gallois que les Britanniques ont la fâcheuse coutume de servir en fin de repas, après les douceurs. Une sorte de croque-monsieur.

J. A.

MENUS

HUIT MENUS
DRESSÉS PAR M. DUGLÉRÉ
DU CAFÉ ANGLAIS

PRINTEMPS

**MENU
DE CINQ
COUVERTS**

Hors-d'œuvre.
Beurre, radis, anchois, huîtres marinées.
Potage printanier.
Petite truite à la meunière.
Côte de bœuf à la Conti.
Petits poulets nouveaux à la polonaise.
Salade de laitue garnie d'œufs.

Entremets.
Choux-fleurs au parmesan.
Charlotte de nouilles à la viennoise.
Dessert.

**MENU
DE QUINZE
COUVERTS**

Hors-d'œuvre.
Petits canapés, huîtres marinées, anchois, olives farcies.

Deux potages.
A la régence.
A la Bagration.

Deux grosses pièces.
Carpe farcie à la Chambord.
Aloyau à la Sunderland.

Quatre entrées.
Suprême aux petits pois nouveaux.
Filet de caneton bigarade.
Croustade à la polonaise.
Homards à la royale.
Punch romain.
Sorbets à l'espagnole.

Rôts.
Poulardes flanquées d'ortolans.
Pintades d'Amérique, piquées.
Deux salades.

Entremets.
Asperges en branches.
Fonds d'artichauts garnis de macédoine.
Pudding à la d'Orléans.
Timbale à la Fontange.

Deux pièces de pâtisserie.
Biscuit glacé en surprise.
Meringue à la Sardanapale.
Dessert.
(On peut servir ce dîner à la russe.)

ÉTÉ

**MENU
DE SIX
COUVERTS**

Hors-d'œuvre.
Beurre, radis, olives, anchois, melons.
Potage à la Germiny.
Filet de maquereau à la dieppoise.
Longe de veau glacée, garnie à la jardinière.

Escalope de lapereau au sang.
Dindonneaux nouveaux.
Salade romaine.
Écrevisses à la bordelaise.
Napolitain garni de crème de cerneaux.
Dessert.

MENU DE QUINZE A VINGT COUVERTS

Hors-d'œuvre.

Melon, saumon fumé, canapé, beurre.

Deux potages.

A la Demidoff.
A la princesse.

Deux hors-d'œuvre chauds.

Soufflés à la reine.
Bâton de Charles VII.

Deux grosses pièces.

Tortue à la Victoria.
Agneau du Gard, garni de croustades Soubise.

Quatre entrées.

Filet de poularde à la maréchale.
Filet de lapereau à la Conti.
Laitance de carpe suprême aux truffes.
Salade à la Bagration.
Sorbet au marasquin.
Granit au champagne.

Rôts.

Chapons du Maine.
Pluvier et guignard sur canapé.
Deux salades.

Entremets.

Asperges en branches.
Petits pois à l'anglaise.
Timbale de fraises au champagne.
Pain de pomme à la Pompadour.

Deux pièces de pâtisserie.

Gâteau vénitien aux avelines.
Sultane à la crème d'ananas.
Dessert.
(Ce dîner peut se servir à la russe.)

AUTOMNE

MENU DE SIX COUVERTS

Hors-d'œuvre.

Melons d'Espagne, huîtres d'Ostende, saumon fumé, caviar.

Deux potages.

A la princesse.
Au nid d'hirondelles.

Deux grosses pièces.

Coquilles de homard.
Rissolée à l'italienne.
Turbot garni de laitance de carpe.
Trompe d'éléphant, garnie d'holothuries et de squales de requin à la Hong-kong.

Quatre entrées.

Filets de perdreaux, purée de gibier.

Cailles à la bohémienne.
Escalopes de foie gras aux truffes.
Darne de saumon belle vue.
Sorbet au rhum.
Punch à la romaine.

Deux rôtis.

Black-coq et gross.
Bécasses flanquées d'ortolans.
Deux salades.

Entremets.

Cardons à la moelle.
Fonds d'artichauts aux queues d'écrevisses.
Pudding à la Victoria.
Croustades à la Fontange.

Deux pièces de pâtisserie.

Gâteaux feuilletés à la Chantilly.
Croquenbouche praliné.
Dessert.
(Ce dîner peut se servir à la russe.)

MENU DE QUINZE A VINGT COUVERTS

Hors-d'œuvre.

Beurre, radis, royans, harengs marinés.
Potage à la milanaise.
Barbue à la portugaise.
Quartier de mouton à la Cradock, purée bretonne.
Bécasses sur canapé.
Salade russe.
Ravioli à la milanaise.
Pudding à la Nesselrode.
Dessert.

HIVER

MENU DE SIX COUVERTS

Hors-d'œuvre.

Canapé, pantarde, huîtres marinées, caviars, langue de buffle.

Deux potages.

De tortue.
Au grand veneur.

Deux hors-d'œuvre chauds.

Petit pâté à la Monglas.
Friture italienne.

Deux grosses pièces.

Esserlet garni d'ogourcies à la Dolgo-
rowsky.
Dindonneau truffé à la Périgueux.

Quatre entrées.

Filets de bécasses à la Moncey.
Filet de poularde à la Mazarine.
Croustade garnie de mauviettes.
Pain de foie gras à la gelée en cerise.
Sorbet marasquin.
Punch glacé.

Deux rôtis.

Faisan de Bohême flanqué d'ortolans.

Chevreuil sauce Corinthe.
Deux salades.

Entremets.

Asperges en branches.
Truffes serviettes.
Plum-pudding à la Northumberland.
Charlotte de pommes glacées à la polo-
naise.

Deux pièces de pâtisserie.

Génoise aux abricots.
Nougat parisien à la Chantilly.
Dessert.
(Ce diner peut se servir à la russe.)

MENU
DE QUINZE
A VINGT
COUVERTS

Hors-d'œuvre.

Caviars du Volga, pantarde, saucisson.
Potage à la Condé.
Laitance de hareng en caisse.
Côtelette de mouton à la provençale.
Poularde truffée à la Périgueux.
Salade de pommes de terre et haricots.

Entremets.

Choux de Bruxelles garnis de marrons
glacés.
Poulinte à la milanaise.
Biscuit glacé praliné.
Dessert.

SEPT MENUS

DRESSÉS PAR M. VERDIER,
DE LA MAISON-DORÉE

MENU
D'UN DINER
DE QUINZE
PERSONNES

OFFERT PAR M. ALEXANDRE DUMAS,
EN LA MAISON-DORÉE,
LE 10 NOVEMBRE.

Deux potages.

Consommé de volaille.
Tortue.

Hors-d'œuvre.

Petites timbales de nouilles au chasseur.

Deux relevés.

Saumon Chambord.
Filets de bœuf financière.

Deux entrées.

Mauviettes en caisse aux truffes.
Suprême de volaille.

Rôtis.

Cailles, perdrix, ortolans.
Haricots verts sautés.
Gelée noyaux, garnie d'abricots.

Dessert.

Fruits de saison.

Vins.

Premier service : Saint-Julien et Madère.
Deuxième service : Château-Larose, Cor-
ton, Clos-du-Roi.
Troisième service : Champagne, Cliquot,
Château-Yquem.

MENU
D'UN DINER
DE DOUZE
COUVERTS

OFFERT PAR M. ALEXANDRE DUMAS,
EN LA MAISON-DORÉE,
LE 15 JANVIER.

Huîtres ostendes et maroines.

Deux potages.

Croûte au pot.
Bisque.

Un relevé.

Turbot, sauce crevette, garni d'éperlans
frits.

Deux entrées.

Culotte de bœuf au Madère.
Filets de canard sauvage purée de gibier.

Deux rôtis.

Dinde truffée.
Bécasse des Ardennes.

Entremets.

Asperges en branches.
Biscuit glacé.

Dessert.

Fruits de saison.

MENU
D'UN DINER
15 AVRIL.

Deux potages.

Printanier aux œufs pochés.
Saint-Germain.

Un relevé.

Truite saumonée genevoise.

Quatre entrées.

Côtelettes d'agneau pointes d'asperges.
Ris de veau petits pois.
Poulet sauté bordelaise.
Mayonnaise de homard.

Rôti.

Caneton de Rouen.

Quatre entremets.

Asperges en branches.
Haricots verts nouveaux.
Plombière dans une croustade.
Gelée d'ananas.

Dessert.

Fruits de saison.

Vins rouges.

Bordeaux et Bourgogne.

Vins blancs.

Clos Saint-Robert (Poncet Deville) et
Champagne Saint-Marceaux.

MENU
D'UN DINER
DE VINGT-QUATRE
COUVERTS
15 JUILLET.

Deux potages.

Consommé à la Royale.
Bisque d'écrevisses.

Quatre hors-d'œuvre.

Bouchées à la Monglas.

Deux relevés.

Saumon à l'anglaise sauce hollandaise.
Roastbeef à la Saint-Florentin.

Deux flans.

Timbale à la milanaise.
Noix de veau jardinière.

Quatre entrées.

Côtelettes de mouton braisées purée
    marrons.
Homard sauté bordelaise.
Chartreuse de cailles.
Galantine de volaille.

Deux rôtis.

Dindonneau et ortolans.
Buisson d'écrevisses.

Quatre entremets.

Petits pois à la française.
Haricots verts sautés.
Bavaroise d'amandes glacées.
Gelée d'or garnie de fraises.

Dessert.

Fruits de saison.

MENU
D'UN SOUPER
DE DIX
COUVERTS

Dix assiettes d'huîtres et citron.
Consommés aux œufs pochés.
Beurre, anchois, crevettes.
Filets sole anglaise.
Côtelette d'agneau pointes d'asperges.
Poularde truffée.
Salade de légumes.
Glace au café.
Compotes mandarines.
Corbeille de fruits.

MENU
D'UN SOUPER
DE DOUZE
COUVERTS

Huîtres de Marennes, citron.

Hors-d'œuvre.

Beurre, thon, crevettes.

Entrées.

Grenadin de filets bœuf Madère.
Filets poularde, truffes.

Pièce froide.

Galantine de perdreaux gelée.

Entremets.

Asperges en branches.
Pommes au marasquin.
Dessert de saison.

MENU
D'UN DÉJEUNER
DE CHASSEUR

Bœuf en daube à la gelée.
Fricassée de poulet froide.
Terrine de cailles et bécassines.
Salade de légumes.
Brioche.
Fruits.

Vin

Chablis, Bordeaux, Champagne Cliquot.

SIX MENUS
DRESSÉS PAR M. MAGNY,
RESTAURATEUR

MENU
D'UN DÉJEUNER
DE DEUX
COUVERTS

Huîtres d'Ostende.
Beurre.
Deux côtelettes de pré-salé, purée de
  marrons.
Sole au vin blanc.
Deux cailles rôties.
Écrevisses à la bordelaise.
Fruits assortis.
Café et liqueur.
Vins de Chablis-Moutonne, Corton, demi-
  Rœderer.

MENU
D'UN DINER
DE QUATRE
COUVERTS

Huîtres de Marennes.
Beurre et crevettes.
Potage à la bisque d'écrevisses.
Truite, sauce à la hollandaise.
Filets à la Rossini.
Bécasse flanquée d'ortolans.
Cardons à la moelle.
Parfait au café.
Corbeille de fruits.
Café et liqueurs.
Vins de Sauternes, Sur, Salme, Léoville
Las-Cases, Richebourg, Cliquot frappé.

MENU

Potage.

Parmentier.

Poisson.

Filets de sole vénitienne.
Poulet à la chasseur.
Côtelettes d'agneau aux pointes d'as-
  perges.
Bécasses flanquées de mauviettes.
Haricots verts maître d'hôtel.
Cèpes à la bordelaise.
Gâteau de Compiègne au kirsch.
Crème bavaroise au chocolat.
Ramequins au fromage.
Glace à l'orange.

MENU

Potage.

Faubonne aux quenelles.

Poisson.

Filets de sole à la dieppoise.

Entrées.

Crépinettes de gibier à la Custine.
Côtelettes d'agneau aux concombres.

Relevé.

Selle de mouton duchesse.

Rôt.

Dindonneau au cresson.

Entremets.

Asperges à la hollandaise.
Abricots à la Bourdaloue.
Gelée macédoine au champagne.

Relevé.

Pailles à la Sifton.
Biscuit glacé aux avelines.

MENU

Potage.

Vermicelle au consommé.

Poisson

Sole à la Colbert.
Pieds de mouton à la poulette.
Poulet de grain rôti.
Choux de Bruxelles au beurre.
Beignets de pommes.
Mendiants.
Fromage.

MENU

Potage.

Tortue liée à l'anglaise.
Printanier à la royale.

Poissons.

Filets de Saumon à la Daumont.
Turbot sauce homard et hollandaise.

Entrées.

Friantines à la Talleyrand.
Cailles à la bohémienne.
Côtelettes d'agneau à la Maintenon.

Relevés.

Filet de bœuf à la Richelieu.
Poulardes à l'africaine.

Rôtis.

Levrauts.
Canetons.

Entremets.

Pois à la française.
Artichauts espagnols.
Soufflé mousseline à la viennoise.
Pains de fruits moscovite.

Relevés.

Talmouses au fromage.
Bombe à la cardinal.

DRESSÉS PAR M. VUILLEMOT,
DE LA TÊTE-NOIRE *(SAINT-CLOUD)*

PRINTEMPS

DINER
DE HUIT
COUVERTS

(MENU DE SURPRISE POUR HUIT PERSONNES,
QUATRE SURVENUES INOPINÉMENT).

Potage croûte au pot.

Hors-d'œuvre.

Radis, beurre, sardines.
Bœuf garni de carottes nouvelles.
Rognons glacés.
Tourte au godiveau à l'ancienne.
Pigeons de volière à la broche.
Friture de goujons.
Salade de laitues aux œufs.

Dessert.

Brioche (milieu), fromage crème, fraises
ananas (de serre), nouveautés, mendiants, pommes de calville.

Vins.

Madère, Bordeaux, Saint-Émilion, Volnay, Champagne, Pommery et Greno.
Café, cognac, fine champagne, liqueurs.

DÉJEUNER
DE HUIT
COUVERTS

Hors-d'œuvre.

Radis, beurre, huîtres d'Ostende, canapés
d'anchois.
Matelote marinière, carpe et anguille.
Côtelettes de mouton panées, sauce
piquante.
Poulet nouveau rôti, cresson.
Salsifis frits.
Salade chicorée sauvage.

Dessert.

Profiteroles au chocolat, fromage roquefort, poires Saint-Germain, mendiants,
biscuits de Reims.

Vins.

Chablis, Saint-Émilion, Chambertin.
Café et liqueurs.

DINER
DE DOUZE
COUVERTS

(MENU DE SURPRISE)

Potage tapioca.
Hors-d'œuvre divers.

Relevés.

Saumon à la hollandaise.
Pommes de terre nature.
Aloyau braisé glacé.
Laitues à la printanière.

Entrée.

Pieds de veau à la Custine.

Rôts.

Poulets bordés au cresson.
Salade de romaine.

Entremets.

Choux-fleurs au parmesan.
Charlotte russe glacée.

Desserts.

Nougat, fromage de Brie, petits-fours,
salade d'oranges, marrons rôtis au
cognac.

Vins.

Sainte-Estèphe, Xérès, Pommard, Champagne : Moët frappé.
Café, cognac, fine champagne, curaçao de Hollande, chartreuse.

DÉJEUNER
DE DOUZE
COUVERTS

Hors-d'œuvre.

Beurre, radis, crevettes, olives.
Homard à l'américaine.
Rognons de mouton sauté, vin de Cham-
pagne.
Canetons de Rouen aux croûtes.
Asperges en branches à la sauce.
Salade de romaine.
Madeleine glacée.

Dessert.

Gâteau de Compiègne, fromage à la
crème, fraises, amandes vertes, petits-
fours.

Vins.

Sauternes, Fleury-Mâcon, Château-Léoville, Cliquot rafraîchi.
Café, fine champagne, crème de moka,
kirschwasser.

DINER
DE QUARANTE
COUVERTS

Hors-d'œuvre.

Radis, canapés d'anchois, crevettes, olives,
thon mariné.

Potages.

Bisque d'écrevisses tapioca.

Hors-d'œuvre variés.

Bouquets de crevettes.

Relevés.

Truite saumonée sauce génoise.
Turbot à la hollandaise.
Filet de bœuf à la régence.
Quartier de chevreuil sauce poivrade.

Entrées.

Bouchées à la reine.
Épigrammes d'agneaux aux pointes d'asperges.
Perdreaux à la Périgueux.
Aspic de homard, écrevisses Vuillemot.

Rôts.

Sorbets au marasquin, sorbets au kirsch.
Poulardes aux truffes.
Faisans de Bohême bardés.
Salade de romaine, salade de laitues.

Entremets.

Petits pois à la française, haricots verts à l'anglaise, turban d'ananas, gelée à la russe.

Pièces de pâtisserie.

Mille-feuilles, baba, parfait glacé, bombe pistache.

Dessert.

Corbeille de fruits, fromages, pâtisseries diverses.

Vins.

Madère, Saint-Julien, Château-Yquem, Château-Margaux, Chambertin Rœderer frappé.
Café, fine champagne et liqueurs diverses.

ÉTÉ

DÉJEUNER DE VINGT COUVERTS

Huîtres de Marennes.

Hors-d'œuvre divers.

Crevettes, melon cantaloup.

Relevés.

Pâtés à la Monglas.
Soles normandes.

Entrées.

Poulets Marengo.
Côtelettes d'agneaux pointes d'asperges.

Rôts.

Rognon de veau rôti.
Éperlans frits.
Salade de chicorée.

Entremets.

Artichauts lyonnaise.
Haricots panachés.
Madeleine.

Desserts.

Corbeilles de fruits, flans de cerises, fromage, pâtisserie, petits-fours.

Vins.

Malvoisie, Moulin-à-Vent, haut Sauterne, Château-Latour, Champagne rafraîchi.
Café, fine champagne, anisette Marie Brizard, rhum Jamaïque.

DINER DE VINGT COUVERTS

Hors-d'œuvre divers. Melons.

Potages.

Julienne, vermicelle.

Relevés.

Truites en barils, sauce Chambord.
Selle de mouton rôti aux oignons glacés.

Entrées.

Canetons à l'orange.
Ris de veau glacés chicorée.
Sorbets au rhum.

Rôts.

Poulets gras rôtis, cresson.
Mayonnaise de homard.

Entremets.

Haricots verts à la crème.
Laitues au jus.
Plum-pudding diplomate.

Dessert.

Fromages, fruits assortis et pâtisseries.

Vins.

Malaga, Musigny, Beaune première, Champagne, Moët frappé.
Café, cognac, fine champagne, crème de noyau, genièvre de Hollande.

DÉJEUNER DE CHASSE DE VINGT COUVERTS

Hors-d'œuvre.

Melon.
Pâté de volaille et jambon.
Civet de lièvre à la minute.
Sauté de lapereaux à la chasseur.
Gigot de pré-salé à la bretonne.
Salade.
Crème à la paysanne.

Dessert.

Galette de plomb, fromage, fruits et petits-fours.

Vins.

Chablis, Fleury, tisane champagne.
Café, cognac, fine champagne.

DINER
DE CHASSE
DE VINGT
COUVERTS

Potage à la paysanne.
Hors-d'œuvre divers.

Relevé.

Barbue fines herbes.
Quartier de chevreuil poivrade.
Filets de lapereaux bigarrés aux truffes en caisse.
Cailles à la Maintenon.

Rôts.

Faisans, râles de genêts et grives.

Entremets.

Petits pois, artichauts frits, crème vanille, flan d'abricots.
Salade.

Dessert.

Gâteau à la Saint-Hubert, jattes de fruits, fromage de Roquefort et fromage à la crème, petits-fours.

Vins.

Thorins, Madère, Saint-Émilion, Chambertin, Champagne frappé.

Café, liqueurs.

DINER
DE CENT
COUVERTS

Vingt-quatre hors-d'œuvre divers.

Melons cantaloups, radis, beurre, canapés d'anchois, olives, thon mariné.

Quatre potages.

Potage Colbert.
Sagon au blond de veau.
Bisque d'écrevisses.
Potage Vuillemot.

Quatre relevés de potage.

Saumon hollandaise et génoise.
Jambon d'York aux épinards.
Casserole aux ris à la polonaise.
Filet de bœuf Richelieu.

Seize entrées.

Deux de bouchées à la reine.
Deux de salmis de perdreaux truffés.
Deux de filets de sole mayonnaise.
Deux d'aspics de filets de volailles.
Deux de cervelles frites, sauce tomate.
Deux de ris de veau à la Monglas.
Deux de bastions d'anguilles.
Deux de chaudfroids de canetons.

Quatre rôts chauds et quatre relevés froids.

Rôts à la Véron (faisans, cailles, bécassine).

Cuissons de coquillages.
Quartiers de chevreuil, sauce poivrade et gelée de groseilles.
Galantines de volaille aux truffes croûtonnées de gelée.
Sorbets au rhum.
Sorbets au kirsch.

Seize entremets.

Deux de petits pois à la française.
Deux d'artichauts à la lyonnaise.
Deux de chartreuses de fruits.
Deux d'abricots à la Condé.
Deux de haricots verts, maître d'hôtel.
Deux de cardons à la moelle.
Deux de blanc-manger au cédrat.
Deux de pudding de cabinet.
Madeleine glacée.
Corne d'abondance.
Corbeille de fruits.
Panaché Chateaubriand.
Baba.

Fromages.

Rocquefort, Brie.

Dessert.

Quarante assiettes assorties.
Fruits confits, pâtisseries, petits-fours, fruits secs, marrons.

Vins.

Madère, Saint-Émilion, Volnay, Malaga, Château-Léoville, Chambertin, Champagne : Moët frappé.
Café, cognac, fine champagne, liqueurs diverses.

HUIT MENUS
DRESSÉS PAR M. BRÉBANT

PRINTEMPS

**DINER
DE HUIT
COUVERTS**

Potage printanier.

Hors-d'œuvre.

Radis, beurre, sardines fraîches.
Petits merlans à la Bercy.
Côtelettes d'agneau aux pommes de terre
  nouvelles sautées au beurre.
Poulets de grains nouveaux rôtis au
  cresson.
Œufs mollets à la purée d'oseille.
Écrevisses en battelettes.
Fromage à la Chantilly.
Dessert.
Fraises (primeur).

**DINER
DE DOUZE
COUVERTS**

Potages.

A la pluche.
A la Saint-Cloud.
Petites andouillettes au céleri.
Grenadins d'esturgeon à l'oseille nou-
  velle.
Côtelettes d'agneau jardinière.
Poulets nouveaux à la mariée.
Paupiettes de veau au vin de Cham-
  pagne.
Sorbets au kirsch.
Pigeons rôtis bordés cresson.
Éperlans frits.
Salade de romaine.
Pois nouveaux à la bonne femme.
Haricots verts nouveaux, maître d'hôtel.
Petites tartes aux cerises.
Bombe aux fraises.
Savarin.
Dessert.

**DINER
DE QUINZE
COUVERTS**

Potages.

A la Fombonne.
A la Madelonnette.

Hors-d'œuvre.

Crevettes, radis, raves, olives.
Soles en hâtereaux.
Côtelettes de mouton à l'amoureuse.
Poulets à la villageoise.
Sorbets au kirsch.
Cailles bardées rôties.
Salade de chicorée sauvage.
Asperges en branches (primeur).
Œufs à la princesse.
Petits biscuits glacés à la poire de cras-
  sane.
Dessert.

HIVER

**DINER
DE DOUZE
COUVERTS**

Potage

Croûtes aux morilles.
Macreuses aux écrevisses.
Petites truites de rivière à la gendarme.
Culotte de bœuf à la Gascogne.
Ris de veau à la Darmagnac.
Langues de mouton en surprise.
Poularde à la favorite.
Sorbets au marasquin.

Coq de bruyère rôti flanqué d'ortolans.
Terrine de bécasses aux truffes.
Salade de scaroles.
Choux de Bruxelles rissolés.
Fonds d'artichauts à l'italienne.
Brioche mousseline.
Parfait au café.
Dessert.

**DINER
DE QUINZE
COUVERTS**

Potages.

A la Conti.
A la dauphine.

Hors-d'œuvre.

Cervelas à la Mazarine.
Bouchées aux crevettes.
Carpe du Rhin à la Lireux.
Gigot de mouton de sept heures.

Poulets à la cavalière.
Sorbets.
Perdreaux rouges aux truffes.
Terrine à la flamande.
Salade de barbe de capucin.
Ravioles à la génoise.
Épinards nouveaux à la Bertault.
Fondus en caisse à l'orange.
Glacé Ceylan.
Dessert.

DINER
DE QUINZE
OU VINGT COUVERTS

Huîtres impériales.
Huîtres armoricaines.
Potage Saint-Hubert.
Potage à la marquise.
Turbot à la hollandaise.
Quartier de chevreuil, sauce venaison.
Canetons à la romaine.

Cailles sous la cendre.
Punch glacé.
Deux rôts : un chaud, un froid.
Bécasses et bartavelles.
Cochon de lait au père Douillet.
Laitues braisées à l'espagnole.
Pois à la française.
Glace Victoria.
Pains de La Mecque.

Dessert

Fruits, raisins, poires, grenades, oranges mandarines.

DÉJEUNER
DE DIX
COUVERTS

Boudins de fraise de veau.
Queues de mouton Sainte-Menehould.
Choux farcis à l'ancienne.
Oie à la carmagnole.

Salade mâches, betterave.
Œufs à la bourguignonne.
Mousse de chocolat.
Fromage de Brie.
Pommes de reinettes grises.

DÉJEUNER
DE DOUZE
COUVERTS

Huîtres de Marennes.
Beurre, sardines.
Petites soles en matelote caennaise.
Langues d'agneau grillées, purée de pois.
Œufs en poupetons au parmesan.
Charbonnées à la bonne femme.
Pâté de perdreaux (Chartres).
Salade de légumes.
Beignets de pommes.
Dessert.
Confitures d'abricots.

HUIT MENUS DRESSÉS
PAR LA MAISON POTEL ET CHABOT
GRENET et L'HERMITTE

PRINTEMPS

MENU
D'UN DINER
DE DIX-HUIT
COUVERTS

SERVI LE 18 AVRIL 1869
CHEZ S.A. LE PRINCE CANTACUZÈNE.

Potage.

Consommé aux quenelles printanières.
Melons glacés.

Relevé.

Truite du lac à la Chambord.

Entrées.

Filet de bœuf à la bouquetière.

Suprême de poulardes aux truffes.
Côtelettes de cailles à la Pompadour.
Petits aspics de homards ravigote.
Punch à la romaine.

Rôts.

Poulets nouveaux truffés, sauce Périgueux.
Timbale de foies gras au Madère.

Entremets.

Salades à la russe.
Aubergines farcies.
Mazarines à l'ananas.
Charlotte parisienne aux pistaches.
Gâteau des Iles.
Alhambra glacé.
Dessert.

MENU
D'UN DINER
DE VINGT-QUATRE
COUVERTS

SERVI LE 24 MARS 1863
CHEZ M. LE BARON D'EICHSTAL.

Potages.

Vaudémont.
Consommé aux œufs de vanneau.

Hors-d'œuvre.

Croustades aux crevettes.

Relevés.

Truites de rivière à la bordelaise.
Filet de bœuf aux truffes.

Entrées.

Filets de canetons aux concombres.
Suprême de bécasses à la braconnière.
Caisse de ris d'agneaux aux pointes
    d'asperges.
Chaudfroids de foies gras à la gelée.

Rôts.

Poulardes de la Bresse rôties.
Buisson de crustacés régence.

Entremets.

Asperges en branches.
Petits pois nouveaux à l'anglaise.
Beignets d'ananas à la duchesse.
Gelée californienne.
Dessert.

ÉTÉ

MENU D'UN DINER DE SEIZE COUVERTS

SERVI LE 10 JUILLET 1867
CHEZ LE COMTE RECHAÏD-DADHAD.

Potages.

Renaissance, Brunoise.

Hors-d'œuvre.

Duchesses de volaille à la crème.
Bouchées à la Toulouse.

Relevé.

Saumon du Rhin à la hollandaise.

Entrées.

Filet de bœuf à la Richelieu.
Timbales de homards à l'indienne.
Jambon de Virginie au Xérès.
Aspics de cailles financière.
Sorbets au cliquot.

Rôts.

Canetons de Rouen rôtis.

Entremets.

Asperges en branches.
Niokys aux truffes.
Suprême d'abricots au madère.
Crèmes diplomatiques au marasquin.
Gâteau ambroisie.
Nélusko glacé.
Dessert.

—o o<·>o o—

MENU D'UN DINER DE VINGT COUVERTS

SERVI LE 12 AOUT 1865
CHEZ Mme LA DUCHESSE DE RIARIO-SFORZA,
A PASSY.

Potages.

Lucullus, milanaise.

Hors-d'œuvre.

Caisses d'éperlans au beurre d'écrevisses.
Cromesquis de foies gras.

Relevés.

Turbot sauces crème et portugaise.
Selle de présalé à la jardinière.

Entrées.

Côtelettes de volaille Agnès Sorel.
Épigrammes d'agneau aux petits pois.
Timbales d'écrevisses à la bordelaise.
Chaudfroids de mauviettes.
Punchs rosés.

Rôts.

Chapons du Mans rôtis.
Jambon de Westphalie à la gelée.

Entremets.

Salades parisiennes aux truffes.
Haricots panachés.
Pêches à la Bourdaloue.
Cardinal d'ananas au champagne.
Gâteau valaisien.
Spoum glacé.

AUTOMNE

MENU D'UN DINER DE QUARANTE COUVERTS

Potages.

Bisque d'écrevisses.
Printanier aux œufs.

Hors-d'œuvre.

Croquettes de volaille à la crème.
Croustade de nouilles aux truffes.

Relevés.

Saumon sauces hollandaise et génevoise.
Quartier de chevreuil à la Saint-Hubert.

Entrées.

Poulardes à l'écossaise.
Quenelles de perdreaux en surprise.
Timbales de crevettes à la dieppoise.
Chaudfroids d'alouettes à la florentine.
Sorbets aux mandarines.
Punch à l'italienne.

Rôts.

Faisans de Bohême rôtis.
Pâtés de foies gras de Strasbourg.

Entremets.

Salades vénitiennes.
Fonds d'artichauts glacés.
Puddings soufflés à l'orange.
Pains de framboises à la Victoria.
Gâteaux des îles.
Prophète et parfait glacés.

MENU
D'UN DINER
DE SEIZE COUVERTS

Potages.

Tortue à l'anglaise.
Consommé aux profiteroles.

Relevé.

Barbue sauce vénitienne.

Filet de bœuf à la hussarde.

Entrées.

Suprême de volailles aux pointes d'asperges.
Petites timbales de gibier aux truffes.
Caisses de homards au beurre d'écrevisses.
Chaudfroids de foies gras.
Sorbets à l'italienne.

Rôts.

Chevreuil sauce groseille.
Faisans et perdreaux rôtis.

Entremets.

Haricots verts nouveaux.
Cèpes à la bordelaise.
Crèmes de patates au malaga.
Suédoise de pommes à l'anisette.
Dessert.

HIVER

MENU
D'UN DINER
DE VINGT COUVERTS

SERVI LE 20 FÉVRIER 1865
CHEZ LE DOCTEUR JOBERT DE LAMBALLE.

Potages.

Croûtes au pot.
Purée de perdreaux à la Beaufort.

Hors-d'œuvre.

Crépinettes de gibier.
Petits vol-au-vent à la Monglas.

Relevés.

Carpe du Rhin à la Chambord.
Dinde truffée à la périgourdine.

Entrées.

Filets de perdreaux à la Richelieu.
Gâteaux de volaille à la Tourville.
Noisettes de chevreuil aux truffes.
Salade de homards à la Bagration.
Punch rosé.

Rôts.

Poulardes truffées.
Pâtés de foie gras.

Entremets.

Cardons à la moelle.
Truffes au vin de Champagne.
Petites timbales Sans-souci.
Brioche mousseline à la d'Orléans.

MENU
D'UN DINER DE
TRENTE-DEUX COUVERTS

SERVI LE 19 JANVIER 1864.

Potages.

Printanier à la royale.
Viennoise.

Hors-d'œuvre.

Petites bouchées à la Cancale.

Caisses à la marquise.

Relevés.

Turbots à l'amirale.
Selles de venaison à l'anglaise.

Entrées.

Poulardes à la Rozolio.
Filets de bécasses à la Favorite.
Quenelles de rouget au velouté.
Chaudfroids d'alouettes.

Extra.

Punch à l'ananas.

Rôts.

Faisans truffés sauce Périgueux.
Chapons rôtis au cresson.

Entremets.

Salade suédoise.
Asperges en branches.
Petits soufflés aux mandarines.
Gâteau Marie-Louise.
Dessert.

Cette édition
du
Grand Dictionnaire de Cuisine
d'Alexandre Dumas
a été réalisée d'après les maquettes
d'Alain Meylan,
pour le compte de la Société Anagramme, éditeurs.
L'illustration a été réunie par
Denis Roche.